Dictionary of
OLD TESTAMENT WORDS
for
ENGLISH READERS

HOW TO USE THIS BOOK

EVERY word in the Old Testament is in this Book, alphabetically arranged. Under each word are the several texts in which that word occurs; and also a heading, showing the Hebrew word or words thus rendered in the English version.

For example, under the word Abide, pages 1, 2, are twelve Hebrew words, which are all rendered in the English version *abide,* or *abideth* or *abiding;* before each Hebrew word is a number, which corresponds to the numbers opposite the texts below. Thus, if the Student wishes to know the Hebrew word translated *abide* in Gen. xix. 2, opposite that text in page 2 he will find No. 9, and opposite No. 9 in the heading, he will find לִין *Loon,* to stay all night, which is the information he requires.

The Hebrew word, with its literal meaning, may thus be found for every word in the English Bible.

Dictionary of
OLD TESTAMENT WORDS
for
ENGLISH READERS

by Aaron Pick

KREGEL PUBLICATIONS
Grand Rapids, Michigan 49501

Dictionary of Old Testament Words for English Readers published by Kregel Publications, a division of Kregel, Inc. All rights reserved. Originally published as *The Bible Students Concordance* by Hamilton, Adams & Co., London, 1845.

Library of Congress Catalog Card Number 76-16230
ISBN 0-8254-3509-9

Kregel Publications edition 1977

Second Printing 1977

Printed in the United States of America

PREFACE

WHEN it is considered how small a number, comparatively, of those who are diligently searching the holy Scriptures, have any knowledge of the Hebrew language, and how impossible it is to enter into a close examination of their contents without this knowledge, it must be manifest, that a Work calculated to afford the unlearned reader the means of prosecuting his inquiries more satisfactorily, becomes an important desideratum.

All who are anxiously seeking for instruction in the truth of God's holy Word, as contained in the Old Testament, must have felt, more or less, how much their studies might have been assisted, and many difficulties removed, could they have had certain words or passages elucidated by a competent Hebrew scholar.

For instance, in 1 Chron. x. 14, it is stated, that Saul enquired of a familiar spirit, "and enquired not of the Lord: therefore he slew him;" while, in 1 Sam. xxviii. 6, we read that "When Saul enquired of the Lord, the Lord answered him not." Here is presented, to the Bible Student, the difficulty of an apparent contradiction; which, however, is readily explained by referring to this Dictionary, where we find that, in 1 Sam. the Hebrew word translated "enquired," is " שָׁאַל *Shoal*, to ask;" while the Hebrew word in 1 Chron. is " דָּרַשׁ *Dorash*, to search out, to search after." Thus, we find. there is no contradiction;

for it is true that Saul did ask (שָׁאַל *Shoal*) of God, in an in-different way; and it is true that Saul did not search out, (דָרַשׁ *Dorash*,) or seek earnestly for an answer from God. It is also true, that while he did only ask of God, he did earnestly seek of the familiar spirit, 1 Chron. x. 13 ; 1 Sam. xxviii. 7.

The design, therefore, of the present Work is, to place before every Bible Student the means of readily obtaining this assistance, by enabling him to ascertain the full literal meaning of the Hebrew words in any passage he may be desirous of investigating: a point of no little consequence, when it is known that one word in the English version, in various places, represents what is in the Hebrew expressed by several, and at times very different, words.

In illustration of this remark, the word Man may be adduced ; for which one word in the English version, there will be found, in the original, four Hebrew words in general use, each having a distinct meaning, peculiarly appropriate, no doubt, to the position which it is found to occupy.

These words are, אָדָם *Odom*, mankind, man (made) of the earth ; אִישׁ *Eesh*, a man of virtue, valiant ; גֶּבֶר *Gever*, a man of strength, physical power ; אֱנוֹשׁ *Enoush*, a mortal man, weak, feeble. These compound nouns, each possessing in itself the combined force of an adjective, convey some idea of the perfection of that language to which they belong ; and the beauty of those writings wherein such expressive variations in term are rightly applied, will be immediately observable: and it becomes manifest how essential is a knowledge of the actual word employed in the original, to enable any one to discern the full and precise import of a given passage. Examples, "And God said, Let us make man (אָדָם *Odom*,) in our image," Gen. i. 26. "When Joshua was by Jericho, . . . behold, there stood a man (אִישׁ *Eesh*) over against him," Josh.

v. 13., " Are thy days as the days of man ? (אֱנוֹשׁ *Enoush*).   Are thy years as man's days ? (גֶּבֶר *Gever*) Job x. 5.   " What is man (אֱנוֹשׁ *Enoush*) that thou art mindful of him ? and the Son of Man (אָדָם *Odom*), that thou visitest him ?" Psalm viii. 4.   Again, in Prov. xxx. 2, the English version reads, " Surely I am more brutish than any man, and have not the understanding of a man ;" which thus appears like two ways of affirming the same thing : while, in the Hebrew, the exact use of terms, by a beautiful antithesis, gives a finished character to the passage.   Thus, " Surely I am more ignorant than an אִישׁ *Eesh*, I have not even the understanding of an אָדָם *Odom*." Again, there are two different words used in the Hebrew for the one word Sun in the English version, viz., חַמָּה *Khammoh*, the sun ; שֶׁמֶשׁ *Shemesh*, the light of the sun : as also for the one word Moon, viz., לְבָנָה *Levonoh*, the moon ; יָרֵחַ *Yoraiakh*, the light of the moon : and it is evident that a knowledge of the precise application of these distinct words is necessary, to afford a clear understanding of the passages in which they severally occur. Thus, when Joshua said (x. 12), " Sun, stand thou still upon Gibeon ; and thou, Moon, in the valley of Ajalon," the words in the original are שֶׁמֶשׁ *Shemesh* and יָרֵחַ *Yoraiakh ;* but in Isa. xxiv. 23, they are different ; " Then the Moon (לְבָנָה *Levonoh*) shall be confounded, and the Sun (חַמָּה *Khammoh*) ashamed."

The Work has been conducted by Mr. Aaron Pick, Professor of Hebrew, Chaldee, and German, from the University of Prague ; whose intimate acquaintance with the Hebrew language, and extensive knowledge of its literature, are, it is presumed, a satisfactory guarantee for the correct execution of the task confided to his care.   In the production of this Work, Mr. Pick has given to Englishmen a substantial proof of the time and talent which he has sedulously employed for the benefit of those among

whom he has long been a sojourner. Throughout, Mr. Pick has
had the assistance of two English friends, who have spared no
pains to render the work accurate in the typography, as well as
in those essential points having relation to the integrity of the
whole.

Some remarks may be considered necessary in reference to those
places where a decided difference occurs between the translation
of any Hebrew word in this Book, and the rendering given in
the English Bible. The generality of the words alluded to, have
been noticed by critics and commentators; and in divers passages
of Scripture they will be found translated as in this work. In such
cases, all that is here aimed at is to give to each word a correct
rendering; to take the truth as it really exists, without any
useless concealment on the one hand, or any desire to create a
difficulty on the other; and to leave the facts with the discriminating
Student, in the full assurance that, under the blessing of God, the
result will be a larger knowledge of his Word, and a greater
regard for every jot and tittle it contains. One of the cases above-
mentioned, will be found under the word " Abhor;" the word in
the Hebrew of Amos vi. 8 being תָּאַב Toav, to long for, and not
תָּעַב Toav, to abhor. That the English translators were, in this case,
led into an error, is not so much to be wondered at, when it is
known that two eminent Jewish commentators, Solomon Yarchi
and David Kimchi, supposed that here the א becomes ע, making
the sense to " abhor," instead of " to long for." But a reference to
the English Bible shows that the excellency of Jacob is the holy
one whom God loved, Psalm xlvii. 4, and by whom the Lord hath
sworn, Amos viii. 7. This verb occurs only in two other places,
viz., Psalm cxix. 40 and 174, where it is rightly translated to *long
for* or *after;* and the participle in verse 20 is translated " *longing.*"

Abarbenel notices the interpretation of the above commentators
in the following words:

ור"שי פירש מתאב כמו מתעב, וכן כתוב הרר"ק שמתאב הוא הפך
תאבתי לישועתך "ה': וחלילה שיהי' שם (א) משמש דבר, והפכו בלשוננו
השלם: אבל מתאב הוא מלשון תאבה, וגאון יעקב אמר על בית המקדש,
כמו שת"י ית בית מקדשא רבותיה דיעקב; כמאמר המשורר, "את גאון יעקב
אשר" אהב סלה": יאמר השם אין ספק שמתאב וכוסף אני את גאון יעקב,
שהוא בית המקדש, אבל מה אעשה? שארמנותיו של יעקב בתיהם והכליהם
עם כל תענוגיהם שנאתי •

"Solomon Yarchi explains מְתָאֵב *Methoaiv*, to long for, like
מְתָעֵב *Methoaiv*, to abhor, and thus wrote David Kimchi; ' מְתָאֵב in
Amos vi. 8, has the opposite meaning to תאבתי לישועתך "ה " I have
longed for thy salvation, O Lord," Psalm cxix. 174.' But God forbid
that the א should be converted into ע to the perversion of our
perfect language.   That מראב is derived from תָּאַב , to long for, is
clear, for ' the excellency of Jacob is said· of the holy house; '
and according to the Targum of Jonathan Ben Uzziel, ' The
great holy house of Jacob; ' and according to the Psalmist,
' The excellency of Jacob whom he loved.' ' Selah. (For ever.')
Abarbenel thus comments, ' God said there is not the least
doubt that I long for, and earnestly desire, the excellency of
Jacob, that is, the holy house, but what can I do, for the palaces
of Jacob, their houses, and their temples, with all their delights
I hate?' "*

---

* Abarbenel often quotes the authority of Sol. Yarchi and David Kimchi; but states
that, here they have taken the view of Rabbi Akiva who had a strong prejudice
against the ten tribes, and who, upon Amos v. 2, " The virgin of Israel is fallen ;
she shall no more rise,"—interpreted the virgin to be the whole of the ten tribes ; and,
as yesterday had passed away, never to return, so neither should they be restored."
Whereas Rabbi Eleazar (master to Gamaliel) withstood him, and said, " Nay, it is
as the sun overshadowed by a thick cloud, but as, again, it breaks forth and restores

It will not be requisite to enter into the examination of other differences which may be found in this work; as the foregoing will serve to shew their nature, and explain, in some measure, the difficulties against which translators of the Hebrew Bible have to contend. In some cases, it is not merely the task of conveying the sentiments and idiom of one language correctly into another; but in such books as those of Job, Proverbs, Habakkuk, &c., the original requires the deepest knowledge of the language, united to a most careful perusal, to enable even a Hebrew, who has long been conversant with the literature of his nation, not only to perceive their general tenor, and to estimate their beauties, but even, at times, to comprehend the purport of words and their connexion with each other. Hence it is, that while translators have, in such cases, done all that men in their circumstances could do, to surmount the obstacles occasionally presented,—it has ever been felt, by the learned, that something was yet wanting to complete the rendering of such portions of the sacred writings: although the true cause of the deficiency has seldom been recognised, until the attempts of individuals to present a closer interpretation, have revealed the difficulty of the undertaking, while they also testified to the patience, diligence, and ability of those who were the honoured instruments of effecting that translation found in the English Authorized Version. Take for example the word בְּשֶׁטֶף *Beshetseph*, which occurs but once in the Bible; and who, but one well versed in Hebrew

---

the day to its original splendour, so shall they be restored. The virgin does not typify the nation, but the kingdom (which was separated, under Jeroboam, from the house of Judah, and shall not be restored), otherwise we shall contradict God, and disregard his merciful promise in Ezek. xxxvii. 15 to end, and Amos ix. 14, 15," which declares that Israel, as a nation, shall be restored.

literature, could give the interpretation of such a word? This word, which signifies " with overflowing," is found in Isaiah liv. 8, and is translated " in a little."

It may be further remarked, with respect to the differences alluded to, that the renderings here given, will frequently be found identical with those in the margin of the English Bible; where the inquirer will often find the Hebrew word literally translated; while the text contains that colloquial or idiomatic phraseology, which is, perhaps, well calculated to convey the general meaning of the original, to the English mind. But the marginal readings were wisely adopted, as a valuable means of illustrating the text; for while they exhibit the idiom of the original, they often afford an insight into the critical meaning of the passage.

It has been deemed advisable, in most cases, to place the several parts of a verb, whether regular or irregular, in connexion with the present tense, irrespective of its alphabetical order; as *drew* in the verb *draw*, *drove* in *drive*, *took* in *take*, &c., and in these cases the reader will remember that the Hebrew words in the heading are the roots of those inflections which express the tenses in the original. Again, in nouns, the plural is placed in connexion with the singular, where requisite; as *man, men ;* a notice being inserted, in the alphabetical place of the word transposed, directing where it may be found.

In some passages it happens that the sense of one Hebrew word is conveyed in the English Version by two or three or more words; this has obliged the Author to repeat the Hebrew word, where these several English words occur; but the evident meaning will readily be seen when the translation here given is compared with that in the Bible.

As a general rule, the words in *italics* in the Authorized

Version, have no corresponding words in the Hebrew, and have
not required any notice; except in a few instances, where a
Hebrew word occurs which might have been rendered in lieu
of the word in italics.

To the candid acceptance of all Bible Students, the Dic-
tionary is now offered; to enable them to ascertain the literal
meaning of any word in the sacred Scripture, and if it accomplishes
this important object, and thus renders the study of God's holy
Word more easy and delightful, the Author will deem himself
abundantly rewarded. To the glory of the Lord God of Sabaoth
he desires devoutly to dedicate his labours.

Dictionary of
OLD TESTAMENT WORDS
for English Readers

ABASE.
1. שָׁפֵל *Shophal,* to bring low, lower.
2. עָנָה *Onoh,* to express by sound, answer, humble, afflict.

1. Job xl. 11.	1. Ezek. xxi. 26.
2. Isa. xxxi. 4.	1. Dan. iv. 37.

ABATED.
1. חָסַר *Khosar,* to want, fall short, need.
2. גָּרַע *Gora,* to diminish, take off.
3. קָלַל *Kolal,* to lighten, remove a load.
4. נוּס *Noos,* to flee.
5. רָפָה *Rophoh,* to weaken, decline, slacken.

1. Gen. viii. 3.	4. Deut. xxxiv. 7.
3. ——— 11.	5. Judg. viii. 3.
2. Lev. xxvii. 18.	

ABHOR.
1. בָּאַשׁ *Boash,* to corrupt, rot.
2. בָּחַל *Bokhal,* to loathe.
3. גָּעַל *Goal,* to disdain.
4. קוּץ *Koots,* to weary, grieve.
5. מָאַס *Moas,* to despise.
6. נָאַר *Niair,* to reject.
7. נָאַץ *Noats,* to contemn, blaspheme.
8. שָׁקַץ *Shokats,* to detest.
9. תָּעַב *Toav,* to abhor.
10. זָעַם *Zoam,* to be indignant.
11. זָהַם *Zoham,* to disgust.

12. תָּאַב *Toav,* to long for, wish for.
13. דְּרָאוֹן *Derooun* (Chaldee Subst.), contempt, disgrace.

3. Lev. xxvi. 11, 15, 30, 44.	9. Psalm v. 6.
9. Deut. vii. 26.	9. ——— cxix. 163.
9. ——— xxiii. 7.	10. Prov. xxiv. 24.
1. 1 Sam. xxvii. 12.	5. Jer. xiv. 21.
9. Job ix. 31.	9. Amos v. 10.
9. — xxx. 10.	12. ——— vi. 8.
5. — xlii. 6.	9. Mic. iii. 9.

ABHORRED.

1. Exod. v. 21.	8. Psalm xxii. 24.
4. Lev. xx. 23.	5. ——— lxxviii. 59.
3. ——— xxvi. 43.	5. ——— lxxxix. 38.
7. Deut. xxxii. 19.	9. ——— cvi. 40.
7. 1 Sam. ii. 17.	10. Prov. xxii. 14.
1. 2 Sam. xvi. 21.	6. Lam. ii. 7.
4. 1 Kings xi. 25.	9. Ezek. xvi. 25.
9. Job xix. 19.	2. Zech. xi. 8.

ABHORREST.
4. Isa. vii. 16.

ABHORRETH.

11. Job xxxiii. 20.	9. Psalm cvii. 18.
7. Psalm x. 3.	9. Isa. xlix. 7.
5. ——— xxxvi. 4.	

ABHORRING.
13. Isa. lxvi. 24.

ABIDE.
1. יָשַׁב *Yoshav,* to sit, dwell, inhabit.
2. גּוּר *Goor,* to sojourn.
3. דָּבַק *Dovak,* to cleave to.
4. חוּל *Khool,* to seize.
5. כּוּל *Kool,* to hold out, up.

6.   הָוָה   *Kovoh*, to wait in hope.
7.   קוּם   *Koom*, to rise, endure.
8.   לָוָה   *Lovoh*, to aid, accompany.
9.   לוּן   *Loon*, to stay all night.
10.   שָׁכַן   *Shokhan*, to rest, dwell.
11.   עָמַד   *Omad*, to stand, stay.
12.   סָפַח   *Sophakh*, to fix, adhere, spread.

9. Gen. xix. 2.	1. Job xxiv. 13.
1. —— xxii. 5.	1. —— xxxviii. 40.
1. —— xxiv. 55.	9. —— xxxix. 9.
1. —— xxix. 19.	2. Psalm xv. 1.
1. —— xliv. 33.	2. —— lxi. 4.
1. Exod. xvi. 29.	1. —— lxi. 7.
1. Lev. viii. 35.	9. —— xci. 1.
9. —— xix. 13.	10. Prov. vii. 11.
1. Numb. xxii. 5.	9. —— xix. 23.
1. —— xxxv. 25.	8. Eccles. viii. 15.
1. Deut. iii. 19.	5. Jer. x. 10.
11. Jos. xviii. 5.	1. — xlii. 10.
3. Ruth ii. 8.	1. — xlix. 18, 33.
1. 1 Sam. i. 22.	1. — L. 40.
1. —— v. 7.	1. Hos. iii. 3, 4.
1. —— xix. 2.	4. —— xi. 6.
1. —— xxii. 5, 23.	5. Joel ii. 11.
1. —— xxx. 21.	1. Mic. v. 4.
1. 2 Sam. xvi. 18.	7. Nah. i. 6.
1. 2 Chron. xxv. 19.	5. Mal. iii. 2.
1. —— xxxii. 10.	

ABIDETH.

1. 2 Sam. xvi. 3.	1. Psalm cxxv. 1.
9. Psalm xlix. 12.	9. Prov. xv. 31.
1. — lv. 19.	11. Eccles. i. 4.
11. —— cxix. 90.	1. Jer. xxi. 9.

ABIDING.

10. Numb. xxiv. 2.	6. 1 Chron. xxix. 15.
12. 1 Sam. xxvi. 19.	

ABJECTS.

נֵכִים   *Naikheem*, smiters.

Psalm xxxv. 15.

ABILITY.

1.   כֹּחַ   *Kouakh*, strength.
2.   נָשַׂג יָד   *Nosag yod*, within reach of the hand.
3.   דַּי   *Dai*, sufficient, enough.

2. Lev. xxvii. 8.	3. Neh. v. 8.
1. Ezra ii. 69.	1. Dan. i. 4.

ABLE.

1.   חַיִל   *Khayil*, valiant.
2.   כֹּחַ   *Kouakh*, strength.
3.   נָשַׂג־יָד   *Nosag-yod*, or נָגַע יָד   *Noga Yod*, within reach of the hand.
4.   עָצַר   *Otzar*, to retain strength.

5.   יֵשׁ   *Yaish*, existence.
6.   יָכֹל   *Yokhal*, to be able.
7.   יָצַב   *Yotsav*, to stand fast.
8.   מַתַּן־יַד   *Mattan-yad*, a gift of the hand.

1. Exod. xviii. 21, 25.	6. 1 Kings iii. 9.
3. Lev. xiv. 22, 31.	1. 1 Chron. ix. 13.
Numb. i. 3, 20, 22, 24,	1. —— xxvi. 8.
26, 28, 30, 32,	2. 2 Chron. ii. 6.
34, 36, 38, 40,	7. —— xx. 6.
42, 45, not in	5. —— xxv. 9.
original.	7. Job xli. 10.
6. —— xiii. 30.	Prov. xxvii. 4, not in
—— xxvi. 2, not in	original.
original.	8. Ezek. xlvi. 11.
8. Deut. xvi. 17.	6. Dan. iii. 17.
Josh. xxiii. 9, not in	6. —— iv. 37.
original.	6. —— vi. 20.
6. 1 Sam. vi. 20.	

ABLE, be.

3. Lev. xxv. 26, 49.	6. 1 Sam. xvii. 9.
7. Deut. vii. 24.	4. 1 Chron. xxix. 14.
7. —— xi. 25.	6. 2 Chron. xxxii. 14.
7. Josh. i. 5.	6. Isa. xlvii. 12.
—— xiv. 12, not in	6. Ezek. xxxiii. 12.
original.	

ABLE, not be.

6. 2 Kings xviii. 29.	6. Isa. xlvii. 11.
6. Ps. xxxvi. 12.	6. Jer. xi. 11.
6. Eccles. viii. 17.	6. — xlix. 10.
6. Isa. xxxvi. 14.	6. Ezek. vii. 19.

ABLE, not.

3. Lev. v. 7.	6. Neh. iv. 10.
6. Numb. xiii. 31.	6. Psalm xviii. 38.
6. —— xiv. 16.	6. —— xxi. 11.
6. Deut. ix. 28.	6. —— xl. 12.
4. 2 Chron. xx. 37.	6. Amos vii. 10.
2. Ezra x. 13.	

ABODE. Verb.

1.   יָשַׁב   *Yoshav*, to abide, sit, dwell, inhabit.
2.   הָיָה   *Hoyoh*, to be.
3.   שָׁכַן   *Shokhan*, to rest, dwell.
4.   חָנָה   *Khonoh*, to pitch, as a tent, encamp, set up, fix.
5.   עָמַד   *Omad*, to stand, stay.

1. Gen. xxix. 14.	1. Josh. v. 8.
1. —— xlix. 24.	1. —— viii. 9.
3. Exod. xxiv. 16.	3. Judg. v. 17, twice.
3. Numb. ix. 17, 18.	1. —— xi. 17.
4. —— 20.	1. —— xix. 4.
2. —— 21.	1. —— xx. 47.
4. —— 22.	1. 1 Sam. i. 23.
2. —— xi. 35.	1. —— vii. 2.
1. —— xx. 1.	1. —— xiii. 16.
1. —— xxii. 8.	1. —— xxii. 6.
1. Deut. i. 46.	1. —— xxiii. 14, 18,
1. —— iii. 29.	25.
1. —— ix. 9.	

1. 1 Sam. xxvi. 3.
1. 2 Sam. i. 1.
1. —— xi. 12.

1. 2 Sam. xv. 8.
1. 1 Kings xvii. 19.
1. Jer. xxxviii. 28.

ABODE there.

1. Deut. i. 46.
1. Josh. ii. 22.
1. Judg. xxi. 2.

4. Ezra viii. 15.
1. —— 32.

ABODEST.

1. Judg. v. 16.

ABODE, Subst.

From שֶׁבֶת *Sheveth*, a seat.

2 Kings xix. 27. | Isa. xxxvii. 28.

ABOLISH -ED.

1. חָלַף *Kholaph*, to change, do away, abolish.

2. נָחַת *Nokhath*, to put down, penetrate.

3. מָחָה *Mokhoh*, to erase, expel.

1. Isa. ii. 18.

2. Isa. li. 6.
3. Ezek. vi. 6.

ABOMINABLE.

1. פִּגּוּל *Pigool*, an abomination.

2. תּוֹעֵבָה *Touaivoh*, abhorrence.

3. שֶׁקֶץ *Shekets*, detestation, a detestable thing.

4. זַעַם *Zaam*, indignation.

3. Lev. vii. 21.
3. —— xi. 43.
2. —— xviii. 30.
1. —— xix. 7.
3. —— xx. 25.
2. Deut. xiv. 3.
2. 1 Chron. xxi. 6.
3. 2 Chron. xv. 8.
2. Job xv. 16.
2. Psalm xiv. 1.

2. Psalm liii. 1.
2. Isa. xiv. 19.
1. — lxv. 4.
2. Jer. xvi. 18.
2. — xliv. 4.
1. Ezek. iv. 14.
3. —— viii. 10.
2. —— xvi. 52.
4. Mic. vi. 10.
3. Nahum iii. 6.

ABOMINABLY.

2. 1 Kings xxi. 26.

ABOMINATION.

1. תּוֹעֵבָה *Touaivoh*, abhorrence.
2. שִׁקּוּץ *Shikoots*, a detestable thing.
3. פִּגּוּל *Pigool*, an abomination.
4. נִבְאַשׁ *Nivash*, was corrupted.

1. Gen. xliii. 32.
1. —— xlvi. 34.
1. Exod. viii. 26.
3. Lev. vii. 18.

2. Lev. xi. 10, 11, 12, 13, 20, 23, 41, 42.
1. —— xviii. 22.
1. —— xx. 13.

Deut. vii. 25, 26.
—— xii. 31.
—— xiii. 14.
—— xvii. 1, 4.
1. —— xviii. 12.
—— xxii. 5.
—— xxiii. 18.
—— xxiv. 4.
—— xxv. 16.
—— xxvii. 15.
4. 1 Sam. xiii. 4.
2. 1 Kings xi. 5, 7.
2. 2 Kings xxiii. 13, twice.
1. —— 13.
1. Psalm lxxxviii. 8.

Prov. iii. 32.
—— vi. 16.
—— viii. 7.
1. —— xi. 1, 20.
—— xii. 22.
—— xiii. 19.
—— xv. 8, 9, 26.

Prov. xvi. 5, 12.
—— xvii. 15.
—— xx. 10, 23.
1. —— xxi. 27.
—— xxiv. 9.
—— xxviii. 9.
—— xxix. 27.
1. Isa. i. 13.
1. — xli. 24.
1. — xliv. 19.
2. — lxvi. 17.

Jer. ii. 7.
— vi. 15.
1. — viii. 12.
— xxxii. 35.

Ezek. xvi. 50.
—— xviii. 12.
1. —— xxii. 11.
—— xxxiii. 26.
2. Dan. xi. 31.
2. —— xii. 11.
1. Mal. ii. 11.

ABOMINATIONS.

1. תּוֹעֵבוֹת *Touaivouth*, abhorrences.
2. שִׁקּוּצִים *Shikootseem*, detestable things.

1. Lev. xviii. 26, 27, 29.
1. Deut. xviii. 9. 12.
1. —— xx. 18.
2. —— xxix. 17.
1. —— xxxii. 16.
1. 1 Kings xiv. 24.
1. 2 Kings xvi. 3.
1. —— xxi. 2, 11.
2. —— xxiii. 24.
1. 2 Chron. xxviii. 3.
1. —— xxxiii. 2.
1. —— xxxiv. 33.
1. —— xxxvi. 8, 14.
1. Ezra ix. 1, 11, 14.
1. Prov. xxvi. 25.
2. Isa. lxvi. 3.
2. Jer. iv. 1.
1. — vii. 10.
2. —— 30.
2. — xiii. 27.
2. — xxxii. 34.
1. — xliv. 22.
1. Ezek. v. 9, 11.

1. Ezek. vi. 9, 11.
1. —— vii. 3, 4, 8, 9, 20.
1. —— viii. 6, 9, 17.
1. —— ix. 4.
1. —— xi. 18, 21.
1. —— xii. 16.
1. —— xiii. 15.
1. —— xiv. 6.
1. —— xvi. 2, 22, 36, 43, 47.
1. —— 51, 58.
1. —— xviii. 13, 24.
1. —— xx. 4.
2. —— 7, 8, 30.
1. —— xxii. 2.
1. —— xxiii. 36.
1. — xxxiii. 29.
1. —— xxxvi. 31.
1. —— xliii. 8.
1. —— xliv. 6, 7, 13.
2. Dan. ix. 27.
2. Hos. ix. 10.
2. Zech. ix. 7.

ABOVE.   ABOVE ALL.

1. מַעַל *Maal*, above.

2. עַל *Al*, upon, above.

3. מָרוֹם *Moroum*, height.

4. ב the preposition *Beth*, prefixed to the noun, signifies—in, with, over, at.

5. מ the preposition *Mem*, prefixed to the noun, signifies—from, more than, better.

1. Gen. i. 7.	5. Job xxviii. 18.
2. —— 20.	1. — xxxi. 2, 28.
2. —— iii. 14.	5. Psalm x. 5.
1. —— vi. 16.	5. —— xviii. 16, 48.
1. —— vii. 17.	2. —— xxvii. 6.
2. —— xlviii. 22.	5. —— xlv. 7.
2. —— xlix. 26.	1. —— lxxviii. 23.
1. Exod. xxv. 22.	1. —— cxix. 127.
1. —— xxviii. 27, 28.	2. —— cxxxvi. 6.
1. —— xxx. 14.	2. —— cxxxvii. 6.
1. Lev. xi. 21.	5. —— cxliv. 7.
1. —— xxvii. 7.	2. Psalm cxlviii. 13.
2. Numb. xvi. 3.	1. Prov. viii. 28.
5. Deut. xvii. 20.	1. — xv. 24.
2. —— xxv. 3.	5. —— xxxi. 10.
1. —— xxviii. 13.	5. Eccles. iii. 19.
5. —— xxx. 5.	5. Isa. ii. 2.
1. Josh. iii. 13, 16.	1. — vi. 2.
5. Judg. v. 24.	1. — vii. 11.
5. 2 Sam. xxii. 17.	5. Jer. xv. 8.
1. 1 Kings viii. 7.	3. Lam. i. 13.
1. 2 Kings xxv. 28.	1. Ezek. i. 26.
4. 1 Chron. v. 2.	1. — x. 19.
1. —— xxiii. 27.	1. — xi. 22.
2. —— xxvii. 6.	2. — xxix. 15.
1. 2 Chron. v. 8.	2. Dan. vi. 3.
1. Neh. vii. 2.	2. — xi. 36.
1. —— xii. 37.	1. Amos ii. 9.
1. Job iii. 4.	5. Nah. iii. 16.
1. — xviii. 16.	

ABOVE ALL.

5. Gen. iii. 14.	5. Neh. viii. 5.
5. Numb. xii. 3.	5. Esth. ii. 17.
5. Deut. vii. 14.	2. Psalm xcvii. 9.
5. —— x. 15.	2. —— xcix. 2.
5. —— xiv. 2.	2. —— cxiii. 4.
2. —— xxvi. 19.	2. —— cxxxviii. 2.
2. —— xxviii. 1.	5. Eccles. ii. 7.
5. 1 Kings xiv. 9, 22.	5. Jer. xvii. 9.
5. —— xvi. 30.	2. Ezek. xvi. 43.
5. 2 Kings xxi. 11.	5. —— xxxi. 5.
5. 1 Chron. xxix. 3, 11.	2. Dan. xi. 37.
5. 2 Chron. xi. 21.	

ABOUND.

1.   כָּבֵד   *Kovad*, to be weighty, heavy.
2.   רַב   *Rāv*, abundant.

2. Prov. xxviii. 20.

ABOUNDETH.

2. Prov. xxix. 22.

ABOUNDING.

1. Prov. viii. 24.

ABOUT.

Not used in Hebrew, but sometimes designated by מ prefixed to the substantive; signifies—as, like.

See Gen. xxxviii. 24, *as* three months.

Auth. Version.—ABOUT.

Gen. xli. 25,   אֲשֶׁר   *Asher*, which, that, because, on account of.

Jer. xxxi. 22, not in the original.

ABROAD.

1.   חוּץ   *Khoots*, a street, an open space, outside.
2.   יָצָא   *Yotso*, to go forth, out.
3.   נָדַד   *Nodad*, to wander about.
4.   פָּרַץ   *Porats*, to break forth, make a breach.
5.   פָּרַח   *Porakh*, to bloom, blossom, throw out a shoot.
6.   רָקַע   *Roka*, to extend, expand.

1. Gen. xv. 5.	1. 2 Chron. xxix. 16.
1. Exod. xii. 46.	4. —— xxxi. 5.
1. —— xxi. 19.	2. Esth. i. 17.
5. Lev. xiii. 12.	3. Job xv. 23.
1. —— xiv. 8.	1. Psalm xli. 6.
1. —— xviii. 9.	1. Prov. v. 16.
1. Deut. xxiii. 10, 12, 13.	6. Isa. xliv. 24.
1. —— xxiv. 11, *bis*.	1. Jer. vi. 11.
1. Judg. xii. 9, *bis*.	1. Lam. i. 20.
1. 1 Sam. ix. 26.	1. Ezek. xxxiv. 21.
1. 2 Kings iv. 3.	

ABSENT.

סָתַר   *Sotar*, to hide conceal.

Gen. xxxi. 49.

ABUNDANCE.

1.   שֶׁפַע   *Shepha*, abundance.
2.   רוּב   *Rouv*, or רַב *Rov*, much, plentiful.
3.   הָמוֹן   *Homoun*, multitude, commotion, tumult.
4.   שָׂבַע   *Sovo*, satiety, satisfaction.
5.   יִתְרָה   *Yithroh*, or יֶתֶר *Yether*, superfluity.
6.   זִיז   *Zeez*, substance, activity.
7.   עֲתֶרֶת   *Ăthereth*, supplication, sweet fragrance, grateful odour.
8.   שָׁלָה   *Sholoh*, quietness, ease.
9.   הַרְבֵּה   *Harbeh*, plenty, numerous.
10.   אֵין־מִסְפָּר   *Ain-mispor*, without number, countless.
11.   מַכְבִּיר   *Makhbeer*, great abundance.
12.   שָׁרַץ   *Shorats*, to breed abundantly.
13.   רָוָה   *Rovoh*, to satiate, by moisture, as watering the ground.
14.   יָרַד   *Yorad*, to descend.
15.   שָׁכַר   *Shikair*, to exhilarate.
16.   רָבָה   *Rovoh*, to multiply.
17.   עֶצֶם   *Etsem*, strength.

2. Deut. xxviii. 47.	2. 1 Sam. i. 16.
1. —— xxxiii. 19.	2. 1 Kings x. 10, 27.

3. 1 Kings xviii. 41.
2. 2 Chron. i. 15.
2. —— ix. 9.
1. Job xxii. 11.
1. — xxxviii. 34.
2. Psalm lxxii. 7.
3. Eccles. v. 10.
4. —— 12.
2. Isa. vii. 22.

5. Isa. xv. 7.
17. — xlvii. 9.
13. — lx. 5.
6. — lxvi. 11.
7. Jer. xxxiii. 6.
8. Ezek. xvi. 49.
1. —— xxvi. 10.
2. Zech. xiv. 14.

ABUNDANCE, in.

9. 2 Sam. xii. 30.
2. 1 Kings i. 19, 25.
2. 1 Chron. xxii. 3.
10. —— 4.
2. —— 14, 15.
2. —— xxix. 2, 21.

2. { 2 Chron. ii. 9.
—— iv. 18.
—— ix. 1.
—— xi. 23.
—— xiv. 15.
—— xv. 9.
—— xvii. 5.

2. { 2 Chron. xviii. 1, 2.
—— xx. 25.
—— xxiv. 11.
—— xxix. 35.
—— xxxi. 5.
—— xxxii. 5, 29.

2. Neh. ix. 25.
2. Esth. i. 7.
11. Job xxxvi. 31.
2. Psalm xxxvii. 11.
2. — lii. 7.
12. — cv. 30.

ABUNDANT.

2. Exod. xxxiv. 6.
5. Isa. lvi. 12.

2. Jer. li. 13.

ABUNDANTLY.

12. Gen. i. 20, 21.
12. — viii. 17.
12. — ix. 7.
12. Exod. i. 7.
12. — viii. 3.
2. Numb. xx. 11.
2. 1 Chron. xii. 40.
2. —— xxii. 5, 8.
2. 2 Chron. xxxi. 5.
2. Job xxxvi. 28.
13. Psalm xxxvi. 8.

13. Psalm lxv. 10.
—— cxxxii. 15, verb repeated.
—— cxlv. 7, not in original.
15. Cant. v. 1.
14. Isa. xv. 3.
— xxxv. 2, verb repeated.
16. — lv. 7.

ABUSE -ED.
עָלַל   Olal, to do evil.

1 Sam. xxxi. 4. | 1 Chron. x. 4.

ABUSED.
Judg. xix. 25.

ACCEPT.

1. לָקַח   Lokakh, to accept, receive, take.
2. רָצָה   Rotsoh, to will, be willing, delight.
3. דָּשֵׁן   Doshan, to prosper, fatten.
4. נָשָׂא־פָנִים   Noso-poneem, to regard; lit., to bear a face.
5. יָרַח   Yorakh, to perfume, smell, scent.
6. נָפַל   Nophal, to fall.
7. יָטַב   Yotav, to please, delight.
8. רָצוֹן   Rotsoun, will, pleasure, delight, acceptance.

4. Gen. xxxii. 20.
1. Exod. xxii. 11.
2. Lev. xxvi. 41, 43.
2. Deut. xxxiii. 11.

5. 1 Sam. xxvi. 19.
2. 2 Sam. xxiv. 23.
4. Job xiii. 8, 10.
4. — xxxii. 21.

4. Job xlii. 8.
3. Psalm xx. 3.
4. —— lxxxii. 2.
2. —— cxix. 108.
4. Prov. xviii. 5.

2. Jer. xiv. 10, 12.
2. Ezek. xx. 40, 41.
2. —— xliii. 27.
2. Mal. i. 8, 10, 13.

ACCEPTED -ETH.

4. Gen. iv. 7.
4. —— xix. 21.
8. Exod. xxviii. 38.
2. Lev. i. 4.
2. —— vii. 18.
7. —— x. 19.
2. —— xix. 7.
8. —— xxii. 21.
2. —— 23, 25, 27.
8. —— xxiii. 11.

7. 1 Sam. xviii. 5.
4. —— xxv. 35.
2. Esth. x. 3.
4. Job xlii. 9.
8. Isa. lvi. 7.
6. Jer. xxxvii. 20.
6. — xlii. 2.
2. Job xxxiv. 19.
2. Eccles. ix. 7.
2. Hos. viii. 13.

ACCEPTABLE.

1. רָצוֹן   Rotsoun, will, delight, pleasure, acceptance.
2. בָּחַר   Bokhar, to choose.
3. חֵפֶץ   Khaiphets, to desire, delight.
4. שָׁפַר   Shophar, to please.

1. Lev. xxii. 20.
1. Deut. xxxiii. 24.
1. Psalm xix. 14.
1. — lxix. 13.
1. Prov. x. 32.
2. —— xxi. 3.

3. Eccles. xii. 10.
1. Isa. xlix. 8.
1. — lviii. 5.
1. — lxi. 2.
1. Jer. vi. 20.
4. Dan. iv. 27.

ACCEPTANCE.
רָצוֹן   Rotsoun.
Isa. lx. 7.

ACCOMPLISH -ED.

1. כָּלָה   Koloh, to finish, make an end, complete.
2. תָּמַם   Tomam, to perfect.
3. מָלָא   Millai, to fill, fulfil.
4. קוּם   Koom, to rise, establish.
5. עָשָׂה   Osoh, to make, exercise, perform.
6. פָּלָא   Pillai, to set apart, distinguish.
7. רָצָה   Rotsoh, to will, be willing, accept, delight.
8. נִהְיָה   Nihěyoh, has been, become.

6. Lev. xxii. 21.
5. 1 Kings v. 9.
7. Job xiv. 6.
2. Psalm lxiv. 6.
5. Isa. lv. 11.
4. Jer. xliv. 25.
1. Ezek. vi. 12.
1. —— vii. 8.
1. —— xiii. 15.
1. —— xx. 8, 21.
3. Dan. ix. 2.
1. 2 Chron. xxxvi. 22.

3. Esth. ii. 12.
3. Job xv. 32.
8. Prov. xiii. 19.
3. Isa. xl. 2.
3. Jer. xxv. 12, 34.
3. — xxix. 10.
1. Lam. iv. 11, 22.
1. Ezek. iv. 6.
1. —— v. 13.
1. Dan. xi. 36.
1. —— xii. 7.

ACCORD.

1. סָפִיחַ *Sopheeakh*, selfsown, adhering.
2. פֶּה אֶחָד *Peh ekhod*, one mouth.

   1. Lev. xxv. 5. | 2. Jos. ix. 2.

ACCORDING to that.

כַּאֲשֶׁר *Kääsher*, as that, according to.

ACCOUNT.

1. חָשֵׁב *Khoshav*, to count, reckon, esteem.
2. סָפַר *Sophar*, to cipher, number, relate.
3. כָּסָה *Kosoh*, to cover.
4. עָנָה *Onoh*, to answer, express.
5. טָעַם *Toam*, to reason, taste.

3. Exod. xii. 4.	1. Psalm cxliv. 3.
2. 1 Chron. xxvii. 24.	1. Eccles. vii. 27, Subst.
2. 2 Chron. xxvi. 11.	5. Dan. vi. 2.
4. Job xxxiii. 13.	

ACCOUNTED.

1. Deut. ii. 11, 20.	2. Psalm xxii. 30.
1. 1 Kings x. 21.	1. Isa. ii. 22.
1. 2 Chron. ix. 20.	

ACCURSED.

1. קָלַל *Killail*, to esteem lightly.
2. חָרַם *Khoram*, to devote (for good or evil).

1. Deut. xxi. 23.	2. Josh. xxii. 20.
2. Josh. vi. 17, 18.	2. 1 Chron. ii. 7.
2. —— vii. 1, 11, 12, 13, 15.	1. Isa. lxv. 20.

ACCUSATION.

שִׂטְנָה *Sitnoh*, hindrance, prevention.
Ezra iv. 6.

ACCUSE.

לָשַׁן *Loshan*, to abuse, traduce, use the tongue.
Prov. xxx. 10.

ACCUSED.

אֲכַלוּ קַרְצֹיהִי *Ikhloo-Kartsouhee* (Syriac), a proverbial expression, literally, they did eat the cakes.

   Dan. iii. 8. | Dan. vi. 24.

ACKNOWLEDGE.

1. נָכַר *Nokhar* (Hiph.), to recognise, discern.
2. אָשַׁם *Osham*, to be guilty, to trespass.
3. יָדַע *Yoda*, to know.

1. Deut. xxi. 17.	1. Isa. lxiii. 16.
1. —— xxxiii. 9.	3. Jer. iii. 13.
3. Psalm xxxii. 5.	3. — xiv. 20.
3. —— li. 3.	1. — xxiv. 5.
3. Prov. iii. 6.	1. Dan. xi. 39.
3. Isa. xxxiii. 13.	2. Hos. v. 15.
3. — lxi. 9.	

ACKNOWLEDGED.

1. Gen. xxxviii. 26.

ACQUAINT.

1. יָדַע *Yoda*, to know.
2. סָכַן *Sokhan*, to prepare, profit, help.
3. נָהַג *Nohag*, to lead.

   2. Job xxii. 21.

ACQUAINTED.

2. Psalm cxxxix. 3. | 1. Isa. liii. 3.

ACQUAINTING.

3. Eccles. ii. 3.

ACQUAINTANCE.

1. יָדַע *Yoda*, to know.
2. מַכָּר *Makkor*, an acquaintance, a person well known.

2. 2 Kings xii. 5, 7.	1. Psalm xxxi. 11.
1. Job xix. 13.	1. —— lv. 13.
1. —— xlii. 11.	1. —— lxxxviii. 8, 18.

ACQUIT.

נָקָה *Nikkoh*, to free, release.

   Job x. 14. | Nah. i. 3.

ACRE -S.

צֶמֶד *Tsemed*, a yoke of oxen, metaphorically an acre, being as much as a yoke of oxen can plow in a day.

   1 Sam. xiv. 14. | Isa. v. 10.

ACT.

1. עֲבֹדָה *Avoudoh*, labour, service.
2. פֹּעַל *Poual*, an act.

   1. Isa. xxviii. 21. | 2. Isa. lix. 6.

ACTS. ACTIONS.

1. דָּבָר *Dovor*, a word, subject, import, object.
2. עֲלִיל *Áleel*, an action.
3. גְּבוּרָה *Gĕvooroh*, strength, power, might.
4. מַעֲשֶׂה *Määseh*, a deed, work.
5. פֹּעַל *Pouail*, a work, an act.
6. צִדְקוֹת *Tsidkouth*, righteousness.

ADJ

4. Deut. xi. 3, 7.
6. Judg. v. 11.
6. 1 Sam. xii. 7.
5. 2 Sam. xxiii. 20.
1. 1 Kings x. 6.
1. —— xi. 41, *bis.*
1. —— xiv. 19, 29.
1. —— xv. 7, 23, 31.
1. —— xvi. 5, 14, 20, 27.
1. —— xxii. 39, 45.
1. 2 Kings i. 18.
1. —— viii. 23.
1. —— x. 34.
1. —— xii. 19.
1. —— xiii. 8, 12.
1. —— xiv. 15,18, 28.
1. —— xv. 6, 11, 15, 21, 26, 31, 36.
1. —— xvi. 19.
1. —— xx. 20.
1. —— xxi. 17, 25.

4. 2 Kings xxiii. 19.
1. —— 28.
1. —— xxiv. 5, *bis.*
1. 1 Chron. xxix. 29.
1. 2 Chron. ix. 5, 29.
1. —— xii. 15.
1. —— xiii. 22.
1. —— xvi. 11.
1. —— xx. 34.
1. —— xxv. 26.
1. —— xxvi. 22.
1. —— xxvii. 7.
1. —— xxviii. 26.
1. —— xxxii. 32.
1. —— xxxiii. 18.
1. —— xxxv. 26.
1. —— xxxvi. 8.
4. Esth. x. 2.
2. Psalm ciii. 7.
3. —— cvi. 2.
3. —— cxlv. 4, 12.
3. —— cl. 2.

ACTIONS.
2. 1 Sam. ii. 3.

ACTIVITY.
חַיִל Khayil, valiant, active, powerful.
Gen. xlvii. 6.

ADAMANT.
שָׁמִיר Shomeer, a diamond.
Ezek. iii. 9. | Zech. vii. 12.

ADD -ED -ETH.
יָסַף Yosaph, to add.
Except נָתַן Nothan, to give, set, appoint.
Numb. xxxv. 6. | Psalm lxix. 27.

ADDER.
1. שְׁפִיפוֹן Shĕpheephoun, a rock snake, serpent.
2. פֶּתֶן Pethen, a poisonous serpent.
3. עַכְשׁוּב Akhshoov, an asp.
4. צִפְעֹנִי Tsiphounee, the most poisonous of all serpents, a fiery serpent.
1. Gen. xlix. 17.
2. Psalm lviii. 4.
2. —— xci. 13.
3. Psalm cxl. 3.
4. Prov. xxiii. 32.

ADDITION -S.
לִיוֹת Lĕyouth, additions, joinings.
1 Kings vii. 29, 30, 36.

ADJURE -ED.
1. שָׁבַע Shova, to take an oath.
2. יָאַל Yoal, to commence, undertake.
1. 1 Kings xxii. 16.
1. 2 Chron. xviii. 15.
1. Josh. vi. 26.
2. 1 Sam. xiv. 24.

ADV

ADMONISH -ED.
1. זָהַר Zohar, to warn, admonish, caution.
2. יָעַד Yoad, to testify, bear witness.
1. Eccles. iv. 13.
1. —— xii. 12.
2. Jer. xlii. 19.

ADORNED -ETH.
עָדָה Odoh, to adorn.
Jer. xxxi. 4. | Isa. lxi. 10.

ADVANCED.
1. נָשָׂא Noso, to lift up, extol.
2. גָּדַל Godal, to magnify, elevate.
3. עָשָׂה Osoh, to make, exercise, perform.
3. 1 Sam. xii. 6.
1. Esth. iii. 1.
1. Esth. v. 11.
2. —— x. 2.

ADVANTAGE.
סָכַן Sokhan, to profit, prepare, help.
Job xxxv. 3.

ADVENTURE -ED.
1. נִסָּה Nissoh, to try, tempt.
2. שָׁלַה Sholakh, to cast away, off.
1. Deut. xxviii. 56. | 2. Judg. ix. 17.

ADVERSARY.
1. צָרַר Tsorar, to oppress.
2. שָׂטָן Soton, a hinderer.
3. רִיב Reev, a contender, opponent.
4. בַּעַל־מִשְׁפָּט Baal-mishpot, a man addicted to law, a litigious man.
1. Exod. xxiii. 22.
2. Numb. xxii. 22.
1. 1 Sam. i. 6.
2. —— xxix. 4.
2. 1 Kings v. 4.
2. —— xi. 14, 23, 25.
1. Esth. vii. 6.
3. Job xxxi. 35.
1. Psalm lxxiv. 10.
4. Isa. L. 8.
1. Lam. i. 10.
1. —— ii. 4.
1. —— iv. 12.
1. Amos iii. 11.

ADVERSARIES.
1. Exod. xxiii. 22.
1. Deut. xxxii. 27, 43.
1. Josh. v. 13.
3. 1 Sam. ii. 10.
2. 2 Sam. xix. 22.
1. Ezra iv. 1.
1. Neh. iv. 11.
2. Psalm xxxviii. 20.
1. —— lxix. 19.
2. —— lxxi. 13.
1. —— lxxxi. 14.
1. —— lxxxix. 42.
2. —— cix. 4, 20, 29.
1. Isa. i. 24.
1. — ix. 11.
1. — xi. 13.
1. — lix. 18.
1. — lxiii. 18.
1. — lxiv. 2.
1. Jer. xxx. 16.
1. — xlvi. 10.
1. — L. 7.
1. Lam. i. 5, 7, 17.
1. — ii. 17.
1. Mic. v. 9.
1. Nah. i. 2.

Note :—at Psalm xxxviii. 20,
—— cix. 4,
is the verb שָׂטַן Sotan, to hinder.

ADVERSITY.

1. צָרָה *Tsoroh*, oppression.
2. צֹרֵר *Tsourair*, an oppressor.
3. צָלַע *Tsola*, to halt, hold back.
4. רוּעַ *Rooa*, to do evil.
5. צַר *Tsar*, scarceness.

1. 2 Sam. iv. 9.	1. Prov. xvii. 17.
1. 2 Chron. xv. 6.	1. ——— xxiv. 10.
2. Psalm x. 6.	4. Eccles vii. 14.
3. ——— xxxv. 15.	5. Isa. xxx. 20.
4. ——— xciv. 13.	

ADVERSITIES.

1. רָעוֹת *Roouth*, evils.
2. צָרוֹת *Tsorouth*, oppressions, troubles.

1. 1 Sam. x. 19.	2. Psalm xxxi. 7.

ADVERTISE.

1. יָעַץ *Yoats*, to advise, counsel.
2. גָּלָה *Goloh*, to reveal, discover.

1. Numb. xxiv. 14.	2. Ruth iv. 4.

ADVICE.

1. יָעַץ *Yoats*, to advise, consult, counsel.
2. תַּחְבּוּלָה *Takhbooloh*, a good thought.
3. טַעַם *Tāăm*, a reason, taste.
4. דָּבָר *Dovor*, a word, subject, import, object.
5. עֵצָה *Aitsoh*, counsel, advice.

1. Judg. xix. 30.	1. 2 Chron. x. 9.
4. ——— xx. 7.	5. ————— 14.
3. 1 Sam. xxv. 33.	1. ————— xxv. 17.
4. 2 Sam. xix. 43.	2. Prov. xx. 18.

ADVISE.

1. יָעַץ *Yoats*, to advise, consult, counsel.
2. יָדַע *Yoda*, to know.
3. רָאָה *Rooh*, to see, discern, behold.

2. 2 Sam. xxiv. 13.	3. 1 Chron. xxi. 12.
1. 1 Kings xii. 6.	1. Prov. xiii. 10.

ADVISEMENT.

עֵצָה *Aitsoh*, counsel, advice.

1 Chron. xii. 19.

ADULTERER -S.   -RESS -ES.

נֹאֵף *Nouaiph*.   נֹאֶפֶת *Nouepheth*.
Except אֵשֶׁת אִישׁ *Aisheth Eesh*, a man's wife.

Prov. vi. 26.

ADULTEROUS.

מְנָאָפֶת *Menŏŏpheth*.
Prov. xxx. 20.

ADULTERY -IES.

נָאַף *Noaph*, to be excited, roused. (No plural.)

AFAR.

רָחוֹק *Rokhouk*, distant, afar off.
Except נֶגֶד *Neged*, opposite.
2 Kings iv. 25.

AFFAIRS.

דָּבָר *Dovor*, a word, import, object, subject.
Except עֲבִיד *Aveed* (Syriac), a work, matter.

Dan. ii. 49.	Dan. iii. 12.

AFFECTETH.

עָלַל *Olal*, to affect, act.
Lam. iii. 51.

AFFECTION.

רָצָה *Rotsoh*, to will, please, accept.
1 Chron. xxix. 3.

AFFINITY.

חָתַן *Khothan*, to contract in marriage.

1 Kings iii. 1.	Ezra ix. 14.
2 Chron. xviii. 1.	

AFFLICT -ED.
AFFLICTION -S.

These words occur 142 times in the Bible; 96 times from the verb עָנָה *Innoh*, to afflict. The remainder as below.

1. דָּכָא *Dokho*, to bruise.
2. כָּבֵד *Kovad*, to be heavy, pressed.
3. קָלַל *Kolal*, to lighten, lightly esteem.
4. לָחַץ *Lokhats*, to press upon, oppress.
5. עוּק *Ook*, to press heavily.
6. נָמַס *Nomas*, to melt, dissolve.
7. יָגָה *Yogoh*, to grieve, vex.
8. אָוֶן *Oven*, iniquity.
9. רוּעַ *Rooa*, to do evil.
10. שָׁבַר *Shovar*, to break, fracture.
11. צָרַר *Tsorar*, to oppress, bind, tie up.
12. עָנָה *Onoh*, to answer.

9. Psalm xliv. 2.	7. Isa. li. 23.
12. ——— lv. 19.	9. Jer. xxxi. 28.
11. ——— cxliii. 12.	11. Amos v. 12.
2. Isa. ix. 1.	4. ——— vi. 14.

AFFLICTEST.

12. 1 Kings viii. 35.

AFFLICTED.

9. Numb. xi. 11.	3. Isa. ix. 1.
9. Ruth i. 21.	11. — lxiii 9.
6. Job vi. 14.	7. Lam. i. 4, 5, 12.
11. Psalm cxxix. 1, 2.	9. Mic. iv. 6.
1. Prov. xxvi. 28.	

AFFLICTION.

4. 1 Kings xxii. 27.	11. Jer. xvi. 19.
4. 2 Chron. xviii. 26.	10. — xxx. 15.
11. ———— xx. 9.	9. — xlviii. 16.
11. ———— xxxiii. 12.	11. Hos. v. 15.
9. Neh. i. 3.	10. Amos vi. 6.
8. Job v. 6.	9. Obad. 13.
5. Psalm lxvi. 11.	11. Jonah ii. 2.
11. ——— cvi. 44.	11. Nah. i. 9.
9. ——— cvii. 39.	8. Hab. iii. 7.
4. Isa. xxx. 20.	9. Zech. i. 15.
11. — lxiii. 9.	11. ——— viii. 10.
8. Jer. iv. 15.	11. ——— x. 11.
11. — xv. 11.	

AFFLICTIONS.

9. Psalm xxxiv. 19.

AFFORDING.

מְפִיקִים *Mepheekeem*, proceeding from, going out, forth, supplying.

Psalm cxliv. 13.

AFFRIGHT.

1. בָּעַת *Biaith*, to affright, frighten.
2. חָתַת *Khotath*, to be anxious, dismayed.
3. עָרַץ *Orats*, to dread.
4. בָּהַל *Bohal*, to terrify.
5. יָרֵא *Yoro*, to fear.
6. אֹחֵז־שַׂעַר *Oukhaiz-saar*, to seize with horror, to seize the hair.

5. 2 Chron. xxxii. 18.

AFFRIGHTED.

3. Deut. vii. 21.	1. Isa. xxi. 4.
6. Job xviii. 20.	4. Jer. li. 32.
2. — xxxix. 22.	

AFORE.

1. לְפָנַי *Liphnai*, before.
2. קֶדֶם *Kedem*, former time.
3. בָּרִאשֹׁנָה *Borishounoh*, at first.
4. לֹא *Lou*, not.

4. 2 Kings xx. 4.	1. Isa. xviii. 5.
2. Psalm cxxix. 6.	1. Ezek. xxxiii. 22.

AFORETIME.

1. Job xvii. 6.	2. Jer. xxx. 20.
3. Isa. lii. 4.	2. Dan. vi. 10.

AFRAID.

1. יָרֵא *Yoro*, to fear.
2. חָרַד *Khorad*, to tremble, frighten.
3. בָּעַת *Boath*, to be struck with terror.
4. יָגֹר *Yogar*, to be afraid.
5. בָּהַל *Bohal*, to terrify.
6. פָּחַד *Pokhad*, to be anxious.
7. רָעַשׁ *Roash*, to quake.
8. חוּל *Khool*, to be in pain, sicken.
9. דָּאַג *Doag*, to be troubled in mind, anxious.
10. דָּחַל *Dokhal* (Syriac), to fear.
11. חָתַת *Khotath*, to be dismayed.
12. חָגַר *Khogar*, to gird on, struggle, sprawl.
13. רָהָה *Rohoh*, to be distrustful.
14. חָרַג *Khorag*, to force, drive out.

2. Gen. xlii. 28.	1. Psalm lvi. 3.
1. ———— 35.	1. — lxv. 8.
1. Exod. xxxiv. 30.	8. — lxxvii. 16.
2. Lev. xxvi. 6.	5. — lxxxiii. 15.
1. Numb. xii. 8.	1. — cxix. 120.
1. Deut. vii. 19.	2. Isa. x. 29.
2. Judg. vii. 3.	2. — xvii. 2.
1. 1 Sam. iv. 7.	2. — xix. 16.
1. ———— xviii. 29.	6. Isa. xxxiii. 14.
1. 2 Sam. i. 14.	2. — xli. 5.
1. ———— xiv. 15.	11. — li. 7.
2. ———— xvii. 2.	9. — lvii. 11.
3. ———— xxii. 5.	2. Jer. xxx. 10.
2. 1 Kings i. 49.	6. — xxxvi. 24.
1. Neh. vi. 9.	9. — xxxviii. 19.
4. Job ix. 28.	4. — xxxix. 17.
2. — xi. 19.	2. — xlvi. 27.
3. — xiii. 11, 21.	2. Ezek. xxx. 9.
3. — xv. 24.	2. ———— xxxiv. 28.
3. — xviii. 11.	2. ——— xxxix. 26.
5. — xxi. 6.	10. Dan. iv. 5.
6. — xxiii. 15.	1. Jonah i. 5, 10.
3. — xxxiii. 7.	2. Mic. iv. 4.
7. — xxxix. 20.	2. Nah. ii. 11.
4. — xli. 25.	11. Hab. ii. 17.
3. Psalm xviii. 4.	2. Zeph. iii. 13.

AFRAID, be.

1. Deut. i. 29.	6. ———— xxvii. 1.
1. ———— xxxi. 6.	1. Isa. viii. 12.
1. 1 Sam. xxiii. 3.	5. Isa. xiii. 8.
12. 2 Sam. xxii. 46.	6. — xix. 17.
1. Neh. vi. 13.	11. — xx. 5.
1. Job v. 21.	11. — xxxi. 9.
4. — xix. 29.	13. — xliv. 8.
14. Psalm xviii. 45.	1. — li. 12.

AFRAID, not be.

4. Deut. i. 17.	1. Psalm cxii. 7, 8.
1. ——— vii. 18.	6. Prov. iii. 24.
4. ——— xviii. 22.	6. Isa. xii. 2.
1. Psalm iii. 6.	11. — xxxi. 4.
1. ——— lvi. 11.	2. Amos iii. 6.
1. ——— xci. 5.	

AFRAID, be not.

1. Deut. xx. 1.	1. Prov. iii. 25.
1. Josh. xi. 6.	1. Isa. xl. 9.
1. 1 Sam. xxviii. 13.	1. Jer. i. 8.
1. 2 Kings i. 15.	1. — x. 5.
1. Neh. iv. 14.	1. Ezek. ii. 6.
1. Psalm xlix. 16.	

AFRAID, sore.

1. Gen. xx. 8.	1. 1 Sam. xxviii. 20.
1. Exod. xiv. 10.	1. ——— xxxi. 4.
4. Numb. xxii. 3.	1. 1 Chron. x. 4.
1. Josh. ix. 24.	1. Neh. ii. 2.
1. 1 Sam. xvii. 24.	

AFRAID, was.

1. Gen. iii. 10.	1. 1 Chron. xiii. 12.
1. — xviii. 15.	3. ——— xxi. 30.
1. — xxxii. 7.	3. Esth. vii. 6.
1. Exod. iii. 6.	4. Job iii. 25.
4. Deut. ix. 19.	1. — xxxii. 6.
2. Ruth iii. 8.	1. Jer. xxvi. 21.
1. 1 Sam. xviii. 12.	9. — xlii. 16.
4. ——— 15.	3. Dan. viii. 17.
2. ——— xxi. 1.	1. Hab. iii. 2.
1. ——— xxviii. 5.	11. Mal. ii. 5.
1. 2 Sam. vi. 9.	

AFTER THAT, THIS, -WARDS.

אַחַר *Akhar,* after, another.

אַחֲרֵי־כֵן *Akharai-khain,* after this, that, -wards.

AFTERNOON.

נְטוֹת־הַיּוֹם *Netouth-hayoum,* declining of the day.

Judg. xix. 8.

AGAIN.

1.	אַחַר	*Akhar,* after, another.
2.	גַּם	*Gam,* also.
3.	ו	*Vav,* prefixed.
4.	יָסַף	*Yosaph,* to add.
5.	עוֹד	*Oud,* again, yet more.
6.	שָׁנָה	*Shinnoh,* to repeat.
7.	תָּנָה	*Tonoh* (Syriac), to repeat.
8.	שׁוּב	*Shoov,* to turn, return.

4. Gen. iv. 2.	6. 2 Sam. xvi. 19.
5. ——— 25.	5. ——— xxi. 18.
4. — viii. 10, 12, 21.	4. ——— xxiv. 1.
4. — xxv. 1.	4. 2 Kings xix. 30.
4. — xxxviii. 5, 26.	4. ——— xxiv. 7.
4. Exod. xiv. 13.	4. 1 Chron. xiv. 13.
6. Lev. xiii. 6, 7.	6. Neh. xiii. 21.
4. Numb. xxxii. 15.	4. Esth. viii. 3.
1. Deut. xxiv. 20.	5. Job xiv. 7.
4. — xxviii. 68.	4. Prov. xix. 19.
5. Judg. xx. 25.	4. ——— xxiii. 35.
5. Ruth i. 14.	2. Eccles iv. 11.
5. 1 Sam. xxiii. 4.	4. Isa. xxiv. 20.
4. 2 Sam. vi. 1.	4. — xxxvii. 31.

8. Jer. xviii. 4.	4. Amos vii. 8. 13.
7. Dan. ii. 7.	4. —— viii. 2.
4. —— x. 18.	4. Jonah ii. 4.
5. Hos. i. 6.	3. Zech. ii. 1.

See Come again, Turn again.

AGAINST.

1.	אֶל	*El,* to, unto, towards.
2.	בְּ	*Beth,* prefixed, in, with, by, at, on, against, over.
3.	ה	*Hai,* prefixed, the.
4.	ל	*Lamed,* prefixed, unto, towards.
5.	מ or מִן	*Mem* or *Min,* from, out of, more than.
6.	נֶגֶד	*Neged,* opposite, in presence of.
7.	נֹכַח	*Noukhakh,* opposite, in presence of.
8.	עִם	*Im,* with.
9.	עֻמַּת	*Umath,* like unto, corresponding.
10.	פָּנָה	*Ponoh,* to face, look at, oppose.
11.	עַל	*Al,* above, over, against.
12.	צַד	*Tsad* (Syriac), in opposition to.
13.	לִקְרַאת	*Likrath,* against, meeting.

13. Gen. xv. 10.	13. Judg. xx. 25.
2. —— xvi. 12, twice.	6. ——— 34.
13. Exod. vii. 15.	13. 1 Sam. iv. 1, 2.
1. —— xiv. 5.	13. ——— ix. 14.
13. —— 27.	13. —— xvii. 2, 21, 55.
9. —— xxxix. 20.	13. —— xxv. 20.
5. Lev. iv. 2.	11. —— xxvii. 10, twice.
2. —— xvii. 10.	2. 2 Sam. xviii. 13. ⎱
11. Numb. xvi. 3, 11, 19.	6. ——— 13. ⎰
2. ——— 38.	4. —— xxi. 5.
11. ——— 41, twice.	2. —— xxiv. 17, twice.
11. ——— 42, twice.	1. 1 Kings vii. 9.
2. —— xxi. 7.	13. —— xx. 27.
13. ——— 23, 33.	—— xxi. 13, not in original.
13. ——— xxii. 34.	
6. —— xxv. 4.	7. —— xxii. 35.
—— xxvii. 14, not in original.	4. 2 Kings v. 7.
Deut. i. 26, not in original.	13. —— ix. 21.
	11. —— xvi. 7.
4. ——— 41.	11. —— xxiii. 29. ⎱
13. ——— 44.	13. ——— 29. ⎰
13. ——— ii. 32.	13. 1 Chron. xix. 10, 11, 17.
13. ——— iii. 1.	
8. —— ix. 7.	9. —— xxv. 8.
13. —— xxix. 7.	9. —— xxvi. 12, 16.
10. —— xxxi. 21.	4. 2 Chron. xiv. 9.
6. Josh. iii. 16.	10. ——— 10.
3. —— viii. 3.	11. ——— 11.
13. ——— 5, 14, 22.	7. —— xviii. 34.
1. —— x. 6.	10. —— xx. 12. ⎱
13. —— xi. 20.	11. ——— 12. ⎰
11. —— xxii. 12.	10. ——— 17.
2. ——— 19.	1. —— xxxii. 19. ⎱
11. Judg. iii. 10.	11. ——— 19. ⎰
1. —— xii. 3.	2. —— xxxv. 20. ⎱
13. —— xiv. 5.	13. ——— 20. ⎰
13. —— xv. 14.	11. Ezra iv. 8, 19.

11. Ezra vii. 2, 3.
2. —— x. 2.
11. Neh. ii. 19.
6. —— xiii. 21.
2. —— 27.
11. Esth. viii. 3.
4. —— 13.
6. Job x. 17.
8. — 17.
8. — xxiii. 6.
11. Psalm ii. 2.
11. —— xxi. 12.
11. —— xxvii. 3, twice.
13. —— xxxv. 3.
5. —— xliii. 1.
5. —— lxv. 3.
8. —— xciv. 16, twice.
2. —— cii. 8, once in
original.
6. Prov. xxi. 30.
8. —— xxx. 31.
6. Eccles. iv. 12.
1. Isa. ii. 4.
2. — xix. 2, four times.
4. Jer. i. 18, five times.

11. Jer. viii. 18.
11. — xi. 19.
— xxxviii. 5, not in
original.
11. — li. 1, twice in
original.
1. — li. 1.
Lam. i. 18, not in
original.
9. Ezek. iii. 8, twice.
9. —— 13.
6. —— xl. 13.
10. —— xlii. 3.
10. —— 10, twice.
10. —— xlviii. 15, 21.
11. Dan. iii. 19, 29.
11. — v. 23.
12. —— vii. 25.
— xi. 32, not in
original.
11. Amos vii. 9.
11. Mic. iv. 11.
11. Zech. x. 3.
1. —— xiv. 2.
11. Mal. iii. 13, twice.
See Over against, &c.

AGATE.

1.   לֶשֶׁם   *Leshem,* an agate.
2.   כַּדְכֹּד   *Kadkoud,* a ruby.

1. Exod. xxviii. 19. | 2. Isa. liv. 12.
1. —— xxxix. 12. | 2. Ezek. xxvii. 16.

AGE.

1.   שָׂב   *Sov,* gray-haired.
2.   זָקֵן   *Zokain,* old, and זָקֵן to grow old.
3.   בֵּן   *Bain,* a son, structure.
4.   אֲנָשִׁים   *Ănosheem,* men, manhood.
5.   דּוֹר   *Dour,* a generation.
6.   כֶּלַח   *Khelakh,* seasonable.
7.   חָלֶד   *Kholed,* duration, durable.
8.   רֹב־יָמִים   *Rouv-yomeem,* abundant days.
9.   יָשִׁישׁ   *Yosheesh,* substantial.
10.   שְׁנֵי־חַיִּים   *Shĕnai-Khayeem,* years of life.

2. Gen. xxi. 2, 7.
2. —— xxxvii. 3.
2. —— xliv. 20.
10. —— xlvii. 28.
2. —— xlviii. 10.
3. Numb. viii. 25.
4. 1 Sam. ii. 33.
1. 1 Kings xiv. 4.
2. —— xv. 23.

3. 1 Chron. xxiii. 3, 24.
9. 2 Chron. xxxvi. 17.
6. Job v. 26.
5. — viii. 8.
7. — xi. 17.
7. Psalm xxxix. 5.
5. Isa. xxxviii. 12.
8. Zech. viii. 4.

AGED.

2. 2 Sam. xix. 32.
2. Job xii. 20.
9. — xv. 10.

9. Job xxix. 8.
2. — xxxii. 9.
2. Jer. vi. 11.

AGO.
Not used in Hebrew.

AGONE.
1 Sam. xxx. 13, not in original.

AGREED.
נוֹעָד   *Nouod,* agreed, fixed, appointed.
Amos iii. 3.

AGREEMENT.

1.   חֹזֶה   *Khouzeh,* a vision.
2.   מֵישָׁרִים   *Maishoreem,* rectitude, integrity, uprightness.

1. Isa. xxviii. 15, 18. | 2. Dan. xi. 6.

AGUE.
קַדַּחַת   *Kadakhath,* the ague.
Lev. xxvi. 16.

AH.   AHA.

אָח   *Okh* ⎱
הָהּ   *Hoh* ⎰ Exclamations.
הֶאָח   *Heokh.*

AIDED.
חִזַּק־יָדָיו   *Khizaik-yodov,* strengthened his hands.
Judg. ix. 24.

AILED.
מַה־לָּךְ   *Mah-lokh,* what to thee.

AILETH.
Gen. xxi. 17.   2 Kings vi. 28.
Judg. xviii. 23.   Isa. xxii. 1.
2 Sam. xiv. 5.

AIR.

1.   רוּחַ   *Rooakh,* air, spirit, wind, breath.
2.   שָׁמַיִם   *Shomayim,* the heavens.

2. 2 Sam. xxi. 10. | 2. Prov. xxx. 19.
1. Job xli. 16. | 1. Eccles. x. 20.

ALARM.
רוּעַ   *Rooa,* to shout aloud, sound a trumpet.

ALAS.

אָח   *Okh,* ⎱ Alas, sign of exclama-
הוֹי   *Houee,* ⎰ tion.
or *Hoee.*

ALBEIT.
Not used. But the ו conjunctive is used.
Ezek. xiii. 7.

ALGUM-TREES.
אַלְגּוּם   *Algoom.*

ALIEN.

1.   נָכְרִי   *Nokhree,* a stranger.
2.   גֵּר   *Gair,* a sojourner.

1. Job xix. 15. | 2. Psalm lxix. 8.

ALIENS.

2. Exod. xviii. 3.	1. Isa. xli. 5.
1. Deut. xiv. 21.	1. Lam. v. 2.

ALIENATE.

1. יַעֲבִיר *Yăăveer*, to transfer, pass by, over.

2. יָקַע *Yoka*, to dislocate, disjoin.

1. Ezek. xlviii. 14.

ALIENATED.

2. Ezek. xxiii. 17, 18, 22, 28.

ALIKE.

1. שָׁוֶה *Shoveh*, alike, equal.

2. כֵּן *Kain*, so, as.

3. כְּאֶחָד *Kĕ-ekhod*, as one.

4. יַחַד *Yokhad*, together, united.

5. כַּאֲשֶׁר *Kăăsher*, as that, according to.

6. גַּם *Gam*, also, even.

2. Deut. xii. 22.	6. Prov. xx. 10.
4. 1 Sam. xxx. 24.	1. —— xxvii. 15.
4. Job xxi. 26.	5. Eccles. ix. 2.
4. Psalm xxxiii. 15.	3. —— xi. 6.
—— cxxxix. 12, not used.	

ALIVE.

חַי *Khaee*, alive, living.

Except שָׂרִיד *Soreed*, remainder, remnant.
Numb. xxi. 35.

ALL.

כָּל *Kol*, all, the whole, entire.

ALLIED.

קָרוֹב *Korouv*, near.
Neh. xiii. 4.

ALLOWANCE.

אֲרֻחָה *Ărukhoh*, a custom, provision.

2 Kings xxv. 30.

ALLURE.

פִּתָּה *Pittoh*, to persuade.
Hos. ii. 14.

ALMIGHTY.

שַׁדַּי *Shaddaee*, the all-sufficient One.

ALMOND   -S.

שָׁקֵד *Shokaid*.   שְׁקֵדִים *Shekaideem.*

ALMOST.

עַד־מְעַט *Oud-mĕat*, yet a little.

כִּמְעַט *Kimat*, as little.

ALMUG-TREES.

אַלְמֻג *Almug.*

1 Kings x. 11, 12.

ALOES.

אֲהָלִים } *Aholeem*, mas.

אֲהָלוֹת } *Aholouth*, fem., perfumed wood.

Numb. xxiv. 6.	Prov. vii. 17.
Psalm xlv. 8.	Cant. iv. 14.

ALONE.

1. { לְבַד *Lĕvad*, alone.
   or
   בָּדָד *Bodod*, solitary.

2. אֶחָד *Ekhod*, one.

3. חָדַל *Khodal*, to avoid, beware.

1. in all passages, except:

3. Exod. xiv. 12.	3. Job vii. 16.
2. Josh. xxii. 20.	2. Eccles iv. 10.
1. 1 Chron. xxix. 1.	2. Isa. li. 2.

ALONG.

Not used in Hebrew.

ALOOF.

נֶגֶד *Neged*, against, opposite, before, in presence of.
Psalm xxxviii. 11.

ALREADY.

Not used in Hebrew.

ALSO.

אַף *Aph*, }
   or   } also, even.
גַּם *Gam*, }

כֹּה *Kouh*, thus.

אוֹ *Ou*, or.

ALTAR -S.

מִזְבֵּחַ *Misbaiakh*, a place of sacrifice.

ALTER.

1. שִׁנָּה *Shinnoh*, to repeat, change, alter.

2. חָלַף *Kholaph*, to exchange.

3. עָבַר *Ovar*, to pass over, transpose.

2. Lev. xxvii. 10.	1. Psalm lxxxix. 34.
1. Ezra vi. 11, 12.	

ALTERED.

3. Esth. i. 9.

ALTERETH.

עֲדָא *Edai* (Syriac), to pass away.
Dan. vi. 8, 12.

ALTHOUGH.

כִּי *Kee*, for, that, verily, although.

ו And, prefixed to substantive or pronoun.

ALTOGETHER.

1. יַחַד *Yokhad*, together, united.
2. כָּל *Kol*, all, the whole.
3. בְּאַחַת *Běăkhath*, at once.

Numb. xvi. 13, not in original.
Deut. xvi. 20, not in original.
1. Psalm xix. 9.
2. —— xxxix. 5.

Psalm L. 21, not in original.
1. —— liii. 3.
2. —— cxxxix. 4.
2. Cant. v. 16.
3. Jer. x. 8.

ALWAY -S.

1. כָּל־הַיָּמִים *Kol hayomeem*, all the days.
2. כָּל־עֵת *Kol aith*, all time.
3. תָּמִיד *Tomeed*, continually.
4. נֶצַח *Netsakh*, successively, prosperously.
5. לְעֹלָם *Lěoulom*, everlasting, for ever.

1. Deut. v. 29.
1. —— xi. 1.
1. —— xiv. 23.
5. Job vii. 16.
2. — xxvii. 10.

3. Psalm xvi. 8.
4. —— ciii. 9.
5. —— cxix. 112.
2. Prov. viii. 30.
4. Isa. lvii. 16.

AM.
Not used in the Hebrew language.

AMAZED.

1. חָתַת *Khotath*, to be dismayed, to be anxious.
2. בָּהַל *Bohal*, to terrify.
3. שָׁמַם *Shomam*, to astonish, lay desolate.
4. תָּמַהּ *Tomoh*, to wonder.

2. Exod. xv. 15.
2. Judg. xx. 41.
1. Job xxxii. 15.

4. Isa. xiii. 8.
3. Ezek. xxxii. 10.

AMBASSADOR.

1. מַלְאָךְ *Malokh*, an angel, messenger of God.
2. מֵלִיץ *Maileets*, an interpreter.
3. צִיר *Tseer*, a special messenger, an express.

1. Prov. xiii. 17.
3. Jer. xlix. 14.

3. Obad. 1.

AMBASSADORS.

3. Josh. ix. 4.
2. 2 Chron. xxxii. 31.
1. —— xxxv. 21.
3. Isa. xviii. 2.

1. — xxx. 4.
1. — xxxiii. 7.
1. Ezek. xvii. 15.

AMBUSH.
אָרַב *Orav*, to lay in wait.
Josh. viii. 2, 7, 12, 14, 19, 21.

AMBUSHES.
אֹרְבִים *Ourveem*.
Jer. li. 12.

AMBUSHMENT.
מַאֲרָב *Mäărov*.
2 Chron. xiii. 13.

AMBUSHMENTS.
מַאֲרְבִים *Maiorveem*.
2 Chron. xx. 22.

AMEN.
אָמֵן *Omain*, true, faithful. Used to affirm anything spoken.

AMEND.
יָטַב *Yotav* (Hiph.), to amend, improve.

Jer. vii. 3.
— xxvi. 13.

Jer. xxxv. 15.

AMENDS, MAKE AMENDS.
שָׁלֵם *Shalaim*, to repay, complete.
Lev. v. 16.

AMERCE.
עָנַשׁ *Onash*, to punish.
Deut. xxii. 19.

AMETHYST.
אַחְלָמָה *Akhlomoh*, an amethyst.

AMIABLE.
יְדִידוֹת *Yědeedouth*, lovely.
Psalm lxxxiv. 1.

AMISS.

1. הֶעֱוִין *Heëveen*, to cause iniquity.
2. שָׁלָה *Sholoh* (Chaldee), a failure, negligence.

1. 2 Chron. vi. 37.
2. Dan. iii. 29.

AMONG.

1. בְּקֶרֶב *Běkerev*, in the midst, within.
2. עַל *Al*, upon, above, by.
3. מ *Mem*, prefixed to Subst., out of.
4. בְּ *Beth*, prefixed, in, among.

1. Numb. xiv. 14.
3. Ezra x. 18.
4. Neh. xiii. 26.
3. Job xxxiii. 23.
4. — xxxvi. 14.
2. Eccles. vi. 1.

3. Eccles. vii. 28.
4. —— 28.
3. Cant. v. 10.
4. Jer. v. 26.
4. Mic. vii. 2.

ANCESTORS.
רִאשֹׁנִים *Rishouneem*, head, first, chief ones, former ones.
Lev. xxvi. 45.

ANCIENT.

1.   קֶדֶם   *Kedem*, before, aforetime, former, met. the east.

2.   עוֹלָם   *Oulom*, extent, duration.

3.   יָשִׁישׁ   *Yosheesh*, substantial.

4.   זָקֵן   *Zokain*, old, elder.

5.   עַתִּיק   *Ateek* (Chaldee), removable.

1. Deut. xxxiii. 15.	1. Isa. xxiii. 7.
1. Judg. v. 21.	1. — xxxvii. 26.
1. 2 Kings xix. 25.	2. — xliv. 7.
5. 1 Chron. iv. 22, plural.	1. — xlvi. 10.
4. Ezra iii. 12, plural.	4. — xlvii. 6.
3. Job xii. 12.	1. — li. 9.
2. Prov. xxii. 28.	2. Jer. xviii. 15.
4. Isa. iii. 2, 5.	4. — xix. 1, *bis*.
4. — ix. 15.	4. Ezek. ix. 6.
1. — xix. 11.	5. Dan. vii. 9, 13, 22.

ANCIENTS.

1. 1 Sam. xxiv. 13.	4. Jer. xix. 1.
4. Psalm cxix. 100.	4. Ezek. vii. 26.
4. Isa. iii. 14.	4. —— viii. 11, 12.
4. — xxiv. 23.	4. —— xxvii. 9.

ANCLES.

אֲפָסַיִם   *Aphsoyim*, extremities, uttermost parts.

Ezek. xlvii. 3.

ANGEL.

מַלְאָךְ   *Malokh*, an angel, messenger of God.

ANGELS.

מַלְאָכִים   *Malokheem*.

ANGER.

אַף   *Aph*, anger, in all passages.

Except:

1.   רוּחַ   *Rooakh*, spirit.

2.   חֵמָה   *Khaimmoh*, fury.

3.   זַעַם   *Zaam*, indignation.

4.   כַּעַס   *Kaas*, rage.

5.   עֶבְרָה   *Evroh*, wrath.

6.   פָּנִים   *Poneem*, face.

1. Judg. viii. 3.	4. Psalm lxxxv. 4.
2. Esth. i. 12.	5. Prov. xxii. 8.
3. Psalm xxxviii. 3.	6. Jer. iii. 12.
4. Eccles. vii. 9.	

ANGERED.

קָצַף   *Kotsaph* (Hiph.), to cause anger.

Psalm cvi. 32.

ANGRY.

1.   כַּעַס   *Kaas*, anger, rage.

2.   חָרָה   *Khoroh*, to excite to wrath, fume.

3.   קָצַף   *Kotsaph*, to vex, grieve.

4.   { אָנַף   *Onaph*, אַף   *Aph*, } anger, excitement.

5.   מַר־נֶפֶשׁ   *Mur-nephesh*, bitter spirit.

6.   זַעַם   *Zaam*, indignation.

7.   קְצַר־אַפַּיִם   *Ketsar-apayim*, short-breathed through anger.

8.   עָשַׁן   *Oshan*, to fume with rage.

2 Gen. xviii. 30, 32.	4. —— lxxvi. 7.
2. — xlv. 5.	4. —— lxxix. 5.
3. Lev. x. 16.	8. —— lxxx. 4.
4. Deut. i. 37.	4. —— lxxxv. 5.
4. —— iv. 21.	7. Prov. xiv. 17.
4. —— ix. 8, 20.	1. —— xxi. 19.
5. Judg. xviii. 25.	4. —— xxii. 24.
2. 2 Sam. xix. 42.	6. —— xxv. 23.
4. 1 Kings viii. 46.	4. —— xxix. 22.
4. —— xi. 9.	3. Eccles. v. 6.
4. 2 Kings xvii. 18.	1. —— vii. 9.
4. 2 Chron. vi. 36.	2. Cant. i. 6.
4. Ezra ix. 14.	4. Isa. xii. 1.
2. Neh. v. 6.	1. Ezek. xvi. 42.
4. Psalm ii. 12.	3. Dan. ii. 12.
6. —— vii. 11.	2. Jonah iv. 1, 4, 9.

ANGLE.

חַכָּה   *Khakoh*, a fish-hook.

Isa. xix. 8.	Hab. i. 15.

ANGUISH.

1.   מְצוּקָה   and   צוּקָה   *Metsookoh* and *Tsokoh*, constraint, distress.

2.   קְצַר־רוּחַ   *Ketsar-Rooakh*, short of spirit, anguish.

3.   חָלָה   *Kholoh*, to be sick, ill.

4.   שָׁבָץ   *Shovots*, pressure, tightness.

5.   צָרָה   *Tsoroh*, trouble, distress, anguish.

5. Gen. xlii. 21.	1. Prov. i. 27.
2. Exod. vi. 9.	1. Isa. viii. 22.
3. Deut. ii. 25.	1. — xxx. 6.
4. 2 Sam. i. 9.	5. Jer. iv. 31.
5. Job vii. 11.	5. — vi. 24.
1. — xv. 24.	5. — xlix. 24.
1. Psalm cxix. 143.	5. — L. 43.

ANOINT -ED -ING.

1.   מָשַׁח   *Moshakh*, to anoint as king, with holy anointing oil, by the especial order of Jehovah.

Except:

2.   נָסַךְ   *Nosakh*, to pour out, or rub with oil.

2. Deut. xxviii. 40.
2. Ruth iii. 3.
2. 2 Sam. xii. 20.

2. 2 Sam. xiv. 2.
2. Dan. x. 3.
2. Mic. vi. 15.

and בָּלַל *Bolal,* to mix ingredients together.

Psalm xcii. 10.

ANOINTED ONES.

יִצְהָר *Yitshor,* the pure, clear, bright.

Zech. iv. 14.

Also the name of one of the sons of Kohath, son of Levi.

Exod. vi. 18, 21. | Numb. xvi. 1.

ANOINTED, his, Lord's.

מָשִׁיחַ *Mosheeakh,* the anointed, Messiah.

ANOINTEST.

דָּשֵׁן *Doshan,* to grease, make fat.

Psalm xxiii. 5.

דָּשֵׁן *Shomen,* oil, fatness.

ANOINTING.

שֶׁמֶן *Shomen,* oil, fatness.

Isa. x. 27.

ANOTHER.

אַחֵר *Akhair,* another.

Except in following passages :

1. אֶחָד *Ekhod,* one.
2. לִרְעוּתָהּ *Lirĕoothoh,* unto her neighbour.
3. זָר *Zor,* a stranger.
4. זֶה *Zeh,* this.
5. אִישׁ *Eesh,* a man.

1. Judg. xvi. 7.
5. 1 Sam. ii. 25.
2. Esth. i. 19.
3. Job xix. 27.
3. Prov. xxvii. 2.

5. Isa. iii. 5.
4. — xliv. 5.
5. Ezek. i. 9.
5. —— xxii. 11.
5. Hos. iv. 4.

ANSWER, Subst.

1. עָנָה *Onoh,* to answer, express.
2. אָמַר *Omor,* a saying, speech.
3. מַעֲנֶה *Măăneh,* an answer, reply.
4. דָּבָר *Dovor,* a word, subject, import, object.

1. Gen. xli. 16.
1. Deut. xx. 11.
2. Judg. v. 29.
4. 2 Sam. xxiv. 13.
Esth. iv. 15, not in original.
1. Job xix. 16.
3. — xxxii. 3.

1. — xxxv. 12.
3. Prov. xv. 1.
3. ——— 23.
3. —— xvi. 1.
4. —— xxiv. 26, plur.
1. Cant. v. 6.
4. Jer. xlv. 20.
3. Mic. iii. 7.

ANSWERS.

תְּשׁוּבוֹת *Teshoovouth.*

Job xxi. 34. | Job xxxiv. 26.

ANSWER -ED -EDST -EST -ETH -ING.

1. עָנָה *Onoh,* to answer, express.
2. שׁוּב *Shoov* (Hiph.), (Chaldee, תוּב *Thoov,*) to turn, return.
3. אָמַר *Omar,* to say.
4. דָּבַר *Dovor,* a word.
5. יָדַע *Yoda* (Hiph.), to cause to know.

No. 1 in all passages, except :—

3. 1 Sam. iii. 4.
2. 2 Sam. iii. 11.
3. — xxi. 1.
4. 2 Chron. x. 6, 9.
3. ——— xxv. 9.
2. Job xxxi. 14.
2. — xxxv. 4.
5. — xxxviii. 3.

4. Prov. xviii. 13.
2. — xxii. 21.
4. — xxiv. 26.
4. Neh. ii. 20.
3. Isa. vi. 11.
2. Dan. ii. 14.
2. Hab. ii. 1.

ANSWERABLE.

לְעֻמַּת *Leoomath,* agreeable, corresponding to.

Exod. xxxviii. 18.

ANT.

נְמָלָה *Nĕmoloh,* an ant.

Prov. vi. 6.

ANTS.

נְמָלִים *Nĕmoleem.*

Prov. xxx. 25.

ANTIQUITY.

קַדְמָתָהּ *Kadmothoh,* former age.

Isa. xxiii. 7.

ANVIL.

פַּעַם *Poam,* an anvil.

Isa. xli. 7.

ANY.

כֹּל *Koul,* any.

APART.

1. לְבַד *Lĕvad,* solitary, alone.
2. נִדָּה *Niddoh,* impure.
3. פָּלָה *Poloh* (Hiph.), to select.
4. עָבַר *Ovar* (Hiph.), to cause to remove, pass through.

4. Exod. xiii. 12.
2. Lev. xv. 19.

3. Psalm iv. 3.
1. Zech. xii. 12.

APES.

קֹפִים *Koupheem,* apes.

1 Kings x. 22. | 2 Chron. ix. 21.

APIECE.

Not used in Hebrew, but understood by repetition of the word : as,

1. חֲמֵשֶׁת חֲמֵשֶׁת *five, five.*
2. עֲשָׂרָה *repeated, ten, ten.*
3. מַטֶּה *repeated, rod, rod.*

1. Numb. ii. 47. | 1 Kings vii. 15, not in
2. ——— vii. 86. | original.
3. ——— xvii. 6. |

APOTHECARY.

רוֹקֵחַ *Roukaiakh,* a compounder, perfumer.

Exod. xxx. 25, 35. | Eccles. x. 1.
——— xxxvii. 29. |

APPARENTLY.

מַרְאֶה *Mareh,* countenance, sight, appearance.

Numb. xii. 8.

APPAREL.

1. מַלְבּוּשׁ *Malboosh,* and לְבוּשׁ *Lĕvoosh,* any raiment.
2. שִׂמְלָה *Simloh,* a loose outer garment.
3. חֲלִצוֹת *Khalotsouth,* changes of apparel.

3. Judg. xiv. 19. | 2. Isa. iv. 1.
2. 2 Sam. xii. 20. | 1. — lxiii. 1.
1. 1 Kings x. 5. | 1. Zeph. i. 8.
3. Isa. iii. 22. |

APPARELLED.

1. 2 Sam. xiii. 18.

appearance, see p. 588
APPEAR -ED -ETH -ING.

נִרְאָה *Niroh,* to be seen.

Except גָּלַשׁ *Golash,* to cut close, shear.
Cant. iv. 1. | Cant. vi. 5.

APPEASE.

1. כַּפֶּר־פָּנִים *Kophar-poneem,* to cover the face.
2. שָׁכַךְ *Shokhakh,* to abate.
3. שָׁקַט *Shokat,* to quiet.

1. Gen. xxxii. 20.

APPEASED.

2. Esth. ii. 1.

APPEASETH.

3. Prov. xv. 18.

APPERTAIN.

אָתָה *Othoh,* to come, become.
Jer. x. 7.

APPERTAINETH.

לַאֲשֶׁר־הוּא *Laasher-hoo,* to whom it.
Lev. vi. 5.

APPETITE.

1. חַיָּה *Khayoh,* life, nourishment.
2. בַּעַל־נֶפֶשׁ *Baal-nephesh,* possessor of animal breath, life.
3. נֶפֶשׁ *Nephesh,* animal breath, life.
4. רֵקַה־נֶפֶשׁ *Raikoh-nephesh,* empty of animal breath, life.

1. Job xxxviii. 39. | 3. Eccles. vi. 7.
2. Prov. xxiii. 2. | 4. Isa. xxix. 8.

APPLE, of the eye.

1. אִישׁוֹן *Eeshoun,* the pupil of the eye.
2. בָּבָה *Bovoh,* inside of the eye.
3. בַּת־עַיִן *Bath-ayin,* the daughter of an eye.

1. Deut. xxxii. 10. | 3. Lam. ii. 18.
1. Psalm xvii. 8. | 2. Zech. ii. 8.
1. Prov. vii. 2. |

APPLE -S -TREE.

תַּפּוּחַ *Tappooakh,* apple, apple tree.
תַּפּוּחִים *Tappookheem,* apples.

APPLY.

1. שִׁית *Sheeth,* to set, place, put, appoint.
2. נָטָה *Notoh,* to incline,
3. הָבִיא *Hovee,* to bring.
4. נָתַן *Nothan,* to give, set.
5. סָבַב *Sovav,* to encompass.
6. קָרַב *Korav,* to bring near.

3. Psalm xc. 12. | 1. Prov. xxii. 17.
2. Prov. ii. 2. | 3. ——— xxiii. 12.

APPLIED.

5. Eccles. vii. 25. | 6. Hos. vii. 6.
4. ——— viii. 9, 16. |

APPOINT.

1. יָעַד *Yoad,* to appoint, assemble.
2. שׁוּת *Shooth,* to set, place, put, appoint.
3. נָקַב *Nokav,* to announce.
4. שׂוּם *Soom,* to put, make, set.
5. מָנָה *Monoh,* to number, count.
6. יָכַח *Yokhakh,* to instruct, correct.
7. כָּסָא *Kosso,* to fix.

8.   חָקַק   *Khokak*, to decide, decree, engrave.

9.   נָתַן   *Nothan*, to give, place, grant.

10.   עָשָׂה   *Osoh*, to make, exercise, perform.

11.   יָצַב   *Yotsav*, to stand fast, firm.

12.   עָמַד   *Omad*, to stand.

13.   צִוָּה   *Tsivvoh*, to command.

14.   פָּקַד   *Pokad*, to visit, call to mind.

15.   בָּחַר   *Bokhar*, to choose.

3. Gen. xxx. 28.	4. Isa. lxi. 3.
14. —— xli. 34.	14. Jer. xv. 3.
14. Lev. xxvi. 16.	14. — xlix. 19.
4. Numb. iv. 19.	1. —— 19.
13. 2 Sam. vi. 21.	14. — L. 44.
4. —— vii. 10.	1. —— 44.
15. —— xv. 15.	14. — li. 27.
12. Neh. vii. 3.	4. Ezek. xxi. 19.
2. Job xiv. 13.	4. Hos. i. 11.
1. Isa. xxvi. 1.	

APPOINTED.

6. Gen. xxiv. 14.	1. Job xxx. 23.
1. Numb. ix. 2, 3, 7, 13.	4. Psalm lxxviii. 5.
1. Josh. xx. 9.	—— lxxix. 11, } not
1. Judg. xx. 38.	—— cii. 20, } in original.
1. 1 Sam. xiii. 11.	7. Prov. vii. 20.
11. —— xix. 20.	8. —— viii. 29.
13. 2 Sam. xvii. 14.	—— xxxi. 8, not in
13. 1 Kings i. 35.	original.
13. —— xx. 42.	1. Isa. i. 14.
14. 2 Kings x. 24.	4. — xliv. 7.
12. Neh. vi. 7.	8. Jer. v. 24.
9. —— ix. 17.	1. — xlvii. 7.
12. Esth. iv. 5.	9. Ezek. iv. 6.
5. Job vii. 3.	1. Mic. vi. 9.
10. — xiv. 5.	
10. — xx. 29.	

APPOINTETH.
10. Psalm civ. 19.

יְהָקִים   *Yĕhokeem* (Chaldee), raiseth up, establisheth.
Dan. v. 21.

APPOINTED Time and Times.

1.   מוֹעֵד   *Mouaid*, appointed.

2.   צָבָא   *Tsovo*, regularity, order.

3.   כֶּסֶה   *Keseh*, covering, the first day of the year; met., pardoning, covering of sin.

1. Gen. xviii. 14.	3. Psalm lxxxi. 3.
1. Exod. ix. 5.	1. Isa. xiv. 31.
1. —— xxiii. 15.	1. Jer. viii. 7.
1. 1 Sam. xiii. 13.	1. — xlvi. 17.
1. —— xx. 35.	1. Dan. viii. 19.
1. 2 Sam. xx. 5.	2. —— x. 1.
1. Esth. ix. 27.	1. —— xi. 27, 29, 35.
2. Job vii. 1.	1. Hab. ii. 3.
2. — xiv. 14.	

APPOINTMENT.

1.   עַל־פִּי   *Al-pee*, by the mouth.

2.   יָעַד   *Yoad*, to appoint, assemble.

3.   כְּמַאֲמַר   *Kemaamar* (Chaldee), according to the word, speech, saying.

1. Numb. iv. 27.	3. Ezra vi. 9.
1. 2 Sam. xiii. 32.	2. Job ii. 11.

APPROACH.

1.   קָרַב   *Korav*, to approach.

2.   נָגַשׁ   *Nogash*, to draw near.

1. Lev. xviii. 6.	2. Job xl. 19.
1. —— xxi. 17, 18.	1. Psalm lxv. 4.
2. Deut. xx. 2.	2. Jer. xxx. 21.
1. —— 3.	1. Ezek. xliii. 19.
1. —— xxxi. 14.	

APPROACHED.

2. 2 Sam. xi. 20.	1. 2 Kings xvi. 12.

APPROACHING.
1. Isa. lviii. 2.

APPROVE -ETH.

1.   רָצָה   *Rotso*, to be willing, accept.

2.   רָאָה   *Rooh*, to see.

1. Psalm xlix. 13.	2. Lam. iii. 36.

APRONS.
חֲגֹרֹת   *Khagourouth*, girdles, belts.
Gen. iii. 7.

APT.
עֹשֵׂי   *Ousai*, workers.
2 Kings xxiv. 16.

ARCHERS.

1.   רֹבֵה־קָשֶׁת   *Rouveh-kashoth*, experienced with the bow.

2.   בַּעֲלֵי־חִצִּים   *Baalai-khitseem*, masters of arrows.

3.   מוֹרִים   *Moureem*, shooters.

4.   דֹּרֵךְ־קֶשֶׁת   *Douraikh-kesheth*, a treader of the bow.

5.   רַבִּים   *Rabbeem*, multitudes.

1. Gen. xxi. 20.	5. Job xvi. 13.
2. —— xlix. 23.	1. Isa. xxii. 3.
3. 1 Sam. xxxi. 3.	4. Jer. li. 3.
3. 1 Chron. x. 3, *bis*.	

ARCHES.
אֵלַמּוֹת   *Ailammouth*, porches.
Ezek. xl. 16.

ARE.
This auxiliary verb is not used in the Hebrew, but is generally understood by the pronoun personal.

ARGUING.

יָכַח *Yokhakh* (Hiph.), instructing, correcting.

Job vi. 25.

ARGUMENTS.

תּוֹכָחוֹת *Toukhokhouth*, corrections, instructions.

Job xxiii. 4.

ARIGHT.

1.   כּוּן *Koon*, to set in order.
2.   יָטַב *Yotav* (Hiph.), to improve.
3.   מֵישָׁרִים *Maisshoreem*, straightness.
4.   כֵּן *Kain*, so, proper, used as an affirmative.

1. Psalm lxxviii. 8.	3. Prov. xxiii. 31.
2. Prov. xv. 2.	4. Jer. viii. 6.

ARISE.

1.   קוּם *Koom*, to arise.
2.   עָלָה *Oloh*, to ascend.
3.   עָמַד *Omad*, to stand.
4.   נָשָׂא *Noso*, to lift up.
5.   זָרַח *Zorakh*, to shine, rise as the sun.
6.   עוּר *Oor*, to start quickly, awake.
7.   שָׁכַם *Shokham*, to be early, rise early.

1. Gen. xxxi. 13.	4. Psalm lxxxix. 9.
1. —— xxxv. 1.	1. —— cii. 13.
1. Deut. xiii. 1.	1. Prov. vi. 9.
1. —— xvii. 8.	1. Cant. ii. 13.
1. Josh. i. 2.	1. Isa. xxi. 5.
1. Judg. v. 12.	1. — xxvi. 19.
1. 2 Sam. ii. 14.	1. — xlix. 7.
1. —— iii. 21.	1. — lx. 1.
2. —— xi. 20.	5. —— 2.
1. 1 Kings iii. 12.	1. Jer. ii. 27.
1. 2 Kings ix. 2.	1. — viii. 4.
1. 1 Chron. xxii. 16.	1. — xxxi. 6.
1. Neh. ii. 20.	1. Lam. ii. 19.
1. Esth. i. 18.	1. Dan. ii. 39.
3. —— iv. 14.	1. Amos vii. 2, 5.
1. Job vii. 4.	5. Jonah iv. 8.
1. — xxv. 3.	1. Mic. ii. 10.
1. Psalm iii. 7.	1. —— iv. 13.
1. —— vii. 6.	1. —— vii. 8.
1. —— xii. 5.	5. Nah. iii. 17.
1. —— xliv. 26.	6. Hab. ii. 19.
1. —— lxviii. 1.	5. Mal. iv. 2.
1. —— lxxxviii. 10.	2. Judg. xx. 40

ARISETH.

2. 1 Kings xviii. 44.	5. Eccles. i. 5.
5. Psalm civ. 22.	1. Isa. ii. 19, 21.
5. —— cxii. 4.	5. Nah. iii. 17.

AROSE.

1. Gen. xix. 33, 35.	1. Judg. ii. 10.
1. —— xxxvii. 7.	1. — v. 7.
1. Exod. i. 8.	1. — xx. 8.

7. 1 Sam. ix. 26.	1. Psalm lxxvi. 9.
1. —— xvii. 35.	1. Eccles. i. 5.
1. 2 Kings xxiii. 25.	1. Isa. xxxvii. 36.
2. 2 Chron. xxxvi. 16.	1. Dan. vi. 19.
1. Job xxix. 8.	

AROSE, and went.

1. 1 Sam. iii. 6.	1. 1 Kings xix. 21.
1. —— xxiii. 16.	1. Jonah iii. 3.
1. —— xxv. 1.	

ARK.

אָרוֹן *Oroun*, the ark of God, covenant, chest.

In all passages except :

תֵּבָה *Taivoh*, an ark.

Gen. vi. 14, 15, 16, 18, 19.	Gen. viii. 1, 4, 6, 9, 10, 13, 16, 19.
—— vii. 1, 7, 9, 13, 15, 17, 18.	—— ix. 10, 18.
	Exod. ii. 3.

ARM.

זְרוֹעַ *Zĕroua*, an arm.

ARMS.

זְרֹעוֹת *Zerououth*.

ARM-HOLES.

אֲצִלֵי-יָד *Aitsel-yod*, near the hand.

Jer. xxxviii. 12. | Ezek. xiii. 18.

ARM -ED.

1.   רָקַק *Rokak*, to draw forth.
2.   נָשַׁק *Noshak*, to enfold, embrace.
3.   חָלַץ *Kholats*, to select, draw out, rescue.
4.   מָגֵן *Mogain* (part.), protected, shielded.

1. Gen. xiv. 14.	3. 2 Chron. xxviii. 14.
3. Numb. xxxi. 3, 5.	2. Job xxxix. 21.
3. —— xxxii. 17, 32.	2. Psalm lxxviii. 9.
3. Deut. iii. 18.	4. Prov. vi. 11.
3. Josh. i. 14.	4. —— xxiv. 34.
3. —— vi. 7.	

ARMY -IES.

חַיִל *Khail*, an army.

צָבָא *Tsevo*, a host.

Except:

1.   מַעֲרָכָה *Maărokhoh*, preparation, a rank of an army.
2.   חָלוּץ *Kholoots*, selected, drawn out, rescued.
3.   גְּדוּד *Gĕdood*, a troop.

1. 1 Sam. iv. 12.	3. 2 Chron. xxv. 9, 10, 13.
1. —— xvii. 21.	3. Job xxv. 3.
2. 2 Chron. xx. 21.	3. — xxix. 25.

ARMOUR.

1. כֵּלִים *Kaileem*, instruments (of war).
2. חֲלִיצָה *Khaleetsoh*, garment, raiment, change of dress, generally applied to military dress.
3. זֹנוֹת *Zounouth*, nourishers, providers, met., harlots.
4. חֲגֹרָה *Khagouroh*, a girdle, belt.
5. נָשֶׁק *Noshek*, armour.

1. 1 Sam. xvii. 54.	5. 2 Kings x. 2.
2. 2 Sam. ii. 21.	1. —— xx. 13.
3. 1 Kings xxii. 38.	5. Isa. xxii. 8.
4. 2 Kings iii. 21.	1. — xxxix. 2.

ARMOUR-BEARER.

נֹשֵׂא־כֵּלִים *Nousai-kaileem*, a bearer of (warlike) instruments.

ARMOURY.

1. תַּלְפִּיוֹת *Talpeeouth*, battlements.
2. אוֹצָר *Outsor*, a storehouse.

1. Cant. iv. 4.	2. Jer. L. 25.

ARRAY.

1. לָבַשׁ *Lovash*, to clothe.
2. עָרַךְ *Orakh*, to prepare, arrange.
3. עָטָה *Otoh*, to wrap round, up, veil about.

2. 1 Sam. iv. 2.	1. — xl. 10.
2. 2 Sam. x. 9.	3. Jer. xliii. 12.
1. Esth. vi. 9.	2. — L. 14.
2. Job vi. 4.	

ARRAYED.

1. Gen. xli. 42.	1. 2 Chron. xxviii. 15.

ARROGANCY.

1. עָתָק *Othok*, stubbornness, resistance.
2. גָּאוֹן *Gooun*, arrogance, presumption.

1. 1 Sam. ii. 3.	2. Isa. xiii. 11.
2. Prov. viii. 13.	2. Jer. xlviii. 29.

ARROW.

חֵץ *Khaits*, an arrow.

ARROWS.

חִצִּים *Khitseem*, arrows.

Except:

רִשְׁפֵּי *Rishphai*, quick motions.
Psalm lxxvi. 3.

ART.

Not used in Hebrew, but designated by pronoun personal.

ART, Subst.

מַעֲשֶׂה *Maăseh*, a work.

ARTIFICER.

חָרָשׁ *Khorash*, an artificer.

Gen. iv. 22.	Isa. iii. 3.

ARTIFICERS.

חָרָשִׁים *Khorosheem*, artificers.

1 Chron. xxix. 5.	2 Chron. xxxiv. 11.

ARTILLERY.

כֵּלִים *Kaileem*, instruments (of war).
1 Sam. xx. 40.

AS.

Not used in Hebrew, but designated by כְּ prefixed to substantive.

ASCEND -ED -ETH -ING.

עָלָה *Oloh*, to ascend.
Except נָסַק *Nosak*, to ascend.
Psalm cxxxix. 8.

ASCENT.

עֲלִיָּה *Alleeyoh*, an ascent.

2 Sam. xv. 30.	2 Chron. ix. 4.
1 Kings x. 5.	

ASCRIBE.

1. הָבָה *Hovoh*, to concede, render, be ready.
2. נָתַן *Nothan*, to give, grant, give up.

1. Deut. xxxii. 3.	2. Psalm lxviii. 34.
2. Job xxxvi. 3.	

ASCRIBED.

2. 1 Sam. xviii. 8.

ASH.

אֹרֶן *Ouren*, an ash.
Isa. xliv. 14.

ASHAMED.

1. בּוֹשׁ *Boosh*, ashamed.
2. חָפֵר *Khophar*, confounded.
3. כָּלַם *Kolam*, confused.
4. יָבֵשׁ *Yovash*, to dry up, wither.

1. Gen. ii. 25.	3. Psalm lxxiv. 21.
1. Judg. iii. 25.	1. Prov. xii. 4.
3. 2 Sam. x. 5.	1. Isa. xx. 5.
3. —— xix. 3.	1. — xxiv. 23.
1. 2 Kings ii. 17.	1. — xxx. 5.
1. —— viii. 11.	2. — xxxiii. 9.
3. 1 Chron. xix. 5.	1. Jer. ii. 26. ⎫
3. 2 Chron. xxx. 15.	4. —— 26. ⎬
1. Ezra viii. 22.	1. — vi. 15.
1. —— ix. 6.	1. — viii. 9, 12.
2 Job vi. 20.	1. — xiv. 3, 4.
3. — xi. 3.	1. — xxxi. 19.
1. — xix. 3.	3. Ezek. xvi. 27.
2. Psalm xxxiv. 5.	1. —— xxxii. 30.

ASHAMED, be.

1. Psalm vi. 10.	1. Jer. ii. 36.
1. —— xxv. 3.	3. —— iii. 3.
1. —— xxxi. 1, 17.	1. — xii. 13.
1. —— xxxv. 26.	1. — xv. 9.
1. —— xl. 14.	1. — xvii. 13.
1. —— lxix. 6.	1. — xx. 11.
1. —— lxx. 2.	1. — xxii. 22.
1. —— lxxxvi. 17.	1. — xlviii. 13.
1. —— cix. 28.	1. — L. 12.
1. —— cxix. 78.	3. Ezek. xvi. 61.
1. Isa. i. 29.	1. —— xxxvi. 32.
1. — xxiii. 4.	3. —— xliii. 10, 11.
1. — xxvi. 11.	1. Hos. iv. 19.
2. — xli. 11.	1. —— x. 6.
1. — xlii. 17.	1. Joel i. 11.
1. — xliv. 9, 11, twice.	1. —— ii. 26, 27.
1. — xlv. 16, 24.	1. Mic. iii. 7.
1. — lxv. 13.	4. Zech. ix. 5.
1. — lxvi. 5.	1. —— xiii. 4.

ASHAMED, not be.

3. Numb. xii. 14.	1. Isa. xxix. 22.
1. Psalm xxv. 2, 20.	1. — xlv. 17.
1. —— xxxi. 1, 17.	1. — xlix. 23.
1. —— xxxvii. 19.	1. — L. 7.
1. —— cxix. 6, 46, 80,	1. — liv. 4.
116.	1. Zeph. iii. 11.
1. —— cxxvii. 5.	

ASHES.

1.   אֵפֶר   *Aipher*, ashes.

2.   דֶּשֶׁן   *Deshen*, ashes of the fat used in sacrifices.

3.   פִּיחַ   *Peeakh*, light ashes, smoke of a furnace.

4.   עָפָר   *Ophor*, dust.

5.   דָּשֵׁן   *Doshan* (Piel), to cleanse from ashes.

1. Gen. xviii. 27.	1. Job xlii. 6.
3. Exod. ix. 8, 10.	1. Psalm cii. 9.
2. Lev. i. 16.	1. —— cxlvii. 16.
2. —— iv. 12.	1. Isa. xliv. 20.
2. —— vi. 10, 11.	1. — lviii. 5.
5. Numb. iv. 13.	1. — lxi. 3.
1. —— xix. 9, 10.	1. Jer. vi. 26.
1. 2 Sam. xiii. 19.	2. — xxxi. 40.
2. 1 Kings xiii. 3, 5.	1. Lam. iii. 16.
4. —— xx. 38, 41.	1. Ezek. xxvii. 30.
4. 2 Kings xxiii. 4.	1. —— xxviii. 18.
1. Esth. iv. 1, 3.	1. Dan. ix. 3.
1. Job ii. 8.	1. Jonah iii. 6.
1. — xiii. 12.	1. Mal. iv. 3.
1. — xxx. 19.	

ASIDE.
See Set aside.

ASK -ED -EST -ETH -ING.
שָׁעַל   *Shoal*, to ask.

ASLEEP.

1.   יָשֵׁן   *Yoshan*, to sleep.

2.   רָדַם   *Rodam*, to sleep sound.

2. Judg. iv. 21.	2. Jonah i. 5.
1. Cant. vii. 9.	

ASP.
פֶּתֶן   *Pethen*, an asp.

ASPS.
פְּתָנִים   *Pethoneem*, asps.

ASSAULT.
צָרַר   *Tsorar*, to oppress.
Esther viii. 11.

ASSAY -ED.
נִסָּה   *Nissoh*, to try, tempt.

Deut. iv. 34.	Job iv. 2.
1 Sam. xvii. 39.	

ASS.
חֲמוֹר   *Khămour*, masc.

אָתוֹן   *Othoun*, fem.

ASSES.
חֲמוֹרִים   *Khămoureem*.

אֲתֹנוֹת   *Athounouth*.

ASS, wild.
פֶּרֶא   *Perē*, a wild-ass.

ASSES, wild.
פְּרָאִים   *Peroeem*, wild-asses.

ASS'S COLTS.
עַיִר   *Ayir*.

Gen. xlix. 11.	Job xi. 12.

עֲיָרִים   *Ayoreem*.
Isa. xxx. 6, 24.

ASSEMBLE, Verb.

1.   יָעַד   *Yoad*, to appoint, assemble by appointment.

2.   קָהַל   *Kohal*, to congregate.

3.   צָבָא   *Tsovo*, to assemble an army, host.

4.   רְגַשׁ   *Rogash* (Syriac), to be tumultuous, rage.

5.   זָעַק   *Zoak*, to call out, proclaim.

6.   אָסַף   *Osaph*, to gather in, bring in.

7.   קָבַץ   *Kovats*, to gather together.

8.   גָּדַד   *Godad*, to assemble a troop.

9.   גּוּר   *Goor*, to sojourn.

10.   עוּשׁ   *Oosh*, to hasten, expedite.

1. Numb. x. 3.	6. Ezek. xxxix. 17.
5. 2 Sam. xx. 4, 5.	6. Dan. xi. 10.
6. Isa. xi. 12.	9. Hos. vii. 14.
7. — xlv. 20.	6. Joel ii. 16.
7. — xlviii. 14.	10. —— iii. 11.
6. Jer. iv. 5.	6. Amos iii. 9.
6. — viii. 14.	6. Mic. ii. 12.
6. — xii. 9.	6. —— iv. 6.
6. — xxi. 4.	6. Zeph. iii. 8.
6. Ezek. xi. 17.	

ASSEMBLED.

3. Exod. xxxviii. 8.	6. Ezra ix. 4.
6. Judg. x. 17.	7. —— x. 1.
3. 1 Sam. ii. 22.	6. Neh. ix. 1.
2. 1 Kings viii. 1.	1. Psalm xlviii. 4.
6. 1 Chron. xv. 4.	6. Isa. xliii. 9.
2. 2 Chron. v. 2.	8. Jer. v. 7.
6. —— xxx. 13.	4. Dan. vi. 6, 11.

ASSEMBLY.

1.   עֵדָה   *Aidoh*, an assembly.
2.   קָהָל   *Kohol*, a holy congregation.
3.   סוֹד   *Soud*, a secret assembly, council.
4.   עֲצֶרֶת   *Atsereth*, holding back, a day of restraint.
5.   מוֹעֵד   *Mouaid*, a place of assembly.

2. Gen. xlix. 6.	2. Neh. v. 7.
1. Exod. xii. 6.	1. Psalm xxii. 16.
2. —— xvi. 3.	3. —— lxxxix. 7.
2. Lev. iv. 13.	2. —— cvii. 32.
1. Numb. x. 2.	3. —— cxi. 1.
2. —— xx. 6.	1. Prov. v. 14.
2. Deut. ix. 10.	3. Jer. vi. 11.
2. —— x. 4.	4. — ix. 2.
2. —— xviii. 16.	3. — xv. 17.
2. Judg. xxi. 8.	5. Lam. ii. 6.
2. 1 Sam. xvii. 47.	3. Ezek. xiii. 9.
2. 2 Chron. xxx. 23.	2. —— xxiii. 24.

ASSEMBLY, solemn.

4. Lev. xxiii. 36.	4. Neh. viii. 18.
4. Numb. xxix. 35.	4. Joel i. 14.
4. Deut. xvi. 8.	4. Joel ii. 15.
2. 2 Kings x. 20.	5. Zeph. iii. 18.
4. 2 Chron. vii. 9.	

ASSEMBLIES.

1.   עֵדָה   *Aidoh*, an assembly.
2.   עֲצֶרֶת   *Atsereth*, holding back, day of restraint.
3.   מוֹעֲדִים   *Mouadeem*, places of assembly.
4.   מִקְרָא   *Mikro*, a convocation.
5.   אֲסֻפּוֹת   *Asuphouth*, gathering in, assemblies within buildings.

1. Psalm lxxxvi. 14.	4. Isa. iv. 5.
5. Eccles. xii. 11.	3. Ezek. xliv. 24.
4. Isa. i. 13.	2. Amos v. 21.

ASSENT.

פֶּה־אֶחָד   *Peh-ekhod*, one mouth.
2 Chron. xviii. 12.

ASSIGNED.

נָתַן   *Nothan*, to give, place, grant, appoint.
Josh. xx. 8. | 2 Sam. xi. 16.

ASSOCIATE.

רֵיעַ   *Raia*, to associate.
Isa. viii. 9.

AS SOON.

כּ prefixed signifies as, to the subject alluded to.

ASSURANCE.

1.   אָמַן   *Oman*, to believe, have faith.
2.   בֶּטַח   *Betakh*, to hurt, secure.

1. Deut. xxviii. 66. | 2. Isa. xxxii. 17.

ASSURED.

1.   קוּם   *Koom*, to rise, stand firm.
2.   אֱמֶת   *Emeth*, truth.

1. Lev. xxvii. 19. | 2. Jer. xiv. 13.

ASSUREDLY.

The Hebrew idiom is by the repetition of the verb.

Except   בֶּאֱמֶת   *Bĕēmeth*.

Jer. xxxii. 41.

ASSUAGE -ED.

1.   שָׁכָה   *Shokoh*, to quiet, still, subside.
2.   חָשַׂךְ   *Khosakh*, to spare, avoid, withhold.

1. Gen. viii. 1. | 2. Job xvi. 5, 6.

ASTONIED.

1.   שָׁמַם   *Shomam*, to astonish, amaze.
2.   תָּמַהּ   *Tomoh*, to surprise.
3.   בְּהַל   *Bohal* (Syriac), to terrify.
4.   דְּהַם   *Doham*, to dismay.
5.   רָעַל   *Roal*, to be giddy, stagger.

1. Ezra ix. 3.	1. Ezek. iv. 17.
1. Job xvii. 8.	3. Dan. iv. 19.
1. — xviii. 20.	3. —— v. 9.

תְּבַהּ   *Tovoh* (Syriac), to tremble.

Dan. iii. 24.

ASTONISHED.

1. Lev. xxvi. 32.	1. Jer. xix. 8.
1. 1 Kings ix. 8.	1. — xlix. 17.
2. Job xxvi. 11.	1. — l. 13.
1. Isa. lii. 14.	1. Ezek. iii. 15.
1. Jer. ii. 12.	1. —— xxvi. 16.
1. — iv. 9.	1. —— xxviii. 19.
4. — xiv. 9.	1. Dan. viii. 27.
1. — xviii. 16.	

ASTONISHMENT.

2. Deut. xxviii. 28, 37.	1. Jer. xliv. 12, 22.
1. 2 Chron. vii. 21.	1. — li. 37.
1. —— xxix. 8.	1. Ezek. iv. 16.
5. Psalm lx. 3.	1. —— v. 15.
1. Jer. viii. 21.	1. —— xii. 19.
1. — xxv. 9, 11, 18.	1. —— xxiii. 33.
1. — xxix. 18.	2. Zech. xii. 4.
1. — xlii. 18.	

ASTROLOGER.

אָשַׁף *Ashop* (Syriac), a magician.
Dan. ii. 10.

ASTROLOGERS.

1. הֹבְרֵי־שָׁמַיִם *Houvrai Shomayim*, heaven contemplaters, viewers.

2. אַשָּׁפִים *Ashopheem* (Syriac), enchanters.

1. Isa. xlvii. 13.	2. Dan. iv. 7.
2. Dan. i. 20.	2. —— v. 7, 11, 15.
2. —— ii. 2, 27.	

AS WELL.

כ prefixed signifies as.

ATE, see EAT.

אָכַל *Okhal.*

ATHIRST.

צָמָא *Tsomo*, to thirst.

Judg. xv. 18.	Ruth ii. 9.

ATONEMENT.

כִּפֻּרִים *Kipureem*, atonements, forgivenesses ; lit., coverings (of sin).

ATTAIN -ED.

1. נָשַׂג־יָד *Nosag-yod*, within reach of the hand.

2. קָנָה *Konoh*, to possess, purchase.

3. יָכַל *Yokhal*, to enable.

4. נָשַׂג *Nosag*, to reach.

5. בּוֹא *Bou*, to come, enter, arrive.

2. Prov. i. 5.	4. Gen. xlvii. 9.
1. Ezek. xlvi. 7.	5. 2 Sam. xxiii. 19, 23.
3. Hos. viii. 5.	5. 1 Chron. xi. 21, 25.

ATTEND -ED.

קָשַׁב *Koshav*, to attend.

Esth. iv. 5.
Job xxxii. 12. } Not in original.

ATTENDANCE.

מַעֲמָד *Maamod*, station, position.

1 Kings x. 5.	2 Chron. ix. 4.

ATTENT -IVE.

קָשַׁב *Koshav*, to attend.

ATTENTIVELY.

שְׁמוֹעַ *Shomoua*, a report, a hearing.
Job xxxvii. 2.

ATTIRE.

1. קָשַׁר *Koshar*, to adorn, bind on as clothing.

2. לָבַשׁ *Lovash*, to clothe.

3. מְבוּלִים *Tevooleem*, dipped, dyed things.

4. שִׁית *Sheeth*, appointed, set up.

4. Prov. vii. 10.	3. Ezek. xxiii. 15.
1. Jer. ii. 32.	

ATTIRED.
2. Lev. xvi. 4.

AUDIENCE.

אָזְנַיִם *Oznayim*, ears.

AUGMENT.

לִסְפּוֹת *Lisphouth*, to add.
Numb. xxxii. 14.

AUNT.

דּוֹדָה *Doudoh*, an aunt.
Lev. xviii. 14.

AUTHORITY.

1. תֹּקֶף *Toukeph*, strength.

2. בִּרְבוֹת *Birĕvouth*, by the multiplying.

1. Esth. ix. 29.	2. Prov. xxix. 2.

AVAILETH.

שֹׁוֶה *Shouveh*, worth, value.
Esth. v. 13.

AVENGE -ED -ETH -ING.

נָקַם *Nokam*, to avenge.

AVENGER.

לֹקֵם *Noukaim*, an avenger.

AVERSE.

שׁוּב *Shoov*, to turn, return.
Mic. ii. 8.

AVOUCHED.

אָמַר *Omar*, to say.
Deut. xxvi. 17, 18.

AVOID.

1. פָּרַע *Pora*, to break off, curtail, reduce.

2. סָבַב *Sovav*, to turn round.
1. Prov. iv. 15.

AVOIDED.
2. 1 Sam. xviii. 11.

AWAKE.

1. קוּץ *Koots*, to awake.

2. עוּר *Oor*, to start, rise quickly, awake.

AXE

2. Judg. v. 12.	2. Cant. ii. 7.
2. Job viii. 6, 11.	2. Cant. iii. 5.
2. — xiv. 12.	2. —— iv. 16.
2. Psalm vii. 6.	2. —— viii. 4.
1. —— xvii. 15.	1. Isa. xxvi. 19.
1. —— xxxv. 23.	2. — li. 9, 17.
2. —— xliv. 23.	2. — lii. 1.
2. —— lvii. 8.	1. Dan. xii. 2.
2. —— lix. 4.	1. Joel i. 5.
1. ———— 5.	1. Hab. ii. 7, 19.
1. Prov. xxiii. 35.	2. Zech. xiii. 7.

AWAKED -EST -ING.

1. in every place where they occur in the Auth. Version.

AWOKE.

1. Gen. ix. 24.	1. Judg. xvi. 20.
1. —— xli. 4, 7, 21.	1. 1 Kings iii. 15.

AWARE.

יָדַע *Yoda,* to know.

Cant. vi. 12.	Jer. L. 24.

AWAY.
Not used in Hebrew.

AWE.

1.   רָגַז *Rogaz,* to tremble.
2.   פָּחַד *Pokhad,* to be anxious.
3.   גּוּר *Goor,* to put to fear.

1. Psalm iv. 4.	2. Psalm cxix. 161.
3. —— xxxiii. 8.	

AWL.

מַרְצֵעַ *Martsaia,* an awl, gimlet.

Exod. xxi. 6.	Deut. xv. 17.

AXE.

1.   גַּרְזֶן *Garzen,* a small axe, hatchet.
2.   קַרְדֹּם *Kardoom,* an axe.
3.   בַּרְזֶל *Barzel,* iron.
4.   מַעֲצָד *Maatsod,* shears.
5.   מַפֵּץ *Mapaits,* a breaker, scatterer, cleaver.

1. Deut. xix. 5.	3. 2 Kings vi. 5, 6.
1. —— xx. 19.	1. Isa. x. 15.
2. Judg. ix. 48.	4. Jer. x. 3.
2. 1 Sam. xiii. 20.	5. — li. 20.
1. 1 Kings vi. 7.	

AXES.

1. קַרְדֻּמִּים *Kardoomeem,* axes.
2. מַגְזֵרוֹת *Magzěrouth,* choppers, cleavers.
3. מְגֵרוֹת *Měgairouth,* saws.
4. כַּשִּׁיל *Kasheel,* a mall, large hammer.
5. חֶרֶב *Kherev,* a sword, weapon, destroyer, any instrument of destruction.

1. 1 Sam. xiii. 21.	4. Psalm lxxiv. 6.
2. 2 Sam. xii. 31.	1. Jer. xlvi. 22.
3. 1 Chron. xx. 3.	5. Ezek. xxvi. 9.
1. Psalm lxxiv. 5.	

AXLE-TREES.

יָדוֹת *Yodouth,* hands, tenons, pins; met., axle-trees.

1 Kings vii. 32, 33.

B

BABBLER.

בַּעַל־הַלָּשׁוֹן *Baal-haloshoun,* an idle talker, prater; lit., master of the tongue.

Eccles. x. 11.

BABBLING.

שִׂיחַ *Siakh,* talking, uttering.

Prov. xxiii. 29.

BABE.

יֶלֶד *Yeled,* a babe, child.

Exod. ii. 6.

BABES.

1.   עוֹלֵל *Oulail,* offspring.
2. תַּעֲלוּלִים *Taalooleem,* men with childish actions.

1. Psalm viii. 2.	2. Isa. iii. 4.
1. —— xvii. 14.	

BACK, Adverb.
Not used in Hebrew.

BACK, Subst.

1.   גַּב *Gav,* the back.
2.   גֵּו *Gaiv,* the body.
3.   שֶׁכֶם *Shekhem,* the shoulder.
4.   עֹרֶף *Oureph,* the back of the neck.
5.   אָחוֹר *Okhour,* the hinder part.

3. 1 Sam. x. 9.	2. Isa. xxxviii. 17.
2. 1 Kings xiv. 9.	2. — L. 6.
3. Psalm xxi. 12.	4. Jer. ii. 27.
1. —— cxxix. 3.	4. — xviii. 17.
2. Prov. x. 13.	4. — xxxii. 33.
2. —— xix. 29.	4. — xlviii. 39.
2. —— xxvi. 3.	1. Dan. vii. 6.

BACKS.

אֲחֹרֵי *Akhourai,* hinder parts.

2. Neh. ix. 26.	1. Ezek. x. 12.
5. Ezek. viii. 16.	

BACKBITETH.
רָגַל   *Rogal*, to walk about.
Psalm xv. 3.

BACKBITING.
סָתֶר   *Sother*, secret.
Prov. xxv. 23.

BACKBONE.
עָצֶה   *Otseh*, the spine.
Lev. iii. 9.

BACK-PARTS.
אַחֲרֵי   *Akhouroi*, after me, time to come,
future.
Exod. xxxiii. 23.

BACKSIDE.
1.   אַחַר   *Akhar*, after, towards.
2.   אֲחֹרֵי   *Akhourai*, the back parts, hinder
parts.

1. Exod. iii. 1. | 2. Exod. xxvi. 12.

BACKSLIDER.
סוּג   *Soog*, to turn back.

See p. 588.   BACKSLIDING.
1.   מְשׁוּבָה   *Meshoovoh*, turning, sliding.
2.   סָרַר   *Sorar*, to be stubborn.

1. Jer. iii. 6, 8, 11, 12,	2. Hos. iv. 16.
14, 22.	1. —— xi. 7.
1. — viii. 5.	1. —— xiv. 4.
1. — xxxi. 22.	

BACKSLIDINGS.

1. Jer. ii. 19.	1. Jer. xiv. 7.
1. — v. 6.	

BACKWARD.
אֲחֹרַנִּית   *Akhouraneeth*, backward, behind,
back again.

BAD.
רוּעַ   *Rooa*, to do evil.
Except :
בְּאוּשְׁתָּא   *Beooshto* (Syriac), despicable.
Ezra iv. 12.

BADNESS.
רוֹעַ   *Roua*, evil, bad.
Gen. xli. 19.

BADE.
1.   צִוָּה   *Tsivvoh*, to command.
2.   דִּבֶּר   *Dibbair*, to speak with authority.
3.   אָמַר   *Omar*, to say, speak softly.

---

3. Gen. xliii. 17.	3. 1 Sam. xxiv. 10.
1. Exod. xvi. 24.	3. 2 Sam. i. 18.
3. Numb. xiv. 10.	1. —— xiv. 19.
3. Josh. xi. 9.	2. 2 Chron. x. 12.
1. Ruth iii. 6.	3. Esth. iv. 15.

BADEST.
2. Gen. xxvii. 19.

BADGER'S SKIN.
תַּחַשׁ   *Tokhash*, a badger.
תְּחָשִׁים   *Tekhosheem*, badgers.

BAG.
1.   כִּיס   *Kees*, a purse, pocket, small bag.
2.   צְרוֹר   *Tserour*, a bundle.
3.   כְּלִי   *Kelee*, a weapon, tool, utensil,
instrument of war.

1. Deut. xxv. 13.	1. Prov. xvi. 11.
3. 1 Sam. xvii. 40.	1. Isa. xlvi. 6.
2. Job xiv. 17.	1. Mic. vi. 11.
2. Prov. vii. 20.	2. Hag. i. 6.

BAGS.
חֲרִיטִים   *Khareeteem*, netted bags, bags of
needlework.

2 Kings v. 23. | 2 Kings xii. 10.

BAKE.
1.   אָפָה   *Ophoh*, to bake.
2.   עוּג   *Oog*, to grill.
3.   בָּשַׁל   *Boshal*, to boil.
4.   מַעֲשֵׂה־אֹפֶה   *Maasaih-oupheh*, the work
of a baker.
5.   רָבַךְ   *Rovakh*, to fry.
6.   רָצַף   *Rotsaph*, to bake upon coals.

1. Gen. xix. 3.	1. 1 Sam. xxviii. 24.
1. Exod. xvi. 23.	1. 2 Sam. xiii. 8.
1. Lev. xxiv. 5.	2. Ezek. iv. 12.
1. —— xxvi. 26.	1. —— xlvi. 20.

BAKED.

1. Exod. xii. 39.	1. 1 Chron. xxiii. 29.
3. Numb. xi. 8.	

BAKEN.

1. Lev. ii. 4.	1. Lev. vii. 9.
1. —— v. 7.	1. —— xxiii. 17.
1. —— vi. 17.	6. 1 Kings xix. 6.
5. —— 21.	

BAKETH.
1. Isa. xliv. 15.

BAKE-MEATS.
4. Gen. xl. 17.

BAKER   -S.
אֹפֶה   *Oupheh*.   אֹפִים   *Oupheem*.

BALANCE.
Singular number not used in Hebrew.
Except :
קָנֶה *Koneh*, a reed, cane.
Isa. xlvi. 6.

BALANCES.
מֹאזְנַיִם *Mouznayim*, balances.

BALANCINGS.
מִפְלְשֵׂי *Miphleshai*, rollings.
Job xxxvii. 16.

BALD.
1. קָרֵחַ *Koraiakh*, bald.
2. גִּבֵּחַ *Gibaiakh*, bald forehead.

1. Lev. xiii. 40.		1. Jer. xlviii. 37.
2. ———— 41, 42, 43.		1. Ezek. xxvii. 31.
1. 2 Kings ii. 23.		1. —— xxix. 18.
1. Jer. xvi. 6.		1. Mic. i. 16.

BALD LOCUST.
סָלְעָם *Solom*, a rock locust.
Lev. xi. 22.

BALDNESS.
קָרְחָה *Korkhoh*, baldness.

BALL.
דּוּר *Door*, a circle, any round thing,
a ball.
Isa. xxii. 18.

BALM.
צְרִי *Tsĕree*, balm.

BAND, BANDS, Subst.
1. אָסוּר *Osoor*, a fetter.
2. מֹוטָה *Moutoh*, a yoke.
3. שָׂפָה *Sophoh*, a border, bank ; met.
a lip.
4. חַרְצֻוב *Khartsoov*, torture, torment.
5. עֲבֹה *Ovoh*, a thick cord, rope.
6. מֹוסֵר *Mousair*, bondage.
7. חֲתֻולָּה *Khathooloh*, a bandage.
8. מֹושְׁכֹות *Moushkouth*, bands, slow motions.
9. חֶבֶל *Khouvail*, a cable, thick rope,
fetter, spoiler.

3. Exod. xxxix. 23.		1. Eccles. vii. 26.
2. Lev. xxvi. 13.		6. Isa. xxviii. 22.
1. Judg. xv. 14.		6. — lii. 2.
1. 2 Kings xxiii. 33.		4. — lviii. 6.
7. Job xxxviii. 9.		6. Jer. ii. 20.
8. - ———— 31.		5. Ezek. iii. 25.
6. —— xxxix. 5.		5. —— iv. 8.
5. ———— 10.		2. —— xxxiv. 27.
6. Psalm ii. 3.		1. Dan. iv. 15, 23.
4. —— lxxiii. 4.		5. Hos. xi. 4.
6. —— cvii. 14.		9. Zech. xi. 7, 14.

BAND, BANDS of men.
1. גְּדוּד *Gedood*, a troop.
2. חַיִל *Khayil*, an army.
3. מַחֲנֶה *Makhaneh*, a camp.
4. רָאשִׁים *Rosheem*, chiefs, heads, prin-
cipals.
5. חַבָּלִים *Khavoleem*, spoilers.
6. חֹצֵץ *Khoutsaits*, a division of men.
7. אֲנַפִּים *Agapeem*, men in armour.

3. Gen. xxxii. 7, 10.	2. Ezra viii. 22.
2. 1 Sam. x. 26.	4. Job i. 17.
1. 2 Sam. iv. 2.	5. Psalm cxix. 61.
1. 2 Kings vi. 23.	6. Prov. xxx. 27.
1. —— xiii. 20, 21.	7. Ezek. xii. 14.
1. —— xxiv. 2.	7. —— xxxviii. 6, 9, 22.
1. 1 Chron. vii. 4.	7. —— xxxix. 4.
1. ———— xii. 18, 21.	

BANK.
1. שָׂפָה *Sophoh*, a bank, border.
2. סֹלְלָה *Soulĕloh*, an artificial mound, a
rampart.

1. Gen. xli. 17.	1. 2 Kings ii. 13.
1. Deut. iv. 48.	2. —— xix. 32.
1. Josh. xii. 2.	2. Isa. xxxvii. 33.
1. —— xiii. 9, 16.	1. Ezek. xlvii. 7.
2. 2 Sam. xx. 15.	1. Dan. xii. 5.

BANKS.
גְּדֹות *Godouth*, banks of a river.

BANISHED.
1. דָּחָה *Dokhoh*, to expel.
2. שְׁרַשׁ *Shorash* (Chaldee), to root out.
1. 2 Sam. xiv. 13, 14.

BANISHMENT.
2. Ezra vii. 26.	1. Lam. ii. 14.

BANNER.
1. נֵס *Nais*, a standard, pole.
2. דֶּגֶל *Degel*, a banner, flag.

1. Psalm lx. 4.	1. Isa. xiii. 2.
2. Cant. ii. 4.	

BANNERS.
2. Psalm xx. 15.	2. Cant. vi. 4, 10.

BANQUET.
1. מִשְׁתֶּה *Mishteh*, a banquet of wine.
2. כָּרָה *Koroh*, to make a purchase,
prepare.
3. מִרְזַח *Mirzakh*, a shouting, cry of
merriment.

1. Esth. v. 4, 5, 6, 8.	2. Job xli. 6.
1. —— vii. 2.	3. Amos vi. 7.

BANQUET-HOUSE.

בֵּית־מִשְׁתְּיָא *Baith-mishteyo* (Syriac), house of banquet; generally, drinking.

Dan. v. 10.

BANQUETING.

בֵּית־הַיַּיִן *Baith-hayayin*, house of wine.

Cant. ii. 4.

BAR, Verb.

אָחַז *Okhaz*, to lay hold of, seize.

Neh. vii. 3.

BAR, Subs.

1. בְּרִיחַ *Boreeakh*, a bar.
2. מוֹט *Mout*, a staff, long pole.

1. Exod. xxvi. 28.	1. Judg. xvi. 3.
1. —— xxxvi. 33.	1. Amos i. 5.
2. Numb. iv. 10, 12.	

BARS.

1. בְּרִיחִים *Boreekheem*, bars.
2. דַּי *Dai*, uttermost.
3. מְתִיל *Meteel*, metal.

Exod. xxvi. 26.	1. Job xxxviii. 10.
—— xxxvi. 31.	3. — xl. 18.
Numb. iii. 36.	Psalm cvii. 16.
—— iv. 31.	—— cxlvii. 13.
Deut. iii. 5.	Prov. xviii. 19.
1. 1 Sam. xxiii. 7.	Isa. xlv. 2.
1 Kings iv. 13.	1. Jer. xlix. 31.
2 Chron. viii. 5.	— li. 30.
—— xiv. 7.	Lam. ii. 9.
Neh. iii. 3, 6, 13, 14,	Ezek. xxxviii. 11.
15.	Jonah ii. 6.
2. Job xvii. 16.	Nah. iii. 13.

BARBED.

שִׂכּוֹת *Sukouth*, thorns, hedges.

Job xli. 7.

BARBER.

גַּלָּב *Galov*, a barber.

Ezek. v. 1.

BARE, Adj.

1. עֲרִיָה *Eryoh*, stripped, naked.
2. עָרָה *Oroh*, to strip, make bare.
3. חָשַׂף *Khosaph*, to uncover, expose.
4. חָמַס *Khomas*, to rob, plunder, spoil.
5. { גִּבֵּחַ *Gibbaiakh*, baldness, from a disease.
   { קֵרֵחַ *Kiraiakh*, bald.
6. פָּרוּעַ *Porooa*, uncovered, without hair.

6. Lev. xiii. 45.	4. Jer. xiii. 22.
5. —— 55.	3. — xlix. 10.
2. Isa. xxxii. 11.	1. Ezek. xvi. 7, 22, 39.
3. — xlvii. 10.	1. — xxiii. 29.
3. — lii. 2.	3. Joel i. 7.

BARE, child.
BARE, to carry.
See Bear.

BAREFOOT.

יָחֵף *Yokhaiph*.

2 Sam. xv. 30.	Isa. xx. 2, 3, 4.

BARK.

נָבַח *Novakh*, to bark.

Isa. lvi. 10.

BARKED.

קָצַף *Kotsaph*, to anger, vex.

Joel i. 7.

BARLEY.

שְׂעֹרָה *Seouroh*, barley.

BARN.

1. גֹּרֶן *Gouren*, a barn.
2. מְגוּרָה *Megooroh*, a store-house.

1. 2 Kings vi. 27.	2. Hag. ii. 19.
1. Job xxxix. 12.	

BARNS.

1. אֲסָמִים *Asomeem*, store-houses, granaries.
2. מַמְּגֻרֹת *Mamgoorouth*, repositaries for grain.

1. Prov. iii. 10.	2. Joel i. 17.

BARREL.

כַּד *Kad*, a pitcher.

1 Kings xvii. 12, 14.

BARRELS.

כַּדִּים *Kaddeem*, pitchers.

1 Kings xviii. 33.

BARREN.

עֲקָרָה *Akoroh*, barren.

BARRENNESS.

מְלֵחָה *Melaikhoh*, salt, marshy; met. unfruitful.

Psalm cvii. 34.

BASE.

מְכֹנָה *Mekhounoh*, a foundation, base.

BASES.

מְכֹנוֹת *Mekhounouth*, foundations, bases.

BASE, Adj.

1. שָׁפָל *Shophal*, base, low, mean.
2. נָבָל *Novol*, foolish, disagreeable.

1. 2 Sam. vi. 22.
2. Job xxx. 8.
2. Isa. iii. 5.
1. Ezek. xvii. 14.
1. ——— xxix. 14.
1. Mal. ii. 9.

BASEST.

1. Ezek. xxix. 15. | 1. Dan. iv. 17.

BASKET.

1.   סַל   *Sal,* a small basket, basket.
2.   טֶנֶא   *Tĕnea,* a large basket.
3.   דּוּד   *Dood,* a bladder, skin.
4.   כְּלוּב   *Keloov,* a fruit basket.

1. Gen. xl. 17.	2. Deut. xxviii. 5, 17.
1. Exod. xxix. 23.	1. Judg. vi. 19.
1. Lev. viii. 2, 26, 31.	2. Jer. xxiv. 2.
1. Numb. vi. 15, 17.	4. Amos viii. 1, 2.
2. Deut. xxvi. 2, 4.	

BASKETS.

1. Gen. xl. 16, 18.	1. Jer. vi. 9.
3. 2 Kings x. 7.	3. — xxiv. 1.

BASON.

1.   סַף   *Saph,* a bason.
2.   מִזְרָק   *Mizrok,* a bason for sprinkling blood of sacrifices.
3.   אַגָּן   *Agon,* a bowl.
4.   כְּפוֹר   *Kephour,* a large cup.

1. Exod. xii. 22.	4. 1 Chron. xxviii. 17.

BASONS.

3. Exod. xxiv. 6.	4. 1 Chron. xxviii. 17.
1. 2 Sam. xvii. 28.	2. 2 Chron. iv. 8, 11.
2. 1 Kings vii. 40.	2. Jer. lii. 19.

BASTARD.

מַמְזֵר   *Mamzair,* a bastard.

Deut. xxiii. 2.	Zech. ix. 6.

BATH.

בַּת   *Bath,* a measure.

BATHS.

בַּתִּים   *Bateem.*

BATHE.

1.   רָחַץ   *Rokhats,* to bathe, in all passages. Except:
2.   רָוָה   *Rovoh,* to satiate, satisfy.

BATHED.

2. Isa. xxxiv. 5.

BAT.

עֲטַלֵּף   *Atallaiph,* a bat.

BATS.

עֲטַלֵּפִים   *Atallaipheem,* bats.

BATTLE.

מִלְחָמָה   *Milkhomoh.*

BATTLES.

מִלְחָמוֹת   *Milkhomouth.*

BATTLE-BOW.

קֶשֶׁת־מִלְחָמָה   *Kesheth-Milkhomoh.*

Zech. ix. 10.	Zech. x. 4.

BATTERED.

מַשְׁחִיתִים   *Mashkheetheem,* marring, spoiling

2 Sam. xx. 15.

BATTLEMENT.

מַעֲקֶה   *Maakeh,* a battlement.

Deut. xxii. 8.

BATTLEMENTS.

נְטִישׁוֹת   *Neteeshouth,* the branches of a vine.

Jer. v. 10.

BAY, colour.

אֲמֻצִּים   *Amutseem,* strong.

Zech. vi. 3, 7.

BAY-TREE.

אֶזְרָח־רַעֲנָן   *Ezrokh-raanon,* a tree growing in its native soil.

Psalm xxxvii. 35.

BDELLIUM.

בְּדֹלַח   *Bĕdoulakh,* chrystal.

Gen. ii. 12.	Numb. xi. 7.

BE, BEEN.

הָיָה   *Hoyoh,* to be.

BEACON.

תֹּרֶן   *Touren,* a beacon, mast of a ship, long pole, tower.

Isa. xxx. 17.

BEAM.

1.   קוֹרָה   *Kouroh,* a beam of a house.
2.   מָנוֹר   *Monour,* a weaver's beam.
3.   אֶרֶג   *Ereg,* a weaver.
4.   כָּפִיס   *Kophees,* a chip, splinter.

3. Judg. xvi. 14.	2. 1 Chron. xi. 23.
2. 1 Sam. xvii. 7.	2. ——— xx. 5.
1. 2 Kings vi. 2, 5.	4. Hab. ii. 11.

BEAMS.

קוֹרוֹת   *Kourouth.*

1. 2 Chron. iii. 7.	1. Psalm civ. 3.
1. Neh. ii. 8.	1. Cant. i. 17.

BEANS.

פּוֹל *Pool,* beans.

2 Sam. xvii. 28. | Ezek. iv. 9.

BEAR, Verb.

1.   **נָשָׂא** *Noso,* to bear.
2.   **חָטָא** *Khoto,* to sin.
3.   **סָבַל** *Soval,* to burden.
4.   **כּוּן** *Koon,* to establish, erect, found.
5.   **יָלַד** *Yolakh,* to lead.
6.   **נָטַל** *Notal,* to cast upon, lay upon as a burden.
7.   **זֶרַע** *Zouraia,* seeding.

1. Gen. iv. 13.	1. Psalm xci. 12.
1. —— xiii. 6.	1. Prov. ix. 12.
1. —— xxxvi. 7.	1. —— xviii. 14.
2. —— xliii. 9.	1. —— xxx. 21.
2. —— xliv. 32.	1. Isa. i. 14.
3. —— xlix. 15.	1. — xlvi. 4, 7.
1. Exod. xviii. 22.	1. — lii. 11.
1. —— xxv. 27.	1. Jer. x. 19.
1. —— xxvii. 7.	1. — xvii. 21, 27.
1. —— xxviii. 12.	1. — xxxi. 19.
1. —— xxx. 4.	1. — xliv. 22.
1. —— xxxvii. 5.	1. Lam. iii. 27.
Lev. xix. 18, not in original.	1. Ezek. xii. 6, 12.
1. Numb. xi. 14.	1. —— xiv. 10.
1. —— xiv. 33.	1. —— xvi. 52, 54.
1. Deut. i. 9, 12.	1. —— xxiii. 35.
1. —— 31.	1. —— xxxii. 30.
—— v. 20, not in original.	1. —— xxxiv. 29.
	1. —— xxxvi. 7, 15.
1. —— x. 8.	1. —— xliv. 13.
1. Josh. iii. 8, 13.	Amos vii. 10, not in original.
1. —— iv. 16.	1. Mic. vi. 16.
2 Sam. xviii. 19, not in original.	1. —— vii. 9.
	6. Zeph. i. 11.
1. 2 Kings xviii. 14.	1. Hag. ii. 12.
4. Psalm lxxv. 3.	5. Zech. v. 10.
1. —— lxxxix. 50 .	1. —— vi. 13.

BAREST.
1. 1 Kings ii. 26.

BEAR iniquity.

1. Exod. xxviii. 38, 43.	1. Numb. v. 31.
1. Lev. v. 1, 17.	1. —— xiv. 34.
1. —— vii. 18.	1. —— xviii. 1, 23.
1. —— x. 17.	1. —— xxx. 15.
1. —— xvi. 22.	3. Isa. liii. 11.
1. —— xvii. 16.	1. Ezek. iv. 4, 5, 6.
1. —— xix. 8.	1. —— xviii. 19, 20.
1. —— xx. 17, 19.	1. —— xliv. 10, 12.
1. —— xxii. 16.	

BEAR judgment.
1. Exod. xxviii. 30.

BEAR sin.

1. Lev. xx. 20.	1. Numb. ix. 13.
1. —— xxii. 9.	1. —— xviii. 22, 32.
1. —— xxiv. 15.	1. Ezek. xxiii. 49.

BEARETH.

1. Lev. xi. 28.	1. Deut. xxxii. 11.
1. —— xv. 10.	1. Job xxiv. 21.
1. Numb. xi. 12.	1. Cant. vi. 6.
1. Deut. xxv. 6.	1. Joel ii. 22.
1. —— xxix. 18, 23.	

BEARING, carrying.

7. Gen. i. 29.	1. 1 Sam. xvii. 7.
1. —— xxxvii. 25.	1. 2 Sam. xv. 24.
1. Numb. x. 17, 21.	1. Psalm cxxvi. 6.
1. Josh. iii. 3, 14.	

BEAR and BARE, rule.

1.   **שָׂרַר** *Sorar,* to rule.
2.   **מָשַׁל** *Moshal,* to govern.
3.   **רָדָה** *Rodoh,* to subdue.
4.   **שָׁלַט** *Sholat,* to have power, domineer.

BEAR rule.

1. Esth. i. 22.	2. Ezek. xix. 11.
2. Prov. xii. 24.	4. Dan. ii. 39.
3. Jer. v. 31.	

BARETH.
2. Prov. xxix. 2.

BARE.

3. 1 Kings ix. 23.	4. Neh. iv. 15.
3. 2 Chron. viii. 10.	

BAREST.
2. Isa. lxiii. 19.

BEAR witness.

1.   **עָנָה** *Onoh,* to answer, express.
2.   **יָעַד** *Yoad,* to testify.

1. Exod. xx. 16.	2. 1 Kings xxi. 10.
1. Deut. v. 20.	

BEARETH witness.
1. Job xvi. 8. | 1. Prov. xxv. 18.

BEAR child, -ETH -EST -ARE.

יָלַד *Yolad,* to bring forth, in all passages.   Except :

מַתְאִימוֹת *Mathemouth,* bringing forth twins.

Cant. iv. 2. | Cant. vi. 6.

BEARERS.

סַבָּל *Sabol,* bearers, carriers.

BEAR.

דֹּב *Douv,* a bear.

BEARS.

דֻּבִּים *Dubbeem,* bears.

2 Kings ii. 24.

BEARD.

זָקָן *Zokon,* a beard.

BEARDS.
No plural.

BEAST, tame.

בְּהֵמָה *Behaimoh,* a beast.

BEASTS.

בְּהֵמוֹת *Behaimouth,* beasts.

BEAST, wild.

חַיָה *Khayoh.*

BEASTS.

חַיוֹת *Khayouth.*

BEAST of the field.

שָׂדֶה *Sodeh,* added to חַיוֹת *Khayouth.*

BEAT.

1. הִכָּה *Hikoh,* to smite, strike.
2. כָּתַת *Kotath,* to crush, squeeze, break in pieces.
3. דָּכָה *Dokhoh,* to pound.
4. רָקַע *Roka,* to beat out, extend.
5. שָׁחַק *Shokhak,* to reduce to dust, powder.
6. דָּפַק *Dophak,* to knock, beat, push on, impel.
7. חָבַט *Khovat,* to beat off, out.
8. הָרַס *Horas,* to destroy, ruin.
9. נָתַץ *Notats,* to beat, break down.
10. דָּכָא *Doko,* to bruise.
11. דָּקַק *Dokak,* to reduce to small pieces.

5. Exod. xxx. 36.	5. Psalm xviii. 42.
4. —— xxxix. 3.	2. —— lxxxix. 23.
3. Numb. xi. 8.	1. Prov. xxiii. 14.
1. Deut. xxv. 3.	2. Isa. ii. 4.
9. Judg. viii. 17.	10. — iii. 15.
9. —— ix. 45.	7. — xxvii. 12.
6. —— xix. 22.	11. — xli. 15.
7. Ruth ii. 17.	2. Joel iii. 10.
5. 2 Sam. xxii. 43.	1. Jonah iv. 8.
8. 2 Kings iii. 25.	2. Mic. iv. 3.
1. —— xiii. 25.	11. —— 13.
9. —— xxiii. 12.	

BEATEN.

1. הִכָּה *Hikoh,* to smite, strike.
2. מִקְשָׁה *Mikshoh,* to harden.
3. גֶּרֶשׂ *Geres,* to grind.
4. נָגַע *Noga,* to touch.
5. נָגַף *Nogaph,* to strike.
6. שָׁחוּט *Shokhoot,* to press, squeeze.
7. כָּתַת *Kotath,* to crush, squeeze, break in pieces.
8. חָבַט *Khovat,* to beat off, out.
9. הָלַם *Holam,* to hammer, strike.

1. Exod. v. 14, 16.	5. 2 Sam. ii. 17.
2. —— xxv. 18.	7. 2 Chron. xxxiv. 7.
2. —— xxxvii.7,17,22.	9. Prov. xxiii. 35.
3. Lev. ii. 14.	8. Isa. xxviii. 27.
2. Numb. viii. 4.	1. — xxx. 31.
1. Deut. xxv. 2.	7. Jer. xlvi. 5.
4. Josh. viii. 15.	7. Mic. i. 7.

BEATEN gold.

2. Numb. viii. 4.	6. 2 Chron. ix. 15, 16.
6. 1 Kings x. 16, 17.	

BEATEN oil.

7. Exod. xxvii. 20.	7. Lev. xxiv. 2.
7. —— xxix. 40.	7. Numb. xxviii. 5.

BEATEST.

8. Deut. xxiv. 20.	1. Prov. xxiii. 13.

BEATING.

9. 1 Sam. xiv. 16.

BEAUTY.

1. יָפֶה *Yophoh,* beauty, beautiful.
2. הוֹד *Houd,* praiseworthy.
3. הָדָר *Hodor,* glory, glorious.
4. נֹעַם *Nouam,* pleasant, sweet.
5. תִּפְאֶרֶת *Tiphereth,* comely, comeliness.
6. צְבִי *Tsĕvee,* ornamental, majestic.
7. חָמוּד *Khomood,* desirable.
8. צִיר *Tseer,* fashion, fashioned.
9. פְּאֵר *Peair,* comely, graceful, handsome.
10. יְפַת־תֹּאַר *Yephath-touar,* form, appearance, mien.
11. יְפַת־עֵנַיִם *Yephath-ainayim,* beautiful eyes.
13. טוֹבַת־מַרְאֶה *Touvath-mareh,* good to look upon, handsome countenance.
13. נָאֲוָה *Nŏăvoh,* delightful.

5. Exod. xxviii. 2.	5. Isa. xiii. 19.
1. 2 Sam. i. 19.	6. — xxviii. 1, 4, 5.
1. —— xiv. 25.	1. — xxxiii. 17.
3. 1 Chron. xvi. 29.	5. — xliv. 13.
3. 2 Chron. xx. 21.	3. — liii. 2.
1. Esth. i. 11.	9. — lxi. 3.
1. Job xl. 10.	3. Lam. i. 6.
4. Psalm xxvii. 4.	5. — ii. 1.
3. —— xxix. 2.	1. —— 15.
7. —— xxxix. 11.	6. Ezek. vii. 20.
1. —— xlv. 11.	1. — xvi. 14, 15, 25.
8. —— xlix. 14.	1. — xxvii. 3, 4, 11.
1. —— L. 2.	1. — xxviii. 7, 12, 17.
4. —— xc. 17.	1. — xxxi. 8.
3. —— xcvi. 6, 9.	4. — xxxii. 19.
1. Prov. vi. 25.	2. Hos. xiv. 6.
3. —— xx. 29.	1. Zech. ix. 17.
1. —— xxxi. 30.	4. — xi. 7, 10.
1. Isa. iii. 24.	

BEAUTIES.

3. Psalm cx. 3.

BEAUTIFY.

9. Ezra vii. 27.
9. Psalm cxlix. 4.

9. Isa. lx. 13.

BEAUTIFUL.

10. Gen. xxix. 17.	6. Isa. iv. 2.
10. Deut. xxi. 11.	5. — lii. 1.
11. 1 Sam. xvi. 12.	13. —— 7.
10. —— xxv. 3.	5. — lxiv. 11.
12. 2 Sam. xi. 2.	5. Jer. xiii. 20.
12. Esth. ii. 7.	5. — xlviii. 17.
1. Psalm xlviii. 2.	5. Ezek. xvi. 12.
1. Eccles. iii. 11.	1. —— 13.
1. Cant. vi. 4.	· 5. —— xxiii. 42.
1. — vii. 1.	

BECAME -EST.

Expressed in Hebrew by the verb הָיָה
Hoyoh, to be.

BECAUSE.

1.   כִּי Kee, because, verily, yea, when, that, therefore.

2.   עֵקֶב Aikev, in consequence of, for this reason.

3.   יַעַן Yăan, in the meantime.

4.   עַל Al, on account of.

1. Gen. iii. 14.	3. Prov. i. 24.
2. —— xxvi. 5.	3. Ezek. xiii. 10.
3. Lev. xxvi. 43.	3. —— xxxvi. 3.
2. 2 Sam. xii. 6. } twice.	
4. ———————	

BECOME -ETH.

Expressed in Hebrew by the verb הָיָה
Hoyoh, to be.

BED.

1.   מִטָּה Mittoh, a bed, bedstead.

2.   מִשְׁכָּב Mishkov, a bedchamber, a place for laying down.

3.   עֶרֶשׂ Eres, a couch.

4.   יָצוּעַ Yetsooa, a place for repose.

5.   מַצָּע Matso, a sheet, linen belonging to a bed.

Note :— יָצוּעַ is derived from יָצַע to spread abroad; in Hiphil it signifies to depart, descend, as Psalm cxxxix. 8, וְאַצִּיעָה vĕatseeoh, if I descend into hell, behold thou—

---

1. Gen. xlvii. 31.	2. Psalm xxxvi. 4.
2. —— xlix. 4.	3. —— xli. 3. } twice.
1. Exod. viii. 3.	2. -—————
2. —— xxi. 18.	4. —— lxiii. 6.
2. Lev. xv. 4, 24.	4. —— ᷅cxxxii. 3.
1. 1 Sam. xix. 13.	4. —— cxxxix. 8.
2. 2 Sam. iv. 5.	3. Prov. vii. 16.
2. —— xi. 2.	2. ————— 17.
2. 1 Kings i. 47.	2. —— xxii. 27.
1. 2 Kings i. 4.	1. —— xxvi. 14.
1. —— iv. 10.	3. Cant. i. 16.
4. 1 Chron. v. 1.	2. —— iii. 1.
3. Job vii. 13.	1. ————— 7.
4. — xvii. 13.	5. Isa. xxviii. 20.
2. — xxxiii. 15.	2. — lvii. 7.
2. Psalm iv. 4.	1. Amos iii. 12.

BEDS.

2. Psalm cxlix. 5.	1. Amos vi. 4.
2. Isa. lvii. 2.	2. Mic. ii. 1.
2. Hos. vii. 14.	

BED of love.

2. Ezek. xxiii. 17.

BED of spices.

עֲרוּגָה Aroogoh, a ridge, dry place.

Cant. v. 13. | Cant. vi. 2.

BEDCHAMBER.

1. חֲדַר־מִשְׁכָּב Khadar-mishkov, a room for reclining, bedchamber.

2. חֲדַר־מִטָּה Khadar-mittoh, a bedchamber.

1. Exod. viii. 3.	2. 2 Kings xi. 2.
1. 2 Sam. iv. 7.	1. 2 Chron. xxii. 11.
1. 2 Kings vi. 12.	1. Eccles. x. 20.

BEDSTEAD.

עֶרֶשׂ Eres, a bedstead, couch.

Deut. iii. 11, twice.

BEE.

דְּבֹרָה Devouroh.

BEES.

דְּבֹרִים Devoureem.

BEETLE.

חַרְגֹּל Khargoul, a beetle.

Lev. xi. 22.

BEEVES.

בָּקָר Bokor, horned cattle.

Lev. xxii. 19, 21. | Numb. xxxi. 28, 38.

BEFALL.

1.   קָרָה Koroh, to befall, happen.

2.   קָרָא Koro, to call, meet.

3.   אָנָה Onoh, to suffer, lament.

4.   מָצָא   *Motso*, to find.

5.   בּוֹא   *Bou*, to come.

2. Gen. xlii. 4, 38.	2. Deut. xxxi. 29.
1. —— xliv. 29.	3. Psalm ẍci. 10.
2. —— xlix. 1.	1. Dan. x. 14.
4. Deut. xxxi. 17.	

BEFALLEN.

2. Lev. x. 19.	4. Judg. vi. 13.
4. Numb. xx. 14.	1. 1 Sam. xx. 26.
4. Deut. xxxi. 21.	1. Esth. vi. 13.

BEFALLETH.

1. Eccles. iii. 19.

BEFEL.

5. 2 Sam. xix. 7.

BEFORE.

1.   טֶרֶם   *Terem*, before, prior to, ere.

2.   קֶדֶם   *Kedem*, before, in front, former times, ancient, the East.

3.   לִפְנֵי   *Liphnai*, before the face, looking to the East.

4.   נֶגֶד   *Neged*, in the presence of.

5.   כִּתְמוֹל־שִׁלְשֹׁם   *Kithmoul-shilshoum*, as yesterday, three days ago.

6.   בָּרִאשֹׁנָה   *Borishounoh*, as at the first time.

7.   פַּעַם־כְּפַעַם   *Pāăm-kepaam*, times, as times, as usual.

8.   מִשְׁנֶה   *Mishneh*, repetition.

9.   בְּלֹא־יוֹמוֹ   *Belou-youmou*, not the proper day.

10.   מִיּוֹם   *Miyoum*, from the day, out of the day.

11.   עַד   *Ad*, as far as, until, unto.

1. Gen. ii. 5.	9. Job xv. 32.
3. —— xx. 15.	3. — xxiii. 17.
1. —— xxiv. 45.	8. — xlii. 10.
5. —— xxxi. 2.	4. Psalm xxxi. 22.
3. —— xliii. 14.	1. —— xxxix. 13.
3. —— xlviii. 20.	3. —— lxxx. 9.
3. Exod. xvi. 34.	1. —— cxix. 67.
6. Numb. vi. 12.	2. —— cxxxix. 5.
5. Josh. iv. 18.	9. Eccles. vii. 17.
3. —— x. 14.	2. Isa. ix. 12.
3. Judg. iii. 2.	1. — xvii. 14.
7. —— xvi. 20.	10. — xliii. 13.
3. 2 Sam. vi. 21.	1. — lxv. 24.
3. —— x. 9.	1. Jer. i. 5.
6. 1 Kings xiii. 6.	3. Ezek. xliv. 12..
3. 1 Chron. xix. 10.	—— 22, not in
3. 2 Chron. xiii. 14.	original.
3. —— xxxiii. 19.	4. Hos. vii. 2.
3. Neh. ii. 1.	4. Amos iv. 3.
3. Job iii. 24.	3. Mal. ii. 5.
1. — x. 21.	3. —— iv. 5.

BEFORE, come.

11. Exod. xxii. 9.	2. Mic. vi. 6.
1. Psalm c. 2.	

BEFORE the people.

3. Gen. xxiii. 12.	4. Exod. xxxiv. 10.
3. Exod. xiii. 22.	3. Josh. viii. 10.
3. —— xvii. 5.	4. 1 Sam. xviii. 13.

BEFORE, time.

5. Josh. xx. 5.	5. 2 Kings xiii. 5.
3. 1 Sam. ix. 9.	3. Isa. xli. 26.
6. 2 Sam. vii. 10.	

BEFORE whom.

3. Gen. xxiv. 40.	3. 2 Kings iii. 14.
3. —— xlviii. 15.	3. —— v. 16.
3. 1 Kings xvii. 1.	3. Esth. vi. 13.
3. —— xviii. 15.	2. Dan. vii. 8, 20.

BEGET -GAT -GETTEST -GETTETH -GOTTEN.

יָלַד   *Yolad*, to beget.

BEG.

שָׁאַל   *Shoal*, to ask, require, beg.

Psalm cix. 10.	Prov. xx. 4.

BEGGAR.

דָּל   *Dol*, exhausted in health, wealth.

1 Sam. ii. 8.

BEGGING.

מְבַקֵּשׁ   *Mĕvakaish*, earnestly seeking.

Psalm xxxvii. 25.

BEGIN -EST -AN -UN.

חָלַל   *Kholal*, to begin.

BEGINNING.

1.   רֵאשִׁית   *Raisheeth*, principal, chief, first.

2.   תְּחִלָּה   *Tĕkhiloh*, beginning.

3.   רֹאשׁ   *Roush*, chief, head.

4.   מֵעוֹלָם   *Maioulom*, from everlasting.

5.   רִאשׁוֹן   *Reshoun*, first.

6.   מִן־הוּא   *Min-hoo*, wherever from.

1. Gen. xlix. 3.	2. Prov. ix. 10.
3. Exod. xii. 2.	1. —— xvii. 14.
1. Deut. xxi. 17.	1. Eccles. vii. 8.
1. Job viii. 7.	2. —— x. 13.
1. — xlii. 12.	4. Isa. lxiv. 4.
1. Psalm cxi. 10.	1. Mic. i. 13.
1. Prov. i. 7.	

BEGINNING, at the.

5. Ruth iii. 10.	5. Isa. i. 26.
5. 1 Chron. xvii. 9.	2. Dan. ix. 23.
5. Prov. xx. 21.	

BEGINNING, from the.

1. Deut. xi. 12.	3. Isa. xl. 21.
3. —— xxxii. 42.	3. — xli. 26.
3. Psalm cxix. 160.	1. — xlvi. 10.
3. Prov. viii. 23.	3. — xlviii. 16.
3. Eccles. iii. 11.	5. Jer. xvii. 12.
6. Isa. xviii. 2, 7.	

BEGINNING, in the.

1 Gen. i. 1.	1. Prov. viii. 22.

BEGINNINGS.

3. Numb. x. 10.	1. Ezek. xxxvi. 11.
3. —— xxviii. 11.	

BEGUILED.

1. רִמָּה   *Rimmoh*, to deceive.
2. הִשִּׁיא   *Hisshee*, to lead astray, entice.
3. נָכַל   *Nokal*, to conspire.

2. Gen. iii. 13.	3. Numb. xxv. 18.
1. —— xxix. 25.	1. Josh. ix. 22.

BEHALF.

1. מֵאֵת   *Maiaith*, from the, on account of.
2. תַּחַת   *Takhath*, instead of.
3. עִם   *Im*, with.
4. ל   *Lamed*, prefixed.
5. לוֹ   *Lou*, to, for him.

1. Exod. xxvii. 21.	4. Job xxxvi. 2.
2. 2 Sam. iii. 12.	5. Dan. xi. 18.
3. 2 Chron. xvi. 9.	

BEHAVE -ED.

Not in the Hebrew language.

BEHAVIOUR.

טַעַם   *Tääm*, reason, cause, manner.

1 Sam. xxi. 13.

BEHEADED.

1. עָרַף   *Oraph*, to behead.
2. סוּר   *Soor*, to separate.

1. Deut. xxi. 6.	2. 2 Sam. iv. 7.

BEHEMOTH.

בְּהֵמוֹת   *Behaimouth*, beasts, cattle.

Job xl. 15.

BEHIND.

אַחֲרַי   *Akhărai*, after, behind.

BEHOLD, Interjection.

הֵן   *Hain*, or הִנֵּה   *Hinnaih*.

BEHOLD, Verb.

1. רָאָה   *Rooh*, to see, discern.
2. נָבַט   *Novat*, to look into, examine, investigate.
3. צָפָה   *Tsophoh*, to watch, look for.
4. שׁוּר   *Shoor*, to observe attentively, mark well, view.
5. חָזָה   *Khozoh*, to see in a vision.
6. פָּנָה   *Ponoh*, to turn about.

2. Numb. xii. 8.	1. Eccles. xi. 7.
4. —— xxiii. 9.	1. Isa. xxvi. 10.
4. —— xxiv. 17.	1. — xxxviii. 11.
1. Deut. iii. 27.	1. — xli. 23.
1. Job xix. 27.	1. — xliii. 15.
4. — xx. 9.	1. Jer. xx. 4.
1. — xxiii. 9.	1. — xxix. 32.
4. — xxiv. 29.	1. — xxxii. 4.
4. — xxxvi. 24.	1. — xxxiv. 3.
5. Psalm xi. 4, 7.	1. — xlii. 2.
5. —— xvii. 2, 15.	1. Lam. i. 18.
5. —— xxvii. 4.	1. —— iii. 50.
1. —— xxxvii. 37.	1. —— v. 1.
5. —— xlvi. 8.	1. Ezek. viii. 9.
1. —— lix. 4.	1. —— xxviii. 17, 18.
3. —— lxvi. 7.	1. —— xl. 4.
1. —— lxxx. 14.	1. —— xliv. 5.
2. —— xci. 8.	1. Dan. ix. 18.
2. —— cii. 19.	1. Mic. vii. 9, 10.
1. —— cxiii. 6.	2. Hab. i. 3.
2. —— cxix. 18.	1. ——— 13.
1. Prov. xxiii. 33.	

BEHOLDEST.

1. Psalm x. 14.

BEHOLDETH.

6. Job xxiv. 18.	1. Psalm xxxiii. 13.

BEHOLDING.

1. Psalm cxix. 37.	1. Eccles. v. 11.
3. Prov. xv. 3.	

BEHELD.

2. Numb. xxi. 9.	2. Psalm cxlii. 4.
2. —— xxiii. 21.	1. Prov. vii. 7.
1. 1 Chron. xxi. 15.	1. Eccles. viii. 17.
1. Job xxxi. 26.	1. Isa. xli. 28.
1. Psalm cxix. 158.	1. Jer. iv. 23, 25.

BEING.

The Verb not used in Hebrew.

BEING, Subst.

בְּעֹדִי   *Běoudee*, while I exist.

Psalm civ. 33.	Psalm cxlvi. 2.

BELCH.

נָבַע   *Nova*, to flow, utter, pour out.

Psalm lix. 7.

BELIED.

כִּחֵשׁ *Kikhaish,* to belie, deny, deceive.

Jer. v. 12.

BELIEVE -ED -EST -ETH.

אָמַן *Oman,* to confide in, believe, be fully persuaded, put confidence in.

BELL -S.

1. פַּעֲמוֹן *Păamoun,* bells.
2. מְצִלּוֹת *Metsillouth,* cymbals, an ornament consisting of many small bells.

1. Exod. xxviii. 33, 34.	2. Zech. xiv. 20.
1. —— xxxix. 25, 26.	

BELLOWS.

מַפֻּחַ *Mapuakh,* bellows.

Jer. vi. 29.

BELLY.

1. נָחוֹן *Gokhoun,* the belly of a beast.
2. בֶּטֶן *Beten,* the belly.
3. קֵבָה *Kuboh,* the stomach.
4. כְּרֵשׁ *Keres* (Chaldee), belly.
5. מְעוֹהִי *Meouhee* (Syriac), belly, entrails.
6. מָעָה *Mōōh,* bowels.

1. Gen. iii. 14.	2. Prov. xviii. 8, 20.
1. Lev. xi. 42.	2. —— xx. 27, 30.
2. Numb. v. 21, 22.	2. —— xxvi. 22.
3. —— xxv. 8.	6. Cant. v. 14.
2. Judg. iii. 21.	2. —— vii. 2.
2. 1 Kings vii. 20.	2. Isa. xlvi. 3,
2. Job iii. 11.	2. Jer. i. 5.
2. — xv. 2, 35.	4. — li. 34.
2. — xx. 15, 20, 23.	2. Ezek. iii. 3.
2. — xxxii. 19.	5. Dan. ii. 32.
2. Psalm xvii. 14.	6. Jonah i. 17.
2. —— xxii. 10.	6. Jonah ii. 1.
2. —— xliv. 25.	2. ———— 2.
2. Prov. xiii. 25.	2. Hab. iii. 16.

BELONG -ED -EST -ETH -ING.

Not used in the Hebrew, but designated by לְ prefixed to the substantive.

BELOVED.

1. אָהוּב *Ohoov,* beloved.
2. יָדִיד *Yĕdeed,* or דוֹד *Doud,* friend, favourite, well-beloved.
3. חָמוּד *Khomood,* desirable, excellent.

1. Deut. xxi. 15.	2. Cant. v. 8, 9, 10, 16.
2. —— xxxiii. 12.	2. —— vi. 1, 2, 3.
1. Neh. xiii. 26.	2. —— vii. 9, 10, 11, 13.
2. Psalm lx. 5.	2. —— viii. 5, 14.
2. —— cviii. 6.	2. Isa. v. 1.
2. —— cxxvii. 2.	2. Jer. xi. 15.
2. Cant. i. 14, 16.	3. Dan. ix. 23.
2. —— ii. 3, 8, 9, 10.	3. —— x. 11, 19.
2. —— 16, 17.	1. Hos. iii. 1.
2. —— iv. 16.	3. —— ix. 16.
2. —— v. 1, 2, 4, 6.	

BEMOAN.

נוּד *Nood,* to wander, move about.

Jer. xv. 5.	Jer. xlviii. 17.
— xvi. 5.	Nah. iii. 7.
— xxii. 10.	

BEMOANED.

Job xlii. 11.

BEMOANING.

Jer. xxxi. 18.

BENCHES.

קֶרֶשׁ *Keresh,* boards.

Ezek. xxvii. 6.

BEND, Verb.

1. שָׁחָה *Shokhoh,* to bow down, incline.
2. דָּרַךְ *Dorakh,* to tread upon, down.
3. כָּפַן *Kophan,* to stretch out, decline.

2. Psalm xi. 2.	2. Jer. L. 14, 29.
2. —— lxiv. 3.	2. — li. 3.
2. Jer. ix. 3.	3. Ezek. xvii. 7.
2. — xlvi. 9.	

BENDETH.

2. Psalm lviii. 7.	2. Jer. li. 3.

BENDING.

1. Isa. lx. 14.

BENT.

2. Psalm vii. 12.	2. Lam. iii. 12.
2. —— xxxvii. 14.	Hos. xi. 7, not in original.
2. Isa. v. 28.	
2. — xxi. 15.	2. Zech. ix. 13.
2. Lam. ii. 4.	

BENEATH.

1. תַּחַת *Tokhath,* beneath.
2. מַטָּה *Motoh,* below.

1. Exod. xx. 4.	1. Job xviii. 16.
1. —— xxxii. 19.	2. Prov. xv. 24.
1. Deut. iv. 39.	1. Isa. xiv. 9.
1. —— v. 8, twice.	1. — li. 6.
2. —— xxviii. 13.	2. Jer. xxxi. 37.
1. —— xxxiii. 13.	

BENEFIT, Verb.

הֵיטִיב *Haiteev,* to benefit, improve.

Jer. xviii. 10.

BENEFIT, Subst.

גְּמוּל   *Gemool,* a recompense.

2 Chron. xxxii. 25.	Psalm cxvi. 12.
Psalm ciii. 2.	

BEREAVE.

1.   שָׁכַל   *Shokal,* to deprive, bereave.
2.   חָסַר   *Khosar,* to want, diminish.
3.   כָּשַׁל   *Koshal,* to stumble, hurt.

2. Eccles. iv. 8.	1. Ezek. xxxvi. 12.
1. Jer. xv. 7.	3. ———— 14.
1. Ezek. v. 17.	1. Hos. ix. 12.

BEREAVED.

1. Gen. xlii. 36.	1. Ezek. xxxvi. 13.
1. —— xliii. 14.	1. Hos. xiii. 8.
1. Jer. xviii. 21.	

BEREAVETH.

1. Lam. i. 20.

BERRIES.

נַרְגְּרִים   *Gargareem.*

Isa. xvii. 6.

BERYL.

תַּרְשִׁישׁ   *Tarsheesh,* beryl, topaz, amber.

Dan. x. 6.

BESEECH.

1.   אָנָה   *Onoh,* נָא *No,* to beseech, pray.
2.   חִלָּה   *Khilloh,* to supplicate earnestly.
3.   שָׁחָה   *Shokhoh,* to make obeisance.
4.   בִּקֵּשׁ   *Bikaish,* to beseech, request.
5.   חָנַן   *Khonan,* to bestow a favour.

1. Exod. xxxiii. 18.	1. Psalm cxix. 108.
1. Numb. xii. 13.	1. Jer. xxxviii. 20.
3. 2 Sam. xvi. 4.	1. Amos vii. 2.
1. Psalm lxxx. 14.	1. Jonah i. 14.
1. —— cxvi. 4.	1. —— iv. 3.
1. —— cxviii. 25.	2. Mal. i. 9.

BESOUGHT.

5. Gen. xlii. 21.	2. 2 Kings xiii. 4.
2. Exod. xxxii. 11.	2. 2 Chron. xxxiii. 12.
5. Deut. iii. 23.	4. Ezra viii. 23.
4. 2 Sam. xii. 16.	5. Esth. viii. 3.
2. 1 Kings xiii. 6.	2. Jer. xxvi. 19.
5. 2 Kings i. 13.	

BESET.

1.   סָבַב   *Sovav,* to surround, encompass.
2.   צָרַר   *Tsorar,* to oppress, constrain.

1. Judg. xix. 22.	2. Psalm cxxxix. 5.
1. —— xx. 5.	1. Hos. vii. 2.
1. Psalm xxii. 12.	

BESIDE, BESIDES.

1.   מִלְּבַד   *Milvad,* besides.
2.   מִבַּלְעֲדֵי   *Mibaladai,* without, except.
3.   לְיַד   *Leyad,* by the hand, by the side.
4.   עוֹד   *Oud,* any more, yet, again.
5.   עַל   *Al,* upon, by, with, on account of.
6.   מִמֶּנּוּ   *Mimenoo,* from, by him, it.
7.   בִּלְתִּי   *Biltee,* except, none.

4. Gen. xix. 12.	1. Josh. xxii. 29.
1. —— xxvi. 1.	6. Judg. xi. 34.
5. Lev. xviii. 18.	3. 1 Sam. xix. 3.
1. — xxiii. 38.	1. 1 Kings x. 13.
2. Numb. v. 20.	4. —— xxii. 7.
1. —— vi. 21.	2. 2 Kings xxi. 16.
7. —— xi. 6.	4. 2 Chron. xviii. 6.
1. —— xxviii. 23.	5. Psalm xxiii. 2.
1. —— xxix. 6.	5. Cant. i. 8.
1. Deut. xxix. 1.	5. Isa. xxxii. 20.
2. Josh. xxii. 19.	4. — lvi. 8.

BESIEGE.

צָרַר   *Tsorar,* to oppress, constrain.

Deut. xxviii. 52.	2 Chron. vi. 28.
1 Kings viii. 37.	Isa. xxi. 2.

BESIEGED.

2 Kings xix. 24.	Isa. xxxvii. 25.
Eccles. ix. 14.	Ezek. vi. 12.
Isa. i. 8.	

BESOM.

מַטְאֲטֵא   *Matatai,* a besom, broom.

Isa. xiv. 23.

BEST.

1.   מֵיטַב   *Maitav,* best.
2.   טוֹב   *Touv,* good.
3.   נִצֵּב   *Nitsov,* to stand firm.
4.   חֵלֶב   *Khailev,* fat of animals.
5.   זְמֹרַת   *Zimrath,* pruned, gathered (alluding to the vine).

5. Gen. xliii. 11.	2. 1 Sam. viii. 14.
1. —— xlvii. 6, 11.	2. 2 Kings x. 3.
2. Exod. xxii. 5.	3. Psalm xxxix. 5.
4. Numb. xviii. 29.	2. Cant. vii. 9.
2. —— xxxvi. 6.	2. Mic. vii. 4.
2. Deut. xxiii. 16.	

BESTEAD.

נִקְשָׁה   *Nicksheh,* ensnared.

Isa. viii. 21.

BESTIR.

חָרַץ   *Khorats,* to sharpen, quicken, determine.

2 Sam. v. 24.

BESTOW.

1. נָתַן   *Nothan*, to bestow, give, grant.
2. עָשָׂה   *Osoh*, to make, do, perform, exercise.
3. פָּקַד   *Pokad*, to visit, appoint, command.
4. גָּמַל   *Gomal*, to recompense.

1. Exod. xxxii. 29.	2. 2 Chron. xxiv. 7.
2. Deut. xiv. 26.	1. Ezra vii. 20.

BESTOWED.

3. 2 Kings v. 24.	4. Isa. lxiii. 7.
1. 1 Chron. xxix. 25.	

BETHINK.

שׁוּב־לֵב   *Shoov-laiv*, to turn the heart.

1 Kings viii. 47.	2 Chron. vi. 37.

BETIMES.

שָׁכַם   *Shokham*, to be early.

BETRAY.

רִמָּה   *Rimmoh*, to deceive.
1 Chron. xii. 17.

BETROTH.

1. אָרַשׂ   *Oras*, to betroth.
2. יָעַד   *Yoad*, to appoint.
3. נֶחְרָפֶת   *Nekhĕrepheth* (Niph.), set at liberty.

1. Deut. xxviii. 30.	1. Hos. ii. 19, 20.

BETROTHED.

2. Exod. xxi. 8.	1. Deut. xx. 7.
1. —— xxii. 16.	1. —— xxii. 23, 27.
3. Lev. xix. 20.	

BETTER.   See p. 588.

There is no comparative in the Hebrew language, but it is designated by מ prefixed to a substantive, thus

טוֹב־מִבָּנִים   *Touv-miboneem*, better than sons.

BETWEEN.

בֵּין   *Bain*, between.

BETWIXT.

1. מַפְגִּיעַ   *Maphgeea*, a mediator, intercessor.
2. בֵּין   *Bain*, between.

1. Job xxxvi. 32, that cometh betwixt. Auth. Ver.	2. Cant. i. 13.

BEWAIL.

1. בָּכָה   *Bokhoh*, to bewail, weep.
2. יָפַח   *Yophakh*, (Hiph.) sighing heavily.

1. In all passages, except:

BEWAILETH.
2. Jer. iv. 31.

BEWARE.

שָׁמַר   *Shomar*, to watch, take heed.

In all passages, except:

עָרַם   *Oram*, to be cunning, subtle.

Prov. xix. 25.

BEWRAY.

1. גָּלָה   *Goloh*, to discover, reveal.
2. קָרָא   *Koro*, to call.
3. נָגַד   *Nogad*, to declare.

1. Isa. xvi. 3.

BEWRAYETH.

2. Prov. xxvii. 16.	3. Prov. xxix. 24.

BEYOND.

1. עֵבֶר   *Aiver*, over, beyond.
2. הָלְאָה   *Holoh*, onward, forward.

1. In all passages, except:
1 Sam. xx. 22, 37.

BID.

1. צִוָּה   *Tsivooh*, to command.
2. דִּבֶּר   *Dibbair*, to speak with authority.
3. אָמַר   *Omar*, to speak softly, say.
4. קָדַשׁ   *Kodash*, to sanctify, prepare.
5. קְרוּאִים   *Kerooeem*, called ones.
6. מִשְׁמַע   *Mishma*, counsel, report.

1. Josh. vi. 10.	2. 2 Kings v. 13.
3. 1 Sam. ix. 27.	3. —— x. 5.
3. 2 Sam. ii. 26.	2. Jonah iii. 2.
3. 2 Kings iv. 24.	4. Zeph. i. 7.

BIDDEN.

5. 1 Sam. ix. 13.	3. 2 Sam. xvi. 11.

BIDDING.
6. 1 Sam. xxii. 14.

BIER.

מִטָּה   *Mittoh*, a bed, bedstead.
2 Sam. iii. 31.

BILLOWS.

גַּלִּים Galeem, billows.

Psalm xlii. 7.	Jonah ii. 3.

BIND.

1. קָשַׁר Koshar, to bind, tie.
2. אָסַר Osar, to fetter.
3. רָכַס Rokhas, to fasten, tighten.
4. צָרַר Tsorar, to enclose, press together.
5. חָבַשׁ Khovash, to fasten on.
6. כְּפַת Kophath (Syriac), to fetter.
7. רָתַם Rotham, to yoke, harness together.
8. עָנַד Onad, to bind on, as an ornament.
9. אָזַר Ozar, to gird about.
10. עָמַר Omar, to bind, as sheaves.
11. אָלַם Olam, to close up.
12. עָקַד Okad, to bind together, to bind for sacrifice.
13. אָפַד Ophad, to tie on a girdle.
14. יָסַר Yosar, to chastise.
15. פָּתַל Pothal, to spin, twist.
16. שָׂקַד Sokad, to fasten.
17. רָתַק Rothak, to chain up, together.
18. מָזוֹר Mozour, a wound.

3. Exod. xxviii. 28.	2. Psalm cxviii. 27.
2. Numb. xxx. 2.	2. —— cxlix. 8.
1. Deut. vi. 8.	1. Prov. iii. 3.
4. —— xiv. 25.	1. —— vi. 21.
1. Josh. ii. 18.	1. —— vii. 3.
2. Judg. xv. 10, 12, 13.	4. Isa. viii. 16.
2. —— xvi. 5.	1. — xlix. 18.
8. Job xxxi. 36.	5. — li. 1.
1. — xxxviii. 31.	5. Ezek. xxxiv. 16.
1. — xxxix. 31.	6. Dan. iii. 20,
5. — xl. 13.	5. Hos. vi. 1.
1. — xli. 5.	2. Hos. x. 10.
2. Psalm cv. 22.	7. Mic. i. 13.

BINDETH.

5. Job v. 18.	10. Psalm cxxix. 7.
4. — xxvi. 8.	5. —— cxlvii. 3.
5. — xxviii. 11.	4. Prov. xxvi. 8.
9. — xxx. 18.	5. Isa. xxx. 26.
2. — xxxvi. 13.	

BINDING.

11. Gen. xxxvii. 7.	2. Numb. xxx. 13.
2. —— xlix. 11.	

BOUND, actively.

12. Gen. xxii. 9.	2. Judg. xvi. 8, 12, 21.
1. —— xxxviii. 28.	4. 2 Kings v. 23.
2. —— xlii. 24.	2. —— xvii. 4.
13. Lev. viii. 7.	2. —— xxv. 7.
2. Numb. xxx. 4, 5, 6, 7, 8, 9, 10, 11.	2. 2 Chron. xxxiii. 11.
1. Josh. ii. 21.	2. —— xxxvi. 6.
2. Judg. xv. 13.	4. Prov. xxx. 4.
	14. Hos. vii. 15.

BOUND, passively.

2. Gen. xxxix. 20.	2. Job xxxvi. 8.
2. —— xl. 3, 5.	2. Psalm cvii. 10.
2. —— xlii. 19.	1. Prov. xxii. 15.
15. Numb. xix. 15.	2. Isa. xxii. 3.
2. Judg. xvi. 6, 10, 13.	2. — lxi. 1.
4. 1 Sam. xxv. 29.	16. Lam. i. 14.
2. 2 Sam. iii. 34.	6. Dan. iii. 21, 23, 24.

BOUND with chains.

2. 2 Chron. xxxiii. 11.	2. Jer. xl. 1.
2. —— xxxvi. 6.	2. — lii. 11.
2. Psalm lxviii. 6.	17. Nah. iii. 10.
2. Jer. xxxix. 7.	

BOUND up.

1. Gen. xliv. 30.	5. Ezek. xxxiv. 4.
5. Isa. i. 6.	4. Hos. iv. 19.
18. Jer. xxx. 13.	4. —— xiii. 12.
5. Ezek. xxx. 21.	

BIRD.

1. עוֹף Ouph, a bird, any flying animal, or insect.
2. צִפּוֹר Tsipour, a small or clean bird.
3. בַּעַל־כָּנָף Baal-konoph, a possessor of wings.
4. עַיִט Ayeet, a ravenous bird.

2. Gen. vii. 14.	1. Eccles. x. 20.
2. Lev. xiv. 52.	2. —— xii. 4.
2. Job xli. 5.	1. Isa. xvi. 2.
2. Psalm xi. 1.	4. — xlvi. 11.
2. —— cxxiv. 7.	4. Jer. xii. 9.
3. Prov. i. 17.	2. Lam. iii. 52.
2. —— vi. 5.	1. Hos. ix. 11.
2. —— vii. 23.	2. —— xi. 11.
2. —— xxvi. 2.	2. Amos iii. 5.
2. —— xxvii. 8.	

BIRDS.

2. Gen. xv. 10.	2. Isa. xxxi. 5.
1. —— xl. 17, 19.	1. Jer. iv. 25.
2. Lev. xiv. 4.	1. — v. 27.
2. Deut. xiv. 11.	1. — xii. 4.
1. 2 Sam. xxi. 10.	4. —— 9.
2. Psalm civ. 17.	4. Ezek. xxxix. 4.
2. Eccles. ix. 12.	4. Dan. iv. 33.

BIRTH.

1. יָלַד Yolad, to beget, bring forth.
2. שָׁבַר Shovar, to break, (Hiph.) to break forth.
3. נֵפֶל Nephel, to fall off, miscarry.
4. מָכֵר Mekher, a fixed place, habitation.

1. Exod. xxviii. 10.	1. Eccles. vii. 1.
1. 2 Kings xix. 3.	2. Isa. xxxvii. 3.
3. Job iii. 16.	2. — lxvi. 9.
3. Psalm lviii. 8.	4. Ezek. xvi. 3.
3. Eccles. vi. 3.	1. Hos. ix. 11.

BIRTH-DAY.

יוֹם־הֻלֶּדֶת Youm-huledeth, the day of bringing forth.

Gen. xl. 20.

BIRTH-RIGHT.
בְּכוֹרָה *Bekhouroh*, priority, seniority.

BIT.
מֶתֶג *Metheg*, a bit (bridle).
Psalm xxxii. 9.

BITE -ETH, BITTEN, BIT.
נָשַׁךְ *Noshakh*, to bite.

BITTER -LY -NESS.
מַר *Mar*, bitter, bitterly, bitterness.

BITTERN.
קִפֹּר *Kepoud*, a bittern.
Isa. xiv. 23. | Zeph. ii. 14.

BLACK.
1. שָׁחוֹר *Shokhour*, black.
2. קֵדָר *Kaidor*, gloomy, obscure.
3. נִכְמָר *Nikhmor*, black, shrivelled by the heat of fire.
4. אִישׁוֹן *Eeshoun*, midnight.

1. Lev. xiii. 31, 37.	2. Jer. iv. 28.
2. 1 Kings xviii. 45.	2. — viii. 21.
1. Job xxx. 30.	2. — xiv. 2.
4. Prov. vii. 9.	3. Lam. v. 10.
1. Cant. i. 5, 6.	1. Zech. vi. 2, 6.
1. —— v. 11.	

BLACKER -ISH.
חָשֵׁךְ *Khoshakh*, dark.
Lam. iv. 8. | Job vi. 16.

BLACKNESS.
1. מְרִירִי *Mĕreerai*, bitter destruction.
2. קַדְרוּת *Kadrooth*, gloomy, obscure.
3. פָּארוּר *Poroor* (metaphorical noun), a swelling, increasing, even as water swells and boils up over a fire.

1. Job iii. 5.	3. Joel ii. 6.
2. Isa. L. 3.	3. Nah. ii. 10.

BLADE.
לַהַב *Lahav*, a blade, glittering part of a sword.
Judg. iii. 22.

BLADE, shoulder.
שֶׁכֶם *Shekhęm*, a shoulder-blade.
Job xxxi. 22.

BLAINS.
אֲבַעְבֻּעֹת *Abaăbuouth*, blains, blisters.
Exod. ix. 9, 10.

BLAME.
חָטָא *Khoto*, to sin.
Gen. xliii. 9. | Gen. xliv. 32.

BLAMELESS.
נָקִי *Nokee*, free, clean, innocent.

BLASPHEME.
1. נָאַץ *Noats*, to contemn, disregard.
2. גָּדַף *Godaph*, to blaspheme.
3. חָרַף *Khoraph*, to reproach, slander.
4. נָקַב *Nokav*, to pronounce ; when followed by the name of God, to pronounce contemptuously.
5. בֵּרַךְ *Bairakh*, to bless.

1. 2 Sam. xii. 14.	1. Psalm lxxiv. 10.
5. 1 Kings xxi. 10, 13.	

BLASPHEMED.
4. Lev. xxiv. 11.	1. Isa. lii. 5.
2. 2 Kings xix. 6, 22.	3. — lxv. 7.
1. Psalm lxxiv. 18.	2. Ezek. xx. 27.
2. Isa. xxxvii. 6, 23.	

BLASPHEMETH.
4. Lev. xxiv. 16. | 2. Psalm xliv. 16.

BLASPHEMY.
נְאָצָה *Neotsoh*, blasphemy.
2 Kings xix. 3. | Isa. xxxvii. 3.

BLASPHEMIES.
נְאָצוֹת *Neotsouth*, blasphemies.
Ezek. xxxv. 12.

BLAST.
1. שְׁדוּף *Shodooph*, a blast.
2. רוּחַ *Rooakh*, spirit, wind, breath.
3. נְשָׁמָה *Neshomoh*, breath of God, soul of man.
4. שְׁדֵמָה *Shĕdaimoh*, a blight.

2. Exod. xv. 8.	3. Psalm xviii. 15.
3. 2 Sam. xxii. 16.	2. Isa. xxv. 4.
2. 2 Kings xix. 7.	2. — xxxvii. 7.
3. Job iv. 9.	

BLASTED.
1. Gen. xli. 6, 23, 27.	4. Isa. xxxvii. 27.
1. 2 Kings xix. 26.	

BLASTING.
שִׁדָּפוֹן *Shidophoun*, blasting.

BLEATING.

שְׁרִקוֹת *Sherikouth,* bleating.

Judg. v. 6. | 1 Sam. xv. 14.

BLEMISH.

1.   מוּם *Moom,* a blemish, fault, blot.
2.   בָּלוּל *Bolool,* a mixture, confusion.
3.   תָּמִים *Tomeem,* perfect, without blemish, alludes to birds and beasts fit for sacrifice.

3. Exod. xii. 5.	1. Lev. xxii. 19, 20, 21.
3. —— xxix. 1.	1. —— xxxiii. 12.
3. Lev. i. 3, 10.	1. —— xxiv. 19, 20.
3. —— iii. 1, 6.	3. Numb. vi. 14.
3. —— iv. 3, 23, 28.	1. —— xix. 2.
3. —— v. 15, 18.	3. —— xxix. 2.
3. —— vi. 6.	1. Deut. xv. 21.
3. —— ix. 2, 3.	1. —— xvii. 1.
3. —— xiv. 10.	1. 2 Sam. xiv. 25.
1. —— xxi. 17, 18, 21, 23.	3. Ezek. xlv. 18.
	3. —— xlvi. 4.
2. —— xxi. 20.	1. Dan. i. 4.

BLEMISHES.
1. Lev. xxii. 25.

BLESS -ED -EST -ETH -ING.

בָּרַךְ *Borakh,* to bless.

In all passages, except :

אָשַׁר *Oshar,* to be happy.

Job. xxix. 11.	Prov. xxxi. 28.
Psalm i. 1.	Eccles. x. 17.
—— xli. 2.	Cant. vi. 9.
Prov. viii. 32.	Isa. xxxii. 20.

BLESSING, Sub.

בְּרָכָה *Berokhoh,* a blessing.

BLESSINGS.

בְּרָכוֹת *Berokhouth,* blessings.

BLIND.

עִוֵּר *Ivvair,* blind.

BLIND, Verb.

1.   עִוֵּר *Ivvair,* to blind.
2.   עָלַם *Olam,* to conceal, hide.

1. Deut. xvi. 19. | 2. 1 Sam. xii. 3.

BLINDETH.
1. Exod. xxiii. 8.

BLINDNESS.

1.   סַנְוֵרִים *Sanvaireem,* confusion of sight.
2.   עִוָּרוֹן *Ivvoroun,* blindness.

1. Gen. xix. 11.	1. 2 Kings vi. 18, twice.
2. Deut. xxviii. 28.	2. Zech. xii. 4.

BLOOD.

דָּם *Dom,* blood.

BLOODS.

דָּמִים *Domeem,* bloods.

BLOOD-GUILTINESS.

דָּמִים *Domeem,* bloods.

BLOOD-THIRSTY.

דָּמִים *Domeem,* bloods.

BLOODY.

דָּמִים *Domeem,* bloods.

BLOOMED.

נָצַץ *Notsats,* to blossom.

Numb. xvii. 8.

BLOSSOM.

צִיץ *Tseets,* a flower blossom.

Isa. v. 24.

BLOSSOMS.
No plural.
Gen. xl. 10.

BLOSSOM, Verb.

1.   נָצַץ *Notsats,* or נוּץ *Noots,* to blossom.
2.   פָּרַח *Porakh,* to blossom, bud, sprout out.

2. Numb. xvii. 5.	2. Isa. xxxv. 1, 2.
1. Isa. xxvii. 6.	2. Hab. iii. 17.

BLOSSOMS.
1. Ezek. vii. 10.

BLOT.

מוּם *Moom,* a blemish, fault, blot.

Job. xxxi. 7. | Prov. ix. 7.

BLOT -ED -ETH -OUT.

מָחָה *Mokhoh,* to blot out, erase.

BLOW, Sub.

1.   תִּגְרָה *Tigroh,* an attack, stroke.
2.   מַכָּה *Makoh,* a blow.

1. Psalm xxxix. 10. | 2. Jer. xiv. 17.

BLOW, Verb.

1.   נָשַׁף *Noshaph,* to blow, as the wind.
2.   תָּקַע *Toka,* to blow a horn, trumpet.
3.   רָעַע *Roa,* to shout, shake on a trumpet.
4.   נָסַע *Nosa,* to go a journey.

5.   נָשַׁב   *Noshav,* to blow, puff away.
6.   פּוּחַ   *Pooakh,* to breathe.
7.   נָפַח   *Nophakh,* to blow with the mouth.

1. Exod. xv. 10.	6. Cant. iv. 16.
2. Numb. x. 5, 6.	1. Isa. xl. 24.
3. —— 9.	6. Ezek. xxi. 31.
2. Judg. vii. 18.	7. —— xxii. 21.
4. Psalm lxxviii. 26.	2. Hos. v. 8.
5. —— cxlvii. 18.	7. Hag. i. 9.

BLOWETH.
5. Isa. xl. 7. | 7. Isa. liv. 16.

BLOWN.
7. Job xx. 26.

BLEW.
2. In all passages.

BLUE.
תְּכֵלֶת   *Tekhaileth,* blue, light blue.

BLUENESS.
חַבֻּרוֹת   *Khaburouth,* swellings, bruises, blows.
Prov. xx. 30.

BLUNT.
קֵהָה   *Kaihoh,* blunt.
Eccles. x. 10.

BLUSH.
בּוּשׁ   *Boosh,* to be ashamed.
Ezra ix. 6. | Jer. vi. 15.

BOAR.
חֲזִיר   *Khazeer,* a swine.
Psalm lxxx. 13.

BOARD -S.
1.   קֶרֶשׁ   *Keresh,* a board.
2.   לוּחַ   *Looakh,* a tablet of wood, iron, stone.

1. Ezek. xxvi. 29.	1. Numb. iii. 36.
2. —— xxvii. 8.	2. Cant. viii. 9.
1. —— xxxvi. 30, 34.	

BOAST.
1.   פָּאַר   *Poar,* to boast.
2.   הָלַל   *Hillail,* to praise.
3.   כָּבַד   *Kovad,* to honour, glorify.
4.   גָּדַל   *Godal,* to magnify.
5.   אָמַר   *Omar* (Hith.), to say, speak softly.
6.   יָמַר   *Yomar,* to change.

2. 1 Kings xx. 11.	2. Psalm xcvii. 7.
3. 2 Chron. xxv. 19.	2. Prov. xxvii. 1.
2. Psalm xliv. 8.	1. Isa. x. 15.
2. —— xlix. 6.	6. — lxi. 6.
5. —— xciv. 4.	

BOASTED.
4. Ezek. xxxv. 13.

BOASTETH.
2. Psalm x. 3.	2. Prov. xx. 14.
2. —— lii. 1.	2. —— xxv. 14.

BOAST, Sub.
2. Psalm xxxiv. 2.

BODY.
1.   גְּוִיָּה   *Geviyoh,* a perishable body.
2.   נֶפֶשׁ   *Nephesh,* breath, animal life.
3.   גּוּף   *Gooph,* the body.
4.   עֶצֶם   *Etsem,* a bone, strength.
5.   בָּשָׂר   *Bosor,* flesh.
6.   גֶּשֶׁם   *Geshem* (Syriac), common, carnal, terrestrial.
7.   שְׁאָר   *Shaiair,* a remnant, affinity.
8.   בֶּטֶן   *Beten,* the belly.
9.   יָרֵךְ   *Yerekh,* the thigh, side, loins.
10.   נְדַן   *Nedan,* a sheath, case (Chaldee).
11.   מֵת   *Maith,* a corpse.
12.   נְבֵלָה   *Nevailoh,* corrupt, withered, putrified.
13.   פֶּגֶר   *Peger,* a carcase.
14.   גַּב   *Gav,* a back, convex surface, eminence.

4. Exod. xxiv. 10.	7. Prov. v. 11.
1. 1 Sam. xxxi. 12.	5. Isa. x. 18.
3. 1 Chron. x. 12.	1. — li. 23.
8. Job xix. 17.	5. Ezek. x. 12.
1. — xx. 25.	10. Dan. vii. 15.

BODY, dead.
2. { Lev. xxi. 11. } fol-	11. 2 Kings viii. 5.
{ Numb. vi. 6. } lowed	12. Isa. xxvi. 19.
by Nᵒ. 11.	12. Jer. xxvi. 23.
2. Numb. ix. 6, 7, 10.	12. —— xxxvi. 30.
11. —— xix. 11, 16.	2. Hag. ii. 13.

BODY, fruit of.
8. Deut. xxviii. 4, 11,	8. Psalm cxxxii. 11.
18, 53.	8. Mic. vi. 7.
8. —— xxx. 9.	

BODY, his.
12. Deut. xxi. 23.	6. Dan. v. 21.
9. Judg. viii. 30.	6. —— vii. 11.
1. 1 Sam. xxxi. 10.	1. —— x. 6.
6. Dan. iv. 33.	

BODY, in.
4. Lam. iv. 7.

BODIES.

1. Gen. xlvii. 18.	14. Job xiii. 12.
1. 1 Sam. xxxi. 12.	1. Ezek. i. 11, 23.
3. 1 Chron. x. 12.	6. Dan. iii. 27, 28.
4. Neh. ix. 37.	

BODIES, dead.

13. 2 Chron. xx. 24, 25.	13. Jer. xxxiii. 5.
12. Psalm lxxix. 2.	12. — xxxiv. 20.
1. — cx. 6.	13. — xli. 9.
13. Jer. xxxi. 40.	13. Amos viii. 3.

BOIL, Sub.
שְׁחִין   *Shekheen,* a boil, a scab.

No plural.

BOIL.
1.   רָתַח   *Rothakh,* to boil.
2.   בָּעָה   *Bōōh,* to run over, swell, bubble.
3.   בָּשַׁל   *Boshal,* to cook, seethe.

3. Lev. viii. 31.	1. Ezek. xxiv. 5.
1. Job xli. 31.	3. — xlvi. 20.
2. Isa. lxiv. 2.	

BOILED.

3. 1 Kings xix. 21.	1. Job xxx. 27.
3. 2 Kings vi. 29.	

BOILING.
3. Ezek. xlvi. 23.

BOLD.
בָּטַח   *Botakh,* to trust, be confident.
Prov. xxviii. 1.

BOLDLY.
בֶּטַח   *Betakh,* trustfully, securely.
Gen. xxxiv. 25.

BOLDNESS.
עֹז   *Ouz,* strength.
Eccles. viii. 1.

BOLLED.
גִּבְעֹל   *Givoul,* risen in body, ripe.
Exod. ix. 31.

BOLSTER.
מְרַאֲשֹׁת   *Mairaashouth,* under the head.

1 Sam. xix. 13, 16.	1 Sam. xxvi. 7, 11, 12, 16.

BOLT   -ED.
נָעַל   *Noal,* to fasten, close.

2 Sam. xiii. 17.	2 Sam. xiii. 18.

BOND.
1.   מוּסָר   *Moosor,* instruction, correction.
2.   אִסָּר   *Issor,* a prohibition.
3.   מָסֹרֶת   *Mosoureth,* a bond.

2. Numb. xxx. 2, 3, 4.	3. Ezek. xx. 37.
1. Job xii. 18.	

BONDS.
מוֹסֵרֹת   *Mousairouth,* bonds, bands: in all passages.

BONDAGE.
עֲבוֹדָה   *Avoudoh,* bondage, service.

BONDMAN.
עֶבֶד   *Eved,* a bondman, servant.

BONDMEN.
עֲבָדִים   *Avodeem,* bondmen, servants.

BONDMAID.
שִׁפְחָה   *Shiphkhoh,* a bondmaid.

BONDSERVANT.
עֶבֶד   *Eved,* a bondservant.

BONDSERVICE.
מַס־עֹבֵד   *Mas-ouvaid,* bondservice, serving under tribute.

BONDWOMAN.
אָמָה   *Omoh,* a bondwoman.

BONE.
עֶצֶם   *Etsem,* a bone.

BONES.
עֲצָמֹת   *Atsomouth,* bones.

BONNETS.
1. מִגְבָּעוֹת   *Migboouth,* caps, bonnets, turbans.
2.   פְּאֵר   *Paiair,* ornamental head-dress.

1. Exod. xxviii. 40.	1. Lev. viii. 13.
1. — xxix. 9.	2. Isa. iii. 20.
1. — xxxix. 28.	2. Ezek. xliv. 18.

BOOK.
סֵפֶר   *Saipher,* a book.

BOOKS.
סְפָרִים   *Sephoreem,* books.

BOOTH.
סֻכָּה   *Sukoh,* a booth, tabernacle, covering.

BOOTHS.
סֻכּוֹת   *Sukouth,* booths.

BOOTY -IES.

1. מַלְקוֹחַ *Malkouakh*, booty.
2. שָׁלָל *Sholol*, plunder.
3. מְשִׁסָּה *Meshissoh*, spoil.

1. Numb. xxxi. 32.	3. Hab. ii. 7.
2. Jer. xlix. 32.	3. Zeph. i. 13.

BORDER, of territory.

1. גְּבוּל *Gevool*, a border.
2. חוֹף *Khouph*, a bank, sea-shore.
3. קָצֶה *Kotseh*, an end.
4. יָד *Yod*, a hand.
5. גְּלִילוֹת *Geleelouth*, coasts.

1. In all passages, except:

2. Gen. xlix. 13.	4. 2 Sam. viii. 3.
3. Exod. xix. 12.	3. Isa. xxxvii. 24.
3. Josh. iv. 19.	

BORDERS.

3. Exod. xvi. 35.	3. 2 Kings xix. 23.
5. Josh. xxii. 10, 11.	

BORDER work.

מִסְגֶּרֶת *Misgereth*, an edge, partition.

Exod. xxv. 25, 27.	Exod. xxxvii. 14.

BORDERS.

1. כָּנָף *Konoph*, borders, fringes.
2. מִסְגְּרוֹת *Misgerouth*, partitions, edges.
3. תּוֹרִים *Toureem*, rows.

1. Numb. xv. 38.	2. 2 Kings xvi. 17.
2. 1 Kings vii. 28, 29,	3. Cant. i. 11.
31, 32, 35.	

BORDER, Verb.

גָּבַל *Goval*, to border, partition.

Zech. ix. 2.

BORE.

1. רָצַע *Rotsa*, to pierce, bore.
2. נָקַב *Nokav*, to bore through.

1. Exod. xxi. 6.	2. Job xli. 2.

BORED.

2. 2 Kings xii. 9.

BORN.

יָלַד *Yolad*, to bring forth.

BORNE.

נָשָׂא *Noso*, to bear.

BORROW.

1. שָׁאַל *Shoal*, to demand, require.
2. עָבַט *Ovat*, to borrow.
3. לָוָה *Lovoh*, to join; metaphorically, to borrow.

1. Exod. iii. 22.	2. Deut. xv. 6.
1. —— xi. 2.	3. —— xxviii. 12.
1. —— xxii. 14.	1. 2 Kings iv. 3.

BORROWED.

1. Exod. xii. 35.	3. Neh. v. 4.
1. 2 Kings vi. 5.	

BORROWETH.

3. Psalm xxxvii. 21.

BORROWER.

לֹוֶה *Louveh*, a borrower.

Prov. xxii. 7.	Isa. xxiv. 2.

BOSOM.

חֵיק *Khaik*, a bosom.

BOSSES.

גַּבֵּי *Gabbai*, bosses, backs.

Job xv. 26.

BOTCH.

1. עֳפָלִים *Apouleem*, botches.
2. שְׁחִין *Shekkeen*, a boil, scab.

1. Deut. xxviii. 27.	2. Deut. xxviii. 35.

BOTH.

שְׁנֵי *Shĕnai* (Masculine.).
שְׁתֵּי *Shĕtai* (Feminine).

BOTTLE.

1. חֵמֶת *Khaimeth*, a bottle made by heat, of glass, or other substance.
2. נֹאד *Noud*, a leather bottle.
3. נֵבֶל *Naivel*, a bottle made of bladder.
4. בַּקְבֻּק *Bakbuk*, a narrow-necked bottle, an earthen jar.
5. אֹבוֹת *Ouvouth*, a bottle made of skin.

1. Gen. xxi. 14, 15.	2. Psalm lvi. 8.
2. Judg. iv. 19.	2. —— cxix. 83.
3. 1 Sam. i. 24.	3. Jer. xiii. 12.
3. —— x. 3.	4. — xix. 1.
2. —— xvi. 20.	1. Hab. ii. 15.
3. 2 Sam. xvi. 1.	

BOTTLES.

2. Josh. ix. 4, 13.	3. Job xxxviii. 37.
3. 1 Sam. xxv. 18.	3. Jer. xlviii. 12.
5. Job xxxii. 19.	1. Hos. vii. 5.

BOTTOM.

1. מְצוּלָה *Metsooloh*, shadow, depth, bottom.
2. קַרְקַע *Karka*, a floor.
3. יְסוֹד *Yesoud*, a foundation.
4. שָׁרָשִׁים *Shorosheem*, roots, foundations.
5. רְפִיד *Repheed*, a support, pedestal.
6. קֶצֶב *Ketsev*, a limit.
7. אַרְעִית *Areeth* (Chaldee), earth.

1. Exod. xv. 5.	4. Job xxxvi. 30.
3. —— xxix. 12.	5. Cant. iii. 10.
3. Lev. iv. 7, 18, 25, 30.	2. Dan. vi. 24.
3. —— v. 9.	2. Amos ix. 3.
3. —— viii. 15.	6. Jonah ii. 6.
3. —— ix. 9.	1. Zech. i. 8.

BOUGH.

1. שׂוֹכָה *Soukhoh*, a bough.
2. עָנָף *Onoph*, a small bough.
3. פֹּרַת *Pouroth*, a fruitful branch.
4. פֹּארָה *Pŭroh*, a branch with leaves, splendid.
5. אָמִיר *Omeer*, foliage.
6. חֹרֶשׁ *Khouresh*, thick wood.
7. פְּרִי *Pĕree*, fruit.
8. שׂוֹבֶךְ *Souvekh*, entangled branches.
9. קָצִיר *Kotseer*, a branch with ripe fruit.
10. סַנְסִין *Sanseen*, the top of a palm-tree.
11. סָעֲפָה *Soăphoh*, a thin branch.
12. עֲבוֹת *Ovouth*, a thick branch.
13. סַרְעַפּת *Sarapouth* (Syriac), boughs.

3. Gen. xlix. 22.	5. Isa. xvii. 6.
1. Judg. ix. 48, 49.	6. —— 9.
4. Isa. x. 33.	

BOUGHS.

7. Lev. xxiii. 40.	2. Ezek. xvii. 23.
2. —— 40.	12. —— xxxi. 3.
4. Deut. xxiv. 20.	13. —— 5.
8. 2 Sam. xviii. 9.	11. —— 6, 8.
9. Job xiv. 9.	12. —— 10.
2. Psalm lxxx. 10.	4. —— 12.
9. —— 11.	12. —— 14.
10. Cant. vii. 8.	2. Dan. iv. 12.
9. Isa. xxvii. 11.	

BOUND, Subst.

1. גְּבוּל *Gevool*, a boundary, border.

---

2. תַּאֲוָה *Taavoh*, desire.
3. חֹק *Khuk*, a decree.

2. Gen. xlix. 26.	1. Jer. v. 22.
1. Job xxxviii. 20.	1. Hos. v. 10.
1. Psalm civ. 9.	

BOUNDS.

1. Exod. xix. 12, 23, verb.	3. Job xiv. 5.
1. —— xxiii. 31.	3. — xxvi. 10.
1. Deut. xxxii. 8.	1. Isa. x. 13.

BOUNTY.

כְּיַד *Keyad*, according to the hand of.

BOUNTIFUL.

1. טוֹב *Touv*, good.
2. שׁוֹעַ *Shoua*, affluent.

1. Prov. xxii. 9.	2. Isa. xxxii. 5.

BOUNTIFULLY.

גָּמַל *Gomal*, recompense.

BOW.

קֶשֶׁת *Kesheth*, a bow.

BOWS.

קַשְׁתוֹת *Kashtouth*, bows.

BOWSHOT.

מַחַו *Takhav*, a bowshot.

BOWMEN.

רֹמֵי־קֶשֶׁת *Roumai-Kesheth*, shooters with the bow.

Jer. iv. 29.

BOW -ED -ETH -ING, Verb.

שָׁחָה *Shokhoh*, to bow down, incline; except:

1. אַבְרֵךְ *Avraikh*, tender father.
2. כָּרַע *Kora*, to kneel.

1. Gen. xli. 43.	2. Isa. xlv. 23.

BOWELS.

מֵעַיִם *Maiayim*, bowels.

BOWL.

1. קְעָרָה *Kĕoroh*, a dish.
2. סֵפֶל *Saiphel*, a bowl.
3. גֻּלָּה *Gulloh*, a cup.

1. Numb. vii. 85.	3. Eccles. xii. 6.
2. Judg. vi. 38.	3. Zech. iv. 2, 3.

BOWLS.

1. מְנַקִּיּוֹת *Mainakeeouth*, a large vessel for catching the blood of sacrifices.
2. סַף *Saph*, a bason, bowl.
3. מִזְרָק *Mizrok*, a bason for sprinkling.

1. Exod. xxv. 29.	3. 1 Chron. xxviii. 17.
1. —— xxxvii. 16.	3. Amos vi. 6.
1. Numb. iv. 7.	3. Zech. ix. 15.
2. 1 Kings vii. 50.	3. —— xiv. 20.

BOX.

פַּךְ *Pakh*, a jar, pitcher.

2 Kings ix. 1.

BOX-TREE.

תְּאַשּׁוּר *Thĕashoor*, a box-tree.

Isa. xli. 19.	Isa. lx. 13.

BOY.

1. יֶלֶד *Yeled*, a male child.
2. נַעַר *Naar*, a youth.

2. Gen. xxv. 27.	1. Joel iii. 3.

BOYS.

יְלָדִים *Yelodeem*, male children.

Zech. viii. 5.

BRACELETS.

1. צָמִיד *Tsomeed*, a bracelet.
2. פְּתִיל *Petheel*, lace, ornamental twist.
3. חָח *Khokh*, a nose-ring.
4. אֶצְעָדָה *Etsodoh*, a clasp.
5. שֵׁרוֹת *Shairouth*, a small chain.

1. Gen. xxiv. 30.	4. 2 Sam. i. 10.
2. —— xxxviii. 18, 25.	5. Isa. iii. 19.
3. Exod. xxxv. 22.	1. Ezek. xvi. 11.
1. Numb. xxxi. 50.	

BRAMBLE　　-S

אָטָד *Otod*
חוֹחַ *Khouakh* ⎫ a thorn bush.

Judg. ix. 14, 15.	Isa. xxxiv. 13.

BRANCH.

1. עָנָף *Onoph*, a branch.
2. צֶמַח *Tsemakh*, a sprout, branch, off-spring.
3. כִּפָּה *Kippoh*, a palm branch.
4. נֵצֶר *Naitser*, a hidden thing, concealed, laid aside.

5. יוֹנֵק *Younaik*, a sucker.
6. זְמוֹרָה *Zemouroh*, זָמִיר *Zomeer*, a vine.
7. קָצִיר *Kotseer*, a branch with ripe fruit.
8. עָלֶה *Oleh*, a leaf.
9. בֵּן *Bain*, a son.
10. צַמֶּרֶת *Tsimroh*, the top of a cedar-tree.
11. קָנֶה *Koneh*, a cane, reed.
12. אָמִיר *Omeer*, the foliage of a tree.
13. שָׂרִיגִים *Soreegeem*, branches or shoots of vine and fig-trees.
14. בָּנוֹת *Bonouth*, daughters.
15. עֳפָאִים *Aphoeem*, leaves of trees.
16. שְׁלֻחוֹת *Shelukhouth*, shoots, sendings forth.
17. בַּדִּים *Badeem*, long branches, poles.
18. שִׁבֳּלִים *Shibboleem*, ears of corn.
19. סְעִיפִּים *Sĕeepheem*, thick branches with small ones growing out.
20. נְטִישׁוֹת *Neteeshouth*, shoots of the vine.
21. דָּלִיּוֹת *Doleeouth*, knots in wood, doors.
22. פֹּארֹת *Pourouth*, boughs, sprigs.

11. Exod. xxv. 33.	12. Isa. xvii. 9.
11. —— xxxvii. 19.	3. — xix. 15.
6. Numb. xiii. 23.	6. — xxv. 5.
5. Job viii. 16.	4. — lx. 21.
5. — xiv. 7.	2. Jer. xxiii. 5.
3. — xv. 32.	2. — xxxiii. 15.
7. — xviii. 16.	6. Ezek. viii. 17.
7. — xxix. 19.	6. —— xv. 2.
9. Psalm lxxx. 15.	10. —— xvii. 3, 22.
8. Prov. xi. 28.	4. Dan. xi. 7.
2. Isa. iv. 2.	2. Zech. iii. 8.
3. — ix. 14.	2. —— vi. 12.
4. — xi. 1.	1. Mal. iv. 1.
4. — xiv. 19.	

BRANCHES.

13. Gen. xl. 10, 12.	21. Jer. xi. 16.
14. —— xlix. 22.	21. Ezek. xvii. 6.
11. Exod. xxv. 32.	17. —————— 6.
11. —— xxxvii.18,21,22.	1. ——— xix. 10.
3. Lev. xiii. 40.	17. —————— 14.
8. Neh. viii. 15.	22. —— xxxi. 8.
5. Job xv. 30.	1. —— xxxvi. 8.
5. Psalm lxxx. 11.	1. Dan. iv. 14.
15. —— civ. 12.	17. Hos. xi. 6.
16. Isa. xvi. 8.	5. —— xiv. 6.
19. — xvii. 6.	13. Joel i. 7.
20. — xviii. 5.	6. Nah. ii. 2.
19. — xxvii. 10.	18. Zech. iv. 12.

BRAND.

אוּד *Ood*, a brand.

Zech. iii. 2.

BRANDS.

לַפִּידִים *Lappeedeem*, torches, flames.

Judg. xv. 5.

BRANDISH.

עוּף *Ooph*, to brandish.

Ezek. xxxii. 10.

BRASS.

נְחֹשֶׁת *Nekhousheth*, copper.

BRASEN.

נְחֹשֶׁת *Nekhousheth*, copper.

BRAVERY.

תִּפְאָרֶת *Tiphereth*, glory, splendour,
beauty.

Isa. iii. 18.

BRAWLING.

מְדָנִים *Mĕdoneem*, contentious.

Prov. xxv. 24.

BRAY.

1. נָהַק *Nohak*, to bray.
2. כָּתַשׁ *Kotash*, to pound.

1. Job vi. 5. | 2. Prov. xxvii. 22.

BRAYED.

1. Job xxx. 7.

BREACH.

1. פֶּרֶץ *Perets*, a breach.
2. בֶּדֶק *Bedek*, an injury.
3. תְּנוּאָה *Tĕnoooh*, determination, decision.
4. שֶׁבֶר *Shever*, a breaking.
5. בֶּקַע *Beka*, a division.
6. רְסִיסִים *Reseeseem*, ruins, fractures.

1. Gen. xxxviii. 29.	1. Job xvi. 14.
4. Lev. xxiv. 20.	1. Psalm cvi. 23.
3. Numb. xiv. 34.	4. Prov. xv. 4.
1. Judg. xxi. 15.	5. Isa. vii. 6.
1. 2 Sam. v. 20.	1. — xxx. 13.
1. —— vi. 8.	4. ——— 26.
2. 2 Kings xii. 5.	1. — lviii. 12.
1. 1 Chron. xiii. 11.	4. Jer. xiv. 17.
1. ——— xv. 13.	4. Lam. ii. 13.
1. Neh. vi. 1.	5. Ezek. xxvi. 10.

BREACHES.

1. Judg. vii. 17.	2. 2 Kings xii. 5, 6, 7, 12.
1. 1 Kings xi. 27.	2. —— xxii. 5.

1. Neh. iv. 7.	1. Amos iv. 3.
4. Psalm lx. 2.	6. —— vi. 11.
5. Isa. xxii. 9.	1. —— ix. 11.

BREAD.

לֶחֶם *Lekhem*, bread.

BREADTH.

רָחַב *Rokhav*, breadth.

BREAK of day.

אוּר *Oor*, to lighten, illuminate.

2 Sam. ii. 32.

BREAK, Verb.

1. כָּאָה *Kooh*, to be dejected, dispirited.
2. מָרַח *Morakh*, to bruise.
3. נָפַץ *Nophats*, to scatter, disperse.
4. רוּעַ *Rooa*, to do evil.
5. רָצַץ *Rotsats*, to shatter.
6. תְּבַר *Tovar* (Syriac), to break.
7. גָּרַס *Goras*, to weary, weaken.
8. חָתַת *Khotath*, to dismay, frighten.
9. אָבַד *Ovad*, to perish, lose.
10. נָתַק *Nothak*, to burst asunder.
11. נָתַע *Nota*, to break, strike out.
12. דָּכָא *Doko*, to pound.
13. פָּרַשׂ *Poras*, to extend, spread.
14. שׁוּף *Shoop*, to crush, bruise to pieces.
15. פּוּץ *Phoots*, to scatter abroad, shake
to pieces.
16. רָעַע *Roa*, to shout, break in pieces,
to shake, the sound as of a
trumpet.
17. קוּר *Koor*, to break down, as a wall.
18. חָתַר *Khotar*, to dig.
19. גּוּחַ *Gooakh*, to sally forth, break out.
20. נָאַף *Noaph*, to be excited, roused.
21. דּוּשׁ *Doosh*, to thresh.
22. הָמַם *Homam*, to make a noise, tumult.
23. גָּרַם *Goram*, to break all to pieces.
24. חָלַל *Kholal*, to pierce through, (Piel)
to profane.
25. נוּא *Noo*, to discourage.

26. עָבַט *Ovat*, to beat down.

27. עָרַץ *Orats*, to terrify, frighten.

28. פּוּר *Poor*, to break asunder, disannul.

29. הָרַס *Horas*, to harass, overthrow, demolish.

30. נָתַץ *Notats*, to pull down.

31. הָלַם *Holam*, to strike, beat.

32. נָסַח *Nosakh*, to extirpate.

33. שָׁבַב *Shovav*, to break in fragments.

34. בָּקַע *Boka*, to divide, cleave asunder.

35. פָּתַת *Kotath*, to beat, crush in pieces.

36. דָּקַק *Dokak*, to beat to dust, powder.

37. פּוּחַ *Pooakh*, to breathe, blow.

38. עָלָה *Oloh*, to ascend, go up.

39. פָּצַם *Potsam*, to rive asunder.

40. עָצַם *Otsam*, to strengthen, prevail.

41. נָחַת *Nokhath*, to bring low, humble.

42. רָגַע *Roga*, to move quickly, suddenly.

43. עָרָה *Oroh*, to strip, bare.

44. פָּרַק *Porak*, to pluck up, out, off.

45. שָׁבַר *Shovar*, to break, shiver to pieces.

46. פָּרַץ *Porats*, to break through, make a breach.

47. עָרַף *Oraph*, to strike off, as the neck of an animal for sacrifice.

48. פָּצַח *Potsakh*, to part asunder, separate.

49. שָׁדַד *Shodad*, to lay waste, destroy, harrow.

50. יָצָא *Yotso*, to go forth.

51. פָּרַח *Porakh*, to blossom.

52. צָלַח *Tsolakh*, to advance, prosper, improve.

53. פָּתַח *Pothakh*, to open.

45. Gen. xix. 9.		27. 1 Kings xv. 19.	
44. —— xxvii. 40.		27. 2 Chron. xvi. 3.	
45. Exod. xii. 46.		27. Ezra ix. 14.	
47. —— xiii. 13.		27. Job xiii. 25.	
45. —— xxxiv. 13.		21. — xxxix. 15.	
47. ——————— 20.		10. Psalm ii. 3.	
45. Lev. xi. 33.		16. ———— 9.	
45. —— xxvi. 19.		45. —— x. 15.	
45. Numb. ix. 12.		29. —— lviii. 6.	
23. ———— xxiv. 8.		24. —— lxxxix. 31.	
24. ———— xxx. 2.		25. —— cxli. 5.	
45. Deut. xii. 3.		37. Cant. ii. 17.	
46. 1 Sam. xxv. 10.		37. —— iv. 6.	

45. Isa. xiv. 25.	45. Ezek. v. 16.
49. — xxviii. 24.	45. —— xiv. 13.
22. ————— 28.	20. —— xvi. 38.
45. — xxx. 14.	23. —— xxiii. 34.
45. — xxxviii. 13.	5. —— xxix. 7.
45. — xlii. 3.	45. —— xxx. 18, 22, 24.
10. — lviii. 6.	45. Hos. i. 5.
16. Jer. xv. 12.	45. —— ii. 18.
45. — xix. 10, 11.	49. —— x. 11.
45. — xxviii. 4, 11.	26. Joel ii. 7.
45. — xxx. 8.	45. Amos i. 5.
45. — xliii. 13.	48. Mic. iii. 3.
3. — xlviii. 12.	45. Nah. i. 13.
45. — xlix. 35.	28. Zech. xi. 14.
45. Ezek. iv. 16.	

BREAK covenant.

28.	Lev. xxvi. 15, 44. Deut. xxxi. 16, 20. Judg. ii. 1. Psalm lxxxix. 34.	28.	Jer. xiv. 21. — xxxiii. 20. Ezek. xvii. 15. Zech. xi. 10.

BREAK down.

45. Exod. xxiii. 24.	46. Isa. v. 5.
30. Lev. xiv. 45.	30. Jer. xxxi. 28.
45. Deut. vii. 5.	29. — xlv. 4.
30. Judg. viii. 9.	29. Ezek. xiii. 14.
46. Neh. iv. 3.	30. —— xvi. 39.
31. Psalm lxxiv. 6.	29. —— xxvi. 4, 12.
46. Eccles. iii. 3.	39. Hos. x. 2.

BREAK forth.

46. Exod. xix. 22, 24.	48. Isa. liv. 1.
48. Isa. xiv. 7.	46. ———— 3.
48. — xliv. 23.	48. — lv. 12.
48. — xlix. 13.	34. — lviii. 8.
48. — lii. 9.	53. Jer. i. 14.

BREAK off.

44. Gen. xxvii. 40.	44. Dan. iv. 27.
44. Exod. xxxii. 2, 24.	

BREAK out.

50. Exod. xxii. 6.	34. Isa. xxxv. 6.
51. Lev. xiii. 12.	46. Hos. iv. 2.
51. —— xiv. 43.	52. Amos v. 6.
30. Psalm lviii. 6.	

BREAK in pieces.

45. 2 Kings xxv. 13.	45. Isa. xlv. 2.
11. Job xix. 2.	3. Jer. li. 20, 21, 22, 23.
4. — xxxiv. 24.	36. Dan. ii. 40, 44.
12. Psalm lxxii. 4.	36. —— vii. 23.
12. ———— xciv. 5.	

BREAK through.

29. Exod. xix. 21, 24. | 34. 2 Kings iii. 26.

BREAK up.

19. Jer. iv. 3. | 19. Hos. x. 12.

BREAKEST.

45. Psalm xlviii. 7.

BREAKETH.

38. Gen. xxxii. 26.
14. Job ix. 17.
29. — xii. 14.
46. — xvi. 14.
46. — xxviii. 4.
45. Psalm xxix. 5.
45. —— xlvi. 9.
7. —— cxix. 20.

45. Prov. xxv. 15.
34. Eccles. x. 8.
34. Isa. lix. 5.
45. Jer. xix. 11.
15. — xxiii. 29.
13. Lam. iv. 4.
16. Dan. ii. 40.

BREAKING.

38. Gen. xxxii. 24.
51. Exod. ix. 9, 10.
17. —— xxii. 2.
46. 1 Chron. xiv. 11.
46. Job xxx. 14.
45. — xli. 25.
45. Psalm cxliv. 14.

16. Isa. xxii. 5.
45. — xxx. 13, 14.
28. Ezek. xvi. 59.
28. —— xvii. 18.
45. —— xxi. 6.
45. Hos. xiii. 13.

BRAKE.

45. Exod. ix. 25.
45. —— xxxii. 3.
45. —————— 19.
45. Deut. ix. 17.
3. Judg. vii. 19.
45. —————— 20.
5. —————— ix. 53.
10. —— xvi. 9, 12.
45. 1 Sam. iv. 18.
34. 2 Sam. xxiii. 16.
45. 1 Kings xix. 11.
30. 2 Kings xi. 18.
45. —————— 18.
45. —————— xviii. 4.
45. —————— xxiii. 14.
34. 1 Chron. xi. 18.
39. 2 Chron. xxi. 17.

30. 2 Chron. xxxiv. 4.
45. —————————— 4.
18. Job xxxviii. 8.
45. —————————— 10.
45. Psalm lxxvi. 3.
45. —— cv. 16, 33.
45. —— cvi. 29.
10. —— cvii. 14.
45. Jer. xxviii. 10.
28. — xxxi. 32.
28. Ezek. xvii. 16.
Dan. ii. 1, not in
  original.
36. —————— 34, 45.
36. —— vi. 24.
36. —— vii. 7.
45. —— viii. 7.

BRAKE down.

30. 2 Kings x. 27.
30. —————— xi. 18.
46. —————— xiv. 13.
30. —————— xxiii. 7, 8, 12,
  15.
45. 2 Chron. xiv. 3.
30. ——————— xxiii. 17.

45. 2 Chron. xxiii. 17.
46. ————————— xxv. 23.
46. ————————— xxvi. 6.
45. ————————— xxxiv. 4.
30. ————————— xxxvi. 19.
30. Jer. xxxix. 8.
30. — lii. 14.

BRAKEST.

45. Exod. xxxiv. 1.
45. Deut. x. 2.
45. Psalm lxxiv. 13.

5. Psalm lxxiv. 14.
45. Ezek. xxix. 7.

BROKEN.

28. Gen. xvii. 14.
45. Lev. vi. 28.
45. — xv. 12.
45. — xxi. 19.
2. —————— 20.
45. — xxii. 22.
10. ——————— 24.
45. — xxvi. 13, 26.
28. Numb. xv. 31.
31. Judg. v. 22.
10. —— xvi. 9.
8. 1 Sam. ii. 4.
41. 2 Sam. xxii. 35.
45. 1 Kings xxii. 48.
46. 1 Chron. xiv. 11.
46. 2 Chron. xx. 37.
45. ——————— 37.

46. 2 Chron. xxxii. 5.
11. Job iv. 10.
42. — vii. 5.
28. — xvi. 12.
12. — xxii. 9.
45. — xxiv. 20.
45. — xxxi. 22.
45. — xxxviii. 15.
45. Psalm iii. 7.
9. —— xxxi. 12.
45. —— xxxiv. 18, 20.
45. —— xxxvii. 15, 17.
12. —— xxxviii. 8.
12. —— xliv. 19.
12. —— li. 8.
45. —————— 17.
24. —— lv. 20.

39. Psalm lx. 2.
45. —— lxix. 20.
45. —— cvii. 16.
1. —— cix. 16.
45. —— cxxiv. 7.
45. —— cxlvii. 3.
45. Prov. vi. 15.
1. —— xv. 13.
1. —— xvii. 22.
16. —— xxv. 19.
10. Eccles. iv. 12.
5. —————— xii. 6.
45. —————— 6.
10. Isa. v. 27.
8. — vii. 8.
45. — viii. 15.
8. — ix. 4.
45. — xiv. 5, 29.
12. — xix. 10.
45. — xxi. 9.
28. — xxiv. 5.
45. — xxviii. 13.
28. — xxxiii. 8.
10. —————— 20.
5. — xxxvi. 6.
45. Jer. ii. 13, 16.
17. —————— 20.
45. — v. 5.
10. — x. 20.
28. — xi. 10.
16. —————— 16.

45. Jer. xiv. 17.
3. — xxii. 28.
45. — xxiii. 9.
45. — xxviii. 2, 12, 13.
28. — xxxiii. 21.
45. — xlviii. 17, 25, 38.
40. — L. 17.
45. —————— 23.
8. — li. 56.
43. —————— 58.
45. Lam. ii. 9.
45. — iii. 4.
7. —————— 16.
45. Ezek. vi. 4, 6, 9.
28. —— xvii. 19.
44. —— xix. 12.
45. —— xxvi. 2.
45. —— xxvii. 26, 34.
45. —— xxx. 21, 22.
45. —— xxxi. 12.
45. —— xxxii. 28.
45. —— xxxiv. 4, 16, 27.
28. —— xliv. 7.
6. Dan. ii. 42.
45. —— viii. 8, 22, 25.
45. —— xi. 4, 22.
5. Hos. v. 11.
45. Jonah i. 4.
28. Zech. xi. 11.
45. —————— 16.

BROKEN down.

30. Lev. xi. 35.
29. 1 Kings xviii. 30.
32. 2 Kings xi. 6.
30. 2 Chron. xxxiii. 3.
30. —————————— xxxiv. 7.
46. Neh. i. 3.
46. —— ii. 13.
46. Psalm lxxx. 12.
46. —— lxxxix. 40.
29. Prov. xxiv. 31.

46. Prov xxv. 28.
31. Isa. xvi. 8.
30. — xxii. 10.
45. — xxiv. 10.
16. —————— 19.
30. Jer. iv. 26.
8. — xlviii. 20, 39.
29. Ezek. xxx. 4.
29. Joel i. 17.

BROKEN forth.

46. Gen. xxxviii. 29. | 46. 2 Sam. v. 20.

BROKEN in.

46. 1 Chron. xiv. 11.

BROKEN off.

10. Job xvii. 11. | 45. Isa. xxvii. 11.

BROKEN out.

47. Lev. xiii. 20, 25.

BROKEN in, to pieces.

8. 1 Sam. ii. 10.
34. 2 Chron. xxv. 12.
12. Psalm lxxxix. 10.
8. Isa. viii. 9.

35. Isa. xxx. 14.
8. Jer. L. 2.
36. Dan. ii. 35.
33. Hos. viii. 6.

BROKEN up.

34. Gen. vii. 11.
34. 2 Kings xxv. 4.
46. 2 Chron. xxiv. 7.
34. Prov. iii. 20.

38. Jer. xxxvii. 11.
34. — xxxix. 2.
34. — lii. 7.
46. Mic. ii. 13.

BROKEN hearted.

45. Isa. lxi. 1.

BREAKER.

פּוֹרֵץ *Pouraits*, a breaker through.
Mic. ii. 13.

BREAST.

חָזֶה *Khozeh*, a breast.

BREASTS.

1. שָׁדַיִם *Shodayim*, breasts of a female.
2. חָזוֹת *Khozouth*, breasts of animals;
   except:

עֲטִינָה *Ateenoh*, milk vessels.
Job xxi. 24.

BREASTPLATE.

חֹשֶׁן *Khoushen*, a breastplate.

BREATH.

1. נְשָׁמָה *Neshomoh*, the soul, breath;
   applied to both God and man.
2. רוּחַ *Rooakh*, spirit, air, wind.
3. נֶפֶשׁ *Nephesh*, life, animal breath.

2. Gen. ii. 7.	2. Psalm civ. 29.
2. — vi. 17.	2. —— cxxxv. 17.
2. —— vii. 15.	2. —— cxlvi. 4.
1. }—— 22.	1. —— cl. 6.
2. }	2. Eccles. iii. 19.
2. 2 Sam. xxii. 16.	1. Isa. ii. 22.
1. 1 Kings xvii. 17.	2. — xi. 4.
2. Job iv. 9.	2. — xxx. 28.
2. — ix. 18.	1. —— 33.
2. — xii. 10.	2. — xxxiii. 11.
2. — xv. 30.	1. — xlii. 5.
2. — xvii. 1.	2. Jer. x. 14.
2. — xix. 17.	2. — li. 17.
1. — xxvii. 3.	2. Lam. iv. 20.
1. — xxxiii. 4.	2. Ezek. xxxvii. 5, 6, 8,
1. — xxxiv. 14.	9, 10.
1. — xxxvii. 10.	1. Dan. v. 23.
3. — xli. 21.	1. —— x. 17.
2. Psalm xviii. 15.	2. Hab. ii. 19.
2. —— xxxiii. 6.	

BREATHE -ED -ING.

נָפַשׁ *Nophash*, to breathe; except:
נָפַח *Nophakh*, to blow.
Gen. ii. 7.

BREATHETH.

נְשָׁמָה *Něshomoh*, the soul, breath;
applied to both God and man.
Deut. xx. 16.

BRED.

יֻרָם *Yorum*, bred, brought up.
Exod. xvi. 20.

BREED.

שָׁרַץ *Shorats*, to breed abundantly.
Gen. viii. 17.

BREED, Subst.

בָּנִים *Boneem*, sons, children.
Deut. xxxii. 14.

BREEDING.

מֶשֶׁק *Meshek*, an overflow, overspread.
Zeph. ii. 9.

BREECHES.

מִכְנְסֵי *Mikhnesai*, breeches.

BRETHREN.

אַחִים *Akheem*, brothers.

BRIBE.

1. שֹׁחַד *Shoukhad*, a bribe, bribery.
2. כֹּפֶר *Koupher*, a covering.

1. 1 Sam. xii. 3. | 1. Amos v. 12.

BRIBES.

1. 1 Sam. viii. 3. | 1. Isa. xxxiii. 15.
1. Psalm xxvi. 10. |

BRIBERY.

שֹׁחַד *Shoukhad*, a bribe, bribery.
Job xv. 34.

BRICK.

לְבֵנָה *Levainoh*, a brick.

BRICKS.

לְבֵנִים *Levaineem*, bricks.

BRICK-KILN.

מַלְבֵּן *Malbain*, a brick-kiln.

BRIDE.

כַּלָּה *Kaloh*, a bride.

BRIDEGROOM.

חָתָן *Khothon*, a bridegroom.

BRIDLE.

מֶתֶג *Metheg*, a bridle.

BRIER.

1. סִרְפָּד *Sirpod*,
2. סַלּוֹן *Ssilloon*,
3. חֶדֶק *Khedek*,   } various sorts of
4. שָׁמִיר *Shomeer*,   thorns and
5. סָרָב *Sorov*,   briers.
6. בַּרְקָנִים *Barkoneem*,

1. Isa. lv. 13. | 3. Mic. vii. 4.
2. Ezek. xxviii. 24. |

BRIERS.

6. Judg. viii. 7.	4. Isa. x. 17.
6. ———— 16.	4. — xxvii. 4.
4. Isa. v. 6.	4. — xxxii. 13.
4. — vii. 23, 24, 25.	5. Ezek. ii. 6.
4. — ix. 18.	

BRIGANDINE.

סִרְיוֹן *Siryoun*, a corslet, coat of mail.

Jer. xlvi. 4.	Jer. li. 3.

BRIGHT.

1. בָּהַר *Bohar*, to brighten.
2. מֹרַט *Mourat*, smooth.
3. אוֹר *Our*, light.
4. עֶשֶׁת *Esheth*, artificial work.
5. בָּרַר *Borar*, (Hiph.) to purify, make pure.
6. נֹגַהּ *Nougah*, shining light.
7. בָּרַק *Borok*, to glitter.
8. קָלַל *Kolal*, to lighten.
9. לַהַב *Lahav*, a flame, flaming.
10. מָרַק *Morak*, to polish.

1. Lev. xiii. 2, 4, 19, 23, 24, 26, 28, 38, 39.	6. Ezek. i. 13.
1. ———— xiv. 56.	7. ———— xxi. 15.
2. 1 Kings vii. 45.	8. ———— 21.
10. 2 Chron. iv. 16.	4. ———— xxvii. 19.
3. Job xxxvii. 11.	3. ———— xxxii. 8.
1. ———— 21.	9. Nah. iii. 3.
4. Cant. v. 14.	Zech. x. 1, not in
5. Jer. li. 11.	original.

BRIGHTNESS.

1. נֹגַהּ *Nougah*, shining light.
2. יְקָר *Yokor*, precious, brilliant.
3. זֹהַר *Zouhar*, brightness.
4. יָפַע *Yopha*, to shine in splendour.
5. זִיו *Ziv* (Syriac), brightness.

1. 2 Sam. xxii. 13.	1. Ezek. x. 4.
2. Job xxxi. 26.	4. ———— xxviii. 7, 17.
1. Psalm xviii. 12.	5. Dan. ii. 31.
1. Isa. lix. 9.	5. —— iv. 36.
1. — lx. 3, 19.	4. —— xii. 3.
1. — lxii. 1.	1. Amos v. 20.
1. Ezek. i. 4, 27, 28.	1. Hab. iii. 4.
3. ———— viii. 2.	

BRIM.

1. שָׂפָה *Sophoh*, a border.
2. קָצֶה *Kotseh*, an end.

2. Josh. iii. 15.	1. 2 Chron. iv. 2, 5.
1. 1 Kings vii. 26.	

BRIMSTONE.

גָּפְרִית *Gophreeth*, brimstone.

BRING.

1. בּוֹא *Bou*, to come, (Hiph.) cause to come.
2. יָצָא *Yotso*, (Hiph.) to cause to go forth.
3. יָרַד *Yorad*, (Hiph.) to bring down, cause to descend.
4. שָׁפַל *Shophal*, (Hiph.) to bring low.
5. שׁוּב *Shoov*, to turn, (Hiph.) to bring again, back, return, restore.
6. פּוּר *Poor*, (Hiph.) to annul, make void.
7. עָשָׂה *Osoh*, to perform, act, do.
8. כָּלָה *Killoh*, to finish, conclude.
9. צָמַח *Tsomakh*, to sprout, grow forth.
10. נָחָה *Nokhoh*, (Hiph.) to cause to lead.
11. שָׁחָה *Shokhoh*, (Hiph.) to cause to bend, bow down.
12. נָגַע *Noga*, to reach, touch.
13. נָשָׂא *Noso*, to carry, bear.
14. נָתַן *Nothan*, to give, set, place.
15. נוּב *Noov*, to produce.
16. עָלָה *Oloh*, to ascend.
17. קָרָה *Koroh*, (Hiph.) to meet, befal.
18. אָסַף *Osaph*, to gather together, bring home.
19. נָהַג *Nohag*, to lead.
20. קָרַב *Korav*, (Hiph.) to bring nigh, approach.
21. בָּעַר *Biair* (Piel), to clear up, consume.
22. לָקַח *Lokakh*, to take, receive.
23. רוּעַ *Rooa*, (Hiph.) to cause evil, sorrow.
24. גָּלָה *Goloh*, (Hiph.) to drive out.
25. כָּנַע *Kona*, to humble, bring down.
26. יָבַל *Yoval*, to lead along, to bring a present.
27. גָּנַב *Gonav*, (Pual) by stealth.
28. חָפַר *Khophar*, to confound, dig.
29. שׂוּם *Soom*, to make, set, place.
30. עָרַץ *Orats*, to dread.
31. קָנָה *Konoh*, to buy, purchase.
32. יָשַׁע *Yosha*, to save.
33. קִבֵּץ *Kibbaits*, to gather diligently.
34. עָבַר *Ovar*, to pass over, transfer.

35. נָעַל *Noal,* to close, fasten.
36. כָּרַע *Kora,* to kneel, bend.
37. שָׁרַץ *Shorats,* to multiply abundantly.
38. יָלַד *Yolad,* to bring forth, bear, beget.
39. חגל *Khool,* to labour, be in pain.
40. חִבֵּל *Khibbail,* to twist, twine.
41. שָׁפַת *Shophath,* to fix, place.
42. יָלַךְ *Yolakh,* to proceed, go on.
43. צָעַר *Tsoar,* to be made small, diminutive.
44. מוּךְ *Mookh,* to reduce to poverty.
45. דָּלָה *Doloh,* to exhaust, draw out, as water.
46. עָנָה *Onoh,* to speak softly, say, humble.
47. רוּץ *Roots,* to run, hasten, hurry.
48. נָסַע *Nosa,* to travel.
49. הַיְתִי *Hayĕthee* (Syriac), to bring out.
50. הָיָה *Hoyoh,* to be, was.
51. אָמַן *Oman,* to be faithful, nurse.
52. גִּדֵּל *Giddail,* to bring up, nurture (as children).
53. רום *Room,* to lift up, exalt.
54. רָבָה *Rovoh,* to multiply.

BRING.
1. In all passages.

BRING again.
5. In all passages (in Hiph.), except :
Gen. xxiv. 5, where 5 is repeated.

BRING down.
3. In all passages.

BRING forth.
38. In all passages.

BRING in.
1. In all passages.

BRING out.
2. In all passages.

BRING to pass.
7. In all passages.

BRING up.
16. In all passages ; except :

53. Isa. xxiii. 4.	52. Hos. ix. 12.

BRINGEST.

1. Job xiv. 3.	Isa. xl. 9, twice, not in original.

BRINGETH.

2. Exod. vi. 7.	5. Prov. xx. 26.
2. Lev. xi. 45.	1. —— xxi. 27.
1. — xvii. 4, 9.	—— xxix. 15, not in original.
1. Deut. viii. 7.	
3. 1 Sam. ii. 6.	—————— 21, not in original.
16. —————— 6.	
4. —————— 7.	14. —————— 25.
3. 2 Sam. xxii. 48.	2. —— xxx. 33, thrice.
2. —————— 49.	1. —— xxxi. 14.
1. Job xii. 6.	9. Eccles. ii. 6.
2. —————— 22.	16. Isa. viii. 7.
— xix. 29, not in original.	11. — xxvi. 5.
	12. —————— 5.
2. — xxviii. 11.	14. — xl. 23.
14. Psalm i. 3.	1. —————— 26.
5. —— xiv. 7.	2. — xliii. 17.
6. —— xxxiii. 10.	2. — liv. 16.
7. —— xxxvii. 7.	2. — lxi. 11.
5. —— liii. 6.	Jer. iv. 31, not in original.
2. —— lxviii. 6.	
2. —— cvii. 28.	2. — x. 13.
10. —————— 30.	2. — li. 16.
2. —— cxxxv. 7.	Ezek. xxix. 16, not in original.
15. Prov. x. 31.	
8. —— xvi. 30.	Hos. x. 1, not in original.
10. —— xviii. 16.	
—— xix. 26, not in original.	2. Hag. i. 11.

BRINGING.

2. Exod. xii. 42.	1. 2 Kings xxi. 12.
1. —— xxxvi. 6.	13. 2 Chron. ix. 21.
Numb. v. 15, not in original.	1. Neh. xiii. 15.
	13. Psalm cxxvi. 6.
2. Numb. xiv. 36.	1. Jer. xvii. 26, twice.
5. 2 Sam. xix. 10, 43.	2. Ezek. xx. 9.
13. 1 Kings x. 22.	1. Dan. ix. 12.

BROUGHT.

1. Gen. xx. 9.	20. Numb. xvi. 10.
17. —— xxvii. 20.	20. —— xxvii. 5.
1. —— xxxi. 39.	20. —— xxxi. 50.
1. —— xliii. 26.	1. —— xxxii. 17.
18. Exod. ix. 19.	2. Deut. v. 15.
19. —— x. 13.	1. —— xxvi. 10.
13. —————— 13.	21. —————— 13.
1. —— xviii. 26.	20. Josh. vii. 14.
1. —— xix. 4.	1. —————— 23.
1. —— xxxii. 21.	16. —————— 24.
1. —— xxxv. 23.	1. —— xxiv. 7.
1. Lev. xiii. 2, 9.	1. Judg. ii. 1.
1. —— xxiii. 14.	16. —— xvi. 18.
1. —— xxiv. 11.	1. —— xviii. 3.
1. Numb. vi. 13.	1. 1 Sam. i. 24, 25.
20. —— ix. 13.	1. —— x. 27.
1. —— xiv. 3.	1. —— xxi. 14.

1. 1 Sam. xxv. 35.
22. —— xxx. 11.
1. 2 Sam. i. 10.
1. —— vii. 18.
1. 1 Kings ix. 9.
1. —— x. 25.
23. —— xvii. 20.
1. —— xxii. 37.
1. 2 Kings v. 20.
16. —— xvii. 4.
24. —— 27.
5. —— xx. 11.
1. —— xxiv. 16.
1. 1 Chron. xi. 19.
14. —— xiv. 17.
1. —— xvii. 16.
1. 2 Chron. vii. 22.
1. —— ix. 24.
25. —— xiii. 18.
14. —— xvii. 5.
1. —— xxii. 9.
1. —— xxviii. 5, 15.
1. —— xxxii. 23.
1. Ezra viii. 18.
6. Neh. iv. 15.
1. —— viii. 16.
1. —— ix. 33.
1. —— xiii. 12.
1. Esth. vi. 8.
1. —— ix. 11.
27. Job iv. 12.
26. —— xxi. 32.
28. Psalm xxxv. 4, 26.

26. Psalm xlv. 15.
28. —— lxxi. 24.
    Prov. vi. 26, not in original.
1. Cant. ii. 4.
    Isa. xv. 1, not in original.
29. — xxiii. 13.
30. — xxix. 20.
1. — xliii. 23.
31. —— 24.
1. — xlviii. 15.
26. — liii. 7.
32. — lix. 16.
19. — lx. 11.
33. — lxii. 9.
32. — lxiii. 5.
26 Jer. xi. 19.
1. — xv. 8.
1. — xxxii. 42.
1. — xl. 3.
1. Ezek. xiv. 22.
    —— xxiii. 8, not in original.
18. —— xxix. 5.
1. —— xl. 4.
34. —— xlvii. 3, 4.
35. Dan. vi. 18.
20. —— vii. 13.
1. —— ix. 14.
1. —— xi. 6.
1. Hag. i. 9.
1. Mal. i. 13.

BROUGHT again.

5. { Gen. xiv. 16.
—— xliii. 12.
Exod. x. 8.
—— xv. 19.
Deut. i. 25.
Josh. xiv. 7.
Ruth i. 21.
1 Sam. vi. 21.
2 Sam. iii. 26. }

5. { 1 Kings xx. 9.
2 Kings xxii. 9, 20.
2 Chron. xxxiii. 13.
—— xxxiv. 28.
Neh. xiii. 9.
Jer. xxvii. 16.
Ezek. xxxiv. 4.
—— xxxix. 27. }

BROUGHT back.

5. { Gen. xiv. 16.
Numb. xiii. 26.
1 Kings xiii. 23. }

5. { 2 Chron. xix. 4.
Psalm lxxxv. 1.
Ezek. xxxviii. 8. }

BROUGHT down.

3. { Gen. xxxix. 1.
Deut. i. 25.
Judg. vii. 5.
—— xvi. 21.
1 Sam. xxx. 16.
1 Kings i. 53.
—— xvii. 23.
—— xviii. 40. }
36. Psalm xx. 8.

25. Psalm cvii. 12.
11. Isa. v. 15.
3. — xiv. 11, 15.
4. — xxix. 4.
3. — xliii. 14.
12. Lam. ii. 2.
4. Ezek. xvii. 24.
3. — xxxi. 18.
3. Zech. x. 11.

BROUGHT forth.

2. Gen. i. 12.
37. —— 21.
2. —— xiv. 18.
2. —— xv. 5.
2. —— xix. 16.

2. Gen. xxiv. 53.
2. —— xxxviii. 25.
7. —— xli. 47.
2. Exod. iii. 12.
2. —— xvi. 3.

2. { Exod. xxix. 46.
—— xxxii. 11.
Lev. xxv. 38.
— xxvi. 13, 45.
Numb. xvii. 8.
—— xx. 16.
—— xxiv. 8.
Deut. vi. 12.
—— viii. 14, 15.
—— ix. 12.
—— xxvi. 8.
—— xxix. 25.
—— xxxiii. 14, not in original.
Josh. x. 23. }
20. Judg. v. 25.
—— vi. 8.
2. { 1 Sam. xii. 8.
2 Sam. xxii. 20.
1 Kings ix. 9.
2 Kings x. 22.
—— xi. 12.
2 Chron. vii. 22.
Job x. 18. }
26. — xxi. 30.

38. Psalm vii. 14.
2. —— xviii. 19.
38. —— xc. 2.
37. —— cv. 30.
2. —— 43.
39. Prov. viii. 24, 25.
40. Cant. viii. 5.
7. Isa. v. 2.
38. — xxvi. 18.
39. — xlv. 10.
38. — li. 18.
38. — lxvi. 7, 8.
38. Jer. ii. 27.
2. { — xi. 4.
— xx. 3.
— xxxii. 21.
— xxxiv. 13.
— L. 25.
— li. 10.
Ezek. xii. 7.
—— xiv. 22.
—— xx. 22. }
38. Mic. v. 3.
13. Hag. ii. 19.

BROUGHT in.

1. Gen. xxxix. 14.
1. —— xlvii. 7.
1. Lev. x. 18.
1. —— xvi. 27.
18. Numb. xii. 15.
1. Deut. ix. 4.
1. —— xi. 29.

1. 2 Sam. iii. 22.
1. —— vi. 17.
1. 1 Kings viii. 6.
1. Neh. xiii. 19.
19. Psalm lxxviii. 26.
35. Dan. v. 13.

BROUGHT into.

1. { Numb. xvi. 14.
Deut. vi. 10.
—— xxxi. 20.
1 Sam. v. 2.
—— ix. 22.
—— xx. 8.
2 Kings xii. 16. }

41. Psalm xxii. 15.
1. Cant. i. 4.
1. Jer. ii. 7.
42. Lam. iii. 2.
1. Ezek. xxvii. 26.
1. —— xliv. 7.

BROUGHT low.

36. Judg. xi. 35.
25. 2 Chron. xxviii. 19.
43. Job xiv. 21.
44. — xxiv. 24.
45. Psalm lxxix. 8.
44. —— cvi. 43.

11. Psalm cvii. 39.
45. —— cxvi. 6.
45. —— cxlii. 6.
11. Eccles. xii. 4.
40. Isa. ii. 12.
46. — xxv. 5.

BROUGHT out.

2. Gen. xv. 7.
47. —— xli. 14.
—— xliii. 23.
2. { Exod. xiii. 3, 9, 14, 16.
—— xx. 2.
Lev. xix. 36.
— xxiii. 43.
Numb. xx. 41.
Deut. v. 6, 15.
—— vi. 21.
—— ix. 28.
Josh. xxiv. 23.
—— xxiv. 5.
2 Sam. xiii. 18. }

2. 1 Kings viii. 21.
2. 2 Kings xxiii. 6.
2. 1 Chron. xx. 3.
2. 2 Chron. xxiii. 11.
2. —— xxix. 16.
2. Psalm lxxviii. 16.
48. —— lxxx. 8.
16. —— lxxxi. 10.
2. —— cvii. 14.
2. —— cxxxvi. 11.
2. Jer. vii. 22.
49. Dan. v. 13.
16. Hos. xii. 13.

BROUGHT to pass.

1. 2 Kings xix. 25.	50. Ezek. xxi. 7.
1. Isa. xxxvii. 26.	

BROUGHT up.

16. Exod. xvii. 3.	16. 2 Chron. i. 4.
16. —— xxxii. 1, 4, 8, 23.	16. —— viii. 11.
	52. —— x. 8, 10.
16. —— xxxiii. 1.	16. Ezra i. 11.
2. Numb. xiii. 32.	16. —— iv. 2.
16. —— xvi. 13.	16. Neh. ix. 18.
1. —— xx. 4.	51. Esth. ii. 7, 20.
16. —— xxi. 5.	52. Job xxxi. 18.
16. Deut. xx. 1.	16. Psalm xxx. 3.
2. —— xxii. 19.	16. —— xl. 2.
⎧Josh. xxiv. 17, 32.	51. Prov. viii. 30.
⎪Judg. vi. 8.	53. Isa. i. 2.
⎪—— xv. 13.	52. — xlix. 21.
⎪—— xvi. 8, 31.	52. — li. 18.
16.⎨1 Sam. ii. 14.	16. — lxiii. 11.
⎪—— viii. 8.	16. Jer. ii. 6.
⎪—— x. 18.	16. — xi. 7.
⎪—— xii. 6.	16. — xvi. 14, 15.
⎪2 Sam. vi. 12, 15.	16. — xxiii. 7, 8.
⎩—— vii. 6.	16. — xxxix. 5.
38. —— xxi. 8.	54. Lam. ii. 22.
16. —— —— 13.	31. —— iv. 5.
16. 1 Kings viii. 4.	⎧Ezek. xix. 3.
16. —— xii. 28.	⎪—— xxxvii. 13.
51. 2 Kings x. 1.	⎪Amos ii. 10.
52. —— —— 6.	16.⎨—— iii. 1.
16. —— xvii. 7, 36.	⎪—— ix. 7.
16. —— xxv. 6.	⎪Jonah ii. 6.
16. 1 Chron. xv. 28.	⎪Mic. vi. 4.
16. —— xvii. 5.	⎩Nah. ii. 7.

BROUGHTEST.

16. Exod. xxxii. 7.	1. Neh. ix. 7.
16. Numb. xiv. 13.	2. —— 15.
2. Deut. ix. 28, 29.	1. —— 23.
1. 2 Sam. v. 2.	1. Psalm lxvi. 11.
2. 1 Kings viii. 51, 53.	2. —— 12.
1. 1 Chron. xi. 2.	

BRINGERS up.

אֹמְנִים *Oumneem*, nurses.

2 Kings x. 5.

BRINK.

1.	שָׂפָה	*Sophoh*, a border.
2.	קָצֶה	*Kotseh*, an end.

1. Gen. xli. 3.	1. Deut. ii. 36.
1. Exod. ii. 3.	2. Josh. iii. 8.
1. —— vii. 15.	1. Ezek. xlvii. 6.

BROAD.

רָחָב *Rokhav*.

BROADER.

Job xi. 9.

BROIDERED.

1.	רָקַם	*Rokam*.
2.	שָׁבַ ץ	*Shovats*.

2. Exod. xxviii. 4.	1. Ezek. xxvi. 16.
1. Ezek. xvi. 10, 13, 18.	1. —— xxvii. 7, 16, 24.

BROKEN, See Break.

BROOK.

נַחַל *Nakhal*, a brook ; in all passages, except :

מִיכַל *Meekhal*, to the uttermost.

2 Sam. xvii. 20.

BROOKS.

1.	אֲפִיקִים	*Apheekeem*, rapid streams.
2.	יְאוֹרִים	*Yĕoureem*, rivers.
3.	נְחָלִים	*Nĕkholeem*, brooks.

3. Numb. xxi. 14, 15.	3. Job xxii. 24.
3. Deut. viii. 7.	1. Psalm xlii. 1.
3. 2 Sam. xxiii. 30.	2. Isa. xix. 6.
3. 1 Kings xviii. 5.	2. —— 7, three times, singular.
3. 1 Chron. xi. 32.	
3. Job vi. 15.	2. —— 8, singular.
3. — xx. 17.	

BROTH.

1.	מָרָק	*Morak*, broth.
2.	פָּרָק	*Porok*, any thing torn in pieces.

1. Judg. vi. 19, 20.	2. Isa. lxv. 4.

BROTHER, his, my, our, thy, your.

אָח *Okh*, a brother.

BROTHERHOOD.

אַחֲוָה *Akhăvoh*, brotherhood.

Zech. xi. 14.

BROTHERLY.

אַחִים *Akheem*, brothers.

Amos i. 9.

BROW.

מֵצַח *Maitsakh*, a forehead.

Isa. xlviii. 4.

BROWN.

חוּם *Khoom*, brown, heated, burnt by the sun.

Gen. xxx. 32, 33, 35, 40.

BRUISE, Subst.

שֶׁבֶר *Shever*, a bruise, breaking of flesh.

Jer. xxx. 12.	Nah. iii. 19.

BRUISES.

חַבּוּרָה *Khabooroh*, a boil.

Isa. i. 6.

BRUISE, Verb.

1. שׁוּף *Shoop,* to crush.
2. דָּקַק *Dokak,* to beat to dust, powder.
3. דָּכָא *Doko,* to pound.
4. מָעַךְ *Moakh,* to squeeze, press together.
5. רָצַץ *Rotsats,* to shatter.
6. עָשָׂה *Osoh,* to make, do, perform, exercise.

1. Gen. iii. 15.	3. Isa. liii. 10.
2. Isa. xxviii. 28.	2. Dan. ii. 40.

BRUISED.

4. Lev. xxii. 24.	3. Isa. liii. 5.
5. 2 Kings xviii. 21.	6. Ezek. xxiii. 3, 8.
5. Isa. xlii. 3.	

BRUISING.
6. Ezek. xxiii. 21.

BRUIT.
שְׁמוּעָה *Shemoooh,* hearing a report.

Jer. x. 22. | Nah. iii. 19.

BRUTISH.
בַּעַר *Baar,* ignorant, stupid; in all passages.

BUCKET.
דְּלִי *Delee,* a bucket.

Isa. xl. 15.

BUCKETS.
No plural.
Numb. xxiv. 7.

BUCKLER.

1. רֹמַח *Roumakh,* a spear.
2. מָגֵן *Mogain,* a shield, buckler.
3. צִנָּה *Tsinnoh,* a protection, weapon.
4. סֹחֵרָה *Soukhairoh,* property, merchandise.

2. 2 Sam. xxii. 31.	4. Psalm xci. 4.
2. 1 Chron. v. 18.	2. Prov. ii. 7.
1. ———— xii. 8.	2. Jer. xlvi. 3.
2. Psalm xviii. 2.	3. Ezek. xxiii. 24.
2. ———— 30.	3. ——— xxvi. 8.
3. ——— xxxv. 2.	

BUCKLERS.

2. 2 Chron. xxiii. 9.	3. Ezek. xxxviii. 4.
2. Job xv. 26.	3. ——— xxxix. 9.
2. Cant. iv. 4.	

BUD.

1. פֶּרַח *Perakh,* a bud of a tree, bloom, blossom.
2. צֶמַח *Tsemakh,* a sprout, branch, offspring.
3. מֹצָא *Moutso,* a shoot.

3. Job xxxviii. 27.	2. Ezek. xvi. 7.
1. Isa. xviii. 5.	2. Hos. viii. 7.
2. — lxi. 11.	

BUDS.
1. Numb. xvii. 8, singular.

BUD, Verb.

1. פָּרַח *Porakh,* to bud, blossom, sprout.
2. צָמַח *Tsomakh,* to grow forth, spring up.
3. נוּץ *Noots,* to flower.

1. Job xiv. 9.	1. Isa. xxvii. 6.
2. Psalm cxxxii. 17.	2. — lv. 10.
3. Cant. vii. 12.	2. Ezek. xxix. 21.

BUDDED.

1. Gen. xl. 10.	1. Cant. vi. 11.
1. Numb. xvii. 8.	1. Ezek. vii. 10.

BUILD -ED -EDST -EST -ETH -ING, BUILT.

1. בָּנָה *Bonoh,* to build.
2. בְּנָא *Bono* (Chaldee), to build.

1. 1 Kings ix. 1.	1. 2 Chron. iii. 3.
1. ———— xv. 21.	1. ———— xvi. 5.
1. 1 Chron. xxviii. 2.	2. Ezra vi. 8.

BUILDER   -S.
בֹּנֶה *Bouneh.*   בֹּנִים *Bouneem.*

In all passages.

BUILDING, Subst.

1. בִּנְיָן *Binyōn,*
2. בְּנַיִן *Bonayin* (Chaldee), } building.
3. מְקָרֶה *Mekoreh,* a rafter.

2. Ezra v. 4.	1. Ezek. xl. 5.
3. Eccles. x. 18.	1. ——— xli. 15.

BULL.

1. שׁוֹר *Shour,* an ox.
2. תּוֹא *Thou,* a buffalo.

1. Job xxi. 10. | 2. Isa. li. 20.

BULLS.

1. פָּרִים *Poreem,* bulls.
2. אֲבִירִים *Abeereem,* strong, mighty ones.
3. בָּקָר *Bokor,* a horned beast.

1. Gen. xxxii. 15.
1. Psalm xxii. 12.
2. —— L. 13.
2. —— lxviii. 30.

2. Isa. xxxiv. 7.
2. Jer. L. 11.
3. — lii. 20.

BULLOCK.

1.   פַּר   *Par*, a bull.
2.   שׁוֹר   *Shour*, an ox.
3.   בָּקָר   *Bokor*, a horned beast.
4.   עֵגֶל   *Aigel*, a calf.
5.   בֶּן־בָּקָר   *Ben-bokor*, a son of a horned beast.

1. Exod. xxix. 3, 11.
5. Lev. i. 5.
1. —— iv. 4.
2. —— ix. 18.
5. Numb. xv. 9.
1. —— xxix. 37.
2. Deut. xvii. 1.

2. Deut. xxxiii. 17.
1. Judg. vi. 25, 26.
1. 1 Kings xviii. 23,25,33.
1. Psalm L. 9.
1. —— lxix. 31.
3. Isa. lxv. 25.
4. Jer. xxxi. 18.

BULLOCK, with sin-offering.

פַּר   *Par*, a bull.

Exod. xxix. 12, 36.
Lev. iv. 7.

Lev. xvi. 6, 14, 15, 18.
Ezek. xlv. 22.

BULLOCK, young.

פַּר בֶּן־בָּקָר   *Par ben-bokor*, a bull, a son of a horned beast.

BULLOCKS.

פָּרִים   *Poreem ;* in all passages, except :

1.   תּוֹרִין   *Toureen* (Chaldee), oxen.
2.   בָּקָר   *Bokor*, a horned beast.
3.   עֲגָלִים   *Agoleem*, calves.
4.   שׁוֹרִים   *Shoureem*, oxen.

1. Ezra vi. 17.
2. Psalm lxvi. 15.

3. Jer. xlvi. 21.
4. Hos. xii. 11.

BULLOCKS, young.

בֶּן־בָּקָר   *Ben-bokor,* son of a horned beast.

BULRUSH.

1.   גֹּמֶא   *Goume*, a bulrush.
2.   אַגְמוֹן   *Agmoun*, a reed.

2. Isa. lviii. 5.

BULRUSHES.

1. Exod. ii. 3. | 1. Isa. xviii. 2.

BULWARKS.

1.   מָצוֹר   *Motsour*, a fortress.
2.   פִּנּוֹת   *Pinouth*, battlements, corners.

---

3.   חֵילָה   *Khailoh*, חֵל *Khail*, power, army.
4.   מָצוֹד   *Motsoud*, nets, palisades.

1. Deut. xx. 20.
2. 2 Chron. xxvi. 15.
3. Psalm xlviii. 13.

4. Eccles. ix. 14.
3. Isa. xxvi. 1.

BUNCH.

אֲגֻדָּה   *Agooaoh*, a bunch.
Exod. xii. 22.

BUNCHES.

1.   דַּבֶּשֶׁת   *Dabesheth*, protuberances.
2.   צִמוּקִים   *Tsimookheem*, dried raisins.

2. 2 Sam. xvi. 1.
2. 1 Chron. xii. 40.

1. Isa. xxx. 6.

BUNDLE.

צְרוֹר   *Tserour*, a bundle.

Gen. xlii. 35.
1 Sam. xxv. 29.

Cant. i. 13.

BURDEN.

סֵבֶל   *Saivel,*
מַשָּׂא   *Masso,* } a burden, load.

In all passages, except :
יָהָב   *Yohav*, necessity, want, care.
Psalm lv. 22.

BURDENS.

סְבָלִים   *Sevoleem,*
מַשֹּׂאת   *Massouth,* } burdens, loads.

In all passages, except :
1. מִשְׁפְּתָיִם   *Mishpethoyim*, two opposite hills.
2. אֲגֻדּוֹת־מוֹטָה   *Agudouth-moutoh*, bands of a yoke.

1. Gen. xlix. 14. | 2. Isa. lviii. 6.

BURDEN, Verb.

עָמַס   *Omas*, to burden, load.
Zech. xii. 3.

BURDENSOME.

מַעֲמָסָה   *Maamosoh.*
Zech. xii. 3.

BURIAL.

קְבוּרָה   *Kevooroh*, burial.

Eccles. vi. 3.
Isa. xiv. 20.

Jer. xxii. 19.

BURY -IED -ING.

קָבַר   *Kovar*, to bury ; in all passages.

BURIERS.

מְקַבְּרִים *Mekabreem,* buriers.

Ezek. xxxix. 15.

BURN, Verb.

1.   חָרַר   *Khorar,* to burn fiercely; met., as fever, extreme heat of body.
2.   עָלָה   *Oloh,* to ascend, go up.
3.   קָטַר   *Kotar,* to burn incense.
4.   שָׂרַף   *Soraph,* to burn.
5.   בָּעַר   *Boar,* to blaze, flame, consume.
6.   צוּת   *Tsooth,* to set on fire.
7.   נָשַׂק   *Nosak,* (Hiph.) to kindle.
8.   יָקַד   *Yokad,* to burn slow, steady.
9.   לָהַט   *Lohat,* to burn with vehemence.
10.   קָדַח   *Kodakh,* to inflame, excite.
11.   זָכַר   *Zokhar,* (Hiph.) to cause to mention, remember.
12.   דגר   *Door,* to heap fuel on the fire.
13.   אֵשׁ   *Aish,* a fire.
14.   לַפִּיד   *Lapeed,* a flame.
15.   צָרֶבֶת   *Tsoreveth,* a firebrand, torch.
16.   גַחַל   *Gokhel,* a burning coal.
17.   רֶשֶׁף   *Resheph,* a quick, rapid motion, as an arrow shot from a bow, lightning.
18.   דָלַק   *Dolak,* to kindle, inflame; met., persecute with malice.
19.   לָחַם   *Lokham,* to consume with heat.
20.   מָזָה   *Mozoh,* to dry up, reduced to skin and bone by hunger.
21.   נָשָׂא   *Noso,* to lift up, carry, bear.
22.   כָּוָה   *Kovoh,* to scorch.

1. Gen. xliv. 18.	3. 1 Sam. ii. 16.
2. Exod. xxvii. 20.	3. 2 Chron. ii. 6.
3. —— xxix. 13, 18, 25.	3. ———— xiii. 11.
Lev. i. 9, 15.	5. Isa. i. 31.
—— ii. 2, 9, 16.	5. — x. 17.
—— iii. 5, 11, 16.	6. — xxvii. 4.
—— iv. 19, 26, 31.	5. — xl. 16.
3. —— v. 12.	5. — xliv. 15.
—— vi. 15.	5. Jer. vii. 20.
—— vii. 31.	4. — xxxiv. 5.
—— ix. 17.	4. — xxxvi. 25.
—— xvi. 25.	12. Ezek. xxiv. 5.
—— xvii. 6.	1. ———— 11.
2. —— xxiv. 2.	7. ———— xxxix. 9.
3. Numb. v. 26.	4. —— xliii. 21.
3. ———— xviii. 17.	5. Nah. ii. 13.
4. —— xix. 5.	5. Mal. iv. 1.
3. Josh. xi. 13.	

BURN, joined with fire.

4. Exod. xii. 10.	5. Psalm lxxxix. 46.
4. —— xxix. 34.	5. Isa. xlvii. 14.
4. Lev. viii. 32.	5. Jer. iv. 4.
4. —— xiii. 57.	4. — vii. 31.
4. —— xvi. 27.	4. — xix. 5.
5. Deut. v. 23.	4. — xxi. 10.
4. —— vii. 5.	5. —— 12.
4. —— xii. 3.	4. — xxxii. 29.
8. —— xxxii. 22.	4. — xxxiv. 2, 22.
4. Josh. xi. 6.	4. — xxxvii. 8, 10.
4. Judg. ix. 52.	4. — xxxviii. 18.
4. —— xii. 1.	5. Ezek. v. 2.
4. —— xiv. 15.	4. —— xvi. 41.
5. Psalm lxxix. 5.	

BURN incense.

3.   קָטַר   *Kotar:* in all passages.

BURNED.

5. Exod. iii. 2.	22. Prov. vi. 28.
5. Deut. iv. 11.	1. Isa. xxiv. 6.
5. — ix. 15.	6. — xxxiii. 12.
4. Josh. vii. 25.	5. — xlii. 25.
4. 1 Sam. xxx. 1.	22. — xliii. 2.
21. 2 Sam. v. 21.	4. — lxiv. 11.
4. —— xxiii. 7.	6. Jer. ii. 15.
4. 2 Kings xxiii. 6, 11, 15, 16.	1. — vi. 29.
	4. — xxxvi. 28.
4. 1 Chron. xiv. 12.	4. — xxxviii. 17, 23.
3. 2 Chron. xxv. 14.	6. — xlix. 2.
3. ———— xxxiv. 25.	4. — li. 32.
5. Esth. i. 12.	6. —— 58.
6. Neh. i. 3.	15. Ezek. xx. 47.
6. — ii. 17.	1. —— xxiv. 10.
1. Job xxx. 30.	9. Joel i. 19.
5. Psalm xxxix. 3.	4. Amos ii. 1.
4. —— lxxx. 16.	4. Mic. i. 7.
1. —— cii. 3.	21. Nah. i. 5.
13. Prov. vi. 27.	

BURNETH.

4. Lev. xvi. 28.	5. Isa. lxii. 1.
4. Numb. xix. 8.	10. — lxiv. 2.
4. Psalm xlvi. 9.	8. — lxv. 5.
5. —— lxxxiii. 14.	11. — lxvi. 3.
9. —— xcvii. 3.	3. Jer. xlviii. 35.
5. Isa. ix. 18.	9. Joel ii. 3.
4. — xliv. 16.	

BURNING.

13.⎫ Gen. xv. 17.	16. Prov. xxvi. 21.
14.⎭	18. ———— 23.
8. Lev. vi. 9, 12, 13.	5. Isa. xxx. 27.
10. — xxvi. 16.	5. — xxxiv. 9.
10. Deut. xxviii. 22, not in original.	5. Jer. xx. 9.
	16. Ezek. i. 13.
19. ———— xxxii. 24.	8. Dan. iii. 6, 11, 17, 20, 21, 23, 26.
14. Job xli. 19.	
16. Psalm cxl. 10.	18. —— vii. 9.
15. Prov. xvi. 27.	17. Hab. iii. 5.

BURNT.

4. Gen. xxxviii. 24.	20. Deut. xxxii. 24.
2. Lev. ii. 12.	3. 1 Sam. ii. 15.
3. — vi. 22.	4. 1 Kings xiii. 2.
3. —— 23, not in original.	4. ———— xv. 13.
3. — viii. 21.	4. 2 Kings xxv. 9.
4. — x. 16.	4. 2 Chron. xv. 16
4. Numb. xvi. 39.	4. ———— xxxvi. 19.
	4. Jer. li. 25.

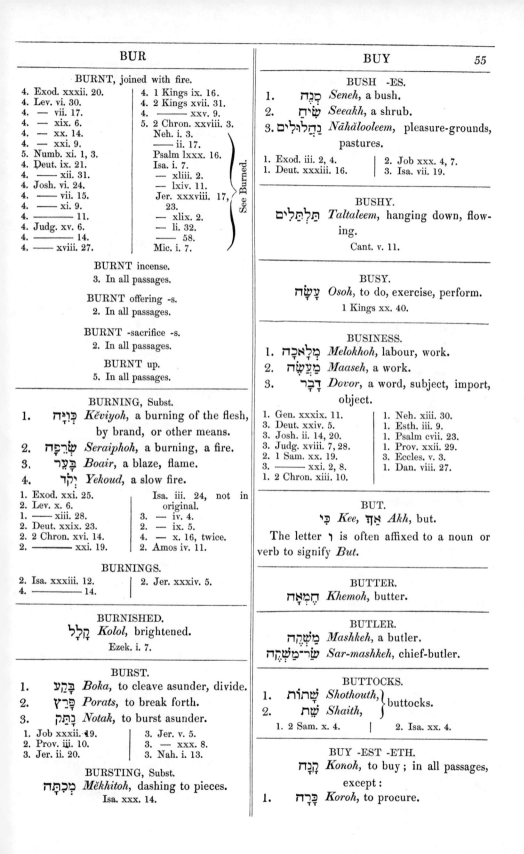

BURNT, joined with fire.

4. Exod. xxxii. 20.	4. 1 Kings ix. 16.
4. Lev. vi. 30.	4. 2 Kings xvii. 31.
4. — vii. 17.	4. —— xxv. 9.
4. — xix. 6.	5. 2 Chron. xxviii. 3.
4. — xx. 14.	Neh. i. 3.
4. — xxi. 9.	—— ii. 17.
5. Numb. xi. 1, 3.	Psalm lxxx. 16.
4. Deut. ix. 21.	Isa. i. 7.
4. —— xii. 31.	— xliii. 2.
4. Josh. vi. 24.	— lxiv. 11.
4. —— vii. 15.	Jer. xxxviii. 17,
4. —— xi. 9.	23.
4. ——— 11.	— xlix. 2.
4. Judg. xv. 6.	— li. 32.
4. ——— 14.	—— 58.
4. —— xviii. 27.	Mic. i. 7.

> See Burned.

BURNT incense.
3. In all passages.

BURNT offering -s.
2. In all passages.

BURNT -sacrifice -s.
2. In all passages.

BURNT up.
5. In all passages.

BURNING, Subst.

1. פְּוִיָה *Kĕviyoh*, a burning of the flesh, by brand, or other means.
2. שְׂרֵפָה *Seraiphoh*, a burning, a fire.
3. בָּעֵר *Boair*, a blaze, flame.
4. יְקֹד *Yekoud*, a slow fire.

1. Exod. xxi. 25.	Isa. iii. 24, not in
2. Lev. x. 6.	original.
1. —— xiii. 28.	3. — iv. 4.
2. Deut. xxix. 23.	2. — ix. 5.
2. 2 Chron. xvi. 14.	4. — x. 16, twice.
2. ——— xxi. 19.	2. Amos iv. 11.

BURNINGS.

2. Isa. xxxiii. 12.	2. Jer. xxxiv. 5.
4. ——— 14.	

BURNISHED.
קָלָל *Kolol*, brightened.

Ezek. i. 7.

BURST.

1. בָּקַע *Boka*, to cleave asunder, divide.
2. פָּרַץ *Porats*, to break forth.
3. נִתַּק *Notak*, to burst asunder.

1. Job xxxii. 19.	3. Jer. v. 5.
2. Prov. iii. 10.	3. —— xxx. 8.
3. Jer. ii. 20.	3. Nah. i. 13.

BURSTING, Subst.
מְכִתָּה *Mĕkhitoh*, dashing to pieces.

Isa. xxx. 14.

BUSH -ES.

1. סְנֶה *Seneh*, a bush.
2. שִׂיחַ *Seeakh*, a shrub.
3. נַהֲלוּלִים *Năhălooleem*, pleasure-grounds, pastures.

1. Exod. iii. 2, 4.	2. Job xxx. 4, 7.
1. Deut. xxxiii. 16.	3. Isa. vii. 19.

BUSHY.
תַּלְתַּלִּים *Taltaleem*, hanging down, flowing.

Cant. v. 11.

BUSY.
עָשָׂה *Osoh*, to do, exercise, perform.

1 Kings xx. 40.

BUSINESS.

1. מְלָאכָה *Melokhoh*, labour, work.
2. מַעֲשֶׂה *Maaseh*, a work.
3. דָּבָר *Dovor*, a word, subject, import, object.

1. Gen. xxxix. 11.	1. Neh. xiii. 30.
3. Deut. xxiv. 5.	1. Esth. iii. 9.
3. Josh. ii. 14, 20.	1. Psalm cvii. 23.
3. Judg. xviii. 7, 28.	1. Prov. xxii. 29.
2. 1 Sam. xx. 19.	3. Eccles. v. 3.
3. ——— xxi. 2, 8.	1. Dan. viii. 27.
1. 2 Chron. xiii. 10.	

BUT.
כִּי *Kee*, אַךְ *Akh*, but.

The letter ו is often affixed to a noun or verb to signify *But*.

BUTTER.
חֶמְאָה *Khemoh*, butter.

BUTLER.
מַשְׁקֶה *Mashkeh*, a butler.
שַׂר־מַשְׁקֶה *Sar-mashkeh*, chief-butler.

BUTTOCKS.

1. שָׁתוֹת *Shothouth*, } buttocks.
2. שֵׁת *Shaith*, }

1. 2 Sam. x. 4.	2. Isa. xx. 4.

BUY -EST -ETH.
קָנָה *Konoh*, to buy; in all passages, except:

1. כָּרָה *Koroh*, to procure.

2. לָקַח *Lokakh*, to take, receive.

3. שָׁבַר *Shovar*, to bargain.

3. Gen. xli. 57.	1. Deut. ii. 6.
3. —— xlii. 3, 5.	2. Neh. v. 3.
3. Deut. ii. 6.	2. —— x. 31.

BOUGHT.
1. in all passages, except:

3. Gen. xlvii. 14.	1. Hos. iii. 2.

BUYER.
קֹנֶה *Kouneh*, a buyer.

Prov. xx. 14.	Ezek. vii. 12.
Isa. xxiv. 2.	

BY-WAYS.
עֲקַלְקַל *Akalkal*, crooked.
Judg. v. 6.

BY-WORD.
1. שְׁנִינָה *Shĕneenoh*, scorn, mockery, taunt.

2. מָשָׁל *Moshol*, a proverb, parable.

3. מִלָּה *Milloh*, a word.

1. Deut. xxviii. 37.	2. Job xvii. 6.
1. 1 Kings ix. 7.	3. — xxx. 9.
1. 2 Chron. vii. 20.	2. Psalm xliv. 14.

C

CABINS.
חֲנֻיוֹת *Khanuyouth*, places of rest.
Jer. xxxvii. 16.

CAGE.
כְּלוּב *Keloov*, a basket.
Jer. v. 27.

CAKE.
1. עֻגָּה *Oogoh*, a cake.

2. חַלָּה *Khalloh*, a cake mixed with oil, generally used for an offering.

3. צָלִיל *Tseleel*, baked or roasted meat.

4. לְבִיבֹת *Leveevouth*, refreshments, anything that revives the heart.

5. כָּנִים *Kavoneem*, things prepared.

2. Numb. xv. 20.	1. 1 Kings xvii. 12, 13.
3. Judg. vii. 13.	1. —— xix. 6.
2. 2 Sam. vi. 19.	1. Hos. vii. 8.

CAKES.

1. Gen. xviii. 6.	4. 2 Sam. xiii. 6, 8, 10.
1. Exod. xii. 39.	5. Jer. vii. 18.
2. Lev. vii. 12.	5. — xliv. 19.
2. —— xxiv. 5.	1. Ezek. iv. 12.

CALAMITY.
1. אֵיד *Aid*, calamity.

2. חַיָּה *Khoyoh*, life.

3. הַוּוֹת *Havouth*, disasters.

4. רָעוֹת *Roouth*, evils.

1. Deut. xxxii. 35.	1. Prov. xxiv. 22.
1. 2 Sam. xxii. 19.	1. —— xxvii. 10.
2. Job vi. 2.	1. Jer. xviii. 17.
2. — xxx. 13.	1. — xlvi. 21.
1. Psalm xviii. 18.	1. — xlviii. 16.
1. Prov. i. 26.	1. — xlix. 8, 32.
1. —— vi. 15.	1. Ezek. xxxv. 5.
3. —— xix. 13.	1. Obad. 13, thrice.

CALAMITIES.

3. Psalm lvii. 1.	1. Prov. xvii. 5.
4. —— cxli. 5.	

CALAMUS.
1. קְנֵה־בֹשֶׂם *Kenaih-bousem*, a sweet cane.

2. קָנֶה *Koneh*, a cane, reed.

1. Exod. xxx. 23.	2. Ezek. xxvii. 19.
1. Cant. iv. 14.	

CALDRON.
1. קַלַּחַת *Kalakhath*, a caldron.

2. אַגְמוֹן *Agmoun*, a reed.

3. סִיר *Seer*, a pot.

4. דּוּד *Dood*, a vessel, kettle.

1. 1 Sam. ii. 14.	3. Ezek. xi. 3, 7, 11.
2. Job xli. 20.	1. Mic. iii. 3.

CALDRONS.

4. 2 Chron. xxxv. 13.	3. Jer. lii. 18.

CALF.
עֵגֶל *Aigel*, a calf; in all passages, except:

בֶּן־בָּקָר *Ben-bokor*, son of a horned beast.
Gen. xviii. 7.
Job xxi. 10, not in original.

CALVES.
עֲגָלִים *Agoleem*, calves; in all passages, except:

1. בָּנִים *Boneem*, sons, children.

2. פָּרִים *Poreem*, bulls.

1. 1 Sam. vi. 7.	2. Hos. xiv. 2.

CALKERS.
מַחֲזִיקֵי־בֶּדֶק *Makhazeek-bedek*, strengtheners of the breaches, calkers.
Ezek. xxvii. 9, 27.

CALL -ED -EDST -EST -ETH -ING.

1. קָרָא *Koro,* to call.
2. עוּד *Ood,* (Hiph.) to cause to testify.
3. זָכַר *Zokhar,* (Hiph.) to cause to remember.
4. זָכַר *Zokhar,* to remember.
5. אָשַׁר *Oshar,* (Piel) to cause happiness.
6. אָמַר *Omar,* to say.
7. פָּקַד *Pokad,* to visit, call to mind.

All passages not inserted are Nº. 1.

2. { Deut. iv. 26. | 4. Psalm lxxvii. 6.
—— xxx. 19. | 5. Prov. xxxi. 28.
—— xxxi. 28. | 6. Isa. v. 20.
3. 1 Kings xvii. 18. | 6. Lam. ii. 15.

CALLEDST.
7. Ezek. xxiii. 21.

CALL to mind.

שׁוּב־לֵב *Shoov-laiv,* (Hiph.) bring back the heart.

Deut. xxx. 1.

CALL out.

זָעַק *Zoak,* to cry out.

CALLED together.   see Together,

1. צָעַק *Tsoak,* to call out.   page 495.
2. שָׁמַע *Shoma,* (Piel) to make obey.

1. 1 Sam. x. 17. | 2. 1 Sam. xxiii. 8.
1. —— xiii. 4. |

CALLING.

מִקְרָא *Mikro,* a calling, assembly.

CALLING to remembrance..
Ezek. xxiii. 19, not in original.

CALM.

1. שָׁתַק *Shothak,* to still.
2. דְּמָמָה *Dĕmomoh,* silent.
2. Psalm cvii. 29. | 1. Jonah i. 11, 12.

CALVE, Verb.

1. חוּל *Khool,* to be in pain.
2. יָלַד *Yolad,* to beget, bring forth.
3. פָּלַט *Polat,* to deliver.

1. Job xxxix. 1. | 1. Psalm xxix. 9.

CALVED.
2. Jer. xiv. 5.

CALVETH.
3. Job xxi. 10.

CAMEL.
גָּמָל *Gomol,* a camel.

CAMELS.
גְּמַלִים *Gemaleem,* camels.

CAMELION.
כֹּחַ *Kouakh,* power, strength.
Lev. xi. 30.

CAMP.
מַחֲנֶה *Makhăneh,* a camp.
Isa. xxix. 3. | Nah. iii. 17.
Jer. L. 29. |

CAMPS.
מַחֲנוֹת *Makhanouth,* camps.

CAMP -ED.
חָנָה *Khonoh,* to pitch a camp.
Exod. xix. 2.

CAMPHIRE.
כֹּפֶר *Koupher.*
Cant. i. 14. | Cant. iv. 13.

CAN, COULD -ST.
יָכַל *Yokhal,* to be able.

CAN, COULD -NOT.
לֹא־יָכַל *Lou-yokhal,* not to be able.

CANDLE.
נֵר *Nair,* a candle.

CANDLES.
נֵרוֹת *Nairouth,* candles.

CANDLESTICK.
מְנוֹרָה *Menouroh,* candlestick.

CANDLESTICKS.
מְנוֹרוֹת *Menourouth,* candlesticks.

CANE.
קָנֶה *Koneh,* a cane, reed.
Isa. xliii. 24. | Jer. vi. 20.

CANKERWORM.
יֶלֶק *Yelek,* a locust, grasshopper, lit., a licker.
Joel i. 4. | Nah. iii. 15, 16.
— ii. 25. |

CAPTAIN.

1.   שַׂר   *Sar*, a ruler.
2.   נָשִׂיא   *Nosee*, a dignitary, captain over a tribe.
3.   רֹאשׁ   *Roush*, head, chief, principal.
4.   קָצִין   *Kotseen*, a magistrate.
5.   נָגִיד   *Nogeed*, a leader.
6.   שָׁלִישׁ   *Sholeesh*, a military officer.
7.   פַּחַת   *Pakhath*, a governor.
8.   בַּעַל   *Baal*, a master.
9.   רַב   *Rav*, a chief of renown, abundant in power.
10.   מִפְסָר   *Tiphsor* (Chaldee), a ruler.
11.   אַלּוּפִים   *Aloopheem*, princes.
12.   כָּרִים   *Koreem*, men of power, authority.
13.   שַׂר־צָבָא   *Sar-Tsevō*, ruler of the host.

13. Gen. xxvi. 26.	1. 2 Kings iv. 13.
1. —— xxxvii. 36.	1. —— v. 1.
1. —— xl. 4.	1. —— ix. 5.
2. Numb. ii. 3, 5.	6. —— xv. 25.
3. —— xiv. 4.*	7. —— xviii. 24.
1. Josh. v. 14, 15.	5. —— xx. 5.
1. Judg. iv. 2, 7.	1. —— xxv. 8.
4. —— xi. 6, 11.	1. 1 Chron. xi. 6, 21.
5. 1 Sam. ix. 16.	1. —— xix. 18.
5. —— x. 1.	1. —— xxvii. 5, 8.
1. —— xii. 9.	3. 2 Chron. xiii. 12.
5. —— xiii. 14.	3. Neh. ix.17. See Note
1. —— xvii. 18.	Numb. xiv. 4.
1. —— xxii. 2.	1. Isa. iii. 3.
5. 2 Sam. v. 2.	7. — xxxvi. 9.
1. —— x. 18.	8. Jer. xxxvii. 13.
1. —— xix. 13.	9. — xl. 2, 5.
1. —— xxiii. 19.	10. — li. 27.
1. 1 Kings xvi. 16.	9. — lii. 12.
1. 2 Kings i. 9, 11, 13.	

Note :— נְתַן־רֹאשׁ, set the head, in the original.

CAPTAINS.

6. Exod. xv. 4.	1. 1 Chron. xxvii. 3.
1. Numb. xxxi. 14.	1. 2 Chron. viii. 9.
1. Deut. i. 15.	6. —————— 9.
1. — xx. 9.	1. —————— xviii. 32.
1. 1 Sam. viii. 12.	1. —————— xxi. 9.
1. —— xxii. 7.	1. —————— xxxiii. 11.
1. 2 Sam. xviii. 5.	1. Neh. ii. 9.
6. —— xxiii. 8.	1. Job xxxix. 25.
1. 1 Kings ii. 5.	11. Jer. xiii. 21.
6. —— ix. 22.	7. — li. 23, 57.
7. —— xx. 24.	12. Ezek. xxi. 22.
1. —— xxii. 33.	7. —— xxiii. 6, 12, 23.
1. 2 Kings xi. 15.	7. Dan. iii. 27.
3. 1 Chron. iv. 42.	7. —— vi. 7.
1. —— xi. 15.	10. Nah. iii. 17.
1. —— xii. 34.	

CAPTIVE.

שְׁבִי   *Shevee*, a captive.

CAPTIVES.

שְׁבוּיִם   *Shevooyim*, captives; except:

בְּנֵי־גָלוּתָא   *Benai-golootho* (Syriac), children of the captivity.
        Dan. ii. 25.

CAPTIVE.

שָׁבָה   *Shovoh*, to lead captive.

CAPTIVITY.

שְׁבוּת   *Shevooth*, }
גָלוּת   *Golooth*, } captivity.

CARBUNCLE.

1.   בָּרֶקֶת   *Boreketh*, a glittering stone.
2.   אֶקְדָּח   *Ekdokh*, a sparkling gem.

1. Exod. xxviii. 17.	1. Ezek. xxviii. 13.
1. —— xxxix. 10.	

CARBUNCLES.

2. Isa. liv. 12.

CARCASE.

1.   נְבֵלָה   *Nevailoh*, a putrified carcase.
2.   מַפֶּלָה   *Mapoloh*, the fallen.
3.   פֶּגֶר   *Peger*, a carcase.
4.   גְּוִיָה   *Geviyoh*, the body.

1. Lev. v. 2.	4. Judg. xiv. 8.
1. — xi. 8.	4. —— 9.
1. Deut. xiv. 8.	1. 1 Kings xiii. 22, 24.
1. —— xxviii. 26.	1. 2 Kings ix. 37.
1. Josh. viii. 29.	3. Isa. xiv. 19.
2. Judg. xiv. 8.	

CARCASES.

3. Gen. xv. 11.	3. Isa. lxvi. 24.
1. Lev. xi. 11.	1. Jer. vii. 33.
3. —— xxvi. 30.	1. — xvi. 4, 18.
3. Numb. xiv. 29.	1. — xix. 7.
3. 1 Sam. xvii. 46.	3. Ezek. vi. 5.
1. Isa. v. 25.	3. —— xliii. 7, 9.
3. — xxxiv. 3.	3. Nah. iii. 3.

CARE.

1.   דָּבָר   *Dovor*, a word, subject, import, object.
2.   חָרַד   *Khorad*, care, anxiety.
3.   בֶּטַח   *Betakh*, safety, security.
4.   דְּאָגָה   *Daagoh*, anxiety, sorrow.

1. 1 Sam. x. 2.	3. Jer. xlix. 31.
2. 2 Kings iv. 13.	4. Ezek. iv. 16.

CARE, Verb.

1.   שׂוּם־לֵב   *Soom-laiv*, to set the heart.
2.   דָּרַשׁ   *Dorash*, to search after.
        1. 2 Sam. xviii. 3.

CARED.
2. Psalm cxlii. 4.

CARETH.
2. Deut. xi. 12.

CAREFUL.
1.   חָרַד   *Khorad*, care, anxiety.
2.   דָּאַג   *Doag*, to be anxious.
3.   הַשְׂחִין   *Khashkheen* (Syriac), to be thoughtful, careful.

1. 2 Kings iv. 13.	3. Dan. iii. 16.
2. Jer. xvii. 8.	

CAREFULLY.
Not used in Hebrew, but understood by repetition of the verb : viz., " hearing thou shalt hear ;" i.e., carefully hear.

CAREFULNESS.
בֶּטַח   *Betakh*, safety, security.
Ezek. xii. 18, 19.

CARELESS.
בֶּטַח   *Betakh*, safety, security.

Judg. xviii. 7.	Ezek. xxx. 9.
Isa. xxxii. 9, 10, 11.	

CARELESSLY.

Isa. xlvii. 8.	Zeph. ii. 15.
Ezek. xxxix. 6.	

CARNALLY.
Not used in Hebrew.

CARPENTER.
1. חֹרֵשׁ־עֵץ   *Khouraish-aits*, an artificer in wood.
2.   חֹרֵשׁ   *Khouraish*, an artificer.

2. Isa. xli. 7.	1. Isa. xliv. 13.

CARPENTERS.

1. 2 Sam. v. 11.	2. Ezra iii. 7.
1. 2 Kings xii. 11.	2. Jer. xxiv. 1.
1. 1 Chron. xiv. 1.	2. — xxix. 2.
2. 2 Chron. xxiv. 12.	2. Zech. i. 20.

CARRIAGE.
1.   כְּבוּדָה   *Kevoodoh*, a load, baggage.
2.   כֵּלִים   *Kaileem*, vessels, utensils.

1. Judg. xviii. 21.	2. 1 Sam. xvii. 22.

CARRIAGES.
2. Isa. x. 28.

נְשֻׂאֹת   *Nesuouth*, carriages.
Isa. xlvi. 1.

CARRY -IED -EST -ETH -ING.
נָשָׂא   *Noso*, to carry.

Note :—In many instances it is not used in the original, but designated by another verb being in Hiphil : as,

הַעֲבִיר   *Haaveer*, to cause to pass over.

Josh. iv. 3.	'2 Sam. xix. 18.

CARRY away, -ED away.
גָּלָה   *Goloh*, (Hiph.) to drive captive.

CARRY back, -ED back.
שׁוּב   *Shoov*, (Hiph.) to cause to return.

CARRY forth, out, -ED forth, out.
יָצָא   *Yotso*, (Hiph.) to cause to go forth.

CART.
עֲגָלָה   *Agoloh*, a waggon, cart.

CART-ROPE.
עֲבוֹת עֲגָלָה   *Avouth agoloh*, a cart-rope.
Isa. v. 18.

CART-WHEEL.
אוֹפַן עֲגָלָה   *Ouphan agoloh*, a cart-wheel.
Isa. xxviii. 27.

CARVED.
1.   פָּתַח   *Potakh*, to engrave.
2.   חָרַשׁ   *Khorash*, to grave, plough.
3.   פָּסַל   *Posal*, to hew out.
4.   קָלַע   *Kola*, to sculpture.
5.   חָטַב   *Khotav*, to carve in wood, hew.

3. Judg. xviii. 18.	3. 2 Chron. xxxiv. 3, 4.
4. 1 Kings vi. 18, 29.	1. Psalm lxxiv. 6.
3. 2 Chron. xxxiii. 7, 22.	5. Prov. vii. 16.

CARVING.

2. Exod. xxxi. 5.	2. Exod. xxxv. 33.

CARVINGS.
מִקְלָעוֹת   *Mikleouth*.
1 Kings vi. 32.

CASE.
Not used in Hebrew, but understood by the word דָּבָר   *Dovor*, a matter, subject, object, or by the repetition of the verb, as Deut. xxii. 1. " Thou shalt in any case bring back." " Returning thou shalt return."

CASEMENT.

אֶשְׁנָב *Eshnov*, a lattice.
Prov. vii. 6.

CASSIA.

קִדָּה *Kiddoh*, cassia.

| Exod. xxx. 24. | Ezek. xxvii. 19. |
| Psalm xlv. 8. | |

CAST, Verb.

1. שָׁלַךְ *Sholakh*, to throw away.
2. שָׁכֵל *Shikail*, to bereave, deprive.
3. נָשָׂא *Noso*, to carry.
4. נָגַע *Noga*, to reach, touch.
5. תָּקַע *Toka*, to drive in, blow a horn, trumpet.
6. יָרָה *Yoroh*, to propel, adjust.
7. יָצַק *Yotsak*, to cast in a furnace.
8. נָפַל *Nophal*, (Hiph.) to cause to fall, cast lots.
9. נָטַל *Notal*, to impose upon, enjoin.
10. סָקַל *Sokal*, to stone.
11. נָתַן *Nothan*, to give, set, place.
12. שָׁפַךְ *Shophakh*, to pour out.
13. שָׁלַח *Sholakh*, to send forth.
14. נָפַץ *Nophats*, to disperse.
15. מוּט *Moot*, to displace, disjoin, decay.
16. יָדָה *Yodoh*, to cast forth, to throw.
17. רָחַק *Rokhak*, (Hiph.) to cause to remove far off.
18. רְמָא *Romo*, (Syriac) to cast, throw.
19. הָלָא *Holo*, to place at a distance.
20. פּוּר *Poor*, (Hiph.) to disannul, make void.
21. זָנַח *Zonakh*, to cast away, reject.
22. שָׁפַל *Shophal*, to abase.
23. נָדַף *Nodaph*, to drive away, as smoke by the wind.
24. יָרַד *Yorad*, to descend, bring down.
25. קוּר *Koor*, (Hiph.) to cause to spring up.
26. שָׁכַב *Shokhav*, (Hiph.) to cause to lay down.
27. חָתַת *Khothath*, anxiety, dismay.
28. חָלַל *Khillail*, to profane.
29. יֶשַׁח *Yeshakh*, a depression, sinking.
30. מָאַס *Moas*, to despise.
31. גָּעַל *Goal*, to abhor.

32. גָּהַר *Gohar*, to prostrate.
33. כָּשַׁל *Koshal*, (Hiph.) to cause to stumble.
34. כָּרַע *Kora*, (Hiph.) to cause to submit, bend the knees.
35. דָּחָה *Dokhoh*, to thrust, push.
36. שָׁחָה *Shokhoh*, to incline, bend down.
37. נָדַח *Nodakh*, (Hiph.) to cause to expel, drive out.
38. מָגַר *Mogar*, to cast out.
39. נוּחַ *Nooakh*, (Hiph.) to cause to remain.
40. נָטַשׁ *Notash*, to relax, slacken.
41. הִכָּה *Hikkoh*, to smite, strike.
42. שָׁחַת *Shokhath*, (Piel) to destroy, spoil.
43. גָּרַשׁ *Gorash*, to drive out, away.
44. יָרַשׁ *Yorash*, (Hiph.) to cause to succeed by violence.
45. נָשַׁל *Noshal*, to pull off, cast off.
46. רִיק *Reek*, to empty, throw out.
47. מָרוּד *Morood*, persecuted (part.-pass.).
48. נוּד *Nood*, to wander.
49. פָּנָה *Ponoh*, to turn about.
50. סָלַל *Solal*, to heap up.
51. עָלָה *Oloh*, (Hiph.) to cause to ascend.
52. זוּר *Zoor*, to scatter.
53. נִרְדָּם *Nirdom*, sunken down.
54. הַלּוֹט *Halout*, the vail, covering.
55. נָתַץ *Notats*, to break down, destroy.

All passages not inserted are N°. 1.

2. Gen. xxxi. 38.	8. Esth. ix. 24.
3. —— xxxix. 7.	13. Job xx. 23.
4. Exod. iv. 25.	6. — xxx. 19.
5. —— x. 19.	14. — xl. 11.
6. —— xv. 4.	15. Psalm lv. 3.
2. —— xxiii. 26.	13. —— lxxiv. 7.
7. —— xxv. 12.	13. —— lxxviii. 49.
7. —— xxxvii. 3, 13.	8. Prov. i. 14.
7. —— xxxviii. 5.	13. Eccles. xi. 1.
8. Numb. xxxv. 23.	11. Isa. xxxvii. 19.
9. 1 Sam. xviii. 11.	12. ———— 33.
9. —— xx. 33.	16. Lam. iii. 53.
10. 2 Sam. xvi. 6, 13.	17. Ezek. xi. 16.
7. 1 Kings vii. 46.	18. Dan. iii. 20, 24.
11. 2 Kings xix. 18.	18. —— vi. 24.
12. ———— 32.	19. Mic. iv. 7.
7. 2 Chron. iv. 17.	2. Mal. iii. 11.
8. Esth. iii. 7.	

CAST, Verb neuter.

7. Exod. xxxviii. 27.	53. Psalm lxxvi. 6.
13. Job xviii. 8.	8. —— cxl. 10.
1. Psalm xxii. 10.	9. Prov. xvi. 33.

54. Isa. xxv. 7.*
9. Jer. xxii. 28.
1. —— 28.
55. — xxxviii. 11, 12.

*" *Cast* " not in original ; " the vail, yea, the vail over all the nations."

CAST -ETH away.
All passages not inserted are Nº. 1.

30. Lev. xxvi. 44.
31. 2 Sam. i. 21.
21. 2 Chron. xxix. 19.
13. Job viii. 4.
30. —— 20.
23. Prov. x. 3.

30. Isa. v. 24.
52. — xxx. 22.
30. — xxxi. 7.
30. — xli. 9.
30. Jer. xxxiii. 26.
30. Hos. ix. 17.

CAST -ETH down.
All passages not inserted are Nº. 1.

55. Judg. vi. 28.
32. 1 Kings xviii. 42.
33. 2 Chron. xxv. 8.
1. —— 12.
8. Neh. vi. 16.
22. Job xxii. 29.
4. — xxix. 24.
9. — xli. 9.
34. Psalm xvii. 13.
35. —— xxxvi. 12.
8. —— xxxvii. 14.
9. —————— 24.
36. —— xlii. 5, 6, 11.
36. —— xliii. 5.
24. —— lvi. 7.

37. Psalm lxii. 4.
38. —— lxxxix. 44.
22. —— cxlvii. 6.
8. Prov. vii. 26.
24. —— xxi. 22.
39. Isa. xxviii. 2.
33. Jer. vi. 15.
33. — viii. 12,
8. Ezek. vi. 4.
24. —— xxxi. 16.
24. —— xxxii. 18.
18. Dan. vii. 9.
8. —— viii. 10.
8. —— xi. 12.

CAST -ETH forth.

1. Neh. xiii. 8.
Psalm cxliv. 6, not in original.
1. —— cxlvii. 17.

1. Jer. xxii. 19.
40. Ezek. xxxii. 4.
41. Hos. xiv. 5.
9. Jonah i. 5, 12, 15.

CAST lots.

11. Lev. xvi. 8.
1. Josh. xviii. 10.
8. 1 Sam. xiv. 42.
8. 1 Chron. xxvi. 13.
8. Psalm xxii. 18.

8. Isa. xxxiv. 17.
16. Joel iii. 3.
16. Obad. 11.
8. Jonah i. 7.
16. Nah. iii. 10.

CAST off.

30. 2 Kings xxiii. 27.
21. 1 Chron. xxviii. 9.
21. 2 Chron. xi. 14.
1. Job xv. 33.
21. Psalm xliii. 2.
21. —— xliv. 9, 23.
1. —— lx. 1, 10.
1. —— lxxi. 9.
21. —— lxxiv. 1.
21. —— lxxvii. 7.
21. —— lxxxix. 38.

40. Psalm xciv. 14.
21. —— cviii. 11.
13. Jer. xxviii. 16.
30. —— xxxi. 37.
30. — xxxiii. 24.
21. Lam. ii. 7.
21. —— iii. 31.
21. Hos. viii. 3, 5.
42. Amos i. 11.
21. Zech. x. 6.

CAST -ETH out.

3. Gen. xxi. 10.
44. Exod. xxxiv. 24.
13. Lev. xviii. 24.
13. —— xx. 23.
45. Deut. vii. 1.
1. —— ix. 17.
44. Josh. xiii. 12.

1. 2 Sam. xx. 22.
13. 1 Kings ix. 7.
44. —— xxi. 26.
1. 2 Kings xi. 25.
44. —— xvi. 3.
1. —— xvii. 20.
1. —— xxiv. 20.

1. 2 Chron. vii. 20.
37. —— xiii. 9.
43. —— xx. 11.
37. Neh. i. 9.
44. Job xx. 15.
13. — xxxix. 3.
37. Psalm v. 10.
46. —— xviii. 42.
13. —— xliv. 2.
1. —— lx. 8.
43. —— lxxviii. 55.
43. —— lxxx. 8.
1. —— cviii. 9.
43. Prov. xxii. 10.
1. Isa. xiv. 19.
13. — xvi. 2.
8. — xxvi. 19.
1. — xxxiv. 3.
47. Isa. lviii. 7.

48. — lxvi. 5.
25. Jer. vi. 7.
1. — vii. 15.
1. — ix. 19.
13. — xv. 1.
9. — xvi. 13.
9. — xxii. 26.
1. — xxxvi. 30.
37. — li. 34.
1. — lii. 3.
1. Ezek. xvi. 5.
28. —— xxviii. 16.
43. Amos viii. 8.
43. Jonah ii. 4.
43. Mic. ii. 9.
49. Zeph. iii. 15.
16. Zech. i. 21.
44. —— ix. 4.

(Lord) CAST out.

44. { 1 Kings xiv. 24.
     2 Kings xvi. 3.
     —— xvii. 8.
     —— xxi. 2.

44. { 2 Chron. xxviii. 3.
     —— xxxiii. 2.
     Zech. ix. 4.

CAST up.

12. 2 Sam. xx. 15.
50. Isa. lvii. 14.
43. —————— 20.
44. — lxii. 10.
44. Jer. xviii. 15.

44. Jer. L. 26.
51. Lam. ii. 10.
45. Ezek. xxvii. 30.
43. Dan. xi. 15.

CASTEDST.

8. Psalm lxxiii. 18.

CASTEST -ETH.

20. Job xv. 4.
2. — xxi. 10.
1. Psalm L. 17.
21. —— lxxxviii. 14.
22. —— cxlvii. 6.
1. —————— 17.

23. Prov. x. 3.
8. —— xix. 15.
24. —— xxi. 22.
6. —— xxvi. 18.
25. Jer. vi. 7.

CASTING.

26. 2 Sam. viii. 2.
7. 1 Kings vii. 37.
8. Ezra x. 1.

27. Job vi. 21.
28. Psalm lxxiv. 7.
29. Mic. vi. 14.

CASTLE.

1.   טִירָה   *Teeroh*, a castle, palace, tower.
2.   אַרְמוֹן   *Armoun*, a royal citadel, palace.
3.   מְצוּדָה   *Metsoodoh*, a fortress.
4.   מִגְדָּל   *Migdol*, a tower.
5.   בִּירָנִיּוֹת   *Beeroniyouth* (Chaldee), castles.

3. 1 Chron. xi. 5, 7. | 2. Prov. xviii. 19.

CASTLES.

1. Gen. xxv. 16.
1. Numb. xxxi. 10.
1. 1 Chron. vi. 54.

4. 1 Chron. xxvii. 25.
5. 2 Chron. xvii. 12.
5. ———————— xxvii. 4.

11. Ezek. xv. 4.
18. Dan. iii. 6, 21.
18. —— vi. 7.

CATCH.

1. לָכַד *Lokad*, to catch, conquer.
2. חָטַף *Khotaph*, to rob, take by violence.
3. חָלַט *Kholat*, to be certain, ascertain.
4. תָּפַשׂ *Tophas*, to lay hold of, seize as a prisoner.
5. נָקֹשׁ *Nokash*, to ensnare.
6. טָרַף *Toraph*, to tear in pieces.
7. גָּרַר *Gorar*, to drag, carry off.
8. מָצָא *Motso*, to find.
9. אָחַז *Okhaz*, to seize.
10. חָזַק *Khozak*, (Hiph.) to lay hold.
11. בָּזַז *Bozaz*, to plunder.
12. גָּזַל *Gozal*, to rob.
13. צוּד *Tscod*, to hunt.

8. Exod. xxii. 6.	1. Psalm xxxv. 8.
2. Judg. xxi. 21.	5. ——— cix. 11.
3. 1 Kings xx. 33.	1. Jer. v. 26.
4. 2 Kings vii. 12.	6. Ezek. xix. 3.
2. Psalm x. 9.	7. Hab. i. 15.

CATCHETH.
13. Lev. xvii. 13.

CAUGHT.

9. Gen. xxii. 13.	10. 2 Sam. ii. 16.
4. ——— xxxix. 12.	10. ——— xviii. 9.
10. Exod. iv. 4.	10. 1 Kings i. 50.
11. Numb. xxxi. 32.	10. ——— ii. 28.
9. Judg. i. 6.	4. ——— xi. 30.
1. ——— viii. 14.	10. 2 Kings iv. 27.
1. ——— xv. 4.	1. 2 Chron. xxii. 9.
12. ——— xxi. 23.	10. Prov. vii. 13.
10. 1 Sam. xvii. 35.	4. Jer. L. 24.

CATERPILLAR.
חָסִיל *Khoseel*, a caterpillar.
No plural.

CATTLE.
בְּהֵמָה *Behaimoh*, cattle.

CAUL.
יוֹתֶרֶת *Youthereth*, the liver, superfluity.

CAULS.
1. שְׁבִיסִים *Shĕveeseem*, fastenings of network.
2. סְגוֹר *Segour*, a lock.

1. Isa. iii. 18.	2. Hos. xiii. 8.

CAUSE.
1. דָּבָר *Dovor*, a word, subject, import, object.

2. רִיב *Reev*, a controversy, contention.
3. לָכֵן *Lokhain*, wherefore, thus.
4. מִשְׁפָּט *Mishpot*, law, justice.
5. אֹדוֹת *Audouth*, on account of, because of.
6. סִבָּה *Siboh*, an event.
7. עַל־דְּנָה *Al-denoh* (Chaldee), for this.
8. עַל־כֵּן *Al-kain*, upon, so, therefore.
9. דִּין *Deen*, justice, cause of justice.
10. מֶה־הָיָה *Meh-hoyoh*, what was it.
11. בְּשֶׁלְמִי *Beshelmee*, on whose account.
12. בַּאֲשֶׁר *Baĕsher*, for whom.
13. קְבֵל *Kebail* (Syriac), because of.
14. חִנָּם *Khinnom*, for nought.
15. רֵיקָם *Raikom*, in vain, without cause.
16. שֶׁקֶר *Shever*, false, a falsehood.
17. בְּאֶפֶס *Bĕephes*, without measure.
18. מָדוּחִים *Madookheem*, expulsions.

1. Exod. xxii. 9.	14. Psalm xxxv. 7, 19.
2. ——— xxiii. 2, 3, 6.	2. ——— 23.
3. Numb. xvi. 11.	——— 27, not in original.
4. ——— xxvii. 5.	
1. Deut. i. 17.	14. ——— cix. 3.
1. Josh. xx. 4, plur.	16. ——— cxix. 78.
1. 1 Sam. xvii. 29.	14. ——— 161.
14. ——— xix. 5.	9. ——— cxl. 12.
2. ——— xxv. 39.	14. Prov. i. 11.
5. 2 Sam. xiii. 16.	14. ——— iii. 30.
2. ——— xv. 4.	2. ——— xviii. 17.
4. 1 Kings viii. 45,49,59.	14. ——— xxiii. 29.
1. ——— xi. 27.	14. ——— xxiv. 28.
6. ——— xii. 15.	2. ——— xxv. 4.
1 Chron. xxi. 3, not in original.	9. ——— xxix. 7.
	9. ——— xxxi. 8.
4. 2 Chron. vi. 35, 39.	10. Eccles. vii. 10.
6. ——— x. 15.	2. Isa. i. 23.
2. ——— xix. 10.	2. — xli. 21.
7. Ezra iv. 15.	2. — li. 22.
8. Neh. vi. 6.	17. — lii. 4.
14. Job ii. 3.	9. Jer. v. 28, twice.
1. — v. 8.	2. — xi. 20.
14. — ix. 17.	2. — xx. 12.
4. — xiii. 18.	9. — xxii. 16.
4. — xxiii. 4.	2. Lam. iii. 36.
2. — xxix. 16.	14. ——— 36.
4. — xxxi. 13.	4. ——— 52.
15. Psalm vii. 4.	11. Jonah i. 7.
9. — ix. 4.	12. ——— 8.
15. — xxv. 3.	

CAUSE, plead.

2. 1 Sam. xxiv. 15.	9. Jer. xxx. 13.
2. Psalm xxxv. 1.	2. — L. 34.
2. — xliii. 1.	2. — li. 36.
2. — lxxiv. 22.	4. Lam. iii. 59.
2. — cxix. 154.	14. Ezek. xiv. 23.
2. Prov. xxii. 23.	13. Dan. ii. 12.
2. — xxiii. 11.	2. Mic. vii. 9.
9. — xxxi. 9.	

CAUSES.

1. Exod. xviii. 19, 26.	18. Lam. ii. 14.
5. Jer. iii. 8.	2. —— iii. 58.

CAUSE -ED -EST -ETH -ING, Verb.
Designated by the verb being in Hiphil.

CAUSEWAY.
מְסִלָּה *Mesilloh,* a raised path.

CAUSELESS.
חִנָּם *Khinom,* in vain, for nothing.

CAVE.
מְעָרָה *Měoroh,* a cave.

CAVES.
מְעָרוֹת *Měorouth,* caves.

CEASE.

1. שָׁבַת *Shovath,* to cease from labour, work.
2. חָדַל *Khodal,* to forbear, reject.
3. שׁוּב *Shoov,* to turn, return.
4. יָסַף *Yosaph,* to add, repeat.
5. שָׁכַךְ *Shokhakh,* to abate, subside.
6. חָרַשׁ *Khorash,* (Hiph.) to keep still, quiet.
7. בָּטֵל *Botal,* to annihilate, disregard.
8. רָפָה *Rophoh,* to slacken.
9. כָּלָה *Koloh,* to finish, make an end.
10. תָּמַם *Tomam,* to perfect, conclude.
11. דָּמַם *Domam,* to be silent, stand still, cease.
12. מוּשׁ *Moosh,* to remove.
13. פּוּר *Poor,* (Hiph.) to annul, make void.
14. נָפַל *Nophal,* (Hiph.) to cause to fall.
15. נוּחַ *Nooakh,* (Hiph.) to leave, cause to rest.
16. פּוּג *Poog,* to be languid.
17. עָמַד *Omad,* to stand.
18. נָמַר *Gomar,* to accomplish, conclude.
19. שָׁתַק *Shotak,* to still, quiet.

1. Gen. viii. 22.	1. Josh. xxii. 25.
2. Exod. ix. 29.	2. Judg. xv. 7.
3. Numb. viii. 25.	2. —— xx. 28.
4. —— xi. 25.	6. 1 Sam. vii. 8.
5. —— xvii. 5.	2. 2 Chron. xvi. 5.
2. Deut. xv. 11.	7. Ezra iv. 23.
1. —— xxxii. 26.	1. Neh. vi. 3.

2. Job iii. 17.	1. Isa. xvi. 10.
2. — x. 20.	1. — xvii. 3.
2. — xiv. 7.	1. — xxi. 2.
8. Psalm xxxvii. 8.	10. — xxxiii. 1.
1. —— xlvi. 9.	11. Jer. xiv. 17.
1. —— lxxxix. 44.	12. — xvii. 8.
2. Prov. xix. 27.	1. — xxxi. 36.
1. —— xx. 3.	11. Lam. ii. 18.
1. —— xxii. 10.	1. Ezek. vi. 6.
2. —— xxiii. 4.	1. —— vii. 24.
7. Eccles. xii. 3.	1. —— xii. 23.
2. Isa. i. 16.	1. —— xxiii. 27.
2. — ii. 22.	1. —— xxx. 10, 18.
9. — x. 25.	2. Amos vii. 5.

CEASE, cause to.

7. Ezra iv. 21.	1. Ezek. xvi. 41.
7. —— v. 5.	1. —— xxiii. 48.
1. Neh. iv. 11.	1. —— xxvi. 13.
13. Psalm lxxxv. 4.	1. —— xxx. 13.
1. Prov. xviii. 18.	1. —— xxxiv. 10, 25.
1. Isa. xiii. 11.	1. Dan. ix. 27.
1. —— xxx. 11.	1. —— xi. 18.
1. Jer. vii. 34.	1. Hos. i. 4.
1. — xxxvi. 29.	1. —— ii. 11.
1. — xlviii. 35.	

CEASED.

2. Gen. xviii. 11.	7. Ezra iv. 24.
2. Exod. ix. 33, 34.	1. Job xxxii. 1.
1. Josh. v. 12.	11. Psalm xxxv. 15.
14. Judg. ii. 19.	16. —— lxxvii. 2.
2. —— v. 7.	1. Isa. xiv. 4.
2. 1 Sam. ii. 5.	1. Lam. v. 14, 15.
15. —— xxv. 9.	17. Jonah i. 15.

CEASETH.

18. Psalm xii. 1.	1. Isa. xxiv. 8.
2. —— xlix. 8.	1. — xxxiii. 8.
19. Prov. xxvi. 20.	11. Lam. iii. 49.
9. Isa. xvi. 4.	1. Hos. vii. 4.

CEASING.
2. 1 Sam. xii. 23.

CEDAR.
אֶרֶז *Erez,* a cedar.

CEDAR-TREES.
אֲרָזִים *Arozeem,* cedar-trees.

CEDAR-WOOD.
עֵץ־אֶרֶז *Aits-erez,* cedar-wood.

CEDARS.
אֲרָזִים *Arozeem,* cedars.

CELEBRATE.

1. שָׁבַת *Shovath,* to rest from labour.
2. חָגַג *Khogag,* to solemnize.
3. הִלֵּל *Hillail,* to praise.

1. Lev. xxiii. 32.	3. Isa. xxxviii. 18.
2. ——— 41.	

CELLARS.

אוֹצְרֹת   *Outsroth*, storehouses.
1 Chron. xxvii. 28.

CENSER.

מַחְתָּה   *Makhtoh*, a censer.

CENSERS.

מַחְתּוֹת   *Makhtouth*, censers.

CEREMONIES.

מִשְׁפָּטִים   *Mishpoteem*, laws, judgments.
Numb. ix. 3.

CERTAIN.

1.   נָכוֹן   *Nokhoun*, correct.
2.   יַצִּיב   *Yatseev* (Syriac), fixed.
3.   אֲמָנָה   *Amonoh*, a firm covenant.
4.   קֵץ הָעִתִּים   *Kaits hoitteem*, end of the times.

Exod. xvi. 4, not in original.	2 Chron. viii. 13, not in original.
Numb. xvi. 2, not in original.	3. Neh. xi. 23.
1. Deut. xiii. 14.	—— xiii. 25, not in original.
1. —— xvii. 4.	Jer. xxvi. 15, verb repeated.
—— xxv. 2, not in original.	—— xli. 5, not in original.
1 Kings ii. 37, 42, verb repeated.	2. Dan. ii. 45.
	4. —— xi. 13.

CERTAINLY.

Verb repeated.

CERTAINTY.

1.   נָכוֹן   *Nokhoun*, correct, just.
2.   קֹשְׁט   *Kousht*, exact, precise.
3.   יַצִּיב   *Yatseev* (Syriac), fixed.

Josh. xxiii. 13, verb repeated.	2. Prov. xxii. 21.
1. 1 Sam. xxiii. 23.	3. Dan. ii. 8.

CERTIFY.

1.   נָגַד   *Nogad*, to declare.
2.   יָדַע   *Yoda*, (Hiph.) to cause to know.
3.   אָמַר   *Omar*, to speak.

1. 2 Sam. xv. 28.	2. Ezra v. 10.
2. Ezra iv. 16.	2. —— vii. 24.

CERTIFIED.

2. Ezra iv. 14.	3. Esth. ii. 22.

CHAFED.

מָרֵי־נֶפֶשׁ   *Morai-nephesh*, bitter of life, vexation of spirit.
2 Sam. xvii. 8.

CHAFF.

1.   מוֹץ   *Mouts*, chaff.
2.   חֲשַׁשׁ   *Khashash*, dried grass.
3.   תֶּבֶן   *Teven*, straw.
4.   עוּר   *Oor* (Syriac), chaff.

1. Job xxi. 18.	2. Isa. xxiii. 11.
1. Psalm i. 4.	1. —— xli. 15.
1. —— xxxv. 5.	3. Jer. xxiii. 28.
2. Isa. v. 24.	4. Dan. ii. 35.
2. —— xvii. 13.	1. Hos. xiii. 3.
2. —— xxix. 5.	1. Zeph. ii. 2.

CHAIN.

1.   רְתוֹק   *Rethouk*, a chain.
2.   רְבִיד   *Rĕveed*, a necklace.
3.   נְחָשׁ   *Nĕkhash*, a copper chain.
4.   עֲנָק   *Anok*, an ornament for the neck.
5.   מְנִיכָה   *Meneekhoh* (Syriac), an ornamental chain.

2. Gen. xli. 42.	1. Ezek. vii. 23.
4. Psalm lxxiii. 6.	2. —— xvi. 16.
4. Cant. iv. 9.	5. Dan. v. 7, 16, 29.
3. Lam. iii. 7.	

CHAINS.

1.   שַׁרְשְׁרוֹת   *Sharsherouth*, ornamental chains.
2.   אֶצְעָדָה   *Etsodoh*, a clasp.
3.   עֲנָקוֹת   *Anokouth*, } neck chains, orna-
    עֲנָקִים   *Anokeem*, } ments.
4.   רַתּוּקוֹת   *Ratookouth*, chains.
5.   זִקִּים   *Zikheem*, fetters.
6.   חֲרוּזִים   *Kharoozeem*, necklaces of precious stones.
7.   עֲכָסִים   *Akhoseem*, feetrings.
8.   חַחִים   *Khakheem*, noserings, hooks.

1. Exod. xxviii. 14, 24.	6. Cant. i. 10.
1. —— xxxix. 15.	7. Isa. iii. 19.
2. Numb. xxxi. 50.	4. —— xl. 19.
3. Judg. viii. 26.	5. —— xlv. 14.
4. 1 Kings vi. 21.	5. Jer. xl. 4.
5. Psalm cxlix. 8.	8. Ezek. xix. 4, 9.
3. Prov. i. 9.	

CHAINWORK.

1. 1 Kings vii. 17.

CHALK-STONES.

גִּיר   *Geer*, chalk.
Isa. xxvii. 9.

CHALLENGETH.

אָמַר   *Omar,* to say, speak.

Exod. xxii. 9.

CHAMBER.

1.   חֶדֶר   *Kheder,* a room.
2.   חֻפָּה   *Khupoh,* a canopy, cover, protection.
3.   לִשְׁךְ   *Leshekh,* a chamber belonging to the temple.
4.   נֶשֶׁךְ   *Neshekh* (Chaldee), a chamber belonging to the temple. *Sol-Yarchi,* a cell near the temple.
5.   עֲלִיָּה   *Alliyoh,* an upper room.
6.   צֵלָע   *Tsailoh,* a bow, protection, small room added to a house.
7.   תָּא   *Tō,* a chamber.
8.   יָצוּעַ   *Yotseea,* extension, the floor of a chamber.

1. Gen. xliii. 30.	4. Neh. iii. 30.
1. Judg. xv. 1.	3. —— xiii. 5.
1. —— xvi. 9, 12.	4. —————— 7.
1. 2 Sam. xiii. 10.	3. —————— 8.
1. 1 Kings xx. 30.	2. Psalm xix. 5.
1. —— xxii. 25.	1. Cant. iii. 4.
5. 2 Kings i. 2.	3. Jer. xxxvi. 10, 20.
5. —— iv. 10, 11.	7. Ezek. xl. 7, 13.
1. —— ix. 2.	3. ———— 45, 46.
3. —— xxiii. 11.	6. —— xli. 5, 6, 9, 11.
5. ————— 12.	5. Dan. vi. 10.
7. 2 Chron. xii. 11.	1. Joel ii. 16.
1. —— xviii. 24.	

CHAMBERS.

8. 1 Kings vi. 5.	1. Psalm cv. 30.
6. —————— 5.	1. Prov. vii. 27.
3. 1 Chron. ix. 26.	1. —— xxiv. 4.
3. ————— xxiii. 28.	1. Cant. i. 4.
5. 2 Chron. iii. 9.	1. Isa. xxvi. 20.
3. ————— xxxi. 11.	5. Jer. xxii. 13, 14.
3. Ezra viii. 29.	3. —— xxxv. 2.
4. Neh. xii. 44.	1. Ezek. viii. 12.
3. —— xiii. 9.	1. —— xxi. 14.
1. Job ix. 9.	3. —— xli. 5, 13.
5. Psalm civ. 3, 13.	

CHAMBERLAIN.

סָרִיס   *Sorees,* an upper servant, a chamberlain.

2 Kings xxiii. 11. | Esth. ii. 14, 15.

CHAMBERLAINS.

סָרִיסִים   *Soreeseem,* chamberlains.

Esth. i. 10. | Esth. ii. 21.

CHAMOIS.

זָמֶר   *Zomer,* a chamois.

Deut. xiv. 5.

CHAMPAIGN.

עֲרָבָה   *Arovoh,* a mixture, met., a desert.

Deut. xi. 30.

CHAMPION.

1. אִישׁ־בֵּנַיִם   *Eesh-bainayim,* a valiant man, man from the centre.
2.   גִּבּוֹר   *Gibbour,* mighty.

1. 1 Sam. xvii. 4. | 2. 1 Sam. xvii. 51.

CHANCE -ETH.

קָרָה   *Koroh,* to happen.

Deut. xxii. 6. | Deut. xxiii. 10.

CHANCE, Subst.

מִקְרֶה   *Mikreh,* accident, event.

CHANCELLOR.

בְּעֵל־טְעֵם   *Baiail-tĕaim* (Chaldee), a man of reason.

Ezra iv. 8, 9, 17.

CHANGEABLE.

מַחֲלָצוֹת   *Makhalotsouth,* changes of apparel.

Isa. iii. 22.

CHANGE.

1.   חָלַף   *Kholaph,* to change, exchange.
2.   מוּר   *Moor,* to exchange, change.
3.   שׂוּם   *Soom,* to put, place, set.
4.   שִׁנָּה   *Shinnoh,* to alter, pervert.
5.   הָפַךְ   *Hophakh,* to turn.
6.   סָבַב   *Sovav,* to compass about, turn round.
7.   חָפַשׂ   *Khophas,* to search out, examine.

1. Gen. xxxv. 2.	4. Jer. ii. 36.
2. Lev. xxvii. 10, twice.	5. — xiii. 23.
2. ————— 33, three times.	4. Dan. vii. 25.
3. Job xvii. 12.	2. Hos. iv. 7.
1. Psalm cii. 26.	1. Hab. i. 11.
1. Isa. ix. 10.	4. Mal. iii. 6.

CHANGED.

1. Gen. xxxi. 7, 41.	2. Jer. ii. 11.
1. —— xli. 14.	2. — xlviii. 11.
5. Lev. xiii. 16, 55.	4. — lii. 33.
4. 1 Sam. xxi. 13.	4. Lam. iv. 1.
1. 2 Sam. xii. 20.	2. Ezek. v. 6.
6. 2 Kings xxiv. 17.	4. Dan. iii. 9.
4. ————— xxv. 29.	4. —— iii. 19, 27.
7. Job xxx. 18.	4. —— iv. 16.
1. Psalm cii. 26.	4. —— v. 6, 9, 10.
2. —— cvi. 20.	4. —— vi. 8, 15, 17.
4. Eccles. viii. 1.	4. —— vii. 28.
1. Isa. xxiv. 5.	2. Mic. ii. 4.

CHANGEST.

4. Job xiv. 20.

CHANGETH.

2. Psalm xv. 4. | 4. Dan. ii. 21.

CHANGING.

2. Ruth iv. 7, Subst.

CHANGE, Subst.

1. תְּמוּרָה   Temooroh, an exchange.
2. חֲלִפוֹת   Khaliphouth, changes.
3. שׁוֹנִים   Shouneem, alterations.
4. מַחֲלָצוֹת   Makhalotsouth, changes of raiment.

1. Lev. xxvii. 33, thrice. | 3. Prov. xxiv. 21.
2. Judg. xiv. 12, 13. | 4. Zech. iii. 4.
2. Job xiv. 14. |

CHANGES.

2. Gen. xlv. 22. | 2. Job x. 17.
2. 2 Kings v. 5, 22, 23. | 2. Psalm lv. 19.

CHANNEL.

1. אָפִיק   Apheek, a stream.
2. שִׁבֹּלֶת   Shibbouleth, a river with reeds or rushes.

2. Isa. xxvii. 12.

CHANNELS.

1. 2 Sam. xxii. 16. | 1. Isa. viii. 7.
1. Psalm xviii. 15. |

CHAPITER.

1. רֹאשׁ   Roush, the head, top.
2. כֶּתֶר   Kether, a crown.

2. 1 Kings vii. 16, 17, | 2. 2 Kings xxv. 17.
    18, 20. | 2. Jer. lii. 22.

CHAPITERS.

1. Exod. xxxvi. 38. | 2. 1 Kings vii. 16, 17,
1. —— xxxviii. 17, 19, | 18, 19, 20.
    28. | 2. Jer. lii. 22.

CHAPMEN.

תָּרִים   Toreem, travelling merchants.

2 Chron. ix. 14.

CHAPEL.

מִקְדָּשׁ   Mikdash, a sanctuary.

Amos vii. 13.

CHAPT.

חַתָּה   Khattoh, broken open.

Jer. xiv. 4.

CHARASHIM.

חֲרָשִׁים   Kharosheem, craftsmen, artificers.

1 Chron. iv. 14.

CHARGE, Subst.

1. מִשְׁמָר   Mishmor, a watch, guard.
2. צִוָּה   Tsivoh, to command.
3. סֵבֶל   Saivel, a burden, task, tribute.
4. עוֹשָׂי   Ousai, performers.
5. פָּקַד   Pokad, to visit, arrange, charge.
6. שָׁאַל   Shoal, to ask, inquire.

1. Gen. xxvi. 5. | 2 Kings vii. 17, not in
2. —— xxviii. 6. | original.
2. Exod. vi. 13. | 1. 1 Chron. ix. 27.
1. Numb. iv. 31. | 2 Chron. xxx. 17, not
1. —— viii. 26. | in original.
1. —— ix. 19, 23. | 2. Neh. vii. 2.
2. —— xxvii. 23. | 4. Esth. iii. 9.
Deut. xxi. 8, not in | 5. Job xxxiv. 13.
   original. | 6. Psalm xxxv. 11.
2. —— xxxi. 23. | 2. Jer. xxxix. 11.
1. Josh. xxii. 3. | 2. —— xlvii. 7.
2. 2 Sam. xviii. 5. | 5. Ezek. ix. 1.
3. 1 Kings xi. 28. | 1. —— xliv. 8, 15.
  | 1. —— xlviii. 11.

CHARGES.

1. 2 Chron. viii. 14. | 1. 2 Chron. xxxv. 2.
1. —— xxxi. 17. |

CHARGE, give.

2. Numb. xxvii. 19. | 2. 1 Chron. xxii. 12.
2. Deut. xxxi. 14. | 2. Psalm xci. 11.
2. 2 Sam. xiv. 8. | 2. Isa. x. 6.

CHARGE, keep.

מִשְׁמֶרֶת   Mishmereth, a watch, guard, in all passages.

CHARGE, Verb.

1. עוּד   Ood, (Hiph.) to cause to testify, witness.
2. שָׁבַע   Shova, (Hiph.) to cause to swear, administer an oath.
3. צִוָּה   Tsivoh, to command.
4. נָתַן   Nothan, to give, place.
5. פָּקַד   Pokad, to visit, charge.
6. עָבַר   Ovar, (Hiph.) to cause to pass through, over.
7. אָמַר   Omar, to say, tell.
8. שׂוּם   Soom, to say, appoint.

1. Exod. xix. 21. | 2. Cant. ii. 7.
2. Numb. v. 19. | 2. —— iii. 5.
3. Deut. iii. 28. | 2. —— v. 8, 9.
4. Neh. x. 32. | 2. —— viii. 4.
3. Esth. iv. 8. |

CHARGED.

3. Gen. xxvi. 11.
3. —— xxviii. 1.
5. —— xl. 4.
3. —— xlix. 29.
3. Exod. i. 22.
3. Deut. i. 16.
6. —— xxiv. 5.
3. —— xxvii. 11.
2. 1 Sam. xiv. 27.
3. 2 Sam. xviii. 12.

3. 1 Kings ii. 1, 43.
3. —— xiii. 9.
5. 2 Chron. xxxvi. 23.
5. Ezra i. 2.
7. Neh. xiii. 19.
3. Esth. ii. 10, 20.
4. Job i. 22.
8. — iv. 18.
3. Jer. xxxii. 13.
3. — xxxv. 8.

CHARGEDST.
1. Exod. xix. 23.

CHARGEST.
5. 2 Sam. iii. 8.

CHARGEABLE.
כָּבַד Kovad, (Niph.) to be honoured.

2 Sam. xiii. 25. | Neh. v. 15.

CHARGER.
1.   הַעֲרָה Kăăroh, a deep dish.
2.   אַגַרְטָל Agartol (Chaldee), a bason.

1. Numb. vii. 13, 19, 25, 31, 37, 43, 49, 61, 67, 73, 79, 85.

CHARGERS.
1. Numb. vii. 84. | 2. Ezra i. 9.

CHARIOT.
מֶרְכָּבָה Merkovoh, }
רֶכֶב Rekhev,   } a chariot.

In all passages, except:
1.   עֲגָלוֹת Agolouth, waggons.
2.   אַפִּרְיוֹן Apiryoun, a sofa, or easy chair.

1. Psalm xlvi. 9. | 2. Cant. iii. 9.

CHARIOTS.
מֶרְכָּבוֹת Merkovouth, chariots; in all passages, except:—

הֹצֶן Houtsen, arms, weapons of war.

Ezek. xxiii. 24.

CHARMED.
לַחַשׁ Lakhash, charmed.

Jer. viii. 17.

CHARMER.
חֹבֵר־חָבֶר Khouvair-khover, an attraction.

Deut. xviii. 11.

CHARMERS.
Psalm lviii. 5.

CHASE.
1.   רָדַף Rodaph, to pursue.
2.   דָלַק Dolak, to burn with rage.
3.   בָּרַח Borakh, to run away, flee.
4.   נָדַד Nodad, to wander about, move.
5.   נָדַח Nodakh, to thrust, expel.
6.   צוּד Tsood, to hunt.
7.   דָחָה Dokhoh, to thrust away.

1. Lev. xxvi. 7, 8, 36. | 1. Josh. xxiii. 10.
1. Deut. xxxii. 30. | 7. Psalm xxxv. 5.

CHASED.
1. Deut. i. 44.
1. Judg. ix. 40.
1. —— xx. 43.
3. Neh. xiii. 28.
4. Job xviii. 18.

4. Job xx. 8.
5. Isa. xiii. 14.
1. — xvii. 13.
6. Lam. iii. 52.

CHASETH.
3. Prov. xix. 26.

CHASING.
2. 1 Sam. xvii. 53.

CHASTEN -ED -EST -ETH -ING.
יָסַר Yosar, to chastise; in all passages, except:

1.   עִנָּה Innoh, to afflict.
2.   יָכַח Yokhakh, to reprove.

2. 2 Sam. vii. 14. | 1. Dan. x. 12.
2. Psalm lxxiii. 14.

CHASTISE -ED -ETH.
יָסַר Yosar, to chastise.

CHASTISEMENT.
מוּסָר Moosor, correction, discipline.

CHANT.
פָּרַט Porat, to distinguish, vibrate.

Amos vi. 5.

CHATTER.
צָפַף Tsophaph, to make a feeble noise, to squeak.

Isa. xxxviii. 14.

CHECK.
מוּסָר Moosor, correction, discipline.

Job xx. 3.

CHECKER-WORK.
שְׂבָכָה Sevokhoh, checker-work, network.

1 Kings vii. 17.

CHEEK.
לֶחִי   *Lekhee,* cheek.

CHEEKS.
לְחָיַים   *Lekhoyayim,* cheeks.

CHEEKBONE.
לְחִי   *Lekhee,* cheek.
Psalm iii. 7.

CHEEK-TEETH.
מְתַלְּעוֹת   *Methalouth,* tusks.
Joel i. 6.

CHEER.
שָׂמַח   *Somakh,* to cheer, rejoice.
Deut. xxiv. 5. | Eccles. xi. 9.

CHEERETH.
Judg. ix. 13.

CHEERFUL.
1.   שָׂמֵחַ   *Somakh,* to cheer, rejoice.
2.   נוּב   *Noov,* (Piel) to promote joy, gladness.
1. Prov. xv. 13. | 2. Zech. ix. 17.
1. Zech. viii. 19.

CHEESE.
גְּבִינָה   *Gěveenoh,* cheese.
Job x. 10.

CHEESES.
1. חֲרִיצֵי־חָלָב   *Khareetsai-kholov,* sharpness of milk.
2. שְׁפוֹת־בָּקָר   *Shephouth-bokor,* the best produce of horned cattle.
1. 1 Sam. xvii. 18. | 2. 2 Sam. xvii. 29.

CHERISH.
סֹכֶנֶת   *Soukheneth,* to cherish.
1 Kings i. 2.

CHERISHED.
1 Kings i. 4.

CHERUB.
כְּרוּב   *Keroov,* a cherub.

CHERUBIMS.
כְּרוּבִים   *Kerooveem,* cherubims.

CHESNUT-TREE.
עַרְמוֹן   *Armoun,* a chesnut-tree.
Gen. xxx. 37.

CHESNUT-TREES.
עַרְמוֹנִים   *Armouneem,* chesnut-trees.
Ezek. xxxi. 8.

CHEST.
אָרוֹן   *Oroun,* a chest, ark.
2 Kings xii. 9. | 2 Chron. xxiv. 8, 11.

CHESTS.
גִּנְזֵי־בְרוֹמִים   *Ginzai-beroumeem* (Chaldee), repositories for valuable articles.

CHEW- ETH.
מַעֲלָה־גֵּרָה   *Maaloh-gairoh,* to chew the cud, literally, to bring up the cud.

CHEWED.
כָּרַת   *Korath,* cut.
Numb. xi. 33.

CHIDE, CHODE, CHIDING.
רִיב   *Reev,* to contend.

CHIEF.
רֹאשׁ   *Roush,* head, principal, first.
רַב   *Rav* (Syriac), chief, great in authority.
CHIEF-house.
אָב   *Ov,* father, ancestor.

CHIEF-man.
בַּעַל   *Baal.*
Lev. xxi. 4.

CHIEF-men.
1. רָאשִׁים   *Rosheem,* heads, principals.
2. אֲצִילִים   *Atseeleem,* eminent persons.
1. 1 Chron. vii. 3. | 1. Ezra vii. 28.
1. —— xxiv. 4. | 2. Isa. xli. 9.
1. Ezra v. 10.

CHIEF-priest -s.
1. רֹאשׁ   *Roush,* head, chief, principal.
2. נָגִיד   *Nogeed,* chief leader.
3. שַׂר   *Sar,* a ruler.
1. 2 Kings xxv. 18. | 1. 2 Chron. xxvi. 20.
1. 1 Chron. xxvii. 5. | 3. Ezra viii. 24.
2. —— xxix. 22. | 3. —— x. 5.
1. 2 Chron. xix. 11. | 3. Neh. xii. 7.

CHIEF-prince -s.
רֹאשׁ   *Roush,* in all passages; except :
רִאשׁוֹן   *Reeshoun,* first, former.
Dan. x. 13.

CHIEF-singers.

רֹאשׁ *Roush.*

Neh. xii. 46. | Hab. iii. 19, not in original.

CHIEFEST.

1. רֵאשִׁית *Raisheeth*, beginning.
2. רֹאשׁ *Roush*, head, chief, principal.
3. אַבִּיר *Abeer*, mighty, strong.
4. מַעֲלָה *Maaloh*, above, height.
5. דְּגוּל *Dogool*, a banner.

1. 1 Sam. ii. 29. | 4. 2 Chron. xxxii. 33.
2. —— ix. 22. | 5. Cant. v. 10.
3. —— xxi. 7. |

CHILD.

יֶלֶד *Yeled*, a child.

CHILDREN.

בָּנִים *Boneem*, sons.
יְלָדִים *Yelodeem*, children.

CHILDHOOD.

1. נַעַר *Naar*, youth.
2. יַלְדוּת *Yaldooth*, childhood.

1. 1 Sam. xii. 2. | 2. Eccles. xi. 10.

CHILDLESS.

1. עֲרִירִי *Areeree*, solitary.
2. שִׁכֵּל *Shikail*, bereaved.

1. Gen. xv. 2. | 2. 1 Sam. xv. 33.
1. Lev. xx. 20. | 1. Jer. xxii. 30.

CHIMNEY.

אֲרֻבָּה *Aruboh*, a chimney.
Hos. xiii. 3.

CHOICE.

1. בָּחוּר *Bokhoor*, a choice person.
2. נִבְחָר *Nivkhar*, chosen.
3. מִבְחָר *Mivkhar*, choicest, best.
4. בָּרוּר *Boroor*, pure.
5. שׂוֹרֵק *Souraik*, the choicest vine.

3. Gen. xxiii. 6. | 1. 2 Chron. xxv. 5.
5. —— xlix. 11. | 4. Neh. v. 18.
3. Deut. xii. 11. | 2. Prov. viii. 10, 19.
1. 1 Sam. ix. 2. | 2. —— x. 20.
1. 2 Sam. x. 9. | 4. Cant. vi. 9.
3. 2 Kings xix. 23. | 3. Isa. xxxvii. 24.
4. 1 Chron. vii. 40. | 3. Jer. xxii. 7.
1. —— xix. 10. | 3. Ezek. xxiv. 4, 5.

CHOICEST.

1. שׂוֹרֵק *Souraik*, the choicest vine.
2. מִבְחָר *Mivkhar*, best, choicest.

1. Isa. v. 2. | 2. Isa. xxii. 7.

CHOLER.

יִתְמַרְמַר *Yithmarmor*, to embitter.
Dan. viii. 7. | Dan. xi. 11.

CHOOSE -EST -ETH -OSE -EN.

1. בָּחַר *Bokhar*, to choose.
2. בָּרָה *Boroh*, to select, pick out.
3. קִבֵּל *Kabel*, accept, receive.

All passages not inserted are N°. 1.

2. 1 Sam. xvii. 8. | 3. 1 Chron. xxi. 11.
2. 1 Chron. ix. 22. | 2. Ezek. xxi. 19, twice.
2. —— xvi. 41. |

CHOP.

פָּרַשׂ *Poras*, to divide.
Mic. iii. 3.

CHRONICLES.

דִּבְרֵי־הַיָּמִים *Divrai-hayomeem*, the words (matters) of the days.

1 Kings xiv. 19. | Esth. vi. 1.
1 Chron. xxvii. 24. |

CHURL.

כִּילַי *Keelae*, a tenacious man.
Isa. xxxii. 5, 7.

CHURLISH.

קָשֶׁה *Kosheh*, hard.
1 Sam. xxv. 3.

CHURNING.

מִיץ *Meets*, churning.
Prov. xxx. 33, twice.

CIELED.

1. חִפָּה *Khippoh*, to cover, overlay.
2. סָפַן *Sophan*, to conceal.

1. 2 Chron. iii. 5. | 2. Hag. i. 4.
2. Jer. xxii. 14. |

CIELING.

סָפוּן *Siphoon.*
1 Kings vi. 15.

CINNAMON.

קִנָּמוֹן *Kinomoun*, cinnamon.

Exod. xxx. 23. | Cant. iv. 14.
Prov. vii. 17. |

CIRCLE.
חוּג *Khoog*, a circle.

Isa. xl. 22.

CIRCUIT.

1.   סָבַב *Sovav*, to surround, compass.
2.   תְּקוּפָה *Tekoophoh*, revolution of time.
3.   חוּג *Khoog*, a circle.

1. 1 Sam. vii. 16. | 2. Psalm xix. 6.
3. Job xxii. 14.

CIRCUITS.
סְבִיבוֹת *Seveevouth*, circuits.

Eccles. i. 6.

CIRCUMCISE -ED -ING.
מוּל *Mool*, to circumcise.

CIRCUMCISION.
מוּלָה *Mooloh*, circumcision.

Exod. iv. 26.

CIRCUMSPECT.
שָׁמַר *Shomar*, to watch.

Exod. xxiii. 13.

CISTERN.
בּוֹר *Bour*, a cistern, pit.

CISTERNS.
בּוֹרִים *Boureem*, cisterns, pits.

CITY.
עִיר *Eer*, a city.

CITIES.
עָרִים *Oreem*, cities.

CLAD.

1.   כָּסָה *Kosoh*, to cover.
2.   עָטָה *Otoh*, to veil.

1. 1 Kings xi. 29. | 2. Isa. lix. 17.

CLAMOROUS.
הוֹמִיָה *Houmiyoh*, tumultuous.

Prov. ix. 13.

CLAP -ED -ETH -T.
סָפַק *Sophak*, to clap hands.

CLAWS.
פְּרָסוֹת *Perosouth*, claws.

Deut. xiv. 6. | Zech. xi. 16.

CLAY.
חֹמֶר *Khoumer*, clay.

CLAY-GROUND.
מַעֲבֶה *Māăveh*, thick clay.

1 Kings vii. 46. | 2 Chron. iv. 17.

CLEAN, Adv.
Not used in Hebrew.

CLEAN, Adj.
טָהוֹר *Tohour*, clean ; in all passages, except :

1.   בַּר *Bar*, pure.
2.   זַךְ *Zokh*, clear.
3.   בָּלוּל *Bolool*, mixed.
4.   בָּרַר *Borar*, (Niph.) to be pure.

1. Job xi. 4.	2. Prov. xvi. 2.
2. — xv. 14, 15.	2. Isa. i. 16.
2. — xxv. 4.	3. — xxx. 24.
2. — xxxiii. 9.	4. — lii. 11.

CLEAN hands.

1.   זָכָה *Zokhoh*, (Hiph.) to make clean.
2.   טָהוֹר *Tohour*, clean.
3.   נָקִי *Nokee*, clear, free from guilt.

1. Job ix. 30. | 3. Psalm xxiv. 4.
2. — xvii. 9.

CLEAN heart.

1.   טָהוֹר *Tohour*, clean.
2.   בַּר *Bar*, pure.
3.   טָהַר *Tohar*, to cleanse.

1. Psalm li. 10. | 3. Prov. xx. 9.
2. — lxxiii. 1.

CLEANNESS.

1.   נִקָּיוֹן *Nikoyoun*, cleanness.
2.   בוֹר *Vour*, purity.

2. 2 Sam. xxii. 21, 25. | 1. Amos iv. 6.
2. Psalm xviii. 20, 24.

CLEANSE -ED -ETH -ING.
טָהַר *Tohar*, to cleanse.

CLEAR.

1.   נָקִי *Nokee*, clear, free from guilt.
2.   זָכָה *Zokhoh*, (Hiph.) to make clear.
3.   בָּרָה *Boroh*, fresh, select, pure.
4.   צַח *Tsakh*, bright.
5.   צָהֳרַיִם *Tsohoroyim*, noon-day, brightness of day.

6. יְקָרוֹת *Yekorouth*, precious.
7. נֹגַהּ *Nougah*, brilliant, light.

1. Gen. xxiv. 8, 41.	3. Cant. vi. 10.
1. —— xliv. 16.	4. Isa. xviii. 4.
1. Exod. xxxiv. 7.	5. Amos viii. 9.
7. 2 Sam. xxiii. 4.	6. Zech. xiv. 6.
2. Psalm li. 4.	

CLEARER.

יָקוּם *Yokoom*, shall arise, stand firm.

Job xi. 17.

CLEARING.

נָקָה *Nikkoh*, to free, liberate.

Numb. xiv. 18.

CLEARLY.

בָּרוּר *Boroor*, pure.

Job xxxiii. 3.

CLEARNESS.

טֹהַר *Touhar*, clear, clean.

Exod. xxiv. 10.

CLEAVE asunder -EFT, CLAVE.

בָּקַע *Boka*, to cleave asunder; in all passages, except :

1. שָׁסַע *Shosa*, to divide, split asunder.
2. פָּלַח *Polakh*, to grind to powder.
3. צוּק *Tsook*, to press, oppress.

1. Lev. i. 17.	3. Psalm xli. 8.
2. Job xvi. 13.	

CLEAVE to.

1. דָּבַק *Dovak*, to cleave to, unite.
2. סָפַח *Sophakh*, to adhere to.
3. צָפַד *Tsophad*, to stick fast.
4. חָזַק *Khozak*, (Hiph.) to cause to strengthen.

All passages not inserted are Nº. 1.

2. Isa. xiv. 1.	3. Lam. iv. 8.

CLAVE.

1. In all passages ; except :·
4. Neh. x. 29.

CLEFTS, CLIFF, CLIFTS.

1. נְקָרוֹת *Nikrouth*, cavities in a rock.
2. חֲגָוִים *Khagoveem*, clefts in a rock.
3. בְּקָעִים *Bekieem*, clefts, divisions.
4. מַעֲלָה *Maăloh*, a height, cliff.

5. עָרוּץ *Oroots*, a fracture.
6. סְעָפִים *Sëipheem*, divisions.
7. שֶׁסַע *Shesa*, a split.

1. Exod. xxxiii. 22.	1. Isa. ii. 21.
7. Deut. xiv. 6.	6. — lvii. 5.
4. 2 Chron. xx. 16.	2. Jer. xlix. 16.
5. Job xxx. 6.	3. Amos vi. 11.
2. Cant. ii. 14.	2. Obad. 3.

CLIMB -ED.

עָלָה *Oloh*, to ascend.

CLIPT.

גָּרְעָה *Geruoh*, diminished.

Jer. xlviii. 37.

CLODS.

1. גִּישׁ *Geesh*, a clod.
2. רְגָבִים *Regoveem*, moist clods of earth.
3. מַגְרְפוֹת *Magraiphouth*, earth adhering to the roots of plants.
4. שָׂדַד *Shodad*, to destroy, break in pieces.

1. Job vii. 5.	4. Isa. xxviii. 24.
2. — xxi. 33.	4. Hos. x. 11.
2. — xxxviii. 38.	3. Joel i. 17.

CLOKE.

מְעִיל *Mëeel*, a mantle, an upper garment.

Isa. lix. 17.

CLOSE.

1. סָגַר *Sogar*, to shut up.
2. עָלַם *Olam*, to conceal.
3. סָתַר *Sotar*, to hide.
4. עָצַר *Otsar*, to restrain, keep back.
5. דָּבַק *Dovak*, to cleave to.
6. אֵצֶל *Aitsel*, close by, near.
7. גָּדַר *Godar*, to hedge in, fence.
8. כָּסָה *Kosoh*, to cover.
9. זוּר *Zoor*, to compress.
10. עָצַם *Otsam*, to strengthen, fasten.
11. סָתַם *Sotam*, to stop up.
12. סָבַר *Sovar*, to surround.

2. Numb. v. 13.	1. Psalm xviii. 45.
1. 2 Sam. xxii. 46.	5. Jer. xlii. 16.
4. 1 Chron. xii. 1.	6. Dan. viii. 7.
3. Job xxviii. 21.	7. Amos ix. 11.
1. — xli. 15.	

CLOSED.

1. Gen. ii. 21.	9. Isa. i. 6.
4. —— xx. 18.	10. —— xxix. 10.
8. Numb. xvi. 33.	11. Dan. xii. 9.
1. Judg. iii. 22.	12. Jonah ii. 5.

CLOSEST.

חָרָה Khoroh, to contend, grieve.
Jer. xxii. 15.

CLOSER.

דָּבֵק Dovaik, closer.
Prov. xviii. 24.

CLOSET.

חֻפָּה Khupoh, a canopy.
Joel ii. 16.

CLOTH.

1. בֶּגֶד Beged, a garment.
2. שִׂמְלָה Simloh, raiment, an upper garment, cloth.
3. מַכְבֵּר Makhbair, a thick cloth made of goat's hair.
4. דָּוָה Dovoh, filth, defilement.

1. Numb. iv. 8, 12.	1. 2 Sam. xx. 12.
2. Deut. xxii. 17.	3. 2 Kings viii. 15.
1. 1 Sam. xix. 13.	4. Isa. xxx. 22.
2. —— xxi. 9.	

CLOTHS.

1. Exod. xxxv. 19.	1. Exod. xxxix. 1, 41.

CLOTHE -ED -EST.

לָבַשׁ Lovash; in all passages, except:—

1. כָּסָה Kosoh, to cover.
2. מְכֻרְבָּל Mekhurbol, being wrapped up.

2. 1 Chron. xv. 27.	1. 1 Chron. xxi. 16.

CLOTHING.

1. בֶּגֶד Beged, a garment.
2. מִכְסֶה Mikhsaih, a covering.
3. לְבוּשׁ Levoosh, apparel.
4. שִׂמְלָה Simloh, raiment, an upper garment, cloth.
5. תִּלְבֹּשֶׁת Tilbousheth, clothing.

All passages not inserted are N°. 1.

3. Job xxiv. 7, 10.	3. Prov. xxxi. 22, 25.
3. — xxxi. 19.	4. Isa. iii. 6, 7.
3. Psalm xxv. 13.	2. — xxiii. 18.
3. —— xlv. 13.	5. — lix. 17.
3. Prov. xxvii. 26.	3. Jer. x. 9.

CLOTHES.

בֶּגֶד Beged, a garment; in all passages, except:

1. שִׂמְלָה Simloh, a cloke, mantle, upper garment.

2. סוּת Sooth, a vesture.
3. מַדִּים Maddeem, armour.
4. גֶּלֶם Golam, a large loose garment.

1. Gen. xxxvii. 34.	1. Josh. vii. 6.
2. —— xlix. 11.	3. 1 Sam. iv. 12.
1. Exod. xii. 34.	1. Neh. ix. 21.
1. —— xix. 10, 14.	1. Job ix. 31.
1. Deut. xxix. 5.	4. Ezek. xxvii. 24.

CLOUD.

עָנָן Onon, a cloud.

CLOUDS.

עֲנָנִים Anoneem, clouds.

CLOUDY.

עָנָן Onon, a cloud.

CLOVEN-footed.

שָׁסַע Shosa, to split, divide.
Lev. xi. 3, 7, 26.

CLOVEN-hoof.

Deut. xiv. 7.

CLOUTED.

מְטֻלָּא Metulo, mended, spotted.
Josh. ix. 5.

CLOUTS.

סְחָבָה Sekhovoh, cloths.
Jer. xxxviii. 11, 12.

CLUSTER -S.

אֶשְׁכּוֹל Eshkoul, a cluster.

COAL.

1. גֶּחָלָה Gekholoh, a burning coal.
2. רִצְפָּה Ritspoh, a hot stone.
3. שְׁחוֹר Shekhour, a black coal.
4. רֶשֶׁף Resheph, a burning heat.
5. פֶּחָם Pekhom, charcoal, heated coal.

1. 2 Sam. xiv. 7.	1. Isa. xlvii. 14.
2. Isa. vi. 6.	3. Lam. iv. 8.

COALS.

1. Lev. xvi. 12.	3. Cant. viii. 6.
2. 1 Kings xix. 6.	5. Isa. xliv. 12.
1. Job xli. 21.	1. —— 19.
1. Psalm xviii. 8, 12.	5. — liv. 16.
1. —— cxx. 4.	1. Ezek. i. 13.
1. —— cxl. 10.	1. — x. 2.
1. Prov. vi. 28.	1. —— xxiv. 11.
1. —— xxv. 22.	4. Hab. iii. 5.
5. —— xxvi. 21.	

COAST.

1. גְּבוּל Gevool, a border.
2. יָד Yod, a hand.
3. חוֹף Khouph, a sea-shore.

4.   חֶבֶל   *Khevel,* a district, region.

5.   קָצֶה   *Kotseh,* an end.

6.   יֶרֶךְ   *Yerekh,* a side.

7.   גְּלִיל   *Goleel,* a province.

1. Exod. x. 4.	1. Judg. xi. 20.
2. Numb. xxiv. 24.	1. 1 Sam. vi. 9.
1. Deut. xi. 24.	1. —— vii. 13.
1. —— xix. 8.	1. —— xxvii. 1.
1. Josh. i. 4.	1. 2 Kings xiv. 25.
5. —— xv. 1.	1. 1 Chron. iv. 10.
1. —— 4, twice.	3. Ezek. xxv. 16.
1. —— xviii. 5, 19.	4. Zeph. ii. 7.

COASTS.

1. Exod. x. 14, 19.	1. 1 Sam. xi. 3, 7.
1. Deut. ii. 24.	1. 2 Sam. xxi. 5.
1. —— xvi. 4.	1. 1 Chron. xxi. 12.
1. —— xix. 3.	1. 2 Chron. xi. 13.
1. Josh. xviii. 5.	1. Psalm cv. 31, 33.
5. Judg. xviii. 2.	6. Jer. xxv. 32.
1. —— xix. 29.	5. Ezek. xxxiii. 2.
1. 1 Sam. vii. 14.	7. Joel iii. 4.

COAST-sea.

3. Ezek. xxv. 16.	4. Zeph. ii. 5, 6.

COAT -S.

1.   כְּתֹנֶת   *Kĕthouneth,* an under garment.

2.   מְעִיל   *Mĕeel,* an upper garment, rope.

3.   שִׁרְיוֹן   *Shiryoun,* a coat of mail.

4.   סַרְבָּל   *Sarbol* (Syriac), a mantle.

1. Gen. xxxvii. 3, 23, 31, 32.	2. 1 Sam. ii. 19.
1. Exod. xxviii. 4.	3. —— xvii. 5, 38.
1. —— xxix. 5.	1. 2 Sam. xv. 32.
1. Lev. viii. 7.	1. Job xxx. 18.
1. —— xvi. 4.	1. Cant. v. 3.

COATS.

1. Gen. iii. 21.	1. Lev. viii. 13.
1. Exod. xxviii. 40.	1. —— x. 5.
1. —— xxix. 8.	4. Dan. iii. 21, 27.
1. —— xl. 14.	

COCKLE.

בָּאְשָׁה   *Boashoh,* a noisome weed.

Job xxxi. 40.

COCKATRICE.

צִפְעוֹנִי   *Tsiphounee,* a fiery poisonous serpent.

Isa. xi. 8.	Isa. lix. 5.
— xiv. 29.	Jer. viii. 17.

COFFER.

אַרְגַּז   *Argoz,* a coffer, box.

1 Sam. vi. 8, 11, 15.

COFFIN.

אָרוֹן   *Oroun,* a coffin, chest, ark.

Gen. L. 26.

COGITATIONS.

רַעְיוֹן   *Raayoun,* purposes, intentions, thoughts.

Dan. vii. 28.

COLD.

קֹר   *Kor,* cold; in all passages, except :-

1.   חֹרֶף   *Khoureph,* winter.

2.   צִנָּה   *Tsinnoh,* a vessel for containing snow.

1. Prov. xx. 4.	2. Prov. xxv. 13.

COLLAR.

אֵזֶר   *Aizer,* a girdle.

Job xxx. 18.

COLLARS.

נְטִיפוֹת   *Neteephouth,* ear-drops.

Judg. viii. 26.

COLLECTION.

מַשְׂאַת   *Masath,* tribute, burden.

2 Chron. xxiv. 6, 9.

COLLEGE.

מִשְׁנֶה   *Mishneh,* second degree, place.

2 Kings xxii. 14.	2 Chron. xxxiv. 22.

COLLOPS.

פִּימָה   *Peemoh,* fat, food.

Job xv. 27.

COLOUR.

עֵין   *Ain,* the eye, sight, appearance.

COLOURS.

1.   צֶבַע   *Tseva,* colour.

2.   פּוּךְ   *Pookh,* paint.

3.   רִקְמָה   *Rikmoh,* embroidery.

4.   פַּסִּים   *Passeem,* long drapery.

5.   טְלָאוֹת   *Tĕluouth,* spotted, variegated.

4. Gen. xxxvii. 3, 23, 32.	2. Isa. liv. 11.
1. Judg. v. 30.	5. Ezek. xvi. 16.
4. 2 Sam. xiii. 18.	3. —— xvii. 3.
3. 1 Chron. xxix. 2.	

COLT.

1.   עַיִר   *Ayir,* a colt.

2.   בֶּן   *Ben,* a son, building.

2. Gen. xlix. 11.	1. Zech. ix. 9.
1. Job xi. 12.	

COLTS.

1. Gen. xxxii. 15.	1. Judg. xii. 14.
1. Judg. x. 4.	

COME -EST -ETH -ING, CAME.

1. בּוֹא *Bou,* to come, enter.
2. עָלָה *Oloh,* to ascend, go up.
3. הָיָה *Hoyoh,* to be, was.
4. עָבַר *Ovar,* to pass by, over.
5. יָצָא *Yotso,* to go forth, out.
6. מָצָא *Motso,* (Niph.) was found.
7. שׁוּב *Shoov,* to return.
8. יָלַךְ *Yolakh,* to proceed.
9. פָּרַץ *Porats,* to break forth.
10. נָגַע *Noga,* to reach, touch.
11. קָרַב *Korav,* to come near, approach.
12. אָתָה *Othoh* (Chaldee), to come.
13. מָטָא *Moto* (Chaldee), to come in presence of.
14. לְכָה *Lekhoh,* to go on, continue.
15. רָדָה *Rodoh,* to subject, domineer.
16. קָרָא *Koro,* to call, meet.
17. נָגַשׁ *Nogash,* to approach.
18. דָּרַךְ *Dorakh,* to step forth, tread.
19. שָׂעַר *Soar,* to rage.
20. עֲתִדוֹת *Athidouth,* things to come.
21. אַחֲרוֹן *Akharoun,* the last.
22. רָחוֹק *Rokhouk,* afar off.
23. צָלַח *Tsolakh,* to prosper.
24. זָעַק *Zoak,* to cry out.
25. נָבֵל *Noval,* to wither, fade.
26. שֶׁגֶר *Sheger,* cast forth, out, progeny.
27. פָּנָה *Ponoh,* to turn.
28. חָפַר *Khophar,* (Hiph.) to cause shame.
29. לְרַגְלִי *Leraglee,* at my foot.
30. הָלַךְ *Haloukh,* going, proceeding.
31. נָחַת *Nokhith* (Syriac), descending.
32. צֵאת *Tsaith,* going out, forth.

All passages not inserted are N°. 1.

14. Gen. xix. 32.	22. 1 Chron. xvii. 17.
14. —— xxxi. 44.	6. Esth. viii. 6.
15. Exod. vii. 15.	2. Job iii. 25.
17. —— xxiv. 14.	— viii. 22, not in
14. Numb. x. 29.	original.
14. —— xxii. 6, 11.	4. — xiii. 13.
—— xxiii. 3, not in	— xiv. 21, not in
original.	original.
18. —— xxiv. 17.	12. — xvi. 22.
15. —————— 19.	12. — xxx. 14.
20. Deut. xxxii. 35.	6. —— xxxvii. 13.
2. Judg. xiii. 5.	12. Psalm lxvii. 31.
2. 1 Sam. i. 11.	21. —— lxxviii. 4, 6.
23. —— x. 6.	14. —— lxxx. 2.
22. 2 Sam. vii. 19.	21. —— cii. 18.
4. —— xix. 33.	21. Prov. xxxi. 35.

3. Eccles. i. 11, twice.	8. Isa. lx. 3.
14. Cant. ii. 10, 13.	12. Jer. iii. 22.
12. Isa. xxi. 12.	16. — xiii. 22.
8. — xxvi. 20.	16. — xxxii. 23.
21. — xxx. 8.	3. —————— 24.
12. — xli. 23, 25.	19. Dan. xi. 40.
12. — xlv. 11.	14. Hos. vi. 1.
16. — li. 19.	14. Jonah i. 7.
14. — lv. 1, 3.	12. Mic. iv. 8.
12. — lvi. 9, 12.	

COMEST.

All passages not inserted are N°. 1.

24. Judg. xviii. 23.

COMETH.

All passages not inserted are N°. 1.

8. Gen. xxxii. 6.	25. Job xiv. 18.
26. Exod. xiii. 12.	12. — xxxvii. 22.
4. Numb. v. 30.	12. Prov. i. 27.
27. Deut. xxiii. 11.	28. —— xiii. 5.
5. —————— 13.	12. Isa. xxi. 12.
2. Job v. 26.	

COMING.

All passages not inserted are N°. 1.

29. Gen. xxx. 30.	31. Dan. iv. 23.
30. Numb. xxii. 16.	32. Mic. vii. 15.
12. Isa. xliv. 7.	

CAME -EST.

All passages not inserted are N°. 1.

2. Numb. xix. 2.	10. Esth. viii. 17.
3. —————— xxiv. 2.	11. Psalm xxvii. 2.
12. Deut. xxxiii. 2, 12.	2. —— lxxviii. 31.
3. Judg. i. 14.	10. Isa. xxx. 4.
3. — iii. 10.	12. — xli. 5.
4. — ix. 25.	2. Jer. vii. 31.
6. — xx. 48.	2. — xix. 5.
7. Ruth ii. 6.	2. — xxxii. 35.
3. 1 Sam. iv. 1.	2. — xliv. 21.
11. 1 Kings iv. 27.	11. Ezek. xxxvii. 7.
3. 2 Kings xxiv. 3.	13. Dan. iv. 28.
5. 1 Chron. i. 12.	12. —— vii. 13.
8. 2 Chron. xi. 14.	13. ————— 13.
3. —————— xiv. 14.	12. ————— 22.
3. —————— xxiv. 18.	13. ————— 22.
9. —————— xxxi. 5.	10. Jonah iii. 6.
10. Neh. vii. 73.	3. Zech. vii. 14.

COME -EST -ETH (Passive).

הָיָה *Hoyoh,* to be, was.

COME again.

שׁוּב *Shoov,* to turn, turn back, return, restore; in all passages, except:

1. עוֹד *Oud,* again.
2. בּוֹא *Bou,* to come, repeated.

1. Judg. xiii. 8. | 2. Psalm cxxvi. 6.

COME down.

יָרַד *Yorad,* to descend, come down.

COME forth.
יָצָא *Yotso*, to go forth.

COME near, nigh.
קָרַב *Korav*, }
נָגַשׁ *Nogash*, } to approach, come near, nigh.

COME out.
יָצָא *Yotso*, to go forth.

COME to pass.
הָיָה *Hoyoh*, to be, was.

COME up.
עָלָה *Oloh*, to ascend.

CAME again.
שׁוּב *Shoov*, to return.

CAME down.
יָרַד *Yorad*, to descend; in all passages, except:

נְחֵת *Nikhaith* (Syriac), to descend, sink down.

Dan iv. 13.

CAME forth, out.
יָצָא *Yotso*, to go forth, out; except:—

1. גּוּחַ *Gooakh*, to break forth.
2. נְפַק *Nophak* (Chaldee), to go out.

1. Judg. xx. 33. | 2. Dan. vii. 10.
2. Dan. v. 5. |

CAME in.
בּוֹא *Bou*, to come, enter; in all passages, except:

עֲלַל *Olal* (Syriac), to ascend, go up.

Dan. iv. 7, 8. | Dan. v. 8.

CAME near, nigh.
נָגַשׁ *Nogash*, }
קָרַב *Korav*, } to approach, come near.

CAME over.
עָבַר *Ovar*, to pass by, over.

CAME to pass.
וַיְהִי *Vāyĕhee*, and it was.

COMELY.
1. תֹּאַר *Touar*, fine form, appearance.
2. חֵין *Kheen*, graceful.
3. נָאוָה *Noăvoh*, pleasant.

4. טוֹב *Touv*, good.
5. יָפֶה *Yophoh*, handsome, beautiful.
6. תִּפְאֶרֶת *Tiphereth*, splendour.
7. נָוֶה *Noveh*, a pleasant place.

1. 1 Sam. xvi. 18.	3. Cant. i. 5, 10.
2. Job xli. 12.	3. —— ii. 14.
3. Psalm xxxiii. 1.	3. —— iv. 3.
3. —— cxlvii. 1.	3. —— vi. 4.
4. Prov. xxx. 29.	6. Isa. iv. 2.
5. Eccles. v. 18.	7. Jer. vi. 2.

COMELINESS.
1. הָדָר *Hodor*, worthy of admiration, glorious.
2. הוֹד *Houd*, splendid, majestic.

1. Isa. liii. 2.	1. Ezek. xxvii. 10.
1. Ezek. xvi. 14.	2. Dan. x. 8.

COMFORT, Subst.
נֶחָמָה *Nekhomoh*, comfort; in all passages, except:

בָּלַג *Bolag*, to revive, refresh.
Job x. 20.

COMFORTS.
נָחֻמִים *Nekhumeem*, comforts.

COMFORT -ED -EDST -ETH.
נָחַם *Nikham*, to comfort; in all passages, except:

1. בָּלַג *Bolag*, to revive, refresh.
2. סָעַד *Soād*, to support, uphold.
3. רָפַד *Rophad*, to spread out.

2. Gen. xviii. 5.	3. Cant. ii. 5.
2. Judg. xix. 5, 8.	1. Jer. viii. 18.
1. Job ix. 27.	

COMFORTABLE.
1. מְנוּחָה *Menukhoh*, rest.
2. נָחֻמִים *Nekhumeem*, comforts.

1. 1 Sam. xiv. 17. | 2. Zech. i. 13.

COMFORTABLY.
עַל־לֵב *Al-laiv*, to the heart.

2 Sam. xix. 7.	Isa. xl. 2.
2 Chron. xxx. 22.	Hos. ii. 14.
—— xxxii. 6.	

COMFORTER.
מְנַחֵם *Menakhaim*, a comforter.

COMFORTERS.
מְנַחֲמִים *Menakhameem*, comforters.

COMINGS.

מְבוֹאוֹת *Mevououth,* comings.

Ezek. xliii. 11.

COMMAND, Subst.

פֶּה *Peh,* mouth.

Job xxxix. 27.

COMMAND -ED -EST -ETH -ING.

צִוָּה *Tsivvoh,* to command.

COMMANDER.

מְצַוֶּה *Metsavveh.*

Isa. lv. 4.

COMMANDMENT.

מִצְוָה *Mitsvoh,* a commandment.

COMMANDMENTS.

מִצְוֹת *Mitsvouth,* commandments; in all passages, except:

דְּבָרִים *Devoreem,* words, matters, subjects, objects.

Exod. xxxiv. 28. | Deut. x. 4.
Deut. iv. 13. |

COMMENDED.

1.   הִלֵּל *Hillail,* to praise.
2.   שִׁבַּח *Shibbakh,* to commend, applaud.

1. Gen. xii. 15. | 2. Eccles. viii. 15.
1. Prov. xii. 8. |

COMMISSIONS.

דָּתֵי *Dothai,* laws.

Ezra viii. 36.

COMMIT.

Verb not used in Hebrew, generally the verb עָשָׂה *Osoh,* to do, perform, exercise.

COMMON.

Not generally used in Hebrew, and only in the following passages:

חֹל *Khoul,* common.

1 Sam. xxi. 4, 5. | Eccles. vi. 1.

רֹב־אָדָם *Rouv-Odom,* multitude of men.

Ezek. xxiii. 42.

COMMON-people.

עַם־הָאָרֶץ *Am-hōōrets,* people of the land.

Lev. iv. 27. | Jer. xxvi. 23.

COMMOTION.

רַעַשׁ *Raash,* storm, trembling, earthquake.

Jer. x. 22.

COMMUNE -ED -ING.

דִּבֵּר *Dibbair,* to speak.

COMMUNICATION.

1.   דָּבָר *Dovor,* a word, matter, subject, object.
2.   שִׂיחַ *Seeakh,* utterance.

1. 2 Sam. iii. 17. | 2. 2 Kings ix. 11.

COMPACT.

חֻבַּר *Khubar,* joined, united.

Psalm cxxii. 3.

COMPANY.

1.   מַחֲנֶה *Makhaneh,* a camp, encampment.
2.   קָהָל *Kohol,* a congregation.
3.   עֵדָה *Aidoh,* an assembly of people.
4.   עַם *Om,* a people.
5.   נִזְעָקְתָּ *Nizokto,* thou art crying out.
6.   חֶבֶל *Khevel,* a band, company of men, rope.
7.   לַהַק *Lahak,* a company.
8.   גְּדוּד *Gedood,* a troop.
9.   שִׁפְעָה *Shiphoh,* a multitude, abundance.
10.   חֶבְרָה *Khevroh,* חֶבֶר *Khever,* an association.
11.   רֶגֶשׁ *Rogesh,* a tumult.
12.   חַיָּה *Khayoh,* a beast.
13.   רֹעֶה *Roueh,* feedeth.
14.   מְחֹלָה *Mekhouloh,* a dance.
15.   חַיִל *Khayil,* an army.
16.   הָמוֹן *Homoun,* a crowd, tumult, noise.
17.   צָבָא *Tsovo,* a host.

1. Gen. xxxii. 8, 21.	3. Job xvi. 7.
2. —— xxxv. 11.	10. —— xxxiv. 8.
1. —— L. 9.	11. Psalm lv. 14.
3. Numb. xvi. 6, 16, 40.	17. —— lxviii. 11.
2. —— xxii. 4.	12. ———— 30.
3. —— xxvi. 9.	3. —— cvi. 17, 18.
3. —— xxvii. 3.	13. Prov. xxix. 3.
4. Judg. ix. 37.	Cant. i. 9, not in
5. —— xviii. 23.	original.
6. 1 Sam. x. 5.	14. —— vi. 13.
7. —— xix. 20.	2. Jer. xxxi. 8.
8. —— xxx. 15.	2. Ezek. xvi. 40.
1. 2 Kings v. 15.	2. —— xvii. 17.
9. —— ix. 17.	2. —— xxiii. 46.
15. 2 Chron. ix. 1.	2. —— xxxii. 22.
16. —— xx. 12.	2. —— xxxviii. 7.
——— xxiv. 24, not	10. Hos. vi. 9.
in original.	

COMPANIES.

1. רָאשִׁים *Rosheem*, heads, chiefs.
2. גְּדוּדִים *Gedoodeem*, troops.
3. הֲלִיכוֹת *Haleekhouth*, walks, ways, manners.
4. אֹרְחוֹת *Ourkhouth*, travellers.
5. קְבֻצִים *Kibootseem*, heaps, collections.

1. Judg. vii. 16, 20.	2. 2 Kings v. 2.
1. —— ix. 34, 43.	3. Job vi. 19.
1. 1 Sam. xi. 11.	4. Isa. xxi. 13.
1. —— xiii. 17.	5. — lvii. 13.

COMPANION.

1. חָבֵר *Khovair*, a companion.
2. רֵעַ *Raia*, a neighbour, fellow-creature.
3. רֹעֶה *Roueh*, a feeder.

2. Exod. xxxii. 27.	1. Psalm cxix. 63.
2. Judg. xiv. 20.	3. Prov. xiii. 20.
2. —— xv. 6.	3. —— xxviii. 7.
2. 1 Chron. xxvii. 33.	1. —— 24.
2. Job xxx. 29.	1. Mal. ii. 14.

COMPANIONS.

2. Judg. xi. 38.	1. Cant. i. 7.
2. —— xiv. 11.	1. —— viii. 13.
2. Job xxxv. 4.	1. Isa. i. 23.
1. —— xli. 6.	1. Ezek. xxxvii. 16.
2. Psalm xlv. 14.	1. Dan. ii. 17.
2. —— cxxii. 8.	

COMPARABLE.

מְסֻלָּאִים *Mesulloeem*, comparable, estimable.
Lam. iv. 2.

COMPARE -ED -ING.

1. עָרַךְ *Orakh*, to estimate, esteem.
2. שָׁוָה *Shovoh*, to be equal, alike.
3. דָּמָה *Domoh*, to compare.
4. מָשַׁל *Moshal*, to assimilate.

2. Prov. iii. 15.	3. Isa. xl. 18.
2. —— viii. 11.	4. — xlvi. 5.

COMPARED.

1. Psalm lxxxix. 6.

COMPARISON.

Understood by כ prefixed to verb or noun.
Judg. viii. 2, 3. | Hag. ii. 3.

COMPASS, Subst.

1. כַּרְכֹּב *Karkouv*, a compass.
2. חוּג *Khoog*, a circle.
3. סָבַב *Sovav*, to surround, encompass.

1. Exod. xxvii. 5.	3. 2 Kings iii. 9.
1. —— xxxviii. 4.	2. Prov. viii. 27.
3. 2 Sam. v. 23.	2. Isa. xliv. 13.

COMPASS -ED -EST -ETH.

סָבַב *Sovav*, to encompass, surround.

COMPASSION -S.

רַחֲמִים *Rakhameem*, mercies, compassions.

1 Kings viii. 50.	Lam. iii. 22.
2 Chron. xxx. 9.	Zech. vii. 9.

COMPASSION, full of.

רַחוּם *Rakhoom*, merciful.

COMPASSION, have had.

1. חָמַל *Khomal*, to pity.
2. רִחַם *Rikham*, to have mercy, compassion.

1. Exod. ii. 6.	1. 1 Chron. xxxvi. 15, 17.
2. Deut. xiii. 17.	2. Isa. xlix. 15.
2. —— xxx. 3.	2. Jer. xii. 15.
1. 1 Sam. xxiii. 21.	2. Lam. iii. 32.
2. 1 Kings viii. 50.	2. Mic. vii. 19.
2. 2 Kings xiii. 23.	

COMPEL -LED.

1. עָבַד *Ovad*, to serve, labour.
2. פָּרַץ *Porats*, to break forth, urge.
3. נָדַח *Nodakh*, to expel, push forward, out.
4. אָנַס *Onas*, to force, urge.

1. Lev. xxv. 39.	3. 2 Chron. xxi. 11.
2. 1 Sam. xxviii. 23.	4. Esth. i. 8.

COMPLAIN.

1. אָנַן *Onan*, to murmur.
2. רִיב *Reev*, to contend.
3. בָּכָה *Bokhoh*, to weep.
4. שִׂיחַ *Seeakh*, to meditate aloud, to speak confidentially.
5. צוּחַ *Tsooakh*, to cry out.

2. Judg. xxi. 22.	4. Psalm lxxvii. 3.
4. Job vii. 11.	1. Lam. iii. 39.
3. — xxxi. 38.	

COMPLAINED.

1. Numb. xi. 1.

COMPLAINING.

5. Psalm cxliv. 14.

COMPLAINT -S.

שִׂיחַ *Seeakh*, confidential discourse, meditation.

COMPLETE.

תָּמִים *Tomeem*, complete.
Lev. xxiii. 15.

COMPOSITION.
מַתְכֹּנֶת *Mathkouneth,* arrangement.
Exod. xxx. 32, 37.

COMPOUND.
מִרְקַחַת *Mirkakhath,* perfumery.
Exod. xxx. 25.

COMPOUNDETH.
רָקַח *Rokakh,* to perfume.
Exod. xxx. 33.

COMPREHEND -ED.
1. יָדַע *Yoda,* to know.
2. כּוּל *Kool,* to comprehend.
1. Job xxxvii. 5. | 2. Isa. xl. 12.

CONCEAL.
1. סָתַר *Sotar,* to hide.
2. כָּחַד *Kikhaid,* to deny.
3. חָרַשׁ *Khorash,* (Hiph.) to be silent.
4. כָּסָה *Khoso,* to cover.

4. Gen. xxxvii. 26.	3. Job xli. 12.
4. Deut. xiii. 8.	1. Prov. xxv. 2.
2. Job xxvii. 11.	2. Jer. L. 2.

CONCEALED.
2. Job vi. 10. | 2. Psalm xl. 10.

CONCEALETH.
4. Prov. xi. 13. | 4. Prov. xii. 23.

CONCEIT.
1. מַשְׂכִּית *Maskeeth,* imagination.
2. עַיִן *Ayin,* eyes, sight.

1. Prov. xviii. 11.	2. Prov. xxviii. 11.
1. —— xxvi. 5, 12, 16.	

CONCEIVE.
1. הָרָה *Horoh,* to conceive.
2. חָשַׁב *Khoshov,* to think, reckon, reflect.
3. זָרַע *Zora,* to seed.
4. חָמַם *Khomam,* to heat, (Hiph.) cause heat.

4. Gen. xxx. 38.	4. Psalm li. 5.
3. Numb. v. 28.	1. Isa. vii. 14.
1. Judg. xiii. 3, 5, 7.	1. — xxxiii. 11.
1. Job xv. 35.	1. — lix. 4, 13.

CONCEIVED.

1. Gen. iv. 1, 17.	4. Gen. xxxi. 10.
1. —— xvi. 4.	1. —— xxxviii. 3, 4.
1. —— xxi. 2.	—————— 5, not
1. —— xxv. 21.	in original.
1. —— xxix. 32, 33.	1. —————— 18.
1. —— xxx. 5, 23, 39.	1. Exod. ii. 2.

3. Lev. xii. 2.	1. Psalm vii. 14.
1. Numb. xi. 12.	1. Cant. iii. 4.
1. 1 Sam. i. 20.	1. Isa. viii. 3.
1. —— ii. 21.	2. Jer. xlix. 30.
1. 2 Sam. xi. 5.	1. Hos. i. 3.
1. 2 Kings iv. 17.	1. — ii. 5.
1. Job iii. 3.	

CONCEPTION.
הֵרָיוֹן *Hairoyoun,* conception.

Gen. iii. 16.	Hos. ix. 11.
Ruth iv. 13.	

CONCERNETH.
Ezek. xii. 10, not in original.

CONCERNING.
This word is expressed in the Hebrew by a prefixed preposition, or by עַל *Al,* on account of, upon.

CONCLUSION.
סוֹף־דָּבָר *Souph-dovor,* end of a word, subject, object, import.
Eccles. xii. 13.

CONCOURSE.
הֹמִיּוֹת *Houmiyouth,* crowds.
Prov. i. 21.

CONCUBINE.
פִּלֶגֶשׁ *Pilegesh,* a concubine, a secondary wife.

CONCUBINES.
פִּלַגְשִׁים *Pilagsheem,* concubines, secondary wives.

CONDEMN -ED -ETH -ING.
רָשַׁע *Rosha,* to condemn; in all passages, except:
1. שָׁפַט *Shophat,* to judge.
2. יָצָא *Yotso,* to go forth.
3. עָנַשׁ *Onash,* to punish.

3. 2 Chron. xxxvi. 3.	1. Psalm cix. 31.
2. Psalm cix. 7.	3. Amos ii. 8.

CONDUCT.
הַעֲבִיר *Hăăveer,* to conduct, cause to pass over.
2 Sam. xix. 15, 31.

CONDUCTED.
2 Sam. xix. 40.

CONDUIT.
תְּעָלָה Tĕoloh, a conduit.

CONFECTION.
רָקַח Rokakh, a compound.
Exod. xxx. 35.

CONFECTIONARIES.
רַקָּחוֹת Rakokhouth, compounds.
1 Sam. viii. 13.

CONFEDERACY.
1. קֶשֶׁר Kesher, a conspiracy, knot.
2. בְּרִית Bereeth, a covenant.

1. Isa. viii. 12.	2. Obad. 7.

CONFEDERATE.
1. בַּעֲלֵי־בְּרִית Baalai-bereeth, men of the covenant.
2. בְּרִית Bereeth, a covenant.
3. נוּחַ Nooakh, to be at rest, ease.

1. Gen. xiv. 13.	3. Isa. vii. 2.
2. Psalm lxxxiii. 5.	

CONFERRED.
דְּבָרִים Devoreem, words.
1 Kings i. 7.

CONFESS -ED -ETH -ING.
יָדָה Yodoh, to cast forth, (Hith.) to acknowledge, confess.

CONFESSION.
תּוֹדָה Toudoh, confession, thanksgiving.

CONFIDENCE -S.
בָּטַח Botakh, to trust.

CONFIDENT.
בָּטַח Botakh, to trust.

Psalm xxvii. 3.	Prov. xiv. 16.

CONFIRM -ED -ETH.
1. קוּם Koom, to rise, (Hiph.) to cause to rise, establish.
2. מָלֵא Millai, to fill, fulfil.
3. חָזַק Khozak, (Hiph.) to cause to strengthen.

4. כּוּן Koon, to erect, establish.
5. אָמֵץ Omats, to encourage, fasten.
6. גָּבַר Govar, (Hiph.) to overpower.
7. עָמַד Omad, (Hiph.) to cause to stand.

1. Ruth iv. 7.	5. Isa. xxxv. 3.
2. 1 Kings i. 14.	1. Ezek. xiii. 6.
3. 2 Kings xv. 19.	6. Dan. ix. 27.
1. Esth. ix. 29, 31.	3. —— xi. 1.
4. Psalm lxviii. 9.	

CONFIRMED.

4. 2 Sam. vii. 24.	1. Esth. ix. 32.
3. 2 Kings xiv. 5.	7. Psalm cv. 10.
4. 1 Chron. xiv. 2.	1. Dan. ix. 12.
7. —— xvi. 17.	

CONFIRMETH.

1. Numb. xxx. 14.	1. Isa. xliv. 26.
1. Deut. xxvii. 26.	

CONFISCATION.
נִכְסִין Nikhseen (Chaldee), confiscation.
Ezra vii. 26.

CONFOUND.
1. בָּלַל Bollal, to mix, confuse.
2. חָתַת Khotath, to dismay.
3. חָפַר Khophar, to confound.
4. בּוּשׁ Boosh, to shame.
5. כָּלַם Kolam, to confound.

1. Gen. xi. 7, 9.	2. Jer. i. 17.

CONFOUNDED.

4. 2 Kings xix. 26.	4. Jer. ix. 19.
4. Job vi. 20.	4. — x. 14.
4. Psalm xxii. 5.	5. — xiv. 3.
4. —— xxxv. 4.	3. — xv. 9.
4. —— xl. 14.	4. — xvii. 18.
5. —— lxix. 6.	5. — xxii. 22.
3. —— lxx. 2.	5. — xxxi. 19.
4. —— lxxi. 13, 24.	4. — xlvi. 24.
4. —— lxxxiii. 17.	4. — xlviii. 20.
4. —— xcvii. 7.	4. — xlix. 23.
4. —— cxxix. 5.	4. — L. 2, 12.
3. Isa. i. 29.	4. — li. 17, 47, 51.
4. — xix. 9.	4. Ezek. xvi. 52.
3. — xxiv. 23.	5. —— xxxvi. 32.
4. — xxxvii. 27.	4. — xx. 63.
5. — xli. 11.	3. Mic. iii. 7.
5. — xlv. 16, 17.	4. —— vii. 16.
5. — L. 7.	4. Zech. x. 5.
5. — liv. 4.	

CONFUSED.
רַעַשׁ Raash.
Isa. ix. 5.

CONFUSION.

1.*   תֶּבֶל   *Tevel*, confusion.
2.   בֹּשֶׁת   *Bousheth*, shame.
3.   קָלוֹן   *Koloun*, contempt.
4.   חָפַר   *Khophar*, to dig, search, confound.
5.   בּוּשׁ   *Boosh*, shame.
6.   תֹּהוּ   *Touhoo*, void, out of order.
7.   כְּלִמָּה   *Kĕlimoh*, reproach.

1. Lev. xviii. 23.	6. Isa. xxiv. 10.
1. —— xx. 12.	2. —— xxx. 3.
2. 1 Sam. xx. 30.	6. —— xxxiv. 11.
3. Ezra ix. 7.	6. —— xli. 29.
3. Job x. 15.	7. —— xlv. 16.
4. Psalm xxxv. 4.	7. —— lxi. 7.
7. —— xliv. 15.	7. Jer. iii. 25.
7. —— lxx. 2.	2. —— vii. 19.
5. —— lxxi. 1.	7. —— xx. 11.
5. —— cix. 29.	2. Dan. ix. 7. 8.

 Note : This word is derived from כָּלַל *Bolal*, to mix, confuse (Gen. xi. 9). The world is often termed תֶּבֶל *Taivail*, a confused mixture of man, beast, cultivated and barren lands, seas, &c., as in-

2 Sam. xxii. 16.	Isa. xiv. 17, 21.
Job xxxvii. 12.	Lam. iv. 12.
Psalm xxiv. 1.	

CONGEALED.

קָפָא   *Kopho*, to congeal.
Exod. xv. 8.

CONGRATULATE.

בָּרַךְ   *Borakh*, to bless.
1 Chron. xviii. 10.

CONGREGATION -S.

קָהָל   *Kohol*, }
עֵדָה   *Aidoh*, } congregation, assembly.

CONSECRATE.

1.   מִלֵּא־יָד   *Millai-yod*, to fill the hand.
2.   קָדַשׁ   *Kodash*, to sanctify.
3.   נָזַר   *Nozar*, to separate.
4.   חָרַם   *Khoram*, to devote.

2. Exod. xxviii. 3, 41.	3. Numb. vi. 12.
1. —— xxix. 9, 35.	1. 1 Chron. xxix. 5.
2. —— xxx. 30.	1. 2 Chron. xiii. 9.
1. —— xxxii. 29.	1. Ezek. xliii. 26.
1. Lev. viii. 33.	4. Mic. iv. 13.

CONSECRATED.

1. Numb. iii. 3.	1. 2 Chron. xxix. 31.
2. Josh. vi. 19.	2. ———— xxxi. 6.
1. Judg. xvii. 5, 12.	2. Ezra iii. 5.
1. 1 Kings xiii. 33.	

CONSECRATED.

קָדָשִׁים   *Kodosheem*, holy things.
2 Chron. xxix. 23.

CONSECRATION.

1.   מִלֻּאִים   *Milooeem*, fulness, completeness.
2.   נֵזֶר   *Naizer*, a crown, diadem.

1. Exod. xxix. 22.	2. Numb. vi. 7, 9.
1. Lev. viii. 33.	

CONSECRATIONS.

1. Exod. xxix. 34.	1. Lev. viii. 28, 31.
1. Lev. vii. 37.	

CONSENT.

1.   אוּת   *Ooth*, to consent, make a sign.
2.   אָבָה   *Ovoh*, to be willing.

1. Gen. xxxiv. 15, 23.	2. 1 Kings xx. 8.
2. Deut. xiii. 8.	2. Prov. i. 10.

CONSENTED.

2. 2 Kings xii. 8.	2. Dan. i. 14.

CONSENTEDST.

2. Psalm L. 18.

CONSENT, Subst.

1.   כְּאִישׁ־אֶחָד   *Kĕeesh-ekhod*, as one man.
2.   לֵב   *Laiv*, the heart.
3.   שְׁכֶם   *Shĕkem*, a shoulder, with one accord.

1. 1 Sam. xi. 7.	3. Hos. vi. 9.
2. Psalm lxxxiii. 5.	3. Zeph. iii. 9.

CONSIDER.

1.   רָאָה   *Rooh*, to see, behold.
2.   שׁוּב־לֵב   *Shoov-laiv*, to turn the heart.
3.   בִּין   *Been*, to understand.
4.   יָדַע   *Yoda*, to know.
5.   שָׂכַל   *Sokhal*, to be skilful, prudent.
6.   נָבַט   *Novat*, to perceive, investigate, examine.
7.   פָּסַג   *Posag*, to raise up, distinguish.
8.   שׂוּם   *Soom*, to prepare, arrange.
9.   אָמַר־לֵב   *Omar-laiv*, to say, speak to the heart.
10.   שׂוּם־לֵב   *Soom-laiv*, to prepare, arrange the heart.
11.   שָׁמַע   *Shoma*, to hear.
12.   שִׁית־לֵב   *Sheeth-laiv*, to set the heart.
13.   נָתַן   *Nothan*, to give, set.
14.   זָמַם   *Zomam*, to think.

1. Lev. xiii. 13.
2. Deut. iv. 39.
3. —— xxxii. 29.
4. Judg. xviii. 14.
1. 1 Sam. xii. 24.
1. —— xxv. 17.
3. Job xi. 11.
3. — xxiii. 15.
5. — xxxiv. 27.
3. — xxxvii. 14.
3. Psalm v. 1.
1. —— viii. 3.
1. —— ix. 13.
6. —— xiii. 3.
1. —— xxv. 19.
3. —— xxxvii. 10.
1. —— xlv. 10.
7. —— xlviii. 13.
3. —— L. 22.
5. —— lxiv. 9.
3. —— cxix. 95.
1. —————— 153, 159.
1. Prov. vi. 6.

3. Prov. xxiii. 1, verb repeated.
3. —— xxiv. 12.
4. Eccles. v. 1.
1. —— vii. 13, 14.
3. Isa. i. 3.
1. — v. 12.
3. — xiv. 16.
6. — xviii. 4.
8. — xli. 20, 22.
3. — xliii. 18.
3. — lii. 15.
3. Jer. ii. 10.
3. — xxiii. 20.
3. — xxx. 24.
6. Lam. ii. 20.
6. —— v. 1.
1. Ezek. xii. 3.
3. Dan. ix. 23.
9. Hos. vii. 2.
10. Hag. i. 5, 7.
10. —— ii. 15, 18.

CONSIDERED.

3. 1 Kings iii. 21.
11. —— v. 8.
10. Job i. 8.
10. — ii. 3.
1. Psalm xxxi. 7.

12. Prov. xxiv. 32.
1. Eccles. iv. 1, 4.
13. —— ix. 1.
5. Dan. vii. 8.

CONSIDEREST.
Jer. xxxiii. 24.

CONSIDERETH.

3. Psalm xxxiii. 15.
5. —— xli. 1.
5. Prov. xxi. 12.
4. —— xxviii. 22.

4. Prov. xxix. 7.
14. —— xxxi. 16.
2. Isa. xliv. 19.
1. Ezek. xviii. 14, 28.

CONSIDERING.

2. Isa. lvii. 1. | 5. Dan. viii. 5.

CONSOLATION.

נְחֻמִים **Nikhumeem,** comfort, consolation.
Jer. xvi. 7.

CONSOLATIONS.

Job xv. 11. | Isa. lxvi. 11.
— xxi. 2.

CONSPIRACY.

קֶשֶׁר **Kesher,** a knot, conspiracy.

CONSPIRATORS.

קֹשְׁרִים **Koushreem,** conspirators.
2 Sam. xv. 31.

CONSPIRED.

קָשַׁר **Koshar,** to tie a knot.

CONSTANT.

לְעוֹלָם **Leoulom,** for ever.
1 Chron. xxviii. 7.

CONSTANTLY.

נֶצַח **Netsakh,** successfully.
Prov. xxi. 28.

CONSTELLATIONS.

כְּסִילִים **Kesceleem,** constellations; lit., fools.
Isa. xiii. 10.
The singular כְּסִיל **Keseel,** is translated Orion.
Job ix. 9. | Amos v. 8.
— xxxviii. 31.

CONSTRAINED.

חָזַק **Khozak,** to strengthen, lay hold.
2 Kings iv. 8.

CONSTRAINETH.

צוּק **Tsook,** to pour out, press.
Job xxxii. 18.

CONSULT -ED.

יָעַץ **Yoats,** to consult.

CONSULTER.

שׁוֹאֵל **Shouail,** an inquirer.
Deut. xviii. 11.

CONSUME -ED -ETH -ING.

אָכַל **Okhal,**
כָּלָה **Koloh,** } to consume.

CONSUMMATION.

כָּלָה **Koloh,** consummation, an end.
Dan. ix. 27.

CONSUMPTION.

1. שַׁחֶפֶת **Shakhepheth,** a dry scab.
2. כִּלָּיוֹן **Kiloyoun,** utter consumption.
3. כָּלָה **Koloh,** an end, finish.
1. Lev. xxvi. 16.
1. Deut. xxviii. 22.
2. Isa. x. 22.
3. Isa. x. 23.
3. — xxviii. 22.

CONTAIN.

1. כּוּל **Kool,** to hold, uphold, sustain.
2. נָשָׂא **Noso,** to bear.
1. 1 Kings viii. 27.
1. 2 Chron. vi. 18.
2. Ezek. xlv. 11.

CONTAINETH.

1. Ezek. xxiii. 32.

CONTEMN.

1. בּוּז **Booz,** to contemn, degrade, despise.
2. נָאַץ **Noats,** to blaspheme.

3.   מָאַס   *Moas,* to shun, dislike.
4.   קָלָה   *Koloh,* (Niph.) to be lightly esteemed.

2. Psalm x. 13. | 3. Ezek. xxi. 13.

CONTEMNED.

3. Psalm xv. 4. | 1. Cant. viii. 7.
2. —— cvii. 11. | 4. Isa. xvi. 14.

CONTEMNETH.
3. Ezek. xxi. 10.

CONTEMPT.

1.   בִּזָּיוֹן   *Bizoyoun,* or בּוּז *Booz,* contempt.
2.   הָקַל   *Hokail,* to be lightly esteemed.
3.   דְּרָאוֹן   *Dĕrōoun,* abhorrence.

1. Esth. i. 18. | 1. Psalm cxxiii. 3, 4.
1. Job xii. 21. | 1. Prov. xviii. 3.
1. — xxxi. 34. | 2. Isa. xxiii. 9.
1. Psalm cvii. 40. | 3. Dan. xii. 2.
1. —— cxix. 22.

CONTEMPTIBLE.

נִבְזֶה   *Nivzeh,* despicable, contemptible.

Mal. i. 7, 12. | Mal. ii. 9.

CONTEMPTUOUSLY.

בּוּז   *Booz,* contemptuously.
Psalm xxxi. 18.

CONTEND.

1.   גָּרָה   *Goroh,* to tease, torment.
2.   רִיב   *Reev,* to contend.
3.   דּוּן   *Doon,* to plead, vindicate.
4.   חָרָה   *Khoroh,* to grieve.
5.   נִצָּה   *Nitsoh,* to strive, quarrel.
6.   שָׁפַט   *Shophat,* (Niph.) to be judged.

1. Deut. ii. 9, 24. | 2. Isa. l. 8.
2. Job ix. 3. | 2. — lvii. 16.
2. — xiii. 8. | 4. Jer. xii. 5.
1. Prov. xxviii. 4. | 2. — xviii. 19.
3. Eccles. vi. 10. | 2. Amos vii. 1.
2. Isa. xlix. 25. | 2. Mic. vi. 1.

CONTENDED.

2. Neh. xiii. 11, 17, 25. | 5. Isa. xli. 12.
2. Job xxxi. 13.

CONTENDEST.
2. Job x. 2.

CONTENDETH.

2. Job xl. 2. | 6. Prov. xxix. 9.

CONTENT.

1.   יָאַל   *Yoal,* to commence.
2.   שָׁמַע   *Shoma,* to hear, obey.
3.   אָבָה   *Ovoh,* to be willing.

---

2. Gen. xxxvii. 27. | 1. Judg. xix. 6.
1. Exod. ii. 21. | 1. 2 Kings v. 23.
2. Lev. x. 20. | 1. —— vi. 3.
1. Josh. vii. 7. | 1. Job vi. 28.
1. Judg. xvii. 11. | 3. Prov. vi. 35.

CONTENTION.

1.   מַצָּה   *Matsoh,* strife.
2.   רִיב   *Reev,* dispute, quarrel.
3.   מָדוֹן   *Modoun,* contention.

1. Prov. xiii. 10. | 3. Prov. xxii. 10.
2. —— xvii. 14. | 3. Jer. xv. 10.
2. —— xviii. 6. | 3. Hab. i. 3.

CONTENTIONS.

3. Prov. xviii. 18, 19. | 3. Prov. xxiii. 29.
3. —— xix. 13.

CONTENTIOUS.

3. Prov. xxi. 19. | 3. Prov. xxvii. 15.
3. —— xxvi. 21.

CONTINUAL.

תָּמִיד   *Tomeed,* continual, continually; in all passages, except:

1.   בִּלְתִּי־סָרָה   *Biltee-soroh,* immoveable.
2.   בָּכָה   *Bokhoh,* to weep.

1. Isa. xiv. 6. | 2. Jer. xlviii. 5, verb repeated.

CONTINUALLY.

תָּמִיד   *Tomeed,* continual, continually; in all passages, except :

1.   כָּל־הַיָּמִים   *Kol-hayomeem,* all the days.
2.   כָּל־יוֹם   *Kol-youm,* every day.
3.   כָּל־עֵת   *Kol-aith,* at all times.
4.   תְּדִירָא   *Tĕdeero* (Syriac), continually.
5.   זָנָה   *Zonoh,* to supply; met., to commit spiritual fornication.

2. Gen. vi. 5. | 2. Psalm lii. 1.
1. 1 Sam. xviii. 29. | 2. —— cxl. 2.
1. 2 Chron. xii. 15. | 3. Prov. vi. 14.
1. Job i. 5. | 4. Dan. vi. 16.
2. Psalm xlii. 3. | 5. Hos. iv. 18.
2. —— xliv. 15.

CONTINUANCE.

1.   נֶאֱמָנִים   *Neĕmoneem,* } faithful.
     נֶאֱמָנוֹת   *Neĕmonouth,* }
2.   יָמִים   *Yomeem,* days.
3.   עוֹלָם   *Oulom,* everlasting.

1. Deut. xxviii. 59, both words. | 2. Psalm cxxxix. 16.
                     3. Isa. lxiv. 5.

CONTINUE.

1.   הָיָה   *Hoyoh,* to be.
2.   עָמַד   *Omad,* to stand.

3. יָשַׁב *Yoshav,* to sit.

4. קוּם *Koom,* to rise.

5. לוּן *Loon,* to lodge.

6. מָשַׁךְ *Moshakh,* to draw out.

7. שָׁכַן *Shokhan,* to dwell in safety.

8. אָחַר *Ikhair,* to delay.

9. רָבָה *Rovoh,* to increase, multiply.

10. חָזַק *Khozak,* (Hiph.), to cause to strengthen.

11. נוּן *Noon,* to announce, declare.

2. Exod. xxi. 21.	5. Job xvii. 2.
3. Lev. xii. 4, 5.	6. Psalm xxxvi. 10.
1. 1 Sam. xii. 14.	7. —— cii. 28.
4. —— xiii. 14.	2. —— cxix. 91.
1. 2 Sam. vii. 29.	8. Isa. v. 11.
4. 1 Kings ii. 4.	2. Jer. xxxii. 14.
4. Job xv. 29.	2. Dan. xi. 8.

CONTINUED.

1. Gen. xl. 4.	11. Psalm lxxii. 17.
9. 1 Sam. i. 12.	1. Dan. i. 21.
10. Neh. v. 16.	

CONTINUETH.
2. Job xiv. 2.

CONTINUING.
גָּרַר *Gorar,* (Hith.) to sweep away.
Jer. xxx. 23.

CONTRARY.

1. קְרִי *Keree,* contrary.

2. הָפַךְ *Hophakh,* to turn round, contrariwise.

1. Lev. xxvi. 21, 23, 24,	2. Esth. ix. 1.
27, 28, 40, 41.	2. Ezek. xvi. 34.

CONTRITE.

1. דָּכָא *Dokho,* to bruise.

2. נָכָה *Nokhoh,* to humble.

1. Psalm xxxiv. 18.	1. Isa. lvii. 15.
1. —— li. 17.	2. — lxvi. 2.

CONTROVERSY.
רִיב *Reev,* dispute, quarrel.

CONVENIENT.

1. יֹשֶׁר בְּעֵין *Yoshor běăyin,* to please the eye.

2. חֻקִּי *Khukee,* my allotted.

2. Prov. xxx. 8.	1. Jer. xl. 4, 5.

CONVERSANT.
הָלַךְ *Holakh,* to walk.

Josh. viii. 35.	1 Sam. xxv. 15.

CONVERSATION.
דֶּרֶךְ *Derekh,* way, manner.

Psalm xxxvii. 14.	Psalm L. 23.

CONVERT.

1. שׁוּב *Shoov,* to turn, restore.

2. הָפַךְ *Hophakh,* to turn round.

1. Psalm li. 13.	2. Isa. lx. 5.
1. Isa. vi. 10.	

CONVERTING.
1. Psalm xix. 7.

CONVERTS.
שָׁבִים *Shoveem,* captives.
Isa. i. 27.

CONVEY.

1. שׂוּם *Soom,* to set, put, place.

2. עָבַר *Ovar,* to pass over.

1. 1 Kings v. 9.	2. Neh. ii. 7.

CONVINCED.
יָכַח *Yokhakh,* to instruct, correct.
Job xxxii. 12.

CONVOCATION -S.
מִקְרָא־קֹדֶשׁ *Mikro-koudesh,* holy convocation.

CONEY.
שָׁפָן *Shophon,* a coney.

CONIES.
שְׁפַנִּים *Shěphaneem,* conies.

COOK -S.
טַבָּח *Tabbokh,* a slaughterer, butcher.

1 Sam. viii. 13.	1 Sam. ix. 23, 24.

COOL.
רוּחַ *Rooakh,* wind, spirit.
Gen. iii. 8.

COPIED.
עָתַק *Othak,* to transcribe.
Prov. xxv. 1.

COPING.
טְפָחוֹת *Tephokhouth,* the top; met., measuring by hands.
1 Kings vii. 9.

COPPER.
נְחֹשֶׁת *Nekhousheth,* copper.
Ezra viii. 27.

COPULATION.

שִׁכְבָה Shikhvoh, laying down.

Lev. xv. 16, 17, 18, 32. | Lev. xxii. 4.

COPY.

1. מִשְׁנֶה Mishneh, repetition.
2. פַּרְשֶׁגֶן Parshegen (Syriac), a copy of a writing.
3. פַּתְשֶׁגֶן Pathshegen (Chaldee), a copy of a writing.

1. Deut. xvii. 18.	2. Ezra vii. 11.
1. Josh. viii. 32.	3. Esth. iii. 14.
2. Ezra iv. 11, 23.	3. —— iv. 8.
2. —— v. 6.	3. —— viii. 13.

COR.

כֹּר Kour, a measure.

Ezek. xlv. 14.

CORAL.

רָאמוֹת Romouth, heights, high in value.

Job xxviii. 18. | Ezek. xxvii. 16.

CORD.

1. עֲבָה Ovoh, a thick cord.
2. מֵיתָר Maithor, a tent cord, bow-string.
3. חֶבֶל Khevel, a rope.
4. חוּט Khoot, a thread.

3. Josh. ii. 15.	3. Eccles. xii. 6.
2. Job xxx. 11.	2. Isa. liv. 2.
3. — xli. 1.	3. Mic. ii. 5.
4. Eccles. iv. 12.	

CORDS.

2. Exod. xxxv. 18.	1. Prov. v. 22.
1. Judg. xv. 13.	3. Isa. v. 18.
3. Job xxxvi. 8.	3. — xxxiii. 20.
1. Psalm ii. 3.	2. Jer. x. 20.
1. —— cxviii. 27.	3. — xxxviii. 6, 13.
1. —— cxxix. 4.	3. Ezek. xxvii. 24.
3. —— cxl. 5.	3. Hos. xi. 4.
2. Exod. xxxix. 40 ; 2. Numb. iii. 26, 27 ; 2. iv. 26, 32.	

CORIANDER.

גַּד Gad, coriander.

Exod. xvi. 31. | Numb. xi. 7.

CORMORANT.

1. שָׁלָךְ Sholokh, a cormorant.
2. קָאַת Kooth, a pelican.

1. Lev. xi. 17.	2. Isa. xxxiv. 11.
1. Deut. xiv. 17.	2. Zeph. ii. 14.

CORN.

1. דָּגָן Dogon, corn.
2. גֶּרֶשׂ Geres, pounded, beaten corn.
3. בָּר Bor, corn, clean corn.
4. שֶׁבֶר Shever, a sale, bargain.
5. נָדִישׁ Godeesh, a heap, stack of corn.
6. קָלִי Kollee, roasted, parched corn.
7. קָמָה Komoh, standing corn.
8. עָבוּר Ăvoor, old corn.
9. עֲרֵמָה Ăraimoh, a sheaf.
10. בָּלִיל Boleel, a mixture of fodder.

3. Gen. xli. 35, 49.	5. Job v. 26.
4. —— xlii. 1, 2, 19.	10. — xxiv. 6.
3. —————— 25.	3. — xxxix. 4.
4. —————— 26.	1. Psalm lxv. 9.
4. —— xliii. 2.	3. ———— 13.
3. —— xlv. 23.	3. —— lxxii. 16.
4. —— xlvii. 14.	1. —— lxxviii. 24.
5. Exod. xxii. 6.	3. Prov. xi. 26.
2. Lev. ii. 16.	7. Isa. xvii. 5.
6. —— xxiii. 14.	1. — lxii. 8.
1. Numb. xviii. 27.	1. Ezek. xxxvi. 29.
7. Deut. xvi. 9.	1. Hos. ii. 8, 9.
8. Josh. v. 11, 12.	1. —— xiv. 7.
9. Ruth iii. 7.	1. Joel i. 10, 17.
1. Neh. v. 2.	4. Amos viii. 5.

CORN, and wine.
1. In all passages.

CORN, standing.

7. Exod. xxii. 6.	7. Judg. xv. 5.
7. Deut. xxiii. 25.	

CORN, ears of.

1. שִׁבֳּלִים Shibboleem, full ears of corn.
2. אָבִיב Aveev, green corn.
3. כַּרְמֶל Karmel, a fruitful garden, field.
4. שִׁבֹּלֶת Shibbouleth, rushy, reedy.

1. Gen. xli. 5.	3. 2 Kings iv. 42.
2. Lev. ii. 14.	4. Job xxiv. 24.
1. Ruth ii. 2.	

CORN-floor.

גֹּרֶן Gouren, a corn-floor, barn.

Isa. xxi. 10. | Hos. ix. 1.

CORNER.

1. פִּנָּה Pinoh, a corner-stone.
2. פֵּאָה Paioh, an extremity, corner.
3. כָּנָף Konoph, a wing.
4. פַּעֲמוֹת Păămouth, square.
5. קַרְנוֹת Karnouth, horns, projecting corners.
6. קָצֶה Kotseh, an end.
7. זָוִיָּה Zoviyoh, a corner, angle.

1. Lev. xxi. 5.	1. Isa. xxviii. 16.
1. 2 Kings xiv. 13.	3. — xxx. 20.
1. 2 Chron. xxvi. 9.	1. Jer. xxxi. 38.
1. —————— xxviii. 24.	2. — xlviii. 45.
1. Job xxxviii. 6.	1. — li. 26.
1. Psalm cxviii. 22.	6. Ezek. xlvi. 21.
7. ———— cxliv. 12.	1. Amos iii. 12.
1. Prov. vii. 8, 12.	1. Zech. x. 4.
1. —— xxi. 9.	1. —— xiv. 10.
1. —— xxv. 24.	

CORNERS.
4. Exod. xxv. 12.
2. —— 26.
1. —— xxvii. 2.
6. —— 4.
2. —— xxxvii. 13.
5. —— xxxviii. 2.
2. Lev. xix. 9, 27.
2. —— xxiii. 22.

2. Numb. xxiv. 17.
2. Deut. xxxii. 26.
2. Neh. ix. 22, singular.
1. Job i. 19.
3. Isa. xi. 12.
3. Ezek. vii. 2.
1. —— xlv. 19.

CORNERS, utmost.
2. Jer. ix. 26.
2. — xxv. 23.

2. Jer. xlix. 32.

CORNET -S.
שׁוֹפָר *Shouphor,* a ram's-horn (to blow through).

CORPSES.
פְּגָרִים *Pegoreem,* carcases.

2 Kings xix. 35.
Isa. xxxvii. 36.

Nah. iii. 3.

CORRECT.
1. יָכַח *Yokhakh,* to correct.
2. יָסַר *Yosar,* to instruct, admonish, chastise.

2. Psalm xxxix. 11.
1. —— xciv. 10.
2. Prov. xxix. 17.
2. Jer. ii. 19.

2. Jer. x. 24.
2. — xxx. 11.
2. — xlvi. 28.

CORRECTED.
2. Prov. xxix. 19.

CORRECTETH.
1. Job v. 17.

1. Prov. iii. 12.

CORRECTION.
1. מוּסָר *Moosor,* discipline.
2. שֵׁבֶט *Shaivet,* a rod.
3. תּוֹכָחָה *Toukhokhoh,* correction.

2. Job xxxvii. 13.
3. Prov. iii. 11.
1. —— vii. 22.
1. —— xv. 10.
1. —— xxii. 15.
1. —— xxiii. 13.

1. Jer. ii. 30.
1. — v. 3.
1. — vii. 28.
3. Hab. i. 12.
1. Zeph. iii. 2.

CORRUPT, Subst.
מָשְׁחַת *Moshkhath,* a corrupt thing.
Mal. i. 14.

CORRUPT, Verb.
1. שָׁחַת *Shokhath,* to spoil.
2. חָבַל *Khoval,* to injure, twist.
3. נָעַר *Goar,* to rebuke.
4. מוּק *Mook,* to mock, deride.

5. מָקַק *Mokak,* to melt.
6. חָנַף *Khonaph,* to flatter, profane.

1. Gen. vi. 11, 12.
1. Deut. iv. 16, 25.
1. —— xxxi. 29.
2. Job xvii. 1.
1. Psalm xiv. 1.
5. —— xxxviii. 5.
1. —— liii. 1.

4. Psalm lxxiii. 8.
1. Prov. xxv. 26.
1. Ezek. xx. 44.
1. —— xxiii. 11.
1. Dan. ii. 9.
6. —— xi. 32.
3. Mal. ii. 3.

CORRUPTED.
1. { Gen. vi. 12. Exod. viii. 24. —— xxxii. 7. Deut. ix. 12. —— xxxii. 5. Judg. ii. 19.
1. { Ezek. xvi. 47. —— xxviii. 7. Hos. ix. 9. Zeph. iii. 7. Mal. ii. 8.

CORRUPTING.
1. Dan. xi. 17.

CORRUPTERS.
מַשְׁחִיתִים *Mashkheetheem,* spoilers.
Isa. i. 4. | Jer. vi. 28.

CORRUPTION.
שַׁחַת *Shakhath,* } corruption.
מַשְׁחִית *Mashkheeth,*

CORRUPTLY.
1. מַשְׁחִיתִים *Mashkheetheem,* spoilers.
2. חָבַל *Khoval,* to injure, wrench, twist.

1. 2 Chron. xxvii. 2.
2. Neh. i. 7, verb repeated.

COST.
חִנָּם *Khinom,* for nought, without cost.

2 Sam. xxiv. 24. | 1 Chron. xxi. 24.

COSTLY.
יָקָר *Yokor,* costly.

1 Kings v. 17. | 1 Kings vii. 9, 10, 11.

COTES.
אֲוֵרוֹת *Avairouth,* stalls.
2 Chron. xxxii. 28.

COTTAGE.
1. סֻכָּה *Sukoh,* a hut, tabernacle.
2. מְלוּנָה *Meloonoh,* a place for a lodging at night.
3. כְּרֹת *Kĕroutk,* places for cattle.

1. Isa. i. 8. | 2. Isa. xxiv. 20.

COTTAGES.
3. Zeph. ii. 6.

COUCH.

1. מִשְׁכָּב *Mishkov,* a place of repose.
2. עֶרֶשׂ *Eres,* a couch.

1. Gen. xlix. 4.	2. Psalm vi. 6.
1. Job vii. 13.	2. Amos iii. 12.

COUCHES.

עַרְשׂת *Arsouth,* couches.

Amos vi. 4.

COUCH, Verb.

שָׁחָה *Shokhoh,* to bow down, incline.

Job xxxviii. 40.

COUCHED.

1. רָבַץ *Rovats,* to couch down.
2. כָּרַע *Kora,* to kneel.

1. Gen. xlix. 9.	2. Numb. xxiv. 9.

COUCHETH.

רֹבֵץ *Rouvaits.*

Deut. xxxiii. 13.

COUCHING.

1. רֹבֵץ *Rouvaits.*
2. מִרְבַּץ *Mirbats,* a couching-place.

1. Gen. xlix. 14.	2. Ezek. xxv. 5.

COVENANT.

בְּרִית *Běreeth,* a covenant.

COVENANTED.

כָּרַת *Korath,* to make agreement.

COVER.

1. כָּסָה *Kosoh,* to cover.
2. חָפָה *Khophoh,* to overlay, spread over.
3. סָכַךְ *Sokhakh,* to protect, shelter.
4. עָטַף *Otaph,* to veil.
5. עָטָה *Otoh,* to wrap up.
6. שׁוּף *Shooph,* to bruise, hurt.
7. נָסַךְ *Nosakh,* to cast, pour out hot metal.
8. חָרַם *Koram,* to cover, skin over.
9. בָּלַע *Bola,* to swallow.
10. לָאַט *Lōāt,* to conceal.
11. צִפָּה *Tsippoh,* (Piel) to overlay.
12. עוּב *Oov,* to cover, as with a cloud.
13. כָּפַשׁ *Kophash,* (Hiph.) to cause to roll.

1. Exod. x. 5.	1. Isa. xiv. 11.
1. —— xxi. 33.	5. — xxii. 17.
1. —— xxviii. 42.	1. — xxvi. 21.
3. —— xxxiii. 22.	7. — xxx. 1.
3. —— xl. 3.	1. — lviii. 7.
1. Lev. xvi. 13.	1. — lix. 6.
1. —— xvii. 13.	1. — lx. 2, 6.
1. Numb. xxii. 5.	1. Jer. xlvi. 8.
1. Deut. xxiii. 13.	1. Ezek. vii. 18.
2. —— xxxiii. 12.	1. —— xii. 6, 12.
3. 1 Sam. xxiv. 3.	1. —— xxiv. 7.
1. Neh. iv. 5.	5. —————— 17, 22.
1. Job xvi. 18.	1. —— xxvi. 10, 19.
1. — xxi. 26.	1. —— xxx. 18.
1. — xxii. 11.	1. —— xxxii. 7.
1. — xxxviii. 34.	8. —— xxxvii. 6.
3. — xl. 22.	1. —— xxxviii. 9, 16.
3. Psalm xci. 4.	1. Hos. ii. 9.
1. —— civ. 9.	1. —— x. 8.
5. —— cix. 29.	1. Obad. 10.
6. —— cxxxix. 11.	5. Mic. iii. 7.
1. —— cxl. 9.	1. — vii. 10.
1. Isa. xi. 9.	1. Hab. ii. 14, 17.

COVERED.

1. { Gen. vii. 19, 20.	1. Psalm xliv. 15, 19.
—— ix. 23.	4. —— lxv. 13.
—— xxiv. 65.	2. —— lxviii. 13.
—— xxxviii. 14, 15.	1. —— lxix. 7.
Exod. viii. 6.	5. —— lxxi. 13.
—— x. 15.	1. —— lxxxv. 2.
—— xiv. 28.	5. —— lxxxix. 45.
—— xv. 5, 10.	1. —— cvi. 17.
—— xvi. 13.	3. —— cxxxix. 13.
—— xxiv. 15, 16.	3. —— cxl. 7.
3. —— xxxvii. 9.	1. Prov. xxiv. 31.
3. —— xl. 21.	11. —— xxvi. 23.
1. —————— 34.	1. —————— 26.
1. Lev. xiii. 13.	1. Eccles. vi. 4.
9. Numb. iv. 20.	1. Isa. vi. 2.
1. —— ix. 15, 16.	1. — xxix. 10.
1. —— xvi. 42.	1. — xxxvii. 1.
1. Deut. xxxii. 15.	1. — li. 16.
1. Josh. xxiv. 7.	5. — lxi. 10.
1. Judg. iv. 18, 19.	2. Jer. xiv. 3.
1. 1 Sam. xix. 13.	1. — li. 42, 51.
5. —— xxviii. 14.	12. Lam. ii. 1.
2. 2 Sam. xv. 30.	13. —— iii. 16.
10. —————— xix. 4.	3. —————— 43, 44.
1. 1 Kings i. 1.	1. Ezek. i. 11, 23.
3. —— viii. 7.	1. — xvi. 8, 10.
1. 2 Kings xix. 1.	1. — xviii. 7.
3. 1 Chron. xxviii. 18.	1. —— xxiv. 8.
1. 2 Chron. v. 8.	1. —— xxvii. 7.
2. Esth. vi. 12.	1. —— xxxi. 15.
2. —— vii. 8.	8. —— xxxvii. 8.
1. Job xxiii. 17.	1. Jonah iii. 6, 8.
1. — xxxi. 33.	1. Hab. iii. 3.
1. Psalm xxxii. 1.	

COVEREDST.

1. Psalm civ. 6.	1. Ezek. xvi. 18.

COVEREST.

1. Deut. xxii. 12.	5. Psalm civ. 2.

COVERETH.

1. Exod. xxix. 13, 22.	4. Psalm lxxiii. 6.
1. Lev. iii. 3, 9, 14.	5. —— cix. 19.
1. —— iv. 8.	1. —— cxlvii. 8.
1. —— vii. 3.	1. Prov. x. 6, 11, 12.
1. —— ix. 19.	1. —— xii. 16.
1. Numb. xxii. 11.	1. —— xvii. 9.
3. Judg. iii. 24.	1. —— xxviii. 13.
1. Job ix. 24.	1. Jer. iii. 25.
1. — xv. 27.	3. Ezek. xxviii. 14.
1. — xxxvi. 30, 32.	1. Mal. ii. 16.

COVERING.

3. Exod. xxv. 20.	3. Ezek. xxxviii. 16.
5. Numb. iv. 5.	1. Mal. ii. 13.

COVERING, Subst.

1. מִכְסֶה *Mikhsaih,* a covering.
2. כְּסוּת *Kesooth,* a covering for the person, a mantle.
3. עָטָה *Otoh,* to veil.
4. צָמִיד *Tsomeed,* a fastening.
5. מָסָךְ *Mosokh,* a curtain.
6. סֵתֶר *Saither,* a place of concealment.
7. מֶרְכָּב *Merkov,* a chariot.

1. Gen. viii. 13.	2. Job xxxi. 19.
2. —— xx. 16.	5. Psalm cv. 39.
2. Exod. xxii. 27.	7. Cant. iii. 10.
3. Lev. xiii. 45.	5. Isa. xxii. 8.
4. Numb. xix. 15.	5. — xxv. 7.
5. 2 Sam. xvii. 19.	5. — xxviii. 20.
6. Job xxii. 14.	5. — xxx. 1, 22.
2. — xxiv. 7.	2. — L. 3.
2. — xxvi. 6.	5. Ezek. xxviii. 13.

COVERINGS.

מַרְבַדִּים *Marbadeem,* coverings of tapestry.

Prov. vii. 16.	Prov. xxxi. 22.

COVERS.

קְשׂוֹת *Kesouth,* cups.

Exod. xxv. 29.	Numb. iv. 7.
—— xxxvii. 16.	

COVERT.

1. סֵתֶר *Saither,* מִסְתּוֹר *Mistour,* a place of concealment.
2. מָסָךְ *Mosakh,* a cover, curtain.
3. סֻכָּה *Sookoh,* a booth, shelter, tabernacle.

1. 1 Sam. xxv. 20.	1. Isa. iv. 6.
2. 2 Kings xvi. 18.	1. — xvi. 4.
3. Job xxxviii. 40.	1. — xxxii. 2.
1. — xl. 21.	3. Jer. xxv. 38.
1. Psalm lxi. 4.	

COVET.

חָמַד *Khomad,* to covet.

Exod. xx. 17.	Mic. ii. 2.
Deut. v. 21.	

COVETED.

Josh. vii. 21.

COVETETH.

1. אָוָה *Ivvoh,* to desire.
2. בֹּצֵעַ *Boutsaia.*

1. Prov. xxi. 26.	2. Hab. ii. 9.

COVETOUS.

בֹּצֵעַ *Boutsaia,* covetous.
Psalm x. 3.

COVETOUSNESS.

בֶּצַע *Botsa,* profit, gain.

COULD -EST.

יָכֹל *Yokhal,* to be able.

COULTER.

אֵת *Aith,* a coulter.
1 Sam. xiii. 20.

COULTERS.

אִתִּים *Aitheem,* coulters.
1 Sam. xiii. 21.

COUNSEL.

1. סוֹד *Soud,* secret counsel.
2. רְגְמָה *Rigmoh,* a man in authority.
3. עֵטָא *Aito* (Syriac), advice.
4. מְלַךְ *Molakh* (Syriac), counsel.
5. יָעַץ *Yoats,* to advise, counsel.
6. דָּבָר *Dovor,* a word, matter.
7. עֵצוֹת *Aitsouth,* advices, counsels.
8. עֵצָה *Aitsoh,* advice.
9. יָסַד *Yosad,* to found, establish.
10. תַּחְבּוּלוֹת *Takhboolouth,* profound meditations, guidance.

5. Exod. xviii. 19.	8. 2 Sam. xvii. 23.
6. Numb. xxxi. 16.	8. 1 Kings i. 12.
7. Deut. xxxii. 28.	8. —— xii. 8, 13.
Judg. xviii. 5, not in original.	5. 2 Kings vi. 8.
8. —— xx. 7.	8. —— xviii. 20.
—— 18, 23, not in original.	8. 2 Chron. x. 8, twice.
1 Sam. xiv. 37, not in original.	8. —— 13.
	8. —— xxii. 5.
8. 2 Sam. xv. 31.	8. —— xxv. 16.
8. —— xvi. 23, twice.	5. —— xxx. 2, 23.
5. —— xvii. 11.	8. Ezra x. 3, 8.
8. —— 14, twice.	8. Neh. iv. 15.
5. —— 15.	5. —— vi. 7.
	8. Job v. 13.
	8. — x. 3.

8. Job xii. 13.   10. Prov. xxiv. 6.
8. — xviii. 7.   8. —— xxvii. 9.
8. — xxi. 16.   8. Isa. v. 19.
8. — xxii. 18.   5. — vii. 5.
5. — xxvi. 3.   8. — viii. 10.
8. — xxix. 21.   8. — xi. 2.
8. — xxxviii. 2.   8. — xvi. 3.
8. — xlii. 3.   8. — xix. 3, 11, 17.
8. Psalm i. 1.   5. — xxiii. 8.
9. —— ii. 2.   8. —— xxviii. 29.
7. —— xiii. 2.   8. — xxix. 15.
8. —— xiv. 6.   8. — xxx. 1.
5. —— xvi. 7.   8. — xxxvi. 5.
8. —— xx. 4.   5. — xl. 14.
9. —— xxxi. 13.   8. — xliv. 26.
8. —— xxxiii. 10, 11.   5. — xlv. 21.
1. —— lv. 14.   8. — xlvi. 10, 11.
1. —— lxiv. 2.   8. Jer. xviii. 18, 23.
2. —— lxviii. 27.   8. — xix. 7.
5. —— lxxi. 10.   1. — xxiii. 18, 22.
8. —— lxxiii. 24.   8. — xxxii. 19.
1. —— lxxxiii. 3.   5. — xxxviii. 15.
8. —— cvi. 13, 43.   8. — xlix. 7, 20, 30.
8. —— cvii. 11.   8. — L. 45.
8. Prov. i. 25, 30.   8. Ezek. vii. 26.
8. —— viii. 14.   8. — xi. 2.
10. —— xi. 14.   3. Dan. ii. 14.
8. —— xii. 15.   4. —— iv. 27.
1. —— xv. 22.   8. Hos. iv. 12.
8. —— xix. 20, 21.   8. — x. 6.
8. —— xx. 5, 18.   8. Mic. iv. 12.
8. —— xxi. 30.   8. Zech. vi. 13.

COUNSELS.

1. תַּחְבֻּלוֹת   *Takhboolouth,* profound meditations, guidance.

2. { מֹעֵצוֹת   *Mouatsouth,* or עֵצוֹת   *Aitsouth,* } counsels.

1. Job xxxvii. 12.   2. Isa. xxv. 1.
2. Psalm v. 10.   2. — xlvii. 13.
2. —— lxxxi. 12.   2. Jer. vii. 24.
1. Prov. i. 5.   2. Hos. xi. 6.
1. —— xii. 5.   2. Mic. vi. 16.
2. —— xxii. 20.

COUNSELLOR.

יוֹעֵץ   *Youaits,* in all passages, except:

יָעֵט   *Yāait* (Chaldee), counsel, plur.
Ezra vii. 14, 15.

COUNSELLORS.

יוֹעֲצִים   *Youatseem,* counsellors.

COUNT.

פָּסַס   *Kosas,* to estimate, set a value upon.
Exod. xii. 4.

COUNT, Verb.

1. מָנָה   *Monoh,* to count, number.
2. חָשַׁב   *Khoshav,* to think, esteem, calculate.

---

3.   סָפַר   *Sophar,* to reckon by figures.
4.   נָתַן   *Nothan,* to give place, appoint.
5.   הָיָה   *Hoyoh,* to be, become.
6.   זָכָה   *Zokhoh,* to be pure.
7.   עָרֵל   *Oral,* to prune, pluck off fruit.
8.   פָּקַד   *Pokad,* to visit, review.

7. Lev. xix. 23.   3. Job xxxi. 4.
3. —— xxiii. 15.   3. Psalm lxxxvii. 6.
2. —— xxv. 27, 52.   3. —— cxxxix. 18.
1. Numb. xxiii. 10.   5. —————— 22.
4. 1 Sam. i. 16.   6. Mic. vi. 11.
2. Job xix. 15.

COUNTED.

2. In all passages, except:

3. 1 Kings iii. 8.   3. Isa. xxxiii. 18.
8. 1 Chron. xxi. 6.

COUNTETH.

2. Job xix. 11. | 2. Job xxxiii. 10.

COUNTENANCE.

פָּנִים   *Poneem,* face.

COUNTENANCES.

מַרְאֶה   *Mareh,* countenances.
Dan. i. 13, 15.

COUNTENANCE, Verb.

הָדַר   *Hodar,* to honour, respect.
Exod. xxiii. 3.

COUNTERVAIL.

שָׁוֶה   *Shouveh,* to balance, equal.
Esth. vii. 4.

COUNTRY.

אֶרֶץ   *Erets,* land, country, earth.

COUNTRIES.

אֲרָצוֹת   *Artsouth,* land, country, earth.

COUPLE.

1.   שְׁתֵּי   *Shtai,* two, a couple.
2.   צֶמֶד   *Tsemed,* a couple, pair.

1. 2 Sam. xiii. 6.   2. Isa. xxi. 7, 9.
2. ———— xvi. 1.

COUPLE.

חָבַר   *Khovar,* to join.

Exod. xxvi. 6, 9, 11.   Exod. xxxix. 4.
—— xxxvi. 18.

COUPLED.

Exod. xxvi. 3, 24.   Exod. xxxvi. 16, 29.
—— xxxvi. 10, 13.   —— xxxix. 4.

COUPLETH.

Exod. xxvi. 10.

COUPLING.

מַחְבֶּרֶת *Makhbereth,*
חֹבֶרֶת *Khoubereth,* } joinings.

Exod. xxvi. 4, 10. | Exod. xxxvi. 11, 12, 17.
—— xxviii. 27. | —— xxxix. 20.

COUPLINGS.
2 Chron. xxxiv. 11.

COURAGE.

1.   רוּחַ   *Rooakh,* spirit, wind, air.
2.   כֹּחַ   *Kouakh,* power.
3.   חָזַק   *Khozak,* to strengthen.
4.   אָמֵץ   *Omats,* to encourage.

3. Numb. xiii. 20.	4. 1 Chron. xxviii. 20.
4. Deut. xxxi. 6, 7, 23.	3. 2 Chron. xv. 8.
4. Josh. i. 6, 9, 18.	3. Ezra x. 4.
1. —— ii. 11.	3. Psalm xxvii. 14.
4. —— x. 25.	3. —— xxxi. 24.
3. 2 Sam. x. 12.	3. Isa. xli. 6.
3. 1 Chron. xix. 13.	2. Dan. xi. 25.
4. —————— xxii. 13.	

COURAGEOUS.

1.   אָמֵץ   *Omats,* to encourage.
2.   חָזַק   *Khozak,* to strengthen.

1. Josh. i. 7.	1. 2 Chron. xxxii. 7.
2. —— xxiii. 6.	1. Amos ii. 16.
2. 2 Sam. xiii. 28.	

COURAGEOUSLY.
חִזְקוּ *Khizkoo,* be ye courageous.
2 Chron. xix. 11.

COURSE -S.

1.   מַחֲלֹקֶת   *Makhăllouketh,* divisions.
2.   מוּט   *Moot,* a rapid motion.
3.   מְרוּצָה   *Mĕrootsoh,* a race.
4.   מְסִלּוֹת   *Mĕsillouth,* elevations, high paths.

1. 1 Chron. xxvii. 1.	2. Psalm lxxxii. 5.
1. 2 Chron. v. 11.	3. Jer. viii. 6.
Ezra iii. 11, not in original.	3. — xxiii. 10.

COURSES.
All passages not inserted are N°. 1, except:
4. Judg. v. 20.

COURT.
חָצֵר *Khotsair,* a court-yard.

COURTS.
חַצְרוֹת *Khatsrouth,* courts.

COW.

1.   פָּרָה   *Poroh,* a cow.
2.   שׁוֹר   *Shour,* an ox.
3.   עֶגְלָה   *Egloh,* a heifer, calf.
4.   בָּקָר   *Bokor,* horned cattle.

2. Lev. xxii. 28.	3. Isa. vii. 21.
2. Numb. xviii. 17.	1. — xi. 7.
1. Job xxi. 10.	4. Ezek. iv. 15.

CRACKLING.
קוֹל *Koul,* a voice, noise.
Eccles. vii. 6.

CRACKNELS.
נְקֻדִּים *Nĕkudeem,* spotted.
1 Kings xiv. 3.

CRAFT.
מִרְמָה *Mirmoh,* deceit.
Dan. viii. 25.

CRAFTINESS.
עָרְמָה *Ormoh,* craftiness.
Job v. 13.

CRAFTY.
עָרְמָה *Ormoh,* cunning, craftiness, subtilty.

Job v. 12. | Psalm lxxxiii. 3.
— xv. 5.

CRAFTSMAN.
חָרָשׁ *Khorash,* an artificer.
Deut. xxvii. 15.

CRAFTSMEN.
חָרָשִׁים *Khorosheem,* artificers.

CRAG.
שֵׁן *Shain,* a tooth.
Job xxxix. 28.

CRANE.

1.   סוּס   *Soos,* a horse.
2.   סִיס   *Sees,* a crane.

1. Isa. xxxviii. 14. | 2. Jer. viii. 7.

CRASHING.
שֶׁבֶר *Shever,* a breaking.
Zeph. i. 10.

CRAVETH.
אָכַף *Okaph,* to burthen, load.
Prov. xvi. 26.

CREATE -ED.
בָּרָא *Boro,* to create.

CREATETH.
בּוֹרֵא *Bourai,* the Creator.
Amos iv. 13.

CREATOR.
בּוֹרֵא *Bourai,* the Creator.
Eccles. xii. 1. | Isa. xliii. 15.
Isa. xl. 28.

CREATURE.

נֶפֶשׁ *Nephesh,* breath, a living creature, animal life.

CREATURES, doleful.

אֹחִים *Oukheem,* howling animals.

Isa. xiii. 21.

CREATURES, living.

חַיּוֹת *Khayouth,* living creatures.

CREDITOR.

נֹשֶׁה *Nosheh,* a creditor.

Deut. xv. 2. | 2 Kings iv. 1.

CREDITORS.

נוֹשִׁים *Nousheem,* creditors.

Isa. L. 1.

CREEP -ETH -ING.

שָׁרַץ *Shorats,* to creep.

CRIB.

אֵבוּס *Aivoos,* a crib.

| Job xxxix. 9. | Isa. i. 3. |
| Prov. xiv. 4. | |

CRIME.

זִמָּה *Zimmoh,* an evil device.

Job xxxi. 11.

CRIMES.

מִשְׁפָּט *Mishpot,* judgment, law, justice.

Ezek. vii. 23.

CRIMSON.

1. כַּרְמִיל *Karmeel,* crimson.
2. שָׁנִי *Shonee,* a shining red, changeable.
3. תּוֹלָע *Toulo,* a red silk-worm.

| 1. 2 Chron. ii. 7, 14. | 3. Isa. i. 18. |
| 1. ——— iii. 14. | 2. Jer. iv. 30. |

CRISPING-PINS.

חֲרִיטִים *Khareeteem,* needles, graving tools.

Isa. iii. 22.

CROOK-BACKED.

גִּבֵּן *Gibbain,* a hump-back.

Lev. xxi. 20.

CROOKED.

1. עֲקַלְקַל *Akalkoul,* crooked.
2. פְּתַלְתֹּל *Pěthaltoul,* twisted, entangled.

3. הַדּוּרִים *Haddooreem,* glorious, splendid.
4. מַעֲקָשׁ *Maăkosh,* inconsistent (verb, to prevent).
5. מְעֻוָּת *Měuvoth,* being contrary to (verb, to straiten).
6. בָּרִיחַ *Boreeakh,* fleeing, running.
7. עָקֹב *Okouv,* unlevelled.

2. Deut. xxxii. 5.	6. Isa. xxvii. 1.
6. Job xxvi. 13.	7. — xl. 4.
1. Psalm cxxv. 5.	4. — xlii. 16.
4. Prov. ii. 15.	3. — xlv. 2.
5. Eccles. i. 15.	4. — xlix. 8, verb.
5. ——— vii. 13.	5. Lam. iii. 9, verb.

CROP, Subst.

מֻרְאָה *Muroh,* the crop of a bird.

Lev. i. 16.

CROP, Verb.

קָטַף *Kotaph,* to crop off.

Ezek. xvii. 22.

CROPPED.

Ezek. xvii. 4.

CROSS-WAY.

פֶּרֶק *Perek,* a division.

Obad. 14.

CROUCH -ETH.

שָׁחָה *Shokhoh,* to bow down, incline.

1 Sam. ii. 36. | Psalm x. 10.

CROWN.

1. כֶּתֶר *Kether,* a crown.
2. עֲטָרָה *Ătoroh,* a mitre.
3. נֵזֶר *Naizer,* a diadem.
4. זֵר *Zair,* an ornamental border round the top of the altar.
5. קָדְקֹד *Kodkoud,* the crown of the head.

4. Exod. xxv. 25.	2. Prov. iv. 9.
3. ——— xxix. 6.	2. ——— xii. 4.
4. ——— xxx. 4.	2. ——— xiv. 24.
4. ——— xxxvii. 27.	2. ——— xvi. 31.
3. ——— xxxix. 30.	2. ——— xvii. 6.
3. Lev. viii. 9.	3. ——— xxvii. 24.
3. ——— xxi. 12.	2. Cant. iii. 11.
3. 2 Kings xi. 12.	2. Isa. xxviii. 1, 5.
2. 1 Chron. xx. 2.	2. — lxii. 3.
3. 2 Chron. xxiii. 11.	2. Jer. xiii. 18.
1. Esth. i. 11.	2. Lam. v. 16.
2. Job xxxi. 36.	2. Ezek. xvi. 12.
3. Psalm lxxxix. 39.	2. ——— xxi. 26.
3. ——— cxxxii. 18.	3. Zech. ix. 16.

CROWN of gold.

4. Exod. xxv. 11, 24.	3. Esth. viii. 15.
4. ——— xxx. 3.	2. Psalm xxi. 3.
4. ——— xxxvii. 2, 11, 12, 26.	

CROWN with head.

5. Gen. xlix. 26.	5. Job ii. 7.
5. Deut. xxxiii. 20.	2. — xix. 9.
3. 2 Sam. i. 10.	5. Isa. iii. 17.
2. —— xii. 30.	5. Jer. ii. 16.
5. —— xiv. 25.	5. — xlviii. 45.
1. Esth. ii. 17.	2. Lam. v. 16.
1. — vi. 8.	2. Ezek. xvi. 12.

CROWNS.

1. עֲטֶרֶת   *Atereth,* a crown.

2. עֲטָרוֹת   *Atorouth,* crowns.

1. Ezek. xxiii. 42.	2. Zech. vi. 11, 14.

CROWNED.

1. { עָטַר   *Otar,*
 כָּתַר   *Kothar,* } to crown.

2. מִנְזָרִים   *Minzoreem,* princes, nobles.

1. Psalm viii. 5.	1. Cant. iii. 11.
1. Prov. xiv. 18.	2. Nah. iii. 17.

CROWNEST.
1. Psalm lxv. 11.

CROWNETH.
1. Psalm ciii. 4.

CROWNING.
1. Isa. xxiii. 8.

CRUEL.

1. אַכְזָר   *Akhzor,* cruel.

2. קָשֶׁה   *Kosheh,* hard-hearted.

3. עַז   *Oz,* strong, firm.

4. חָמָס   *Khomos,* violence.

5. חוֹמֶץ   *Khoumaits,* fermented.

3. Gen. xlix. 7.	1. Prov. xvii. 11.
2. Exod. vi. 9.	1. —— xxvii. 4.
1. Deut. xxxii. 33.	2. Cant. viii. 6.
1. Job xxx. 21.	1. Isa. xiii. 9.
4. Psalm xxv. 19.	2. — xix. 4.
5. —— lxxi. 4.	1. Jer. vi. 23.
1. Prov. v. 9.	1. — xxx. 14.
1. —— xi. 17.	1. — L. 42.
1. —— xii. 10.	1. Lam. iv. 3.

CRUELLY.
עָשַׁק   *Oshak,* to oppress.
Ezek. xviii. 18, verb repeated.

CRUELTY.

1. חָמָס   *Khomos,* violence.

2. פֶּרֶךְ   *Porekh,* cruelty.

1. Gen. xlix. 5.	1. Psalm lxxiv. 20.
1. Judg. ix. 24.	2. Ezek. xxxiv. 4.
1. Psalm xxvii. 12.	

CRUSE.

1. צַפַּחַת   *Tsapakhath,* a cruse, flask.

2. בַּקְבֻּק   *Bakbuk,* an earthen vessel.

3. צְלֹחִית   *Tsĕloukheeth,* a dish, bowl.

1. 1 Sam. xxvi. 11, 12, 16.	1. 1 Kings xvii. 12, 14, 16.
2. 1 Kings xiv. 3.	1. —— xix. 6.
	3. 2 Kings ii. 20.

CRUSH.

1. דָּכָא   *Dokho,* to bruise.

2. זוּר   *Zoor,* to squeeze, compress.

3. שָׁבַּר   *Shibbair,* to break.

4. רָצַץ   *Rotsats,* to shatter.

5. כָּתַת   *Kotath,* to beat to pieces.

6. לָחַץ   *Lokhats,* to oppress, afflict.

7. הָמַם   *Homam,* to confuse.

2. Job xxxix. 15.	1. Lam. iii. 34.
3. Lam. i. 15.	4. Amos iv. 1.

CRUSHED.

5. Lev. xxii. 24.	1. Job v. 4.
6. Numb. xxii. 25.	2. Isa. lix. 5.
4. Deut. xxviii. 33.	7. Jer. li. 34.
1. Job iv. 19.	

CRY, Subst.

1. { זְעָקָה   *Zĕokoh,*
 צְעָקָה   *Tsĕokoh,* } a cry, loud cry.

2. שׁוּעַ   *Shooa,* a cry for help.

3. קוֹל   *Koul,* a voice, noise.

4. רִנָּה   *Rinnoh,* a shout.

5. צְוָחָה   *Tsevokhoh,* a sorrowful cry.

1. Gen. xviii. 20, 21.	4. Psalm cvi. 44.
1. —— xix. 13.	4. —— cxix. 169.
1. —— xxvii. 34.	4. —— cxlii. 6.
2. Exod. ii. 23.	1. Prov. xxi. 13.
1. —— iii. 7, 9.	1. Eccles. ix. 17.
3. Numb. xvi. 34.	1. Isa. v. 7.
2. 1 Sam. v. 12.	1. — xv. 5, 8.
1. —— ix. 16.	1. — xxx. 19.
2. 2 Sam. xxii. 7.	4. — xliii. 14.
4. 1 Kings viii. 28.	4. Jer. vii. 16.
4. 2 Chron. vi. 19.	2. — viii. 19.
1. Neh. v. 6.	4. — xi. 14.
1. —— ix. 9.	5. — xiv. 2.
1. Esth. iv. 1.	4. —— 12.
1. —— ix. 31.	1. — xviii. 22.
1. Job xvi. 18.	1. — xxv. 36.
1. — xxxiv. 28.	5. — xlvi. 12.
2. Psalm v. 2.	1. — xlviii. 4, 5.
1. —— ix. 12.	1. — xlix. 21.
4. —— xvii. 1.	1. — L. 46.
2. —— xviii. 6.	1. — li. 54.
2. —— xxxiv. 15.	2. Lam. iii. 56.
2. —— xxxix. 12.	1. Ezek. xxi. 12.
2. —— xl. 1.	1. —— xxvii, 28.
4. —— lxxxviii. 2.	1. Zeph. i. 10.
2. —— cii. 1.	

CRY, great.

1. Exod. xi. 6.	1. Neh. v. 1.
1. —— xii. 30.	

CRY, hear.

1. Exod. xxii. 23.	2. Psalm cxlv. 19.
1. Job xxvii. 9.	1. Jer. xx. 16.
4. Psalm lxi. 1.	

CRY, Verb.

1.	צָעַק Tsoak,	}	to cry out.
	זָעַק Zoak,		
2.	קוֹל Koul, a voice.		
3.	קָרָא Koro, to call.		
4.	שׁוּעַ Shooa, to cry for help.		
5.	עָנָה Onoh, to express, answer.		
6.	צָרַח Tsorakh, (Hiph.) to cause to exclaim.		
7.	פָּעָה Pōōh, to complain, exclaim.		
8.	אָנַק Onak, to sigh.		
9.	עָרַג Orag, to pant.		
10.	צָהַל Tsohal, to shout for joy.		
11.	רוּעַ Rooa, to shout, make a noise.		
12.	רָנַן Ronan, to sing.		
13.	נָתַן־קוֹל Nothan-koul, to utter a voice.		
14.	הָמָה Homoh, to be tumultuous, noisy.		
15.	יָבֵב Yibbaiv, to vociferate.		
16.	שָׁאָה Shōōh, to raise a tumult, noise.		
17.	מוּת Mooth, (Hiph.) to cause death.		
18.	צָוַח Tsovakh, to cry loudly from joy or sorrow.		

1. Exod. v. 8.	1. Isa. xxxiii. 7.
1. —— xxii. 23.	3. — xxxiv. 14.
2. —— xxxii. 18.	3. — xl. 2, 6.
3. Lev. xiii. 45.	1. — xlii. 2.
1. Judg. x. 14.	6. —— 13.
1. 2 Sam. xix. 28.	7. —— 14.
1. 2 Kings viii. 3.	1. — xlvi. 7.
1. 2 Chron. xx. 9.	4. — lviii. 9.
4. Job xxx. 20, 24.	1. — lxv. 14.
1. — xxxv. 9, 12.	3. Jer. ii. 2.
4. — xxxvi. 13.	3. — iii. 4.
4. — xxxviii. 41.	3. — iv. 5.
3. Psalm xxii. 2.	1. — xi. 11, 12, 14.
3. —— xxvii. 7.	1. — xxii. 20.
3. —— xxviii. 1.	3. — xxv. 34.
4. —————— 2.	3. — xxxi. 6.
1. —— xxxiv. 17.	1. — xlviii. 20.
3. —— lvi. 9.	1. Lam. iii. 8.
3. —— lvii. 2.	3. Ezek. viii. 18.
3. —— lxi. 2.	8. —— ix. 4.
3. —— lxxxvi. 3.	8. —— xxiv. 17.
3. —— lxxxix. 26.	8. —— xxvi. 15.
3. —— cxli. 1.	1. —— xxvii. 30.
3. —— cxlvii. 9.	1. Hos. viii. 2.
3. Prov. viii. 1.	3. Joel i. 19.
3. —— xxi. 13.	9. —— 20.
3. Isa. viii. 4.	3. Jonah iii. 8.
5. — xiii. 22.	3. Mic. iii. 5.
1. — xiv. 31.	6. Zeph. i. 14.
1. — xv. 4.	3. Zech. i. 14.

CRY against.

3. Deut. xv. 9.	1. Job xxxi. 38.
3. —— xxiv. 15.	3. Jonah i. 2.
11. 2 Chron. xiii. 12.	

CRY aloud.

3. 1 Kings xviii. 27.	10. Isa. liv. 1.
4. Job xix. 7.	3. — lviii. 1.
14. Psalm lv. 17.	11. Hos. v. 8.
10. Isa. xxiv. 14.	11. Mic. iv. 9.

CRY to the Lord.

1. 1 Sam. vii. 8.	1. Joel i. 14.
1. Psalm cvii. 19, 28.	1. Mic. iii. 4.
1. Isa. xix. 20.	

CRY out.

1. 1 Sam. viii. 18.	4. Isa. xxix. 9.
1. Job xix. 7.	1. Jer. xlviii. 31.
4. — xxxv. 9.	12. Lam. ii. 19.
10. Isa. xii. 6.	13. Amos iii. 4.
11. — xv. 4.	1. Hab. i. 2.
1. —— 5.	1. — ii. 11.

CRIED.

1. Gen. xxvii. 34.	4. Psalm xviii. 6, 41.
3. —— xxxix. 15.	1. —— xxii. 5.
3. —— xli. 43.	4. —————— 24.
1. —— xli. 55.	4. —— xxx. 2.
3. —— xlv. 1.	3. —————— 8.
1. Exod. v. 15.	4. —— xxxi. 22.
1. Numb. xi. 2.	3. —— xxxiv. 6.
1. Deut. xxii. 24, 27.	3. —— lxvi. 17.
15. Judg. v. 28.	1. —— lxxvii. 1.
11. —— vii. 21.	1. —— lxxxvii. 8.
1. —— x. 12.	4. —————— 13.
3. 1 Sam. xvii. 8.	3. —— cxix. 145.
3. —————— xx. 37, 38.	3. —— cxxx. 1.
3. 2 Sam. xx. 16.	3. —— cxxxviii. 3.
3. —————— xxii. 7.	3. Isa. vi. 4.
3. 1 Kings xiii. 2, 4, 32.	3. — xxx. 7.
3. —————— xviii. 28.	3. Jer. iv. 20.
1. 2 Kings ii. 12.	1. Ezek. ix. 8.
1. —————— vi. 5.	3. —— x. 13.
1. —————— viii. 5.	1. Dan. vi. 20.
3. —————— xi. 14.	1. Hos. vii. 14.
1. 1 Chron. v. 20.	1. Jonah i. 5.
1. 2 Chron. xxxii. 20.	3. —— ii. 2.
1. Neh. ix. 27, 28.	3. Zech. vii. 13.
4. Job xxix. 12.	4. —————— 13.
11. — xxx. 5.	

CRIED to the Lord.

1. { Exod. viii. 12.	1. 1 Sam. vii. 9.
—— xiv. 10.	1. —— xv. 11.
—— xv. 25.	3. 1 Kings xvii. 20, 21.
—— xvii. 4.	3. 2 Kings xx. 11.
Numb. xii. 13.	1. 2 Chron. xiii. 14.
—— xx. 16.	3. —— xiv. 11.
Deut. xxvi. 7.	3. Psalm iii. 4.
Josh. xxiv. 7.	1. —— cvii. 6, 13.
Judg. iii. 9, 15.	3. —— cxx. 1.
—— iv. 3.	1. —— cxlii. 1.
—— vi. 7.	1. Lam. ii. 18.
—— x. 10.	3. Jonah i. 14.

CRIED with a loud voice.

1. 1 Sam. xxviii. 12.	1. Neh. ix. 4.
1. 2 Sam. xix. 4.	3. Isa. xxxvi. 13.
3. 2 Kings xviii. 28.	1. Ezek. xi. 13.

CRIED out.

1. 1 Sam. iv. 13.
1. 1 Kings xxii. 32.
1. 2 Kings iv. 40.

1. 2 Chron. xviii. 31.
1. Jer. xx. 8.

CRIEST -ETH.

1. Gen. iv. 10.
1. Exod. xiv. 15.
1. —— xxii. 27.
3. 1 Sam. xxvi. 14.
4. Job xxiv. 12.
4. Psalm lxxii. 12.
12. —— lxxxiv. 2.
12. Prov. i. 20.
3. —— ii. 3.

12. Prov. viii. 3.
3. —— ix. 3.
1. Isa. xxvi. 17.
3. — xl. 3.
1. — lvii. 13.
13. Jer. xii. 8.
1. — xxx. 15.
3. Mic. vi. 9.

CRYING.

1. 1 Sam. iv. 14.
1. 2 Sam. xiii. 19.
16. Job xxxix. 7.
17. Prov. xix. 18.
4. Isa. xxii. 5.

18. Isa. xxiv. 11.
1. — lxv. 19.
1. Jer. xlviii. 3.
16. Zech. iv. 7.
8. Mal. ii. 13.

CRYSTAL.

1. זְכוּכִית Zekhookheeth, crystal, glass.
2. קֶרַח Kerakh, a clear stone, ice.

1. Job xxviii. 17. | 2. Ezek. i. 22.

CUBIT.

אַמָּה Ammoh, a cubit.

CUBITS.

אַמוֹת Amouth, cubits.

CUCKOW.

שַׁחַף Shokhaph, a cuckow.

Lev. xi. 16. | Deut. xiv. 15.

CUCUMBERS.

1. קִשֻּׁאִים Kishueem, cucumbers.
2. מִקְשָׁה Mikshoh, a hard place.

1. Numb. xi. 5. | 2. Isa. i. 8.

CUD.

גֵּרָה Gairoh, cud.

Lev. xi. 4, 5, 6. | Deut. xiv. 6, 7, 8.

CUMBRANCE.

טֹרַח Tourakh, weariness.

Deut. i. 12.

CUMMIN.

כַּמֹּן Kamoun, cummin.

Isa. xxviii. 25, 27.

CUNNING.

1. חָכָם Khokhom, wise.
2. יוֹדֵעַ Youdaia, possessing knowledge.
3. מֵבִין Maiveen, a man of understanding.

---

4. אָמָן Omon, a faithful worker.
5. חֹשֵׁב Khoushaiv, to think, reckon, invent.

2. Gen. xxv. 27.
5. Exod. xxvi. 1.
5. —— xxviii. 15.
5. —— xxxi. 4.
5. —— xxxvi. 8.
5. —— xxxviii. 23.
5. —— xxxix. 8.
2. 1 Sam. xvi. 16, 18.
3. 1 Chron. xxv. 7.

1. 2 Chron. ii. 7.
2. —————— 13.
4. Cant. vii. 1.
1. Isa. iii. 3, 4.
1. — xl. 20.
1. Jer. ix. 17.
1. — x. 9.
2. Dan. i. 14.

CUP.

כּוֹס Kous,   } a cup, goblet, chalice.
גָּבִיעַ Geveea, }

In all passages, except :
סַף Saph, a bowl.
Zech. xii. 2.

CUPS.

1. קְשָׂוֹת Kesovouth, covers.
2. אַגָּנוֹת Aggonouth, basons.
3. כֹּסוֹת Kousouth, cups, goblets, chalices.
4. מְנַקִּיּוֹת Menakiyouth, basons to wash in.

1. 1 Chron. xxviii. 17. | 3. Jer. xxxv. 5.
2. Isa. xxii. 24. | 4. — lii. 19.

CUP-bearer.

מַשְׁקֶה Mashkeh, a cup-bearer.
Neh. i. 11.

CUP-bearers.

מַשְׁקִים Mashkeem, cup-bearers.
1 Kings x. 5. | 2 Chron. ix. 4.

CURDLED.

קָפָא Kopho, congealed.
Job x. 10.

CURE.

1. מַרְפֵּא Marpai, a cure.
2. תְּעָלָה Tĕoloh, a recovery.
3. גָּהָה Gohoh, to revive, cure.
4. רָפָא Ropho, to heal.

1. Jer. xxxiii. 6. | 4. Jer. xxxiii. 6.

CURED.

2. Jer. xlvi. 11. | 3. Hos. v. 13.

CURIOUS.

חֹשֵׁב Khaishev, curious, estimable, richly embroidered.

This word refers, in all instances, to the girdle of the Ephod.

מַחֲשָׁבוֹת Makhashovouth, inventions.
Exod. xxxv. 32.

CURIOUSLY.

רֻקַּמְתִּי *Rukamtee*, worked with art, embroidered.

Psalm cxxxix. 15.

CURRENT.

עוֹבֵר *Ouvair*, passing.

Gen. xxiii. 16.

CURSE, Subst.

1.   מְאֵרָה   *Mĕairoh*, a curse.
2.   קְלָלָה   *Keloloh*, an imprecation.
3.   אָלָה   *Oloh*, to denounce, adjure.
4.   חֵרֶם   *Khairem*, a devoted thing.
5.   שְׁבוּעָה   *Shevoooth*, an oath.

2. Gen. xxvii. 12, 13.	3. Isa. xxiv. 6.
1. Numb. v. 18, 19, 22, 24, 27.	4. — xxxiv. 5.
3. ———— 27.	4. — liii. 28.
2. Deut. xi. 26, 28, 29.	5. — lxv. 15.
2. —— xxiii. 5.	2. Jer. xxiv. 9.
3. —— xxix. 19.	2. — xxv. 18.
2. —— xxx. 1.	2. — xxvi. 6.
4. Josh. vi. 18.	3. — xxix. 18.
2. Judg. ix. 57.	2. — xlii. 18.
2. 1 Kings ii. 8.	2. — xliv. 8, 12, 22.
2. 2 Kings xxii. 19.	2. — xlix. 13.
3. Neh. x. 29.	2. Lam. iii. 65.
2. —— xiii. 2.	3. Dan. ix. 11.
3. Job xxxi. 30.	3. Zech. v. 3.
1. Prov. iii. 33.	2. —— viii. 13.
2. —— xxvi. 2.	4. Mal. ii. 2.
2. —— xxvii. 14.	4. —— iii. 9.
1. —— xxviii. 27.	4. —— iv. 6.

CURSED.

4. Deut. vii. 26, twice. | 4. Deut. xiii. 17.

CURSES.

3. Numb. v. 23.	2. Deut. xxix. 27.
2. Deut. xxviii. 15, 45.	3. —— xxx. 7.
3. —— xxix. 20, 21.	3. 2 Chron. xxxiv. 24.

CURSE, Verb.

1.   אָרַר   *Orar*, to curse.
2.   קָלַל   *Kolal*, to esteem lightly.
3.   אָלָה   *Oloh*, to denounce, adjure.
4.   חָרַם   *Khoram*, to devote.
5.   קָבַב   *Kovav*, to execrate.
6.   בֵּרַךְ   *Borakh*, to bless.
7.   מְקַלֵּל   *Mĕkalail*, a curser.

2. Gen. viii. 21.	1. Numb. xxiii. 7.
1. —— xii. 3.	5. ———— 8, 11, 13, 25, 27.
2. Exod. xxii. 28.	5. —— xxiv. 10.
2. Lev. xix. 14.	2. Deut. xxiii. 4.
1. Numb. xxii. 6.	2. —— xxvii. 13.
5. ———— 11.	2. Josh. xxiv. 9.
1. ———— 12.	1. Judg. v. 23.
5. ———— 17.	

---

2. 2 Sam. xvi. 9, 10, 11.	5. Prov. xi. 26.
2. Neh. xiii. 2.	5. —— xxiv. 24.
6. Job i. 11.	5. —— xxx. 10.
6. — ii. 5, 9.	2. Eccles. vii. 21.
5. — iii. 8.	2. —— x. 20.
1. ——— 8.	2. Isa. viii. 21.
2. Psalm lxii. 4.	2. Jer. xv. 10.
2. —— cix. 28.	1. Mal. ii. 2.

CURSED.

1. Gen. iii. 14, 17.	1. 1 Sam. xxvi. 19.
1. —— iv. 11.	2. 2 Sam. xvi. 5, 7, 13.
1. —— v. 29.	2. —— xix. 21.
1. —— ix. 25.	2. 1 Kings ii. 8.
1. —— xxvii. 29.	2. 2 Kings ii. 24.
1. —— xlix. 7.	1. —— ix. 34.
2. Lev. xx. 9.	2. Neh. xiii. 25.
2. —— xxiv. 11.	6. Job i. 5.
7. ———— 14, 23.	2. — iii. 1.
1. Numb. xxii. 6.	5. — v. 3.
1. —— xxiv. 9.	2. — xxiv. 18.
1. Deut. xxvii. 15, 16, 17, 18, 19, 20, 21, 22, 23, 24, 25, 26.	2. Psalm xxxvii. 22.
	1. —— cxix. 21.
1. —— xxviii. 16, 17, 18, 19.	2. Eccles. vii. 22.
1. Josh. vi. 26.	1. Jer. xi. 3.
1. —— ix. 23.	1. — xvii. 5.
2. Judg. ix. 27.	1. — xx. 14, 15.
1. —— xxi. 18.	1. — xlviii. 10.
1. 1 Sam. xiv. 24, 28.	1. Mal. i. 14.
2. ———— xvii. 43.	1. —— ii. 2.
	1. —— iii. 9.

CURSEDST.

3. Judg. xvii. 2.

CURSETH.

3. Gen. xii. 3.	2. Lev. xxiv. 15.
2. Exod. xxi. 17.	2. Prov. xx. 20.
2. Lev. xx. 9.	2. —— xxx. 11.

CURSING.

3. Numb. v. 21.	3. Psalm x. 7.
1. Deut. xxviii. 20.	3. —— lix. 12.
2. —— xxx. 19.	2. —— cix. 17, 18.
2. 2 Sam. xvi. 12.	3. Prov. xxix. 24.

CURSINGS.

2. Josh. viii. 34.

CURTAIN.

1.   יְרִיעָה   *Yereeoh*, a curtain.
2.   דֹק   *Douk*, a fine veil.

1. Psalm civ. 2. | 2. Isa. xl. 22.

CURTAINS.

יְרִיעוֹת *Yereeouth*, curtains.

CUSTODY.

1.   פְּקֻדָּה   *Pĕkudoh*, office, command.
2.   אֶל־יַד   *El-yad*, unto the hand.

1. Numb. iii. 36. | 2. Esth. ii. 3, 8, 14.

CUSTOM.

1. דֶּרֶךְ *Derekh,* a way.
2. חֹק *Khouk,* a decree.
3. מִשְׁפָּט *Mishpot,* a custom, law.
4. הֲלָךְ *Hălokh* (Chaldee), a manner, way.

1. Gen. xxxi. 35.	3. Ezra iii. 4.
2. Judg. xi. 39.	4. —— iv. 13, 20.
3. 1 Sam. ii. 13.	4. —— vii. 24.

CUSTOMS.

חֻקִים *Khukeem,* } decrees, laws, cus-
חֻקוֹת *Khukouth,* } toms.

Lev. xviii. 30.	Jer. xxxii. 11.
Jer. x. 3.	

CUT, Subst.

כָּרֻת *Khorooth,* cut.
Lev. xxii. 24.

CUT.

1. כָּרַת *Korath,* to cut.
2. קָצַץ *Kotsats,* to cut off.
3. נָתַח *Notakh,* to cut asunder, as in sacrifice.
4. גָּדַד *Godad,* (Hith.) to depopulate.
5. שָׂרַר *Sorar,* to rule over.
6. מוּל *Mool,* to circumcise, cut off.
7. גָּדַע *Goda,* to cut down, through.
8. חָצַב *Khotsav,* to hew out (as a stone).
9. קָרַע *Kora,* to rend asunder.
10. עֲבַד *Ibbaid* (Syriac), to destroy.
11. בָּצַע *Botsa,* to wound, divide.
12. שָׂרַט *Sorat,* to scratch, tear.
13. קָטַף *Kotaph,* to pluck off.
14. קָמַט *Komat,* to torture.
15. כָּחַד *Kokhad,* (Niph.) to reject.
16. כָּסַח *Kosakh,* to scrape.
17. דָּמָה *Domoh,* to silence.
18. גָּזַז *Gozaz,* to sheer.
19. גָּזַר *Gozar,* to cut to pieces.
20. קָצַר *Kotsar,* to cut short.
21. בָּקַע *Boka,* to cleave, divide.
22. פָּלַח *Polakh,* to break into fragments.
23. חָרַשׁ *Khorash,* to plough, engrave.
24. קוּט *Koot,* to loathe.
25. חָלַף *Kholaph,* to change, pass through.
26. חָצַץ *Khotsats,* to divide.
27. צָמַת *Tsomath,* to annihilate.

28. עָלָה *Oloh,* to ascend, go up, off.
29. גָּרַז *Goraz,* to hew down, as with an axe.
30. בָּצַר *Botsar,* to prune.
31. קָפַד *Kippaid,* to cut open, to peck as a ravenous bird.
32. עָרַף *Oraph,* to decollate.
33. קָסַס *Kosas,* to chip off.
34. נָקָה *Nikkoh,* to clear away.

3. Exod. xxix. 17.	6. Psalm lviii. 7.
2. —— xxxix. 3.	7. —— cvii. 16.
3. Lev. i. 6, 12.	7. Isa. xlv. 2.
3. —— viii. 20.	8. — li. 9.
1. —— xxii. 24.	4. Jer. xvi. 6.
4. Deut. xiv. 1.	1. — xxxiv. 18.
3. Judg. xx. 6.	9. — xxxvi. 23.
3. 1 Kings xviii. 23.	4. — xli. 5.
4. ———————— 28.	4. — xlvii. 5.
3. ———————— 33.	1. Ezek. xvi. 4.
2. 2 Kings xxiv. 13.	10. Dan. ii. 5.
5. 1 Chron. xx. 3.	10. —— iii. 29.
1. 2 Chron. ii. 8, 10.	11. Amos ix. 1.
2. ———————— xxviii. 24.	12. Zech. xii. 3.

CUT asunder.

2. Psalm cxxix. 4.	7. Zech. xi. 10, 14.
7. Jer. L. 23.	

CUT down.

1. Exod. xxxiv. 13.	15. Job xxii. 20.
1. Lev. xxvi. 30.	6. Psalm xxxvii. 2.
1. Numb. xiii. 23, 24.	16. —— lxxx. 16.
7. Deut. vii. 5.	6. —— xc. 6.
1. —— xx. 19, 20.	7. Isa. ix. 10.
1. Judg. vi. 25.	7. — xiv. 12.
1. 2 Kings xviii. 4.	7. — xxii. 25.
1. ———————— xix. 23.	1. — xxxvii. 24.
1. ———————— xiii. 14.	1. Jer. xxii. 7.
1. 2 Chron. xv. 16.	17. — xxv. 37.
7. ———————— xxxiv. 7.	17. — xlviii. 2.
13. Job viii. 12.	7. Ezek. vi. 6.
6. — xiv. 2.	18. Nah. i. 12.
1. ——— 7.	17. Zeph. i. 11.
14. — xxii. 16.	

CUT off.

1. Gen. ix. 11.	1. Numb. xix. 13, 20.
1. —— xvii. 14.	1. Deut. xii. 29.
1. Exod. iv. 25.	1. —— xix. 1.
1. —— xii. 15, 19.	1. —— xxiii. 1.
15. —— xxiii. 23.	2. —— xxv. 12.
—— xxx. 33, 38.	1. Josh. iii. 13, 16.
—— xxxi. 14.	1. —— iv. 7, twice.
Lev. vii. 20, 21, 25, 27.	1. —— vii. 9.
—— xvii. 4, 9, 10, 14.	1. —— xi. 21.
—— xviii. 29.	1. —— xxiii. 4.
1. { —— xix. 8.	2. Judg. i. 6.
—— xx. 3, 6, 17, 18.	7. —— xxi. 6.
—— xxii. 3.	1. Ruth iv. 10.
—— xxiii. 29.	7. 1 Sam. ii. 31.
Numb. iv. 18.	1. ——— 33.
—— ix. 13.	1. ——— v. 4.
—— xv. 30, 31.	1. ——— xvii. 51.
	1. ——— xx. 15.

1. 1 Sam. xxiv. 4, 5, 11, 21.
1. —— xxviii. 9.
1. —— xxxi. 9.
2. 2 Sam. iv. 12.
1. —— x. 4.
1. —— xx. 22.
1. 1 Kings ix. 7.
1. —— xi. 16.
15. —— xiii. 34.
1. —— xiv. 10, 14.
1. —— xviii. 4.
1. —— xxi. 21.
1. 2 Kings ix. 8.
2. —— xvi. 17.
2. —— xviii. 16.
1. 1 Chron. xvii. 8.
1. —— xix. 4.
1. 2 Chron. xxii. 7.
15. —— xxxii. 21.
15. Job iv. 7.
11. — vi. 9.
24. — viii. 14.
25. — xi. 10.
6. — xviii. 16.
26. — xxi. 21.
27. — xxiii. 17.
6. — xxiv. 24.
28. — xxxvi. 20.
1. Psalm xii. 3.
29. —— xxxi. 22.
1. —— xxxiv. 16.
1. —— xxxvii. 9, 22, 28, 34, 38.
27. —— liv. 5.
7. —— lxxv. 10.
30. —— lxxvi. 12.
15. —— lxxxiii. 4.
19. —— lxxxviii. 5.
27. —————— 16.
27. —— xciv. 23, twice.
27. —— ci. 5, 8.
1. —— cix. 13, 15.
27. —— cxliii. 12.
1. Prov. ii. 22.
1. —— xxiii. 18.
1. —— xxiv. 14.
1. Isa. ix. 14.
1. — x. 7.
1. — xi. 13.
1. — xiv. 22.
1. — xxii. 25.
1. — xxix. 20.
31. — xxxviii. 12.
11. —————— 12.

1. Isa. xlviii. 9, 19.
19. — liii. 8.
1. — lv. 13.
32. — lxvi. 3.
1. Jer. vii. 28.
18. —————— 29.
1. — ix. 21.
1. — xi. 19.
1. — xliv. 7, 8, 11.
1. — xlvii. 4.
17. —————— 5.
1. — xlviii. 2.
7. —————— 25.
17. — xlix. 26.
1. — L. 16.
17. —————— 30.
17. — li. 6.
1. —————— 62.
7. Lam. ii. 3.
27. — iii. 53.
1. Ezek. xiv. 8, 13, 17, 19, 21.
33. —————— xvii. 9.
1. —————— 17.
1. —— xxi. 3, 4.
1. —— xxv. 7, 13, 16.
1. —— xxix. 8.
1. —— xxx. 15.
1. —— xxxi. 12.
1. —— xxxv. 7.
19. —— xxxvii. 11.
2. Dan. iv. 14.
1. —— ix. 26.
1. Hos. viii. 4.
17. —— x. 7, 15.
1. Joel i. 5, 9, 16.
1. Amos i. 5, 8.
1. —— ii. 3.
7. —— iii. 14.
17. Obad. 5.
1. —— 9, 10, 14.
1. Mic. v. 9, 10, 11, 12, 13.
1. Nah. i. 14, 15.
1. —— ii. 13.
1. —— iii. 15.
17. Hab. iii. 17.
1. Zeph. i. 3, 4, 11.
1. —— iii. 6, 7.
34. Zech. v. 3, twice.
1. —— ix. 6, 10.
15. —— xi. 8, 9.
1. —— xiii. 2, 8.
1. —— xiv. 2.
1. Mal. ii. 12.

CUT out.

1. Prov. x. 31. | 19. Dan. ii. 34, 45.

CUT short.

2. 2 Kings x. 32.

CUT up.

13. Job xxx. 4. | 16. Isa. xxxiii. 12.

CUTTEST -ETH.

20. Deut. xxiv. 19.
21. Job xxviii. 10.
2. Psalm xlvi. 9.
22. —— cxli. 7.

2. Prov. xxvi. 6.
1. Jer. x. 3.
9. — xxii. 14.

CUTTING.

23. Exod. xxxi. 5.
23. —— xxxv. 33.

17. Isa. xxxviii. 10.
2. Hab. ii. 10.

CUTTINGS.

12. Lev. xix. 28.
12. —— xxi. 5.

4. Jer. xlviii. 37.

CYMBALS.

צֶלְצְלִים   *Tsiltseleem,* ⎫
מְצִלְתַּיִם   *Metsiltayim,* ⎬ cymbals.
 ⎭

CYPRESS.

תִּרְזָה   *Tirzoh,* a cypress.

D

DAGGER.

חֶרֶב   *Kherev,* a destroying weapon.

Judg. iii. 16, 21, 22.

DAILY.

יוֹם יוֹם   *Youm youm,* day by day.

DAINTY -IES.

1.   מַעֲדָן   *Maadon,* delights.
2.   תַּאֲוָה   *Taăvoh,* desire, desirable.
3.   מַטְעַמִּים   *Matămeem,* tasteful, savoury things.
4.   מַנְעַמִּים   *Manameem,* pleasant things, delicacies.

1. Gen. xlix. 20.
2. Job xxxiii. 20.

4. Psalm cxli. 4.
3. Prov. xxiii. 3, 6.

DALE.

עֵמֶק   *Aimek,* deep place, a valley.

Gen. xiv. 17. | 2 Sam. xviii. 18.

DAMAGE.

1.   נֶזֶק   *Nezek,* damage.
2.   חָמָס   *Khomos,* violence, ill-gotten wealth.

1. Ezra iv. 22.
1. Esth. vii. 4.

2. Prov. xxvi. 6.
1. Dan. vi. 2.

DAM.

אֵם   *Aim,* mother.

Exod. xxii. 30.
Lev. xxii. 27.

Deut. xxii. 6, 7.

DAMSEL.
נַעֲרָה *Nääroh*, a damsel.

DAMSELS.
נַעֲרוֹת *Näärouth*, damsels.

DANCE, Subst.
מָחוֹל *Mokhoul*, a dance.

Psalm cxlix. 3.	Jer. xxxi. 13.
—— cl. 4.	Lam. v. 15.

DANCES.
מְחֹלוֹת *Mekhoulouth*, dances.

Exod. xv. 20.	1 Sam. xxix. 5.
Judg. xi. 34.	Jer. xxxi. 4.
1 Sam. xxi. 11.	

DANCE, Verb.
1. חגל *Khool*, to turn round, twirl about.
2. רָקַד *Rokad*, to dance, skip, jump.
3. מְפַרְכֵּר *Mekarkar*, to move quickly.

1. Judg. xxi. 21.	2. Eccles. iii. 4.
2. Job xxi. 11.	2. Isa. xiii. 21.

DANCED.
1. Judg. xxi. 23.	3. 2 Sam. vi. 14.

DANCING.
1. מְחֹלוֹת *Mekhoulouth*, dances.
2. חֹגְגִים *Khougegeem*, feasting.
3. מְפַרְכֵּר *Mekarkar*, to move quickly.
4. מְרַקֵּד *Merakaid*, leaping, jumping.

1. Exod. xxxii. 19.	3. 2 Sam. vi. 16.
1. 1 Sam. xviii. 6.	4. 1 Chron. xv. 29.
2. —— xxx. 16.	1. Psalm xxx. 11.

DANDLED.
שִׁעֲשֵׁע *Shiasha*, to delight, regard.
Isa. lxvi. 12.

DARE.
Not used in Hebrew, except:
יְעִירֶנּוּ *Yeeerĕnoo*, who will rouse him.
Job xli. 10.

DARK.
1. חֹשֶׁךְ *Khoushekh*, dark.
2. חֲשֵׁכָה *Khashaikhoh*, darkness.
3. חִידָה *Kheedoh*, acute, sharp, a riddle.
4. צָלַל *Tsolal*, shaded.
5. עֲרָפֶל *Arophel*, thick darkness.
6. עֲלָטָה *Alotoh*, twilight, dusk of evening.
7. קָדַר *Kodar*, (Hiph.) to cause to darken, obscure.
8. קִפָּאוֹן *Kippooun*, a fog.

9. אֲפֵלָה *Aphailoh*, a thick fog.
10. כָּהָה *Kohoh*, dim.
11. עֵיפָה *Aiphoh*, the dawn, rays of light.

1. In all passages ; except :

6. Gen. xv. 17.	3. Prov. i. 6.
10. Lev. xiii. 6, 21, 26, 28, 56.	9. —— vii. 9.
3. Numb. xii. 8.	7. Ezek. xxxii. 7, 8.
4. Neh. xiii. 19.	9. —— xxxiv. 12.
5. Job xxii. 13.	3. Dan. viii. 23.
3. Psalm xlix. 4.	9. Amos v. 20.
3. —— lxxviii. 2.	8. Zech. xiv. 6.

DARKNESS.
1. In all passages ; except :

2. Gen. xv. 12.	5. Job xxxviii. 9.
9. Exod. x. 21.	5. Psalm xviii. 9.
5. —— xx. 21.	9. —— xci. 6.
5. Deut. iv. 11.	5. —— xcvii. 2.
5. —— v. 22.	9. Prov. iv. 19.
9. —— xxviii. 29.	9. Isa. viii. 22.
9. Josh. xxiv. 7.	9. — lviii. 10.
5. 2 Sam. xxii. 10.	9. — lix. 9.
5. 1 Kings viii. 12.	5. — lx. 2.
5. 2 Chron. vi. 1.	9. Jer. ii. 31.
9. Job iii. 6.	5. — xiii. 16.
9. — x. 22, twice.	9. — xxiii. 12.
11. —— 22.	5. Joel ii. 2.
9. — xxiii. 17.	11. Amos iv. 13.
9. — xxviii. 3.	5. Zeph. i. 15.
9. — xxx. 26.	

DARKEN.
1. חָשַׁךְ *Khoshakh*, to darken.
2. גֶּעְתַּם *Nĕĕtam*, obscured.
3. קָדַר *Kodar*, to obscure, darken.
4. כָּהָה *Kohoh*, to dim.
    1. Amos viii. 9.

DARKENED.
1. Exod. x. 15.	1. Isa. xxiv. 11.
1. Psalm lxix. 23.	1. Ezek. xxx. 18.
1. Eccles. xii. 2, 3.	3. Joel iii. 15.
1. Isa. v. 30.	4. Zech. xi. 17.
2. — ix. 19.	

DARKENETH.
1. Job xxxviii. 2.

DARKISH.
4. Lev. xiii. 39.

DARLING.
יְחִידָתִי *Yĕkheedothee*, my only one.

Psalm xxii. 20.	Psalm xxxv. 17.

DART -S.
1. שֶׁלַח *Shelakh*, a dart, long-pointed weapon.
2. מַסָּע *Masso*, a journey ; met., a missile.
3. חֵץ *Khaits*, an arrow.

4. שְׁבָטִים *Shĕvoteem* (plur.), rods, short spears.

5. תּוֹתָח *Touthokh*, a cudgel.

4. 2 Sam. xviii. 14.	5. Job xli. 29.
1. 2 Chron. xxxii. 5.	3. Prov. vii. 23.
2. Job xli. 26.	

DASH.

1. רָטַשׁ *Rotash*, to strike to the ground.
2. נָפַץ *Nophats*, to disperse.
3. נָגַף *Nogaph*, to wound, hurt.
4. רָעַץ *Roats*, to overpower, crush.

1. 2 Kings viii. 12.	1. Isa. xiii. 18.
2. Psalm ii. 9.	2. Jer. xiii. 14.
3. —— xci. 12.	

DASHED.

4. Exod. xv. 6.	1. Hos. xiii. 16.
1. Isa. xiii. 16.	1. Nah. iii. 10.
1. Hos. x. 14.	

DASHETH.

2. Psalm cxxxvii. 9.

DAUB.

1. חָמַר *Khomar*, to cover with mortar.
2. טוּחַ *Tooakh*, to plaster, overlay.
        2. Ezek. xiii. 11.

DAUBED.

1. Exod. ii. 3.	2. Ezek. xiii. 12, 14.
2. Ezek. xiii. 10.	2. —— xxii. 28.

DAUBING.

2. Ezek. xiii. 12.

DAUGHTER -S.

בַּת *Bath*, a daughter.

בָּנוֹת *Vonouth*, daughters.

DAWNING.

1. עֲלוֹת הַשַּׁחַר *Ălouth hashakhar*, the rising of the morning dawn.

2. פְּנוֹת הַבֹּקֶר *Pĕnouth habouker*, the turning of the morning.

3. עַפְעַפֵּי שַׁחַר *Aphapai shakhar*, the eyelids of the morning.

4. נָשֶׁף *Nosheph*, dawn of day.

1. Josh. vi. 15.	4. Job vii. 4.
2. Judg. xix. 26.	4. Psalm cxix. 147.
3. Job iii. 9.	

DAY.

יוֹם *Youm*, a day.

DAYS.

יָמִים *Yomeem*, days.

DAYSMAN.

מוֹכִיחַ *Moukheeakh*, an instructor, corrector, reprover.
        Job ix. 33.

DAYSPRING.

שַׁחַר *Shakhar*, morning dawn.
        Job xxxviii. 12.

DEAD.

מֵת *Maith*, dead.

DEADLY.

1. מָוֶת *Moveth*, death.
2. נֶפֶשׁ *Nephesh*, breath, vitality.
3. חָלָל *Kholol*, mortally wounded, pierced through.

1. 1 Sam. v. 11.	3. Ezek. xxx. 24.
2. Psalm xvii. 9.	

DEAF.

חֵרֵשׁ *Khairaish*, deaf.

DEAL, Subst.

Not used in Hebrew ; but,

עִשָּׂרוֹן *Issoroun*, the tenth part of an ephah.

Exod. xxix. 40.	Numb. xv. 4.
Lev. xiv. 21.	—— xxix. 4.

Note:—Several tenth deal, the above word repeated.

Numb. xxviii. 13, 21, 29. | Numb. xxix. 10, 15.

DEALS.

עֶשְׂרֹנִים *Esrouneem*, tenth parts, in all passages.

DEAL, Verb.

1. רוּעַ *Rooa*, to do evil.
2. עָשָׂה *Osoh*, to do, act, exercise.
3. יָטַב *Yotav*, (Hiph.) to show favour, please.
4. הִלֵּל *Hillail*, to praise, boast.
5. גָּמַל *Gomal*, to recompense.
6. עָוַל *Oval*, to deal unjustly.
7. שָׂכַל *Sokhal*, to act prudently.
8. פָּרַס *Poras*, to divide, share.
9. חָכַם *Khokham*, (Hiph.) to show wisdom.
10. חָזַק *Khozak*, to strengthen.
11. הָתַל *Hothal*, to delude, act foolishly.
12. כָּחַשׁ *Kikhaish*, to deceive.
13. שָׁקַר *Shokar*, to lie.

14. נָכַל **Nokhal**, to plot, conspire.
15. בָּגַד **Bogad**, to deal treacherously.
16. עָרַם **Oram**, to be cunning, acute.
17. עָנָּה **Innoh**, to afflict.
18. חָנַן **Khonan**, to bestow.
19. זוּד **Zood**, to be licentious.
20. מָרַר **Morar**, (Hiph.) to cause bitterness.
21. חָלַק **Kholak**, to portion out, distribute.
22. הֶעֱוִין **Hĕĕveen**, to cause iniquity.
23. בִּין **Been**, to understand.
24. חָבַל **Khoval**, to pervert, oppose.
25. עָוָּה **Ivvoh**, to wrong.

1. Gen. xix. 9.	2. Psalm cxix. 124.
13. —— xxi. 23.	5. —— cxlii. 7.
2. —— xxiv. 49.	2. Prov. xii. 22.
3. —— xxxii. 9.	6. Isa. xxvi. 10.
2. —— xxxiv. 31.	15. — xxxiii. 1, twice.
2. —— xlvii. 29.	15. — xlviii. 8.
9. Exod. i. 10.	7. — lii. 13.
11. —— viii. 29.	8. — lviii. 7.
2. —— xxi. 9.	15. Jer. xii. 1.
2. —— xxiii. 11.	2. — xviii. 23.
12. Lev. xix. 11.	2. — xxi. 2.
2. Numb. xi. 15.	2. Ezek. viii. 18.
2. Deut. vii. 5.	2. —— xvi. 59.
2. Josh. ii. 14.	2. —— xxii. 14.
2. 1 Sam. xx. 8.	2. —— xxiii. 25.
2. 2 Chron. ii. 3.	2. —— xxxi. 11.
10. —— xix. 11.	2. Dan. i. 13.
2. Job xlii. 8.	2. —— xi. 7.
4. Psalm lxxv. 4.	15. Hab. i. 13.
14. —— cv. 25.	15. Mal. ii. 10, 15, 16.
5. —— cxix. 17.	

DEALEST.

2. Exod. v. 15.	15. Isa. xxxiii. 1.

DEALETH.

2. Judg. xviii. 4.	2. Prov. xxi. 24.
16. 1 Sam. xxiii. 22.	15. Isa. xxi. 2.
2. Prov. x. 4.	2. Jer. vi. 13.
2. —— xiii. 16.	2. — viii. 10.
2. —— xiv. 17.	

DEALT.

17. Gen. xvi. 6.	2. 2 Kings xxi. 6.
18. —— xxxiii. 11.	2. —— xxii. 7.
1. —— xliii. 6.	21. 1 Chron. xvi. 3.
3. Exod. i. 20.	2. —— xx. 3.
3. —— xiv. 11.	22. 2 Chron. xx. 37.
19. —— xviii. 11.	23. —— xi. 23.
15. —— xxi. 8.	2. —— xxxiii. 6.
2. Judg. ix. 16, 19.	24. Neh. i. 7, verb repeated.
15. —— 23.	
2. Ruth i. 8.	19. —— ix. 10, 16, 29.
20. —— 20.	15. Job vi. 15.
2. 1 Sam. xxiv. 18.	5. Psalm xiii. 6.
3. —— xxv. 31.	13. —— xliv. 17.
21. 2 Sam. vi. 19.	15. —— lxxviii. 57.
2. 2 Kings xii. 15.	2. —— ciii. 10.

5. Psalm cxvi. 7.	15. Lam. i. 2.
2. —— cxix. 65.	2. Ezek. xxii. 7.
25. —————— 78.	2. —— xxv. 12, 15.
2. —— cxlvii. 20.	15. Hos. v. 7.
15. Isa. xxiv. 16.	15. —— vi. 7.
15. — xxxiii. 1.	2. Joel ii. 26.
15. Jer. iii. 20.	2. Zech. i. 6.
15. — v. 11.	15. Mal. ii. 11, 14.
15. — xii. 6.	

DEALING.

דְּבָרִים **Devoreem**, words, matters, subjects, objects.
1 Sam. ii. 23.

DEALINGS.

חָמָס **Khomos**, violence.
Psalm vii. 16.

DEALER.

בּוֹגֵד **Bougaid**, a treacherous dealer.
Isa. xxi. 2.

DEALERS.

בּוֹגְדִים **Bougedeem**, treacherous dealers.
Isa. xxiv. 16.

DEAR.

יַקִּיר **Yakkeer**, worthy, costly, precious.
Jer. xxxi. 20.

DEARLY.

יָדִיד **Yĕdeed**, beloved.
Jer. xii. 7.

DEARTH.

1. רָעָב **Rōōv**, hunger, famine.
2. בַּצָּרוֹת **Batsorouth**, drought.

1. Gen. xli. 54.	1. Neh. v. 3.
1. 2 Kings iv. 38.	2. Jer. xiv. 1.
1. 2 Chron. vi. 28.	

DEATH.

מָוֶת **Moveth**, death.

DEBASE.

שָׁפַל **Shophal**, to debase.
Isa. lvii. 9.

DEBATE.

רִיב **Reev**, contention.
Prov. xxv. 9. | Isa. xxvii. 8.

DEBATES.

מַצָּה **Matsoh**, strife.
Isa. lviii. 4.

DEBT.

1. נָשָׁא **Nosho**, a loan.
2. נֹשֶׁה **Nousheh**, a creditor.
3. יָד **Yod**, a hand.

1. 1 Sam. xxii. 2.	3. Neh. x. 31.
2. 2 Kings iv. 7.	

DEBTOR.
חוֹב Khouv, debt.
Ezek. xviii. 7.

DEBTS.
מַשָּׁאוֹת Mashōouth, loans.
Prov. xxii. 26.

DECAY.
מָטָה יָדוֹ Motoh yodou, stretches out his hand.
Lev. xxv. 35.

DECAYED·
1. כָּשַׁל Koshal, feeble.
2. חָרְבוֹת Khorvouth, destructions, desolations.

1. Neh. iv. 10.	2. Isa. xliv. 26.

DECAYETH.
1. חָרֵב Khorav, destroyed.
2. מָכַךְ Mokhakh, decayed, squeezed together, crushed.

1. Job xiv. 11.	2. Eccles. x. 18.

DECEASED.
רְפָאִים Rĕphoeem, feeble ones, helpless.
Isa. xxvi. 14.

DECEIT.
1. מִרְמָה Mirmoh, deceit.
2. מַשָּׁאוֹן Mashoōun, imposition.
3. שֶׁקֶר Shoker, a falsehood.
4. תֹּךְ Toukh, a fraud.
All passages not inserted are N°. 1.

4. Psalm lv. 11.	3. Prov. xx. 17.
4. —— lxxii. 14.	2. —— xxvi. 26.

DECEITS.
1. מִרְמוֹת Mirmouth, deceits.
2.מְהַתַלּוֹת Mehathalouth, delusions, foolish acts.

1. Psalm xxxviii. 12.	2. Isa. xxx. 10.

DECEITFUL.
1. { מִרְמָה Mirmoh, or רְמִיָּה Rĕmiyoh, } deceits.
2. כְּזָבִים Kezoveem, lies, lying.
3. עָקֹב Okov, crooked.
4. נַעֲתָּרוֹת Năătorouth, praying, entreating.
5. תֹּךְ Toukh, a fraud.
6. שֶׁקֶר Shoker, a falsehood.
All passages not inserted are N°. 1.

6. Prov. xi. 18.	5. Prov. xxix. 13.
2. —— xxiii. 3.	6. —— xxxi. 30.
4. —— xxvii. 6.	3. Jer. xvii. 9.

DECEITFULLY.
1. מִרְמָה Mirmoh, deceit.
2. בָּגַד Bogad, to deal treacherously.
3. הָתַל Hothal, to delude, act foolishly.
4. עָשַׁק Oshak, to oppress, take by violence.
All passages not inserted are N°. 1.

3. Exod. viii. 29.	4. Lev. vi. 4.
2. —— xxi. 8.	2. Job vi. 15.

DECEIVE.
1. רָמָה Rimmoh, to deceive.
2. פָּתָה Pothoh, to persuade.
3. שָׁלָה Sholoh, to pacify, appease.
4. נָשָׁא Nosho, to lead astray.
5. הָתַל Hothal, to delude, act foolishly.
6. כָּחַשׁ Kokhash, to deny, lie.
7. שָׁגַג Shogag, to commit an error.
8. תָּעָה Tōoh, to wander, go astray.

2. 2 Sam. iii. 25.	4. Isa. xxxvi. 14.
3. 2 Kings iv. 28.	4. — xxxvii. 10.
4. —————— xviii. 29.	5. Jer. ix. 5.
4. —————— xix. 10.	4. — xxix. 8.
4. 2 Chron. xxxii. 15.	4. — xxxvii. 9.
2. Prov. xxiv. 28.	6. Zech. xiii. 4.

DECEIVED.
5. Gen. xxxi. 7.	4. Isa. xix. 13.
6. Lev. vi. 2.	5. — xliv. 20.
2. Deut. xi. 16.	4. Jer. iv. 10.
1. 1 Sam. xix. 17.	2. — xx. 7.
1. —————— xxviii. 12.	4. — xlix. 16.
1. 2 Sam. xix. 26.	1. Lam. i. 19.
7. Job xii. 16.	2. Ezek. xiv. 9.
8. — xv. 31.	4. Obad. 3, 7.
2. — xxxi. 9.	

DECEIVETH.
Prov. xxvi. 19.

DECEIVER.
1. מְתַעְתֵּעַ Methaătaia, a misleader.
2. מַשְׁגֶּה Mashgeh, a misguider.
3. נוֹכֵל Noukhail, a withholder.

1. Gen. xxvii. 12.	3. Mal. i. 14.
2. Job xii. 16.	

DECIDED.
חָרַץ Khorats, to determine.
1 Kings xx. 40.

DECISION.
Joel iii. 14.

DECK.
1. עָדָה Odoh, to adorn.
2. רָבַד Rovad, to overspread.

3.   יָפָה   *Yophoh*, to beautify.

4.   עָשָׂה   *Osoh*, to make.

1. Job xl. 10. | 3. Jer. x. 4.

DECKED.

2. Prov. vii. 16. | 1. Hos. ii. 13.
1. Ezek. xvi. 11, 13.

DECKEDST.

4. Ezek. xvi. 16. | 1. Ezek. xxiii. 40.

DECKETH.

1. Isa. lxi. 10. | 1. Jer. iv. 30.

DECLARE.

1.   נָגַד   *Nogad*, to declare.

2.   בָּאַר   *Biair*, to indicate, make clear, define.

3.   דִּבֵּר   *Dibbair*, to speak.

4.   סָפַּר   *Sippair*, to account.

5.   הוֹדַע   *Houda*, to make known, to acquaint.

6.   בָּרַר   *Borar*, to examine.

7.   שׂוּחַ   *Sooakh*, to meditate.

8.   אָמַר   *Omar*, to say.

9.   פָּרַשׁ   *Porash*, to explain.

10.   אַחְוָתִי   *Akhvothee*, brotherhood, friendly speech.

11.   יִתְיַלְדוּ   *Yithyaldoo*, they declared their pedigrees.

12.   שָׁמַע   *Shoma*, (Hiph.) to publish.

1. Gen. xli. 24.	4. Psalm cxviii. 17.
2. Deut. i. 5.	1. —— cxlv. 4.
3. Josh. xx. 4.	6. Eccles. ix. 1.
1. Judg. xiv. 12.	1. Isa. iii. 9.
4. 1 Chron. xvi. 24.	5. — xii. 4.
1. Esth. iv. 8.	1. — xxi. 6.
4. Job xii. 8.	1. — xli. 22.
1. — xxi. 31.	1. — xlii. 9, 12.
4. — xxviii. 27.	1. — xliii. 9.
1. — xxxi. 37.	4. ——— 26.
1. — xxxviii. 4, 18.	1. — xliv. 7.
5. — xl. 7.	1. — xlv. 19.
5. — xlii. 4.	1. — xlviii. 6.
1. Psalm ix. 11.	7. — liii. 8.
4. —— xix. 1.	1. — lxvi. 19.
1. —— xxii. 31.	1. Jer. v. 20.
1. —— xxx. 9.	1. — ix. 12.
1. —— xl. 5.	1. — xxxi. 10.
1. —— L. 6.	1. — xxxviii. 15, 25.
4. ——— 16.	1. — xlii. 20.
1. —— lxiv. 9.	1. — L. 28.
4. —— lxxiii. 28.	4. — li. 10.
4. —— lxxv. 1.	4. Ezek. xii. 16.
4. —— lxxviii. 6.	1. —— xxiii. 36.
4. —— xcvi. 3.	1. — xl. 4.
4. —— xcvii. 6.	8. Dan. iv. 18.
4. —— cii. 21.	1. Mic. iii. 8.
4. —— cvii. 22.	1. Zech. ix. 12.

DECLARE, will.

1. Job xv. 17.	1. Psalm lxxv. 9.
4. Psalm ii. 7.	4. —— cxlv. 6.
4. —— xxii. 22.	1. Isa. lvii. 12.
1. —— xxxviii. 18.	1. Jer. xlii. 4.
4. —— lxvi. 16.	

DECLARATION.

9. Esth. x. 2. | 10. Job xiii. 7.

DECLARE, ye.

1. Isa. xlviii. 20.	1. Isa. L. 2.
1. Jer. iv. 5.	1. Mic. i. 10.
1. — xlvi. 14.	

DECLARED.

4. Exod. ix. 16.	4. Psalm lxxxviii. 11.
3. Lev. xxiii. 44.	4. —— cxix. 13, 26.
11. Numb. i. 18.	1. Isa. xxi. 2, 10.
9. ——— xv. 34.	1. — xli. 26.
1. Deut. iv. 13.	1. — xliii. 12.
1. 2 Sam. xix. 6.	1. — xliv. 8.
5. Neh. viii. 12.	12. — xlv. 21.
5. Job xxvi. 3.	1. — xlviii. 3, 5, 14.
8. Psalm xl. 10.	1. Jer. xxxvi. 13.
1. —— lxxi. 17.	1. — xlii. 21.
5. —— lxxvii. 14.	

DECLARETH -ING.

1. Isa. xli. 26.	1. Hos. iv. 12.
1. — xlvi. 10.	1. Amos iv. 13.
1. Jer. iv. 15.	

DECLINE.

1.   נָטָה   *Notoh*, to incline.

2.   סוּר   *Soor*, to depart.

3.   שָׂטָה   *Sotoh*, to deviate, go aside.

1. Exod. xxiii. 2.	1. Prov. iv. 5.
2. Deut. xvii. 11.	3. —— vii. 25.
1. Psalm cxix. 157.	

DECLINED -ETH.

2. 2 Chron. xxxiv. 2.	1. Psalm cii. 11.
1. Job xxiii. 11.	1. —— cix. 23.
1. Psalm xliv. 18.	1. —— cxix. 51.

DECREASE -ED.

1.   מָעַט   *Moat*, to become small.

2.   חָסַר   *Khosar*, to diminish.

2. Gen. viii. 5. | 1. Psalm cvii. 38.

DECREE, Subst.

1.   חֹק   *Khouk*, a decree, statute.

2.   דָּבָר   *Dovor*, a word, import, subject, object.

3.   טַעַם   *Taam*, taste (Heb.),   מְעֵם   *Taiaim*, reason (Chaldee).

4.   דָּת   *Doth*, law.

5.   מַאֲמַר   *Maămar*, speech.

6.   גְּזֵרָה   *Gizroh*, decision.

7.   אֶסָרָה   *Esroh*, prohibition.

2. 2 Chron. xxx. 5.
3. Ezra v. 13, 17.
3. —— vi. 1, 12.
3. —— vii. 21.
4. Esth. iii. 15.
4. —— ix. 14.
5. —— 32.
1. Job xxviii. 26.
1. Psalm ii. 7.
1. —— cxlviii. 6.

1. Prov. viii. 29.
1. Jer. v. 22.
4. Dan. ii. 9.
6. —— iv. 17, 24.
7. —— vi. 8, 13.
3. —— 26.
3. Jonah iii. 7.
1. Mic. vii. 11.
1. Zeph. ii. 2.

DECREE, Verb.

1. גָּזַר *Gozar*, to determine.
2. חָקַק *Khokak*, to impress.

1. Job xxii. 28.
2. Prov. viii. 15.
2. Isa. x. 1.

DECREED.

1. קַיָּם *Kiyaim*, confirmed, established.
2. חָרוּץ *Khoroots*, decided, determined.

1. Esth. ii. 1.
1. —— ix. 31.
2. Job xxxviii. 10.
2. Isa. x. 22.

DECREES.

חִקְקֵי *Khikĕkai*, decrees, impressions.
2. Isa. x. 1.'

DEDICATE.

1. חָנַךְ *Khonakh*, to consecrate.
2. קָדַשׁ *Kodash*, to make holy, sanctify.
3. חָרַם *Khoram*, to devote.

1. Deut. xx. 5.
2. 2 Sam. viii. 11.
2. 2 Kings xii. 18.
2. 1 Chron. xxvi. 20, 26, 27.

2. 1 Chron. xxviii. 12.
2. 2 Chron. ii. 4.
2. —— xxiv. 7.
2. —— xxxi. 12.
3. Ezek. xliv. 29.

DEDICATED.

1. Deut. xx. 5.
2. Judg. xvii. 3.
2. 1 Kings vii. 51.
1. —— viii. 63.
2. —— xv. 15.
2. 2 Kings xii. 4.

2. 1 Chron. xviii. 11.
2. —— xxvi. 26, 28.
2. 2 Chron. v. 1.
1. —— vii. 5.
2. —— xv. 18.

DEDICATING.
1. Numb. vii. 10, 11.

DEDICATION.
Derived from Nº. 1, dedicate.

DEED.

1. מַעֲשֶׂה *Maaseh*, a deed.
2. דָּבָר *Dovor*, a word, subject, import, object.
3. עֲלִיל *Aleel*, an action.
4. טוֹבָה *Touvoh*, a good deed, goodness.
5. חֶסֶד *Khesed*, kindness.
6. פֹּעַל *Poal*, a work.
7. גְּמוּל *Gemool*, a recompense.
8. אוּלָם *Oolom*, truly.
9. נִהְיָה *Nĕhĕyoh*, has been.

10. אֶל־נָכוֹן *El-Nokhoun*, unto Nachon (see 2 Sam. vi. 6).

1. Gen. xliv. 15.
8. Exod. ix. 16.
9. Judg. xix. 30.
8. 1 Sam. xxv. 34.

10. 1 Sam. xxvi. 4.
2. 2 Sam. xii. 14.
2. Esth. i. 17.

DEEDS.

1. Gen. xx. 9.
3. 1 Chron. xvi. 8.
2. 2 Chron. xxxv. 27.
1. Ezra ix. 13.
4. Neh. vi. 19.
5. Neh. xiii. 14.

6. Psalm xxviii. 4.
3. —— cv. 1.
7. Isa. lix. 18.
2. Jer. v. 28.
6. — xxv. 14.

DEEP, Subst.

1. תְּהוֹם *Tehoum*, profound deep.
2. מְצוּלָה *Metsooloh*, the bottom of deep water.

1. Gen. i. 2.
1. —— vii. 11.
1. —— viii. 2.
1. —— xlix. 25.
1. Deut. xxxiii. 13.
1. Job xxxviii. 30.
2. — xli. 31.
1. — 32.
1. Psalm xxxvi. 6.
1. —— xlii. 7.
2. —— lxix. 15.

1. Psalm civ. 6.
2. —— cvii. 24.
1. Prov. viii. 28.
2. Isa. xliv. 27.
1. — li. 10.
1. — lxiii. 13.
1. Ezek. xxvi. 19.
1. —— xxxi. 4, 15.
1. Amos vii. 4.
2. Jonah ii. 3.
1. Hab. iii. 10.

DEEP, Adj.

1. עָמוֹק *Omook*, deep.
2. מֶחְקָרִים *Mĕkhkoreem*, secret places.
3. תְּהֹמוֹת *Tehoumouth*, depths, abysses.
4. מַחֲמֹרוֹת *Mahamourouth*, deep pits.
5. שָׁקַע *Shoka*, (Hiph.) to cause to sink, subside.
6. מִשְׁקָע *Mishka*, sunken, muddy.
7. מְצוּלָה *Mĕtsooloh*, the bottom of deep water.

1. Job xii. 22.
1. Psalm lxvi. 6.
7. —— lxix. 2.
1. —— 14.
—— lxxx. 9, not in original.
1. —— xcii. 5.
2. —— xcv. 4.
3. —— cxxxv. 6.
4. —— cxl. 10.
1. Prov. xviii. 4.

1. Prov. xx. 5.
1. —— xxii. 14.
1. —— xxiii. 27.
1. Eccles. vii. 24.
1. Isa. xxix. 15.
1. — xxx. 33.
1. Jer. xlix. 8.
1. Ezek. xxiii. 32.
5. —— xxxii. 14.
6. —— xxxiv. 18.
1. Dan. ii. 22.

DEEP sleep.

רָדַם *Rodam*, to sleep soundly.

DEEPER.

Not used, but the following word has a comparative מ.

DEEPLY.

עָמַק *Omak*, (Hiph.) to conspire.
Isa. xxxi. 6.   Hos. ix. 9.

DEEPS.

מְצוּלוֹת **Metsoolouth**, depths, bottoms of deep waters ; in all passages, except :

תְּהֹמוֹת **Těhoumouth**, profound depths.
Psalm cxlviii. 7.

DEER.

יַחְמוּר **Yakhmoor**, a buffalo.
Deut. xiv. 5. | 1 Kings iv. 23.

DEFAMING.

דִּבָּה **Dibboh**, evil report.
Jer. xx. 10.

DEFEAT.

פּוּר **Poor**, to annul, destroy.
2 Sam. xv. 34. | 2 Sam. xvii. 14.

DEFENCE.

1. צֵל **Tsail**, a shade, shelter.
2. מָצוֹר **Motsour**, a siege.
3. צַר **Tsor**, an oppressor, besieger.
4. מָגֵן **Mogain**, a shield, protector.
5. מָצוֹד **Motsoud**, provision, support.
6. מִשְׂגָּב **Misgov**, a refuge, safety.
7. חוּפָּה **Khoopoh**, a cover, canopy.
8. סֹכֵךְ **Soukhaikh**, covering, protection.

1. Numb. xiv. 9.	4. Psalm lxxxix. 18.
2. 2 Chron. xi. 5.	6. —— xciv. 22.
1. Job xxii. 25.	1. Eccles. vii. 12.
4. Psalm vii. 10.	7. Isa. iv. 5.
5. —— xxxi. 2.	2. — xix. 6.
6. —— lix. 9, 16, 17.	6. —— xxxiii. 16.
6. —— lxii. 2, 6.	8. Nah. ii. 5.

DEFENCED.

בְּצוּר **Botsoor**, or
מִבְצָר **Mivtsoor**, } a fortified place.

DEFEND.

1. יָשַׁע **Yosha**, to save.
2. שָׂגַב **Sogav**, to be safe.
3. שָׁפַט **Shophat**, to judge.
4. גָּנַן **Gonan**, to protect, fence, guard, enclose.
5. נָצַל **Notsal**, to deliver from danger.
6. סָכַךְ **Sokhakh**, to cover, protect, shelter.

1. Judg. x. 1.	4. Isa. xxxi. 5.
4. 2 Kings xix. 34.	4. — xxxvii. 35.
4. —— xx. 6.	4. — xxxviii. 6.
2. Psalm xx. 1.	4. Zech. ix. 15.
2. —— lix. 1.	4. —— xii. 8.
3. —— lxxxii. 3.	

DEFENDED.

5. 2 Sam. xxiii. 12.

DEFENDEST.

6. Psalm v. 11.

DEFENDING.

4. Isa. xxxi. 5.

DEFER.

1. אָחַר **Ikhair**, to delay, defer.
2. אָרַךְ **Orakh**, to prolong, be slow.
3. מָשַׁךְ **Moshakh**, to draw slowly.

1. Eccles. v. 4.	1. Dan. ix. 19.
2. Isa. xlviii. 9.	

DEFERRED.

1. Gen. xxxiv. 19. | 3. Prov. xiii. 12.

DEFERRETH.

2. Prov. xix. 11.

DEFY.

1. זָעַם **Zoam**, to make indignant.
2. חָרַף **Khoraph**, to expose, reproach.

1. Numb. xxiii. 7, 8. | 2. 1 Sam. xvii. 10, 25, 26.

DEFIED.

1. Numb. xxiii. 8.	2. 2 Sam. xxiii. 9.
2. 1 Sam. xvii. 36, 45.	2. 1 Chron. xx. 7.
2. 2 Sam. xxi. 21.	

DEFILE -ED -EST -ETH.

טָמֵא **Timmai**, to make unclean, impure; in all passages, except :

עָנָה **Innoh**, to afflict, torment.
Gen. xxxiv. 2.
And when alluding to the Sabbath,

חָלַל **Khillail**, to profane.
Exod. xxxi. 14.

DEFRAUD.

עָשַׁק **Oshak**, defraud, oppress.
Lev. xix. 13.

DEFRAUDED.

1 Sam. xii. 3, 4.

DEGENERATE.

סוּרֵי **Soorai**, departed from.
Jer. ii. 21.

DEGREE.

1. מַעֲלָה **Maăloh**, a degree, step.
2. מִשְׁנִים **Mishneem**, the second, next to the first.
3. בְּנֵי־אָדָם **Běnai-Odom**, sons of men of low degree.
4. בְּנֵי אִישׁ **Běnai Eesh**, sons of men of high degree.

1. 1 Chron. xvii. 17. | 1. Isa. xxxviii. 8.

DEGREES.

1. 2 Kings xx. 9, 10, 11. | 3. Psalm lxii. 9.
2. 1 Chron. xv. 18. | 4. —— lxii. 9.

DELAY.

1.   אָחַר   *Ikhair,* to delay.
2.   בּוּשֵׁשׁ   *Boshaish,* being ashamed, confounded.
3.   מָהַה   *Mohoh,* to linger.
         1. Exod. xxii. 29.

DELAYED.

2. Exod. xxxii. 1. | 3. Psalm cxix. 60.

DELECTABLE.

חָמוּד   *Khomood,* desirable.
         Isa. xliv. 9.

DELICATE.

עָנֹג   *Onag,* to delight, joy.

DELICATES.

מַעֲדָנִים   *Maădoneem,* luxuries.
         Jer. li. 34.

DELICATELY.

מַעֲדַנֹת   *Maădanouth,* luxuriously.
1 Sam. xv. 32. | Lam. iv. 5.

Except :

פָּנַק   *Ponak,* to indulge, bring up delicately.
         Prov. xxix. 21.

DELICATENESS.

עָנֵג   *Onnag,* (Hith.) to delight oneself.
         Deut. xxviii. 56.

DELIGHT, Subst.

1.   חָפֵץ   *Khophaits,* pleasure.
2.   חָשַׁק   *Khoshak,* to desire.
3.   חָפֵץ   *Khophats,* to please.
4.   עָנֵג   *Onnag,* (Hith.) to delight oneself.
5.   שָׁעֲשַׁע   *Shiăshă,* to pay attention.
6.   רָצוֹן   *Rotsoun,* the will, inclination.
7.   תַּעֲנוּג   *Tăănoug,* or עֹנֶג   *Ouneg,* delight.
8.   נָעֵם   *Noam,* to be delighted.
9.   מַעֲדָנִים   *Maădaneem,* delights, pleasures.
10.   חָמַד   *Khomad,* to covet, desire eagerly.

1. Gen. xxxiv. 19.	6. Prov. xi. 1, 20.
2. Deut. x. 15.	6. —— xii. 22.
3. —— xxi. 14.	6. —— xv. 8.
1. 1 Sam. xv. 22.	6. —— xvi. 13.
1. —— xviii. 22.	3. —— xviii. 2.
3. 2 Sam. xv. 26.	7. —— xix. 10.
4. Job xxii. 26.	8. —— xxiv. 25.
1. Psalm i. 2.	9. —— xxix. 17.
1. —— xvi. 3.	10. Cant. ii. 3.
5. —— cxix. 24, 77, 174.	3. Isa. lviii. 2.
	7. ——13.
5. Prov. viii. 30.	3. Jer. vi. 10.

DELIGHTS.

9. 2 Sam. i. 24.	7. Eccles. ii. 8.
5. Psalm cxix. 92, 143.	7. Cant. vii. 6.
5. Prov. viii. 31.	

DELIGHTSOME.

1. Mal. iii. 12.

DELIGHT.

1.   חָפֵץ   *Khophats,* to delight.
2.   עָנַג   *Onag,* (Hith.) to delight oneself.
3.   רָצָה   *Rotsoh,* to be willing, accept.
4.   שָׁעֲשַׁע   *Shiăshă,* to pay attention.
5.   חָמַד   *Khomad,* to desire eagerly, covet.
6.   גִּיל   *Geel,* to extol, rejoice.
7.   עָדַן   *Odan,* to take pleasure in.

1. Numb. xiv. 8.	5. Prov. i. 22.
1. 2 Sam. xxiv. 3.	6. —— ii. 14.
2. Job xxvii. 10.	1. Isa. i. 11.
3. —— xxxiv. 9.	1. — xiii. 17.
1. Psalm xxxvii. 4.	2. — lv. 2.
1. —— xl. 8.	1. — lviii. 2.
3. —— lxii. 4.	3. —— 14.
1. —— lxviii. 30.	1. Jer. ix. 24.
4. —— xciv. 13.	1. Mal. iii. 1.
4. —— cxix. 16, 47, 70.	

DELIGHTED.

1. 1 Sam. xix. 2.	1. Psalm xxii. 8.
1. 2 Sam. xxii. 20.	1. —— cix. 17.
1. 1 Kings x. 9.	1. Isa. lxv. 12.
7. Neh. ix. 25.	1. —— lxvi. 4.
1. Esth. ii. 14.	2. —— 11.

DELIGHTEST.

3. Psalm li. 16.

DELIGHTETH.

1. Esth. vi. 6, 7, 9, 11.	3. Isa. xlii. 1.
1. Psalm xxxvii. 23.	1. — lxii. 4.
1. —— cxii. 1.	1. — lxvi. 3.
1. —— cxlvii. 10.	1. Mic. vii. 18.
3. Prov. iii. 12.	1. Mal. ii. 17.

DELIVER.

1.   נָתַן   *Nothan,* to give up, over.
2.   שׁוּב   *Shoov,* to return.
3.   נָצַל   *Notsal,* (Hiph.) to cause to deliver.
4.   סָגַר   *Sogar,* to shut up.
5.   יָשַׁע   *Yosha,* to save, help.
6.   שְׁלֵם   *Shillaim* (Chaldee), to accomplish, bring to an end.
7.   מָלַט   *Molat,* to escape from danger.
8.   פָּדָה   *Podoh,* to ransom.
9.   חָלַץ   *Kholats,* to rescue.
10.   פָּלַט   *Polat,* to escape, flee.
11.   מִגֵּן   *Miggain,* to protect, shield.
12.   אָנָה   *Innoh,* to allow, suffer.

13.   גָּאַל   *Goal,* to redeem.

14.   שָׁפַט   *Shophat,* to judge, bring to judgment.

15.   נָטָה   *Notoh,* (Hiph.) to cause to incline.

16.   יָלַד   *Yolad,* to bring forth, beget.

17.   לָתַת   *Lothath,* to be in pain, cry out.

18.   יְהַב   *Yohav* (Chaldee), to give up, over.

19.   שֵׁזַב   *Shozav* (Syriac), to liberate, rescue.

20.   פָּרַק   *Porak,* to pluck out.

21.   פָּקַד   *Pokad,* to appoint, command.

22.   פָּצָה   *Potsoh,* to open, let loose.

23.   מָצָא   *Motso,* (Hiph.) to cause to find.

3.	Gen. xxxii. 11.	4.	1 Sam. xxx. 15.
3.	—— xxxvii. 22.	1.	2 Sam. iii. 14.
1.	—— xl. 13.	1.	—— v. 19.
1.	—— xlii. 34, 37.	1.	—— xiv. 7.
2.	Exod. iii. 8.	3.	———— 16.
1.	—— v. 18.	1.	—— xx. 21.
12.	—— xxi. 13.	1.	1 Kings viii. 46.
1.	—— xxii. 7, 10.	1.	—— xviii. 9.
2.	———— 26.	1.	—— xx. 5, 13, 28.
1.	—— xxiii. 31.	1.	—— xxii. 6, 12, 15.
2.	Lev. xxvi. 26.	1.	2 Kings iii. 10, 13, 18.
1.	Numb. xxi. 2.	1.	—— xii. 7, 29.
3.	—— xxxv. 25.	3.	—— xvii. 39.
1.	Deut. i. 27.	1.	—— xviii. 23.
1.	—— ii. 30.	3.	———— 29, 30.
1.	—— iii. 2.	2.	———— 32, 35.
1.	—— vii. 2, 16, 23, 24.	3.	—— xx. 6.
1.	—— xix. 12.	1.	—— xxi. 14.
3.	—— xxiii. 14, 15.	3.	—— xxii. 5.
2.	—— xxiv. 13.	1.	1 Chron. xiv. 10.
3.	—— xxv. 11.	3.	—— xvi. 35.
3.	—— xxxii. 39.	1.	2 Chron. vi. 36.
3.	Josh. ii. 13.	3.	—— xxv. 15.
1.	—— vii. 7.	1.	———— 20.
1.	—— viii. 7.	1.	—— xxviii. 5, 11.
1.	—— xi. 6.	3.	—— xxxii. 11, 13, 14, 17.
4.	—— xx. 5.	6.	Ezra vii. 19.
1.	Judg. vii. 7.	3.	Neh. ix. 28.
1.	—— vii. 7.	3.	Job v. 4, 19.
5.	—— x. 13, 14.	7.	—— vi. 23.
3.	———— 15.	3.	—— x. 7.
1.	—— xi. 9, 30.	7.	—— xxii. 30.
1.	—— xiii. 5.	8.	—— xxxiii. 24, 28.
1.	—— xv. 12, 13.	15.	—— xxxvi. 18.
1.	—— xx. 13, 28.	9.	Psalm vi. 4.
3.	1 Sam. iv. 8.	3.	—— vii. 1, 2.
3.	—— vii. 3, 14.	10.	—— xvii. 13.
3.	—— xii. 10, 21.	10.	—— xxii. 4, 8.
1.	—— xiv. 37.	3.	———— 8, 20.
3.	—— xvii. 37.	3.	—— xxv. 20.
4.	———— 46.	1.	—— xxvii. 12.
1.	—— xxiii. 2, 4.	10.	—— xxxi. 1.
4.	———— 11, 12, 20.	5.	———— 2.
1.	—— xxiv. 4.	3.	———— 15.
14.	———— 15.	7.	—— xxxiii. 17.
3.	—— xxvi. 24.	3.	———— 19.
1.	—— xxviii. 19.		

10.	Psalm xxxvii. 40.	3.	Isa. xxxviii. 6.
3.	—— xxxix. 8.	3.	— xliii. 13.
3.	—— xl. 13.	3.	— xliv. 17, 20.
7.	—— xli. 1.	7.	— xlvi. 2, 4.
1.	———— 2.	3.	— xlvii. 14.
10.	—— xliii. 1.	3.	— l. 2.
9.	—— l. 15.	3.	— lvii. 13.
3.	———— 22.	3.	Jer. i. 8, 19.
3.	—— li. 14.	1.	— xv. 9.
3.	—— lvi. 13.	3.	Jer. xv. 20, 21.
3.	—— lix. 1.	1.	— xviii. 21.
3.	———— 2.	1.	— xx. 5.
3.	—— lxix. 14.	1.	— xxi. 7, 12.
8.	———— 18.	3.	— xxii. 3.
3.	—— lxx. 1.	1.	— xxiv. 9.
3.	—— lxxi. 2.	1.	— xxix. 18, 21.
10.	———— 4.	1.	— xxxviii. 19, 20.
3.	———— 11.	3.	— xxxix. 17.
3.	—— lxxii. 12.	7.	———— 18.
1.	—— lxxiv. 19.	1.	— xliii. 3.
3.	—— lxxix. 9.	1.	— xlvi. 26.
10.	—— lxxxii. 4.	7.	— li. 6, 45.
7.	—— lxxxiv. 48.	20.	Lam. v. 8.
3.	—— xci. 3.	3.	Ezek. vii. 19.
10.	———— 14.	1.	— xi. 9.
9.	———— 15.	3.	— xiii. 21, 23.
3.	—— cvi. 43.	3.	— xiv. 14, 16, 18, 20, twice.
3.	—— cix. 21.		
7.	—— cxvi. 4.	1.	— xxi. 31.
8.	—— cxix. 134.	1.	— xxiii. 28.
9.	———— 153.	1.	— xxv. 4, 7.
13.	———— 154.	7.	— xxxiii. 5.
3.	———— 170.	3.	———— 12.
3.	—— cxx. 2.	3.	— xxxiv. 10, 12.
9.	—— cxl. 1.	19.	Dan. iii. 15, 17.
3.	—— cxlii. 6.	3.	———— 29.
9.	—— cxliii. 9.	19.	— vi. 14.
3.	—— cxliv. 7, 11.	3.	———— 14.
3.	Prov. ii. 12, 16.	19.	———— 16, 20.
11.	— iv. 9.	3.	— viii. 4, 7.
3.	— vi. 3, 5.	3.	Hos. ii. 10.
3.	— xi. 6.	1.	— xi. 8.
3.	— xii. 6.	4.	Amos i. 6.
3.	— xix. 19.	7.	—— ii. 14, 15, twice.
3.	— xxiii. 14.	4.	—— vi. 8.
3.	— xxiv. 11.	3.	Jonah iv. 6.
7.	Eccles. viii. 8.	3.	Mic. v. 6, 8.
3.	Isa. v. 29.	10.	— vi. 14.
3.	— xix. 20.	3.	Zeph. i. 18.
1.	— xxix. 11.	7.	Zech. ii. 7.
3.	— xxxi. 5.	23.	— xi. 6.
3.	— xxxvi. 14, 15, 18, 20.	3.	———— 6.

DELIVERED.

1.	Gen. ix. 2.	1.	Deut. xxxi. 9.
11.	—— xiv. 20.	1.	Josh. x. 12.
16.	—— xxv. 24.	1.	—— xxi. 44.
3.	—— xxxvii. 21.	1.	Judg. i. 4.
16.	Exod. i. 19.	5.	—— iii. 9, 31.
3.	—— ii. 19.	1.	—— v. 11.
3.	—— v. 23.	1.	—— viii. 7.
3.	—— xii. 27.	5.	———— 22.
3.	—— xviii. 4, 8, 10.	1.	—— xi. 21.
22.	Lev. vi. 2, 4.	5.	—— xii. 3.
1.	Numb. xxi. 3.	1.	———— 3.
1.	Deut. ii. 33, 36.	1.	—— xvi. 23, 24.
1.	—— iii. 3.	17.	1 Sam. iv. 19.
1.	—— v. 22.	3.	—— xii. 11.
1.	—— ix. 10.	3.	—— xvii. 35, 37.

1. 1 Sam. xxiv. 10.
1. —— xxx. 23.
3. 2 Sam. xii. 7.
4. —— xviii. 28.
1. —— xxi. 6.
3. —— xxii. 18.
9. —— 20.
3. —— 49.
16. 1 Kings iii. 17, 18.
1. —— xiii. 26.
1. —— xvii. 23.
3. 2 Kings xix. 11, 12.
1. —— xxii. 10.
3. 1 Chron. xi. 14.
1. —— xvi. 7.
1. 2 Chron. xxiii. 9.
1. —— xxix. 8.
1. —— xxxiv. 9, 15.
18. Ezra v. 14.
1. —— viii. 36.
4. Job xvi. 11.
7. — xxii. 30.
10. — xxiii. 7.
7. — xxix. 12.
9. Psalm vii. 4.
3. —— xviii. 17.
9. —— 19.
10. —— 43.
3. —— 48.
10. —— xxii. 5.
3. —— xxxiii. 16.
3. —— xxxiv. 4.
3. —— liv. 7.
8. —— lv. 18.
3. —— lvi. 13.
9. —— lx. 5.
3. —— lxix. 14.
8. —— lxxviii. 42.

1. Psalm lxxviii. 61.
9. —— lxxxi. 7.
3. —— lxxxvi. 13.
3. —— cvii. 6.
7. —— 20.
9. —— cviii. 6.
9. —— cxvi. 8.
9. Prov. xi. 8, 9.
7. —— 21.
7. — xxviii. 26.
7. Eccles. ix. 15.
3. Isa. xx. 6.
1. — xxix. 12.
1. — xxxiv. 2.
3. — xxxvi. 19.
3. — xxxvii. 11, 12.
7. — xlix. 24, 25.
7. — lxvi. 7.
3. Jer. vii. 10.
3. — xx. 13.
1. — xxxii. 16.
3. Ezek. iii. 19, 21.
3. —— xiv. 16, 18.
1. —— xvi. 21, 27.
7. —— xvii. 15.
1. —— xxxi. 14.
1. —— xxxii. 20.
3. —— xxxiii. 9.
19. Dan. iii. 28.
19. — vi. 27.
7. — xii. 1.
7. Joel ii. 32.
4. Amos i. 9.
7. —— ix. 1.
3. Mic. iv. 10.
4. Obad. 14.
3. Hab. ii. 9.
7. Mal. iii. 15.

DELIVEREDST.
1. Neh. ix. 27.

DELIVEREST.
3. Psalm xxxv. 10. | 10. Mic. vi. 14.

DELIVERETH.
9. Job xxxvi. 15.
10. Psalm xviii. 48.
9. —— xxxiv. 7.
3. —— 17, 19.
3. —— xcvii. 10.
23. —— cxliv. 10.

3. Prov. x. 2.
3. — xi. 4.
3. — xiv. 25.
1. — xxxi. 24.
3. Isa. xlii. 22.
19. Dan. vi. 27.

DELIVERANCE.
1. פְּלֵטָה *Pelaitoh*, an escape.
2. תְּשׁוּעָה *Teshoooh*, help, victory.
3. יְשׁוּעוֹת *Yeshooouth*, salvation.
4. הַצָּלָה *Hatsoloh*, deliverance.

1. Gen. xlv. 7.
2. Judg. xv. 8.
2. 2 Kings v. 1.
2. —— xiii. 17.
2. 1 Chron. xi. 14.
1. 2 Chron. xii. 7.
1. Ezra ix. 13.

4. Esth. iv. 14.
3. Psalm xviii. 50.
1. —— xxxii. 7.
3. Isa. xxvi. 18.
1. Joel ii. 32.
1. Obad. 17.

DELIVERANCES.
3. Psalm xliv. 4.

DELIVERER.
1. מַצִּיל *Matseel*, a deliverer.
2. מוֹשִׁיעַ *Mousheea*, a saviour.
3. מְפַלֵּט *Mephallait*, a rescuer, deliverer.

2. Judg. iii. 9, 15.
1. —— xviii. 28.
3. 2 Sam. xxii. 2.
3. Psalm xviii. 2.

3. Psalm xl. 17.
3. —— lxx. 5.
3. —— cxliv. 2.

DELIVERY.
לֶדֶת *Ledeth*, bringing forth.
Isa. xxvi. 17.

DELUSIONS.
תַּעֲלוּלִים *Taălooleem*, insults.
Isa. lxvi. 4.

DEMAND.
שְׁאֶלְתָּא *Shealto* (Chaldee).
Dan. iv. 17.

DEMANDED.
שָׁאַל *Shoal*, to ask; in all passages,
except :
לֵאמֹר *Laimor*, saying.
Exod. v. 14.

DEN -S.
1. גֹּב *Gouv* (Chaldee), a den.
2. מְעָרָה *Mĕoroh*, a cavern.
3. מִנְהָרוֹת *Minhorouth*, long caverns.
4. אֹרֶב *Orev*, an ambush.
5. מָעוֹן *Mooun*, a dwelling.
6. סֻכָּה *Sukkoh*, a hut, shelter, booth, tabernacle.
7. מְאוּרָה *Mĕooroh*, fiery, brightness.

3. Judg. vi. 2.
4. Job xxxvii. 8.
5. — xxxviii. 40.
6. Psalm x. 9.
5. —— civ. 22.
5. Cant. iv. 8.
7. Isa. xi. 8.
2. — xxxii. 14.

2. Jer. vii. 11.
5. — ix. 11.
5. — x. 22.
1. Dan. vi. 7, 12, 16, 19, 23, 24.
5. Amos iii. 4.
5. Nah. ii. 12.

DENY.
1. כָּחַשׁ *Kikhaish*, to deny.
2. שׁוּב פָּנִים *Shoov poneem*, to turn away the face.
3. מָנַע *Mona*, to hold back, avoid.

1. Jos. xxiv. 27.
2. 1 Kings ii. 16.
1. Job viii. 18.

3. Prov. xxx. 7.
1. —— 9.

DENIED.

1. Gen. xviii. 15.
1. 1 Kings xx. 7.

1. Job xxxi. 28.

DENOUNCE.

נָגַד   *Nogad*, to declare.

Deut. xxx. 18.

DEPART.

1.   סוּר   *Soor*, to depart.
2.   יָלַךְ   *Yolakh*, to go away.
3.   יָצָא   *Yotso*, to go forth.
4.   שָׁלַח   *Sholakh*, to send forth.
5.   עָלָה   *Oloh*, to go up, off.
6.   מוּשׁ   *Moosh*, to remove.
7.   צָפַר   *Tsophar*, to hasten, fly like a bird.
8.   שָׁעָה   *Shooh*, to turn to or from an object, regard, respect.
9.   גָּלָה   *Goloh*, to reveal, remove.
10.   לוּז   *Looz*, to turn aside, decline.
11.   יָקַע   *Yoka*, to disjoin, separate.
12.   נָסַע   *Nosa*, to travel.
13.   נָדַד   *Nodad*, to wander, move on.
14.   רָשַׁע   *Rosha*, to act wickedly.
15.   עָדַת   *Odath* (Syriac), to pass away.
16.   נָסַג   *Nosag*, to turn away.

1. Gen. xlix. 10.
1. Exod. viii. 11, 29.
2. —— xviii. 27.
3. —— xxi. 22.
2. —— xxxiii. 1.
3. Lev. xxv. 41.
2. Numb. x. 30.
1. —— xvi. 26.
1. Deut. iv. 9.
3. —— ix. 7.
6. Josh. i. 8.
4. —— xxiv. 28.
6. Judg. vi. 18.
7. —— vii. 3.
2. —— xix. 5, 7, 8, 9.
1. 1 Sam. xv. 6.
2. —— xxii. 5.
2. —— xxix. 10, 11.
2. —— xxx. 22.
1. 2 Sam. vii. 15.
4. —— xi. 12.
1. —— xii. 10.
2. —— xv. 14.
2. —— xx. 21.
1. —— xxii. 23.
2. 1 Kings xii. 5.
5. —— xv. 19.
1. 2 Chron. xxxv. 15.
8. Job vii. 19.
1. — xv. 30.
9. — xx. 28.

1. Job xxi. 14.
1. — xxii. 17.
1. — xxviii. 28.
1. Psalm vi. 8.
1. —— xxxiv. 14.
1. —— xxxvii. 27.
6. —— lv. 11.
1. —— ci. 4.
1. —— cxix. 115.
1. —— cxxxix. 19.
1. Prov. iii. 7.
10. —— 21.
10. —— iv. 21.
1. —— v. 7.
1. —— xiii. 14, 19.
1. —— xiv. 27.
1. —— xv. 24.
1. —— xvi. 6, 17.
6. —— xvii. 13.
1. —— xxii. 6.
1. —— xxvii. 22.
1. Isa. xi. 13.
1. — xiv. 25.
1. — lii. 11, twice.
6. — liv. 10, twice.
6. — lix. 21.
11. Jer. vi. 8.
1. — xvii. 13.
6. — xxxi. 36.
1. — xxxii. 40.
2. — xxxvii. 9.

2. Jer. L. 3.
1. Lam. iv. 15.
1. Ezek. xvi. 42.

1. Hos. ix. 12.
2. Mic. ii. 10.
1. Zech. x. 11.

DEPARTED.

3. Gen. xii. 4, twice.
2. —— xiv. 12.
2. —— xxi. 14.
2. —— xxiv. 10.
2. —— xxvi. 17, 31.
13. —— xxxi. 40.
2. —— 55.
12. —— xxxvii. 17.
2. —— xlii. 26.
2. —— xlv. 24.
12. Exod. xix. 2.
6. —— xxxiii. 11.
3. —— xxxv. 20.
1. Lev. xiii. 58.
12. Numb. x. 33.
1. —— xii. 9, 10.
1. —— xiv. 9, 44.
2. —— xxii. 7.
12. —— xxxiii. 3, 6, 8, 13, 15, 17, 18, 19, 20, 27, 30, 31, 35, 41, 42, 43, 44, 45, 48.
12. Deut. i. 19.
3. —— xxiv. 2.
2. Josh. ii. 21.
2. Judg. vi. 21.
2. —— ix. 55.
1. —— xvi. 20.
2. —— xvii. 8.
2. —— xviii. 7, 21.
2. —— xix. 10.
2. —— xxi. 24.
9. 1 Sam. iv. 21, 22.
2. —— vi. 6.
2. —— x. 2.
1. —— xv. 6.
1. —— xvi. 14, 23.
1. —— xviii. 12.
2. —— xx. 42.
2. —— xxii. 1, 5.
2. —— xxiii. 13.
1. —— xxviii. 15, 16.
2. 2 Sam. vi. 19.
3. —— xi. 8.
2. —— xii. 15.

2. 2 Sam. xix. 24.
14. —— xxii. 22.
2. 1 Kings xii. 5.
2. —— xiv. 17.
2. —— xix. 19.
2. —— xx. 9, 36, 38.
2. 2 Kings i. 4.
1. —— iii. 3.
12. —— 27.
2. —— v. 5, 19.
2. —— viii. 14.
2. —— x. 12, 15.
1. —— 29, 31.
1. —— xiii. 2, 6, 11.
1. —— xiv. 24.
1. —— xv. 9, 18.
1. —— xvii. 22.
1. —— xviii. 6.
12. —— xix. 8, 36.
2. 1 Chron. xvi. 43.
3. —— xxi. 4.
1. 2 Chron. viii. 15.
2. —— x. 5.
1. —— xx. 32.
2. —— xxi. 20.
2. —— xxiv. 25.
1. —— xxxiv. 33.
12. Ezra viii. 31.
1. Neh. ix. 19.
14. Psalm xviii. 21.
3. — cv. 38.
1. — cxix. 102.
1. Isa. vii. 17.
12. — xxxvii. 8, 37.
12. — xxxviii. 12.
3. Jer. xxix. 2.
5. — xxxvii. 5.
2. — xli. 10.
3. Lam. i. 6.
1. Ezek. vi. 9.
1. — x. 18.
15. Dan. iv. 31.
9. Hos. x. 5.
1. Mal. ii. 8.

DEPARTETH.

2. Job xxvii. 21.
1. Prov. xiv. 16.
2. Eccles. vi. 4.
1. Isa. lix. 15.

Jer. iii. 20, not in original.
1. — xvii. 5.
6. Nah. iii. 1.

DEPARTING.

3. Gen. xxxv. 18.
3. Exod. xvi. 1.

16. Isa. lix. 13.
1. Dan. ix. 5, 11.

DEPARTURE.

צֵאת   *Tsaith*, going forth.

Ezek. xxvi. 18.

DEPOSED.

הַנְחֵת   *Honkhath*, to lower, depose.

Dan. v. 20.

DEPRIVED.

1. שִׁכֵּל *Shikail*, to deprive, bereave.
2. נָשָׁה *Noshoh*, to neglect, spare.
3. פָּקַד *Pokad*, to visit, appoint.

1. Gen. xxvii. 45. | 3. Isa. xxxviii. 10.
2. Job xxxix. 17.

DEPTH.

מְצוּלָה *Metsooloh*, a shady place, the bottom of deep water.

DEPTHS.

מְצוּלוֹת *Metsoolouth*, the bottom of deep waters.

DEPUTY.

נִצָּב *Nitsov*, fixed, placed.
1 Kings xxii. 47.

DEPUTIES.

פַּחוֹת *Pakhouth* (Syriac), governors of a province.

Esth. viii. 9. | Esth. ix. 3.

DERIDE.

שָׂחַק *Sokhak*, to mock.
Hab. i. 10.

DERISION.   See p. 588.

לָעַג *Loag*, to deride.

DESCEND -ED -ING.

יָרַד *Yorad*, to descend, go down.

DESCRIBE -ED.

כָּתַב *Kothav*, to write, describe.

DESCRIPTION.

כָּתַב *Kothav*, describe.
Josh. xviii. 6.

DESCRY.

תּוּר *Toor*, to search through.
Judg. i. 23.

DESERT -S, wilderness.

מִדְבָּר *Midbor*, a wilderness.

עֲרָבָה *Arovoh*, a mixture, desert; in all passages, except :

יְשִׁימוֹן *Yesheemoun*, a desolate place.

Deut. xxxii. 10. | Psalm cvi. 14.
Psalm lxxviii. 40. | Isa. xliii. 19, 20.

DESERTS.

1. חָרְבוֹת *Khorovouth*, destroyed places.
2. עֲרָבָה *Arovoh*, a mixture, desert.

1. Isa. xlviii. 21. | 1. Ezek. xiii. 4.
2. Jer. ii. 6.

DESERT -S, merits.

1. גְּמוּל *Gĕmool*, reward.
2. מִשְׁפָּט *Mishpot*, judgment, justice, law.

1. Psalm xxviii. 4. | 2. Ezek. vii. 27.

DESERVING.

גְּמוּל *Gemoul*, reward, recompence.
Judg. ix. 16.

DESIRE, Subst.

1. תְּשׁוּקָה *Teshookoh*, a regard, affection.
2. { אַוָּה *Avvoh*, תַּאֲוָה *Tăăvoh*, } an earnest desire.
3. חֵשֶׁק *Khaishek*, a desire, interest in.
4. { חֶמְדָּה *Khemdoh*, מַחְמַד *Makhmad*, } delight.
5. חֵפֶץ *Khaiphets*, a wish, desire.
6. רָצוֹן *Rotsoun*, a will, favour, kindness.
7. כָּסַף *Kosaph*, to desire intensely, covet greedily.
8. תָּו *Tov*, a sign, indelible mark.
9. אָבָה *Ovoh*, to consent, acquiesce.
10. נֶפֶשׁ *Nephesh*, life, animation, spirit.
11. אֶבְיוֹנָה *Aveeyounoh*, need, poverty.
12. מְנַשְׂאִים־נַפְשָׁם *Menaseem-naphshom*, bearing their spirit.

1. Gen. iii. 16.	2. Psalm lxxviii. 29.
1. —— iv. 7.	2. —— cxii. 10.
2. Deut. xviii. 6.	6. —— cxlv. 16, 19.
3. —— xxi. 11.	2. Prov. x. 24.
4. 1 Sam. ix. 20.	2. —— xi. 23.
2. —— xxiii. 20.	2. —— xiii. 12, 19.
5. 2 Sam. xxiii. 5.	2. —— xix. 22.
5. 1 Kings v. 8, 9, 10.	2. —— xxi. 25.
3. —— ix. 1.	10. Eccles. vi. 9.
5. —— 11.	11. —— xii. 5.
5. —— x. 13.	1. Cant. vii. 10.
5. 2 Chron. ix. 12.	2. Isa. xxvi. 8.
6. —— xv. 15.	12. Jer. xliv. 14.
7. Job xiv. 15.	4. Ezek. xxiv. 16, 21, 25.
5. —— xxxi. 16.	4. Dan. xi. 37.
8. —— 35.	2. Hos. x. 10.
9. — xxxiv. 36.	2. Mic. vii. 3.
2. Psalm x. 3, 17.	10. Hab. ii. 5.
2. —— xxi. 2.	4. Hag. ii. 7.
2. —— xxxviii. 9.	

DESIRES.

1. מִשְׁאָלוֹת *Mishalouth*, requests.
2. מְאַוִּים *Mĕaveem*, earnest desires.

1. Psalm xxxvii. 4. | 2. Psalm cxl. 8.

DESIRE, Verb.

1. בְּקֵשׁ *Bikaish*, to seek earnestly, beseech.
2. חָמַד *Khomad*, to delight, covet.
3. אִוָּה *Ivvoh*, to desire earnestly.
4. שָׁאַל *Shoal*, to ask, require, request.
5. חָפֵץ *Khophats*, to wish for.
6. שָׁאַף *Shoaph*, to pant.
7. בְּעָא *Bōō* (Syriac), to petition.
8. מְנַשְׂאִים־נַפְשָׁם *Menaseem-naphshom*, bearing their spirit.
9. חָשַׁק *Khoshak*, to desire, take interest in.
10. אָמַר *Omar*, to say, speak, tell.
11. כָּסַף *Kosaph*, to desire intensely, covet greedily.

1. Exod. x. 11.	5. Psalm xl. 6.
2. —— xxxiv. 24.	3. —— xlv. 11.
3. Deut. v. 21.	5. —— lxx. 2.
2. —— vii. 25.	5. —— lxxiii. 25.
4. Judg. viii. 24.	5. Prov. iii. 15.
4. 1 Kings ii. 20.	3. — xxiii. 6.
4. 2 Kings iv. 28.	3. — xxiv. 1.
5. Neh. i. 11.	2. Isa. liii. 2.
5. Job xiii. 3.	8. Jer. xxii. 27.
5. — xxi. 14.	5. — xlii. 22.
5. — xxxiii. 32.	7. Dan. ii. 18.
6. — xxxvi. 20.	3. Amos v. 18.

DESIRED.

2. Gen. iii. 6.	5. Prov. viii. 11.
4. 1 Sam. xii. 13.	2. —— xxi. 20.
9. 1 Kings ix. 19.	4. Eccles. ii. 10.
9. 2 Chron. viii. 6.	2. Isa. i. 29.
4. —————— xi. 23.	3. — xxvi. 9.
10. Esth. ii. 11.	3. Jer. xvii. 16.
2. Job xx. 20.	7. Dan. ii. 16, 23.
2. Psalm xix. 10.	5. Hos. vi. 6.
4. —————— xxvii. 4.	3. Mic. vii. 1.
5. —————— cvii. 30.	11. Zeph. ii. 1.
3. —————— cxxxii. 13, 14.	

DESIREDST.

4. Deut. xviii. 16.

DESIREST.

5. Psalm li. 6, 16.

DESIRETH.

3. Deut. xiv. 26.	3. Job xxiii. 13.
3. 1 Sam. ii. 16.	5. Psalm xxxiv. 12.
5. —— xviii. 25.	2. —— lxviii. 16.
10. —— xx. 4.	2. Prov. xii. 12.
3. 2 Sam. iii. 21.	3. —— xiii. 4.
3. 1 Kings xi. 37.	3. —— xxi. 10.
6. Job vii. 2.	3. Eccles. vi. 2.

DESIRABLE.

חֶמֶד *Khemed*, desirable.

Ezek. xxiii. 6, 12, 23.

DESIROUS.

2. Prov. xxiii. 3.

DESOLATE.

1. שָׁמֵם *Shomam*, to be desolate.
2. פָּחַד *Kokhad*, to demolish.
3. שׁוֹאָה *Shouoh*, a tumult.
4. יָחִיד *Yokheed*, an only one, alone.
5. נְקֵה *Nikkoh*, at liberty.
6. בָּתָה *Bothoh*, a waste.
7. אַלְמָנָה *Almonoh*, a widow.
8. אָשֵׁם *Osham*, guilty.
9. גַּלְמוּד *Galmood*, solitary.
10. חָרַב *Khorav*, to destroy.
11. בָּדָד *Bodod*, alone, solitary.

All passages not inserted are Nº. 1.

2. Job xv. 28.	9. Isa. xlix. 21.
3. — xxx. 3.	10. Jer. ii. 12.
3. — xxxviii. 27.	10. — xxxiii. 10, 12.
4. Psalm xxv. 16.	10. Ezek. xxv. 13.
5. Isa. iii. 26.	10. —— xxvi. 19.
6. — vii. 19.	8. Hos. xiii. 16.
7. — xiii. 22.	8. Joel i. 18.
8. — xxiv. 6.	

DESOLATE land.

3. Isa. vi. 11. | 10. Jer. vii. 34.

DESOLATE places.

10. Job iii. 14.	10. Ezek. xxvi. 20.
10. Psalm cix. 10.	10. —— xxxviii. 12.
8. Isa. lix. 10.	10. Mal. i. 4.

DESOLATE shall, shalt be.

9. Job xv. 34.	11. Isa. xxvii. 10.
8. Psalm xxxiv. 21, 22.	10. Jer. xxvi. 9.

DESOLATE wilderness.

שְׁמָמָה *Shĕmomoh*, a desolation.

Jer. xii. 10.	Joel iii. 19.
Joel ii. 3.	

DESOLATION.

1. שְׁמָמָה or שַׁמָּה *Shĕmomoh* or *Sham-moh*, a desolation, astonishment.
2. שׁוֹד *Shoud*, a destruction.
3. שׁוֹאָה *Shouoh*, a tumult.
4. חָרְבָּה *Kharovoh*, a ruined place.

All passages not inserted are Nᵒ. 1.

3. Job xxx. 14.	4. Jer. xxv. 11, 18.
3. Prov. i. 27.	4. —— xliv. 2, 22.
3. —— iii. 25.	3. Lam. iii. 47.
3. Isa. x. 3.	2. Hos. xii. 1.
3. — xlvii. 11.	3. Zeph. i. 15.
2. — li. 19.	4. —— ii. 14.
4. Jer. xxii. 5.	

DESOLATIONS.

4. Ezra ix. 9.	4. Jer. xxv. 9.
1. Psalm xlvi. 8.	1. —— 12.
3. —— lxxiv. 3.	4. Dan. ix. 2.
4. Isa. lxi. 4.	1. —— 18, 26.

DESPAIR.

יָאַשׁ *Yoash*, to despair.

1 Sam. xxvii. 1.	Eccles. ii. 20.

DESPERATE -LY.

1. יָאַשׁ *Yoash*, desperate.
2. אָנַשׁ *Onash*, to be incurable.

1. Job vi. 26.	2. Jer. xvii. 9.
2. Isa. xvii. 11.	

DESPISE.

1. מָאַס *Moas*, to abhor.
2. בּוּז *Booz*, to despise.
3. קָלַל *Kolal*, (Hiph.) to esteem lightly.
4. נָאַץ *Noats*, to scorn.
5. זוּל *Zool*, (Hiph.) to make vile.
6. שָׁאַט *Shoat*, to scourge.

1. Lev. xxvi. 15.	1. Prov. iii. 11.
2. 1 Sam. ii. 30.	2. —— vi. 30.
3. 2 Sam. xix. 43.	2. —— xxiii. 9, 22.
2. Esth. i. 17.	1. Isa. xxx. 12.
1. Job v. 17.	1. Jer. iv. 30.
1. — ix. 21.	4. — xxiii. 17.
1. — x. 3.	5. Lam. i. 8.
1. — xxxi. 13.	6. Ezek. xvi. 57.
2. Psalm li. 17.	6. —— xxviii. 26.
2. —— lxxiii. 20.	1. Amos v. 21.
2. —— cii. 17.	2. Mal. i. 6.
2. Prov. i. 7.	

DESPISED.

3. Gen. xvi. 4, 5.	2. Prov. xii. 8.
2. —— xxv. 34.	3. —— 9.
1. Lev. xxvi. 43.	2. Eccles. ix. 16.
1. Numb. xi. 20.	2. Cant. viii. 1.
1. —— xiv. 31.	4. Isa. v. 24.
2. —— xv. 31.	1. — xxxiii. 8.
1. Judg. ix. 38.	2. — xxxvii. 22.
2. 1 Sam. x. 27.	2. — liii. 3, twice.
2. 2 Sam. vi. 16.	4. — lx. 14.
2. —— xii. 9, 10.	2. Jer. xxii. 28.
2. 2 Kings xix. 21.	4. — xxxiii. 24.
1. 1 Chron. xv. 29.	2. — xlix. 15.
2. 2 Chron. xxxvi. 16.	4. Lam. ii. 6.
2. Neh. ii. 19.	2. Ezek. xvi. 59.
2. — iv. 4.	2. —— xvii. 16, 18, 19.
2. Job xii. 5.	1. —— xx. 13, 16, 24.
1. — xix. 18.	2. —— xxii. 8.
2. Psalm xxii. 6, 24.	6. —— xxviii. 24.
1. —— liii. 5.	1. Amos ii. 4.
1. —— cvi. 24.	2. Obad. 2.
2. —— cxix. 141.	2. Zech. iv. 10.
4. Prov. i. 30.	2. Mal. i. 6.
4. —— v. 12.	

DESPISETH.

1. Job xxxvi. 5.	2. Prov. xv. 20.
2. Psalm lxix. 33.	1. —— 32.
2. Prov. xi. 12.	2. —— xix. 6.
2. —— xiii. 13.	2. —— xxx. 17.
2. —— xiv. 2, 21.	1. Isa. xxxiii. 15.
4. —— xv. 5.	2. — xlix. 7.

DESPITE.

שָׁאַט *Shoat*, contempt.

Ezek. xxv. 6.

DESPITEFUL.

Ezek. xxv. 15.	Ezek. xxxvi. 5.

DESTITUTE.

1. עָזַב *Ozav*, to forsake, leave behind.
2. שָׁמֵם *Shomam*, to make desolate.
3. עָרַר *Orar*, to make bare, solitary.
4. חָסַר *Khosar*, to want.

1. Gen. xxiv. 27.	4. Prov. xv. 21.
3. Psalm cii. 17.	2. Ezek. xxxii. 15.
3. —— cxli. 8.	

DESTROY.

1. סָפָה *Sophoh*, to end.
2. שָׁחַת *Shokhath*, to spoil, destroy.
3. יָרַשׁ *Yorash*, to drive away, succeed.
4. נָתַץ *Notats*, to break down.
5. כָּרַת *Korath*, to cut, cut off.
6. קִרְקַר *Karkar*, to root out.
7. אָבַד *Ovad*, to lose, miss.

8.	שָׁמַד	Shomad, to destroy, ruin.
9.	הָמַם	Homam, to confuse.
10.	שִׁכֵּל	Shikail, to deprive, bereave.
11.	צָמַת	Tsomath, (Hiph.) to annihilate.
12.	מְגַר	Mogar (Chaldee), to cast down.
13.	בָּלַע	Bola, to swallow.
14.	נָקַף	Nokaph, to disjoin.
15.	אָשַׁם	Osham, (Hiph.) to cause guilt.
16.	הָרַס	Horas, to pull down.
17.	נִינָם	Neenom, their offspring.
18.	שֵׁדַד	Shodad, to break in pieces.
19.	נָסַח	Nosakh, to extirpate, scatter about.
20.	גָּרַר	Gorar, to cut asunder.
21.	חָבַל	Khoval, to wrench, twist.
22.	שָׁמַם	Shomam, to make desolate.
23.	שָׁבַר	Shovar, to break.
24.	חָרַם	Khoram, to devote.
25.	מָחָה	Mokhoh, to blot out, erase.
26.	מוּל	Mool, to cut off.
27.	פָּעָה	Pōōh, to complain, exclaim.
28.	דָּמָה	Domoh, to silence.
29.	מוּת	Mooth, (Hiph.) to cause death.
30.	דָּכָא	Doko, to bruise.
31.	שָׁאָה	Shōōh, to rend asunder.
32.	כָּתַת	Kotath, to beat in pieces.
33.	חָרַב	Khorav, to destroy.
34.	נָתַשׁ	Notash, to pluck down, up.
35.	צָרָה	Tsodoh, to hunt, chase.
36.	כָּלָה	Koloh, to consume, finish, make an end.
37.	רוּעַ	Rooa, to do evil.
38.	קָטֵב	Kotev, destroying, destructive.

25.	Gen. vi. 7, 13.	8.	Deut. i. 27.
2.	—— 17.	9.	—— ii. 15.
25.	—— vii. 4.	2.	—— iv. 31.
2.	—— ix. 11, 15.	8.	—— vi. 15.
1.	—— xviii. 23, 24.	4.	—— vii. 5.
2.	—— 28 (twice), 31, 32.	7.	—— 10.
		9.	—— 23.
2.	—— xix. 13, twice 14.	7.	—— 24.
5.	Exod. viii. 9.	8.	—— ix. 3, 14, 19, 25.
2.	—— xii. 13.	2.	—— 26.
3.	—— xv. 9.	2.	—— x. 10.
9.	—— xxiii. 27.	2.	—— xx. 19, 20.
4.	—— xxxiv. 13.	7.	—— xxviii. 63.
7.	Lev. xxiii. 30.	8.	—— xxxi. 3.
5.	—— xxvi. 22.	10.	—— xxxii. 25.
8.	—— 30.	8.	—— xxxiii. 27.
6.	Numb. xxiv. 17.	7.	Josh. vii. 7.
2.	—— xxxii. 15.	8.	—— vii. 12.
7.	—— xxxiii. 52, bis.	3.	—— ix. 24.

2.	Josh. xxii. 33.	13.	Isa. xxv. 7.
2.	Judg. vi. 5.	21.	— xxxii. 7.
1.	1 Sam. xv. 6.	2.	— xxxvi. 10.
2.	—— xxiii. 10.	22.	— xlii. 14.
8.	—— xxiv. 21.	2.	— li. 13.
2.	—— xxvi. 9, 15.	21.	— liv. 16.
2.	2 Sam. i. 14.	27.	— lxii. 14.
8.	—— xiv. 7, 11, 16.	2.	— lxv. 8, 25.
29.	—— xx. 19.	7.	Jer. i. 10.
2.	—— 20.	2.	— v. 10.
11.	—— xxii. 41.	2.	— vi. 5.
2.	—— xxiv. 16.	2.	— xi. 19.
8.	1 Kings xiii. 34.	7.	— xii. 17.
8.	—— xvi. 12.	2.	— xiii. 14.
2.	2 Kings viii. 19.	2.	— xv. 3, 6.
7.	—— x. 19.	7.	—— 7.
2.	—— xiii. 23.	23.	— xvii. 18.
2.	—— xviii. 25, bis.	7.	— xviii. 7.
7.	—— xxiv. 2.	7.	— xxiii. 1.
2.	1 Chron. xxi. 15.	7.	— xxxi. 28.
2.	2 Chron. xii. 7, 12.	2.	— xxxvi. 29.
2.	—— xxv. 7.	7.	— xlvi. 8.
2.	—— xxv. 16.	2.	— xlviii. 18.
2.	—— xxxv. 21.	2.	— xlix. 9.
12.	Ezra vi. 12.	7.	—— 38.
8.	Esth. iii. 6, 13.	24.	— li. 3.
7.	—— iv. 7.	2.	—— 11, 20.
8.	—— 8.	2.	Lam. ii. 8.
7.	—— ix. 24, bis.	8.	—— iii. 66.
13.	Job ii. 3.	2.	Ezek. v. 16.
30.	— vi. 9.	7.	— vi. 3.
13.	— viii. 18.	2.	— ix. 8.
13.	— x. 8.	8.	— xiv. 9.
14.	— xix. 26.	7.	— xxii. 27.
7.	Psalm v. 6.	2.	—— 30.
15.	—— 10.	7.	— xxv. 7.
11.	—— xviii. 40.	2.	—— 15.
7.	—— xxi. 10.	7.	—— 16.
16.	—— xxviii. 5.	2.	— xxvi. 4.
1.	—— xl. 14.	4.	—— 12.
4.	—— lii. 5.	7.	— xxviii. 16.
13.	—— lv. 9.	2.	— xxx. 11.
31.	—— lxiii. 9.	7.	—— 13.
11.	—— lxix. 4.	7.	— xxxii. 13.
17.	—— lxxiv. 8.	8.	— xxxiv. 16.
11.	—— ci. 8.	2.	— xliii. 3.
8.	—— cvi. 34.	7.	Dan. ii. 12, 24, twice.
26.	—— cxviii. 10, 11, 12.	21.	— iv. 23.
		7.	— vii. 26.
7.	—— cxix. 95.	2.	— viii. 24, twice.
7.	—— cxliii. 12.	2.	—— 25.
9.	—— cxliv. 6.	2.	— ix. 26.
8.	—— cxlv. 20.	23.	Dan. xi. 26.
7.	Prov. i. 32.	8.	—— 44.
18.	— xi. 3.	22.	Hos. ii. 12.
19.	— xv. 25.	28.	— iv. 5.
20.	— xxi. 7.	2.	— xi. 9.
21.	Eccles. v. 6.	8.	Amos ix. 8, twice.
22.	—— vii. 16.	7.	Obad. 8.
13.	Isa. iii. 12.	21.	Mic. ii. 10.
8.	— x. 7.	7.	— v. 10.
2.	— xi. 9.	8.	—— 14.
24.	—— 15.	7.	Zeph. ii. 5, 13.
21.	— xiii. 5.	8.	Hag. ii. 22.
7.	—— 9.	8.	Zech. xii. 9.
13.	— xix. 3.	2.	Mal. iii. 11.
8.	— xxiii. 11.		

DESTROYED.

2.	Gen. xiii. 10.	2. Gen. xix. 29.

8. Gen. xxxiv. 30.	7. Psalm ix. 5.
7. Exod. x. 7.	34. ———— 6.
8. Deut. ii. 21.	8. ——— xxxvii. 38.
8. ——— iv. 3.	11. ——— lxxiii. 27.
8. ——— vii. 23, 24.	2. ——— lxxviii. 38, 45,
8. ——— ix. 8.	47.
7. ——— xi. 4.	8. ——— xcii. 7.
8. ——— xii. 30.	18. ——— cxxxvii. 8.
8. ——— xxviii. 20. 24.	21. Prov. xiii. 13.
8. ————— 45, 48,	37. ———— 20.
51, 61.	1. ———— 23.
8. Josh. xxiv. 8.	23. ——— xxix. 1.
2. Judg. xx. 21, 25, 35,	13. Isa. ix. 16.
42.	21. — x. 27.
8. ——— xxi. 16.	2. — xiv. 20.
8. 2 Sam. xxi. 5.	8. — xxvi. 14.
2. ——— xxiv. 16.	7. — xxxvii. 19.
5. 1 Kings xv. 13.	2. Jer. xii. 10.
8. 2 Kings x. 28.	23. — xxii. 20.
7. ——— xi. 1.	23. — xlviii. 4.
7. ——— xix. 18.	8. ———— 8.
8. ——— xxi. 9.	7. — li. 55.
8. 1 Chron. v. 25.	2. Lam. ii. 5, 6, 9.
2. ———— xxi. 15.	28. Ezek. xxvii. 32.
23. 2 Chron. xiv. 13.	23. ——— xxx. 8.
32. ———— xv. 6.	21. Dan. ii. 44.
8. ———— xx. 10.	21. ——— vi. 26.
8. ———— xxxiii. 9.	7. ——— vii. 11.
2. ———— xxxiv. 11.	21. ———— 14.
33. Ezra iv. 15.	23. ——— xi. 20.
7. Esth. iii. 9.	28. Hos. iv. 6.
7. — iv. 14.	8. — x. 8.
32. Job iv. 20.	2. — xiii. 9.
4. — xix. 10.	8. Amos ii. 9.
30. — xxxiv. 25.	35. Zeph. iii. 6.

DESTROYED, utterly.

24. Exod. xxii. 20.	24. Josh. xi. 12.
24. Numb. xxi. 3.	8. ———— 14.
24. Deut. ii. 34.	24. ———— 21.
24. ——— iii. 6.	24. Judg. i. 17.
8. ——— iv. 26.	24. 1 Sam. xv. 8, 9, 15,
24. Josh. ii. 10.	20, 21.
24. ——— vi. 21.	24. 1 Chron. iv. 41.
24. ——— viii. 26.	36. 2 Chron. xxxi. 1.
24. ——— x. 1, 28, 35, 37,	24. ———— xxxii. 14.
39, 40.	24. Isa. xxxiv. 2.

DESTROYEST -ETH.

7. Deut. viii. 20.	2. Prov. xi. 9.
36. Job ix. 22.	25. ——— xxxi. 3.
7. — xii. 23.	7. Eccles. vii. 7.
7. — xiv. 19.	7. ———— ix. 18.
2. Prov. vi. 32.	2. Jer. li. 25.

DESTROYING.

2. 1 Chron. xxi. 12, 15.	13. Lam. ii. 8.
38. Isa. xxviii. 2.	2. Ezek. ix. 1.
2. Jer. ii. 30.	2. ——— xx. 17.
2. — li. 1, 25.	

DESTROYER -S.

1. מַשְׁחִית   *Mashkheeth,* a spoiler.
2. מַחֲרִיב   *Makhreev,* a destroyer.
3. שׁוֹדֵד   *Shoudaid,* a destroyer, waster.
4. פָּרִיץ   *Poreets,* a breaker through.

5. מְמִתִים   *Mimtheem,* manslayers.
6. מְחָרְסִים   *Měhoraseem,* breakers through.
7. שֹׁסַי   *Shousai,* destroyers.

1. Exod. xii. 23.	1. Jer. iv. 7.
2. Judg. xvi. 24.	5. Job xxxiii. 22.
3. Job xv. 21.	6. Isa. xlix. 17.
4. Psalm xvii. 4.	1. Jer. xxii. 7.
1. Prov. xxviii. 24.	7. — L. 11.

DESTRUCTION.

1. מְהוּמָה   *Měhoomoh,* confusion.
2. קֶטֶב   *Ketev,* whirlwind.
3. חֶרְמִי   *Khermee,* my devoted.
4. תְּבוּסַת   *Tevoosath,* treading down.
5. אָבְדָן   *Ovdon,* their loss.
6. שׁוֹד   *Shoud,* a destruction.
7. אֵיד   *Aid,* calamity.
8. כִּיד   *Keed* (Arabic), misfortune.
9. אֲבַדּוֹן   *Avadoun,* destruction, a place of destruction.
10. פִּיד   *Peed,* a ruin.
11. שׁוֹאָה   *Shouoh,* desolation, ruin.
12. שַׁחַת   *Shokhath,* to destroy, corrupt, spoil.
13. מַשּׁוּאוֹת   *Mashoooth,* desolations, ruins.
14. דַּכָּא   *Dako,* reduced.
15. מְחִתָּה   *Měkhitoh,* anxiety, terror.
16. שֶׁבֶר   *Shever,* breaking, trembling.
17. חֲלוֹף   *Khalouph,* changeableness.
18. תַּבְלִית   *Tavleeth,* weary, decay.
19. הַשְׁמֵד   *Hashmaid,* an overthrowing.
20. הָרַס   *Horas,* to break down, harass.
21. קֶרֶץ   *Kerets,* to wink, close.
22. קְפָדָה   *Kephodoh,* terror.
23. חֶבֶל   *Khevel,* pain, winding, twisting.
24. חֵרֶם   *Khairem,* devoted.
25. חָרְבוֹת   *Khorovouth,* destroyed places, ruins.

1. Deut. vii. 23.	7. Job xxi. 30.
2. ——— xxxii. 24.	9. — xxvi. 6.
1. 1 Sam. v. 9, 11.	9. — xxviii. 22.
3. 1 Kings xx. 42.	7. — xxx. 12.
12. 2 Chron. xxii. 4.	10. ———— 24.
4. ————— 7.	7. — xxxi. 3.
12. ——— xxvi. 16.	9. ———— 12.
5. Esth. viii. 6.	7. — xxxi. 23.
5. ——— ix. 5.	8. ———— 29.
6. Job v. 21, 22.	11. Psalm xxxv. 8.
7. — xviii. 12.	12. ——— lv. 23.
7. — xxi. 17.	13. ——— lxxiii. 18.
8. ———— 20.	9. ——— lxxxviii. 11.

14. Psalm xc. 3.
2. —— xci. 6.
12. —— ciii. 4.
7. Prov. i. 27.
15. —— x. 14, 15, 29.
15. —— xiii. 3.
15. —— xiv. 28.
9. —— xv. 11.
16. —— xvi. 18.
16. —— xvii. 19.
15. —— xviii. 7.
16. ———— 12.
15. —— xxi. 15.
6. —— xxiv. 2.
9. —— xxvii. 20.
17. —— xxxi. 8.
7. Isa. i. 28.
18. — x. 25.
6. — xiii. 6.
19. — xiv. 23.
16. — xv. 5.
20. — xix. 18.
11. — xxiv. 12.
20. — xlix. 19.

16. Isa. li. 19.
16. — lix. 7.
16. — lx. 18.
16. Jer. iv. 6, 20.
16. — vi. 1.
16. — xvii. 18.
21. — xlvi. 20.
16. — xlviii. 3, 5.
16. — L. 22.
16. — li. 54.
16. Lam. ii. 11.
16. —— iii. 47, 48.
16. —— iv. 10.
12. Ezek. v. 16.
22. —— vii. 25.
16. —— xxxii. 9.
6. Hos. vii. 13.
6. —— ix. 6.
2. —— xiii. 14.
6. Joel i. 15.
5. Obad. 12.
23. Mic. ii. 10.
24. Zech. xiv. 11.

DESTRUCTIONS.

25. Psalm ix. 6.
20. —— xxxv. 17.

12. Psalm cvii. 20.

DETAIN.

עָצַר   *Otsar,* to detain.

Judg. xiii. 15, 16.

DETAINED.

1 Sam. xxi. 7.

DETERMINATION.

מִשְׁפָּט   *Mishpot,* judgment, justice.

Zeph. iii. 8.

DETERMINED.

1.   חָרַץ   *Khorats,* to sharpen, be severe.
2.   חָתַךְ   *Khotakh,* to cut asunder.
3.   כָּלָה   *Koloh,* to make an end, fulfil.
4.   אָמַר   *Omar,* to say, speak.
5.   שׂוּם   *Soom,* to settle, appoint.
6.   יָעַץ   *Yoats,* to counsel.

3. 1 Sam. xx. 7. 9, 33.
3. ———— xxv. 17.
5. 2 Sam. xiii. 32.
4. 2 Chron. ii. 1.
6. —— xxv. 16.
3. Esth. vii. 7.
1. Job xiv. 5.

1. Isa. x. 23.
6. — xix. 17.
1. — xxviii. 22.
2. Dan. ix. 24.
1. —— 26, 27.
1. —— xi. 36.

DETEST.

שָׁקַץ   *Shokats,* to detest.

Deut. vii. 26.

DETESTABLE.

שִׁקּוּץ   *Shikkoots,* a detestable thing.

Jer. xvi. 18.
Ezek. v. 11.
—— vii. 20.

Ezek. xi. 18, 21.
—— xxxvii. 23.

DEVICE.

1.   מַחֲשָׁבָה   *Makhashovoh,* a thought.
2.   מְזִמָּה   *Mezimmoh,* זְמָמָה *Zemomoh,* a device, intent, purpose.
3.   חֶשְׁבּוֹן   *Kheshboun,* an account, reckoning.
4.   מוֹעֵצָה   *Mouaitsoh,* counsel, advice.
5.   הִגָּיוֹן   *Higgoyoun,* meditation.

1. 2 Chron. ii. 14.
1. Esth. viii. 3.
1. —— ix. 25.
2. Psalm xxi. 11.
2. —— cxl. 8.

3. Eccles. ix. 10.
1. Jer. xviii. 11.
2. — li. 11.
5. Lam. iii. 62.

DEVICES.

1. Job v. 12.
2. — xxi. 27.
2. Psalm x. 2.
1. —— xxxiii. 10.
2. —— xxxvii. 7.
4. Prov. i. 31.

2. Prov. xii. 2.
1. —— xix. 21.
2. Isa. xxxii. 7.
1. Jer. xi. 19.
1. — xviii. 12, 18.
1. Dan. xi. 24, 25.

DEVILS.

1.   שְׂעִירִים   *Sěeereem,* rough, hairy ones.
2.   שֵׁדִים   *Shaideem,* devils.

1. Lev. xvii. 7.
2. Deut. xxxii. 17.

1. 2 Chron. xi. 15.
2. Psalm cvi. 37.

DEVISE -ED -ETH.

1.   חָשַׁב   *Khoshav,* to think, reckon, esteem.
2.   חָרַשׁ   *Khorash,* to plough, engrave.
3.   דָּמָה   *Domoh,* to imagine, compare.
4.   זָמַם   *Zomam,* to purpose, intend.
5.   יָעַץ   *Yoats,* to counsel.
6.   בָּדָה   *Bodo,* to invent a lie.

1. Exod. xxxi. 4.
1. —— xxxv. 32, 35.
1. 2 Sam. xiv. 14.
1. Psalm xxxv. 4, 20.
1. —— xli. 7.
2. Prov. iii. 29.

2. Prov. xiv. 22, twice.
1. — xvi. 30.
1. Jer. xviii. 11, 18.
1. Ezek. xi. 2.
1. Mic. ii. 1, 3.

DEVISED.

3. 2 Sam. xxi. 5.
6. 1 Kings xii. 33.
1. Esth. viii. 3, 5.
4. Psalm xxxi. 13.

1. Jer. xi. 19.
1. — xlviii. 2.
4. — li. 12.
4. Lam. ii. 17.

DEVISETH.

1. Psalm xxxvi. 4.
1. —— lii. 2.
2. Prov. vi. 14, 18.

1. Prov. xvi. 9.
1. —— xxiv. 8.
5. Isa. xxxii. 7, 8.

DEVOTE -ED.

חֵרֶם *Khairem*, to devote, in all passages.

DEVOUR -ED -EST -ETH -ING.

אָכַל *Okhal*, to devour, eat up; in all passages, except:

בָּלַע *Bola*, to swallow.

Gen. xli. 7, 24.   Prov. xix. 28.
Psalm lii. 4.   Hab. i. 13.

רָעָה *Roōh*, to feed, Psalm lxxx. 13.

DEVOURER.

אֹכֵל *Oukhail*, a devourer.

Mal. iii. 11.

DEW.

טַל *Tal*, dew, in all passages.

DIADEM.

1. צָנִיף *Tsoneeph*,   } a mitre worn only
2. מִצְנֶפֶת *Mitsnepheth*, } by the high priest.
3. צְפִירָה *Tsepheeroh*, a diadem belonging to the priesthood only.

1. Job xxix. 14.   3. Isa. lxii. 3.
1. Isa. xxviii. 5.   2. Ezek. xxi. 26.

DIAL.

מַעֲלָה *Maăloh*, a degree.

2 Kings xx. 11. | Isa. xxxviii. 8.

DIAMOND.

1. יַהֲלוֹם *Yahaloum*, a brilliant.
2. שָׁמִיר *Shomeer*, a diamond, or other precious stone.

1. Exod. xxviii. 18.   2. Jer. xvii. 1.
1. —— xxxix. 11.   1. Ezek. xxviii. 13.

DID, see DO.

עָשָׂה *Osoh*, to do, make, perform, execute, in all passages.

DIE -ED -ETH -EST, DYING.

מוּת *Mooth*, to die, in all passages.

DIET.

אֲרֻחָה *Arukhoh*, preparation, provision.

Jer. lii. 34.

DIFFERENCE.

1. פָּלָה *Poloh*, to distinguish.
2. בָּדַל *Bodal*, to divide.

1. Exod. xi. 7.   2. Lev. xx. 25.
2. Lev. x. 10.   2. Ezek. xxii. 26.
2. —— xi. 47.

DIG -GED -EST -ETH -ING.

כָּרָה *Koroh*,   }
חָפַר *Khophar*, } to dig.

DIGNITY.

1. שְׂאֵת *Sĕaith*, exaltation.
2. גְּדוּלָה *Gĕdooloh*, greatness, great thing.
3. מְרוֹמִים *Mĕroumeem*, heights.

1. Gen. xlix. 3.   3. Eccles. x. 6.
2. Esth. vi. 3.   1. Hab. i. 7.

DILIGENCE.

מִשְׁמָר *Mishmor*, observance, duty.

Prov. iv. 23.

DILIGENT -LY.

Expressed by the repetition of the verb, דָּרֹשׁ דָּרַשׁ *Doroush Dorash*, seeking he sought (Lev. x. 16), except in the following passages:—

1. הֵיטֵב *Haitaiv*, well.
2. מְאֹד *Mĕoud*, exceedingly.
3. חָרוּץ *Khoroots*, sharp.
4. מָהִיר *Moheer*, quick.

1. Deut. xix. 18.   3. Prov. xii. 24, 27.
2. Josh. xxii. 5.   4. —— xxii. 29.

DIMINISH -ED.

גָּרַע *Gora*, to diminish; in all passages, except :

מָעַט *Moat*, to lessen.

Lev. xxv. 16.   Jer. xxix. 6.
Prov. xiii. 11.   Ezek. xxix. 15.
Isa. xxi. 17.

DIM.

1. כָּהָה *Kohoh*, dim.
2. כָּבֵד *Kovad*, heavy.
3. עָמַם *Omam*, obscure.
4. יָעַף *Yoaph*, weariness.
5. קָמָה *Komoh*, fixed.
6. חָשַׁךְ *Khoshakh*, to darken.
7. שָׁעָה *Shoōh*, to turn to, regard.

1. Gen. xxvii. 1.
2. —— xlviii. 10.
1. Deut. xxxiv. 7.
1. 1 Sam. iii. 2.
5. —— iv. 15.

1. Job xvii. 7.
7. Isa. xxxii. 3.
3. Lam. iv. 1.
6. —— v. 17.

DIMNESS.
4. Isa. viii. 22. | 4. Isa. ix. 1.

DINE.
אָכַל *Okhal,* to eat.
Gen. xliii. 16.

DINNER.
אֲרֻחָה *Arukhoh,* preparation, provision.
Prov. xv. 17.

DIP -ED, DIPT.
טָבַל *Toval,* to dip, in all passages.

DIRECT.
1. יָרָה *Yoroh,* to instruct, teach, show.
2. עָרַךְ *Orakh,* to prepare, arrange.
3. יָשַׁר *Yoshar,* to make straight.
4. כָּשַׁר *Koshar,* to guide aright.
5. נָתַן *Nothan,* to give, set.
6. כּוּן *Koon,* to erect, establish, found.

1. Gen. xlvi. 28.
2. Psalm v. 3.
3. Prov. iii. 6.
3. —— xi. 5.
4. Eccles. x. 10.
3. Isa. xlv. 13.
5. — lxi. 8.
6. Jer. x. 23.

DIRECTED.
2. Job xxxii. 14.
6. Psalm cxix. 5.
6. Isa. xl. 13.

DIRECTETH.
3. Job xxxvii. 3.
6. Prov. xvi. 9.
6. Prov. xxi. 29.

DIRECTLY.
נֹכַח *Noukhakh,* opposite.
Numb. xix. 4.

DIRT.
1. פַּרְשְׁדוֹן *Parshĕdoun,* dung
2. טִיט *Teet,* clay, mud.
3. פֶּרֶשׁ *Peres,* mire.

1. Judg. iii. 22.
2. Psalm xviii. 42.
3. Isa. lvii. 20.

DISALLOW -ED.
נּוּא *Noo,* (Hiph.) to prohibit, oppose.
Numb. xxx. 5. | Numb. xxx. 8, 11.

DISANNUL.
פּוּר *Poor,* (Hiph.) to annul, make void.
Job xl. 8. | Isa. xiv. 27.

DISANNULLED.
כָּפַר *Kophar,* to cover.
Isa. xxviii. 18.

DISAPPOINT.
קָדַם *Kodam,* to come opposite.
Psalm xvii. 13.

DISAPPOINTED.
פּוּר *Poor,* (Hiph.) to annul, make void.
Prov. xv. 22.

DISAPPOINTETH.
Job v. 12.

DISCERN.
1. יָדַע *Yoda,* to know.
2. נָכַר *Nokar,* to recognise, respect.
3. שָׁמַע *Shoma,* to hear, listen, obey.
4. בִּין *Been,* to understand.
5. רָאָה *Rōōh,* to see, discern, behold.

2. Gen. xxxi. 32.
2. —— xxxviii. 25.
3. 2 Sam. xiv. 17.
1. —— xix. 35.
4. 1 Kings iii. 9.
3. —— 11.
2. Ezra iii. 13.
2. Job iv. 16.
4. — vi. 13.
1. Ezek. xliv. 23.
1. Jonah iv. 11.
5. Mal. iii. 18.

DISCERNED.
2. Gen. xxvii. 23.
2. 1 Kings xx. 41.
4. Prov. vii. 7.

DISCERNETH.
1. Eccles. viii. 5.

DISCHARGE -ED.
1. נָפַץ *Nophats,* to disperse.
2. שָׁלַח *Sholakh,* to send off.
2. Eccles. viii. 8. | 1. 1 Kings v. 9.

DISCIPLES.
לִמֻּדַי *Limudoi,* my taught ones.
Isa. viii. 16.

DISCIPLINE.

מוּסָר *Moosor,* correction.

Job xxxvi. 10.

DISCLOSE.

גָּלָה *Goloh,* discover, reveal.

Isa. xxvi. 21.

DISCOMFITED.

1.   חָלַשׁ   *Kholash,* to weaken, disable.
2.   הָמַם   *Homam,* to confuse, terrify.
3.   כָּתַת   *Kotath,* to beat in pieces.
4.   חָרַד   *Khorad,* to tremble from fear.
5.   מָסַס   *Mosas,* to dissolve.

1. Exod. xvii. 13.	2. 1 Sam. vii. 10.
3. Numb. xiv. 45.	2. 2 Sam. xxii. 15.
2. Josh. x. 10.	2. Psalm xviii. 14.
2. Judg. iv. 15.	5. Isa. xxxi. 8.
4. —— viii. 12.	

DISCOMFITURE.

מְהוּמָה *Mĕhoomoh,* confusion, tumult.

1 Sam. xiv. 20.

DISCONTENTED.

מַר־נֶפֶשׁ *Mar-nephesh,* of bitter life.

1 Sam. xxii. 2.

DISCONTINUE.

שָׁמַט *Shomat,* to release, to cease from.

Jer. xvii. 4.

DISCORD.

מְדָנִים *Medoneem,* contentions.

Prov. vi. 14, 19.

DISCOVER -ED -ETH -ING.

גָּלָה *Goloh,* to reveal, discover, in all passages.

DISCOURAGE.

1.   נוּא   *Noo,* to hold back.
2.   יָרֵא   *Yoro,* to fear.
3.   מָסַס   *Mosas,* to dissolve, waste away.
4.   קָצַר   *Kotsar,* to shorten.
5.   רוּץ   *Roots,* to run away, off.

1. Numb. xxxii. 7.

DISCOURAGED.

4. Numb. xxi. 4.	3. Deut. i. 28.
1. —— xxxii. 9.	5. Isa. xlii. 4.
2. Deut. i. 21.	

DISCREET.

נָבוֹן *Novoun,* a man of understanding.

Gen. xli. 33, 39.

DISCRETION.

1.   שֵׂכֶל   *Saikhel,* intelligence.
2.   תְּבוּנָה   *Tevoonoh,* understanding.
3.   מִשְׁפָּט   *Mishpot,* judgment.
4.   טַעַם   *Taam,* taste, reason.
5.   מְזִמָּה   *Mĕzimmoh,* sound thought.

3. Psalm cxix. 5.	4. Prov. xi. 22.
5. Prov. i. 4.	1. —— xix. 11.
5. —— ii. 11.	3. Isa. xxviii. 26.
5. —— iii. 21.	2. Jer. x. 12.
5. —— v. 2.	

DISDAINED.

1.   בָּזָה   *Bozoh,* despised.
2.   מָאַס   *Moas,* rejected.

1. 1 Sam. xvii. 14. | 2. Job xxx. 1.

DISEASE -S -ED.

1.   חֳלִי   *Kholee,* sickness.
2.   מַדְוֶה   *Madvaih,* pain.
3.   בְּלִיַּעַל   *Bĕliyāal,* Belial, worthless.

All passages not inserted are N°. 1.

3. Psalm xli. 8.

DISEASES.

2. Deut. xxviii. 6.

DISGRACE.

נָבֵל *Nibbail,* to abhor, dishonour.

Jer. xiv. 21.

DISGUISE -ED.

חָפַשׂ *Khippais,* to disguise, conceal; in all passages, except:

שָׁנָה *Shinnoh,* to change.

1 Kings xiv. 2.

DISGUISETH.

שׂוּם סָתֶר *Soom saither,* to make a secret.

Job xxiv. 15.

DISH -ES.

1. סֵפֶל   *Saiphel*, a dish, bowl of metal.
2. צַלַּחַת   *Tsallakhath*, a dish, bowl.
3. קְעָרֹת   *Kaarouth*, dishes.

3. Exod. xxv. 29.   1. Judg. v. 25.
3. —— xxxvii. 16.   2. 2 Kings xxi. 13.
3. Numb. iv. 7.

DISHONEST.

בֶּצַע   *Betsa*, dishonest, unrighteous gain.

Ezek. xxii. 13, 27.

DISHONOUR.

1. עֶרְוָה   *Ervoh*, disgrace, shame, exposure.
2. כְּלִמָּה   *Kelimmoh*, shame, reproach.
3. קָלוֹן   *Koloun*, ignominy.

1. Ezra iv. 14.   2. Psalm lxxi. 13.
2. Psalm xxxv. 26.   3. Prov. vi. 33.
2. —— lxix. 19.

DISHONOURETH.

מְנַבֵּל   *Menabail*, abhorreth.

Mic. vii. 6.

DISINHERIT.

יָרַשׁ   *Yorash*, to drive away.

Numb. xiv. 12.

DISMAYED -ING.

חָתַת   *Khothath*, to dismay, in all passages.

DISMISSED.

פָּטַר   *Potar*, to dismiss.

2 Chron. xxiii. 8.

DISOBEDIENT.

מָרָה   *Moroh*, to rebel, revolt.

1 Kings xiii. 26. | Neh. ix. 26.

DISOBEYED.

מָרָה   *Moroh*, to rebel, revolt.

1 Kings xiii. 21.

DISPATCH.

בְּרָא   *Borai*, to hasten.

Ezek. xxiii. 47.

DISPERSE.

1. נָפַץ   *Nophats*, or פּוּץ *Poots*, to disperse.
2. זָרֹה   *Zoroh*, to scatter, as seed.
3. פָּרַץ   *Porats*, to scatter abroad, disperse.
4. פָּרַד   *Porad*, to part, separate.
5. פִּזֵּר   *Pizzair*, to distribute.

1. 1 Sam. xiv. 34.   2. Ezek. xxii. 15.
2. Prov. xv. 7.   2. —— xxix. 12.
2. Ezek. xii. 15.   2. —— xxx. 23, 26.
2. —— xx. 23.

DISPERSED.

3. 2 Chron. xi. 23.   1. Isa. xi. 12.
4. Esth. iii. 8.   2. Ezek. xxxvi. 19.
5. Psalm cxii. 9.   1. Zeph. iii. 10.
1. Prov. v. 16.

DISPERSIONS.

תְּפוּצָה   *Tephootsoh*, dispersions.

Jer. xxv. 34.

DISPLAYED.

נוֹסֵס   *Nousais*, to wave.

Psalm lx. 4.

DISPLEASE.

1. חָרָה   *Khoroh*, to grieve.
2. רַע־בְּעֵין   *Ra-bĕāyin*, evil in the sight of.
3. עָשֹׂה־בְּעֵין   *Osoh-bĕāyin*, to do evil in the sight of.
4. רַע־בְּאֹזֶן   *Ra-bĕouzen*, evil in the ears of.
5. עָצַב   *Otsav*, to sorrow.
6. זָעַף   *Zoaph*, to discompose, agitate.
7. אָנַף   *Onaph*, to anger, excite.
8. בָּאַשׁ   *Boash*, to abhor.
9. רוּעַ   *Rooa*, (Hiph.) to cause to do evil.
10. קָצַף   *Kotsaph*, to vex, annoy.

1. Gen. xxxi. 35.   2. 2 Sam. xi. 25.
2. Numb. xxii. 34.   2. Prov. xxiv. 18.
3. 1 Sam. xxix. 7.

DISPLEASED.

2. Gen. xxxviii. 10.   6. 1 Kings xxi. 4.
2. —— xlviii. 17.   1. 1 Chron. xiii. 11.
4. Numb. xi. 1.   2. —— xxi. 7.
2. —— 10.   7. Psalm lx. 1.
2. 1 Sam. viii. 6.   2. Isa. lix. 15.
2. —— xviii. 8.   8. Dan. vi. 14.
1. 2 Sam. vi. 8.   9. Jonah iv. 1.
2. —— xi. 27.   1. Hab. iii. 8.
5. 1 Kings i. 6.   10. Zech. i. 2, 15.
6. —— xx. 43.

DISPLEASURE.

1. חָרוֹן   *Khoroun*, fierce anger.
2. רָעָה   *Rooh*, evil.
3. חֵמָה   *Khaimmoh*, fury.

3. Deut. ix. 19.	3. Psalm vi. 1.
2. Judg. xv. 3.	3. —— xxxviii. 1.
1. Psalm ii. 5.	

DISPOSED.

שׂוּם   *Soom*, to set, place, arrange, appoint.

Job xxxiv. 13. | Job xxxvii. 15.

DISPOSING.

מִשְׁפָּט   *Mishpot*, judgment.

Prov. xvi. 33.

DISPOSSESS -ED.

יָרַשׁ   *Yorash*, to drive out, succeed, in all passages.

DISPUTE.

יָכַח   *Yokhakh*, to correct, show, refute.

Job xxiii. 7.

DISQUIET.

1. רָגַז   *Rogaz*, to tremble from passion.
2. הָמָה   *Homoh*, to make a noise.
3. נָהַם   *Noham*, to rage.

         1. Jer. L. 34.

DISQUIETED.

1. 1 Sam. xxviii. 15.	2. Psalm xliii. 5.
2. Psalm xxxix. 6.	1. Prov. xxx. 21.
2. —— xlii. 5, 11.	

DISQUIETNESS.

3. Psalm xxxviii. 8.

DISSEMBLERS.

נַעֲלָמִים   *Naalomeem*, dissemblers.

Psalm xxvi. 4.

DISSEMBLED.

1. כָּחַשׁ   *Kikhaish*, to deny.
2. תָּעָה   *Tōōh*, to err.

1. Josh. vii. 11. | 2. Jer. xlii. 20.

DISSEMBLETH.

נָכַּר   *Nokar*, to distinguish, to be strange.

Prov. xxvi. 24.

DISSOLVE.

1. מוּג   *Moog*,   ⎫
2. מָקַק   *Mokak*,   ⎬ to dissolve.
3. מְשָׁרֵא   *Maishro* (Chaldee), ⎭
4. פּוּר   *Poor*, to break, destroy.

         3. Dan. v. 16.

DISSOLVED.

1. Psalm lxxv. 3.	2. Isa. xxxiv. 4.
1. Isa. xiv. 31.	1. Nah. ii. 6.
4. — xxiv. 19.	

DISSOLVEST.

1. Job xxx. 22.

DISSOLVING.

3. Dan. v. 12.

DISTAFF.

פֶּלֶךְ   *Polekh*, a spinning-wheel.

Prov. xxxi. 19.

DISTANT.

מְשֻׁלָּבֹת   *Mĕshulovouth*, parallel.

Exod. xxxvi. 22.

DISTIL.

נָזַל   *Nozal*, to run down.

Deut. xxxii. 2. | Job xxxvi. 28.

DISTINCTLY.

מְפֹרָשׁ   *Mephourosh*, exactly, literally, separately.

Neh. viii. 8.

DISTRACTED.

פּוּן   *Poon*, to pine away.

Psalm lxxxviii. 15.

DISTRESS -ES.

צָרָה   *Tsoroh*,   ⎫
צוּקָה   *Tsookoh*,   ⎬ distress.

In all passages, except:

רָעָה   *Rōōh*, evil.

         Neh. ii. 17.

DISTRESS.

1. צוּק *Tsook,* to distress.
2. נָגַשׂ *Nogas,* to oppress.
3. קוּץ *Koots,* to vex, displease.
4. צָרַר *Tsorar,* to assault, trouble, straiten.

4. Deut. ii. 9, 19.	1. Isa. xxix. 2, 7.
1. —— xxviii. 53,55,57.	4. Jer. x. 18.

DISTRESSED.

4. Gen. xxxii. 7.	2. 1 Sam. xiv. 24.
3. Numb. xxii. 3.	4. —— xxviii. 15.
4. Judg. ii. 15.	4. —— xxx. 6.
4. —— x. 9.	4. 2 Sam. i. 26.
2. 1 Sam. xiii. 6.	4. 2 Chron. xxviii. 20.

DISTRIBUTE.

1. נָחַל *Nikhail,* to inherit.
2. נָתַן *Nothan,* to give, set.
3. חָלַק *Kholak,* to divide, portion.

1. Josh. xiii. 32.	3. Neh. xiii. 13.
2. 2 Chron. xxxi. 14.	

DISTRIBUTED.

1. Josh. xiv. 1.	3. 2 Chron. xxiii. 18.
3. 1 Chron. xxiv. 3.	

DISTRIBUTETH.

3. Job xxi. 17.

DITCH.

1. מִקְוֶה *Mikveh,* a gathering of water.
2. שַׁחַת *Shokhath,* a destructive pit.
3. שׁוּחָה *Shookhoh,* a well.

2. Job ix. 31.	3. Prov. xxiii. 27.
2. Psalm vii. 15.	1. Isa. xxii. 11.

DITCHES.

גֵּבִים *Gaiveem,* water graves.

2 Kings iii. 16.

DIVERS -E.

1. כִּלְאַיִם *Kilayim,* a mixture of seeds.
2. שַׁעַטְנֵז *Shăatnaiz,* cloth of divers materials, as cotton and woollen.
3. אֶבֶן וָאֶבֶן *Even voëven,* stone and stone.
4. אֵיפָה וָאֵיפָה *Aiphoh voaiphoh,* Ephah and Ephah.
5. צְבָעִים *Tsĕvoeem,* dyed colours.
6. פַּסִּים *Passeem,* silk of different colours.
7. רִקְמָה *Rikmoh,* embroidery.
8. זָנִים *Zĕneem,* preparations.

---

9. שׁוֹנִים *Shouneem,* different.
10. עָרוֹב *Orouv,* a mixture.
11. טְלָאוֹת *Tĕluouth,* spotted, speckled.

1. Lev. xix. 19.	9. Esth. i. 7.
1. Deut. xxii. 9.	9. —— iii. 8.
2. —————— 11.	10. Psalm lxxviii. 45.
3. —— xxv. 13.	10. —— cv. 31.
4. —————— 14.	3. Prov. xx. 10.
5. Judg. v. 30.	4. —————— 10.
6. 2 Sam. xiii. 18, 19.	3. —————— 23.
7. 1 Chron. xxix. 2.	11. Ezek. xvi. 16.
8. 2 Chron. xvi. 14.	7. —— xvii. 3.
—— xxx. 11, not in original.	9. Dan. vii. 3, 7, 19, 23.

DIVIDE -ED -ETH -ING.

בָּדַל *Bodal,*
פָּלַג *Polag,* } to divide, separate.
פָּרַד *Porad,*

DIVINATIONS, DIVINE -ETH -ING.

קָסַם *Kosam,* to divine; in all passages, except:
נָחַשׁ *Nokhash,* to experience.

Gen. xliv. 15.

DIVINE, Adj.

קָסַם *Kosam,* to divine, in all passages.

DIVINERS.

קֹסְמִים *Kousmeem,* diviners, in all passages.

DIVISION.

1. פְּדוּת *Pedooth,* redemption.
2. חֲלֻקַּת *Khalukath,* division.

1. Exod. viii. 23.	2. 2 Chron. xxxv. 5.

DIVISIONS.

מַחֲלֹקֶת *Makhaloukuth,* divisions, in all passages.

DIVORCE -MENT.

כְּרִיתוּת *Kĕreethooth.*

Deut. xxiv. 1, 3.	Jer. iii. 8.
Isa. l. 1.	

DIVORCED.

גְּרוּשָׁה *Gĕrooshoh,* driven out, away.

Lev. xxi. 14.	Numb. xxx. 9.
—— xxii. 13.	

DO -ETH -ING, DID, DONE.

1. עָשָׂה *Osoh*, to do, make, perform.
2. יָצָא *Yotso*, to go forth, out.
3. פָּעַל *Poal*, to work.
4. עָלַל *Olal*, to do evil.
5. שָׁנָה *Shonoh*, to change, alter.
6. עָבַר *Ovar*, (Hiph.) to pass away, over, through.
7. יָעַל *Yoal*, to help, profit.
8. גָּמַל *Gomal*, to recompense.
9. גָּאַל *Goal*, to redeem.
10. עָבַד *Ovad*, to labour.
11. גָּדַל *Godal*, (Hiph.) to magnify.
12. יָסַף *Yosaph*, to add, increase.
13. יָטַב *Yotav*, to do good.

All passages not inserted are N°. 1.

Gen. xxiv. 42, not in original.	3. Job xi. 8.
13. Gen. xxxii. 12.	7. — xx. 3.
2. Exod. xxi. 7.	3. — xxii. 17.
13. Numb. x. 29, 32.	12. — xxxiv. 32.
13. Lev. v. 4.	3. — xxxvii. 12.
13. Deut. viii. 16.	3. Psalm xi. 3.
13. —— xxviii. 63.	13. —— xxxvi. 3.
13. —— xxx. 5.	13. —— xli. 18.
10. Josh. xxi. 27.	3. —— cxix. 3.
13. Judg. xvii. 13.	13. —— cxxv. 4.
9. Ruth iii.13,three times.	8. Prov. xxxi. 12.
2 Sam. xvi. 10, not in original.	13. Isa. i. 17.
	13. — xli. 43.
2 Kings ix. 18, 19, not in original.	13. Jer. iv. 22.
	13. —- xiii. 23.
6. 1 Chron. xxi. 8.	13. — xxxii. 40, 41.
10. Ezra iv. 22.	4. Lam. i. 22.
10. —— vi. 8.	11. Joel ii. 21, 22.
10. —— vii. 18, 26.	13. Jonah iv. 9.
5. Neh. xiii. 21.	13. Mic. ii. 7.
3. Job vii. 20.	13. Zeph. i. 12.
	13. Zech. viii. 15.

DID.
10. Dan. vi. 10.

DOETH, DOTH, DOST.

13. Gen. iv. 7.	13. Prov. xvii. 22.
3. Job xxxv. 6.	10. Dan. iv. 35.
13. Psalm xlix. 18.	13. Jonah iv. 9.
13. —— cxix. 68.	

DONE.

13. Josh. xxiv. 20.	3. Prov. xxx. 20.
11. 1 Sam. xii. 24.	4. Lam. i. 12, 22.
3. Job xxxiv. 32.	4. —— ii. 20.
11. Psalm cxxvi. 2, 3.	11. Joel ii. 20.

DOING.
1. In all passages.

DOINGS.

Deut. xxviii. 20.	Jer. xxxv. 15.
1 Sam. xxv. 3.	— xliv. 22.
Psalm ix. 11.	Ezek. xiv. 22, 23.
—— lxxvii. 12.	—— xx. 43, 44.
Prov. xx. 11.	—— xxi. 24.
Isa. i. 16.	—— xxiv. 14.
— iii. 10.	—— xxxvi. 17, 19, 31.
— xii. 4.	Hos. iv. 9.
Jer. iii. 8.	— v. 4.
— iv. 4, 18.	— vii. 2.
— vii. 3, 5.	—— ix. 15.
— xi. 18.	—— xii. 2.
— xvii. 10.	Mic. ii. 7.
— xviii. 11.	—— iii. 4.
— xxi. 12, 14.	—— vii. 13.
— xxiii. 2, 22.	Zeph. iii. 7, 11.
— xxv. 5.	Zech. i. 4, 6.
— xxvi. 3, 13.	
— xxxii. 19.	

(4.) (4.)

DOER.
עוֹשֶׂה *Ouseh*, a doer, in all passages.

DOERS.
עֹשִׂים *Ouseem*, doers; in all passages, except :

פֹּעֲלִים *Poualeem*, workers.

Psalm ci. 8.	Isa. xxxi. 2.

DOCTRINE.
לֶקַח *Lekakh*, doctrine, token; in all passages, except:

דֵּעָה *Daioh*, knowledge.

Isa. xxviii. 9.

DOG -S.
כֶּלֶב *Kelev*, a dog, in all passages.
כְּלָבִים *Kĕloveem*, dogs, in all passages.

DOLEFUL.
1. אֹחִים *Oukheem*, howling animals.
2. נְהִי *Nehee*, lamenting.

1. Isa. xiii. 21. | 2. Mic. ii. 4.

DOMINION -S.
1. רָדָה *Rodoh*, to domineer.
2. מָשַׁל *Moshal*, to rule, govern.
3. בָּעַל *Boal*, to control.
4. יָד *Yod*, the hand.
5. מִשְׁטָר *Mishtor*, an overseer, officer.
6. שָׁלַט *Sholat*, to overpower.

1. Gen. i. 26, 28.
1. —— xxvii. 40.
2. —— xxxvii. 8.
1. Numb. xxiv. 19.
1. Judg. v. 13.
2. —— xiv. 4.
1. 1 Kings iv. 24.
2. —— ix. 19.
2. 2 Kings xx. 13.
3. 1 Chron. iv. 22.
4. —— viii. 3.
2. 2 Chron. viii. 6.
4. —— xxi. 8.
1. Neh. ix. 28.
2. —— 37.
2. Job xxv. 2.
5. — xxxviii. 33.

2. Psalm viii. 6.
2. —— xix. 13.
1. —— xlix. 14.
1. —— lxxii. 8.
2. —— ciii. 22.
2. —— cxiv. 2.
6. —— cxix. 133.
2. —— cxlv. 13.
3. Isa. xxvi. 13.
2. — xxxix. 2.
6. Dan. iv. 3, 22, 34.
6. —— vi. 26.
6. —— vii. 6, 12, 14, 26, 27, twice.
2. —— xi. 3, 4, 5.
2. Mic. iv. 8.
2. Zech. ix. 10.

DOMINIONS.
6. Dan. vii. 27.

DOOR -S.
דֶּלֶת Deleth, }
פֶּתַח Pethakh, } a door.

DOORKEEPER.
1. הַסְתּוֹפֵף Histouphaiph, to lay down at the threshold.
2. שֹׁמֵר הַסַּף Shoumair hassaph, the keeper of the threshold.
3. שֹׁעֲרִים Shouareem, door, gate-keepers.
1. Psalm lxxxiv. 10. | 2. Jer. xxxv. 4.

DOORKEEPERS.
2. 2 Kings xxii. 4.
2. —— xxiii. 4.
2. —— xxv. 18.
3. 1 Chron. xv. 23, 24.
2. Esth. vi. 2.
2. Jer. lii. 24.

DOTE.
נֹאֲלוּ Nouoloo, to become foolish.
Jer. L. 36.

DOTED.
עָגַב Ogav, to fall in love with.
Ezek. xxiii. 5, 7, 9, 16, 20.

DOUBLE, Subst.
1. מִשְׁנֶה Mishneh, repetition.
2. שְׁנַיִם Shĕnayim, twice.
3. כָּפוּל Kophool, doubled.
4. לֵב וָלֵב Laiv volaiv, heart and heart.
5. כִּפְלַיִם Kiphlayim, manifold.
6. כֶּפֶל Kephel, a couple, two.

1. Gen. xliii. 12, 15.
2. Exod. xxii. 4, 7.
3. —— xxxix. 9.
1. Deut. xv. 18.
2. —— xxi. 17.
2. 2 Kings ii. 9.
4. 1 Chron. xii. 33.
5. Job xi. 6.

6. Job xli. 13.
4. Psalm xii. 2.
5. Isa. xl. 2.
1. — lxi. 7.
1. Jer. xvi. 18.
1. — xvii. 18.
1. Zech. ix. 12.

DOUBLE, Verb.
1. כָּפַל Kophal, to double.
2. שָׁנָה Shonoh, (Niph.) to repeat.
1. Exod. xxvi. 9.

DOUBLED.
2. Gen. xli. 32.
1. Exod. xxviii. 16.
1. Exod. xxxix. 9.
1. Ezek. xxi. 14.

DOUBT -S.
1. אָמְנָם Omnom, truly, verily.
2. קִטְרִין Kitreen (Syriac), obscure things, knots.
Gen. xxxvii. 33, not in original.
Deut. xxviii. 66, not in original.
1. Job xii. 2.
2. Dan. v. 12, 16.

DOUBTLESS.
1. עִם Im, if, whether.
2. כִּי Kee, for.
1. Numb. xiv. 30.
2 Sam. v. 19, verb repeated.
Psalm cxxvi. 6, verb repeated.
2. Isa. lxiii. 16.

DOVE.
יוֹנָה Younoh, a dove.

DOVES.
יוֹנִים Youneem, doves, in all passages.

DOVES turtle.
תּוֹרִים Toureem, in all passages.

DOUGH.
בָּצֵק Botsaik, sour dough; in all passages, except:
עֲרֵס Eres, dough.
Numb. xv. 21.
Neh. x. 37.
Ezek. xliv. 30.

DOWN.
1. בָּא Bo, to come, applied to the sun coming from the East to go down to the West.
2. נָעַר Noar, to move quickly.
3. מִתְהַלֵּךְ Mithhalaikh, to walk willingly, to walk to and fro
4. נוּעַ Nooā, to move to and fro.

1. Lev. xxii. 7.	3. Job ii. 2.
1. Deut. xxiii. 11.	4. Psalm lix. 15.
1. Josh. viii. 29.	2. —— cix. 23.
1. 2 Sam. iii. 35.	3. Ezek. xxviii. 14.
3. Job i. 7.	3. Zech. x. 12.

DOWN-SITTING.

יָשַׁב   *Yoshav*, to sit.
    Psalm cxxxix. 2.

DOWNWARD.

מָטָּה   *Motoh*, beneath, below; in all
    passages except:

יָרַד   *Yorad*, to descend.
    Eccles. iii. 21.

DOWRY.

1.   מֹהַר   *Mouhar*, a dowry.
2.   זֶבֶד   *Zeved*, a present, portion.

2. Gen. xxx. 20.	1. Exod. xxii. 17.
1. —— xxxiv. 12.	1. 1 Sam. xviii. 25.

DRAG.

מִכְמָר   *Mikhmor*, a drag net.
    Hab. i. 16.

DRAGS.

Hab. i. 15.

DRAGON.

תַּנִּין   *Tanneen*, a serpent, monster, any
    large animal of the serpent
    kind.

DRAGONS.

תַּנִּינִים   *Tanneeneem*, in all passages.

DRAMS.

אֲדַרְכְּמֹנִים   *Adarkĕmouneem*, gold coins.

1 Chron. xxix. 7.	Ezra viii. 27.
Ezra ii. 69.	Neh. vii. 70, 71, 72.

DRANK.
See Drink.

DRAUGHT-HOUSE.

מַחֲרָאוֹת   *Makhărōouth*, gutters, sinks.
    2 Kings x. 27.

DRAW.

1.   שָׁאַב   *Shoav*, to draw water.
2.   מָשַׁךְ   *Moshakh*, to draw on, lengthen,
    call to action, prepare.
3.   רִיק   *Reek*, to empty, bare.

4.   נָתַק   *Notak*, to remove, pluck away.
5.   שָׁלַף   *Sholaph*, to draw a sword.
6.   סָחַב   *Sokhav*, to drag away.
7.   יָצָא   *Yotso*, to go forth, bring out.
8.   דָּלָה   *Doloh*, to exhaust.
9.   אָרַךְ   *Orakh*, (Hiph.) to cause to
    lengthen.
10.   פּוּק   *Pook*, (Hiph.) to cause to ex-
    tend, expand.
11.   חָלַץ   *Kholats*, to pull off, rescue.
12.   חָשַׂף   *Khosaph*, to strip.
13.   נָדַח   *Nodakh*, to push out, expel.
14.   נָתַק   *Nothak*, (Hiph.) to cause to
    burst asunder.
15.   פָּתַח   *Pothak*, to open, loosen.
16.   לָקַח   *Lokakh*, to take.
17.   נָטַשׁ   *Notash*, to slacken, forsake.
18.   עָתַק   *Othak*, to remove.
19.   שׁוּב   *Shoov*, (Hiph.) to cause to re-
    turn.
20.   מָשָׁה   *Moshoh*, to draw out.
21.   דָּרַךְ   *Dorakh*, to tread.
22.   קָרַב   *Korav*, to draw near.
23.   נָגַע   *Noga*, (Hiph.) to cause to reach,
    overtake.
24.   מִלֵּא־יָד   *Millai-yad*, filled his hand.

1. Gen. xxiv. 44.	2. Psalm xxviii. 3.
3. Exod. xv. 9.	2. Cant. i. 4.
2. Judg. iv. 6, 7.	2. Isa. v. 18.
5. —— ix. 54.	2. — lxvi. 19.
4. —— xx. 32.	7. Ezek. xxi. 3.
5. 1 Sam. xxxi. 4.	3. —— xxviii. 7.
6. 2 Sam. xvii. 13.	3. —— xxx. 11.
5. 1 Chron. x. 4.	2. —— xxxii. 20.
2. Job xxi. 33.	

DRAW out.

2. Exod. xii. 21.	10. Isa. lviii. 10.
3. Lev. xxvi. 33.	6. Jer. xlix. 20.
5. Judg. iii. 22.	6. — L. 45.
2. Job xli. 1.	11. Lam. iv. 3.
3. Psalm xxxv. 3.	3. Ezek. v. 2, 12.
2. —— lxxxv. 5.	3. —— xii. 14.
8. Prov. xx. 5.	12. Hag. ii. 16.
9. Isa. lvii. 4.	

DRAWETH.

22. Deut. xxv. 11.	2. Psalm x. 9.
23. Judg. xix. 9.	23. —— lxxxviii. 3.
2. Job xxiv. 22.	22. Isa. xxvi. 17.
22. — xxxiii. 22.	23. Ezek. vii. 12.

DRAWING.
22. Judg. v. 11.

DRAWN.

5. Numb. xxii. 23, 31.	15. Psalm lv. 21.
2. Deut. xxi. 3.	16. Prov. xxiv. 11.
13. —— xxx. 17.	17. Isa. xxi. 15.
5. Josh. v. 13.	18. — xxviii. 9.
14. —— viii. 6, 16.	6. Jer. xxii. 19.
14. Judg. xx. 31.	3. — xxxi. 3.
1. Ruth ii. 9.	19. Lam. ii. 3.
5. 1 Chron. xxi. 16.	7. Ezek. xxi. 5.
5. Job xx. 25.	15. ———— 28.
15. Psalm xxxvii. 14.	

DREW.

1. Gen. xxiv. 20, 45.	1. 2 Sam. xxiii. 16.
2. —— xxxvii. 28.	5. —— xxiv. 9.
19. —— xxxviii. 29.	9. 1 Kings viii. 8.
20. Exod. ii. 10.	2. —— xxii. 34.
8. ———— 16, 19.	5. 2 Kings iii. 26.
19. Josh. viii. 26.	24. —— ix. 24.
5. Judg. viii. 10, 20.	1. 1 Chron. xi. 18.
5. —— xx. 2, 15, 25,	7. —— xix. 16.
35.	5. —— xxi. 5.
2. ———— 37.	9. 2 Chron. v. 9.
5. ———— 46.	21. —— xiv. 8.
5. Ruth iv. 8.	2. —— xviii. 33.
1. 1 Sam. vii. 6.	2. Jer. xxxviii. 13.
5. —— xvii. 51.	2. Hos. xi. 4.
20. 2 Sam. xxii. 17.	

DREWEST.
22. Lam. iii. 57.

DRAW near, or nigh, DREW.
קָרַב   *Korav*, to come near.

נָגַשׁ   *Nogash*, to approach, in all passages, except :

נָגַע   *Noga*, to touch, reach.
Psalm cvii. 18.

DRAW up.
גּוּחַ   *Gooakh*, to break, burst forth.
Job xl. 23.

DRAW water, DREW.
שָׁאַב   *Shoav*, to draw water.

DRAWER.
שׁוֹאֵב   *Shouaiv*, a drawer.
Deut. xxix. 11.

DRAWERS.
שׁוֹאֲבִים   *Shouaveem*, drawers.
Josh. ix. 21, 23, 27.

DREAD, Subst.

1.	מוֹרָא	*Mourō*, fear.
2.	פַּחַד	*Pakhad*, anxiety.
3.	אֵימָה	*Aimoh*, terror.
4.	מַעֲרָצָה	*Maărotsoh*, dread.

1. Gen. ix. 2.	2. Job xiii. 11.
2. Exod. xv. 16.	3. ———— 21.
2. Deut. ii. 25.	4. Isa. viii. 13.
1. —— xi. 25.	

DREAD.

1.	יָרֵא	*Yoro*, to fear.
2.	חָתַת	*Khotath*, to be dismayed.
3.	פָּחַד	*Pokhad*, to be anxious.
4.	דְּחִילָה	*Dĕkheeloh* (Chaldee), dreadful.
5.	עָרַץ	*Orats*, to dread.

5. Deut. i. 29.	2. 1 Chron. xxii. 13.

DREADFUL.

1. Gen. xxviii. 17.	1. Dan. ix. 4.
3. Job xv. 21.	1. Hab. i. 7.
1. Ezek. i. 18.	1. Mal. i. 14.
4. Dan. vii. 7, 19.	1. —— iv. 5.

DREAM, Verb and Subst.
חָלַם   *Kholam*, to dream, in all passages.

DREAMER.
חֹלֵם   *Khoulaim*, a dreamer, in all passages.

DREAMERS.
חֲלֹמוֹת   *Khaloumouth*, dreamers, in all passages.

DREGS.
שְׁמָרִים   *Shemoreem*, lees.

Psalm lxxv. 8.	Isa. li. 17, 22.

DRESS.

1.	עָבַד	*Ovad*, to serve, labour upon, cultivate.
2.	עָשָׂה	*Osoh*, to do, make, perform.
3.	יָטַב	*Yotav*, (Hiph.) to set right, adjust.

1. Gen. ii. 15.	2. 2 Sam. xiii. 5, 7.
2. —— xviii. 7.	2. 1 Kings xvii. 12.
1. Deut. xxviii. 39.	2. —— xviii. 23, 25.
2. 2 Sam. xii. 4.	

DRESSED.

2. Gen. xviii. 8.	2. 2 Sam. xii. 4.
2. Lev. vii. 9.	2. —— xix. 24.
2. 1 Sam. xxv. 18.	2. 1 Kings xviii. 26.

DRESSETH.
3. Exod. xxx. 7.

DRINK, Subst.
שָׁתָה   *Shothoh*; in all passages, except :

מַשְׁקֶה   *Mashkeh*, drink, moisture.

Lev. xi. 34.	Isa. xxxii. 6.

DRINK, strong.

שֵׁכָר *Shaikhor*, strong drink, in all passages.

DRINK-offering.

נֶסֶךְ *Nesekh*, drink-offering, in all passages.

DRINK-offerings.

נְסָכִים *Nesokheem*, drink-offerings, in all passages.

DRINK -ETH -ING, DRANK.

שָׁתָה *Shothoh*, to drink, in all passages.

DRINKERS.

שׁוֹתִים *Shoutheem*, drinkers.

Joel i. 5.

DRIVE.

1. גָּרַשׁ *Gorash*, to drive out.
2. יָרַשׁ *Yorash*, (Hiph.) to dispossess, drive out.
3. נָהַג *Nohag*, to lead on, forward.
4. פּוּץ *Poots*, to disperse.
5. נָדַף *Nodaph*, to be driven by the wind.
6. רָחַק *Rokhak*, (Hiph.) to cause to re-move afar off.
7. נָדַח *Nodakh*, to push out, expel.
8. טָרַד *Torad* (Syriac), to thrust away, aside.
9. חוּל *Khool*, (Piel) to break forth.
10. נָשַׁב *Noshav*, to blow, puff, away.
11. בָּרַח *Borakh*, (Hiph.) to cause to run, flee.
12. נָתַר *Nothar*, to let loose.
13. נָשַׁל *Noshal*, to cast off.
14. נָדָא *Nodo* (Syriac), (Hiph.) to mis-lead, cause to wander.
15. שָׁבָה *Shovah*, (Niph.) to be taken captive.
16. נָסַג *Nosag*, to remove.
17. סָבַב *Sovav*, to turn round.
18. סָעַר *Soar*, to be driven by a whirl-wind.

1. Exod. vi. 1.	2. Numb. xxxiii. 52, 55.
1. —— xxiii. 28, 29, 30, 31.	2. Deut. iv. 38.
1. —— xxxiii. 2.	2. —— ix. 3, 4, 5.
1. —— xxxiv. 11.	2. —— xi. 23.
1. Numb. xxii. 6, 11.	2. —— xviii. 12.
	2. Josh. iii. 10.

2. Josh. xiii. 6.	2. Psalm xliv. 2.
2. —— xiv. 12.	5. —— lxviii. 2.
2. —— xv. 63.	6. Prov. xxii. 15.
2. —— xvii. 12, 13, 18.	5. Isa. xxii. 19.
2. —— xxiii. 5, 13.	7. Jer. xxiv. 9.
2. Judg. i. 19, 21, 27, 28, 29, 30, 31, 32, 33.	7. — xxvii. 10, 15.
2. —— ii. 3, 21.	5. — xlvi. 15.
2. —— xi. 24.	7. Ezek. iv. 13.
3. 2 Kings iv. 24.	8. Dan. iv. 25, 32.
2. 2 Chron. xx. 7.	1. Hos. ix. 15.
4. Job xviii. 11.	7. Joel ii. 20.
3. — xxiv. 3.	1. Zeph. ii. 4.

DRIVEN.

1. Gen. iv. 14.	7. Jer. viii. 3.
1. Exod. x. 11.	7. — xvi. 15.
15. —— xxii. 10.	7. — xxiii. 2, 3, 8, 12.
2. Numb. xxxii. 21.	7. — xxix. 14, 18.
7. Deut. iv. 19.	7. — xxxii. 37.
7. —— xxx. 1, 4.	7. — xl. 12.
2. Josh. xxiii. 9.	7. — xliii. 5.
1. 1 Sam. xxvi. 19.	7. — xlvi. 28.
7. Job vi. 13.	7. — xlix. 5.
5. — xiii. 25.	7. — L. 17.
5. — xviii. 18.	1. Ezek. xxxi. 11.
1. — xxx. 5.	7. —— xxxiv. 4, 16.
16. Psalm xl. 14.	8. Dan. iv. 33.
5. —— lxviii. 2.	8. —— v. 21.
17. —— cxiv. 3, 5.	7. — ix. 7.
7. Prov. xiv. 32.	18. Hos. xiii. 3.
7. Isa. viii. 22.	7. Mic. iv. 6.
5. — xix. 7.	7. Zeph. iii. 19.
5. — xli. 2.	

DRIVETH.

3. 2 Kings ix. 20.	9. Prov. xxv. 23.
5. Psalm i. 4.	

DROVE.

1. Gen. iii. 24.	2. Josh. xv. 14.
10. —— xv. 11.	11. 1 Chron. viii. 13.
1. Exod. ii. 17.	12. Hab. iii. 6.
2. Numb. xxi. 32.	

DRIVING.

2. Judg. ii. 23.	1. 1 Chron. xvii. 21.
3. 2 Kings ix. 20.	

DRAVE.

3. Exod. xiv. 25.	3. 1 Sam. xxx. 20.
2. Josh. xvi. 10.	3. 2 Sam. vi. 3.
1. —— xvii. 12, 18.	13. 2 Kings xvi. 6.
2. Judg. i. 19.	14. —— xvii. 21.
1. Judg. vi. 9.	3. 1 Chron. xiii. 7.

DRIVER.

1. רַכָּב *Rakkov*, a rider, chariot driver.
2. נוֹגֵשׂ *Nougais*, oppressor, exactor.

1. 1 Kings xxii. 34.	2. Job xxxix. 7.

DROMEDARY -IES.

1. רֶכֶשׁ *Rekhesh*, a swift beast.
2. בִּכְרָה *Bickroh*, a dromedary.

1. 1 Kings iv. 28.	2. Isa. lx. 6.
1. Esth. viii. 10.	2. Jer. ii. 23.

DROP.

מַר *Mar*, a drop.
Isa. xl. 15.

DROPS.

1. נֹטְפִים *Noutpheem*, drops (liquid).
2. אֲגָלִים *Agoleem*, round drops.
3. רְסִיסִים *Rĕseeseem*, moisture.

1. Job xxxvi. 27.	3. Cant. v. 2.
2. — xxxviii. 28.	

DROP, Verb.

1. נָזַל *Nozal*, to flow.
2. רָעַף *Roaph*, to distil.
3. נָטַף *Notaph*, to drop.
4. הָלַךְ *Holakh*, to walk, proceed.
5. נָתַךְ *Notakh*, to pour out quickly.
6. דָּלַף *Dolaph*, to drop down, drip.

1. Deut. xxxii. 2.	2. Isa. xlv. 8.
2. — xxxiii. 28.	3. Ezek. xx. 46.
1. Job xxxvi. 18.	3. — xxi. 2.
2. Psalm lxv. 11, 12.	3. Joel iii. 18.
2. Prov. iii. 20.	3. Amos vii. 16.
3. — v. 3.	3. — ix. 13.
3. Cant. iv. 11.	

DROPPED.

3. Judg. v. 4.	3. Job xxix. 22.
4. 1 Sam. xiv. 26.	3. Psalm lxviii. 8.
5. 2 Sam. xxi. 10.	3. Cant. v. 5.

DROPPETH.
6. Eccles. x. 18.

DROPPING.

6. Prov. xix. 13.	3. Cant. v. 13.
6. — xxvii. 15.	

DROSS.

סִיגִים *Seegeem*, cinders, dust, dross, in all passages.

DROVE -S.

1. { עֵדֶר *Aider*, a herd.
{ עֲדָרִים *Adoreem*, herds.
2. מַחֲנֶה *Makhaneh*, a camp, encampment.

1. Gen. xxxii. 16, 19.	2. Gen. xxxiii. 8.

DROUGHT.

חֹרֶב *Khourev*, drought, in all passages.

DROWN.

1. שָׁטַף *Shotaph*, to overflow.
2. טָבַע *Tova*, to sink.
3. שָׁקָה *Shokoh*, to moisten, water.
4. שָׁקַע *Shoka*, to subside, go down.
1. Cant. viii. 7.

DROWNED.

2. Exod. xv. 4.	4. Amos ix. 5.
3. Amos viii. 8.	

DROWSINESS.

נוּמָה *Noomoh*, a slumber.
Prov. xxiii. 21.

DRUNK, Part. Passive.

שָׁתָה *Shothoh*, to drink, in all passages.

DRUNK, Adjective.

1. שִׁכּוֹר *Shikkour*, drunk.
2. שָׁכַר *Shokhar*, (Hiph.) to make drunk.
3. רָוָה *Rovoh*, to satiate with moisture.

2. Deut. xxxii. 42.	2. Isa. lxiii. 6.
2. 2 Sam. xi. 13.	3. Jer. xlvi. 10.
1. 1 Kings xvi. 9.	2. — li. 57.
1. —— xx. 16.	

DRUNKARD.

1. שִׁכּוֹר *Shikkour*, a drunken person.
2. סֹבֵא *Souvai*, a drunkard.

2. Deut. xxi. 30.	1. Prov. xxvi. 9.
2. Prov. xxiii. 21.	1. Isa. xxiv. 20.

DRUNKARDS.

1. שִׁכּוֹרִים *Shikkoureem*, drunken people.
2. סְבוּאִים *Sevooeem*, drunkards.
3. שׁוֹתֵי שֵׁכָר *Shouthai shaikhor*, drinkers of strong drink.

3. Psalm lxix. 12.	1. Joel i. 5.
1. Isa. xxviii. 1.	2. Nah. i. 10.

DRUNKENNESS.

1. שִׁכָּרוֹן *Shikkoroun*, drunkenness.
2. רָוָה *Rovoh*, to satisfy with moisture.
3. שְׁתִי *Shĕthee*, drink.

2. Deut. xxix. 19.	1. Jer. xiii. 13.
3. Eccles. x. 17.	1. Ezek. xxiii. 33.

DRY.

1. { חֲרֵבָה *Kharaivoh*, or חֹרֶב *Khourev*, } a desolation by flood or drought.
2. נֶתֶק *Nethek*, a dry leprosy.
3. יָבֵשׁ *Yovaish*, dry.
4. צִיָּה *Tsiyoh*, a dry waste place, wilderness.
5. צַח *Tsakh*, hot, sultry.
6. צָמֵק *Tsomak*, dry, whatever has lost its natural moisture; applies to fruit, breasts, &c.

1. Lev. vii. 10.
2. —— xiii. 30.
3. Josh. ix. 5, 12.
1. Judg. vi. 37, 39.
3. Job xiii. 25.
4. Psalm cv. 41.
1. Prov. xvii. 1.
1. Isa. xxv. 1.
4. — xxxii. 2.
1. — xliv. 27.
3. — lvi. 3.

5. Jer. iv. 11.
3. — li. 36.
3. Ezek. xvii. 24.
3. —— xx. 47.
1. —— xxx. 12.
3. —— xxxvii. 2, 4.
6. Hos. ix. 14.
3. —— xiii. 15.
3. Nah. i. 4, 10.
4. Zeph. ii. 13.

DRY ground.

1. חָרַב **Khorav**, to destroy, dry up.
2. יַבָּשָׁה **Yaboshoh**, dry land.
3. חָרָבָה **Khorovoh**, ground left dry after a flood.
4. צִמָּאוֹן **Tsimmooun**, dry, thirsty land.
5. צִיָּה **Tsiyoh**, a dry waste place, wilderness.

1. Gen. viii. 13.
2. Exod. xiv. 16, 22.
3. Josh. iii. 17.
3. 2 Kings ii. 8.
4. Psalm cvii. 33.

5. Psalm cvii. 35.
2. Isa. xliv. 3.
5. — liii. 2.
5. Ezek. xix. 13.

DRY land.

1. יַבָּשָׁה **Yaboshoh**, dry.
2. חָרָבָה **Kharovoh**, dry, applied to ground generally covered with water.
3. צִיָּה **Tsiyoh**, a dry waste, barren place.
4. צְחִיחָה **Tsekheekhoh**, parched land.

1. Gen. i. 9, 10.
2. —— vii. 22.
1. Exod. iv. 9.
2. —— xiv. 21.
1. ——— 29.
1. —— xv. 19.
2. Josh. iv. 18.
1. ——— 22.
1. Neh. ix. 11.
3. Psalm lxiii. 1.

1. Psalm lxvi. 6.
4. —— lxviii. 6.
1. —— xcv. 5.
3. Isa. xli. 18.
3. Jer. L. 12.
3. — li. 43.
3. Hos. ii. 3.
1. Jonah i. 9.
1. —— ii. 10.
2. Hag. ii. 6.

DRY -ED -EST -ETH.

יָבֵשׁ **Yovash,**
חָרַב **Khorav,** } to dry, dry up.

DRY-shod.

נְעָלִים **Nĕoleem**, with shoes.

Isa. xi. 15.

DUE.

1. חֹק **Khok**, decree, allotted portion.
2. מִשְׁפָּט **Mishpot**, law, right.
3. שְׁמוֹ **Shĕmou**, of his name.

4. דָּבָר **Dovor**, a matter, subject, object.
5. בַּעַל **Baal**, owner, master.

1. Lev. x. 13, 14.
2. Deut. xviii. 3.
2. 1 Chron. xv. 13.

4. Neh. xi. 23.
3. Psalm xxix. 2.
5. Prov. iii. 27.

DUE season.

1. בְּעִתּוֹ **Bĕittou**, in his time.
2. מוֹעֵד **Mouaid**, an appointed time.

1. Lev. xxvi. 4.
2. Num. xxviii. 2.
1. Deut. xi. 14.
1. Psalm civ. 27.

1. Psalm cxlv. 15.
1. Prov. xv. 23.
1. Eccl. x. 17.

DUKE -S.

אַלּוּף **Alooph**, head, supreme leader, chief, in all passages.

DULCIMER.

סוּמְפָּנְיָה **Soomphanyoh**, symphony.

Dan. iii. 5, 10, 15.

DUMB.

אִלֵּם **Ilaim**, or דּוּם **Doom**, silent, in all passages.

DUNG.

פֶּרֶשׁ **Peresh**, dung, in all passages.

DUNGEON.

בּוֹר **Bour**, a pit, in all passages.

DUNG-gate -hills -port.

1. אַשְׁפָּה **Ashpoh**, a dung-heap, hill.
2. מַדְמֵן **Madmain**, dung.
3. גִּלּוּלִי **Nevolee**, an abomination.

All passages not inserted are N°. 1.

3. Ezra vi. 11.
2. Isa. xxv. 10.

3. Dan. ii. 5.
3. —— iii. 29.

DURABLE.

1. עָתֵק **Othaik**, durable, transferable.
2. עָתִיק **Otheek**, ancient, undecaying.

1. Prov. viii. 18. | 2. Isa. xxiii. 18.

DURST.

1. מָלֵא לֵב **Millai laiv**, filled in the heart.
2. יָרֵא **Yoro**, to fear, be afraid.

1. Esth. vii. 5. | 2. Job xxxii. 6.

DUST.

עָפָר   *Ophor*, dust, in all passages.

DUTY.

1.   עוֹנָה   *Ounoh*, cohabitation.
2.   דָּבָר   *Dovor*, a matter, object, subject.
3.   יָבֵם   *Yibbaim*, to perform the duty of a husband's brother.

1. Exod. xxi. 10.   2. 2 Chron. viii. 14.
3. Deut. xxv. 5, 7.   2. Ezra iii. 4.

DWARF.

דַּק   *Dak*, thin, delicate.

Lev. xxi. 20.

DWELL -ED.

1.   יָשַׁב   *Yoshav*, to sit, dwell, abide.
2.   עָמַד   *Omad*, to stand.
3.   זְבוּל   *Zevool*, an habitation, dwelling, a place where God is pleased to dwell.
4.   שׁוּב   *Shoov*, to turn, return.
5.   שָׁכַן   *Shokhan*, to rest, inhabit.
6.   לוּן   *Loon*, to lodge all night.
7.   דּוּר   *Door* (Syriac), to dwell.
8.   יְתַב   *Yothav* (Chaldee), to dwell.
9.   גּוּר   *Goor*, to sojourn.
10.   מִשְׁכָּן   *Mishkon*, a tabernacle.
11.   מְעוֹן   *Mĕoun*, an habitation.
12.   אֹהֶל   *Ouhel*, a tent.
13.   נָוֶה   *Noveh*, a pleasant place.
14.   מָכוֹן   *Mokhoun*, an establishment.

All passages not inserted are Nº. 1.

5. Gen. ix. 27.   5. Job iii. 5.
5. —— xvi. 12.   5. — iv. 19.
5. —— xxvi. 2.   5. — xi. 14.
5. —— xlix. 13.   5. — xviii. 15.
2. Exod. viii. 22.   5. — xxx. 6.
5. —— xxv. 8.   9. Psalm v. 4.
5. —— xxix. 45, 46.   5. —— xv. 1.
5. Numb. v. 3.   5. —— xvi. 9.
5. —— xiv. 30.   4. —— xxiii. 6.
5. —— xxiii. 9.   6. —— xxv. 13.
5. —— xxxv.34,twice.   5. —— xxxvii. 3,27,29.
5. Deut. xii. 11.   5. —— lxv. 4.
5. —— xxxiii. 12, 28.   5. —— lxviii. 6, 16, 18.
5. 2 Sam. vii. 10.   5. —— lxix. 36.
5. 1 Kings vi. 13.   5. —— lxxviii. 55.
5. —— viii. 12.   7. —— lxxxiv. 10.
3. —— 27.   5. —— lxxxv. 9.
5. 1 Chron. xvii. 9.   5. —— cxx. 5.
5. —— xxiii. 25.   5. —— cxxxix. 9.
5. 2 Chron. vi. 1.   5. Prov. i. 33.
8. Ezra iv. 17.   5. — ii. 21.
5. —— vi. 12.   5. —— viii. 12.

5. Isa. xiii. 21.   5. Isa. L. 39.
5. — xxvi. 19.   9. —— 40.
5. — xxxii. 16.   5. Ezek. xvii. 23.
5. — xxxiv. 11, 17.   5. —— xliii. 7, 9.
5. — lvii. 15.   7. Dan. ii. 38.
5. — lxv. 9.   7. —— iv. 1.
5. Jer. vii. 3, 7.   7. —— vi. 25.
5. — xxiii. 6.   5. Mic. iv. 10.
5. — xxv. 24.   5. —— vii. 14.
5. — xxxiii. 16.   5. Nah. iii. 18.
5. — xlviii. 28.   5. Zech. ii. 10, 11.
5. — xlix. 31.   5. —— viii. 3, 8.

DWELLETH.

5. Deut. xxxiii. 20.   5. Psalm cxxxv. 21.
5. Josh. xxii. 19.   5. Isa. viii. 18.
5. Job xv. 28.   5. — xxxiii. 5.
5. — xxxviii. 19.   5. Joel iii. 21.

DWELLEST.

5. Jer. xlix. 16.   5. Obad. 3.
5. — li. 13.

DWELT.

5. Gen. xiv. 13.   5. Psalm lxxiv. 2.
5. —— xxv. 18.   5. —— xciv. 17.
5. —— xxxv. 22.   5. —— cxx. 6.
5. Deut. xxxiii. 16.   5. Isa. xiii. 20.
5. Judg. viii. 11, 19.   5. Jer. L. 39.
5. Job xxix. 25.

DWELLING.

11. 2 Chron. xxx. 27.   11. Psalm xc. 1.
11. —— xxxvi. 15.   14. Isa. iv. 5.
12. Job viii. 22.   14. — xviii. 4.
10. — xxi. 28.   10. Jer. xxx. 18.
10. Psalm xlix. 11.   10. — li. 30, 37.
12. —— lii. 5.   5. Joel iii. 17.
10. —— lxxiv. 7.   10. Hab. i. 6.
11. —— lxxvi. 2.   11. Zeph. iii. 7.
13. —— lxxix. 7.

DWELLING, Subst.

1.   מִשְׁכָּן   *Mishkon*, a tabernacle.
2.   זְבוּל   *Zevool*, an habitation, dwelling, a place where God is pleased to dwell.
3.   אֹהֶל   *Ouhel*, a tent.
4.   נָוֶה   *Noveh*, a pleasant place.
5.   מְעוֹן   *Meoun*, an habitation.
6.   מָדוֹן   *Modoun* (Syriac), a dwelling.
7.   מָגוּר   *Mogoor*, an abode.
8.   מוֹשָׁב   *Moushov*, a seat.

1. Gen. xxvii. 39.   4. Prov. xxiv. 15.
1. 2 Kings xvii. 25.   5. Jer. xlix. 33.
1. 2 Chron. vi. 2.   6. Dan. ii. 11.
2. Psalm xlix. 14.   6. —— iv. 25, 32.
3. — xci. 10.   6. — v. 21.
4. Prov. xxi. 20.   5. Nah. ii. 11.

EAR

DWELLINGS.

1. Exod. x. 23.	1. Job xxxix. 6.
1. Lev. iii. 17.	1. Psalm lv. 15.
8. —— vii. 26.	1. —— lxxxvii. 2.
1. —— xxiii. 3, 14, 31.	1. Isa. xxxii. 18.
1. Numb. xxxv. 29.	1. Jer. ix. 19.
7. Job xviii. 19.	1. Ezek. xxv. 4.
1. —— 21.	4. Zeph. ii. 6.

DWELLERS.
5. Isa. xviii. 3.

DYED.

1.   אָדַם   *Odam,* red dye.
2.   חָמוּץ   *Khomoots,* highly coloured.
3.   טָבוּל   *Tovool,* dipt.

1. Exod. xxv. 5.	1. Exod. xxxix. 34.
1. —— xxvi. 14.	2. Isa. lxiii. 1.
1. —— xxxv. 7.	3. Ezek. xxiii. 15.
1. —— xxxvi. 19.	

E

EACH.
Not used in Hebrew.

EAGLE.
נֶשֶׁר   *Nesher,* an eagle, in all passages.

EAGLES.
נְשָׁרִים   *Neshoreem,* eagles, in all passages.

EAR.
אֹזֶן   *Ouzen,* an ear, in all passages.

EARS.
אָזְנַיִם   *Oznayim,* ears, in all passages.

EAR, give.
אָזַן   *Ozan,* (Hiph.) to give ear, hearken ; in all passages, except :·

שָׁמַע   *Shoma,* to hear (repeated).
Exod. xv. 26.

EAR of corn.
אָבִיב   *Oveev,* full grown corn in ear.
Exod. ix. 31.

EARS of corn.

1.   אָבִיב   *Oveev,* full grown corn in ear.
2.   שִׁבֳּלִים   *Shibboleem,* ears.
3.   כַּרְמֶל   *Karmel,* fine produce.
4.   מְלִילוֹת   *Meleelouth,* cuttings.
5.   שִׁבֹּלֶת   *Shibbouleth.*

2. Gen. xli. 5, 22.	2. Ruth ii. 2.
1. Lev. ii. 14.	3. 2 Kings iv. 42.
3. —— 14.	5. Job xxiv. 24.
4. Deut. xxiii. 25.	2. Isa. xvii. 5.

EAR the ground.

1.   חָרַשׁ   *Khorash,* to plough.
2.   עָבַד   *Ovad,* to labour, serve.

1. 1 Sam. viii. 12.	2. Isa. xxx. 24.

EARED.
2. Deut. xxi. 4.

EARING ground.

1. Gen. xlv. 6.	1. Exod. xxxiv. 21.

EARLY.

1.   שָׁכַם   *Shokham,* to accelerate, rise early.
2.   צָפַר   *Tsophar,* to fly, escape.
3.   לִפְנוֹת בֹּקֶר   *Liphnouth bouker,* towards the turning of the morning.
4.   שַׁחַר   *Shokhar,* the dawn.
5.   בַּבֹּקֶר   *Babbouker,* in the morning.

1. Gen. xix. 2.	5. Psalm ci. 8.
2. Judg. vii. 3.	4. —— cviii. 2.
1. —— xix. 9.	4. Prov. i. 28.
1. 2 Kings vi. 15.	4. —— viii. 17.
3. Psalm xlvi. 5.	1. Cant. vii. 12.
4. —— lvii. 8.	4. Isa. xxvi. 9.
4. —— lxiii. 1.	4. Hos. v. 15.
4. —— lxxviii. 34.	1. —— vi. 4.
5. —— xc. 14.	1. —— xiii. 3.

EAR-RING.

1.   נֶזֶם   *Nezem,* a nose-ring.
2.   עָגִיל   *Ogeel,* a ring.
3.   לְחָשִׁים   *Lekhosheem,* amulets.

1. Gen. xxiv. 22, 30, 47.	1. Prov. xxv. 12.
1. Job xlii. 11.	

EAR-RINGS.

1. Gen. xxxv. 4.	1. Judg. viii. 24.
1. Exod. xxxii. 2.	3. Isa. iii. 20.
1. —— xxxv. 22.	2. Ezek. xvi. 12.
2. Numb. xxxi. 50.	1. Hos. ii. 13.

EARNESTLY.
Not used in Hebrew, but understood by the repetition of the verb.

EARNETH.

שָׂכַר *Sokhar,* to hire for wages.
Hag. i. 6.

EARTH.

אֶרֶץ *Erets,* earth, land, in all passages.

EARTHEN.

חֶרֶשׂ *Kheres,* an earthen vessel, sherd,
potsherd, in all passages.

EARTHQUAKE.

רַעַשׁ *Raash,* an earthquake, storm, in
all passages.

EASE.

1. נוּחַ *Nooakh,* rest, repose.
2. רֶגַע *Roga,* momentary rest.
3. שַׁאֲנָן *Shăănon,* שַׁאֲלְנָן *Shăălnon,* to
live carelessly.
4. טוֹב *Touv,* good.
5. שְׁלֵו *Sholaiv,* peaceably, quietly.

2. Deut. xxviii. 65.	3. Isa. xxxii. 9, 11.
1. Judg. xx. 43.	3. Jer. xlvi. 27.
3. Job xii. 5.	3. — xlviii. 11.
5. — xvi. 12.	5. Ezek. xxiii. 42.
3. — xxi. 23.	3. Amos vi. 1.
4. Psalm xxv. 13.	3. Zech. i. 15.
3. —— cxxiii. 4.	

EASE, Verb.

1. יָשַׁב *Yoshav,* to sit, sit down.
2. הָקֵל *Hokail,* to make light, lighten,
ease.
3. נָשָׂא *Noso,* to bear, lift up.
4. נָחַם *Nokham,* (Niph.) to be eased,
comforted.
5. מִנִּי־הָלָךְ *Minee-holakh,* gone from me.

1. Deut. xxiii. 13.	3. Job vii. 13.
2. 2 Chron. x. 4, 9.	4. Isa. i. 24.

EASED.
5. Job xvi. 6.

EASIER.

הָקֵל *Hokail,* to lighten, make light.
Exod. xviii. 22.

EAST.

קֶדֶם *Kedem,* the front.
מִזְרָח *Mizrokh,* the rising of the sun,
in all passages.

EASY.

נָקֹל *Nokol,* being light.
Prov. xiv. 6.

EAT -EN -EST -ETH -ING.

אָכַל *Okhal,* to eat, in all passages.

EATER.

אֹכֵל *Oukhail,* an eater, in all passages.

EATERS.

זוֹלְלִים *Zouleleem,* gluttons.
Prov. xxiii. 20.

EDGE.

1. שָׂפָה *Sophoh,* a border.
2. קָצֶה *Kotseh,* an end, corner.
3. פָּנִים *Poneem,* face.
4. קָהָה *Kohoh,* to be blunted.

2. Exod. xiii. 20.	3. Eccles. x. 10.
1. —— xxvi. 10.	4. Jer. xxxi. 29, 30.
2. Numb. xxxiii. 6.	4. Ezek. xviii. 2.

EDGE of a sword.

פִּי *Pee,* a mouth; in all passages,
except :
צוּר *Tsoor,* strength; lit., rock, flint.
Psalm lxxxix. 43.

EDGED.

פִּיפִיּוֹת *Peepeeyouth,* two-edged, in all
passages.

EDGES.

1. קְצוֹת *Ketsouth,* ends, corners.
2. פִּיּוֹת *Piyouth,* mouths.

1. Exod. xxviii. 7.	2. Judg. iii. 16.

EFFECT.

1. דָּבָר *Dovor,* a word, matter, subject.
2. עֲבוֹדָה *Avoudoh,* labour, service.

2. Isa. xxxii. 17.	1. Ezek. xii. 23.

EFFECT, none, no.

1. הָפֵר *Hophair,* to make void, destroy.
2. נוא *Noo,* to disallow, prohibit.

1. Numb. xxx. 8.	2. Psalm xxxiii. 10.

EFFECT, Verb.
1. עָשָׂה *Osoh*, to do, exercise.
2. הִצְלִיחַ *Hitsleeakh*, caused to prosper.
1. Jer. xlviii. 30.

EFFECTED.
2. 2 Chron. vii. 11.

EGG.
חֲלָמוּת *Khalomooth*, dreaming.
Job vi. 6.

EGGS.
בֵּיצִים *Baitseem*, eggs, in all passages.

EIGHT.
שְׁמֹנָה *Shĕmounoh*, eight.

EIGHTH.
שְׁמִנִית *Shĕmineeth*, eighth.

EIGHTEEN -TH.
שְׁמֹנָה עֶשְׂרֵה *Shemouneh esraih*, eighteen, in all passages.

EITHER.
אוֹ *Ou*, or; in all passages, except :
אִישׁ *Eesh*, a man.
Lev. x. 1, Auth. Ver., either of them.

ELDER, Adjective.
1. גָּדוֹל *Godoul*, great, tall.
2. רַב *Rav*, superior, abundant, much.
3. כַּבִּיר *Kabbeer*, valiant.
4. זְקֵנִים *Zekaineem*, elders, old men.

All passages not inserted are N°. 1.

2. Gen. xxv. 23. | 4. Job xxxii. 4.
3. Job xv. 10.

ELDERS, Subst.
זְקֵנִים *Zekaineem*, elders ; in all passages, except:
שָׂבַיָּא *Sovayo* (Chaldee), grey from age.
Ezra v. 6, 7, 8, 9, 14.

ELDEST.
1. זָקֵן *Zokain*, old, elder.
2. גָּדוֹל *Godoul*, great, tall.
3. בְּכוֹר *Bekhour*, first-born (male).
4. רִאשֹׁנִים *Reeshouneem*, the former, first.

1. Gen. xxiv. 2.   2. 1 Sam. xvii. 13, 14, 28.
2. —— xxvii. 1.   3. 2 Kings iii. 27.
2. —— xliv. 12.   4. 2 Chron. xxii. 1.
3. Numb. i. 20.   3. Job i. 13, 18.
3. —— xxvi. 5.

ELECT.
בָּחַר *Bokhar*, to choose, elect, in all passages.

ELEVEN -TH.
אַחַד עָשָׂר *Akhad osor*, eleven, in all passages.

ELMS.
אֵלָה *Ailoh*, a pine-tree.
Hos. iv. 13.

ELOQUENT.
1. אִישׁ־דְּבָרִים *Eesh-devoreem*, a man of words, speech.
2. נָבוֹן־לַחַשׁ *Novoun-lakhash*, an eloquent man.
1. Exod. iv. 10. | 2. Isa. iii. 3.

ELSE.
Not used in Hebrew, except :
אִם־אַיִן *Im-ayin*, if not.
Gen. xxx. 1.

EMBALM.
חָנַט *Khonat*, to embalm.
Gen. L. 2.

EMBALMED.
Gen. L. 2, 3, 26.

EMBOLDENETH.
מָרַץ *Morats*, to excite.
Job xvi. 3.

EMBRACE -ED -ING.
חָבַק *Khovak*, to embrace, in all passages.

EMBROIDER, Verb.
שָׁבַץ *Shovats*, to embroider.
Exod. xxviii. 39.

EMBROIDERER.
רֹקֵם *Roukaim*, a worker in cloth in various colours, in all passages.

EMERALD -S.

נֹפֶךְ *Nouphekh*, an emerald, in all passages.

EMERODS.

1. עֳפָלִים *Appouleem*, }
2. טְחֹרִים *Tekhoureem*, } emerods, piles.

1. Deut. xxviii. 27. | 2. 1 Sam. vi. 4, 5, 11.
1. 1 Sam. v. 6, 9, 12, 17. |

EMINENT.

1.   גַּב *Gav*, vaulted, arched.
2.   תָּלוּל *Tolool*, raised up, heaped up.

1. Ezek. xvi. 24, 31, 39. | 2. Ezek. xvii. 22.

EMMANUEL.

עִמָּנוּ אֵל *Immonoo ail*, God with us.

Isa. vii. 14. | Isa. viii. 8.

EMPIRE.

מַלְכוּת *Malkhooth*, a kingdom, an empire.

Esth. i. 20.

EMPLOY.

1. לָבֹא־מִפָּנֶיךָ *Lovou-miponekho*, to come before thy face.
2. מְלָאכָה *Melokhoh*, work.
3. עָמְדוּ *Omdoo*, stood.

1. Deut. xx. 19.

EMPLOYED.

2. 1 Chron. ix. 33. | 3. Ezra x. 15.

EMPLOYMENT, with continual.

תָּמִיד *Tomeed*, continuance.

Ezek. xxxix. 14.

EMPTY, Noun.

1.   רֵק *Raik*, or רֵיקָם *Raikom*, empty.
2.   תֹּהוּ *Touhoo*, void.
3.   פָּקַד *Pokad*, to visit, take notice.

1. In all passages, except:·

3. 1 Sam. xx. 18, 25, 27. | 2. Job xxvi. 7.

EMPTY.

1.   רִיק *Reek*, to empty.
2.   פִּנָּה *Pinnoh*, (Hiph.) to turn, clear away.

---

3.   בָּקַק *Bokak*, to depopulate.
4.   עָרָה *Oroh*, to make bare, pour out.
5.   דָּלַל *Dolal*, to exhaust, empty.

1. Gen. xxxvii. 24.	1. Jer. xlviii. 12.
2. Lev. xiv. 36.	3. — li. 2.
1. Deut. xvi. 16.	1. Hab. i. 17.
1. Eccles. xi. 3.	1. Zech. iv. 12.

EMPTIED.

4. Gen. xxiv. 20.	5. Isa. xix. 6.
1. —— xlii. 35.	3. — xxiv. 3.
4. 2 Chron. xxiv. 11.	1. Jer. xlviii. 11.
1. Neh. v. 13.	3. Nah. ii. 2.

EMPTIERS.

בֹּקְקִים *Boukĕkeem*, emptiers.

Nah. ii. 2.

EMPTINESS.

בֹּהוּ *Vouhoo*, void.

Isa. xxxiv. 11.

ENCAMP -ED -ETH -ING.

חָנָה *Khonoh*, to encamp, in all passages.

ENCOURAGE -ED.

חָזַק *Khozak*, to strengthen, in all passages.

END.   See p. 588.

קֵץ *Kaits*, an end.

ENDS.

קְצוֹת *Ketsouth*, ends.

END, thereof, latter, last end.

אַחֲרִית *Akhăreeth*, last, latter. (Numb: 23 – 10 [see Posterity

END, Verb.

1.   כָּלָה *Koloh*, to end, finish.
2.   תָּמַם *Tomam*, to complete, perfect.
3.   שָׁלַם *Sholam*, to complete, assuage.
4.   שָׁבַת *Shovath*, to cease.

ENDED.

1. Gen. ii. 2.	2. Job xxxi. 40.
1. —— xli. 53.	1. Psalm lxxii. 20.
2. Deut. xxxi. 30.	3. Isa. lx. 20.
2. —— xxxiv. 8.	1. Jer. viii. 20.
2. 2 Sam. xx. 18.	

ENDETH.

4. Isa. xxiv. 8.

END, to the.
לְמַעַן *Lĕmāăn*, for the sake of.

END, from beginning to.
אַחֲרִית *Akhăreeth*, last, latter.

ENDAMAGE.
נְזַק *Nozak* (Chaldee), to hurt.
Ezra iv. 13.

ENDANGER.
חָיַב *Khoyav*, to make guilty.
Dan. i. 10.

ENDANGERED.
סָכַן *Sokhan*, to be in danger.
Eccles. x. 9.

ENDEAVOURS.
מַעֲלָלִים *Māălĕleem*, evil actions.
Psalm xxviii. 4.

ENDOW.
מָהַר *Mohar*, to hasten.
Exod. xxii. 16, verb repeated.

ENDUED.
1.   זָבַד *Zovad*, to apportion.
2.   יָדַע *Yoda*, to know.

1. Gen. xxx. 20. | 2. 2 Chron. ii. 12, 13.

ENDURE.
1.   לָרֶגֶל *Loregel*, according to the foot.
2.   עָמַד *Omad*, to stand.
3.   יָכֹל *Yokhal*, to be able.
4.   קוּם *Koom*, to rise, stand firm.
5.   יָשַׁב *Yoshav*, to sit.
6.   לוּן *Loon*, to lodge all night.
7.   לִפְנֵי *Liphnai*, before the face of.
8.   הָיָה *Hoyoh*, to be.

1. Gen. xxxiii. 14. | 7. Psalm lxxii. 5.
2. Exod. xviii. 23. | 8. ——— 17.
3. Esth. viii. 6. | 8. ——— lxxxix. 36.
4. Job viii. 15. | 5. ——— cii. 12.
3. — xxxi. 23. | 2. ——— 26.
5. Psalm ix. 7. | 8. ——— civ. 31.
6. ——— xxx. 5. | 2. Ezek. xxii. 14.

ENDURED.
8. Psalm lxxxi. 15.

ENDURETH.
Not in the original, except:
2. Psalm cxi. 3, 10. | 2. Psalm cxii. 3, 9.

ENDURING.
2. Psalm xix. 9.

ENEMY.
אוֹיֵב *Ouyaiv*, an enemy, in all passages.

ENEMIES.
אוֹיְבִים *Ouyeveem*, enemies, in all passages.

ENGAGED.
עָרַב *Orav*, to pledge.
Jer. xxx. 21.

ENGINES, ENGINES of war.
1. חִשְּׁבֹנוֹת *Khishbounouth*, devices of war, warlike machines.
2. מְחִי קָבְלוֹ *Mĕkhai kiblou*, demolishing, or striking in the front.

1. 2 Chron. xxvi. 15. | 2. Ezek. xxvi. 9.

ENGRAVE.
פָּתַח *Pothakh*, to open, engrave.
Exod. xxviii. 11. | Zech. iii. 9.

ENGRAVER.
חָרָשׁ *Khorosh*, an artificer, in all passages.

ENGRAVINGS.
פִּתּוּחִים *Pitookheem*, engravings, in all passages.

ENJOY.
1.   רָצָה *Rotsoh*, to be well pleased.
2.   רָאָה *Rooh*, to see.
3.   יָרַשׁ *Yorash*, to succeed.
4.   יִהְיֶה־לְךָ *Yihĕyeh-lĕkho*, to be thine.
5.   בָּלָה *Boloh*, to wear out.

1. Lev. xxvi. 34. | 3. Josh. i. 15.
3. Numb. xxxvi. 8. | 2. Eccles. ii. 1, 24.
4. Deut. xxviii. 41. | 5. Isa. lxv. 22.

ENJOYED.
1. 2 Chron. xxxvi. 21.

ENJOINED.

1.   קָיֵם   *Kiyaim*, established, confirmed.
2.   פָּקַד   *Pokad*, to visit, notice.

1. Esth. ix. 31. | 2. Job xxxvi. 23.

ENLARGE.

1.   רָחַב   *Rokhav*, to enlarge.
2.   רָבַב   *Rovav*, to increase, multiply.
3.   שָׂמַח   *Shotakh*, to spread, stretch out.
4.   פָּתָה   *Potoh*, to persuade, open, widen.

4. Gen. ix. 27.	1. Psalm cxix. 32.
1. Exod. xxxiv. 24.	1. Isa. liv. 2.
1. Deut. xii. 20.	1. Amos i. 13.
1. —— xix. 8.	1. Mic. i. 16.
2. 1 Chron. iv. 10.	

ENLARGED.

1. 1 Sam. ii. 1.	1. Psalm xxv. 17.
1. 2 Sam. xxii. 37.	1. Isa. v. 14.
1. Psalm iv. 1.	1. — lviii. 8.
1. —— xviii. 36.	1. — lx. 5.

ENLARGETH.

1. Deut. xxxiii. 20. | 3. Job xii. 23.

ENLARGING.
1. Ezek. xli. 7.

ENLARGEMENT.

רֶוַח   *Revakh*, extension.

Esth. iv. 14.

ENLIGHTEN.

1.   נָגַה   *Nogah*, to shine, illuminate.
2.   אוֹר   *Oor*, to make light, enlighten.
3.   רָאָה   *Rooh*, to see.

1. Psalm xviii. 28.

ENLIGHTENED.

3. 1 Sam. xiv. 27, 29. | 2. Psalm xcvii. 4.
2. Job xxxiii. 30.

ENLIGHTENING.
2. Psalm xix. 8.

ENMITY.

אֵיבָה   *Aivoh*, enmity, in all passages.

ENOUGH.

1.   דַי   *Dāe*, or דֵי   *Dai*, enough, sufficient.
2.   רַב   *Rav*, abundant, abundance.
3.   כֹּל   *Koul*, all things, everything.

---

4.   רַחֲבַת יָדַיִם   *Rakhavath yodayim*, wide on both sides, roomy.
5.   יְמָצֵא   *Yimotsai*, to suffice.
6.   שָׂבַע   *Sova*, to satisfy.
7.   הוֹן   *Houn*, wealth.

2. Gen. xxiv. 25.	2. 2 Chron. xxxi. 10.
3. —— xxxiii. 9, 11.	1. Prov. xxvii. 27.
4. —— xxxiv. 21.	6. —— xxviii. 19.
2. —— xlv. 28.	7. —— xxx. 15, 16.
2. Exod. ix. 28.	6. Isa. lvi. 11.
1. —— xxxvi. 5.	1. Jer. xlix. 9.
2. Deut. i. 6.	6. Hos. iv. 10.
2. —— ii. 3.	6. Obad. 5.
5. Josh. xvii. 16.	1. Nah. ii. 12.
2. 2 Sam. xxiv. 16.	6. Hag. i. 6.
2. 1 Chron. xxi. 15.	1. Mal. iii. 10.

ENQUIRE.

1.   דָּרַשׁ   *Dorash*, to search out, after.
2.   שָׁאַל   *Shōāl*, to ask.
3.   בָּקַר   *Bikair*, to see with delight.
4.   בָּעָה   *Bōōh*, to search out.
5.   בָּקַשׁ   *Bikaish*, to seek, beseech.

2. Gen. xxiv. 57.	1. 2 Kings xxii. 13, 18.
1. —— xxv. 22.	1. 1 Chron. x. 13.
1. Exod. xviii. 15.	2. —— xviii. 10.
1. Deut. xii. 30.	1. —— xxi. 30.
1. —— xiii. 14.	1. 2 Chron. xviii. 4, 6.
1. —— xvii. 9.	1. —— xxxiv. 21, 26.
2. Judg. iv. 20.	3. Ezra vii. 14.
1. 1 Sam. ix. 9.	2. Job viii. 8.
2. —— xxii. 15.	3. Psalm xxvii. 4.
1. —— xxviii. 7.	2. Eccles. vii. 10.
1. 1 Kings xxii. 5, 7.	4. Isa. xxi. 12.
1. 2 Kings i. 2.	1. Jer. xxi. 2.
1. —— iii. 11.	1. — xxxvii. 7.
1. —— viii. 8.	1. Ezek. xiv. 7.
3. —— xvi. 15.	1. —— xx. 1, 3.

ENQUIRED.

1. Deut. xvii. 4.	5. 2 Sam. xxi. 1.
2. Judg. xx. 27.	1. 1 Chron. x. 14.
2. 1 Sam. x. 22.	1. —— xiii. 3.
2. —— xxii. 10, 13.	2. —— xiv. 10, 14.
2. —— xxiii. 2, 4.	1. Psalm lxxviii. 34.
2. —— xxviii. 6.	1. Ezek. xiv. 10.
2. —— xxx. 8.	1. — xx. 3, 31.
2. 2 Sam. ii. 1.	1. —— xxxvi. 37.
2. —— v. 19, 23.	5. Dan. i. 20.
1. —— xi. 3.	1. Zeph. i. 6.
2. —— xvi. 23.	

ENQUIREST.
5. Job x. 6.

ENQUIRY.
3. Prov. xx. 25.

ENRICH.
עָשַׁר *Oshar*, to enrich.
1 Sam. xvii. 25. | Ezek. xxvii. 33.

ENRICHEST.
Psalm lxv. 9.

ENSIGN.
נֵס *Nais*, a banner, standard erected on a pole, in all passages.

ENSIGNS.
אוֹתוֹת *Outhouth*, marks of distinction, wonders, memorials, miracles.
Psalm lxxiv. 4.

ENSNARED.
נָקַשׁ *Nokash*, to ensnare.
Job xxxiv. 30.

ENTER -ED -ETH -ING.
בּוֹא *Bou*, to come in, enter in, in all passages.

ENTERPRISE.
תּוּשִׁיָּה *Tooshiyoh*, accomplishment.
Job v. 12.

ENTICE.
1.   פָּתָה *Potoh*, to persuade,
2.   סוּת *Sooth*, to urge, soothe.

1. Exod. xxii. 16.	1. Judg. xvi. 5.
2. Deut. xiii. 6.	1. 2 Chron. xviii. 19, 20.
1. Judg. xiv. 15.	1. Prov. i. 10.

ENTICED.
1. Job xxxi. 27. | 1. Jer. xx. 10.

ENTICETH.
1. Prov. xvi. 29.

ENTRANCE.
1.   מְבוֹא *Mĕvou*, entrance.
2.   פֶּתַח *Pethakh*, an opening, door.
3.   אִיתוֹן *Eethoun*, the high, or first entrance.

1. Judg. i. 24, 25.	2. 2 Chron. xii. 10.
1. 1 Kings xviii. 46.	2. Psalm cxix. 130.
2. —— xxii. 10.	3. Ezek. xl. 15.

ENTREAT.   (See Intreat.)

ENTRY.
1.   מְבוֹא *Mĕvou*, entrance.
2.   פֶּתַח *Pethakh*, an opening, door.

1. 2 Kings xvi. 18.	1. Jer. xxxviii. 14.
1. 1 Chron. ix. 19.	2. — xliii. 9.
2. 2 Chron. iv. 22.	1. Ezek. viii. 5.
1. Prov. viii. 3.	

ENTRIES.
2. Ezek. xl. 38.

ENVIRON.
סָבַב *Sovav*, to surround.
Josh. vii. 9.

ENVY, Subst.
קִנְאָה *Kinoh*, jealousy, envy, in all passages.

ENVY -IED -EST.
קָנָא *Kinnai*, to be jealous, envious, in all passages.

ENVIOUS.
קָנָא *Kinnai*, in all passages.

EPHAH.
אֵיפָה *Aiphoh*, an ephah, in all passages.

EPHOD.
אֵפוֹד *Aiphoud*, in all passages.

EQUAL.
1.   מֵישָׁרִים *Maishoreem*, righteousness, equity.
2.   עֵרֶךְ *Erekh*, value, valuation.
3.   דָּלָה *Doloh*, to draw out, up, exhaust.
4.   שָׁוֶה *Shoveh*, equal, like.
5.   תָּכַן *Tokhan*, right, perfect.

1. Psalm xvii. 2.	4. Isa. xlvi. 5.
2. —— lv. 13.	4. Lam. ii. 13.
3. Prov. xxvi. 7.	5. Ezek. xviii. 25, 29.
4. Isa. xl. 25.	5. —— xxxiii. 17, 20.

EQUAL, Verb.
עָרַךְ *Orakh*, to value, arrange.
Job xxviii. 17, 19.

EQUALLY.
מְשֻׁלָּבֹת *Meshulovouth*, joined together.
Exod. xxxvi. 22.

EQUITY.

מֵשָׁרִים *Maishoreem,* uprightness ; in all passages, except:

נְכוֹחָה *Nekhoukhoh,* rectitude.

Isa. lix. 14.

ERE.

Not used in Hebrew, except:

טֶרֶם *Terem,* before, prior.

Exod. i. 19.

ERECTED.

יָצַב *Yotsav,* fixed, placed.

Gen. xxxiii. 20.

ERRAND.

דָּבָר *Dovor,* word, matter, object, subject.

Gen. xxiv. 33. | 2 Kings ix. 5.
Judg. iii. 19.

ERR -ED -ETH.

תָּעָה *Tōōh,* to err, in all passages.

ERROR -S.

שָׁגָא *Shogo,* } to wander, go astray ; in
שָׁגָה *Shogoh,* } all passages, except:

שַׁל *Shal,* a failure.

2 Sam. vi. 7.

ESCAPE -ED -ETH -ING. See p. 588.

מָלַט *Molat,* } to escape, in all pas-
פָּלַט *Polat,* } sages.

ESCHEWED -ETH.

סָר *Sor,* departed from.

Job i. 1, 8. | Job ii. 3.

ESPECIALLY.

מְאֹד *Mĕoud,* exceedingly.

Psalm xxxi. 11.

ESPY.

1. רָגַל *Rogal,* to run about, spy out.
2. צָפָה *Tsophoh,* to look about, watch carefully.

---

3. רָאָה *Rooh,* to see, behold.
4. תּוּר *Toor,* to explore.

1. Josh. xiv. 7. | 2. Jer. xlviii. 19.

ESPIED.

3. Gen. xlii. 27. | 4. Ezek. xx. 6.

ESPOUSALS.

1. חֲתֻנָה *Khathunoh,* marriage.
2. כְּלוּלָה *Kĕlooloh,* bridal state.

1. Cant. iii. 11. | 2. Jer. ii. 2.

ESPOUSED.

אָרַשׂ *Oras,* to espouse, betroth.

2 Sam. iii. 14.

ESTABLISH, STABLISH -ED -ETH.

קוּם *Koom,* to rise, raise up, establish, in all passages.
see Stablish -ed, page 442.

ESTABLISHMENT.

אֱמֶת *Emeth,* truth.

2 Chron. xxxii. 1.

See State, page 447.
ESTATE, STATE.

1. תּוֹר *Thour,* rank, elegance.
2. מַתְכֹּן *Mathkain,* arrangement.
3. מַלְכוּת *Malkhooth,* royalty.
4. דִּבְרַת *Divrath,* matter, subject.
5. מַעֲמָד *Mããmod,* establishment, office.
6. כֵּן *Kan,* a basis, pedestal.
7. יָד *Yod,* a hand, power.
8. נִצָּב *Nitsov,* firmness, stability.
9. פָּנִים *Poneem,* the face.

All passages not inserted are not in original.

1. 1 Chron. xvii. 17.	8. Psalm xxxix. 5.
2. 2 Chron. xxiv. 13.	9. Prov. xxvii. 23.
7. Esth. i. 7.	4. Eccles. iii. 18.
3. ——— 19.	5. Isa. xxii. 19.
7. —— ii. 18.	6. Dan. xi. 7, 20, 21, 38.

ESTEEM.

1. חָשַׁב *Khoshav,* to reckon, impute.
2. עָרַךְ *Orakh,* to set in order, arrange.
3. צָפַן *Tsophan,* to conceal, to put by.
4. יָשַׁר *Yoshar,* (Piel) to be just, righteous.

2. Job xxxvi. 19. | 1. Isa. liii. 4.
4. Psalm cxix. 128.

EVE

ESTEEMED.

3. Job xxiii. 12.	1. Isa. liii. 3.
1. Prov. xvii. 28.	1. Lam. iv. 2.
1. Isa. xxix. 16, 17.	

ESTEEMETH.
1. Job xli. 27.

ESTEEMED, lightly.

1. נִבֵּל *Nibbail*, to shun, detest.
2. קָלָה *Koloh*, to lightly esteem.

1. Deut. xxxii. 15.	2. 1 Sam. xviii. 23.
2. 1 Sam. ii. 30.	

ESTIMATE.
עֲרָךְ *Erekh*, estimate, estimation.
Lev. xxvii. 14.

ESTIMATION -S.
עֲרָךְ *Erekh*, estimate, estimation, in all passages.

ESTRANGED.

1. זוּר *Zoor*, to be estranged.
2. נֵכָר *Naikhor*, to be unknown.

1. Job xix. 13.	2. Jer. xix. 4.
1. Psalm lviii. 3.	1. Ezek. xiv. 5.
1. —— lxxviii. 30.	

ETERNAL.

1. קֶדֶם *Kedem*, before, former times, ancient.
2. עוֹלָם *Oulom*, everlasting.

1. Deut. xxxiii. 27.	2. Isa. lx. 15.

ETERNITY.
עַד *Ad*, for ever.
Isa. lvii. 15.

EVEN, EVENING.
עֶרֶב *Erev*, evening.

EVENINGS.
עֲרָבוֹת *Arovouth*, deserts.
Jer. v. 6.

EVEN, Adject.

1. צֶדֶק *Tsedek*, righteousness, justice.
2. מִישׁוֹר *Meeshour*, a plain, even place.

Exod. xxvii. 5, not in original.	1. Job xxxi. 6.
	2. Psalm xxvi. 12.

EVEN, Adv.
Designated by a prefixed וֹ conjunction, except:—

1. אַף *Aph*, yea, even.
2. גַם *Gam*, also.

1. Prov. xxii. 19.	2. Ezek. xxi. 13.

EVENT.
מִקְרֶה *Mikreh*, an event.

Eccles. ii. 14.	Eccles. ix. 2, 3.

EVEN-tide, EVENING-tide.
עֵת־עֶרֶב *Aith-erev*, evening time; in all passages, except:
לִפְנוֹת עֶרֶב *Liphnouth erev*, towards the turning of the evening.
Gen. xxiv. 63.

EVER.

1. תָּמִיד *Tomeed*, continually.
2. מְעוֹד *Měoud*, whilst.
3. כָּל־הַיָּמִים *Kol-hayomeem*, all the days.
4. לְעוֹלָם *Leoulom*, for ever.
5. קֶדֶם *Kedem*, before, former times, ancient.
6. לֹא יָדַעְתִּי *Lou yodăătee*, I knew not.
7. לָנֶצַח *Lonetsakh*, perpetually, ever.
8. לְאֹרֶךְ יָמִים *Leourekh yomeem*, to the length of days.
9. עֲדֵי *Adai*, ever.
10. עֲדֵי־עַד *Adai-ad*, for ever and ever.
11. לַצְמִיתֻת *Latsmeethuth*, entirely.

All passages not inserted are not in original.

1. Lev. vi. 13.	3. Psalm xxxvii. 26.
2. Numb. xxii. 30.	1. —— li. 3.
3. Deut. xix. 9.	4. —— cxi. 5.
Judg. xi. 25, verb repeated.	4. —— cxix. 98.
3. 1 Kings v. 1.	5. Prov. viii. 23.
4. Psalm v. 11.	6. Cant. vi. 12.
4. —— xxv. 6.	7. Isa. xxviii. 28.
1. —— 15.	7. —— xxxiii. 20.
	4. Joel ii. 2.

EVER, for.
All passages not inserted are N°. 4.

3. Gen. xliii. 9.	3. Josh. iv. 24.
3. —— xliv. 32.	3. 1 Sam. ii. 32, 35.
11. Lev. xxv. 23, 30.	3. —— xxviii. 2.
9. Numb. xxiv. 20, 24.	7. 2 Sam. ii. 26.
3. Deut. xviii. 5.	3. 1 Kings v. 1.
3. —— xix. 9.	3. —— xi. 39.
3. —— xxviii. 29.	3. —— xii. 7.

3. 2 Chron. x. 7.
3. —— xxi. 7.
7. Psalm xiii. 1.
8. —— xxiii. 6.
10. —— lxxxiii. 17.
10. —— xcii. 7.
8. —— xciii. 5.
10. —— cxxxii. 12, 13.

10. Isa. xxvi. 4.
7. — xxxiv. 10.
10. — lxv. 18.
3. Jer. xxxi. 36.
3. — xxxii. 39.
3. — xxxv. 19.
7. Amos i. 11.

EVER and EVER.

עֲדֵי־עַד *Adai-ad*, for ever and ever, in all passages.

EVERLASTING.

1. עוֹלָם *Oulom*, everlasting.
2. עַד *Ad*, unto, until, for ever.
3. מִימֵי־עוֹלָם *Meemai-oulom*, from the day of eternity.
4. קֶדֶם *Kedem*, from before, of old.

1. In all passages, except:

2. Isa. ix. 6.	4. Hab. i. 12.
3. Mic. v. 2.	

EVERMORE.

1. עֲדֵי־עַד *Adai-ad*, for ever and ever.
2. לְעוֹלָם *Lĕoulom*, unto everlasting.
3. עַד־עוֹלָם *Ad-oulom*, for ever.
4. עַד־הָעוֹלָם *Ad-hŏoulom*, unto the everlasting.
5. דּוֹר וָדוֹר *Dour vodour*, for generation and generation.
6. תָּמִיד *Tomeed*, continually.
7. נֶצַח *Netsakh*, continually, perpetually.
8. כָּל־הַיָּמִים *Kol-hayomeem*, all the days.

8. Deut. xxviii. 29.	2. Psalm xcii. 8.
3. 2 Sam. xxii. 51.	6. —— cv. 4.
8. 2 Kings xvii. 37.	3. —— cvi. 31.
3. 1 Chron. xvii. 14.	3. —— cxiii. 2.
7. Psalm xvi. 11.	3. —— cxv. 18.
3. —— xviii. 50.	3. —— cxxi. 8.
2. —— xxxvii. 27.	1. —— cxxxii. 12.
5. —— lxxvii. 8.	4. —— cxxxiii. 3.
2. —— lxxxvi. 12.	2. Ezek. xxxvii. 26, 28.
2. —— lxxxix. 28, 52.	

EVERY -one -where.

כֹּל *Koul*, כָּל *Kol*, all, everything.

EVIDENCE.

סֵפֶר *Saipher*, a book.
Jer. xxxii. 10, 11, 12, 14, 16.

EVIDENCES.

סְפָרִים *Sĕphoreem*, books.
Jer. xxxii. 14, 44.

EVIDENT.

עַל־פְּנֵיכֶם *Al-pĕnaikhem*, before your faces.
Job vi. 28.

EVIL -S, Subst. and Adj.

רָעָה רָע *Rŏŏh Rŏ*, evil, bad, in all passages.

EVIL, Adverb.

רוּעַ *Rooa*, to do evil, in all passages, except:
רָעָה *Rŏŏh*, to feed.
Job xxiv. 21.

EUNUCH.

סָרִיס *Sorees*, an overseer, superior servant, chamberlain; in all passages.

EUNUCHS.

סָרִיסִים *Soreeseem*, eunuchs, in all passages.

EWE -S.

1. כֶּבֶשׂ *Keves*, a lamb.
2. שֶׂה *Seh*, a lamb, kid.
3. רָחֵל *Rokhail*, a sheep.
4. כַּבְשָׂה *Kavsoh*, a lamb (feminine).
5. עָלוֹת *Olouth*, young ones, offspring.

1. Gen. xxi. 28, 29.	2. Lev. xxii. 28.
3. —— xxxi. 38.	4. 2 Sam. xii. 3.
3. —— xxxii. 14.	5. Psalm lxxviii. 71.
1. Lev. xiv. 10.	

EXACT.

1. נָשָׁה *Noshoh*, to impose upon.
2. נָגַשׂ *Nogas*, to oppress.
3. יָצָא *Yotso*, to go forth.
4. נָתַן *Nothan*, to give.

2. Deut. xv. 2, 3.	1. Psalm lxxxix. 22.
1. Neh. v. 7, 10, 11.	2. Isa. lviii. 3.

EXACTED.

3. 2 Kings xv. 20.	4. 2 Kings xxiii. 35.

EXACTETH.

1. Job xi. 6.

EXACTION.

מַשָּׂא *Masso*, a burden.
Neh. x. 31.

EXACTIONS.

גְּרֻשֹׁת *Gĕrushouth*, expulsions.
Ezek. xlv. 9.

EXACTORS.

נֹגְשִׂים *Nougseem*, oppressors.
Isa. lx. 17.

EXALT -ED -EST -ETH.

רוּם *Room*,
נָשָׂא *Noso*, } to lift up, exalt, extol.
גָּבַהּ *Govah*,

EXAMINE.

1. בָּדַל *Bodal*, to divide, separate.
2. בָּחַן *Bokhan*, to try, prove.

1. Ezra x. 16. | 2. Psalm xxvi. 2.

EXCEED.

1. יָסַף *Yosaph*, to add to, increase.
2. גָּדַל *Godal*, to become great.
3. גָּבַר *Govar*, to become strong, powerful.

1. Deut. xxv. 3.

EXCEEDED.

2. 1 Sam. xx. 41. | 3. Job xxxvi. 9.
2. 1 Kings x. 23.

EXCEEDETH.

1. 1 Kings x. 7.

EXCEEDING -LY.

מְאֹד *Mĕoud*, exceedingly, mightily, in all passages.

EXCEL.

1. יָתַר *Yothar*, to surpass.
2. נָצַח *Netsakh*, to prosper.
3. גִּבֹּרֵי־כֹחַ *Gibbourai-kouakh*, mighty in strength.
4. רָבַב *Rovav*, to increase, multiply.
5. עָלִית *Oleeth*, wentest above, excellest.

1. Gen. xlix. 4.   Isa. x. 10, not in
2. 1 Chron. xv. 21.   original.
3. Psalm ciii. 20.

EXCELLED.

4. 1 Kings iv. 30.

EXCELLEST.

5. Prov. xxxi. 29.

EXCELLETH.

1. Eccles. ii. 13.

EXCELLENCY.

נָאוֹן *Gōoun*, } excellency, surpassing,
יֶתֶר *Yether*, } in all passages.

EXCELLENT.

1. נָאוֹן *Gōoun*, excellent.
2. כָּבוֹד *Kovoud*, honour, glory.
3. שַׂגִּיא *Saggee*, abundant.
4. אַדִּיר *Adeer*, splendid, valiant.
5. יָקָר *Yokor*, worthy, precious.
6. רֹאשׁ *Roush*, head, chief.
7. נִשְׂגָּב *Nisgov*, exalted.
8. גָּדוֹל *Godoul*, great, magnificent.
9. נְגִידִים *Nĕgeedeem*, leaders, principals.
10. יֶתֶר *Yether*, surpassing.
11. קַר *Kar*, cool, cold.
12. שָׁלִישִׁים *Sholeesheem*, principal things.
13. בָּחוּר *Bokhoor*, chosen.
14. בַּעֲדִי *Baădee*, about to ornament.
15. מֶלֶה מַלְכָּא *Melekh malko* (Syr.), king of kings.
16. גֵּאוּת *Gaiooth*, excellent, majestic.

2. Esth. i. 4.	11. Prov. xvii. 27.
3. Job xxxvii. 23.	12. —— xxii. 20.
4. Psalm viii. 1, 9.	13. Cant. v. 15.
4. —— xvi. 3.	1. Isa. iv. 2.
5. —— xxxvi. 7.	16. — xii. 5.
4. —— lxxvi. 4.	8. —— xxviii. 29.
6. —— cxli. 5.	14. Ezek. xvi. 7.
7. —— cxlviii. 13.	10. Dan. ii. 31.
8. —— cl. 2.	15. —— iv. 36.
9. Prov. viii. 6.	10. —— v. 12, 14.
10. —— xii. 26.	10. —— vi. 3.
10. —— xvii. 7.	

EXCEPT.

1. כִּי־אִם *Kee-im*, except, but, if.
2. לוּלֵי or לוּלֵא *Loolai*, were it not.
3. כִּי *Kee*, for, but.
4. רַק *Rak*, but, unless.
5. אִם־לֹא *Im-lou*, if not.
6. לְבַד *Lĕvad*, only.
7. לָהֵן *Lohain* (Chaldee), besides.
8. בִּלְתִּי *Biltee*, without.

2. Gen. xxxi. 42.
1. —— xxxii. 26.
1. —— xlii. 15.
8. —— xliii. 3, 5.
2. —— 10.
4. —— xlvii. 26.
3. Numb. xvi. 13.
3. Deut. xxxii. 30.
5. Josh. vii. 12.
2. 1 Sam. xxv. 34.
3. 2 Sam. iii. 9.
1. —— 13.

1. 2 Sam. v. 6.
1. 2 Kings iv. 24.
1. Esth. ii. 14.
6. —— iv. 11.
9. Psalm cxxvii. 1.
5. Prov. iv. 16.
2. Isa. i. 9.
7. Dan. ii. 11.
7. —— iii. 28.
7. —— vi. 5.
8. Amos iii. 3.

EXCHANGE.

תְּמוּרָה Temooroh, an exchange.

Lev. xxvii. 10. | Job xxviii. 17.

EXCHANGE, Verb.

מוּר Moor, to exchange.

Lev. xxvii. 10. | Ezek. xlviii. 14.

EXECRATION.

אָלָה Oloh, to denounce, execrate.

Jer. xlii. 18. | Jer. xliv. 12.

EXECUTE -ED -EDST -EST -ETH -ING.

עָשָׂה Osoh, to do, make, exercise, perform, in all passages.

EXECUTION.

לְהֵעָשׂוֹת Lehaiosouth, to be performed.

Esth. ix. 1.

EXEMPTED.

נָקִי Nokee, clear, clean, free.

1 Kings xv. 22.

EXERCISE.

1. עָשָׂה Osoh, to do, perform, make, exercise.
2. הָלַךְ Holakh, to walk, proceed.
3. עִנָּה Innoh, to afflict.
4. גָּזַל Gozal, to rob.

2. Psalm cxxxi. 1. | 1. Jer. ix. 24.

EXERCISED.

3. Eccles. i. 13. | 4. Ezek. xxii. 29.

EXILE.

1. גֹּלֶה Gouleh, a captive.
2. צֹעֶה Tsoueh, fatigue from wandering about.*

1. 2 Sam. xv. 19. | 2. Isa. li. 14.

EXPECTATION.

1. תִּקְוָה Tikvoh, hope, expectation.
2. מַבָּט Mabbot, immediate prospect, anxious desire.

1. Psalm ix. 18.
1. —— lxii. 5.
1. Prov. x. 28.
1. —— xi. 7, 23.

1. Prov. xxiii. 18.
1. —— xxiv. 14.
2. Isa. xx. 5, 6.
2. Zech. ix. 5.

EXPECTED.

אַחֲרִית וְתִקְוָה Akhăreeth vethikvoh, a latter end and expectation.

Jer. xxix. 11.

EXPEL.

1. נָדַף Nodaph, to put to flight.
2. גָּרַשׁ Gorash, to drive out.
3. יָרַשׁ Yorash, (Hiph.) to cause to possess.
4. נָדַח Nodakh, to expel, push out.

1. Josh. xxiii 5. | 2. Judg. xi. 7.

EXPELLED.

3. Josh. xiii. 13.
3. Judg. i. 20.

4. 2 Sam. xiv. 14.

EXPENSES.

נִפְקְתָה Niphkĕthoh (Chaldee), expenses, outgoings.

Ezra vi. 4, 8.

EXPERIENCE.

1. נָחַשׁ Nikhaish, to perceive.
2. רָאָה Rōoh, to see.

1. Gen. xxx. 27. | 2. Eccles. i. 16.

EXPERT.

1. עָרַךְ Orakh, to prepare for.
2. מְלֻמָּד Mĕlumod, being taught.
3. מַשְׂכִּיל Maskeel, skilful.

1. 1 Chron. xii. 33, 35.
2. Cant. iii. 8.

3. Jer. L. 9.

EXPIRED.

1. מָלֵא Molai, full, fulfilled.
2. שׁוּב Shoov, to turn again.
3. כָּלָה Koloh, to finish.

1. 1 Sam. xviii. 26.
2. 2 Sam. xi. 1.
1. 1 Chron. xvii. 11.
2. —— xx. 1.

2. 2 Chron. xxxvi. 10.
1. Esth. i. 5.
3. Ezek. xliii. 27.

EXPLOITS.
Not used in Hebrew.

EXPOUND -ED.
נָגַד *Nogad*, to declare.
Judg. xiv. 14, 19.

EXPRESS -ED.
קָבַב *Nokav*, to express, in all passages.

EXPRESSLY.
1. אָמֹר־אָמַר *Omour-Oumar*, saying to say.
2. הָיֹה־הָיָה *Hoyouh-Hoyoh*, to be to be.

1. 1 Sam. xx. 21. | 2. Ezek. i. 3.

EXTEND.
1. מָשַׁךְ *Moshakh*, to draw out, prolong.
2. נָטָה *Notoh*, to stretch out, incline.

1. Psalm cix. 12. | 2. Isa. lxvi. 12.

EXTENDED.
2. Ezra vii. 28.

EXTINCT.
1. זָעַךְ *Zoakh*,
2. דָּעַךְ *Doakh*, } to extinguish.

1. Job xvii. 1. | 2. Isa. xliii. 17.

EXTOL -LED.
רוּם *Room*, to lift up, extol, exalt; in all passages, except:
סָלַל *Solal*, to raise up.
Psalm lxviii. 4.

EXTORTION.
עֹשֶׁק *Oshek*, oppression.
Ezek. xxii. 12.

EXTORTIONER.
1. נוֹשֶׁה *Nousheh*, a money-lender.
2. מֵץ *Maits*, an oppressor.

1. Psalm cix. 11. | 2. Isa. xvi. 4.

EXTREME.
חַרְחֻר *Kharkhur*, extreme heat.
Deut. xxviii. 22.

EXTREMITY.
פֵּשׁ *Pash*, spreading wide, extension.
Job xxxv. 15.

EYE.
עַיִן *Ayin*, an eye, in all passages.

EYES.
עֵינַיִם *Ainayim*, eyes, in all passages.

EYEBROWS.
גַּבֹּת־עֵינַיִם *Gabbouth-ainayim*, eyebrows.
Lev. xiv. 9.

EYELIDS.
עַפְעַפֵּי *Aphapai*, eyelids, in all passages.

EYESIGHT.
לְנֶגֶד עֵינָיו *Leneged ainov*, before his eyes.

2 Sam. xxii. 25. | Psalm xviii. 24.

EYED.
עֹוֵן *Ouvain*, watching for evil.
1 Sam. xviii. 9.

Note :—The *Keree* in the margin is
עָוִין *Aveen*, eyeing.

EYED, tender.
עֵינַיִם רַכֹּות *Ainayim rakouth*, tender eyed.
Gen. xxix. 27.

F

FACE -S.
אַף *Aph*,
אַפַּיִם *Appay:im*, } in all passages.
פָּנִים *Poneem*,
Except:
עַיִן *Ayin*, an eye.
Exod. x. 5, 15.

FADE -ETH -ING.
נָבֵל *Noval*, to fade, in all passages.

FAIL, Subst.

Not used in the original, except :

לָא־יְשַׁלוּ *Lo-sholoo* (Chaldee), they shall not fail, neglect.

Ezra vi. 9.

FAIL, Verb.

1. אָפֵס *Ophais*, without, except.
2. כָּלָה *Koloh*, to consume, finish.
3. רָפָה *Rophoh*, to slacken, weaken.
4. נָפַל *Nophal*, to fall.
5. כָּרַת *Korath*, to cut off.
6. חָסֵר *Khosar*, to want.
7. שְׁלָה *Sholoh* (Chaldee), to fail.
8. עָבַר *Ovar*, to pass by, over.
9. אָזַל *Ozal*, to run hastily.
10. פָּסַס *Posas*, to diminish.
11. פּוּר *Poor*, to destroy, break down, cast away.
12. בָּקַק *Bokak*, to fail.
13. נָשַׁת *Noshath*, to exhaust.
14. נֶעְדָּר *Neĕdor*, to be infallible.
15. דָּלָה *Doloh*, to draw out, exhaust.
16. כָּהָה *Kohoh*, to dim.
17. עָטַף *Otaph*, to faint, overwhelm.
18. כָּזַב *Kozav*, to deny.
19. לֹא־נֶאֱמָנוּ *Lou-neĕmonoo*, faithless, untrue.
20. שָׁבַת *Shovath*, to cease.
21. כָּחַשׁ *Kikhaish*, to deny, contradict, denounce.
22. יָצָא *Yotso*, to go out.
23. תָּמַם *Tomam*, to end, complete.
24. חָדַל *Khodal*, to spare.
25. נָעַל *Gōāl*, to abhor, shun.
26. כָּשַׁל *Koshal*, to hurt, injure.
27. עָזַב *Ozav*, to forsake, leave.
28. אַיִן *Ain*, none.
29. אָבַד *Ovad*, to lose.
30. גָּמַר *Gomar*, to complete, conclude.
31. שָׁקַר *Shokar*, to lie.

1. Gen. xlvii. 16.	5. 2 Sam. iii. 29.
2. Deut. xxviii. 32.	5. 1 Kings ii. 4.
3. —— xxxi. 6, 8.	5. —— viii. 25.
3. Josh. i. 5.	5. —— ix. 5.
1 Sam. ii. 16, not in original.	6. —— xvii. 14, 16.
	3. 1 Chron. xxviii. 20.
4. —— xvii. 32.	5. 2 Chron. vi. 16.
—— xx. 5, not in original.	7. Ezra iv. 22.
	4. Esth. vi. 10.

8. Esth. ix. 27, 28.	6. Isa. xxxii. 6.
2. Job xi. 20.	2. —— 10.
9. — xiv. 11.	14. — xxxiv. 16.
2. — xvii. 5.	15. — xxxviii. 14.
2. — xxxi. 16.	16. — xlii. 4.
10. Psalm xii. 1.	6. — li. 14.
2. —— lxix. 3.	17. — lvii. 16.
30. —— lxxvii. 8.	18. — lviii. 11.
31. —— lxxxix. 33.	2. Jer. xiv. 6.
2. —— cxix. 82, 123.	19. — xv. 18.
2. Prov. xxii. 8.	20. — xlviii. 33.
11. Eccles. xii. 5.	2. Lam. ii. 11.
12. Isa. xix. 3.	2. —— iii. 22.
13. —— 5.	21. Hos. ix. 2.
2. — xxi. 16.	20. Amos viii. 4.
4. — xxxi. 3.	21. Hab. iii. 17.

FAILED.

22. Gen. xlii. 28.	24. Job xix. 14.
22. —— xlvii. 15.	17. Psalm cxlii. 4.
23. Josh. iii. 16.	22. Cant. v. 6.
4. —— xxi. 45.	24. Jer. li. 30.
4. —— xxiii. 14.	2. Lam. iv. 17.
4. 1 Kings viii. 56.	

FAILETH.

1. Gen. xlvii. 15.	6. Eccles. x. 3.
25. Job xxi. 10.	2. Isa. xv. 6.
26. Psalm xxxi. 10.	14. — xl. 26.
27. —— xxxviii. 10.	13. — xli. 17.
27. —— xl. 12.	28. — xliv. 12.
2. —— lxxi. 9.	14. — lix. 15.
2. —— lxxiii. 26.	29. Ezek. xii. 22.
24. —— cix. 24.	14. Zeph. iii. 5.
2. —— cxliii. 7.	

FAILING.

2. Deut. xxviii. 65.

FAIN.

בָּרַח *Borakh*, to run, flee.

Job xxvii. 22, verb repeated.

FAINT.

1. עָיֵף *Oyaiph*, faint, tired.
2. פַּגֵּר *Piggair*, lifeless.
3. דַּוָּי *Davoi*, painful.
4. רָפָה *Rophoh*, to slacken.

1. Gen. xxv. 29.	4. Isa. xiii. 7.
1. Deut. xxv. 18.	4. — xxix. 8.
1. Judg. viii. 4, 5.	4. — xl. 29.
1. 1 Sam. xiv. 28, 31.	4. — xliv. 12.
2. —— xxx. 10, 21.	3. Jer. viii. 18.
2. 2 Sam. xvi. 2.	3. Lam. i. 22.
2. —— xxi. 15.	3. — v. 7.
3. Isa. i. 5.	

FAINT, Verb.

1. רַךְ *Rakh*, to be soft, delicate, tender.
2. נָמֵג *Nomag*, to waste away.
3. יָעַף *Yoaph*, to be fatigued, tired.

4. כָּהָה *Kohoh*, to dim.
5. רָפָה *Rophoh*, to slacken, weaken.
6. דָּכָה *Dokhoh*, to bruise.
7. פּוּג *Poog*, to palpitate, flutter.
8. תָּלָה *Toloh*, to hang in doubt, waver.
9. עָטַף *Otaph*, to overwhelm.
10. עָלַף *Olaph*, to faint.
11. יָגַע *Yoga*, to tire, weary.
12. הָיָה *Hoyoh*, (Niph.) to be done, finished, wearied.
13. כָּלָה *Koloh*, to consume, finish.

1. Deut. xx. 3, 8.	1. Jer. li. 46.
2. Josh. ii. 9, 24.	6. Lam. i. 13.
5. Prov. xxiv. 10.	4. Ezek. xxi. 7, 15.
3. Isa. xl. 30, 31.	10. Amos viii. 13.

FAINTED.

7. Gen. xlv. 26.	10. Ezek. xxxi. 15.
8. —— xlvii. 13.	12. Dan. viii. 27.
9. Psalm cvii. 5.	9. Jonah ii. 7.
10. Isa. li. 20.	10. —— iv. 8.
11. Jer. xlv. 3.	

FAINTEST.
8. Job iv. 5.

FAINTETH.

13. Psalm lxxxiv. 2.	13. Isa. x. 18.
13. —— cxix. 81.	3. — xl. 28.

FAINTHEARTED.
1. רַךְ־לֵבָב *Rakh-levav*, tender-hearted.
2. נָמֵג *Nomag*, to waste away.

1. Deut. xx. 8.	2. Jer. xlix. 23.
1. Isa. vii. 4.	

FAINTNESS.
מֹרֶךְ *Mourekh*, softness.
Lev. xxvi. 36.

FAIR.
1. יָפָה *Yophoh*, beautiful.
2. טוֹב *Touv*, good.
3. טוֹבָה *Touvoh*, good (fem.).

N.B.—The comparative in Hebrew is designated by a prefixed מ to the Substantive following.

All passages not inserted are Nº. 1.
3. Gen. vi. 2.

FAIRER.

3. Judg. xv. 2.	2. Dan. i. 15.

FAIREST.

1. Cant. i. 8.	1. Cant. vi. 1.
1. —— v. 9.	

FAIRS.
עִזָּבוֹן *Izvoun*, markets.
Ezek. xxvii. 12, 14, 16, 19, 22, 27.

FAITH.
אֵמֻן *Aimun*, faith, belief, truth.
Deut. xxxii. 20.

FAITHFUL.
נֶאֱמָן *Nĕĕmon*, faithful, in all passages.

FAITHFULLY.
אֱמוּנָה *Emoonoh*, faithfully ; in all passages, except :·
אֱמֶת *Emeth*, truth.

Prov. xxix. 14.	Jer. xxiii. 28.

FAITHFULNESS.
אֱמוּנָה *Emoonoh*, in all passages, except :
נְכוֹנָה *Nekhounoh*, rectitude, stedfastness.
Psalm v. 9.

FALL, Subst.
מַפָּלָה *Mappoloh*, a fall ; in all passages, except :
1. כִּשָּׁלוֹן *Kisholoun*, disaster, hurt.
2. נֶפֶל *Nephel*, a fall.

1. Prov. xvi. 18.	2. Jer. xlix. 21.

FALL.
1. נָפַל *Nophal*, to fall.
2. יָרַד *Yorad*, to descend, come down.
3. שָׁחָה *Shokhoh*, (Hiph.) to incline, bow down.
4. נָבֵל *Noval*, to wither, decay.
5. סָגַד *Sogad* (Syriac), to worship, prostrate.
6. מָרַט *Morat*, to pluck out.
7. מָטֹה־יָד *Motoh-yod*, to stretch out the hand.

8.   כָּשַׁל *Koshal*, to stumble, hurt.
9.   בָּאָה *Bōōh*, to come.
10. קָרָא *Koro*, to call, meet.
11. יָצָא *Yotso*, to go forth.
12. מוֹט *Moot*, to totter.
13. דְּחִי *Dekhee*, being urged, driven on.
14. נָטַשׁ *Notash*, to let loose.
15. פָּגַע *Poga*, to meet, come to.
16. שָׁלַל *Sholal*, to cast off, strip.
17. חוּל *Khool*, to be in pain, anguish.
18. לָבַט *Lovat*, to stumble.
19.   נָגַר *Nogar*, (Hiph.) to cause to pour out.
20. רָגַז *Rogaz*, to tremble with passion, enrage.

All passages not inserted are Nº. 1.

14. Numb. xi. 31.	19. Psalm lxiii. 10.
15. Judg. viii. 21.	18. Prov. x. 8, 10.
16. Ruth ii. 16.	17. Jer. xxiii. 19.
15. 1 Sam. xxii. 18.	17. — xxx. 23.
15. 1 Kings ii. 31.	18. Hos. iv. 14.

FALL down.

1. Deut. xxii. 4.	5. Isa. xliv. 19.
1. Josh. vi. 5.	3. — xlv. 14.
2. 1 Sam. xxi. 13.	5. — xlvi. 6.
3. Psalm lxxii. 11.	1. Ezek. xxx. 25.
1. Isa. xxxi. 3.	1. Dan. iii. 5, 10, 15.
4. — xxxiv. 4.	1. — xi. 26.

FALL out.
20. Gen. xlv. 24.

FALLEN.

All passages not inserted are Nº. 1.

6. Lev. xiii. 40, 41.	8. Isa. lix. 14.
7. — xxv. 35.	8. Hos. xiv. 1.
9. Numb. xxxii. 19.	

FALLEST.
1. Jer. xxxvii. 13.

FALLETH.

All passages not inserted are Nº. 1.

11. Numb. xxxiii. 54.	4. Isa. xxxiv. 4.

FALLETH down.
5. Isa. xliv. 15, 17.

FALLETH out.
10. Exod. i. 10.

FALLING.

1. Numb. xxiv. 4, 16.	13. Psalm cxvi. 8.
8. Job iv. 4.	12. Prov. xxv. 26.
1. — xiv. 18.	4. Isa. xxxiv. 4.
13. Psalm lvi. 13.	

FALLOW.

נִיר *Neer*, fallow.

Jer. iv. 3.	Hos. x. 12.

FALSE.

1. שָׁוְא *Shov*, false, vain.
2. שֶׁקֶר *Sheker*, a falsehood, lie.
3. חָמָס *Khomos*, violence.
4. כָּזָב *Kozov*, a lie.
5. רְמִיָּה *Remiyoh*, מִרְמָה *Mirmoh*, deceit.
6. אָוֶן *Oven*, iniquity.

2. Exod. xx. 16.	2. Prov. xiv. 5.
1. — xxiii. 1.	6. — xvii. 4.
2. — 7.	2. — xix. 5, 9.
1. Deut. v. 20.	5. — xx. 23.
3. — xix. 16.	4. — xxi. 28.
2. — 18.	2. — xxv. 14, 18.
2. 2 Kings ix. 12.	2. Jer. xiv. 14.
2. Job xxxvi. 4.	2. — xxiii. 32.
2. Psalm xxvii. 12.	2. — xxxvii. 14.
3. — xxxv. 11.	1. Lam. ii. 14.
2. — cxix. 104, 128.	1. Ezek. xxi. 23.
5. — cxx. 3.	2. Zech. viii. 17.
2. Prov. vi. 19.	1. — x. 2.
5. — xi. 1.	2. Mal. iii. 5.
2. — xii. 17.	

FALSEHOOD.

שֶׁקֶר *Sheker*, a falsehood, lie; in all passages, except:

מַעַל *Moal*, an evil act.
Job xxi. 34.

FALSELY.

שֶׁקֶר *Sheker*, falsely, in all passages.

FALSIFYING.

עַוָּה *Ivvoh*, to pervert, straiten.
Amos viii. 5.

FAME.

1. שֵׁמַע *Shema*, a report.
2. קוֹל *Koul*, a voice.
3. שֵׁם *Shaim*, a name.

2. Gen. xlv. 16.	3. 1 Chron. xxii. 5.
1. Numb. xiv. 15.	1. 2 Chron. ix. 1, 6.
1. Josh. vi. 27.	1. Esth. ix. 4.
1. — ix. 9.	1. Job xxviii. 22.
3. 1 Kings iv. 31.	1. Isa. lxvi. 19.
1. — x. 1, 7.	1. Jer. vi. 24.
3. 1 Chron. xiv. 17.	3. Zeph. iii. 19.

FAMILIAR.

1. מְיֻדָּע   *Měyuda*, well known.
2. שְׁלֹמִי   *Shěloumee*, my peace.

1. Job xix. 14. | 2. Psalm xli. 9.

FAMILIAR, spirit.

אוֹב   *Ouv*, a desirer, one who has a familiar spirit, necromancer.

FAMILIARS.

אֱנוֹשׁ שְׁלֹמִי   *Enoush shěloumee*, the man of my peace.

Jer. xx. 10.

FAMILY.

מִשְׁפָּחָה   *Mishpokhoh*, a family, in all passages.

FAMILIES.

מִשְׁפָּחוֹת   *Mishpokhouth*, families, in all passages.

FAMINE.

רָעָב   *Rŏŏv*, hunger, famine, in all passages.

FAMISH -ED.

רָעָב   *Roav*, to hunger; in all passages, except:

רָזָה   *Rozoh*, to impoverish, make lean.

Zeph. ii. 11.

FAMOUS.

1. קְרִאֵי מוֹעֵד   *Kěriai mouaid*, the called to the assembly.
2. קְרָא שֵׁם   *Kěro shaim*, called by name.
3. קָרָא   *Koro*, to call.
4. אַנְשֵׁי שֵׁם   *Anshai shaim*, men of renown, name.
5. יוֹדַע   *Yevoda*, being known.
6. אַדִּירִים   *Adeereem* (plural), noble, mighty.
7. שֵׁם   *Shaim*, a name.

1. Numb. xvi. 2.	4. 1 Chron. xii. 30.
1. —— xxvi. 9.	5. Psalm lxxiv. 5.
2. Ruth iv. 11.	6. —— cxxxvi. 18.
3. —— 14.	7. Ezek. xxiii. 10.
4. 1 Chron. v. 24.	6. —— xxxii. 18.

FAN, Subst.

מִזְרֶה   *Mizreh*, a wooden shovel used for corn, a fan.

Isa. xxx. 24. | Jer. xv. 7.

FAN, Verb.

זָרָה   *Zoroh*, to scatter, winnow corn, spread abroad.

Isa. xli. 16.	Jer. xv. 7.
Jer. iv. 11.	— li. 2.

FAR, FAR off.

The adjective and adverb are derived from—

רָחַק   *Rokhak*, to be distant, far off; in all passages, except:

מִנֶּגֶד   *Minneged*, opposite.

Numb. ii. 2.

FARTHER.

Eccles. viii. 17, not in original.

FARE, Verb.

תִּפְקֹד לְשָׁלוֹם   *Tiphkoud lěsholoum*, thou shalt commend to peace.

1 Sam. xvii. 18.

FARE, Subst.

שָׂכָר   *Sokhor*, reward, hire, wages.

Jonah i. 3.

FASHION, Subst.

1. מִשְׁפָּט   *Mishpot*, judgment, law, manner, order.
2. דְּמוּת   *Děmooth*, a likeness.
3. תְּכוּנָה   *Tekhoonoh*, an erection.

1. Exod. xxvi. 30.	1. 1 Kings vi. 38.
—— xxxvii. 19, not in original.	2. 2 Kings xvi. 10.
	3. Ezek. xliii. 11.

FASHIONS.

כְּמִשְׁפָּטָם   *Kěmishpotom*, according to their law, order, judgment, manner.

Ezek. xlii. 11.

FASHION, Verb.

1. יָצַר   *Yotsar*, to form.
2. עָשָׂה   *Osoh*, to make.
3. כּוּן   *Koon*, to found, erect.

3. Job xxxi. 15.

FASHIONED.

1. Exod. xxxii. 4.	1. Psalm cxxxix. 16.
2. Job x. 8.	1. Isa. xxii. 11.
3. Psalm cxix. 73.	3. Ezek. xvi. 7.

FASHIONETH.

1. Psalm xxxiii. 15.	1. Isa. xlv. 9.
1. Isa. xliv. 12.	

FAST, Adverb.

1. עָצַר   *Otsar*, repeated, restrained.
2. רָדַם   *Rodam*, to be fast asleep.
3. אָסַר   *Osar*, to prohibit, bind.
4. כּוּן   *Koon*, to establish, found.
5. חָזַק   *Khozak*, (Hiph.) to strengthen, lay hold.
6. אָסְפַּרְנָא   *Osparnō* (Chaldee), carefully, exactly, diligently.

1. Gen. xx. 18.	Psalm xxxiii. 9, not in
2. Judg. iv. 21.	original.
3. —— xv. 13, repeated.	4. —— lxv. 6.
3. —— xvi. 11, re-	5. Prov. iv. 13.
peated.	Jer. xlviii. 16, not in
Ruth ii. 8, 21, not in	original.
original.	5. — L. 33.
6. Ezra v. 8.	2. Jonah i. 5.
Job xxxviii. 38, not in	
original.	

FAST, abstinence.

צוֹם   *Tsoum*, a fast, in all passages.

FASTINGS.

צוֹמוֹת   *Tsoumouth*, fastings, in all passages.

FAST -ED -ING.

צוּם   *Tsoom*, to fast, in all passages.

FASTEN.

1. חָזַק   *Khosak*, to fasten, strengthen.
2. נָתַן   *Nothan*, to give, set, place.
3. תָּקַע   *Toka*, to drive in, thrust.
4. צָמַד   *Tsomad*, to fasten together, couple.
5. אָחַז   *Okhaz*, to clasp, seize.
6. טָבַע   *Tova*, to sink.
7. נָטַע   *Nota*, to plant.
8. כּוּן   *Koon*, to erect.

2. Exod. xxviii. 14, 25.	3. Isa. xxii. 23.
2. —— xxxix. 31.	1. Jer. x. 4.

FASTENED.

2. Exod. xxxix. 18.	2 Chron. ix. 18, not in
2. —— xl. 18.	original.
3. Judg. iv. 21.	5. Esth. i. 6.
3. —— xvi. 14.	6. Job xxxviii. 6.
3. 1 Sam. xxxi. 10.	7. Eccles. xii. 11.
4. 2 Sam. xx. 8.	3. Isa. xxii. 25.
2. 1 Kings vi. 6.	1. — xli. 7.
3. 1 Chron. x. 10.	8. Ezek. xl. 43.

FAT, Adj.

1. בְּרִיא   *Beree*, fresh, lively.
2. דָּשֵׁן   *Doshain*, fat, fertile land.
3. טָפַשׁ   *Tophash*, greasy.
4. מוֹחַ   *Mouakh*, marrow.
5. מְרִיא   *Meree*, a fatling.
6. רָבַק   *Rovak*, stalled.
7. שֶׁמֶן   *Shemen*, oil.
8. מַשְׁקֶה   *Mashkeh*, a moist, fertile place.
9. יְקָר   *Yokor*, preciousness.
10. חָלַץ   *Kholats*, (Hiph.) to cause to increase.

1. Gen. xli. 2, 4, 20.	2. Prov. xv. 30.
7. —— xlix. 20.	2. —— xxviii. 25.
7. Numb. xiii. 20.	4. Isa. v. 17.
2. Deut. xxxi. 20.	7. — vi. 10.
7. —— xxxii. 15.	7. — x. 16.
1. Judg. iii. 17.	7. — xxv. 6.
1. 1 Sam. ii. 29.	7. — xxviii. 1, 4.
6. —— xxviii. 24.	2. — xxx. 23.
5. 1 Kings i. 9, 19, 25.	2. — xxxiv. 6, 7.
1. —— iv. 23.	10. — lviii. 11.
7. 1 Chron. iv. 40.	7. Jer. v. 28.
7. Neh. ix. 25, 35.	3. — L. 11.
2. Psalm xxii. 29.	7. Ezek. xxxiv. 14, 16.
9. —— xxxvii. 20.	1. —————— 20.
2. —— xcii. 14.	8. —— xlv. 15.
3. —— cxix. 70.	5. Amos v. 22.
2. Prov. xi. 25.	7. Hab. i. 16.
2. —— xiii. 4.	

FATTER.

1. Dan. i. 15.

FAT, Subst.

חֵלֶב   *Khailev*, fat; in all passages, except:

1. פֶּדֶר   *Poder*, grease.
2. פִּימָה   *Peemoh*, gross, fat.

1. Lev. i. 8, 12.	2. Job xv. 27.
1. —— viii. 20.	

FATHER.

אָב   *Av*, father, in all passages.

FATHERS.

אָבוֹת *Ovouth*, fathers, in all passages.

FATHER-in-law.

חֹתֵן *Khouthain*,⎫ father-in-law, in all
חָמִי *Khomee*, ⎬ passages.

FATHERLESS.

יָתוֹם *Yothoum*, an orphan, in all passages.

FATLING.

מְרִיא *Měree*, a fatling, well-fed.
Isa. xi. 6.

FATLINGS.

1. מִשְׁנִים *Mishneem*, second fatlings.
2. מֵחִים *Maikheem*, marrowed, full of marrow.
3. מְרִיאִים *Měreeeem*, well-fed, fatlings.

1. 1 Sam. xv. 9.	2. Psalm lxvi. 15.
3. 2 Sam. vi. 13.	3. Ezek. xxxix. 18.

FATNESS.

1. שֶׁמֶן *Shomen*, oil, fat, grease.
2. דָּשֵׁן *Doshen*, fat, fatness, met., rich.
3. חֵלֶב *Khailev*, fat.

1. Gen. xxvii. 28, 39.	3. Psalm lxxiii. 7.
2. Judg. ix. 9.	1. —— cix. 24.
3. Job xv. 27.	1. Isa. xvii. 4.
2. — xxxvi. 16.	2. — xxxiv. 6, 7.
2. Psalm xxxvi. 8.	2. — lv. 2.
2. —— lxiii. 5.	2. Jer. xxxi. 14.
2. —— lxv. 11.	

FATS.

יְקָבִים *Yěkoveem*, vaults hewed in a rock.

Joel ii. 24.	Joel iii. 13.

FATTED.

אֲבוּסִים *Avooseem*, cattle fattened in cribs.

1 Kings iv. 23.	Jer. xlvi. 21.

FATTEST.

שָׁמֵן *Shoman*.

Psalm lxxviii. 31.	Dan. xi. 24.

FAULT.

1. חֵטְא *Khait*, sin.
2. רֶשַׁע *Resha*, wickedness.
3. מְאוּמָה *Měoomoh*, anything, the least thing.
4. עָוֹן *Oven*, iniquity.
5. שְׁחִיתָה *Shekheethoh* (Syr.), corruption.

1. Exod. v. 16.	4. 2 Sam. iii. 8.
2. Deut. xxv. 2.	4. Psalm lix. 4.
3. 1 Sam. xxix. 3.	5. Dan. vi. 4, twice.

FAULTS.

1. Gen. xli. 9.

FAULTY.

אָשֵׁם *Oshaim*, to commit a fault.

2 Sam. xiv. 13.	Hos. x. 2.

FAVOUR, Subst.

1. חָנַן *Khonan*, to show favour, to be gracious.
2. רָצָה *Rotsoh*, to be willing.
3. שָׁלוֹם *Sholoum*, peace.
4. חֶסֶד *Khesed*, kindness.
5. טוֹב *Touv*, good.
6. יָטַב *Yotav*, to do good, please.
7. פָּנִים *Poneem*, face.
8. חֵן *Khain*, grace, favour.
9. רָצוֹן *Rotsoun*, acceptance, will.

8. Gen. xviii. 3.	7. Psalm xlv. 12.
8. —— xxx. 27.	9. —— lxxxix. 17.
8. —— xxxix. 21.	9. —— cvi. 4.
8. Exod. iii. 21.	1. —— cxii. 5.
8. —— xi. 3.	7. —— cxix. 58.
8. —— xii. 36.	8. Prov. iii. 4.
8. Numb. xi. 11, 15.	9. —— viii. 35.
8. Deut. xxiv. 1.	9. —— xi. 27.
1. —— xxviii. 50.	9. —— xii. 2.
9. —— xxxiii. 23.	8. —— xiii. 15.
8. Josh. xi. 20.	9. —— xiv. 9, 35.
8. Ruth ii. 13.	9. —— xvi. 15.
5. 1 Sam. ii. 26.	9. —— xviii. 22.
8. —— xvi. 22.	7. —— xix. 6.
8. —— xx. 29.	9. —— 12.
8. —— xxv. 8.	1. —— xxi. 10.
8. 2 Sam. xv. 25.	8. —— xxii. 1.
8. 1 Kings xi. 19.	8. —— xxviii. 23.
6. Neh. ii. 5.	7. —— xxix. 26.
8. Esth. ii. 15.	8. —— xxxi. 30.
4. —— 17.	8. Eccles. ix. 11.
8. —— v. 2, 8.	3. Cant. viii. 10.
8. —— vii. 3.	1. Isa. xxvi. 10.
8. —— viii. 5.	1. — xxvii. 11.
4. Job x. 12.	9. — lx. 10.
9. Psalm v. 12.	8. Jer. xvi. 13.
9. —— xxx. 5, 7.	4. Dan. i. 9.
2. —— xliv. 3.	

FAVOUR, Verb.

1.   חָנַן   *Khonan,* to favour, be gracious.
2.   חָפֵץ   *Khophats,* to delight.

1 Sam. xxix. 6, not in original.	1. Psalm cii. 13, 14.
2. Psalm xxxv. 27.	1. —— cix. 12.

FAVOUREST.

1. Psalm xli. 11.

FAVOURETH.

1. 2 Sam. xx. 11.

Note :—1 Sam. xxix. 6, lit., not good in the eyes of the lords.

FAVOURABLE.

1.   רָצָה   *Rotsoh,* to be willing.
2.   חָנַן   *Khonan,* to favour, be gracious.

2. Judg. xxi. 22.	1. Psalm lxxvii. 7.
1. Job xxxiii. 26.	1. —— lxxxv. 1.

FAVOURED.

1. יְפֵה־מַרְאֶה   *Yĕphaih-mareh,* of beautiful appearance.
2. רַע־מַרְאֶה   *Ră-mareh,* of evil appearance.
3. יְפֵה־תֹּאַר   *Yĕphaih-touar,* of beautiful form.
4. רָעוֹת   *Roouth,* evil, bad ones.
5. חָנַן   *Khonan,* to favour, be gracious.
6. טוֹב־מַרְאֶה   *Touv-mareh,* good appearance.
7. טוֹב־חֵן   *Touv-khain,* good, well-favoured.
8. רַע־תֹּאַר   *Ra-touar,* bad appearance.

1. Gen. xxix. 17.	8. Gen. xli. 19.
1. —— xxxix. 6.	2. —— 21.
1. —— xli. 2.	4. —— 27.
2. —— 3.	5. Lam. iv. 16.
1. —— 4.	6. Dan. i. 4.
3. —— 18.	7. Nah. iii. 4.

FAVOUREDNESS, evil.

דָּבָר־רָע   *Dovor-ro,* an evil thing.

Deut. xvii. 1.

FEAR, Subst.

1. { מוֹרָא   *Mouro,*   } fear.
    { יִרְאָה   *Yeroh,*   }
2. פַּחַד   *Pakhad,* anxiety.
3. אֵימָה   *Aimoh,* dread, terror.
4. מָגוֹר   *Mogour,* a threat.
5. רַעַד   *Rŏăd,* a trembling.

6. חֲרָדָה   *Kharodoh,* a trembling from fear.
7. רֹגֶז   *Rougez,* passion, agitation.
8. רֶטֶט   *Retet,* horror.
9. דְּאָגָה   *Dĕogoh,* sorrow.
10. חָת   *Khoth,* dismay.

1. Gen. ix. 2.	1. Psalm xc. 11.
2. —— xxxi. 42, 53.	1. —— cv. 38.
3. Exod. xv. 16.	1. —— cxix. 38.
3. —— xxiii. 27.	2. Prov. i. 26, 27, 33.
1. Deut. ii. 25.	2. —— iii. 25.
1. —— xi. 25.	4. —— x. 24.
2. 1 Chron. xiv. 17.	3. —— xx. 2.
3. Ezra iii. 3.	6. —— xxix. 25.
1. Neh. vi. 14, 19.	2. Cant. iii. 8.
2. Esth. viii. 17.	1. Isa. vii. 25.
2. —— ix. 2, 3.	1. — viii. 12, 13.
1. Job iv. 6.	7. — xiv. 3.
2. —— 14.	6. — xxi. 4.
1. — vi. 14.	2. — xxiv. 17, 18.
3. — ix. 34.	1. — xxix. 13.
1. — xv. 4.	1. — lxiii. 17.
2. — xxi. 9.	2. Jer. ii. 19.
2. — xxii. 10.	4. — vi. 25.
2. — xxv. 2.	4. — xx. 10.
2. — xxxix. 22.	2. — xxx. 5.
1. Psalm v. 7.	1. — xxxii. 40.
1. —— ix. 20.	2. — xlviii. 43, 44.
2. — xiv. 5.	8. — xlix. 5.
2. —— xxxi. 11.	8. —— 24.
4. —— 13.	4. —— 29.
5. —— xlviii. 6.	2. Lam. iii. 47.
2. —— liii. 5, twice.	1. Ezek. xxx. 13.
2. —— lxiv. 1.	1. Mal. i. 6.

FEAR for.

2. Deut. xxviii. 67.	Jer. xxxv. 11, twice, not in original.
9. Josh. xxii. 24.	
Judg. ix. 21, not in original.	— xxxvii. 11, not in original.
1 Sam. xxi. 10, not in original.	— xli. 9, not in original.
—— xxiii. 26, not in original.	4. — xlvi. 5.
1. Job xxii. 4.	— L. 16.
4. Isa. xxxi. 9.	1. Mal. ii. 5.

FEAR of God.

1. In all passages.

FEAR of the Lord.

1. In all passages.

FEAR with.

1. Psalm ii. 11.

FEAR without.

2. Job xxxix. 16.	10. Job xli. 33.

FEARS.

4. Psalm xxxiv. 4.	4. Isa. lxvi. 4.
1. Eccles. xii. 5.	

FEAR.

1. יָרֵא *Yoro*, to fear.
2. חוּל *Khool*, to be frightened, ill, sorrowful.
3. גוּר *Goor*, to sojourn, be afraid.
4. פָּחַד *Pokhad*, to be anxious.
5. יָגֹר *Yogar*, to live in fear.
6. עָרַץ *Orats*, to dread, strike terror into.
7. שָׂעַר *Soar*, to fear horribly.
8. דְּחַל *Dokhal* (Syriac), to fear.

All passages not inserted are Nº. 1.

4. Deut. xxviii. 66, 67.	6. Isa. xxix. 23.
2. 1 Chron. xvi. 30.	4. — xliv. 8, 11.
6. Job xxxi. 34.	4. — lx. 5.
3. Psalm xxii. 23.	8. Dan. vi. 26.
2. —— xcvi. 9.	4. Hos. iii. 5.
5. —— cxix. 39.	3. —— x. 5.
4. Isa. xix. 16.	

FEARED.

7. Deut. xxxii. 17.	4. Psalm lxxviii. 53.
3. ———— 27.	4. Isa. li. 13.
4. Job iii. 25.	8. Dan. v. 19.

FEAREST.

1. Gen. xxii. 12.	3. Jer. xxii. 25.
1. Isa. lvii. 11.	

FEARETH.

4. Prov. xxviii. 14.

FEARFUL.

1. נוֹרָא *Nouro*, fearful.
2. יָרֵא *Yorai*, fearing.
3. נִמְהָר *Nimhor*, over-rash, hasty.

1. Exod. xv. 11.	2. Judg. vii. 3.
2. Deut. xx. 8.	3. Isa. xxxv. 4.
1. —— xxviii. 58.	

FEARFULNESS.

1. יִרְאָה *Yiroh*, fear.
2. פַּלָּצוּת *Palotsooth*, shaking, quaking with fear.
3. רְעָדָה *Rĕodoh*, trembling with fear.

1. Psalm lv. 5.	3. Isa. xxxiii. 14.
2. Isa. xxi. 4.	

FEARFULLY.

נוֹרָאוֹת *Nouroouth*, fearfully, amazingly.
Psalm cxxxix. 14.

FEAST.

1. חַג *Khog*, a holyday, solemn feast.
2. מִשְׁתֶּה *Mishteh*, a meal, feast.

3. מוֹעֵד *Mouaid*, a day of solemn assembly.
4. לֶחֶם *Lekhem*, bread, food.
5. חָגַג *Khogag*, to solemnize.

2. Gen. xix. 3.	2. 2 Sam. iii. 20.
2. —— xxi. 8.	2. 1 Kings iii. 15.
2. —— xxvi. 30.	1. —— viii. 2, 65.
2. —— xxix. 22.	1. —— xii. 32 (*bis*),
2. —— xl. 20.	33.
5. Exod. v. 1.	1. 2 Chron. v. 3.
1. —— x. 9.	1. —— vii. 8, 9.
1. —— xii. 14.	3. —— xxx. 22.
1. —— xiii. 6.	1. Neh. viii. 14, 18.
5. —— xxiii. 14.	2. Esth. i. 3, 5, 9.
1. ———— 16.	2. —— ii. 18.
1. —— xxxii. 5.	2. —— viii. 17.
1. Lev. xxiii. 39, 41.	2. Prov. xv. 15.
1. Numb. xxviii. 17.	4. Eccles. x. 19.
1. —— xxix. 12.	2. Isa. xxv. 6.
1. Deut. xvi. 14.	1. Ezek. xlv. 23, 25.
2. Judg. xiv. 10, 12, 17.	4. Dan. v. 1.
2. 1 Sam. xxv. 36, *bis*.	

FEAST -day -s.

1. Hos. ii. 11.	1. Amos v. 21.
1. —— ix. 5.	

FEAST of Passover.

1. Exod. xxxiv. 25.

FEAST, solemn.

3. Deut. xvi. 15.	3. Lam. ii. 7.
3. Psalm lxxxi. 3.	

FEASTS.

1. חַגִּים *Khaggeem*, holydays, solemn feasts.
2. מוֹעֲדִים *Mouadeem*, solemn assemblies.
3. מִשְׁתֶּה *Mishteh*, a meal, feast.
4. מָעוֹג *Mooug*, mockery.

2. Lev. xxiii. 2, 4, 37, 44.	1. Ezek. xlv. 17.
4. Psalm xxxv. 16.	1. —— xlvi. 11.
3. Isa. v. 12.	1. Amos viii. 10.
3. Jer. li. 39.	2. Zech. viii. 19.

FEASTS, appointed.

2. Isa. i. 14.

FEASTS, set.

2. Numb. xxix. 39.	2. Ezra iii. 5.
2. 1 Chron. xxiii. 31.	2. Neh. x. 33.
2. 2 Chron. xxxi. 3.	

FEASTS, solemn.

3. Numb. xv. 3.	3. Ezek. xlvi. 9.
3. 2 Chron. ii. 4.	3. Hos. ii. 11.
3. ———— viii. 13.	3. —— xii. 9.
3. Lam. i. 4.	1. Nah. i. 15.
3. —— ii. 6.	1. Mal. ii. 3.
3. Ezek. xxxvi. 38.	

FEAST of Tabernacles.

1. Lev. xxiii. 34.	1. 2 Chron. viii. 13.
1. Deut. xvi. 13, 16.	1. Ezra iii. 4.
1. —— xxxi. 10.	1. Zech. xiv. 16, 18, 19.

FEAST, bread unleavened.

1. Exod. xii. 17.	1. 2 Chron. viii. 13.
1. —— xxiii. 15.	1. —— xxx. 13, 21.
1. —— xxxiv. 18.	1. —— xxxv. 17.
1. Lev. xxiii. 6.	1. Ezra vi. 22.
1. Deut. xvi. 16.	1. Ezek. xlv. 21.

FEAST of Weeks.

1. Exod. xxxiv. 22.	1. 2 Chron. viii. 13.
1. Deut. xvi. 10, 16.	

FEASTED.

מִשְׁתֶּה   *Mishteh*, a feast.
Job i. 4.

FEASTING.

מִשְׁתֶּה   *Mishteh*, a feast.

Esth. ix. 17, 18, 22.	Eccles. vii. 2.
Job i. 5.	Jer. xvi. 8.

FEATHERED.

כָּנָף   *Konoph*, winged.
Ezek. xxxix. 17.

FEATHERS.

1.   נוֹצָה   *Noutsoh*, feathers.
2.   אֶבְרוֹת   *Evrouth*, pinions.

1. Lev. i. 16.	2. Psalm xci. 4.
1. Job xxxix. 13.	1. Ezek. xvii. 3, 7.
2. Psalm lxviii. 13.	1. Dan. iv. 33.

FEEBLE.

1.   נֶחֱשָׁל   *Nekheshol*, being feeble.
2.   אֻמְלָל   *Umlol*, languid.
3.   עָטַף   *Otaph*, (Hiph.) to overwhelm.
4.   רָפָה   *Rophoh*, to slacken.
5. { כּוֹשֵׁל   *Koushail*, } failing, hurt.
   { נִכְשָׁל   *Nikhshol*, }
6.   כּוֹרְעוֹת   *Kourouth*, kneeling, bending.
7.   נָפוּג   *Nophoog*, relaxed.
8.   לֹא עָצוּם   *Lou otsoom*, not strong.
9.   לֹא כַּבִּיר   *Lou-kabeer*, not abounding.

3. Gen. xxx. 42.	8. Prov. xxx. 26.
1. Deut. xxv. 18.	9. Isa. xvi. 14.
2. 1 Sam. ii. 5.	5. — xxxv. 3.
4. 2 Sam. iv. 1.	4. Jer. vi. 24.
5. 2 Chron. xxviii. 15.	4. — xlix. 24.
2. Neh. iv. 2.	4. — L. 43.
6. Job iv. 4.	4. Ezek. vii. 17.
7. Psalm xxxviii. 8.	4. —— xxi. 7.
5. —— cv. 37.	5. Zech. xii. 8.

FEEBLER.

עֲטוּפִים   *Atoopheem*, overwhelmed.
Gen. xxx. 42.

FEEBLENESS.

רִפְיוֹן   *Riphyoun*, slackness.
Jer. xlvii. 3.

FEED.

1.   רָעָה   *Roōh*, to feed.
2.   בָּעַר   *Biair*, to clear away.
3.   כַּלְכֵּל   *Kalkail*, to sustain.
4.   מָתַק   *Mothak*, to sweeten.
5.   אָכַל   *Okhal*, (Hiph.) to cause to eat.
6.   לָעַט   *Loat*, to revive, fill.
7.   טָרַף   *Toraph*, (Hiph.) to satiate, fill.
8.   נָהַל   *Nohal*, to lead gently, succour.
9.   מְרִיאִים   *Mereeeem*, fatlings.
10.   שָׂבַע   *Sova*, to satisfy, fill.
11.   זוּן   *Zoon*, to nourish, sustain.
12.   טָעַם   *Toam*, to taste.

1. Gen. xxxvii. 12, 16.	1. Isa. xxx. 23.
1. —— xlvi. 32.	1. — xl. 11.
2. Exod. xxii. 5.	1. — xlix. 9.
1. —— xxxiv. 3.	1. — lxi. 5.
1. 2 Sam. v. 2.	1. — lxv. 25.
1. —— vii. 7.	1. Jer. iii. 15.
3. 1 Kings xvii. 4.	1. — vi. 3.
1. 1 Chron. xvii. 6.	1. — xxiii. 2, 4.
1. Job xxiv. 2.	1. — L. 19.
4. —— 20.	5. Lam. iv. 5.
1. Psalm xxviii. 9.	1. Ezek. xxxiv. 2, 3, 10, 23.
1. —— xlix. 14.	5. Dan. xi. 26.
1. —— lxxviii. 71.	1. Hos. iv. 16.
1. Prov. x. 21.	1. —— ix. 2.
1. Cant. iv. 5.	1. Jonah iii. 7.
1. —— vi. 2.	1. Mic. v. 4.
1. Isa. v. 17.	1. Zeph. ii. 7.
1. — xi. 7.	1. —— iii. 13.
1. — xiv. 30.	1. Zech. xi. 9.
1. — xxvii. 10.	3. —— 16.

FEED, imperatively.

6. Gen. xxv. 30.	7. Prov. xxx. 8.
1. —— xxix. 7.	1. Cant. i. 8.
5. 1 Kings xxii. 27.	1. Mic. vii. 14.
5. 2 Chron. xviii. 26.	1. Zech. xi. 4.

FEED, will I.

1. Gen. xxx. 31.	5. Jer. xxiii. 15.
3. 2 Sam. xix. 33.	1. Ezek. xxxiv. 13, 14, *bis*.
5. Isa. xlix. 26.	1. —————— 15, 16.
5. — lviii. 14.	1. Zech. xi. 7.
5. Jer. ix. 15.	

FEEDEST.

5. Psalm lxxx. 5.	1. Cant. i. 7.

FEEDETH.

1. Prov. xv. 14.	1. Isa. xliv. 20.
1. Cant. ii. 16.	1. Hos. xii. 1.

FEEDING.

1. Gen. xxxvii. 2.	1. Ezek. xxxiv. 10.
1. Job i. 14.	1. Nah. ii. 11.

FED.

All passages not inserted are Nº. 1.

8. Gen. xlvii. 17.	9. Isa. i. 11.
5. Exod. xvi. 32.	10. Jer. v. 7.
5. Deut. viii. 3, 16.	11. ——— 8.
3. 2 Sam. xx. 3.	5. Ezek. xvi. 19.
3. 1 Kings xviii. 4, 13.	11. Dan. iv. 12.
5. Psalm lxxxi. 16.	12. —— v. 21.

FEEL.

1. מָשַׁשׁ *Moshash,* to feel.
2. יָדַע *Yoda,* to know.
3. בִּין *Been,* to understand.

1. Gen. xxvii. 12, 21.	3. Psalm lviii. 9.
1. Judg. xvi. 26.	2. Eccles. viii. 5.
2. Job xx. 20.	

FELT.

1. Gen. xxvii. 22.	2. Prov. xxiii. 35.
1. Exod. x. 21.	

FEET (See FOOT).

FEIGN.

1. הִתְאַבְּלִי *Hithablee,* make thyself a mourner.
2. מִתְנַכֵּרָה *Mithnakairoh,* shew herself strange.
3. מִתְהֹלֵל *Mithhoulail,* making himself foolish.
4. מִרְמָה *Mirmoh,* deceitful, deceit.
5. בְּדָא *Bodo* (Chaldee), to invent a lie.

1. 2 Sam. xiv. 2.	2. 1 Kings xiv. 5.

FEIGNED.

3. 1 Sam. xxi. 3.	4. Psalm xvii. 1.

FEIGNEST.

2. 1 Kings xiv. 6.	5. Neh. vi. 8.

FEIGNEDLY.

שֶׁקֶר *Sheker,* a falsehood.
Jer. iii. 10.

FELL -ED -EST -ING.

נָפַל *Nophal,* to fall, in all passages.

FELLER.

פֹּרֵת *Kouraith,* a feller, cutter.
Isa. xiv. 8.

FELLOES.

חֲשֻׁקִים *Khashukeem,* joinings.
1 Kings vii. 23.

FELLOW -S.

רֵעַה *Raiah,* a neighbour, friend, in all passages.

FELLOWSHIP.

1. בִּתְשֹׁוּמַת יָד *Bithsoomath yod,* by putting the hand.
2. הֲיָחָבְרְךָ *Hayekhovrekho,* will he join thee?

1. Lev. vi. 2.	2. Psalm xciv. 20.

FEMALE. (See Appendix.)

אִשָּׁה *Isshoh,* a female, woman, in all passages.

FENCE.

גָּדֵר *Godair,* a fence, hedge.
Psalm lxii. 3.

FENCED, Verb.

1. שָׂכַךְ *Sokhakh,* to protect.
2. גָּדַר *Godar,* to hedge about.
3. עָזַק *Ozak,* to dig round about.

1. Job x. 11.	3. Isa. v. 2.
2. — xix. 8.	

FENCED, Adject.

מָלֵא *Millai,* filled.
2 Sam. xxiii. 7.

FENCED cities.

בָּצוּר *Botsoor,* } inaccessible, in all
מִבְצָר *Mivtsor,* } passages.

FENS.

בִּצָּה *Bitsoh,* mire.
Job xl. 21.

FERRET.

אֲנָקָה *Anokoh,* a hedgehog.
Lev. xi. 30.

FERRYBOAT.

עֲבָרָה *Avoroh,* a ferry-boat.
2 Sam. xix. 18.

FETCH.

1. לָקַח *Lokakh,* to take.
2. אָסַף *Osaph,* to gather, bring in.
3. נָשָׂא *Noso,* to bear.
4. יוֹצִיא *Youtsee,* to bring out.
5. עָבַט *Ovat,* to pledge.

6. הֶעֱלָה *Hĕĕloh*, to bring up, to cause to come up.

7. הֵשִׁיב *Haisheev*, to restore.

8. הֵבִיא *Haivee*, to bring.

9. נִדְחָה־יָדוֹ *Nidkhoh-yodou*, his hand slippeth.

10. סָבַב *Sovav*, to encompass, surround.

11. מָהַר *Mohar*, to hasten.

1. Gen. xviii. 5.	1. 1 Sam. xx. 31.
1. —— xxvii. 9, 13, 45.	1. —— xxvi. 22.
1. Exod. ii. 5.	10. 2 Sam. v. 23.
4. Numb. xx. 10.	7. —— xiv. 13.
1. Deut. xix. 12.	10. —— 20.
5. —— xxiv. 10.	1. 1 Kings xvii. 10, 11.
1. —— 19.	1. 2 Kings vi. 13.
1. —— xxx. 4.	11. 2 Chron. xviii. 8.
1. Judg. xi. 5.	8. Neh. viii. 15.
1. Judg. xx. 10.	3. Job xxxvi. 3.
1. 1 Sam. iv. 3.	1. Isa. lvi. 12.
6. —— vi. 21.	1. Jer. xxxvi. 21.
1. —— xvi. 11.	

FETCHED.

1. Gen. xviii. 4, 7, spelt fetcht.	1. 2 Sam. xiv. 2.
	1. 1 Kings vii. 13.
1. —— xxvii. 14.	1. —— ix. 28.
1. Judg. xviii. 18.	10. 2 Kings iii. 9.
6. 1 Sam. vii. 1.	1. —— xi. 4.
1. —— x. 23.	4. 2 Chron. i. 17.
1. 2 Sam. iv. 6.	3. —— xii. 11.
1. —— ix. 5.	4. Jer. xxvi. 23.
2. —— xi. 27.	

FETCHETH.
9. Deut. xix. 5.

FETTERS.

1. נְחֻשְׁתַּיִם *Nekhushtayim*, copper chains.

2. כֶּבֶל *Kevel*, a rope, cable, fetter.

1. Judg. xvi. 21.	1. 2 Chron. xxxvi. 6.
1. 2 Sam. iii. 34.	2. Psalm cv. 18.
1. 2 Kings xxv. 7.	2. —— cxlix. 8, plural.
1. 2 Chron. xxxiii. 11.	

FEVER.
קַדַּחַת *Kadakhath*, fever.
Deut. xxviii. 22.

FEW -ER -EST -NESS.
מְעַט *Mĕat*, little; in all passages, except:
אֲחָדִים *Akhodeem*, few.
Gen. xxvii. 44.

FIELD.
שָׂדֶה *Sodeh*, a field, in all passages.

FIELDS.
שָׂדוֹת *Sodouth*, fields, in all passages.

FIERCE.
עַז *Oz*, strong; in all passages, except:
חָדַד *Khodad*, sharp.
Hab. i. 8.

FIERCENESS.

1. רַעַשׁ *Rāash*, an earthquake, shaking.

2. חָרוֹן *Kharoun*, fierceness, grievousness.

1. Job xxxix. 24.	2. Jer. xxv. 38.

FIERCER.
קָשֶׁה *Kosheh*, harder.
2 Sam. xix. 43.

FIERY.

1. שָׂרָף *Soroph*, burning.

2. אֵשׁ *Aish*, fire.

3. נוּר *Noor* (Chaldee), fire.

1. Numb. xxi. 6, 8.	1. Isa. xiv. 29.
1. Deut. viii. 15.	3. Dan. iii. 6, 11, 15, 17,
2. —— xxxiii. 2.	21, 23, 26.
2. Psalm xxi. 9.	3. Dan. vii. 9, 10.

FIFTH.
חֲמִשִּׁי *Khamisshee*, fifth, in all passages.

FIFTEEN -TH.
חֲמֵשׁ עֶשְׂרֵה *Khamaish esraih*, fifteen, fifteenth, in all passages.

FIFTY -IES -ETH.
חֲמִשִּׁים *Khamissheem*, fifty, in all passages.

FIG.
תְּאֵנָה *Tĕainoh*, a fig, in all passages.

FIGS.
תְּאֵנִים *Tĕaineem*, figs, in all passages.

FIGTREE.
תְּאֵנָה *Tĕainoh*, a fig, in all passages.

FIGTREES.
תְּאֵנִים *Tĕaineem*, figs, in all passages.

FIGHT, Subst.
מִלְחָמָה *Milkhomoh*, a battle, fight, in all passages.

FIGHT -ETH -ING, Verb.
לָהֶם *Lokham*, to fight, in all passages.

FIGURE.

1. סֶמֶל *Somel*, image, statue.
2. תַּבְנִית *Tavneeth*, style of building, structure.

1. Deut. iv. 16. | 2. Isa. xliv. 13.

FIGURES.

פִּתּוּחִים *Pitookheem*, engravings.
1 Kings vi. 29.

FILE.

פְּצִירָה *Petseeroh*, a file.
1 Sam. xiii. 21.

FILL, Subst.

1. שָׂבְעָה *Sovoh*, } satiety, fulness.
2. רָוֶה *Rovoh*, }

1. Lev. xxv. 19. | 2. Prov. vii. 18.
1. Deut. xxiii. 24.

FILL -ED -EDST -EST -ETH, Verb.

1. מָלֵא *Millai*, to fill.
2. שָׂבַע *Sovo*, to satisfy with food.
3. סְבָא *Sovo* (Chaldee), to drink to excess.
4. קָמַט *Komat*, to shrink together.
5. רָוָה *Rovoh*, to moisten, satiate.
1. In all passages, except :

4. Job xvi. 8. | 3. Isa. lvi. 12.
5. Isa. xliii. 24. | 2. Ezek. xxxii. 4.

FILLET.

חוּט *Khoot*, a thread, line, cord.
Jer. lii. 21.

FILLETS.

חֲשֻׁקִים *Khashukeem*, joinings, in all passages.

FILLETED.

חָשַׁק *Khoshak*, to join together.
Exod. xxvii. 17. | Exod. xxxviii. 17, 28.

FILTH.

1. צוֹאָה *Tsouoh*, filth.
2. שִׁקּוּץ *Shikoots*, a detestable thing.

1. Isa. iv. 4. | 2. Nah. iii. 6.

FILTHY.

1. אָלַח *Olakh*, corrupted.
2. עָדִים *Ideem*, polluted.
3. מוֹרָאָה *Mouroh*, fearful.
4. צוֹאִים *Tsoueem*, filthy.

1. Job xv. 16. | 2. Isa. lxiv. 6.
1. Psalm xiv. 3. | 3. Zeph. iii. 1.
1. —— liii. 3. | 4. Zech. iii. 3, 4.

FILTHINESS.

1. נִדָּה *Niddoh*, impurity.
2. טֻמְאָה *Toomoh*, uncleanness.
3. צוֹאָה *Tsouoh*, filth.
4. נְחוּשָׁה *Nĕkhooshoh*, copper money.

1. 2 Chron. xxix. 5. | 2. Lam. i. 9.
2. Ezra vi. 21. | 4. Ezek. xvi. 36.
2. —— ix. 11. | 2. —— xxii. 15.
3. Prov. xxx. 12. | 2. —— xxiv. 11, 13.
3. Isa. xxviii. 8. | 2. —— xxxvi. 25.

FIND -EST -ETH -ING, FOUND -EST.

מָצָא *Motso*, to find ; in all passages, except :

1. חָקַר *Khokar*, to search out.
2. שְׁכַח *Shokhakh* (Hith.) (Chaldee).

1. 2 Chron. iv. 18. | 2. In all passages in Ezra and Daniel.

FINE, Verb.

זָקַק *Zukak*, to refine.
Job xxviii. 1.

FINE, Adj.

1. טוֹב *Touv*, good.
2. שְׂרִיקוֹת *Sĕreekouth*, combed.

1. Ezra viii. 27. | Isa. xix. 9.

FINE flour, meal.

סֹלֶת *Souleth*, fine flour, in all passages.

FINE gold.

1. פְּנִינִים *Pĕneeneem*, costly substances, corals.
2. כֶּתֶם *Kethem*, fine gold.
3. פָּז *Poz*, refined gold.
4. חָרוּץ *Khoroots*, pure, sharp, glittering gold.
5. טָב *Tov* (Chaldee), good.
6. טוֹב *Touv*, good.

6. 2 Chron. iii. 5, 8. | 3. Cant. v. 11, 15.
1. Job xxviii. 17. | 2. Isa. xiii. 12.
2. —— xxxi. 24. | 2. Lam. iv. 1.
3. Psalm xix. 10. | 3. —— 2.
3. —— cxix. 127. | 5. Dan. ii. 32.
4. Prov. iii. 14. | 2. —— x. 5.
3. —— viii. 19. | 4. Zech. ix. 3.
2. —— xxv. 12.

FINE linen.

בַּד *Bad,* fine linen, in all passages.

FINER.

צוֹרֵף *Tsouraiph,* a refiner.

Prov. xxv. 4.

FINEST.

חֵלֶב *Khailev,* fat, fatness.

Psalm lxxxi. 16. | Psalm cxlvii. 14.

FINING.

מַצְרֵף *Matsraiph,* refining.

Prov. xvii. 3.

FINGER -S.

אֶצְבַּע *Etsba,* a finger, in all passages.

FINISH.

1. כָּלָה *Koloh,* to finish, make an end of.
2. בָּצַע *Botsa,* to gain, profit.
3. תָּמַם *Tomam,* to perfect, complete.
4. שָׁלֵם *Shillaim,* to fulfil, arrange.
5. שַׁכְלִל *Shakhlool* (Chaldee), to establish.
6. שֵׁיצִיא *Shaitsee* (Chaldee), to perfect, finish.

1. Gen. vi. 16. | 2. Zech. iv. 9.
1. Dan. ix. 24. |

FINISHED.

1. Gen. ii. 1.	1. 1 Chron. xxviii. 20.
1. Exod. xxxix. 32.	1. 2 Chron. v. 1.
1. —— xl. 33.	1. —— vii. 11.
3. Deut. xxxi. 24.	1. —— viii. 16.
3. Josh. iv. 10.	1. —— xxiv. 14.
1. Ruth iii. 18.	1. —— xxix. 28.
1. 1 Kings vi. 9, 14.	1. —— xxxi. 7.
3. —— 22.	4. Ezra v. 16.
1. —— 38.	5. —— vi. 14.
1. —— vii. 1.	6. —— 15.
3. —— 22.	4. Neh. vi. 15.
1. —— ix. 1.	4. Dan. v. 26.
4. —— 25.	1. —— xii. 7.
1. 1 Chron. xxvii. 24.	

FINS.

קַשְׂקֶּשֶׂת *Senappeer,* fins.

Lev. xi. 9, 10, 12. | Deut. xiv. 9.

FIRE.

אֵשׁ *Aish,* fire, in all passages.

FIREBRAND -S.

1. לַפִּיד *Lappeed,* a torch, flame.
2. זִקִּים *Zikkeem,* sparks.

3. אוּרִים *Ooreem,* lights.
4. אוּד *Ood,* a firebrand.

1. Judg. xv. 4. | 3. Isa. vii. 4.
2. Prov. xxvi. 18. | 4. Amos iv. 11.

FIREPANS.

מַחְתּוֹת *Makhtouth,* firepans.

Exod. xxvii. 3. | 2 Kings xxv. 15.
—— xxxviii. 3. | Jer. lii. 19.

FIRES.

אוּרִים *Ooreem,* lights.

Isa. xxiv. 15.

FIRM.

1. הָכֵן *Hokhain,* established, prepared, upright.
2. יָצוּק *Yotsook,* pours forth.
3. בָּרִיא *Boree,* fresh, fat.
4. תַּקְפָא *Takophō* (Syriac), to confirm, strengthen.

1. Josh. iii. 17. | 3. Psalm lxxiii. 4.
1. —— iv. 3. | 4. Dan. vi. 7.
2. Job xli. 23, 24. |

FIRMAMENT.

רָקִיעַ *Rokeea,* expansion, in all passages.

FIR-TREE.

בְּרוֹשׁ *Běroush,* a fir-tree, in all passages.

FIR, FIR-TREES.

בְּרוֹשִׁים *Berousheem,* fir-trees, in all passages.

FIRWOOD.

עֲצֵי בְרוֹשִׁים *Atsai berousheem,* wood of firs.

2 Sam. vi. 5.

FIRST.

רִאשׁוֹן *Reeshoun,* first, in all passages.

FIRST-BORN.

בְּכוֹר *Běkhour,* first-born, in all passages.

FIRST-FRUITS.

בִּכּוּרִים *Bikkooreem,* first-fruits, in all passages.

FIRSTLING.

פֶּטֶר *Peter,*
שֶׁגֶר *Sheger,* } firstling, in all passages.

FIRSTLINGS.

בְּכוֹר *Bĕkhour,* firstling, first-born, in all passages.

FISH -ES.

דָּגִים *Dogeem,* fishes, in all passages.
נֶפֶשׁ *Nephesh,* life, animal breath. Isa. xix. 10.

FISH-HOOKS.

דּוּגָה *Doogoh,* a fish-hook.
Amos iv. 2.

FISH-POOLS.

בְּרֵכָה *Beraikhoh,* running water.
Cant. vii. 4.

FISH-SPEARS.

צִלְצַל דָּגִים *Tsiltsal dogeem,* lit., a shade of fish, or a fish shade.
Job xli. 7.

FISHERS.

דַּיָּגִים *Dayogeem,* fishers, in all passages.

FIST -S.

אֶגְרוֹף *Egrouph,* a fist, in all passages.

FIT.

1.   עִתִּי *Ittee,* ready, prepared for the time, season.
2.   עָתַד *Othad,* to be ready.

1. Lev. xvi. 21. | 2. Prov. xxiv. 27.

Not used in the original in any other passage.

FITCHES.

1.   קֶצַח *Ketsakh,* black cummin.
2.   כֻּסְּמִים *Kussmeem,* Indian corn.

1. Isa. xxviii. 25, 27. | 2. Ezek. iv. 9.

FITTED.

1.   מְיַשֵּׁר *Mĕyashair,* straight, even, upright.
2.   כּוּן *Koon,* founded, direct.

1. 1 Kings vi. 35. | 2. Prov. xxii. 18.

FITTETH.

עָשָׂה *Osoh,* maketh.
Isa. xliv. 13.

FITLY.

1.   אוֹפֶן *Ouphen,* time, season, occasion.
2.   מִלֵּאת *Millaith,* in fulness.

1. Prov. xxv. 11. | 2. Cant. v. 12.

FIVE.

חָמֵשׁ *Khomaish,* five, in all passages.

FIXED.

הָכֵן *Hokhain,* fixed, prepared, established, upright.

Psalm lvii. 7. | Psalm cxii. 7.
—— cviii. 1. |

FLAGS.

1.   סוּף *Sooph,* rushes.
2.   אָחוּ *Okhoo,* coarse grass, a meadow.

1. Exod. ii. 3, 5. | 1. Isa. xix. 6.
2. Job viii. 11. |

FLAGON.

1.   אָשִׁישׁ *Osheesh,* substantial; met., a bottle.
2.   נְבָלִים *Nĕvoleem,* unsubstantial; met., leather bottles.

1. 2 Sam. vi. 19. | 2. Isa. xxii. 24.
1. 1 Chron. xvi. 3. | 1. Hos. iii. 1.
1. Cant. ii. 5. |

FLAKES.

מַפְּלָא *Maplai,* the falling off.
Job xli. 23.

FLAME -S.

לַבַּת *Labath,*
לְהָבָה *Lehovoh,* } flame, in all passages.

FLAMING.

1.   לָהַט *Lohat,*
2.   לָהַב *Lohav,* } to flame.
3.   אֵשׁ *Aish,* fire.

1. Gen. iii. 24. | 3. Nah. ii. 3.
2. Ezek. xx. 47. |

FLANKS.

כְּסָלִים *Kĕsoleem,* flanks.

Lev. iii. 4, 10, 15. | Lev. vii. 4.
—— iv. 9. | Job xv. 27.

FLASH.

בָּזָק **Bozok**, a flash of lightning.
Ezek. i. 14.

FLAT.

1. חָרֵם **Khorum**, broken off.
2. תַּחְתֶּיהָ **Takhteho**, under it.

1. Lev. xxi. 18. | 2. Josh. vi. 5, 20.
Numb. xxii. 31, not
in the original.

FLATTER.

1. חָלַק **Kholak**, to smooth, flatter.
2. פָּתָה **Potoh**, to persuade.
3. כִּנָּה **Kinnoh**, to title, name.

1. Psalm v. 9. | 2. Psalm lxxviii. 36.

FLATTERETH.

1. Psalm xxxvi. 2. | 1. Prov. xxviii. 23.
1. Prov. ii. 16. | 1. —— xxix. 5.
2. —— xx. 19. |

FLATTERING.

3. Job xxxii. 21, 22. | 1. Prov. xxvi. 28.
1. Psalm xii. 2, 3. | 1. Ezek. xii. 24.
1. Prov. vii. 21. |

FLATTERY.

חֵלֶק **Khailek**, smooth.

Job xvii. 5. | Prov. vi. 24.

FLATTERIES.

חֲלַקּוֹת **Khalakouth**, smoothness.
Dan. xi. 21, 32, 34.

FLAX.

פִּשְׁתָּה **Pishtoh**, flax, in all passages.

FLAY.

פָּשַׁט **Poshat**, to draw off.
Mic. iii. 3.

FLAYED.

2 Chron. xxxv. 11.

FLEA.

פַּרְעֹשׁ **Paroush**, a flea.

1 Sam. xxiv. 14. | 1 Sam. xxvi. 20.

FLEE -ETH -ED -EDDEST -ING.

נוּס **Noos**,
בָּרַח **Borakh**, } to flee, in all passages.

FLEECE.

גִּזָּה **Gaizoh**, a shearing, a fleece.

Deut. xviii. 4. | Job xxxi. 20.
Judg. vi. 37, 38, 39. |

FLESH.

1. בָּשָׂר **Bosor**, flesh.
2. שְׁאָר **Sheair**, a remnant, remainder.
3. אֶשְׁפָּר **Eshphor**, handsome, goodly.
4. זֶבַח **Tevakh**, a sacrifice.
5. לֶחֶם **Lekhem**, bread.

All passages not inserted are N°. 1.

4. 1 Sam. xxv. 11. | 2. Prov. xi. 17.
3. 1 Chron. xvi. 3. | 2. Jer. li. 35.
2. Psalm lxxiii. 2 ‹. | 2. Mic. iii. 2, 3.
2. —— lxxviii. 20, 27. | 5. Zeph. i. 17.

FLESH-HOOK -S.

מַזְלֵג **Mazlaig**, a large fork, in all passages.

FLESH-POTS.

סִיר־הַבָּשָׂר **Seer-habosor**, flesh-pot.
Exod. xvi. 3.

FLIGHT.

מָנוֹס **Monous**, a flight.

Isa. lii. 12. | Amos ii. 14.

FLINT.

1. חַלָּמִישׁ **Khalomeesh**, flint.
2. צֹר **Tsour**, a rock.

1. Deut. viii. 15. | 1. Isa. L. 7.
1. Psalm cxiv. 8. | 2. Ezek. iii. 9.
2. Isa. v. 28. |

FLINTY.

1. Deut. xxxii. 13.

FLOCK.

1. צֹאן **Tsoun**, a flock.
2. עֵדֶר **Eder**, a herd.
3. מִקְנֶה **Mikneh**, cattle.
4. עַשְׁתְּרֹת **Ashterouth**, a handsome flock.
5. אֲבֵרוֹת **Avairouth**, stalls for cattle.
6. חֲשִׂיפִים **Khaseepheem**, shorn, stripped.
7. מַרְעֶה **Mareh**, a pasture.

All passages not inserted are N°. 1.

2. {
1 Sam. xvii. 34.
Psalm lxxviii. 52.
Cant. iv. 1, 2.
—— vi. 5, 6.
Isa. xl. 11.
Jer. xiii. 17, 20.
— xxxi. 10, 24.
}

2. {
Jer. li. 23.
Ezek. xxxiv. 12.
Mic. ii. 12.
—— iv. 8.
Zech. x. 3.
Mal. i. 14.
}

FLOCKS.

2. Gen. xxix. 2, 3, 8.	2. Job xxiv. 2.
2. —— xxx. 40.	2. Cant. i. 7.
3. —— xlvii. 17.	2. Isa. xvii. 2.
3. Numb. xxxii. 26.	2. —— xxxii. 14.
4. Deut. vii. 13.	2. Jer. vi. 3.
4. —— xxviii. 4, 18, 51.	7. — x. 21.
2. Judg. v. 16.	2. Joel i. 18.
6. 1 Kings xx. 27.	2. Mic. v. 8.
5. 2 Chron. xxxii. 28.	2. Zeph. ii. 14.

FLOOD.

1. מַבּוּל   *Mabool*, a flood, deluge·

2. נָהָר   *Nohor*, a river, stream, running water.

3. נַחַל   *Nakhal*, a brook·

4. שִׁבֹּלֶת   *Shibbouleth*, reeds, rushes.

5. עֵבֶר הַנָּהָר   *Aiver hanohor*, beyond the river.

6. זֶרֶם   *Zerem*, a shower, violent rain.

7. שֶׁטֶף   *Sheteph*, an overflowing.

8. יְאוֹר   *Yéour*, a river.

9. אֹר   *Our*, a light.

10. זָרַם   *Zoram*, to inundate, overflow.

11. נוֹזְלִים   *Nouzleem*, running waters.

1. Gen. vi. 17.	3. Psalm lxxiv. 15.
1. —— vii. 6, 7, 10, 17.	10. — xc. 5.
1. —— ix. 11, 28.	6. Isa. xxviii. 2.
1. —— x. 1, 32.	2. — lix. 19.
5. Josh. xxiv. 2, 3, 14, 15.	8. Jer. xlvi. 7, 8.
	3. — xlvii. 2.
2. Job xiv. 11.	7. Dan. ix. 26.
2. — xxii. 16.	7. —— xi. 22.
3. — xxviii. 4.	9. Amos viii. 8.
1. Psalm xxix. 10.	8. —— ix. 5.
2. —— lxvi. 16.	7. Nah. i. 8.
4. —— lxix. 15.	

FLOODS.

11. Exod. xv. 8.	8. Psalm lxxviii. 44.
3. 2 Sam. xxii. 5.	2. —— xciii. 3.
2. Job xx. 17.	2. —— xcviii. 8.
2. — xxviii. 11.	2. Cant. viii. 7.
3. Psalm xviii. 4.	11. Isa. xliv. 3.
2. —— xxiv. 2.	2. Ezek. xxxi. 15.
7. —— xxxii. 6.	2. Jonah ii. 3.
4. —— lxix. 2.	

FLOOR, Verb.

קָרוֹת   *Korouth*, beams.

2 Chron. xxxiv. 11.

FLOOR -S.

גֹּרֶן   *Gouren*, a threshing-floor; in all passages, except :

1. קַרְקַע   *Karka*, a ground-floor.

2. אִדְּרִי   *Idrai* (Chaldee), an earthen-floor.

1. Numb. v. 17.	2. Dan. ii. 35.

FLOTES or FLOATS.

1. דֹּבְרֹת   *Douvrouth*, floats of timber, rafts.

2. רַפְסֹדוֹת   *Raphsoudouth* (Syriac), floats.

1. 1 Kings v. 9.	2. 2 Chron. ii. 16.

FLOURISH.

1. פָּרַח   *Porakh*, to blossom.

2. צִיץ   *Tsits*, to shine, bloom.

3. יְנָאַץ   *Yenoaits*, shall be disregarded, despised.

4. רַעֲנָן   *Răănon*, fresh, flourishing.

1. Psalm lxxii. 7.	1. Prov. xiv. 11.
2. —————— 16.	3. Eccles. xii. 5.
2. —— xcii. 7.	1. Cant. vii. 12.
1. —————— 12, 13.	1. Isa. xvii. 11.
2. —— cxxxii. 18.	1. — lxvi. 14.
1. Prov. xi. 28.	1. Ezek. xvii. 24.

FLOURISHED.

1. Cant. vi. 11.

FLOURISHETH.

1. Psalm xc. 6.	2. Psalm ciii. 15.

FLOURISHING.

1. Psalm xcii. 14.	4. Dan. iv. 4.

FLOW.

1. שָׁטַף   *Shotaph*, to overflow.

2. צוּף   *Tsooph*, to swim, float.

3. נָהַר   *Nohar*, to flow.

4. יָלַךְ   *Yolakh*, to go.

5. נָזַל   *Nozal*, to run as water.

6. גָּלָה   *Goloh*, to remove.

7. זָבַת   *Zovath*, to flow as milk, or honey in the Holy Land.

8. בּוּעַ   *Booa*, to swell.

6. Job xx. 28.	5. Isa. lxiv. 1.
5. Psalm cxlvii. 18.	3. Jer. xxxi. 12.
3. Cant. iv. 16.	3. — li. 44.
3. Isa. ii. 2.	4. Joel iii. 18.
5. — xlviii. 21.	3. Mic. iv. 1.
3. — lx. 5.	

FLOWED.

4. Josh. iv. 18.   2. Lam. iii. 54.
5. Isa. lxiv. 3.

FLOWETH.

7. Lev. xx. 24.   7. Deut. xi. 9.
7. Numb. xiii. 27.   7. —— xxvi. 15.
7. —— xiv. 8.   7. —— xxvii. 3.
7. —— xvi. 13, 14.   7. —— xxxi. 20.
7. Deut. vi. 3.   7. Josh. v. 6.

FLOWING.

7. Exod. iii. 8, 17.   7. Jer. xi. 5.
7. —— xiii. 5.   7. — xviii. 14.
7. —— xxxiii. 3.   7. — xxxii. 22.
8. Prov. xviii. 4.   5. — xlix. 4.
1. Isa. lxvi. 12.   7. Ezek. xx. 6, 15.

FLOUR.

1.   קֶמַח   *Kemakh,* flour, meal.
2.   סֹלֶת   *Souleth,* fine flour of wheat.
3.   בָּצֵק   *Botsaik,* dough.

2. Exod. xxix. 2, 40.   2. Numb. xxviii. 5, 9, 13,
2. Lev. ii. 2.   20.
2. —— vi. 15.   1. Judg. vi. 19.
2. —— xiv. 10, 21.   1. 1 Sam. i. 24.
2. —— xxiii. 13, 17.   1. —— xxviii. 24.
2. —— xxiv. 5.   3. 2 Sam. xiii. 8.
2. Numb. xv. 4, 6, 9.   1. —— xvii. 28.

FLOWER.

1.   פֶּרַח   *Perakh,* a bud, shoot.
2.   צִיץ   *Tseets,* a flower.
3.   נִצָּה   *Nitsoh,* a blossom.
4.   מִגְדָּלוֹת   *Migdolouth,* towers; met., tall   flowers.

1. Exod. xxv. 33.   3. Isa. xviii. 5.
1. —— xxxvii. 19.   3. — xxviii. 1.
2. Job xiv. 2.   2. — xl. 6, 7, 8.
3. — xv. 33.   1. Nah. i. 4.
2. Psalm ciii. 15.

FLOWERS.

1. Exod. xxv. 31.   1. 1 Kings vii. 26, 49.
1. —— xxxvii. 17, 20.   1. 2 Chron. iv. 5, 21.
1. Numb. viii. 4.   3. Cant. ii. 12.
2. 1 Kings vi. 18, 29, 32,   4. —— v. 13.
     35.

FLOWER of age.

אֲנָשִׁים   *Anosheem,* manhood.

     1 Sam. ii. 33.

FLOWERS.

נִדָּה   *Niddoh,* impurity.

     Lev. xv. 24, 33.

FLUTE.

קַרְנָא   *Karno* (Chaldee), flute, cornet,   horn.

     Dan. iii. 5, 7, 10, 15.

FLUTTERETH.

יָעִיר   *Yoeer,* fluttereth.

     Deut. xxxii. 11.

FLY.

זְבוּב   *Zevoov,* a fly.

     Isa. vii. 18.

FLIES.

1.   זְבוּבִים   *Zevooveem,* flies.
2.   עָרֹב   *Orouv,* a mixture.

2. Exod. viii. 21, 31.   2. Psalm cv. 31.
2. Psalm lxxviii. 45.   1. Eccles. x. 1.

FLY.

1.   עוּף   *Ooph,* to fly.
2.   עָטָה   *Otoh,* to cover, wrap up.
3.   אָבַר   *Ovar,* to soar.
4.   דָּאָה   *Doōh,* to hover.
5.   כָּנָף   *Konoph,* a wing.
6.   עָשָׂה   *Osoh,* to make, perform.
7.   פָּרַח   *Porakh,* to grow forth.

1. Gen. i. 20.   1. Isa. vi. 2.
2. 1 Sam. xv. 19.   1. — xi. 14.
1. 2 Sam. xxii. 11.   1. — lx. 8.
1. Job v. 7.   1. Jer. xlviii. 40.
3. — xxxix. 26.   7. Ezek. xiii. 20.
1. Psalm xviii. 10.   4. Dan. ix. 21.
1. —— lv. 6.   1. Hos. ix. 11.
1. —— xc. 10.   1. Hab. i. 8.
1. Prov. xxiii. 5.

FLEW.

6. 1 Sam. xiv. 32.   1. Isa. vi. 6.

FLIETH.

1. Deut. iv. 17.   1. Psalm xci. 5.
1. —— xiv. 19.   1. Nah. iii. 16.
4. —— xxviii. 49.

FLYING.

1. Lev. xi. 21, 23.   1. Isa. xxx. 6.
5. Psalm cxlviii. 10.   1. — xxxi. 5.
1. Prov. xxvi. 2.   1. Zech. v. 1, 2.
1. Isa. xiv. 29.

FOAL.

עַיִר   *Ayir,* a foal.

Gen. xxxii. 15, plural.   Zech. ix. 9.
—— xlix. 11.

FOAM.

קֶצֶף *Ketseph*, raging.

Hos. x. 7.

FODDER.

בְּלִיל *Boleel*, mixture of food.

Job vi. 5.

FOES.

1. שׂוֹנֵא *Sounai*, a hater, despiser.
2. אוֹיֵב *Ouyaiv*, an enemy.
3. צַר *Tsor*, an oppressor.

3. 1 Chron. xxi. 12.	2. Psalm xxx. 1.
1. Esth. ix. 16.	3. —— lxxxix. 23.
2. Psalm xxvii. 2.	

FOLD.

1. נָוֶה *Noveh*, an habitation.
2. דֹּבֶר *Douver*, a pasture, fold for cattle.
3. מִכְלָה *Mikhloh*, a stall.
4. גָּדֵר *Godair*, a hedge, fence.
5. רָבַץ *Rovats*, (Hiph.) to cause to couch.

5. Isa. xiii. 20.	2. Mic. ii. 12.
1. — lxv. 10.	3. Hab. iii. 17.
1. Ezek. xxxiv. 14.	

FOLDS.

4. Numb. xxxii. 24, 36.	1. Jer. xxiii. 3.
3. Psalm L. 9.	4. Zeph. ii. 6.

FOLDEN.

סְבֻכִים *Sevukheem*, entangled.

Nah. i. 10.

FOLDETH.

חָבַק *Khovak*, to fold together.

Eccles. iv. 5.

FOLDING.

1. גְּלִילִים *Găleeleem*, folding doors.
2. חָבַק *Khovak*, to fold together.

1. 1 Kings vi. 34.	2. Prov. vi. 10.

FOLK.

1. עַם *Am*, people.
2. לְאֻמִּים *Leummeem*, nations.

1. Gen. xxxiii. 15.	2. Jer. li. 58.
1. Prov. xxx. 26.	

FOLLOW -ED -EDST -ETH -ING.

1.   יָלַךְ *Yolakh*, to walk, proceed, go on.
2.   רָדַף *Rodaph*, to follow, pursue.
3.   בְּרֶגֶל *Bĕregel*, at the foot.
4. בּוֹא־אַחַר *Bou-akhar*, to come after.
5.   הָיָה *Hoyoh*, to be.
6. הָיָה־אַחַר *Hoyoh-akhar*, to be after.
7.   אַחַר *Akhar*, after.
8. הָיָה־בְּרֶגֶל *Hoyoh-beregel*, to be at the foot.
9. הָלַךְ־אַחַר *Holakh-akhar*, to walk after.
10.   דָּבַק *Dovak*, to cleave to.
11. מִלֵּא־אַחַר *Millai-akhar*, to fulfil after, i.e.,
          to obey perfectly.
12.   עָשָׂה *Osoh*, (Niph.) done, executed.
13. יָצָא־אַחַר *Yotso-akhar*, went out after.
14. אַחֲרֵי־כֵן *Akharai-khain*, afterwards.
15.   אַחֲרוֹן *Akharoun*, the last, latter.
16.   אַחֵר *Akhair*, another.

1. Gen. xxiv. 8.	9. 1 Kings xix. 20.
2. —— xliv. 4.	2. Psalm xxxviii. 20.
3. Exod. xi. 8.	7. —— xlv. 14. ᵥ
2. —— xiv. 4.	7. —— xciv. 15.
4. —— 17.	2. —— cxix. 150.
5. —— xxi. 22, 23.	2. Isa. v. 11.
6. —— xxiii. 2.	2. — li. 1.
2. Deut. xvi. 20.	7. Jer. xvii. 16.
5. —— xviii. 22.	10. — xlii. 16.
7. Judg. ix. 3.	9. Ezek. xiii. 3.
8. 1 Sam. xxv. 27.	2. Hos. ii. 7.
1. —— xxx. 21.	2. —— vi. 3.
7. 2 Sam. xvii. 9.	

FOLLOW him.

9. 1 Kings xviii. 21.

FOLLOW me.

9. Gen. xxiv. 5, 39.	3. 1 Kings xx. 10.
2. Judg. iii. 28.	9. 2 Kings vi. 19.
3. —— viii. 5.	2. Psalm xxiii. 6.

FOLLOWED.

10. Gen. xxiv. 61.	12. 2 Sam. xvii. 23.
10. —— xxxii. 19.	7. —— xx. 2.
11. Numb. xxxii. 12.	7. 1 Kings xii. 20.
11. Deut. i. 36.	7. —— xvi. 21, 22.
9. —— iv. 3.	9. —— xviii. 18.
9. Josh. vi. 8.	7. —— xx. 19.
11. —— xiv. 8, 9, 14.	3. 2 Kings iii. 9.
9. Judg. ii. 12.	9. —— iv. 30.
9. —— ix. 49.	2. —— v. 21.
10. 1 Sam. xiv. 22.	2. —— ix. 27.
9. —— xvii. 13, 14.	9. —— xiii. 2.
10. —— xxxi. 2.	9. —— xvii. 15.
10. 2 Sam. i. 6.	10. 1 Chron. x. 2.
6. —— ii. 10.	9. Ezek. x. 11.
9. —— iii. 31.	7. Amos vii. 15.

FOLLOWED him.

9. Numb. xvi. 25.	9. 1 Sam. xiii. 7.
9. Judg. ix. 4.	13. 2 Sam. xi. 8.

FOLLOWED me.

11. Numb. xiv. 24.	9. 1 Kings xiv. 8.
11. —— xxxii. 11.	7. Neh. iv. 23.

FOLLOWEDST.

9. Ruth iii. 10.

FOLLOWETH.

4. 2 Kings xi. 15.	2. Prov. xxi. 21.
4. 2 Chron. xxiii. 14.	2. —— xxviii. 19.
10. Psalm lxiii. 8.	2. Isa. i. 23.
2. Prov. xii. 11.	7. Ezek. xvi. 34.
2. —— xv. 9.	2. Hos. xii. 1.

FOLLOWING.

14. Gen. xli. 31.	7. 2 Sam. ii. 26.
7. Deut. vii. 4.	9. —————— 30.
7. —— xii. 30.	7. —————— vii. 8.
7. Josh. xxii. 16, 18, 23,	7. 1 Kings i. 7.
29.	7. —————— ix. 6.
9. Judg. ii. 19.	9. —————— xxi. 26.
Ruth i. 16, not in	7. 2 Kings xvii. 21.
original.	7. 1 Chron. vii. 7.
7. 1 Sam. xii. 14, 20.	7. 2 Chron. xxv. 27.
7. —— xiv. 46.	7. —————— xxxiv. 33.
7. —— xv. 11.	15. Psalm xlviii. 13.
7. —— xxiv. 1.	7. —— lxxviii. 71.
9. 2 Sam. ii. 19.	16. —— cix. 13.

FOLLY.

1.	נְבָלָה	Nevoloh, worthlessness.
2.	תָּהֳלָה	Toheloh, vanity.
3.	תִּפְלָה	Tiphloh, absurdity.
4.	כֶּסֶל Kesel, סֶכֶל Sekhel,	} folly.
5.	אִוֶּלֶת	Ivveleth, foolishness.

1. Gen. xxxiv. 7.	5. Prov. xiii. 16.
1. Deut. xxii. 21.	5. —— xiv. 8, 18, 24, 29.
1. Josh. vii. 15.	5. —— xv. 21.
1. Judg. xix. 23.	5. —— xvi. 22.
1. —— xx. 6, 10.	5. —— xvii. 12.
1. 1 Sam. xxv. 25.	5. —— xviii. 13.
1. 2 Sam. xiii. 12.	5. —— xxvi. 4, 5, 11.
2. Job iv. 18.	4. Eccles. i. 17.
3. — xxiv. 12.	4. —— ii. 3, 12, 13.
1. — xlii. 8.	4. —— vii. 25.
4. Psalm xlix. 13.	4. —— x. 1, 6.
4. —— lxxxv. 8.	1. Isa. ix. 17.
5. Prov. v. 23.	3. Jer. xxiii. 13.

FOOD.

1.	מַאֲכָל Māăkhol, אֹכֶל Oukhel,	} food.
2.	שְׁאָר	Sheair, leaven, a portion of food.
3.	לֶחֶם	Lekhem, bread.

4.	צַיִד	Tsayid, flesh taken by the chase.
5.	בּוּל	Vool, produce of the ground.

1. Gen. ii. 9.	1. 1 Kings v. 11.
1. —— iii. 6.	3. Job xxiv. 5.
1. —— vi. 21.	4. — xxxviii. 41.
1. —— xli. 35.	5. — xl. 20.
1. —— xlii. 7, 10.	3. Psalm lxxviii. 25.
1. —— xliii. 2, 4, 20, 22.	3. —— civ. 14.
1. —— xliv. 1, 25.	3. —— cxxxvi. 25.
1. —— xlvii. 24.	3. —— cxlvi. 7.
2. Exod. xxi. 10.	3. —— cxlvii. 9.
3. Lev. iii. 11, 16.	1. Prov. vi. 8.
1. —— xix. 23.	1. —— xiii. 23.
3. —— xxii. 7.	3. —— xxvii. 27.
3. Deut. x. 18.	3. —— xxviii. 3.
3. 1 Sam. xiv. 24.	3. —— xxx. 8.
3. 2 Sam. ix. 10.	3. —— xxxi. 14.
3. 1 Kings v. 9.	3. Ezek. xlviii. 18.

FOOL -S, FOOLISH -LY -NESS.

	סָכָל Sokhol, כְּסִיל Kĕseel,	} a fool; in all passages, except:
	נָבָל Novol, worthless.	

Deut. xxxii. 6.	Psalm xiv. 1.

FOOT.

רֶגֶל   Rogel, a foot, in all passages.

FEET.

רַגְלַיִם   Raglayim; in all passages, except:

כַּרְסֻלִּים   Karsuleem, ankles.

2 Sam. xxii. 37.	Psalm xviii. 36.

FOOTED.

See Cloven-footed; in all passages, except:

רֶגֶל   Rogel, a foot.

Lev. xxi. 19.

FOOTMEN.

1.	רַגְלִי־הָעָם	Regel-hoom, infantry, a footman.
2.	רָצִים	Rotseem, runners, light of foot.
3.	רַגְלִים	Ragleem, footmen.

1. Numb. xi. 21.	3. Jer. xii. 5.
2. 1 Sam. xxii. 17.	

FOOTSTEPS.

1.	פְּעָמַי	Pĕomae, my stepping.
2.	עֲקֵבֹת	Ikvouth, heels.

1. Psalm xvii. 5.	2. Psalm lxxxix. 51.
2. —— lxxvii. 19.	2. Cant. i. 8.

FOOTSTOOL.

1.	הֲדֹם רַגְלַיִם	Hadoum raglayim, the glory of feet.
2.	כֶּבֶשׁ	Kevesh, a footstool, threshold.

1. 1 Chron. xxviii. 2.	1. Psalm cx. 1.	
2. 2 Chron. ix. 18.	1. —— cxxxii. 7.	
1. Psalm xcix. 5.	1. Isa. lxvi. 1.	

FOR, as much as.

פִּי *Kee,* for ; in all passages, except :

אַחֲרֵי *Akharai,* after.

Gen. xli. 39.

FORBAD.

צִוָּה *Tsivvoh,* commanded.

Deut. ii. 37.

FORBEAR -ARE -ETH -ING -ORN.

1.   חָדַל *Khodal,* to forbear.
2.   מָשַׁךְ *Moshakh,* to draw, lengthen.
3.   חָשַׂךְ *Khosakh,* to spare.
4.   דּוּם *Doom,* to silence.
5. אֶרֶךְ אַפַּיִם *Erekh appayim,* slowness of anger.
6.   כַּלְכֵּל *Kalkail,* sustaining, maintaining.

All passages not inserted are N°. 1.

2. Neh. ix. 5.	4. Ezek. xxiv. 17.
3. Prov. xxiv. 11.	

FORBEARING.

5. Prov. xxv. 15.	6. Jer. xx. 9.

FORBID -DEN -BADE.

1.   חָלִילָה *Kholeeloh,* to be far off, from.
2.   כָּלָא *Kolo,* to restrain.
3.   צִוָּה *Tsivvoh,* to command.

All passages not inserted are N°. 1.

Lev. v. 17, not in original.	2. Numb. xi. 28.
	3. Deut. iv. 23.

FORCE, Subst.

1.   גֵּזֶל *Gouzel,* a robbery.
2.   לֵחַ *Laiakh,* moisture.
3.   חֹזֶק *Khouzek,* strength.
4.   אֶדְרָע *Edro* (Chaldee), a mighty arm.
5.   כֹּחַ *Kouakh,* power, applied to God or man.
6.   אוֹן *Oun,* might, applied to man only.
7.   עַל־יְדֵי *Al-yedai,* by the hands.
8.   גְּבוּרָה *Gevooroh,* great strength, physical power.

1. Gen. xxxi. 31.	7. Jer. xviii. 21.
2. Deut. xxxiv. 7.	8. — xxiii. 10.
3. 1 Sam. ii. 16.	5. — xlviii. 45.
4. Ezra iv. 23.	3. Ezek. xxxiv. 4.
5. Job xxx. 18.	7. —— xxxv. 5.
6. — xl. 16.	5. Amos ii. 14.

FORCES.

1.   { חַיִל *Khayil,* an army.
     { חֲיָלִים *Khayoleem,* armies.
2.   מַאֲמָצִים *Māămotseem,* forces.
3.   מָעֻזִּים *Moŭzeem,* powers, strongholds.

1. 2 Chron. xvii. 2.	1. Jer. xlii. 1, 8.
2. Job xxxvi. 19.	1. — xliii. 4, 5.
1. Isa. lx. 5, 11.	1. Dan. xi. 10.
1. Jer. xl. 7, 13.	3. —— 38.
1. — xli. 11, 13, 16.	1. Obad. 11.

FORCE.

1.   חָזַק *Khozak,* (Hiph.) to strengthen, lay hold.
2.   עִנָּה *Innoh,* to afflict.
3.   כָּבַשׁ *Kovash,* to subdue.
4.   לָחַץ *Lokhats,* to injure, oppress, force.
5.   אָפַק *Ophak,* (Hith.) to withhold, restrain.
6.   נָדַח *Nodakh,* to push out, thrust.
7.   מִיץ *Meets,* pressing, wringing.

1. Deut. xxii. 25.	3. Esth. vii. 8.
2. 2 Sam. xiii. 12.	

FORCED.

4. Judg. i. 34.	2. 2 Sam. xiii. 14, 22, 32.
2. —— xx. 5.	6. Prov. vii. 21.
5. 1 Sam. xiii. 12.	

FORCING.

6. Deut. xx. 19.	7. Prov. xxx. 33.

FORCIBLE.

נִמְרָץ *Nimrots,* vehement, powerful.

Job vi. 25.

FORD -S.

מַעֲבוֹר *Māăbour,* a river, passage over, ferry, in all passages.

FORECAST.

חָשַׁב *Khoshav,* to think, devise.

Dan. xi. 24, 25.

FOREFATHERS.

אֲבוֹת־הָרִאשֹׁנִים *Avouth-horeshouneem,* fathers, the first ones.

Jer. xi. 10.

FOREFRONT.

1.   מוּל־פְּנֵי   *Mool-pĕnai,* against the face.
2.   שֵׁן   *Shain,* a tooth.
3.   רֹאשׁ   *Roush,* head, front, chief.

1. In all passages, except:

2. 1 Sam. xiv. 5. | 3. 2 Chron. xx. 27.

FOREHEAD.

מֵצַח   *Maitsakh,* a forehead, in all passages.

FOREHEADS.

מִצְחוֹת   *Mitskhouth,* foreheads, in all passages.

FOREIGNER.

1.   תּוֹשָׁב   *Toushov,* an alien.
2.   נָכְרִי   *Nokhree,* a stranger.

1. Exod. xii. 45. | 2. Deut. xv. 3.

FOREIGNERS.

נָכְרִים   *Nokhreem,* foreigners.

Obad. 11.

FOREMOST.

רִאשׁוֹן   *Reshoun,* the first.

Gen. xxxii. 17. | 2 Sam. xviii. 27.
—— xxxiii. 2.

FOREPART.

מוּל־פָּנִים   *Mool-poneem,* the forepart.

Exod. xxviii. 27. | 1 Kings vi. 20.
—— xxxix. 20. | Ezek. xlii. 7.

FORESEETH.

רָאָה   *Rōōh,* to see, behold.

Prov. xxii. 3. | Prov. xxvii. 12.

FORESKIN.

עָרְלָה   *Orloh,* an encumbrance; the word is also applied to heart and tree.

FORESKINS.

עֲרָלוֹת   *Orlouth,* encumbrances.

FOREST.

1.   יַעַר   *Yaar,* a forest.
2.   פַּרְדֵּס   *Pardais,* a park, pleasure-ground.

1. In all passages, except:

2. Neh. ii. 8.

FORESTS.

1.   יְעָרִים   *Yeoreem,* forests.
2.   חֳרָשִׁים   *Khorosheem,* ploughed fields.

1. In all passages, except:

2. 2 Chron. xxvii. 4.

FORFEITED.

חָרַם   *Khoram,* to devote.

Ezra x. 8.

FORGED.

טָפַל   *Tophal,* to invent, contrive.

Psalm cxix. 69.

FORGERS.

טֹפְלִים   *Touphleem,* inventors.

Job xiii. 4.

FORGET -AT -EST -ETH -OT -TEN -ING.

שָׁכַח   *Shokhakh,* to forget; in all passages, except:

נָשָׁה   *Noshoh,* to disregard, forget.

Gen. xli. 51. | Jer. xxiii. 19.

FORGETFULNESS.

נְשִׁיָּה   *Nĕsheeoh,* forgetfulness.

Psalm lxxxviii. 12.

FORGIVE.

1.   סָלַח   *Solakh,* to forgive.
2.   נָשָׂא   *Noso,* to bear, pardon, forgive.
3.   כָּפַר   *Kophar,* to atone for, cover over.

2. Gen. L. 17. | 1. 2 Chron. vii. 14.
2. Exod. x. 17. | 2. Psalm xxv. 18.
2. —— xxxii. 32. | 1. —— lxxxvi. 5.
1. Numb. xxx. 5, 8, 12. | 2. Isa. ii. 9.
2. Josh. xxiv. 19. | 3. Jer. xviii. 23.
2. 1 Sam. xxv. 28. | 1. — xxxi. 34.
1. 1 Kings viii. 30, 34, | 1. — xxxvi. 3.
       36, 39, 50. | 1. Dan. ix. 19.
1. 2 Chron. vi. 21, 25, 27, | 1. Amos vii. 2.
       30, 39.

FORGAVE.
3. Psalm lxxviii. 38.

FORGAVEST.
2. Psalm xxxii. 5. | 2. Psalm xcix. 8.

FORGIVEN.

1. Lev. iv. 20, 26, 31, 35.	1. Numb. xv. 25, 26, 28.
1. —— v. 10, 13, 16, 18.	3. Deut. xxi. 8.
1. —— vi. 7.	2. Psalm xxxii. 1.
1. —— xix. 22.	2. —— lxxxv. 2.
2. Numb. xiv. 19.	2. Isa. xxxiii. 24.

FORGIVETH.
1. Psalm ciii. 3.

FORGIVING.
2. Exod. xxxiv. 7. | 2. Numb. xiv. 18.

FORGIVENESS.
סְלִיחָה   *Seleekhoh,* forgiveness.
Psalm cxxx. 4.

FORGIVENESSES.
סְלִחוֹת   *Selikhouth,* forgivenesses.
Dan. ix. 9.

FORKS.
שָׁלֹשׁ־קִלְּשׁוֹן   *Sheloush-kilshoun,* three-pronged
forks.
1 Sam. xiii. 21.

FORM -ED -ETH.
1.   יָצַר   *Yotsar,* to form, shape.
2.   חּוּל   *Khool,* to travail in pain.
3.   חָלַל   *Kholal,* to pierce through.
4.   קָרַץ   *Korats,* to nip, pinch.

1. In all passages, except :

2. Deut. xxxii. 18.	4. Job xxxiii. 6.
2. Job xxvi. 5.	2. Psalm xc. 2.
3. —— 13.	2. Prov. xxvi. 10.

FORM, Subst.
1.   תֹּאַר   *Tŏar,* form, shape.
2.   תֹּהוּ   *Tohoo,* emptiness.
3.   פְּנֵי   *Penai,* face.
4.   מַרְאֶה   *Mareh,* sight, countenance.
5.   תַּבְנִית   *Tavneeth,* pattern, plan for
building.
6.   צוּרָה   *Tsouroh,* a figure, form, shape.
7.   צֶלֶם   *Tselem,* image, shadow.

8.   רֵוָה   *Rovaih* (Chaldee), aspect, appearance.
9.   מִשְׁפָּט   *Mishpot,* judgment, law.

2. Gen. i. 2.	1. Isa. liii. 2.
1. 1 Sam. xxviii. 14.	2. Jer. iv. 23.
3. 2 Sam. xiv. 20.	5. Ezek. x. 8.
9. 2 Chron. iv. 7.	6. —— xliii. 11.
4. Job iv. 16.	7. Dan. iii. 19.
1. Isa. lii. 14.	8. —— 25.

FORMS.
6. Ezek. xliii. 11.

FORMER.
קֶדֶם   *Kedem,* before.
רִאשׁוֹן   *Reshoun,* first, before.

In all passages, except :

אָמֶשׁ   *Omesh,* yesterday.
Job xxx. 3.

FORNICATION.
זָנָה   *Zonoh,* to cherish, nourish, support, sustain ; met., spiritual fornication.

2 Chron. xxi. 11.	Ezek. xvi. 26, 29.
Isa. xxiii. 17.	

FORNICATIONS.
Ezek. xvi. 15.

FORSAKE -EN -ETH -OOK -EST -ING.
1.   עָזַב   *Ozav,* to leave, forsake.
2.   נָטַשׁ   *Notash,* to reject.
3.   חָדַל   *Khodal,* to cease, desist.
4.   רָפָה   *Rophoh,* (Hiph.) to withdraw, fail.
5.   מְשֻׁלָח   *Mĕshulokh,* to be cast down.
6.   נָתַשׁ   *Notash,* to root out.
7.   אַלְמָן   *Almon,* a widower, deserted.

All passages not inserted are N°. 1.

3. Judg. ix. 11.	2. Jer. xxiii. 33.
2. 2 Kings xxi. 14.	

FORSAKE, not.

4. Deut. iv. 31.	4. Psalm cxxxviii. 8.
2. 1 Sam. xii. 22.	2. Prov. i. 8.
2. 1 Kings viii. 57.	

FORSAKEN.

5. Isa. xxvii. 10.	6. Jer. xviii. 14.
2. —— xxxii. 14.	2. Amos v. 2.

FORSAKEN, have, hast, hath.
2. Judg. vi. 13. | 2. Jer. xv. 6.

FORSAKEN, not.
7. Jer. li. 5.

FORSOOK.
2. Deut. xxxii. 15. | 2. Psalm lxxviii. 60.

FORSAKING.
1. Isa. vi. 12.

FORT.
1. מְצוּדָה *Metsoodoh,* } a pallisade; lit.,
   מְצוּדוֹת *Metsoodouth,* } a net, snare.
2. דָיֵק *Doyaik,* a wooden turret that was formerly used in besieging towns, to enable the besiegers to approach and scale the walls.
3. מִבְצָר *Mivtsor,* } a fortress, citadel.
   מִבְצָרִים *Mivtsoreem,* }
4. מָצוֹר *Motsour,* a besieged city.
5. מָעוֹז *Mōooz,* } a stronghold.
   מָעֻזִּים *Mōuzeem,* }
6. עֹפֶל *Ouphel,* a mount, hill (no plur.).

1. 2 Sam. v. 9. | 2. Ezek. xxi. 22.
3. Isa. xxv. 12. | 2. —— xxvi. 8.
2. Ezek. iv. 2. | 5. Dan. xi. 19.

FORTS.
2. 2 Kings xxv. 1. | 2. Jer. lii. 4.
1. Isa. xxix. 3. | 2. Ezek. xvii. 17.
6. — xxxii. 14. | 1. —— xxxiii. 27.

FORTRESS.
1. 2 Sam. xxii. 2. | 3. Isa. xxv. 12.
1. Psalm xviii. 2. | 3. Jer. vi. 27.
1. —— xxxi. 3. | 4. — x. 17.
1. —— lxxi. 3. | 5. — xvi. 19.
1. —— xci. 2. | 5. Dan. xi. 7, 10.
1. —— cxliv. 2. | 3. Amos v. 9.
3. Isa. xvii. 3. | 4. Mic. vii. 12.

FORTRESSES.
3. Isa. xxxiv. 13. | 3. Hos. x. 14.

FORTH.
Not used in Hebrew.

FORTHWITH.
אָסְפַּרְנָא *Osparnō* (Chaldee), diligently, speedily.
Ezra vi. 8.

FORTY -IETH.
אַרְבָּעִים *Arboeem,* in all passages.

FORTIFY -IED.
1. בָּצַר *Botsar,* to fortify.
2. צָרַר *Tsorar,* to oppress.
3. עָזַב *Ozav,* to leave, forsake.
4. אָמַץ *Omats,* to make powerful.
5. חָזַק *Khozak,* to strengthen.
6. מָצוֹר *Motsour,* a besieged city.

2. Judg. ix. 31. | 1. Jer. li. 3.
3. Neh. iv. 2. | 4. Nah. ii. 1.
1. Isa. xxii. 10. | 5. —— iii. 14.

FORTIFIED.
5. 2 Chron. xi. 11. | 3. Neh. iii. 8.
5. —— xxvi. 9. | 6. Mic. vii. 12.

FORWARD.
1. הָלְאָה *Holoh,* hitherto, henceforward, further on, off.
2. פָּנִים *Poneem,* face, front, forward.

1. Numb. xxxii. 19. | 1. Ezek. xxxix. 22.
1. 1 Sam. xviii. 9. | 1. —— xliii. 27.
2. Jer. vii. 24. | Zech. i. 15, not in
2. Ezek. i. 9. | original.

FORWARD, go.
See Go forward.

FORWARD, set.
1. נָסַע *Nosa,* to go on a journey.
2. יָעַל *Yoal,* to help forward, promote.

1. Numb. iv. 15. | 2. Job xxx. 13.
1. —— x. 17.

FOUGHT.
See Fight.

FOUND -EST -ING.
See Find.

FOUL, Adj.
חֲמַרְמָר *Khomarmor,* shrunk together.
Job xvi. 16.

FOUL, Verb.
רָפַשׂ *Rophas,* to make turbid, trample down.
Ezek. xxxiv. 18.

FOULED.
Ezek. xxxiv. 19.

FOULEDST.
Ezek. xxxii. 2.

FOUNDATION.
יְסוֹד Yesoud, a foundation, in all passages.

FOUNDATIONS.
מוֹסָדוֹת Mousdouth, foundations; in all passages, except:

אֻשַּׁיָּא Ushayo (Chaldee).

Ezra iv. 12. | Ezra vi. 3.
—— v. 16, plural. |

FOUNDED.
יָסַד Yosad, to found, in all passages.

FOUNDER.
צוֹרֵף Tsouraiph, a refiner.

Judg. xvii. 4. | Jer. x. 9, 14.
Jer. vi. 29. | —— li. 17.

FOUNTAIN -S.
עַיִן Ain,   } a fountain, in all pas-
מַעְיָן Māayon, }   sages.

FOUR.
אַרְבַּע Arba, four, in all passages.

FOURFOLD.
אַרְבַּעְתָּיִם Arbaetoyim, fourfold.
2 Sam. xii. 6.

FOURSQUARE.
1. רָבוּעַ Rovooa,   }
2. מְרֻבַּעַת Měruboath, } foursquare.
3. רְבִיעִית Revēeeeth, quartered.

1. Exod. xxvii. 1. | 2. Ezek. xl. 47.
1. —— xxviii. 16. | 3. —— xlviii. 20.

FOURSCORE.
שְׁמֹנִים Shemoneem, eighty, fourscore, in all passages.

FOURTEEN -TH.
אַרְבַּע עֶשְׂרֵי Arba esrai, fourteen, in all passages.

FOURTH.
רְבִיעִי Rěvēeēe, fourth, in all passages.

FOWL -S.
עוֹף Ouph; in all passages, except:
עַיִט Ayit, a ravenous fowl.

Gen. xv. 11. | Isa. xviii. 6.
Job xxviii. 7. |

FOWLER -S.
יָקוֹשׁ Yokoosh, a fowler, in all passages.

FOX -ES.
שׁוּעָל Shoool, in all passages.

FRAIL.
חָדֵל Khodail, spared.
Psalm xxxix. 4.

FRAME.
1. יֵצֶר Yaitser, form, imagination.
2. מִבְנֶה Mivneh, a building.

1. Psalm ciii. 14. | 2. Ezek. xl. 2.

FRAME.
1. יָצַר Yotsar, to form.
2. כּוּן Koon, to fix, establish.
3. נָתַן Nothan, to give, set, act.
4. צָמַד Tsomad, to put together, attach.

2. Judg. xii. 6. | 3. Hos. v. 4.
1. Jer. xviii. 11. |

FRAMED.
1. Isa. xxix. 16.

FRAMETH.
4. Psalm L. 19. | 1. Psalm xciv. 20.

FRANKINCENSE.
לְבֹנָה Lěvonoh, frankincense, in all passages.

FRAUD.
מִרְמָה Mirmoh, deceit, fraud.
Psalm x. 7.

FRAY.

חָרַד Khorad, to tremble, terrify.

Deut. xxviii. 26.   Zech. i. 21.
Jer. vii. 33.

FRECKLED.

בֹּהַק Bohak, freckled, spotted.

Lev. xiii. 39.

FREE.

1.   חָפְשִׁי Khophshee, free.
2.   נָקִי Nokee, clean.
3.   חִנָּם Khinom, for nothing.
4.   פָּטוּר Potoor, exempted.
5.   נָדִיב Nodeev, liberal.
6.   פָּתַח Pothakh, open.
7.   כָּרַת Korath, (Niph.) to be cut off.

1. Exod. xxi. 2, 5.	5. 2 Chron. xxix. 31.
3. ——— 11.	1. Job iii. 19.
1. ——— 26, 27.	1. — xxxix. 5.
1. Lev. xix. 20.	5. Psalm li. 12.
2. Numb. v. 19, 28.	1. —— lxxxviii. 5.
1. Deut. xv. 12, 13, 18.	6. —— cv. 20.
2. —— xxiv. 5.	1. Isa. lviii. 6.
1. 1 Sam. xvii. 25.	1. Jer. xxxiv. 9, 11, 14.
4. 1 Chron. ix. 33.	

FREED.

7. Josh. ix. 23.

FREEDOM.

1. Lev. xix. 20.

FREELY.

3. Numb. xi. 5.	5. Psalm liv. 6.
5. Ezra ii. 68.	5. Hos. xiv. 4.
5. —— vii. 15.	

FREELY, eat.

אָכֹל אָכַל Okhoul okhal, eating shall eat.

Gen. ii. 16.   1 Sam. xiv. 30.

FREE offering.

נְדָבָה Nĕdovoh, a free-will offering.

Exod. xxxvi. 3.   Amos iv. 5.

FREE-will.

מִתְנַדַּב Mithnadaiv (Chaldee), are pleased.

Ezra vii. 13.

FREE-will offering -s.

נְדָבָה Nĕdovoh, in all passages.

FRESH.

1.   לֵשַׁד Leshad, flowing.
2.   חָדָשׁ Khodosh, new.
3.   רַעֲנָן Raănon, green, fresh.

1. Numb. xi. 8.   3. Psalm xcii. 10.
2. Job xxix. 20.

FRESHER.

רֻטְפַשׁ Rutphash, moist.

Job xxxiii. 25.

FRET.

פְּחֶתֶת Pĕkhetheth, a hole.

Lev. xiii. 55.

FRET, Verb.

1.   רָעַם Roam, to agitate, rage.
2.   חָרָה Khoroh, to grieve, be wrath.
3.   קָצַף Kotsaph, to vex, provoke to anger.
4.   רָגַז Rogaz, to tremble with rage.
5.   זָעַף Zoaph, to be sullen.
6.   מַמְאֶרֶת Mamereth, fretting, irritating.

1. 1 Sam. i. 6.   2. Prov. xxiv. 19.
2. Psalm xxxvii. 1, 7, 8.   3. Isa. viii. 21.

FRETTED.

4. Ezek. xvi. 43.

FRETTETH.

5. Prov. xix. 3.

FRETTING.

6. Lev. xiii. 51, 52.   6. Lev. xiv. 44.

FRIED.

מָרְבֶּכֶת Murbekheth, fried.

Lev. vii. 12.   1 Chron. xxiii. 29.

FRIEND.

1.   רֵעַ Raia, a companion, neighbour.
2.   אוֹהֵב Ouhaiv, a beloved friend.
3.   אַלּוּף Alooph, a principal, chief person.
4.   אִישׁ-שְׁלֹמִי Eesh-sheloumee, the man of my peace.
5.   קָרוֹב Korouv, an intimate friend, kinsman.
6.   מְתֵי-סוֹדִי Mĕthai-soudee, men of my secrets.
7.   אַנְשֵׁי-שָׁלוֹם Anshai-sholoum, men of peace.
8.   מְאַהֲבַי Maiouhavoy, my beloved friends.

All passages not inserted are Nº. 1.

4. Psalm xli. 9.	2. Prov. xxvii. 6.
2. Prov. xviii. 24.	

FRIENDS.

All passages not inserted are Nº. 1.

2. 2 Sam. xix. 6.	3. Prov. xvii. 9.
2. Esth. v. 10, 14.	2. ―― xviii. 24.
2. ―― vi. 13.	2. ―― xxvii. 6.
5. ― xix. 14.	2. Jer. xx. 4, 6.
6. ―― 19.	7. ― xxxviii. 22.
2. Prov. xiv. 20.	8. Zech. xiii. 6.
3. ―― xvi. 28.	

FRIENDLY.

1. עַל־לֵב *Al-laiv*, to the heart.
2. הִתְרוֹעֵעַ *Hithrouaia*, an associate.

1. Judg. xix. 3.	2. Prov. xviii. 24.
1. Ruth ii. 13.	

FRIENDSHIP.
1. Prov. xxii. 24.

FRINGE.
צִיצַת *Tseetsith*, fringe.

Numb. xv. 38, 39.

FRINGES.
גְּדִילִים *Gĕdeeleem*, twisted threads.

Deut. xxii. 12.

FRO, and to.
הָלוֹךְ־וָשׁוֹב *Holoukh-voshouv*, going and returning, in all passages.
See To and Fro, p. 494.

FROGS.
צְפַרְדֵּעַ *Tsĕphardaia*, frogs, in all passages.

FROM.
מ *Mem*, prefixed to a substantive denotes the preposition.

FRONT.
פָּנִים *Poneem*, face.

2 Sam. x. 9.	2 Chron. iii. 4.

FRONTIERS.
קָצֶה *Kotseh*, corner, end.

Ezek. xxv. 9.

FRONTLETS.
טֹטָפֹת *Toutophouth*, frontlets.

Exod. xiii. 16.	Deut. xi. 18.
Deut. vi. 8.	

FROST.

1.	קֶרַח	*Kerakh*, severe cold.
2.	כְּפוֹר	*Kĕphour*, hoar frost.
3.	חֲנָמָל	*Khanomol*, severe frost.

1. Gen. xxxi. 40.	3. Psalm lxxviii. 47.
2. Exod. xvi. 14.	2. ―― cxlvii. 16.
1. Job xxxvii. 10.	1. Jer. xxxvi. 30.
2. ― xxxviii. 29.	

FROWARD.

1.	תַּהְפֻּכֹת	*Tahapukhouth*, perversions.
2.	עִקֵּשׁ	*Ikaish*, crooked, perverted.
3.	נִפְתָּל	*Niphtol*, twisted.
4.	נָלוֹז	*Nolooz*, perverse, contrary.
5.	הַפַּכְפַּךְ	*Hăphakhpakh*, turning about, unstable.
6.	פָּתַל	*Pothal*, (Hith.) twisted.

1. Deut. xxxii. 2.	3. Prov. viii. 8.
2. 2 Sam. xxii. 27.	1. ―― 13.
3. Job v. 13.	1. ― x. 31.
6. Psalm xviii. 26.	2. ― xi. 20.
2. ― ci. 4.	1. ― xvi. 28.
1. Prov. ii. 12.	1. ―――― 30.
2. ―― 15.	2. ― xvii. 20.
4. ― iii. 32.	5. ― xxi. 8.
2. ― iv. 24.	2. ― xxii. 5.
2. ― vi. 12.	

FROWARDNESS.

1. Prov. ii. 14.	1. Prov. x. 32.
1. ― vi. 14.	

FROWARDLY.
שׁוֹבָב *Shouvov*, backward, backsliding.

Isa. lvii. 17.

FROZEN.
לָכַד *Lokad*, taken by force, conquered.

Job xxxviii. 30.

FRUIT -S.
פְּרִי *Pĕree*, fruit, in all passages.

FRUIT, summer.
קַיִץ *Kayits*, in all passages.

FRUITFUL.
פָּרַח *Poroh*, to be fruitful, in all passages.

FRUSTRATE.
הָפֵר *Hophair*, to destroy, make void.
Ezra iv. 5.

FRUSTRATETH.
Isa. xliv. 25.

FRYINGPAN.
מַרְחֶשֶׁת *Markhesheth*.

| Lev. ii. 7. | Lev. vii. 9. |

FUEL.
מַאֲכֹלֶת *Măakhouleth*, a devouring.

| Isa. ix. 5, 19. | Ezek. xxi. 32. |
| Ezek. xv. 4, 6. | |

FUGITIVE.
נָע *No*, moving from place to place.
Gen. iv. 12, 14.

FUGITIVES.
1. פָּלִיט *Poleet*, a fugitive.
2. נֹפְלִים *Nepholeem*, falling ones.
3. בְּרִיחִים *Boreekheem*, bars, borders.
4. מִבְרָח *Mivrokh*, fugitives.

| 1. Judg. xii. 4. | 3. Isa. xv. 5. |
| 2. 2 Kings xxv. 11. | 4. Ezek. xvii. 21. |

FULFIL -LED.
1. מָלֵא *Millai*, to fill, fulfil.
2. עָשָׂה *Osoh*, to do, make, perform.

1. In all passages.

FULFILLING.
2. Psalm cxlviii. 8.

FULL.
1. מָלֵא *Molai*, full.
2. { שָׁלֵם *Sholaim*, } to appease, pacify,
   { שְׁלֵמָה *Shĕlaimoh*, } complete.
3. שָׂבֵעַ *Sovaia*, satisfied.
4. כַּרְמֶל *Karmel*, fruitful.
5. כֶּלַח *Kelakh*, full ripe.

6. שְׁנָתַיִם־יָמִים *Shĕnothayim-yomeem*, years of days, two full years.
7. יָמִים *Yomeem*, days, preceded by months or years, means a full month or year.
8. תָּמִים *Tomeem*, perfect.
9. רַב *Rav*, much, plentiful, abundance.
10. אָנוּשׁ *Onoosh*, incurable, weak, mortal.

All passages not inserted are N°. 1.

2. Gen. xv. 16.	3. Job xiv. 1.
3. —— xxv. 8.	8. — xxi. 23.
3. —— xxxv. 29.	3. — xlii. 17.
6. —— xli. 1.	Psalm xxix. 4, not in original.
—— xliii. 21, not in original.	10. —— lxix. 20.
2. Exod. viii. 21.	3. —— lxxviii. 25.
3. —— xvi. 3, 8.	3. —— lxxxviii. 3.
2. —— xxii. 3.	3. —— civ. 16.
4. Lev. ii. 14.	3. Prov. xxvii. 7, 20.
7. —— xxv. 29.	3. —— xxx. 9.
8. —— 30.	Eccles. i. 8, not in original.
3. —— xxvi. 5.	9. —— x. 14, verb repeated.
3. Deut. viii. 10, 12.	3. Isa. i. 11.
3. —— xi. 15.	— xxv. 6, not in original.
7. —— xxi. 13.	3. Jer. v. 7.
2. Ruth ii. 12.	6. — xxviii. 3.
3. 1 Sam. ii. 5.	9. Lam. i. 1.
7. —— xxvii. 7.	3. —— iii. 30.
2 Kings iii. 16, subst. repeated.	Ezek. xix. 10, not in original.
3. 1 Chron. xxiii. 1.	3. —— xxxix. 19.
3. —— xxix. 28.	8. Dan. viii. 23.
5. Job v. 26.	7. —— x. 2.
3. — vii. 4.	
3. — x. 15.	
9. — xi. 2.	

FULNESS.

| 3. Psalm xvi. 11. | 3. Ezek. xvi. 49. |

FULLY.
Ruth ii. 11, verb repeated.

FULLER.
כֹּבֵס *Kouvais*, a fuller.

| 2 Kings xviii. 17. | Isa. xxxvi. 2. |
| Isa. vii. 3. | Mal. iii. 2. |

FURBISH.
מָרַק *Morak*, to polish, brighten.
Jer. xlvi. 4.

FURBISHED.
מָרוּט *Moroot*, polished, brightened.
Ezek. xxi. 9, 10, 11, 28.

FURIOUS.

חֵמָה *Khaimoh,* fury ; in all passages, except :

קֶצֶף *Ketseph,* vexatious.
Dan. ii. 12.

FURIOUSLY.

1. בְּשִׁגָּעוֹן *Beshiggooun,* with madness.
2.   חֵמָה *Khaimoh,* fury.

1. 2 Kings ix. 20. | 2. Ezek. xxiii. 25.

FURNACE -S.

תַּנּוּר *Tanoor,* a furnace, in all passages.

FURNISH.

1.   עָנַק *Onak,* to load.
2.   עָרַךְ *Orakh,* to prepare, arrange.
3.   עָשָׂה *Osoh,* to make.
4.   מָלָא *Millai,* to fill.
5.   נָשָׂא *Nisso,* to bear, carry.

1. Deut. xv. 14. | 4. Isa. lxv. 11.
2. Psalm lxxviii. 19. | 3. Jer. xlvi. 19.

FURNISHED.

5. 1 Kings ix. 11. | 2. Prov. ix. 2.

FURNITURE.

1.   כַּר *Kar,* a camel's pack, saddle.
2.   כֵּלִים *Kaileem,* vessels.

1. Gen. xxxi. 34. | 2. Exod. xxxix. 33.
2. Exod. xxxi. 7, 8, 9. | 2. Nah. ii. 9.
2. ——— xxxv. 14.

FURROW.

1.   תֶּלֶם *Telem,* furrow.
2.   מַעֲנָה *Maănoh,*penetration,to penetrate.
3.   עֲרוּגָה *Ăroogoh,* a raised bed in a garden.

               1. Job xxxix. 10.
גְּדוּדִים *Gedoodeem,* cuttings, arable land.
                    Psalm lxv. 10.
FURROWS.

1. Job xxxi. 38. | 3. Ezek. xvii. 7, 10.
1. Psalm lxv. 10. | 1. Hos. x. 4, 10.
2. ——— cxxix. 3. | 1. ——— xii. 11.

FURTHER.

1.   יָסַף *Yosaph,* to add, increase.
2.   עוֹד *Oud,* again, more, yet.
3.   גַם *Gam,* also.
4.   יוֹתֵר *Youthair,* the remainder, moreover.

---

1. Numb. xxii. 26. | 1. Job xl. 5.
1. Deut. xx. 8. | 3. Eccles. viii. 17.
2. 1 Sam. x. 22. | 4. ——— xii. 12.
1. Job xxxviii. 11.

FURTHER, Verb.

נָפַק *Nophak,* to go forth, proceed.
Psalm cxl. 8.

FURTHERED.

נָשָׂא *Nisso,* bore.
Ezra viii. 36.

FURTHERMORE.

עוֹד *Oud,* yet, more, again.

Exod. iv. 6. | Ezek. viii. 6, not in
                          original.

FURY.

חֵמָה *Khaimoh,* fury ; in all passages, except :

חָרוֹן *Kharoun,* fierce anger.
Job xx. 23.

G

GADDEST.

נָזַל *Nozal,* to run, flow.
Jer. ii. 36.

GAIN, Subst.

בֶּצַע *Betsa,* gain, profit ; in all passages, except :

1.   תְּבוּאָה *Tevooŏh,* produce of the field, garden.
2.   תַּרְבִּית *Tarbeeth,* great interest.
3.   מְחִיר *Mĕkheer,* price, exchange.

1. Prov. iii. 14. | 3. Dan. xi. 39.
2. ——— xxviii. 8.

GAIN, Verb.

1.   זְבַן *Zovan* (Chaldee), to buy.
2.   בָּצַע *Botsa,* to gain.

             1. Dan. ii. 8.

GAINED.

2. Job xxvii. 8. | 2. Ezek. xxii. 12.

GALL.

1. רוֹשׁ *Roush,* or ראֹשׁ gall.
2. מְרֹר *Morar,* bitterness.

1. Deut. xxix. 18.	1. Jer. viii. 14.
1. —— xxxii. 32.	1. — ix. 15.
2. Job xvi. 13.	1. — xxiii. 15.
2. — xx. 14, 25.	1. Lam. iii. 5, 19.
1. Psalm lxix. 21.	1. Amos vi. 12.

GALLANT.

אַדִּיר *Ādeer,* illustrious, splendid, gallant, powerful.

Isa. xxxiii. 21.

GALLERY.

1. רְהָטִים *Rĕhoteem,* platted chains.
2. אַתִּיקִים *Āteekeem,* galleries, balconies.

2. Ezek. xlii. 3, twice.

GALLERIES.

1. Cant. vii. 5.	2. Ezek. xlii. 5.
2. Ezek. xli. 15, 16.	

GALLEY.

אֳנִי *Ŏnee,* a galley, boat.

Isa. xxxiii. 21.

GALLOWS.

עֵץ *Aits,* a tree, in all passages.

GAP.

פֶּרֶץ *Perets,* a breach.

Ezek. xxii. 30.

GAPS.

פִּרְצוֹת *Perotsouth,* breaches.

Ezek. xiii. 5.

GAPED.

פָּעַר *Poar,* to open wide.

Job xvi. 10.	Psalm xxii. 13.

GARDEN.

גַּן *Gan,* a garden, in all passages.

GARDENS.

גַּנִּים *Ganneem,* in all passages.

GARRISON.

1. נְצִיב *Netseev,* a standing-place, permanent.
2. מַצָּב *Matsov,* a station.

1. 1 Sam. x. 5, plural.	2. 2 Sam. xxiii. 14.
2. —— xiii. 3.	1. 1 Chron. xi. 16.
2. —— xiv. 1, 6, 15.	

GARRISONS.

1. נְצִיבִים *Netseeveem,* permanent places.
2. מַצָּבוֹת *Matsovouth,* stations.

1. 2 Sam. viii. 6, 14, twice.	1. 2 Chron. xvii. 2.
1. 1 Chron. xviii. 13.	2. Ezek. xxvi. 11.

GARLICK.

שׁוּם *Shoom,* garlick.

Numb. xi. 5.

GARMENT.

1. שִׂמְלָה *Simloh,* raiment.
2. אַדֶּרֶת *Adereth,* a splendid robe, mantle.
3. בֶּגֶד *Beged,* a garment.
4. כְּתֹנֶת *Kethouneth,* an under garment.
5. לְבוּשׁ *Levoosh,* apparel.
6. { מַעֲטֶה *Maăteh,* / יַעֲטֶה *Yaăteh,* } a vail, wrapper.
7. מַד *Mad,* an upper garment that covers the whole body, armour.

1. Gen. ix. 23.	5. Job xli. 13.
2. —— xxv. 25.	5. Psalm lxix. 11.
3. —— xxxix. 12, 15, 16, 18.	6. —— lxxiii. 6.
3. Lev. vi. 27.	3. —— cii. 26.
3. —— xiii. 47, 49, 51, 59.	1. —— civ. 2.
3. —— xiv. 55.	5. ———— 6.
3. —— xv. 17.	7. —— cix. 18.
3. —— xix. 19.	3. ———— 19.
1. Deut. xxii. 5.	3. Prov. xx. 16.
———— 11, not in original.	3. —— xxv. 20.
2. Josh. vii. 21, 24.	3. —— xxvii. 13.
1. Judg. viii. 25.	1. xxx. 4.
4. 2 Sam. xiii. 18, 19.	3. Isa. L. 9.
1. 1 Kings xi. 29.	3. — li. 6, 8.
3. 2 Kings ix. 13.	6. — lxi. 3.
3. Ezra ix. 3, 5.	3. Jer. xliii. 12.
5. Esth. viii. 15.	3. Ezek. xviii. 7, 16.
3. Job xiii. 28.	5. Dan. vii. 9.
5. — xxx. 18.	2. Mic. ii. 8.
5. — xxxviii. 9, 14.	3. Hag. ii. 12.
	2. Zech. xiii. 4.
	5. Mal. ii. 16.

GARMENTS.

1. Gen. xxxv. 2.	3. Exod. xxix. 21, four times.
3. —— xxxviii. 14.	3. —— xxxi. 10.
5. —— xlix. 11.	3. Lev. vi. 11.
3. Exod. xxviii. 3.	

3. Lev. viii. 30.
3. —— xvi. 23, 24.
3. Numb. xv. 38.
3. —— xx. 26, 28.
1. Josh. ix. 5.
3. Judg. xiv. 12.
7. 1 Sam. xviii. 4.
7. 2 Sam. x. 4.
3. —— xiii. 31.
3. 2 Kings v. 26.
3. —— vii. 15.
3. —— xxv. 29.
7. 1 Chron. xix. 4.
4. Ezra ii. 69.
4. Neh. vii. 70, 72.
3. Job xxxvii. 17.
3. Psalm xxii. 18.
3. —— xlv. 8.

7. Psalm cxxxiii. 2.
3. Eccles. ix. 8.
1. Cant. iv. 11.
1. Isa. ix. 5.
3. — lii. 1.
3. — lix. 6, 17.
3. — lxi. 10.
3. — lxiii. 1, 3.
3. Jer. xxxvi. 24.
3. — lii. 33.
5. Lam. iv. 14.
3. Ezek. xvi. 18.
3. —— xlii. 14.
3. —— xliv. 19.
5. Dan. iii. 21.
3. Joel ii. 13.
3. Zech. iii. 3, 4.

GARMENTS, holy.

3. Exod xxviii. 2, 4.
3. —— xxxi. 10.

3. Lev. xvi. 4, 32.
3. Ezek. xlii. 14.

GARNERS.

1.   זָוִיּוֹת   *Zoveeyouth*, corners.
2.   אֹצָרוֹת   *Outsorouth*, storehouses, granary.

1. Psalm cxliv. 13. | 2. Joel i. 17.

GARNISH -ED.

1.   צָפָה   *Tsophoh*, (Piel) to overlay, ornament.
2.   שָׁפַר   *Shophar*, to beautify, adorn.

1. 2 Chron. iii. 6. | 2. Job xxvi. 13.

GAT.
Not used in Hebrew.

GATE.

1.   שַׁעַר   *Shaar*, a gate.
2.   פֶּתַח   *Pethakh*, an opening, entrance.
3.   דַּלְתוֹת   *Dalthouth*, doors.
4.   סִפִּים   *Sipheem*, thresholds.
5.   שַׁעַר־הַחַרְסִית   *Shăar-hakharseeth*, the gate of earthenware leading to the Valley of Hinnom.
6.   תְּרַע   *Tĕrā* (Chaldee), a gate.

All passages not inserted are Nº. 1.

2. 1 Kings xvii. 10. | 5. Jer. xix. 2.
2. Prov. xvii. 19. | 6. Dan. ii. 49.

GATES.

3. Deut. iii. 5.
3. Josh. vi. 26.
3. 1 Sam. xxiii. 7.
3. 1 Kings xvi. 34.
2. —— xvii. 10.
4. 1 Chron. ix. 9, 19, 22.
2. —— xix. 9.
3. 2 Chron. viii. 5.
3. —— xiv. 17.
1. Neh. xiii. 19.
3. —— xiii. 19.

1. Neh. xiii. 19.
2. Esth. v. 1.
3. Psalm cvii. 16.
3. Prov. viii. 34.
2. Cant. vii. 13.
2. Isa. iii. 26.
2. — xiii. 2.
3. — xlv. 2.
3. Jer. xli. 31.
3. Ezek. xxxviii. 11.

GATHER.

1.   קָבַץ   *Kibbaits*, to gather together (generally applied to people).
2.   לָקַט   *Lokat*, to collect, pick up.
3.   קָשַׁשׁ   *Koshash*, to collect by diligent search.
4.   אָסַף   *Osaph*, (Niph.) to be brought in, place in safety.
5.   בָּצַר   *Botsar*, to heap up earth or stones, accumulate, restrain.
6.   יָעַד   *Yoad*, to appoint, assemble, agree.
7.   חָלַל   *Khillail*, to make common, defile, profane.
8.   אָגַר   *Ogar*, to lay up a store (as provisions).
9.   כָּנַס   *Konas*, or כְּנַשׁ *Konash* (Chaldee), to gather into a house, or place of security.
10.   הָעֵז   *Hoaiz*, to drive in, secure.
11.   לָקַשׁ   *Lokash*, to collect the remnant of harvest, glean.
12.   סָקַל   *Sikkail*, to pick out (as stones from a field).
13.   גָּדַד   *Godad*, to collect a troop.
14.   קָהַל   *Kohal*, to congregate, meet together.
15.   גּוּר   *Goor*, to sojourn, dwell.
16.   זָעַק   *Zoak*, or צָעַק *Tsoak*, to cry out.
17.   אָרָה   *Oroh*, to pick fruit, from tree or bush.
18.   קָוָה   *Kovoh*, to abide in hope.
19.   צָבַר   *Tsovar*, to heap up, throw together, cluster.
20.   מָלֵא   *Millai*, to fill, satisfy, complete.
21.   סָפַח   *Sophakh*, to fix, adhere, spread.
22.   יָקָה   *Yokoh*, to be obedient.
23.   בָּזַז   *Bozaz*, to plunder, rob, pillage.

24.   דָּגַר   *Dogar*, to hatch, cherish.
25.   רָבָה   *Rovoh*, to multiply.
26.   מָעַט   *Moat*, to lessen.
27.   רָכַשׁ   *Rokhash*, to acquire, attain.

2. Gen. xxxi. 46.	1. Isa. xliii. 5.
1. —— xli. 35.	1. — liv. 7.
3. Exod. v. 7, 12.	1. — lvi. 8.
10. —— ix. 19.	12. — lxii. 10.
2. —— xvi. 5, 16, 26,	1. — lxvi. 18.
27.	10. Jer. vi. 1.
4. —— xxiii. 10.	2. — vii. 18.
2. Lev. xix. 9, 10.	4. — ix. 22.
2. —— xxiii. 22.	4. — x. 17.
4. —— xxv. 3.	1. — xxiii. 3.
5. —— 5, 11.	1. — xxix. 14.
4. —— 20.	1. — xxxi. 8, 10.
6. Numb. x. 4.	1. — xxxii. 37.
4. —— xi. 16.	4. — xl. 10.
4. —— xix. 9.	1. — xlix. 5.
4. Deut. xi. 14.	1. Ezek. xi. 17.
1. —— xiii. 16.	1. —— xvi. 37.
7. —— xxviii. 30.	1. —— xx. 34, 41.
4. —— 38.	1. —— xxii. 19, 20.
8. —— 39.	9. —— 21.
1. —— xxx. 3.	4. —— xxiv. 4.
2. 2 Kings iv. 39.	1. —— xxxiv. 13.
4. —— xxii. 20.	1. —— xxxvi. 24.
1. 1 Chron. xiii. 2.	4. —— xxxvii. 21.
1. 2 Chron. xxiv. 5.	4. —— xxxix. 17.
4. —— xxxiv. 28.	1. Hos. viii. 10.
1. Neh. i. 9.	1. —— ix. 6.
9. —— xii. 44.	4. Joel i. 14.
11. Job xxiv. 6.	1. —— ii. 6.
4. — xxxiv. 14.	4. —— 16.
4. — xxxix. 12.	1. —— iii. 2.
4. Psalm xxvi. 9.	1. Mic. ii. 12.
4. —— xxxix. 6.	1. —— iv. 6, 12.
2. —— civ. 28.	13. —— v. 1.
1. —— cvi. 47.	1. Nah. ii. 10.
1. Prov. xxviii. 8.	4. Hab. i. 9, 15.
4. Eccles. ii. 26.	4. Zeph. iii. 8, 18.
2. Cant. vi. 2.	1. —— 19, 20.
24. Isa. xxxiv. 15.	1. Zech. x. 8, 10.
1. — xl. 11.	4. —— xiv. 2.

GATHER together.

4. Gen. xxxiv. 30.	14. Job xi. 10.
4. —— xlix. 1.	4. Psalm L. 5.
1. —— 2.	15. —— lvi. 6.
4. Exod. iii. 16.	13. —— xciv. 21.
14. Lev. viii. 3.	4. —— civ. 22.
14. Numb. viii. 9.	9. Eccles. iii. 5.
14. —— xx. 8.	1. Isa. xi. 12.
4. —— xxi. 16.	1. — xlix. 18.
14. Deut. iv. 10.	15. Isa. liv. 15.
14. —— xxxi. 12.	1. — lx. 4.
4. 2 Sam. xii. 28.	4. Jer. iv. 5.
1. 1 Chron. xvi. 35.	1. — xlix. 14.
9. —— xxii. 2.	9. Dan. iii. 2 (Chaldee).
1. Neh. vii. 5.	1. Joel iii. 11.
1. Esth. ii. 3.	3. Zeph. ii. 1.
9. —— iv. 16.	

GATHERED.

27. Gen. xii. 5.	2. Exod. xvi. 17.
4. —— xxv. 8, 17.	2. —— 18.
4. —— xlix. 29, 33.	25. —— 18.

26. Exod. xvi. 18.	1. Psalm cvii. 3.
2. —— 21, 22.	4. Prov. xxvii. 25.
4. —— xxiii. 16.	4. —— xxx. 4.
4. Lev. xxiii. 39.	9. Eccles. ii. 8.
4. Numb. xi. 32.	17. Cant. v. 1.
14. —— xvi. 19.	12. Isa. v. 2.
4. —— xx. 24, 26.	4. — x. 14.
4. —— xxvii. 13.	2. — xxvii. 12.
4. —— xxxi. 2.	1. — xxxiv. 15.
4. Deut. xxxii. 50.	4. — xlix. 5.
2. Judg. i. 7.	1. — lvi. 8.
4. —— ii. 10.	4. — lxii. 9.
16. —— vi. 34, 35.	18. Jer. iii. 17.
2. —— xi. 3.	4. — viii. 2.
4. 1 Sam. v. 8.	4. — xxv. 33.
1. —— xxii. 2.	14. — xxvi. 9.
4. 2 Sam. xiv. 14.	1. Ezek. xxviii. 25.
16. 2 Kings iii. 21.	1. —— xxix. 5, 13.
4. —— xxii. 20.	14. —— xxxviii. 13.
4. 2 Chron. xxxiv. 28.	1. —— xxxix. 27.
1. Neh. v. 16.	9. —— 28.
4. Job xxvii. 19.	4. Hos. x. 10.
15. Psalm lix. 3.	4. Mic. vii. 1.

GATHERED together.

19. Exod. viii. 14.	20. Job xvi. 10.
14. Numb. x. 7.	21. — xxx. 7.
4. —— xi. 22.	4. Psalm xxxv. 15.
14. Judg. xx. 1.	4. —— xlvii. 9.
4. —— 11.	1. —— cii. 22.
1. 2 Chron. xx. 4.	15. —— cxl. 2.
1. —— xxiv. 5.	1. Hos. i. 11.
4. Ezra iii. 1.	4. Mic. iv. 11.
4. Neh. viii. 1.	4. Zech. xii. 3.

See Together, page 495.

GATHEREST.

5. Deut. xxiv. 21.

GATHERETH.

4. Numb. xix. 10.	4. Isa. x. 14.
9. Psalm xxxiii. 7.	4. — xvii. 5.
1. —— xli. 6.	2. — 5.
9. —— cxlvii. 2.	1. — lvi. 8.
8. Prov. vi. 8.	1. Nah. iii. 18.
8. —— x. 5.	4. Hab. ii. 5.
1. —— xiii. 11.	

GATHERING.

22. Gen. xlix. 10.	23. 2 Chron. xx. 25.
3. Numb. xv. 33.	4. Isa. xxxii. 10.
3. 1 Kings xvii. 10.	4. — xxxiii. 4.

GATHERER.

1.   בּוֹצֵר   *Boutsair*, a grape-gatherer.
2.   בּוֹלֵס   *Boulais*, a seeker.

1. Jer. vi. 9.	2. Amos vii. 14.
1. — xlix. 9.	1. Obad. 5.

GAVE -EST.

נָתַן   *Nothan*, to give; in all passages, except:

1.   קָרָא   *Koro*, to call.
2.   גָּוַע   *Gova*, wasted away.

1. Gen. ii. 20.	1. Gen. xxv. 8, 17.

GAZE -ING.
רָאָה *Rooh*, to see.

Exod. xix. 21. | Nah. iii. 6.

GENDER, Verb.
רָבַע *Rova*, to lie with.

Lev. xix. 19.

GENDERED.
יָלַד *Yolad*, to bring forth.

Job xxxviii. 29.

GENDERETH.
עִבַּר *Ibbar*, to cause to be pregnant, pass over.

Job xxi. 10.

GENEALOGY -IES.
יָחַשׂ *Yikhas*, to enrol in a family, in all passages.

GENERAL.
שַׂר צָבָא *Sar tsĕvo*, a ruler of a host.

1 Chron. xxvii. 34.

GENERALLY.
כָּל *Kol*, all, entirely.

2 Sam. xvii. 11, verb | Jer. xlviii. 38.
repeated. |

GENERATION.
דּוֹר *Dour*, a generation, in all passages.

GENERATIONS.
תּוֹלְדֹת *Touldouth*, } generations, in all
דֹּרוֹת *Dourouth*, }   passages.

GENTILES.
גּוֹיִם *Gouyim*, nations, in all passages.

GENTLENESS.
עֲנָוָה *Anovoh*, meekness.

2 Sam. xxii. 36. | Psalm xviii. 35.

GENTLY.
1.   לָאַט *Loat*, to be gentle, act gently.
2.   נָהַל *Nohal*, to lead gently.

1. 2 Sam. xviii. 5. | 2. Isa. xl. 11.

GET.
Not used in Hebrew.

GETTETH.
1.   לָקַח *Lokakh*, to take.
2.   פּוּק *Pook*, to acquire.
3.   קָנָה *Konoh*, to purchase, obtain.
4.   עָשָׂה *Osoh*, to make.
5.   עָלָה *Oloh*, to go up, ascend.
6.   נָגַע *Noga*, to touch.

6. 2 Sam. v. 8.	3. Prov. xviii. 15.
2. Prov. iii. 13.	3. —— xix. 8.
1. —— ix. 7.	4. Jer. xvii. 11.
3. —— xv. 32.	5. — xlviii. 44.

GETTING.
1.   קִנְיָן *Kinyon*, a purchase.
2.   פֹּעַל *Poual*, work.

1. Gen. xxxi. 18.	2. Prov. xxi. 6.
1. Prov. iv. 7.	

GHOST.
1.   גָּוַע *Gova*, wasted away.
2. נָפַח־נֶפֶשׁ *Nophakh-nephesh*, breathed out the breath.

1. Gen. xxv. 8, 17.	2. Job xi. 20.
1. —— xxxv. 29.	1. — xiii. 19.
1. —— xlix. 33.	1. — xiv. 10.
1. Job iii. 11.	2. Jer. xv. 9.
1. — x. 18.	1. Lam. i. 19.

GIANT.
1.   רָפָא *Ropho*, sound, healthy.
2.   גִּבּוֹר *Gibbour*, a mighty one, powerful.

1. 2 Sam. xxi. 16, 18.	2. Job xvi. 14.
1. 1 Chron. xx. 4, 6, 8.	

GIANTS.
1.   נְפִלִים *Nĕphileem*, falling ones.
2.   רְפָאִים *Rephoeem*, sound, healthy ones.

1. Gen. vi. 4.	2. Josh. xiii. 12.
1. Numb. xiii. 33.	2. —— xv. 8.
2. Deut. ii. 11.	2. —— xvii. 15.
2. —— iii. 11, 13.	2. —— xviii. 16.
2. Josh. xii. 4.	

GIER EAGLE,
רָחָם *Rokhom*, a hawk.

Lev. xi. 18. | Deut. xiv. 17.

GIFT.
1.   מַתָּן *Matton*, or נָתוּן *Nothoon*, a gift.
2.   שֹׁחַד *Shoukhad*, bribery, a bribe.
3.   מַשָּׂא *Masso*, or נִשָּׂא *Nisso*, a load.
4.   מִנְחָה *Minkhoh*, a present, offering, oblation.

5. תְּרוּמָה *Tĕroomoh*, a heave-offering, an oblation.

6. נְדַן *Nĕdan* (Chaldee), a sheath; met., a marriage gift, present.

1. Gen. xxxiv. 12.	1. Prov. xviii. 16.
2. Exod. xxiii. 8.	1. —— xxi. 14.
1. Numb. viii. 19.	1. —— xxv. 14.
1. —— xviii. 6, 7, 11.	1. Eccles. iii. 13.
2. Deut. xvi. 19.	1. —— v. 19.
3. 2 Sam. xix. 42.	1. —— vii. 7.
4. Psalm xlv. 12.	1. Ezek. xlvi. 16, 17.
2. Prov. xvii. 8, 23.	

GIFTS.

1. Gen. xxv. 6.	1. Psalm lxviii. 18.
1. Exod. xxviii. 38.	4. —— lxxii. 10.
1. Lev. xxiii. 38.	2. Prov. vi. 25.
1. Numb. xviii. 29.	1. —— xv. 27.
4. 2 Sam. viii. 2, 6.	1. —— xix. 6.
4. 1 Chron. xviii. 2.	5. —— xxix. 4.
2. 2 Chron. xix. 7.	2. Isa. i. 23.
1. —— xxi. 3.	6. Ezek. xvi. 33.
4. —— xxvi. 8.	1. —— xx. 26, 31, 39.
4. —— xxxii. 23.	2. —— xxii. 12.
3. Esth. ii. 18.	1. Dan. ii. 6, 48.
1. —— ix. 22.	1. —— v. 17.

GIN.

1. פַּח *Pakh*, a snare.

2. מוֹקֵשׁ *Moukaish*, a trap.

1. Job xviii. 9.	2. Amos iii. 5.
1. Isa. viii. 14.	

GINS.

2. Psalm cxl. 5.	2. Psalm cxli. 9.

GIRD.

1. חָגַר *Khogar*, to gird on, about.

2. אָזַר *Ozar*, to encompass.

3. אָסַר *Osar*, to bind.

4. חָבַשׁ *Khovash*, to tie on, saddle.

5. אָפַד *Ophad*, to put on the Ephod.

5. Exod. xxix. 5.	1. Psalm xlv. 3.
1. —— 9.	2. Isa. viii. 9.
1. Judg. iii. 16.	1. Ezek. xliv. 18.
1. 1 Sam. xxv. 13.	1. Joel i. 13.

GIRDED.

1. Lev. viii. 7.	2. Psalm xxx. 11.
1. Deut. i. 41.	2. —— lxv. 6.
1. Judg. xviii. 11.	1. —— xciii. 1.
1. 1 Sam. ii. 18.	1. —— cix. 19.
1. 2 Sam. vi. 14.	2. Isa. xlv. 5.
1. —— xx. 8.	1. Lam. ii. 10.
2. —— xxii. 40.	4. Ezek. xvi. 10.
1. 1 Kings xx. 33.	1. —— xxiii. 15.
2. Psalm xviii. 39.	1. Joel i. 8.

GIRDETH.

1. 1 Kings xx. 11.	2. Psalm xviii. 32.
3. Job xii. 18.	1. Prov. xxxi. 17.

GIRDING.

1. Isa. iii. 24.	1. Isa. xxii. 12.

GIRDLE.

1. חֲגוֹר *Khogour*, a girdle.

2. אַבְנֵט *Avnait*, a belt.

3. חֵשֶׁב *Khaishev*, embroidered cords attached to the Ephod.

4. אֵזוֹר *Aizour*, a girdle, sash.

5. מֵזַח *Maizakh* (Chaldee), armour for the forehead.

2. Exod. xxviii. 4.	1. 1 Kings ii. 5.
3. —— 8, 27, 28.	4. 2 Kings i. 8.
2. —— 39.	4. Job xii. 18.
3. —— xxix. 5.	5. Psalm cix. 19.
3. —— xxxix. 5, 20.	1. Isa. iii. 24.
2. —— 29.	4. — v. 27.
3. Lev. viii. 7.	4. — xi. 5.
1. 1 Sam. xviii. 4.	2. — xxii. 21.
1. 2 Sam. xviii. 11.	4. Jer. xiii. 1, 10.

GIRDLES.

2. Exod. xxviii. 40.	1. Prov. xxxi. 24.
2. —— xxix. 9.	4. Ezek. xxiii. 15.
2. Lev. viii. 13.	

GIRL.

יַלְדָה *Yaldoh*, a girl.

Joel iii. 3.

GIRLS.

יַלְדוֹת *Yaldouth*, girls.

Zech. viii. 5.

GIRT.

אָזַר *Ozar*, to gird about.

1 Sam. ii. 4.	2 Kings i. 8.

GITTITH.

גִּתִּית *Gitteeth*, a Gittite, also a stringed instrument.

Psalm viii. 1.	Psalm lxxxiv. 1.
— lxxxi. 1.	

GIVE.

1. נָתַן *Nothan*, to give.

2. יָהַב *Yohav*, to give, arrange.

3. עָשַׂר *Asair*, give the tenth.

4. רָבָה *Rovoh*, (Hiph.) to cause to multiply, increase.

5. מָעַט *Moat*, (Hiph.) to cause to diminish.

6. נוּחַ *Nooakh*, (Hiph.) to cause rest.

7. שׂוּם *Soom*, to set, place, appoint.

8. אָכַל *Okhal*, (Hiph.) to cause to eat.

9.   הִכָּה   *Hikkoh,* to smite, strike.

10.   יֵיטִיב   *Yaiteev,* to cause, do, good.

11.   שָׁקָה   *Shokoh,* (Hiph.) to cause to drink.

12.   כִּנָּה   *Kinnoh,* to surname.

13.   בִּין   *Been,* (Hiph.) to cause to understand.

14.   יָהַל   *Yohal,* to shine.

15.   נָגַשׁ   *Nogash,* to approach.

16.   עוּד   *Ood,* (Hiph.) to testify.

17.   קָשַׁב   *Koshav,* (Hiph.) to attend.

18.   יָאִיר   *Yoeer,* to give light.

19.   שׁוּב   *Shoov,* (Hiph.) to give back.

20.   מַתַּת־יָד   *Mattath-yad,* a gift of the hand.

21.   שָׂכַל   *Sokhal,* (Hiph.) to act prudently.

22.   גָּוַע   *Gova,* to waste away.

23.   יָנַק   *Yonak,* (Hiph.) to give suck.

24.   חָנַן   *Khonan,* to bestow.

25.   אָסַף   *Osaph,* to bring in.

26.   נָאַץ   *Noats,* (Piel) to disregard.

27.   נָשָׂא   *Nisso,* to carry, bear.

28.   יָרַשׁ   *Yorash,* (Hiph.) to cause to inherit, succeed.

29.   צִוִּיתָ   *Tsiveetho,* thou didst command.

30.   הָלַל   *Hullal,* to be praised.

31.   נָמַל   *Gomal,* to recompense.

32.   עָשָׂה   *Osoh,* (Niph.) to be done.

33.   יָדַע   *Yoda,* (Hiph.) to cause to know.

34.   שָׁלַח   *Sholakh,* to send forth.

35.   יָעַץ   *Yoats,* to counsel, advise.

36.   חָיָה   *Khoyoh,* to live.

37.   נָדַב   *Nodav,* (Hiph.) to be willing.

38.   נָחַל   *Nokhal,* (Hiph.) to cause to inherit.

39.   שָׁלַט   *Sholat,* (Hiph.) to give authority.

40.   אָזַן   *Ozan,* (Hiph.) to give ear.

41.   נָפַח־נֶפֶשׁ   *Nophakh-nephesh,* breathed out the breath.

42.   קָרָא   *Koro,* to call.

All passages not inserted are N°. 1.

3. Gen. xxviii. 22.	5. Exod. xxx. 15.
2. —— xxix. 21.	6. —— xxxiii. 14.
2. —— xxx. 1.	7. Numb. vi. 20.
4. Exod. xxx. 15.	8. —— xi. 4.

4. Numb. xxvi. 54.	8. Prov. xxv. 21.
5. —————— 54.	2. —— xxx. 15.
4. —————— xxxiii. 54.	14. Isa. xiii. 10.
5. —————— 54.	6. — xiv. 3.
9. Deut. xxv. 3.	15. — xlix. 20.
10. 1 Sam. ii. 32.	16. Jer. vi. 10.
11. 2 Sam. xxiii. 15.	11. — ix. 15.
11. 1 Chron. xi. 17.	17. — xviii. 18, 19.
2. —— xvi. 28, 29.	11. — xxxv. 2.
6. —— xxii. 9.	18. Ezek. xxxii. 7.
12. Job xxxii. 21.	19. —— xxxiii. 15.
2. Psalm xxix. 1, 2.	20. —— xlvi. 5, 11.
2. —— lx. 11.	2. Dan. v. 17.
—— xci. 11, not in	21. —— ix. 22.
original.	2. Hos. iv. 18.
2. —— xcvi. 7.	2. Zech. xi. 12.
2. —— cviii. 12.	
13. Psalm cxix. 34, 73, 125, 144, 169.	

GIVE up.

22. Job iii. 11.	22. Job xiii. 19.

GAVE.

All passages not inserted are N°. 1.

42. Gen. ii. 20.	22. Gen. xxxv. 27.
22. —— xxv. 8, 17.	

GIVEN.

All passages not inserted are N°. 1.

23. Gen. xxi. 7.	30. Psalm lxxviii. 63.
24. —— xxxiii. 5.	31. Prov. xix. 17.
Ruth ii. 12, not in original, but "let thy reward be complete."	Eccles. viii. 8, not in original.
	32. Isa. iii. 11.
25. 2 Sam. xii. 8.	— xxiii. 11, not in original.
26. —————— 14, repeated.	— xlvii. 8, not in original.
35. —— xvii. 7.	Jer. vi. 13, not in original.
27. —— xix. 42.	33. — xi. 18.
6. 1 Chron. xxii. 18.	— xliv. 20, not in original.
28. 2 Chron. xx. 11.	— xlvii. 7, not in original.
7. Ezra iv. 21.	
2. —— vi. 9.	2. Dan. ii. 38.
11. Job xxii. 27.	2. —— vii. 4, 25, 27.
29. Psalm lxxi. 3.	

GIVEST.

All passages not inserted are N°. 1.

34. Psalm L. 19.	4. Prov. vi. 35.
11. —— lxxx. 5.	

GIVETH.

All passages not inserted are N°. 1.

37. Exod. xxv. 2.	40. Prov. xvii. 4.
6. Deut. xii. 10.	17. —————— 4.
38. —————— 10.	39. Eccles. vi. 2.
38. —— xix. 3.	36. —————— vii. 12.
22. Job xiv. 10.	2. Dan. ii. 21.

GIVING.

All passages not inserted are N°. 1.

41. Job xi. 20.

GIVER.

נֹשֶׁה *Nousheh*, a creditor.

Isa. xxiv. 2.

GLAD -NESS.

שִׂמְחָה *Simkhoh*, gladness, in all passages.

GLASSES.

גִּלְיֹנִים *Gilyouneem*, light dresses, transparent.

Isa. iii. 23.

GLEAN.

1. עָלַל *Olal*, to pick up.
2. לָקַט *Lokat*, to collect.

1. Lev. xix. 10.	2. Ruth ii. 2.
1. Deut. xxiv. 21.	1. Jer. vi. 9.

GLEANED.

1. Judg. xx. 45.	2. Ruth ii. 3.

GLEANING.

1. לֶקֶט *Leket*, gleaning.
2. עֹלֵלוֹת *Ouĕlouth*, what is left for gleaning.

1. Lev. xxiii. 22.	2. Isa. xxiv. 13.
2. Judg. viii. 2.	2. Jer. xlix. 9.
2. Isa. xvii. 6.	2. Mic. vii. 1.

GLEANINGS.

1. Lev. xix. 9.

GLEDE.

רָאָה *Rooh*, to see; met., a sort of vulture.

Deut. xiv. 13.

GLISTERING.

1. בָּרָק *Borok*, shining.
2. לַהַב *Lahav*, a flame, flaming.
3. שֹׁהַם *Shouham*, an onyx stone.

3. 1 Chron. xxix. 2.	1. Job xx. 25.

GLITTERING.

1. Deut. xxxii. 41.	1. Nah. iii. 3.
2. Job xxxix. 23.	1. Hab. iii. 11.
1. Ezek. xxi. 10, 28.	

GLOOMINESS.

אֲפֵלָה *Aphailoh*, thick darkness.

Joel ii. 2.	Zeph. i. 15.

GLORIFY.

כָּבַד *Kovad*, to honour; in all passages, except:

פָּאַר *Poar*, (Hith.) to be praiseworthy.

Isa. lx. 7.

GLORIFIED.

Isa. xliv. 23.	Isa. lx. 9, 21.
— xlix. 3.	— lxi. 3.
— lv. 5.	

GLORY.

כָּבוֹד *Kovoud*, honour, in all passages.

GLORIOUS.

אָדַר *Odar*,
הָדַר *Hodar*, } glorious, in all passages.

Except:

תִּפְאֶרֶת *Tiphereth*, beauty, splendour.

Isa. lxiii. 12.

GLORIOUSLY.

1. גָּאָה *Gōōh*, to act excellently, repeated.
2. כָּבוֹד *Kovoud*, honour.

1. Exod. xv. 1.	Isa. xxiv. 23.

GLORY, Verb.

1. פָּאַר *Poar*, to boast, make beautiful, beautify.
2. כָּבַד *Kovad*, to honour.
3. הָלַל *Hillail*, to praise.
4. שָׁבַח *Shovakh*, to esteem.

1. Exod. viii. 9.	3. Psalm cv. 3.
2. 2 Kings xiv. 10.	3. —— cvi. 5.
3. 1 Chron. xvi. 10.	3. Isa. xli. 16.
4. —————— 35.	3. — xlv. 25.
3. Psalm lxiii. 11.	3. Jer. iv. 2.
3. —— lxiv. 10.	3. — ix. 23, 24.

GLORIEST.

3. Jer. xlix. 4.

GLORIETH.

3. Jer. ix. 24.

GLUTTON.

זוֹלֵל *Zoulail*, a glutton.

Deut. xxi. 20.	Prov. xxiii. 21.

GNASH.

חָרַק *Khorak,* to gnash the teeth.

Psalm cxii. 10. | Lam. ii. 16.

GNASHED.

Psalm xxxv. 16.

GNASHETH.

Job xvi. 9. | Psalm xxxvii. 16.

GNAW.

גָּרַם *Goram,* to reserve.

Zeph. iii. 3.

GO -EST -ETH -ING.

1.	הָלַךְ	*Holakh,* to go, walk, proceed.
2.	שָׁלַח	*Sholakh,* to send forth.
3.	בּוֹא	*Bou,* to come, enter.
4.	רָפָה	*Rophoh,* to slacken.
5.	עָלָה	*Oloh,* to go up, ascend.
6.	עָבַר	*Ovar,* to go over, pass by, through.
7.	חָלַץ	*Kholats,* to draw out, march forth.
8.	עָשָׂה	*Osoh,* to do, exercise, perform.
9.	בּוֹא	*Bou,* (Hiph.) to bring.
10.	סוּר	*Soor,* to depart.
11.	שׁוּב	*Shoov,* to return.
12.	רוּעַ	*Rooā,* (Hiph.) to do evil.
13.	יָשַׁר	*Yoshar,* (Piel) to go straightforward, to act uprightly.
14.	רָחַק	*Rokhak,* to keep away, stand aloof.
15.	סָבַב	*Sovav,* to go round.
16.	פָּשַׁע	*Posā,* to go through.
17.	חָמַק	*Khomak* (Hith.) to linger.
18.	הִתְאַחְדִי	*Hithakhdee,* keep thyself separate.
19.	רָגַל	*Rogal,* to walk about, accustom.
20.	יָצָא	*Yotso,* to go out, forth.
21.	אָשַׁר	*Oshar,* (Piel) to walk straight on.
22.	צָעַד	*Tsoad,* to step out.
23.	נָקָה	*Nikkoh,* to be free.

All passages not inserted are Nº. 1.

2. Gen. xxii. 26.	2. Exod. vii. 14, 16.
3. —— xxxvii. 30.	2. —— viii. 1, 2, 8, 20,
2. Exod. iii. 20.	21, 28, 32.
2. —— iv. 21, 23.	2. —— ix. 1, 2, 13, 28,
4. ——— 26.	35.
2. —— v. 1, 2.	2. —— x. 3, 4, 7, 27.

2. Exod. xi. 1.	3. Psalm xliii. 4.
2. —— xiii. 15.	3. —— xlix. 19.
2. —— xiv. 5.	3. —— lxvi. 13.
5. Numb. xx. 19.	3. —— lxxi. 16.
6. ———— 19.	3. —— cxviii. 19.
6. —— xxii. 18.	3. —— cxxxii. 7.
6. —— xxiv. 13.	3. Prov. ii. 19.
6. —— xxxi. 23.	4. —— iv. 13.
3. —— xxxii. 6.	21. ———— 14.
7. ———— 17.	13. —— ix. 15.
3. Deut. iv. 5.	14. —— xix. 7.
6. —— xi. 11.	—— xxii. 6, not in
2. —— xxi. 14.	original.
2. —— xxii. 7.	3. ————— 24.
11. —— xxiv. 19.	3. —— xxiii. 30.
3. —— xxx. 18.	15. Eccles. xii. 5.
9. —— xxxi. 7.	4. Cant. iii. 4.
3. ———— 16.	16. Isa. xxvii. 4.
8. ———— 21.	3. — xxxvi. 6.
3. —— xxxii. 52.	2. — xlv. 13.
14. Josh. viii. 4.	6. — lxii. 10.
2. Judg. i. 25.	3. Jer. iv. 5.
10. —— xvi. 17.	5. — vi. 5.
20. ———— 20.	22. — x. 5.
3. —— xviii. 10.	3. — xvi. 8.
2. —— xix. 25.	3. — xxvii. 18.
3. Ruth iii. 17.	17. — xxxi. 22.
11. 1 Sam. v. 11.	3. — xxxiv. 3.
2. —— vi. 6.	3. — xxxv. 11.
5. —— ix. 19.	1. — xl. 5.
11. —— xviii. 2.	2. ——— 5.
2. —— xix. 17.	3. — xlii. 22.
2. —— xx. 5.	3. — xliii. 2.
3. —— xxix. 8.	11. — xlvi. 16.
6. 2 Sam. xix. 36.	23. — xlix. 12.
2. 1 Kings xi. 22.	14. Ezek. viii. 6.
11. —— xii. 27.	6. —— ix. 4, 5.
2. ———— 42.	6. —— xiv. 17.
3. 2 Kings xviii. 21.	3. —— xx. 29.
3. 2 Chron. xiv. 11.	18. —— xxi. 16.
3. —— xviii. 29.	3. —— xxxviii. 11.
3. ———— xxv. 7, 8.	19. Hos. xi. 3.
5. Job vi. 18.	3. Mic. iv. 10.
12. — xx. 26.	6. —— v. 8.
6. — xxi. 29.	20. Zech. vi. 8.
4. — xxvii. 6.	

GO -ING aside.

1.	שָׂטָה	*Sotoh,* to go astray, deviate, oppose.
2.	סוּר	*Soor,* to depart.

1. Numb. v. 12.	2. Jer. xv. 5.
2. Deut. xxviii. 14.	

GO -ING astray.

1.	נָדַח	*Niddokh,* to be driven away.
2.	תָּעָה	*Toōh,* to err, wander about.
3.	שָׁגָה	*Shogoh,* to commit an error inadvertently.

1. Deut. xxii. 1.	3. Prov. xxviii. 10.
2. Psalm lviii. 3.	2. Jer. l. 6.
3. Prov. v. 23.	2. Ezek. xiv. 11.
2. —— vii. 25.	

GO -ING away.

1. הָלַךְ *Holakh*, to go, walk on.
2. שָׁלַח *Sholakh*, to send forth.
3. יָצָא *Yotso*, to go forth, out.
4. נָסַע *Nosa*, to go a journey.
5. סוּר *Soor*, to depart.

1. Exod. viii. 28.	4. Job iv. 21.
2. Deut. xv. 13.	5. — xv. 30.
3. ——— 16.	1. Jer. li. 50.
1. 1 Sam. xv. 27.	1. Hos. v. 14.
2. ——— xxiv. 19.	

GO -ING back.

שׁוּב *Shoov*, to turn, return, in all passages.

GO -ING down.

יָרַד *Yorad*, to go down, descend, in all passages, except when it alludes to the sun, then it is always בּוֹא *Bou*, to come in.

GO -ING forth.

יָצָא *Yotso*, to go forth, out, in all passages.

GO -ING forward.

1. נָסַע *Nosa*, to go a journey.
2. הָלַךְ *Holakh*, to go, walk on.

1. Exod. xiv. 15.	2. 2 Kings xx. 9.
1. Numb. ii. 24.	2. Job xxiii. 8.

GO -ING in, into.

בּוֹא *Bou*, to enter, go in, in all passages.

GO (in peace).

1. בּוֹא *Bou*, to enter, go in.
2. הָלַךְ *Holakh*, to go, walk on.
3. עָלָה *Oloh*, to ascend.
4. יָרַד *Yorad*, to descend, go down.

1. Gen. xv. 15.	3. 1 Sam. xxv. 35.
2. Exod. iv. 18.	1. ——— xxix. 7.
1. — xviii. 23.	1. 2 Sam. xv. 9.
1. Judg. xviii. 6.	4. 1 Kings ii. 6.
1. 1 Sam. i. 17.	1. 2 Kings v. 19.
1. ——— xx. 42.	

GO -ING near.

1. קָרַב *Korav*, to go, come near.
2. נָגַשׁ *Nogash*, to approach.

1. Deut. v. 27.	1. Job xxxi. 37.
2. 2 Sam. i. 15.	

GO -ING over.

עָבַר *Ovar*, to pass, go over, in all passages.

GO -ING out.

יָצָא *Yotso*, to go out, forth, in all passages.

GO -ING up.

עָלָה *Oloh*, to ascend, in all passages.

GO a whoring.

זָנָה *Zonoh*, to maintain, nourish, indulge, commit spiritual fornication, in all passages.

GO to.

הָבָה *Hovoh*, to be ready.

Gen. xi. 3, 4.	Isa. v. 5, not in original.

GOINGS.

1. מוֹצָאוֹת *Moutsoouth*, goings out.
2. צְעָדִים *Tsāadeem*, steps, paces.
3. אֲשׁוּרִים *Ashooreem*, courses, goings.
4. הֲלִיכוֹת *Haleekhouth*, goings, walks.
5. פְּעָמִים *Peomeem*, steps in regular time.
6. מַעְגְּלוֹת *Māagolouth*, paths, roads.

All passages not inserted are N°. 1.

2. Job xxxiv. 21.	5. Psalm cxl. 4.
3. Psalm xvii. 5.	6. Prov. v. 21.
3. —— xl. 2.	2. —— xx. 24.
4. —— lxviii. 24.	6. Isa. lix. 8.

GOINGS out.
1. In all passages.

GOAD.

1. מַלְמָד *Malmad*, a trainer, teacher.
2. דָּרְבָן *Darvon*, a goad.

1. Judg. iii. 31.	2. 1 Sam. xiii. 21.

GOADS.
2. Eccles. xii. 11.

GOAT.

1. עֵז *Aiz*, a goat.
2. שָׂעִיר *Soeer*, a hairy, rough goat.
3. עַתּוּד *Atood*, a he goat.
4. תַּיִשׁ *Tayish*, a he goat, a roebuck.
5. צָפִיר *Tsopheer*, an old he goat.

1. Gen. xv. 9.
1. Lev. iii. 12.
2. —— iv. 24.
1. —— vii. 23.
2. —— ix. 15.
2. —— x. 15.
2. —— xvi. 9, 10, 15, 18 (twice), 21, 22, 26, 27.
2. —— xvii. 3.

1. Lev. xxii. 27.
1. Numb. xv. 27.
1. —— xviii. 17.
2. —— xxviii. 22.
2. —— xxix. 22, 28, 31, 34, 38.
1. Deut. xiv. 4.
2. Ezek. xliii. 25.
5. Dan. viii. 5, 21.

GOAT, he.

4. Prov. xxx. 31.
3. Jer. li. 40.

5. Dan. viii. 5, 8.

GOAT, live.

2. Lev. xvi. 20, 21.

GOAT -scape.

עַז אֲזֵל　*Az ozail*, the running goat.

Lev. xvi. 8, 10, 26.

GOAT, wild.

אַקּוֹ　*Akou*, wild goat.

Deut. xiv. 5.

GOATS.

1. Gen. xxvii. 9, 16.
1. —— xxx. 32, 33, 35.
1. —— xxxi. 38.
1. —— xxxii. 14.
1. —— xxxvii. 31.
1. Exod. xii. 5.
1. Lev. i. 10.
1. —— iv. 23, 28.
1. —— v. 6.
1. —— ix. 3.
1. —— xvi. 5.
2. ——— 7.
1. —— xxii. 19.
1. —— xxiii. 19.
1. Numb. vii. 16, 17, 22, 23, 28, 29, 34, 35, 40, 41, 46, 47, 52, 53, 58, 59, 64, 65, 70, 71, 76, 77, 82, 83, 87, 88.
1. —— xv. 24.

3. Deut. xxxii. 14.
1. 1 Sam. xxv. 2.
4. 2 Chron. xvii. 11.
5. ——— xxix. 21.
5. Ezra vi. 17.
5. —— viii. 35.
3. Psalm L. 9, 13.
3. —— lxvi. 15.
3. Prov. xxvii. 26.
1. ——— 27.
1. Cant. iv. 1.
1. —— vi. 5.
3. Isa. i. 11.
3. —— xxxiv. 6.
3. Jer. L. 8.
3. Ezek. xxvii. 21.
3. —— xxxiv. 17.
3. —— xxxix. 18.
1 —— xliii. 22.
1. —— xlv. 23.
3. Zech. x. 3.

GOAT'S hair (hair in italics).

עִזִּים　*Izzeem*, goats, in all passages.

GOATS, wild.

יְעֵלִים　*Yĕaileem*, mountain goats.

1 Sam. xxiv. 2.　　　　Psalm civ. 18.
Job xxxix. 1.

GOBLET.

אַגָּן　*Agon*, goblet, bowl.

Cant. vii. 2.

GOD.

אֱלֹהִים　*Elouheem*, superior, mighty, supreme.

2. Exod. iv. 16.　　|　　Exod. vii. 1.

GOD, idol.

אֱלֹהִים　*Elouheem*, superior, mighty, supreme, in all passages.

GOD.

אֵל　*Ail*, God.

אֱלֹהִים　*Elouheem*, superior, mighty, supreme, in all passages.

GODDESS.

אֱלֹהֵי　*Elouhai*, a god of.

1 Kings xi. 5, 33.

GODLY.

1. חָסִיד　*Khoseed*, pious, devoted to God.
2. אֱלֹהִים　*Elouheem*, superior, supreme, mighty.

1. Psalm iv. 3.　　|　　1. Psalm xxxii. 6.
1. —— xii. 1.　　|　　2. Mal. ii. 15.

GOD-WARD.

מוּל הָאֱלֹהִים　*Mool hoelouheem*, towards God.

Exod. xviii. 19.

GODS.

אֱלֹהִים　*Elouheem*, superior, mighty, supreme, in all passages.

GOLD.

זָהָב　*Zohov*, gold; in all passages.
(See Fine Gold.)

GOLDEN.

זָהָב　*Zohov*, gold, in all passages.

GOLDSMITH.

צוֹרֵף　*Tsouraiph*, a refiner, in all passages.

GONE.

הָלַךְ　*Holakh*, to go, in all passages.

GONE about.

1. סָבַב　*Sovav*, to encompass.
2. נָקַף　*Nokaph*, to go round.

1. 1 Sam. xv. 12.　　|　　2. Isa. xv. 8.
2. Job i. 5.　　|

GONE aside.
1. שָׂטָה   *Sotoh,* to go astray, oppose.
2. סָר   *Sor,* departed from.

1. Numb. v. 19, 20. | 2. Psalm xiv. 3.

GONE astray.
תָּעָה   *Tooh,* to err.

Psalm cxix. 176. | Isa. liii. 6.

GONE away.
1. הָלַךְ   *Holakh,* to go.
2. עָלָה   *Oloh,* to ascend.
3. נָע   *No,* to move.
4. נָזַר   *Nozar,* to separate from.
5. רָחַק   *Rokhak,* to keep off, away.
6. סור   *Soor,* to depart.

1. 2 Sam. iii. 22, 23.	4. Isa. i. 4.
2. ——— xxiii. 9.	5. Ezek. xliv. 10.
3. Job xxviii. 4.	6. Mal. iii. 7.

GONE back.
1. שׁוּב   *Shoov,* to return.
2. מוּשׁ   *Moosh,* to put away.
3. נָסַג   *Nosag,* to move back.

1. Ruth i. 15.	3. Psalm liii. 3.
2. Job xxiii. 12.	1. Jer. xl. 5.

GONE down.
יָרַד   *Yorad,* to descend, in all passages.

GONE forth, out.
יָצָא   *Yotso,* in all passages.

GONE over.
עָבַר   *Ovar,* in all passages.

GONE up.
עָלָה   *Oloh,* to ascend, in all passages.

GONE a whoring.
זָנָה   *Zonoh,* to maintain, nourish, indulge, commit spiritual fornication, in all passages.

GOOD.
טוֹב   *Touv,* from יָטַב   *Yotav,* to do good, in all passages.

GOOD things or tidings.
בְּשׂוֹרָה   *Běsooroh,* good report, in all passages.

GOODLY.
1. חֲמוּדוֹת   *Khamoodouth,* desirable.
2. יְפֵה־תֹּאַר   *Yěphaih-touar,* beautiful form.
3. שֶׁפֶר   *Shopher,* pleasant.
4. טוֹב   *Touv,* good.
5. פְּאֵר   *Pěair,* splendid.
6. הָדָר   *Hodor,* glorious.
7. מַרְאֶה   *Mareh,* countenance.
8. רְנָנִים   *Rěnoneem,* shouting.
9. אֵל   *Ail,* God.
10. צְבִי   *Tsěvee,* majesty, majestic.
11. תֹּאַר   *Touar,* form, shape.
12. אֶדֶר   *Eder,* splendour.
13. הוֹד   *Houd,* splendour, honour, glory.

1. Gen. xxvii. 15.	4. 1 Sam. xvi. 12.
2. ——— xxxix. 6.	7. 2 Sam. xxiii. 21.
3. ——— xlix. 21.	4. 1 Kings i. 6.
4. Exod. ii. 2.	1. 2 Chron. xxxvi. 10, 19.
5. ——— xxxix. 28.	8. Job xxxix. 13.
6. Lev. xxiii. 40.	3. Psalm xvi. 6.
4. Numb. xxiv. 5.	9. ——— lxxx. 10.
——— xxxi. 10, not in original.	10. Jer. iii. 19.
4. Deut. iii. 25.	11. — xi. 16.
4. —— vi. 10.	12. Ezek. xvii. 8, 23.
4. —— viii. 12.	4. Hos. x. 1.
4. Josh. vii. 21.	4. Joel iii. 5.
4. 1 Sam. ix. 2.	13. Zech. x. 3.
	12. ——— xi. 13.

GOODLIER.
טוֹב   *Touv,* good.

1 Sam. ix. 2.

GOODLIEST.
טוֹבִים   *Touveem,* good ones.

1 Sam. viii. 16. | 1 Kings xx. 3.

GOODLINESS.
חֶסֶד   *Khesed,* kindness.

Isa. xl. 6.

GOODNESS.
טוֹבָה   *Touvoh,* goodness; in all passages, except:
חֶסֶד   *Khesed,* kindness.

Hos. vi. 4.

GOODS.
1. רְכוּשׁ   *Rěkhoosh,* wealth.
2. טוֹב   *Touv,* good.
3. מְלָאכֶת   *Mělekheth,* work.

4. חַיִל *Khail,* power, might.

5. טוֹבָה *Touvoh,* goodness.

1. Gen. xiv. 16, 21.	1. 2 Chron. xxi. 14.
2. —— xxiv. 10.	1. Ezra i. 4, 6.
1. —— xxxi. 18.	1. —— vi. 8.
1. —— xlvi. 6.	1. —— vii. 26.
3. Exod. xxii. 8, 11.	1. Neh. ix. 25.
1. Numb. xvi. 32.	1. Job xx. 10, 21, 28.
4. —— xxxi. 9.	1. Eccles. v. 11.
1. —— xxxv. 3.	1. Ezek. xxxviii. 12, 13.
5. Deut. xxviii. 11.	1. Zeph. i. 13.

GOPHER-WOOD.

גֹפֶר *Goupher,* gopher-wood.

Gen. vi. 14.

GORE -ED.

נָגַח *Nogakh,* to gore.

Exod. xxi. 28, 31.

GORGEOUSLY.

מִכְלוֹל *Mikhlool,* perfection.

Ezek. xxiii. 12.

GOT.

Not used in Hebrew.

GOTTEN.

1. קָנָה *Konoh,* to purchase, obtain.

2. עָשָׂה *Osoh,* to make, exercise, perform.

3. כָּבַד *Kovad,* (Niph.) to be glorified, honoured.

4. עָשַׁק *Oshak,* to oppress, take by force.

5. מָצָא *Motsō,* to find.

6. יָסַף *Yosaph,* (Hiph.) to increase.

7. נָתַן *Nothan,* (Pual) to be given.

8. אָסַף *Osaph,* (Niph.) to be brought in.

9. יָשַׁע *Yoshā,* (Hiph.) to cause to save.

1. Gen. iv. 1.	Prov. xiii. 11, not in
2. —— xxxi. 1.	original.
3. Exod. xiv. 18.	—— xx. 21, not in
4. Lev. vi. 4.	original.
5. Numb. xxxi. 50.	6. Eccles. i. 16.
2. Deut. viii. 17.	2. Isa. xv. 7.
8. 2 Sam. xvii. 13.	2. Jer. xlviii. 36.
7. Job xxviii. 15.	2. Ezek. xxviii. 4.
5. —— xxxi. 25.	2. Dan. ix. 15.
9. Psalm lxxxi. 9.	

GOVERN.

1. עָשָׂה *Osoh,* to make, exercise.

2. חָבַשׁ *Khovash,* to fasten, bind.

3. נָחָה *Nokhoh,* to lead.

1. 1 Kings xxi. 7.	3. Psalm lxvii. 4.
2. Job xxxiv. 17.	

GOVERNMENT -S.

1. מִשְׂרָה *Misroh,* dominion.

2. מֶמְשָׁלָה *Memsholoh,* power, command.

1. Isa. ix. 6, 7.	2. Isa. xxii. 21.

GOVERNOR.

1. מוֹשֵׁל *Moushail,* a ruler.

2. נָגִיד *Nogeed,* a chief leader.

3. פֶּחָה *Pekhoh* (Chaldee), a governor.

4. פָּקַד *Pokad,* (Hiph.) to appoint.

5. אַלּוּף *Alooph,* a dignified person.

1. Gen. xlii. 6.	1. Jer. xxx. 21.
—— xlv. 26.	4. — xl. 5.
1 Kings xviii. 3, not in	4. — xli. 2, 18.
original.	3. Hag. i. 14.
2. 1 Chron. xxix. 22.	3. — ii. 2, 21.
3. Ezra v. 14.	5. Zech. ix. 7.
3. Neh. v. 14, 18.	3. Mal. i. 8.
1. Psalm xxii. 28.	

GOVERNORS.

1. { מְחֹקְקִים *Měkhoukěkeem,* } legislators.
   { חוֹקְקִים *Khoukěkeem,* }

2. סִגְנִין *Seegneen* (Chaldee), lieutenant-governors.

3. פַּחֲווֹת *Pakhvouth* (Chaldee), governors of provinces.

4. אַלֻּפִים *Alupheem,* leaders.

1. Judg. v. 9, 14.	3. Neh. v. 15.
3. Ezra viii. 36.	2. Dan. ii. 48.
3. Neh. ii. 7.	4. Zech. xii. 5, 6.

GOURD.

קִיקָיוֹן *Keekoyoun,* a gourd.

Jonah iv. 6, 7, 10.

GOURDS, wild.

פַּקֻּעֹת *Pakuouth,* wild gourds.

2 Kings iv. 39.

GRACE.

חֵן *Khain,* favour; in all passages, except:

תְּחִנָּה *Tekhinoh,* grace.

Ezra ix. 8.

GRACIOUS -LY.

חַנּוּן *Khanoon,* gracious; in all passages, except:

טוֹב *Touv,* good.

Hos. xiv. 2.

GRAIN.

צְרוֹר Tserour, a small clod of earth, a grain weight.

Amos ix. 9.

GRANT, Subst.

רִשְׁיוֹן Rishyoun, permission.

Ezra iii. 7.

GRANT, Verb.

נָתַן Nothan, to give; in all passages, except:

חָנַן Khonan, to bestow.

Psalm cxix. 29.

GRANTED.

1. הֵבִיא Haivee, to bring.
2. נָתַן Nothan, to give.
3. עָשָׂה Osoh, to do, make, perform.

1. 1 Chron. iv. 10.	2. Esth. vii. 2.
2. 2 Chron. i. 12.	2. —— ix. 12, 13.
2. Ezra vii. 6.	3. Job x. 12.
2. Neh. ii. 8.	2. Prov. x. 24.
2. Esth. v. 6.	

GRAPE.

1. פֶּרֶט Peret, lees of wine.
2. עֵנָב Onov, a grape.
3. בֹּסֶר Bouser, an unripe, sour grape.
4. סְמָדַר Sĕmodor, a vine blossom.
5. עֹלֵלָה Oulailoh, a small grape, not of full growth.

1. Lev. xix. 10.	4. Cant. vii. 12.
2. Deut. xxxii. 14.	3. Isa. xviii. 5.
3. Job xv. 33.	3. Jer. xxxi. 29, 30.
4. Cant. ii. 13.	5. Mic. vii. 1.

GRAPE-gatherer -s.

בּוֹצֵר Boutsair, a grape-gatherer.

Jer. vi. 9.	Obad. 5.
— xlix. 9.	

GRAPES.

1. עֲנָבִים Anoveem, grapes.
2. בֹּסֶר Bouser, an unripe, sour grape.
3. סְמָדַר Sĕmodor, a vine blossom.
4. עֹלֵלוֹת Oullailouth, small grapes, not of full growth.
5. יַעֲנֶה Yāaneh, with great noise.
6. חָלַל Khillail, to make common.

All passages not inserted are N°. 1.

Deut. xxiv. 21, not in original.	4. Isa. xxiv. 13.
	5. Jer. xxv. 30.*
6. —— xxviii. 30.	4. — xlix. 9.
4. Judg. viii. 2.	2. Ezek. xviii. 2.
3. Cant. ii. 13, 15.	4. Obad. 5.
4. Isa. xvii. 6.	

* The English authorised version supply "the grapes" in italics, but do not interpret the Hebrew word יַעֲנֶה Yaaneh, with great noise. The passage literally, "as they that tread with great noise against all the inhabitants of the earth."

GRASS.

דֶּשֶׁא Deshee, common grass; in all passages, except:

חָצִיר Khotseer, dry grass.

Isa. xxxv. 7.	Isa. xliv. 4.
— xl. 6, 7.	— li. 12.

GRASSHOPPER.

אַרְבֶּה Arbeh,
חָגָב Khogov, } grasshoppers or
גֹּבַי Gouva, } locusts.

Lev. xi. 22.	Eccles. xii. 5.
Job xxxix. 20.	Amos vii. 1.

GRASSHOPPERS.

Numb. xiii. 33.	Isa. xl. 22.
Judg. vi. 5.	Jer. xlvi. 23.
—— vii. 12.	Nah. iii. 17.

GRATE.

מִכְבָּר Mikhbar, a grate.

Exod. xxxv. 16.	Exod. xxxviii. 4.

GRAVE, Subst.

1. קֶבֶר Kever, a grave, cavern.
2. שְׁאוֹל Sheoul, a subterraneal place under the surface of the earth.
3. עִי Ee, a ruin, waste place.
4. שַׁחַת Shakhath, destruction.

All passages not inserted are N°. 1.

2. Gen. xxxvii. 35.	2. Psalm xxx. 3.
2. —— xlii. 38.	2. —— xxxi. 17.
2. —— xliv. 29, 31.	2. —— xlix. 14, 15.
2. 1 Sam. ii. 6.	2. —— lxxxix. 48.
2. 1 Kings ii. 6, 9.	2. —— cxli. 7.
2. Job vii. 9.	2. Prov. i. 12.
2. — xiv. 13.	2. —— xxx. 16.
2. — xvii. 13.	2. Eccles. ix. 10.
2. — xxi. 13.	2. Cant. viii. 6.
2. — xxiv. 19.	2. Isa. xiv. 11.
3. — xxx. 24.	2. — xxxviii. 10, 18.
4. — xxxiii. 22.	2. Ezek. xxxi. 15.
2. Psalm vi. 5.	2. Hos. xiii. 14.

GRE

GRAVES.

קְבָרִים **Kĕvoreem**, graves.

Exod. xiv. 11.	Jer. xxvi. 23.
2 Kings xxiii. 6.	Ezek. xxxii. 22, 23, 25,
2 Chron. xxxiv. 4.	26.
Job xvii. 1.	—— xxxvii. 12, 13.
Isa. lxv. 4.	—— xxxix. 11.
Jer. viii. 1.	

GRAVE -ED -ETH -ING.

פָּתַח **Pothakh**, to open; in all passages, except:

חָקַק **Khokak**, to grave, engrave.

Isa. xxii. 16.

GRAVEL.

1. חָצִיץ **Khotseets**, small stones.
2. חוֹל **Khoul**, sand.

1. Prov. xx. 17.	1. Lam. iii. 16.
2. Isa. xlviii. 19.	

GRAVEN.

1. חָקַק **Khokak**, to engrave.
2. פָּסַל **Posal**, to hew out of stone.

1. Isa. xlix. 16.	2. Hab. ii. 18.

GRAVEN, Subst.

1. חָרוּת **Khorooth**, to engrave.
2. חָצַב **Khotsav**, to hew out of rock.
3. חָרַשׁ **Khorash**, to cut out, in.
4. פָּתַח **Potakh**, to engrave.

1. Exod. xxxii. 16.	2. Job xix. 24.
4. —— xxxix. 6.	3. Jer. xvii. 1.

GRAVEN-image -s.

פֶּסֶל **Pesel**, a graven image, in all passages.

GRAVING-tool.

חֶרֶט **Kheret**, a small graving tool, an iron pen.

Exod. xxxii. 4.

GRAVINGS.

מִקְלָעֹת **Mikloouth**, sculpture.

1 Kings vii. 31.

GRAY-HAIRS, HEAD -ED.

1. שָׂב **Sov**, gray-headed.
2. שִׂיבָה **Saivoh**, old age.

1. Deut. xxxii. 25.	2. Psalm lxxi. 18.
1. 1 Sam. xii. 2.	2. Hos. vii. 9.
1. Job xv. 10.	

GREASE.

טָפַשׁ **Tophash** (Chaldee), thick.

Psalm cxix. 70.

GREAT -ER -EST.

רָבָה **Rovoh**, to be abundant; in all passages, except:

גָּדוֹל **Godoul**, great.

Gen. vi. 5.

GREATLY.

מְאֹד **Mĕoud**, exceedingly, and verb repeated.

GREATNESS.

1. { גְּדֻלָּה **Gedooloh**,
   גֹּדֶל **Goudel**, } greatness.
2. רֹב **Rouv**, abundance, multitude.
3. מַרְבִּית **Marbeeth**, great increase.
4. רְבוּת **Revooth**, (Syriac) greatness.

All passages not inserted are N°. 1.

2. Exod. xv. 7.	2. Isa. xl. 26.
3. 2 Chron. ix. 6.	2. —— lvii. 10.
2. —— xxiv. 27.	2. —— lxiii. 1.
2. Neh. xiii. 22.	2. Jer. xiii. 22.
2. Psalm lxvi. 3.	4. Dan. iv. 22.
2. Prov. v. 23.	4. —— vii. 27.

GREAVES.

מִצְחוֹת **Mitskhouth**, foreheads; met., a brass covering for the head.

1 Sam. xvii. 6.

GREEDY.

1. כָּסַף **Kosaph**, to be greedy.
2. בָּצַע **Boutsaia**, to gain unrighteously.
3. עַזֵּי נֶפֶשׁ **Azzai nephesh**, a hardened, cruel person; lit., strong of breath.

1. Psalm xvii. 12.	2. Prov. xv. 27.
2. Prov. i. 19.	3. Isa. lvi. 11.

GREEDILY.

1. תַּאֲוָה **Taăvoh**, desire, lust.
2. עָשַׁק **Oushaik**, oppressive.

1. Prov. xxi. 6.	2. Ezek. xxii. 12.

GREEN.

יֶרֶק **Yerek**, green, in all passages.

GREEN-tree -s.

רַעֲנָן **Raănon**, green-tree, fresh, in all passages.

GREENISH.

יְרַקְרַק   *Yĕrakrak*, greenish, in all passages.

GREENNESS.

אָבֵב   *Ovav*, unripe.
Job viii. 12.

GREET.

שָׁאַל   *Shoal*, to inquire, ask.
1 Sam. xxv. 5.

GREW (See GROW).

GREY-HOUND.

זַרְזִיר מָתְנַיִם   *Zarzeer mothnayim*, strongly girt in the loins; met., a grey-hound.
Prov. xxx. 31.

GRIEF -S.

1. מֹרַת רוּחַ   *Mourath rooakh*, bitterness of spirit.
2. כַּעַס   *Kăas*, anger.
3. פּוּקָה   *Pookoh*, offence.
4. נֶגַע   *Nega*, trouble, plague.
5. כְּאֵב   *Kĕaiv*, pain.
6. יָגוֹן   *Yogoun*, melancholy.
7. חֳלִי   *Kholee*, indisposition, sickness.
8. רָעָה   *Rooh*, evil.

1. Gen. xxvi. 35.	2. Prov. xvii. 25.
2. 1 Sam. i. 16.	2. Eccles. i. 18.
3. ——— xxv. 31.	2. ——— ii. 23.
4. 2 Chron. vi. 29.	7. Isa. xvii. 11.
5. Job ii. 13.	7. — liii. 3, 4, 10.
2. — vi. 2.	7. Jer. vi. 7.
5. — xvi. 6.	7. — x. 19.
2. Psalm vi. 7.	6. — xlv. 3.
2. ——— xxxi. 9.	6. Lam. iii. 32.
6. ——— 10.	8. Jonah iv. 6.
5. ——— lxix. 26.	

GRIEVE.

1. אָדַב   *Odav*, to torment.
2. עָצַב   *Otsav*, to sorrow.
3. מָרַר   *Morar*, to embitter.
4. קָצָה   *Kotsoh*, to vex, harass, annoy.
5. קָצַר   *Kotsar*, to shorten.
6. חָרָה   *Khoroh*, to grieve.
7. חָלָה   *Kholoh*, to sicken.
8. לָאָה   *Looh*, to weary, tire.
9. עָגַם   *Ogam*, to be depressed.
10. חָמֵץ   *Khomats*, to agitate.
11. קָטַט   *Kotat*, to loathe.

12. כָּאָה   *Kooh*, to be dejected.
13. כָּבֵד   *Kovad*, to be heavy.
14. מָרַץ   *Morats*, to be vehement.
15. קָשָׁה   *Koshoh*, to be hard.
16. עָתַק   *Othak*, to be arrogant.
17. רוּעַ   *Rooa*, to do evil, to be wretched.
18. עָמָל   *Omol*, to be troublesome.
19. יָגָה   *Yogoh*, to labour.
20. כָּעַס   *Koas*, to vex, enrage.
21. כְּרָא   *Koro*, to pierce (Chaldee).
22. כָּאַב   *Koav*, to suffer.

1. 1 Sam. ii. 33.	2. Psalm lxxviii. 40.
2. 1 Chron. iv. 10.	19. Lam. iii. 33.

GRIEVANCE.
18. Hab. i. 3.

GRIEVED.

2. Gen. vi. 6.	7. Esth iv. 4.
2. —— xxxiv. 7.	8. Job iv. 2.
2. —— xlv. 5.	9. — xxx. 25.
3. —— xlix. 23.	10. Psalm lxxiii. 21.
4. Exod. i. 12.	11. —— xcv. 10.
17. Deut. xv. 10.	20. —— cxii. 10.
5. Judg. x. 16.	11. —— cxix. 158.
17. 1 Sam. i. 8.	11. —— cxxxix. 21.
6. —— xv. 11.	2. Isa. liv. 6.
2. —— xx. 3, 34.	7. — lvii. 10.
3. —— xxx. 6.	7. Jer. v. 3.
2. 2 Sam. xix. 2.	21. Dan. vii. 15 (Chaldee).
17. Neh. ii. 10.	12. — xi. 30.
17. —— xiii. 8.	7. Amos vi. 6.

GRIEVETH.

3. Ruth i. 13.	8. Prov. xxvi. 15.

GRIEVING.
22. Ezek. xxviii. 24.

GRIEVOUS.

13. Gen. xii. 10.	2. Prov. xv. 1.
13. —— xviii. 20.	17. —— xv. 10.
17. —— xxi. 11, 12.	17. Eccles. ii. 17.
13. —— xli. 31.	17. Isa. xv. 4.
13. —— L. 11.	15. — xxi. 2.
13. Exod. viii. 24.	Jer. vi. 28, verb re-
13. —— ix. 3, 18, 24.	peated.
13. —— x. 14.	7. — x. 19.
14. 1 Kings ii. 8.	7. — xiv. 17.
15. —— xii. 4.	7. — xvi. 4.
2 Chron. x. 4.	7. — xxiii. 19.
7. Psalm x. 5.	7. — xxx. 12.
16. —— xxxi. 18.	7. Nah. iii. 19.

GRIEVOUSLY.

13. Isa. ix. 1.	Ezek. xiv. 13, verb
7. Jer. xxiii. 19.	repeated.
Lam. i. 8, 20, verb	
repeated.	

GRIEVOUSNESS.

18. Isa. x. 1.	13. Isa. xxi. 15.

GRIND -ING.

טָחַן   *Tokhan,* to grind, in all passages.

GRINDERS.

טֹחֲנוֹת   *Toukhanouth,* grinders.

Eccles. xii. 3.

GRISLED.

בְּרֻדִים   *Běrudeem,* speckled, spotted.

Gen. xxxi. 10, 12. | Zech. vi. 3, 6.

GROAN.

נָאַק   *Noak,* or אָנַח   *Onakh,* to groan, in all passages.

GROANING -S.

נְאָקָה   *Něokoh,* } groaning; in all pas-
נְאָחָה   *Něokhoh,* }   sages.

GROPE -ETH.

מָשַׁשׁ   *Moshash,* to feel; in all passages, except:

גָּשַׁשׁ   *Goshash,* to feel, grope.

Isa. lix. 10.

GROSS.

עֲרָפֶל   *Arophel,* thick darkness.

Isa. lx. 2. | Jer. xiii. 16.

GROVE -S.

אֵשֶׁל   *Aishel,* } grove.
אֲשֵׁרָה   *Ashairoh,* }

GROUND, Verb.

See Grind.

GROUND-corn.

רִפוֹת   *Riphouth,* corn beaten in pieces.

2 Sam. xvii. 19.

GROUND, Subst.

אֲדָמָה   *Adomoh,* ground, in all passages.

GROUNDED.

מוּסָד   *Moosod,* founded.

Isa. xxx. 32.

GROW.

1.   גָּדַל   *Godal,* to grow.
2.   צָמַח   *Tsomakh,* to bud, sprout.
3.   דָּגָה   *Dogoh,* to increase, multiply (as fishes).
4.   פָּרָה   *Poroh,* to be fruitful.
5.   רָבָה   *Rovoh,* to multiply.
6.   פָּרַח   *Porakh,* to bloom, blossom.
7.   סָפִיחַ   *Sopheeakh,* self-sown grain.
8.   עָלָה   *Oloh,* to ascend, grow up.
9.   חָנָה   *Khonoh,* to incline.
10.   בָּצֵק   *Botsak,* to work up, as dough.
11.   חָלַף   *Kholaph,* to change.
12.   שָׁלַף   *Sholaph,* to draw out, as a sword.
13.   אֲפֵילוֹת   *Apheelouth,* obscure, hidden.
14.   קוּם   *Koom,* to rise.
15.   פּוּשׁ   *Poosh,* to spread out.

All passages not inserted are Nᵒ. 1.

2. Gen. ii. 9. | 3. Gen. xlviii. 16.

GROWETH.

2. Exod. x. 5.	10. Job xxxviii. 38.
6. Lev. xiii. 39.	11. Psalm xc. 5, 6.
7. —— xxv. 5, 11.	12. —— cxxix. 6.
8. Deut. xxix. 23.	7. Isa. xxxvii. 30.
9. Judg. xix. 9.	

GROWN.

13. Exod. ix. 32.	8. Prov. xxiv. 31.
Deut. xxxii. 15, not in	14. Isa. xxxvii. 27.
original.	15. Jer. L. 11.
2. 2 Sam. x. 5.	2. Ezek. xvi. 7.
14. 2 Kings xix. 26.	5. Dan. iv. 22, 33.
2. 1 Chron. xix. 5.	

GREW.

2. Gen. ii. 5.	5. Exod. i. 12.
2. —— xix. 25.	2. Ezek. xvii. 6.
5. —— xxi. 8.	5. Dan. iv. 11.
4. —— xlvii. 27.	

GROWTH.

לֶקֶשׁ   *Lokash,* latter grass.

Amos vii. 1.

GRUDGE.

נָטַר   *Notar,* to keep, preserve, to retain anger.

Lev. xix. 18.

GRUDGE, Verb.

לוּן   *Loon*, to lodge all night, stay.
Psalm lix. 15.

GUARD.

1.   טַבָּחִים   *Tabbokheem*, slaughterers, always preceded by שַׂר *Sar*, or רַב *Rav*, ruler, chief.
2.   מִשְׁמַעַת   *Mishmaath*, a tribunal.
3.   רָצִים   *Rotseem*, runners, couriers.
4.   מִשְׁמָר   *Mishmor*, a watch or guard-house.

1. Gen. xxxvii. 36.	2. 1 Chron. xi. 25.
1. —— xxxix. 1.	3. 2 Chron. xii. 10, 11.
1. —— xli. 12.	4. Neh. iv. 22, 23.
2. 2 Sam. xxiii. 23.	1. Jer. xxxix. 11.
3. 1 Kings xiv. 27, 28.	1. — xl. 1, 5.
3. 2 Kings xi. 6.	1. — lii. 12, 14, 30.
1. —— xxv. 8, 10, 11, 12.	4. Ezek. xxxviii. 7.
	1. Dan. ii. 14.

GUARD-chamber.

רָצִים   *Rotseem*, preceded by תָּא *To*, a chamber.

1 Kings xiv. 28.	2 Chron. xii. 11.

GUESTS.

קְרֻאִים   *Kĕrueem*, the invited, called, in all passages.

GUIDE, Subst.

1.   אַלּוּף   *Alooph*, a chief.
2.   נֹהֵג   *Nouhaig*, a leader.
3.   קָצִין   *Kotseen*, a person of rank, governor.

2. Psalm xlviii. 14.	3. Prov. vi. 7.
1. —— lv. 13.	1. Jer. iii. 4.
1. Prov. ii. 17.	1. Mic. vii. 5.

GUIDE, Verb.

1.   נָהַג   *Nohag*, to lead.
2.   נָחָה   *Nokhoh*, to conduct.
3.   דָּרַךְ   *Dorakh*, to head, proceed.
4.   נָהַל   *Nohal*, to lead (as a flock) gently.
5.   יָעַץ   *Yoats*, to counsel, advise.
6.   כִּלְכֵּל   *Kilkail*, to sustain.
7.   אַשֵּׁר   *Ashair*, to direct.
8.   שָׂכַל   *Sikail*, to act discreetly.

2. Job xxxviii. 32.	2. Prov. xi. 3.
3. Psalm xxv. 9.	7. —— xxiii. 19.
4. —— xxxi. 3.	4. Isa. xlix. 10.
5. —— xxxii. 8.	4. — li. 18.
2. —— lxxiii. 24.	2. — lviii. 11.
6. —— cxii. 5.	

GUIDED.

4. Exod. xv. 13.	1. Psalm lxxviii. 52.
4. 2 Chron. xxxii. 22.	2. —————— 72.
2. Job xxxi. 18.	

GUIDING.

8. Gen. xlviii. 14.

GUILE.

1.   עָרְמָה   *Ormoh*, craft, craftiness.
2.   רְמִיָּה   *Rĕmiyoh*,
 מִרְמָה   *Mirmoh*,   } deceit.

1. Exod. xxi. 14.	2. Psalm xxxiv. 13.
2. Psalm xxxii. 2.	2. —— lv. 11.

GUILTINESS -TY.

אָשֵׁם   *Osham*, to be guilty, in all passages.

GUILTLESS.

נָקִי   *Nokee*, free, clear, in all passages.

GUSHED.

1.   שָׁפַךְ   *Shophakh*, to pour out.
2.   זוּב   *Zoov*, to flow (as water).
3.   נָזַל   *Nozal*, to drop as water.

1. 1 Kings xviii. 28.	2. Isa. xlviii. 21.
2. Psalm lxxviii. 20.	3. Jer. ix. 18.
2. —— cv. 41.	

GUTTER -S.

1.   רְהָטִים   *Rehoteem*, troughs, channels.
2.   צִנּוֹר   *Tsinnour*, a water-course.

1. Gen. xxx. 38, 41.	2. 2 Sam. v. 8.

H

HA !

הֶאָח   *Heokh*, ha! aha!
Job xxxix. 25.

HABERGEON.

1.   תַּחְרָא   *Thakhro*, a coat of mail, breast-plate.
2.   שִׁרְיָה   *Shiryoh*, armour, habergeon.

1. Exod. xxviii. 32.	2. Job xli. 26.
1. —— xxxix. 23.	

HABERGEONS.

2. 2 Chron. xxvi. 14. | 2. Neh. iv. 16.

HABITABLE.

תֵּבֵל *Taivail*, the world, the inhabited part of the globe ; lit., confusion, mixture.

Prov. viii. 31.

HABITATION.

1. מָעוֹן *Mooun*, habitation.
2. מוֹשָׁב *Moushov*, שֶׁבֶת *Sheveth*, } a seat, a habitation.
3. שְׁכֶן *Shĕkhan*, a resting-place.
4. זְבוּל *Zevool*, a dwelling, a holy temple.
5. מִשְׁכָּן *Mishkon*, a tabernacle.
6. נָוֶה *Noveh*, a chosen habitation, a pleasant place.
7. טִירָה *Teeroh*, a palace, tower.
8. מָכוֹן *Mokhoun*, an establishment.
9. גֵּרוּת *Gairooth*, a temporary dwelling.
10. מָכוּר *Mokhoor*, a birth-place.
11. מֶכֶר *Mekher*, trade, traffic.
12. נָאוֹת *Nĕouth*, a pleasant place.
13. וְאַנְוֵהוּ *Veanvaihoo*, and I will glorify him.

13. Exod. xv. 2.	5. Psalm cxxxii. 5.
11. ——— 13.	2. ——————— 13.
2. Lev. xiii. 46.	6. Prov. iii. 33.
3. Deut. xii. 5.	5. Isa. xxii. 16.
1. —— xxvi. 15.	6. — xxvii. 10.
1. 1 Sam. ii. 29, 32.	6. — xxxii. 18.
2. 2 Sam. xv. 25.	6. — xxxiii. 20.
4. 2 Chron. vi. 2.	6. — xxxiv. 13.
5. ———— xxix. 6.	6. — xxxv. 7.
5. Ezra vii. 15.	4. — lxiii. 15.
6. Job v. 3, 24.	2. Jer. ix. 6.
6. — viii. 6.	6. — x. 25.
6. — xviii. 15.	1. — xxv. 30.
1. Psalm xxvi. 8.	6. ——— 30.
2. ——— xxxiii. 14.	6. — xxxi. 23.
1. ——— lxviii. 5.	6. — xxxiii. 12.
7. ——— lxix. 25.	9. — xli. 17.
1. ——— lxxi. 3.	6. — xlix. 19.
8. ——— lxxxix. 14.	6. — L. 7, 19, 44, 45.
1. ——— xci. 9.	10. Ezek. xxix. 14.
8. ——— xcvii. 2.	3. Obad. 3.
3. ——— civ. 12.	4. Hab. iii. 11.
2. ——— cvii. 7, 36.	1. Zech. ii. 13.

HABITATIONS.

11. Gen. xlix. 5.	12. Jer. ix. 10.
2. Exod. xii. 20.	1. — xxi. 13.
2. ——— xxxv. 3.	12. — xxv. 37.
2. Numb. xv. 2.	6. — xlix. 20.
12. Psalm lxxiv. 20.	12. Lam. ii. 2.
5. ——— lxxviii. 28.	2. Ezek. vi. 14.
5. Isa. liv. 2.	12. Amos i. 2.

HAD -ST.

See Have.

HAFT.

נִצָּב *Nitsov*, the handle of a dagger, knife, &c.

Judg. iii. 22.

HAIL.

בָּרָד *Borod*, hail, in all passages.

HAIL, Verb.

בָּרַד *Borad*, to hail.

Isa. xxxii. 19.

HAILSTONES.

1. אַבְנֵי בָרָד *Avnai borod*, hailstones.
2. בָּרָד *Borod*, hail.
3. אַבְנֵי אֶלְגָּבִישׁ *Avnai elgoveesh*, great hailstones.

1. Josh. x. 11.	3. Ezek. xiii. 11, 13.
2. Psalm xviii. 12, 13.	3. —— xxxviii. 22.
1. Isa. xxx. 30, singular.	

HAIR -S.

שֵׂעָר *Saior*, hair, in all passages.

HAIRY.

שָׂעִיר *Soeer*, hairy, in all passages.

HALF.

חָצִי *Khotsee*, half, in all passages.

HALLOW -ED.

קָדַשׁ *Kodash*, to sanctify, in all passages.

HALT.

1. פָּסַח *Posakh*, to limp.
2. צָלַע *Tsola*, to halt, bend, incline.

1. 1 Kings xviii. 21. | 2. Psalm xxxviii. 17.

HALTED.

2. Gen. xxxii. 31. | Mic. iv. 7.

HALTETH.

2. Mic. iv. 6. | 2. Zeph. iii. 19.

HALTING.

2. Jer. xx. 10.

HAMMER.

1. פַּטִּישׁ   *Pateesh*, an iron hammer.
2. הַלְמוּת   *Halmooth*, a wooden hammer, cudgel.
3. כֵּילַפּוֹת   *Kailapouth*, a hatchet.
4. מַקֶּבֶת   *Makéveth*, an iron instrument to pierce the ground, called a pitcher, or tent bar.

4. Judg. iv. 21.	1. Isa. xli. 7.
2. —— v. 26.	1. Jer. xxiii. 29.
4. 1 Kings vi. 7.	1. — L. 23.

HAMMERS.

3. Psalm lxxiv. 6.	4. Jer. x. 4.
4. Isa. xliv. 12.	

HAND.

יָד   *Yod*, a hand; in all passages, except :

חׇפְנַיִם   *Khophnayim*, both hands full.
Ezek. x. 2.

HANDS.

יָדַיִם   *Yodayim*, hands; in all passages, except :

חׇפְנַיִם   *Khophnayim*, both hands full.
Ezek. x. 7.

HAND, right.

יָמִין   *Yomeen*, right hand, in all passages.

HAND, left.

שְׂמֹאל   *Semoul*, the left, left hand, in all passages.

HAND-BREADTH, BROAD.

טֹפַח   *Touphakh*, a hand-breadth, in all passages.

HANDFUL.

1. קֹמֶץ   *Koumets*, a handful, when the fingers are nearly closed.
2. מְלֹא־כַף   *Mělou-kaph*, the palm of the hand full.
3. פִּסַּת־בָּר   *Pissath-bor*, abundance of corn.
4. עָמִיר   *Omeer*, a sheaf of corn.
5. חׇפְנַיִם   *Khophnayeem*, both hands full.
6. צְבָתִים   *Tsěvotheem*, shocks of corn.
7. שְׁעָלִים   *Shěoleem*, the hollow of the hands.

1. Lev. ii. 2.	2. 1 Kings xvii. 12.
1. —— v. 12.	3. Psalm lxxii. 16.
1. —— vi. 15.	2. Eccles. iv. 6.
1. —— ix. 17.	4. Jer. ix. 22.
1. Numb. v. 26.	

HANDFULS.

1. Gen. xli. 47.	7. 1 Kings xx. 10.
5. Exod. ix. 8.	7. Ezek. xiii. 19.
6. Ruth ii. 16.	

HANDLE, Verb.

1. תָּפַשׂ   *Tophas*, to lay hold of.
2. מָשַׁךְ   *Moshakh*, to draw out, lengthen.
3. עָרַךְ   *Orakh*, to prepare.
4. אָחַז   *Okhaz*, to seize, grasp.
5. מוּשׁ   *Moosh*, to feel.
6. תָּפַשׂ כַּף   *Tophas kaph*, to lay hold with the hand, to seize.

1. Gen. iv. 21.	5. Psalm cxv. 7.
2. Judg. v. 14.	1. Jer. ii. 8.
3. 1 Chron. xii. 8.	1. — xlvi. 9.
4. 2 Chron. xxv. 5.	1. Ezek. xxvii. 29.

HANDLED.
6. Ezek. xxi. 11.

HANDLETH.

1. מַשְׂכִּיל   *Maskeel*, investigating wisely.
2. תָּפַשׂ   *Tophas*, to lay hold, handle.

1. Prov. xvi. 20.	2. Amos ii. 15.
2. Jer. L. 16.	

HANDLING.
2. Ezek. xxxviii. 4.

HANDLES.
כַּפּוֹת   *Kapouth*, the bolts of a lock.
Cant. v. 5.

HANDMAID -EN -S.

שִׁפְחָה   *Shiphkhoh*, } plural, וֹת *Outh*, affixed to the
אָמָה   *Omoh*, } substantive.

HAND-STAVE -S.
מַקֵּל יָד   *Makail yod*, hand-stave.
Ezek. xxxix. 9.

HAND-WEAPON.
כְּלִי יָד   *Kělee yod;* lit., a hand instrument, anything used by the hand.
Numb. xxxv. 18.

HANDY-work.

מַעֲשֵׂי יָדָיו *Maasai yodov*, the works of his hands.

Psalm xix. 1.

HANG.

1. תָּלָה *Toloh*, to hang.
2. יָקַע *Yoka*, to dislocate.
3. יָרַד *Yorad*, to descend, lower.
4. חָנַק *Khonak*, to strangle, choke.
5. מְחָא *Mokho*, to smite together, squeeze.

1. Gen. xl. 19.	1. Esth. vii. 9.
2. Numb. xxv. 4.	1. Cant. iv. 4.
1. Deut. xxi. 22.	1. Isa. xxii. 24.
1. —— xxviii. 66.	3. Lam. ii. 10.
2. 2 Sam. xxi. 6.	1. Ezek. xv. 3.
1. Esth. vi. 4.	

HANGED.

1. Gen. xl. 22.	2. 2 Sam. xxi. 9.
1. —— xli. 13.	5. Ezra vi. 11.
1. Deut. xxi. 23.	1. Esth. ii. 23.
1. Josh. viii. 29.	1 —— vii. 10.
1. —— x. 26.	1. —— ix. 14.
1. 2 Sam. iv. 12.	1. Psalm cxxxvii. 2.
4. —— xvii. 23.	1. Lam. v. 12.
1. —— xviii. 10.	1. Ezek. xxvii. 10, 11.

HANGETH.

1. Job xxvi. 7.

HANGING.

1. Josh. x. 26.

HANGING, Subst.

מָסָךְ *Mosokh*, a hanging curtain, in all passages.

HANGINGS.

קְלָעִים *Kěloeem*, curtains; in all passages, except:

בָּתִּים *Boteem*, houses.

2 Kings xxiii. 7.

HAP.

קָרָה *Koroh*, to happen, meet.

Ruth ii. 3.

HAPLY.

לוּא *Loo*, O that, truly, would that.

1 Sam. xiv. 30.

HAPPEN.

1. קָרָה *Koroh*, to happen, meet.
2. אָנָה *Onoh*, to come to pass.
3. נָגַע *Noga*, to reach, touch.

1. 1 Sam. xxviii. 10.	1. Isa. xli. 22.
2. Prov. xii. 22.	

HAPPENED.

1. 1 Sam. vi. 9.	1. Esth. iv. 7.
1. 2 Sam. i. 6.	1. Jer. xliv. 23.
1. —— xx. 1.	

HAPPENETH.

1. Eccles. ii. 14, 15.	1. Eccles. ix. 11.
3. —— viii. 14.	

HAPPY.

אָשַׁר *Oshar*, to make happy, in all passages.

HARD, Subst.

קָשֹׁה *Koshoh*, hard, in all passages.

HARD, Adject.

קָשֶׁה *Kosheh*, in all passages.

HARD, Adverb.

1. נָגַשׁ *Nogash*, to approach.
2. דָּבַק *Dovak*, to cleave unto.
3. אֵצֶל *Aitsel*, close by.
4. עַד *Ad*, unto.
5. עֻמַּת *Umath*, against, over against.

5. Lev. iii. 9.	3. 1 Kings xxi. 1.
1. Judg. ix. 52.	2. 1 Chron. x. 2.
2. —— xx. 45.	4. —— xix. 4.
2. 1 Sam. xiv. 22.	2. Psalm lxiii. 8.
2. —— xxxi. 2.	Jonah i. 13, not in
2. 2 Sam. i. 6.	original.

HARDEN -ED -ETH.

קָשֹׁה *Koshoh*, to harden; in all passages, except:

הֵעֵז *Haiaiz*, to strengthen, secure.

Prov. xxi. 29.

HARDER.

Not used in Hebrew, but the comparative is shown by מ prefixed to the word.

HAR

HARDLY.

1. קָשָׁה *Koshoh*, (Hiph.) to be stubborn, make hard.
2. קָשָׁה *Koshoh*, (Niph.) to be hard.
3. עָנָה *Innoh*, to afflict.

3. Gen. xvi. 6. | 2. Isa. viii. 21.
1. Exod. xiii. 15.

HARDNESS.

מוּצָק *Mootsok*, oppression.

Job xxxviii. 38.

HARE.

אַרְנֶבֶת *Arneveth*, a hare.

Lev. xi. 6. | Deut. xiv. 7.

HARLOT -S.

זוֹנָה *Zounoh*, lit., a nourisher, supplyer, met., a harlot; in all passages, except :

קְדֵשָׁה *Kĕdaishoh*, a harlot, unholy.

Gen. xxxviii. 21 (twice), 22.

HARM.

1. { רָעָה *Rōōh*, } evil.
   { רַע *Rō*, }
2. חֵטְא *Khait*, sin.
3. מְאוּמָה רָע *Meoomoh rō*, the least evil.
4. רוּעַ *Rooā*, to do evil.

1. Gen. xxxi. 52.   1. 2 Kings iv. 41.
2. Lev. v. 16.   1. 1 Chron. xvi. 22.
1. Numb. xxxv. 23.   4. Psalm cv. 15.
1. 1 Sam. xxvi. 21.   1. Prov. iii. 30.
1. 2 Sam. xx. 6.   3. Jer. xxxix. 12.

HARNESS.

1. שִׁרְיָן *Shiryon*, a coat of mail.
2. נֶשֶׁק *Neshek*, a weapon of war.

1. 1 Kings xxii. 34.   1. 2 Chron. xviii. 33.
2. 2 Chron. ix. 24.

HARNESS, Verb.

אָסַר *Osar*, to tie.

Jer. xlvi. 4.

HARNESSED.

חֲמֻשִׁים *Khamusheem*, in fives, i.e., in ranks of fives.

Exod. xiii. 18.

HARP -S.

כִּנּוֹר *Kinour*, a harp, in all passages.

HARROW.

1. שָׂדַד *Shodad*, to shatter, break in pieces.
2. חֲרִיצֵי־בַרְזֶל *Khareetsai-barzel*, sharp instruments of iron.

1. Job xxxix. 10.

HARROWS.

2. 2 Sam. xii. 31. | 2. 1 Chron. xx. 3.

HART.

אַיָל *Ayol*, a hart, in all passages.

HARTS.

אַיָלִים *Ayoleem*, harts, in all passages.

HARVEST.

קָצִיר *Kotseer*, harvest time.

HARVEST-man.

קוֹצֵר *Koutsair*, a harvest man.

Isa. xvii. 5. | Jer. ix. 22.

HASTE, Subst.

1. מַהֵר *Mahair*, speedily, quickly.
2. חִפָּזוֹן *Khippozoun*, in haste.
3. מָהַר *Mohar*, to hasten.
4. נָחוּץ *Nokhoots*, pressing forwards.
5. בָּהִיל *Boheel*, to terrify, frighten.

3. Exod. x. 16.   2. Psalm xxxi. 2.
2. —— xii. 11.   2. —— cxvi. 11.
1. —— 33.   2. Isa. lii. 12.
2. Deut. xvi. 3.   5. Dan. ii. 25.
4. 1 Sam. xxi. 8.   5. —— iii. 24.
2. 2 Kings vii. 15.   5. —— vi. 19.
5. Ezra iv. 23.

HASTE -ED -EN -ENED -ETH -ENETH -ING.

מָהַר *Mohar*, } to hasten, hurry, in all
חוּשׁ *Khoosh*, }   passages.

HASTILY.

מָהַר *Mohar*, to hasten; in all passages, except :

רוּץ *Roots*, to run quickly.

Gen. xli. 14.

HASTY.

1. אָץ *Ots*, to press, compel.
2. קָצַר *Kotsar*, to shorten.
3. מָהַר *Mohar*, to hasten.

4.   בָּהַל   *Bohal,* to terrify, frighten.
5.   בִּכּוּר   *Bikoor,* first ripe fruit.
6.   חָצַף   *Khotsaph,* to urge.

2. Prov. xiv. 29.	4. Eccles. viii. 3.
1. —— xxi. 5.	5. Isa. xxviii. 4.
1. —— xxix. 20.	6. Dan. ii. 15.
3. Eccles. v. 2.	3. Hab. i. 6.
4. —— vii. 9.	

HATCH -ETH.

1.   בָּקַע   *Boka,* to cleave asunder.
2.   יָלַד   *Yolad,* brought forth.

1. Isa. xxxiv. 15.	2. Jer. xvii. 11.
1. — lix. 5.	

HATE -ED -EST -ETH -ING.

שָׂנֵא   *Sonai,* to hate; in all passages, except :

שָׂטַם   *Sotam,* to bear malice.

Gen. xxvii. 41.	Gen. L. 15.
—— xlix. 23.	Psalm lv. 3.

HATRED.

שָׂנֵא   *Sonai,* to hate; in all passages, except :

שָׂטַם   *Sotam,* to bear malice.
Hos. ix. 7, 8.

HATEFUL -LY.

שׂוֹנֵא   *Sounai,* hateful, hatefully, an enemy.

Psalm xxxvi. 2.	Ezek. xxiii. 29.

HATERS.

שׂוֹנְאִים   *Souneem,* enemies.

HATS.

כַּרְבְּלָא   *Karbĕlo* (Syriac), a turban.
Dan. iii. 21.

HAUGHTY -LY -NESS.

1. רָם or מָרוֹם   *Moroum,* or *rom,* height, lofty.
2.   גֹּבַה   *Govah,* high.
3.   יָהִיר   *Yoheer,* superb.
4.   גַּאֲוָה   *Gaavoh,* pride.

1. 2 Sam. xxii. 28.	1. Isa. xiii. 11.
1. Psalm cxxxi. 1.	4. — xvi. 6.
2. Prov. xvi. 18.	4. — xxiv. 4.
2. —— xviii. 12.	4. Jer. xlviii. 29.
3. —— xxi. 24.	2. Ezek. xvi. 50.
1. Isa. ii. 11, 17.	1. Mic. ii. 3.
2. — iii. 16.	2. Zeph. iii. 11.
2. — x. 33.	

HAUNT.

רֶגֶל   *Regel,* a foot.
1 Sam. xxiii. 22.

HAUNT, Verb.

1.   הָלַךְ   *Holakh,* to walk, proceed.
2.   יוֹשְׁבֶהָ   *Youshveho,* her inhabitants.

1. 1 Sam. xxx. 31.	2. Ezek. xxvi. 17.

HAVE, HAD -ST, HATH, HAVING.

יֶשׁ־לִי   *Yesh-lee,* exist to me.

The preterite and future are designated by the verb הָיָה *Hoyoh,* was and shall be.

HAVEN.

1.   חוֹף   *Khouph,* sea-coast, shore.
2.   מָחוֹז   *Mokhouz,* a port, harbour.

1. Gen. xlix. 13, twice.	2. Psalm cvii. 30.

HAWK.

נֵץ   *Naits,* a hawk.

Lev. xi. 16.	Job xxxix. 26.
Deut. xiv. 15.	

HAY.

חָצִיר   *Khotseer,* dry grass.

Prov. xxvii. 25.	Isa. xv. 6.

HAZEL.

לוּז   *Looz,* a hazel.
Gen. xxx. 37.

HE.

הוּא   *Hoo,* he, in all passages.

HEAD.

רֹאשׁ   *Roush,* the head, top, principal, in all passages.

HEAD-axe.

בַּרְזֶל   *Barzel,* iron, in all passages.

Deut. xix. 5.	2 Kings vi. 5.

HEAD-spear.

לַהַב   *Lahav,* glittering.
1 Sam. xvii. 7.

HEAD-bed.

רֹאשׁ־הַמִּטָּה   *Roush-hamittoh,* the head of the bed.
Gen. xlvii. 31.

HEAD-bands.

פְּאָרִים *Paiaireem,* head-dresses.

Isa. iii. 20.

HEAD-stone.

אֶבֶן רֹאשׁ *Aven roush,* a head-stone.

Zech. iv. 7.

HEADLONG.

נִמְהָר *Nimhor,* over hasty, rash.

Job v. 13.

HEADS.

רָאשִׁים *Rousheem,* heads, in all passages.

HEAL -ED -ETH -ING.

רָפָא *Ropho,* to heal, in all passages.

HEALER.

רֹפֵא *Rouphai,* a healer.

Isa. iii. 7.

HEALING, Subst.

1.   מַרְפֵּא *Marpai,* healing.

2.   כֵּהָה *Kaihoh,* abating.

| 1. Jer. xiv. 19. | 1. Mal. iv. 2. |
| 2. Nah. iii. 19. | |

HEALING, Adject.

רְפוּאָה *Rephoooh,* healing.

Jer. xxx. 13.

HEALTH.

1. { מַרְפֵּא *Marpai,* } health.
{ רִפְאוּת *Riphooth,* }

2.   שָׁלוֹם *Sholoum,* peace.

3.   יְשׁוּעָה *Yĕshoooh,* salvation.

4.   אֲרוּכָה *Arookhoh,* prolongation of time, years.

2. Gen. xliii. 28.	1. Prov. xii. 18.
2. 2 Sam. xx. 9.	1. —— xiii. 17.
3. Psalm xlii. 11.	1. —— xvi. 24.
3. —— xliii. 5.	4. Isa. lviii. 8.
3. —— lxvii. 2.	1. Jer. viii. 15, 22.
1. Prov. iii. 8.	1. — xxx. 17.
1. —— iv. 22.	1. — xxxiii. 6.

HEAP.

1.   גַּל *Gol,* a heap of stones.

2.   נֵד *Naid,* a mound.

3.   תֵּל *Tail,* a heap of ruins.

4.   עֲרֵמָה *Araimoh,* a shock of corn.

---

5.   מְעִי *Mĕee,* a disruption, breach.

6.   עִי *Ee,* a ruin.

7.   חֹמֶר *Khoumer,* a measure, mire, clay.

1. Gen. xxxi. 46, 52.	2. Psalm lxxviii. 13.
2. Exod. xv. 8.	4. Cant. vii. 2.
3. Deut. xiii. 16.	5. Isa. xvii. 1, 11.
2. Josh. iii. 13, 16.	1. — xxv. 2.
1. —— vii. 26.	3. Jer. xxx. 18.
3. —— viii. 28.	3. — xlix. 2.
1. —— 29.	6. Mic. i. 6.
4. Ruth iii. 7.	7. Hab. iii. 15.
1. 2 Sam. xviii. 17.	4. Hag. ii. 16.
2. Psalm xxxiii. 7.	

HEAPS.

1.   חֳמָרִים *Khomoreem,* measures.

2.   צְבָרִים *Tsĕvoreem,* clusters.

3.   גַּלִּים *Galleem,* heaps of stones.

4.   עֲרֵמוֹת *Araimouth,* shocks of corn.

5.   עִיִּים *Iyeem,* ruins.

6.   תַּמְרוּרִים *Tamrooreem,* bitternesses.

1. Exod. viii. 14.	3. Jer. ix. 11.
1. Judg. xv. 16.	5. — xxvi. 18.
2. 2 Kings x. 8.	6. Jer. xxxi. 21.
3. —— xix. 25.	4. — L. 26.
4. 2 Chron. xxxi. 6, 7, 8.	3. — li. 37.
4. Neh. iv. 2.	3. Hos. xii. 11.
3. Job xv. 28.	5. Mic. iii. 12.
5. Psalm lxxix. 1.	

HEAP, Verb.

1.   צָבַר *Tsovar,* to heap up.

2.   חָבַר *Khovar,* to join.

3.   שׂוּם *Soom,* to set.

4.   סָפָה *Sophoh,* to bring to an end.

5.   חָתָה *Khotoh,* to rake up hot coals.

6.   כָּנַס *Konas,* to assemble.

7.   רָבָה *Rovoh,* to multiply.

8.   קָבַץ *Kovats,* to gather together.

4. Deut. xxxii. 23.	5. Prov. xxv. 22.
2. Job xvi. 4.	6. Eccles. ii. 26.
1. — xxvii. 16.	7. Ezek. xxiv. 10.
3. — xxxvi. 13.	1. Hab. i. 10.

HEAPED.

1. Zech. ix. 3.

HEAPETH.

| 1. Psalm xxxix. 6. | 8. Hab. ii. 5. |

HEAR -D -EDST -EST- ETH -ING.

1.   שָׁמַע *Shoma,* to hear, listen.

2.   עָנָה *Onoh,* to answer.

3.   קָשַׁב *Koshav,* to attend to, hearken.

4.   אָזַן *Ozan,* to give ear.

1. In all passages, except:

2. 1 Sam. vii. 9.	2. Psalm xx. 1, 6.
4. 2 Sam. xxii. 45.	2. —— cxx. 1, 6.
3. 2 Kings iv. 31.	4. —— cxl. 6.
2. Psalm iii. 4.	3. Isa. x. 30.
3. —— x. 17.	

HEARING.

אָזְנַיִם *Oznayim*, ears.

Deut. xxxi. 11.	Ezek. ix. 5.
2 Sam. xviii. 12.	—— x. 13.
Job xxxiii. 8.	

HEARKEN -ED -EDST -ETH -ING.

קָשַׁב *Koshav*,⎫ to attend, hear, hearken,
שָׁמַע *Shoma*, ⎭ in all passages, except:
שָׂמַח *Somakh*, to rejoice, be glad.

2 Kings xx. 13.

HEART -S -ED.

לֵב *Laiv*, the heart, in all passages.

HEARTH.

1. מוֹקֵד *Moukaid*, a fire-brand.
2. אָח *Okh*, a fire-stove, pot.
3. כִּיּוֹר *Keeyour*, a fire-pan.

Gen. xviii. 6, not in	1. Isa. xxx. 14.
original.	2. Jer. xxxvi. 22, 23.
1. Psalm cii. 3.	3. Zech. xii. 6.

HEARTY.

נֶפֶשׁ *Nephesh*, life, breath.

Prov. xxvii. 9.

HEAT, Subst.

חֹם *Khoum*, heat, in all passages.

HEAT -ED.

1. מְזָא *Maizai* (Syriac), to heat.
2. נָאַף *Noaph*, to excite, provoke to anger.

1. Dan. iii. 19.

HEATED.

1. Dan. iii. 19. | 2. Hos. vii. 4.

HEATH.

עַרְעָר *Aror*, destitute, bare, barren.

Jer. xvii. 6. | Jer. xlviii. 6.

HEATHEN.

גּוֹיִם *Gouyim*, bodies, nations, in all passages.

HEAVE.

רוּם *Room*, to lift up, move to and fro.

Numb. xv. 20.

HEAVED.

Exod. xxix. 27. | Numb. xviii. 30.

HEAVE-offering, shoulder.

תְּרוּמָה *Teroomoh*, a heave-offering, shoulder, in all passages.

HEAVEN (singular not used) -S.

שָׁמַיִם *Shomayim*, heavens, in all passages.

HEAVY -IER -LY.

כָּבֵד *Kovaid*, heavy, in all passages.

HEAVINESS.

1. תַּעֲנִית *Tääneeth*, self-mortification, fasting.
2. דְּאָגָה *Däägoh*, sorrow.
3. תּוּגָה *Toogoh*, grief.
4. אָנוּשׁ *Onoosh*, incurable, feeble.
5. תַּאֲנִיָה *Tääneeyoh*, suffering, pain.
6. פָּנִים *Poneem*, faces, countenances.
7. כֵּהָה *Kaihoh*, dimness, dulness.

1. Ezra ix. 5	2. Prov. xii. 25.
6. Job ix. 27.	3. —— xiv. 13.
4. Psalm lxix. 20.	5. Isa. xxix. 2.
3. —— cxix. 28.	7. — lxi. 3.
3. Prov. x. 1.	

HEDGE, Subst.

1. גָּדֵר *Godair*, a hedge.
2. שָׂכַךְ *Sokhakh*, to protect, enclose.
3. מְשׂוּכָה *Mesukhoh*, a protection, a shelter.

2. Job i. 10.	1. Ezek. xiii. 5.
3. Prov. xv. 19.	1. —— xxii. 30.
1. Eccles. x. 8.	3. Mic. vii. 4.
3. Isa. v. 5.	

HEDGES.

גְּדֵרוֹת *Gedairouth*, hedges.

1 Chron. iv. 23.	Jer. xlix. 3.
Psalm lxxx. 12.	Nah. iii. 17.

HEDGE.

1. סָכַךְ *Sokhakh*,⎫
    שָׂכַךְ *Sokakh*, ⎭ to enclose, protect.
2. גָּדַר *Godar*, to fence with wood.

1. Hos. ii. 6.

HEDGED.

1. Job iii. 23. | 2. Lam. iii. 7.

HEED.

שָׁמַר *Shomar*, to watch, take heed, in all passages.

HEEL.

עָקֵב *Okaiv*, in all passages.

HEELS.

עֲקֵבִים *Akaiveem*, in all passages.

HEIFER.

עֶגְלָה *Egloh*, a heifer; in all passages, except:

פָּרָה *Poroh*, a cow.

Numb. xix. 2, 5, 6, 9, 10. | Hos. iv. 16.

HEIGHT.

קוֹמָה *Koumoh*, in all passages.

HEIGHTS.

1. מְרוֹמִים *Meroumeem*, heights.
2. בָּמוֹת *Bomouth*, high places used for idolatrous worship.

1. Psalm cxlviii. 1. | 2. Isa. xiv. 14.

HEINOUS.

זִמָּה *Zimmoh*, an evil device.
Job xxxi. 11.

HEIR -S.

יוֹרֵשׁ *Youraish*, successor, in all passages.

HELD.

1. תָּמַךְ *Tomakh*, to support.
2. רוּם *Room*, to lift up.
3. קָבַל *Koval*, (Hiph.) to stand over.
4. חָזַק *Khozak*, (Hiph.) to cause to strengthen.
5. אָחַז *Okhaz*, to seize, lay hold.
6. חָשַׂךְ *Khosakh*, to spare.
7. עָשָׂה *Osoh*, to make, made.
8. כּוּל *Kool*, to contain.
9. יָשַׁט *Yoshat*, to stretch out.
10. חָרַשׁ *Khorash*, (Hiph.) to keep silent.
11. בָּלַם *Bolam*, to restrain, constrain.

12. סָעַד *Soad*, to hold up.
13. אָסוּר *Osoor*, to bind.
14. דוּם *Doom*, to be silent, dumb.
15. חָבָא *Khovō*, to hide, conceal.
16. חָשָׁה *Khoshoh*, (Hiph.) to be quiet.

1. Gen. xlviii. 17.		4. Neh. iv. 16, 17, 21.
2. Exod. xvii. 11.		9. Esth. v. 2.
3. —— xxxvi. 12.		10. —— vii. 4.
4. Judg. vii. 20.		5. Job xxiii. 11.
4. —— xvi. 26.		11. Psalm xxxii. 9.
5. Ruth. iii. 15.		12. —— xciv. 18.
1 Sam. xxv. 36, not in original.		5. Cant. iii. 4.
6. 2 Sam. xviii. 16.		13. —— vii. 5.
7. 1 Kings viii. 65.		4. Jer. L. 33.
8. 2 Chron. iv. 5.		2. Dan. xii. 7.

HELD peace.

10. Gen. xxiv. 21.	10. Neh. v. 8.
10. —— xxxiv. 5.	15. Job xxix. 10.
14. Lev. x. 3.	16. Psalm xxxix. 2.
10. Numb. xxx. 7, 11, 14.	10. Isa. xxxvi. 21.
10. 1 Sam. x. 27.	16. — lvii. 11.
10. 2 Kings xviii. 36.	

HELL.

שְׁאוֹל *Sheoul*, a subterranean place, in all passages.

HELMET -S.

כּוֹבַע *Kouva*, a helmet, in all passages.

HELP, Subst.

עֵזֶר *Aizer*, help; in all passages, except:

תְּשׁוּעָה *Teshoooh*, salvation.

1 Sam. xi. 9. | Psalm xlii. 5.
Psalm iii. 2. | —— cxlvi. 3.

HELP -ED -ETH.

1. עָזַר *Ozar*, to help.
2. נָשָׂא *Noso*, to lift up, exalt.
3. יָשַׁע *Yosha*, (Hiph.) to save, cause to help.
4. עָזַב *Ozav*, to forsake.

All passages not inserted are N°. 1.

2. Exod. ii. 17. | 2. Esth. ix. 3.
4. —— xxiii. 5. | 3. Psalm cxvi. 6.

HELPER.

עוֹזֵר *Ouzair*, a helper, in all passages.

HELPERS,

עֹזְרִים *Ouzreem,* helpers, in all passages.

HELPING.

1. מְסַעֲדִין *Mesaadeen* (Chaldee), helping.
2. יְשׁוּעָה *Yeshoooh,* salvation.

1. Ezra v. 2. | 2. Psalm xxii. 1.

HELVE.

עֵץ *Aits,* wood.

Deut. xix. 5.

HEMLOCK.

1. רֹאשׁ *Roush,* the head, metaphorically, hemlock.
2. לַעֲנָה *Laanoh,* wormwood.

1. Hos. x. 4. | 2. Amos vi. 12.

HEM -S.

שׁוּלִים *Shooleem,* skirts.

Exod. xxviii. 33, 34. | Exod. xxxix. 24, 25, 26.

HENCE.

מִזֶּה *Mizeh,* from this, here, in all passages.

HENCEFORTH.

1. יָסַף *Yosaph,* to add, repeat.
2. עוֹד *Oud,* again, yet more.
3. מֵעַתָּה *Maiattoh,* from this time.

1. Gen. iv. 12.	3. Psalm cxxv. 2.
2. Numb. xviii. 22.	3. —— cxxxi. 3.
1. Deut. xvii. 16.	3. Isa. ix. 7.
1. —— xix. 20.	1. — lii. 1.
1. Judg. ii. 21.	3. — lix. 21.
2. 2 Kings v. 17.	1. Ezek. xxxvi. 12.
3. 2 Chron. xvi. 9.	3. Mic. iv. 7.

HENCEFORWARD.

הָלְאָה *Holoh,* hence, farther.

Numb. xv. 23.

HERALD.

כָּרוֹזָא *Korouzo* (Chaldee), a proclaimer, herald.

Dan. iii. 4.

HERB.

1. { עֵשֶׂב *Aisev,* a herb.
    { עֲשָׂבִּים *Asabbeem,* herbs.
2. חָצִיר *Khotseer,* dry grass, hay.
3. דֶּשֶׁא *Deshe,* a green, tender grass.
4. מְרֹרִים *Meroureem,* bitter herbs.
5. יָרֶק *Yorek,* a green produce.
6. אוֹרֹת *Ourouth,* lights, or shinings.

All passages not inserted are N°. 1.

2. Job viii. 12.	3. Psalm xxxvii. 2.
3. — xxxviii. 27.	3. Isa. lxvi. 14.

HERBS.

4. Exod. xii. 8.	5. Prov. xv, 17,
5. Deut. xi. 10.	6. Isa. xviii. 4.
5. 1 Kings xxi. 2.	6. — xxvi. 19.
6. 2 Kings iv. 39.	

HERD -S.

1. בָּקָר *Bokor,* horned cattle.
2. מִקְנֶה *Mikneh,* purchase.
3. עֵדֶר *Aider,* a herd.

1. In all passages, except :

2. Gen. xlvii. 18. | 3. Joel i. 18.

HERDMAN.

בּוֹקֵר *Boukair,* a keeper of horned cattle.

Amos vii. 14.

HERDMEN.

1. רוֹעִים *Roueem,* feeders of cattle.
2. נֹקְדִים *Noukdeem,* shepherds, owners of cattle.

1. Gen. xiii. 7, 8.	1. 1 Sam. xxi. 7.
1. —— xxvi. 20.	2. Amos i. 1.

HERE.

1. פֹּה *Pouh,* here.
2. מָצָא *Motsō,* (Niph.) to be found.
3. הִנֵּנִי *Hinnainee,* behold me.
4. כֹּה *Kouh,* thus.
5. בָּזֶה *Bozeh,* by this.
6. הֲלֹם *Haloum,* hither.
7. תָּמַם *Tomam,* to be perfect.
8. הֵנָּה *Hainnoh,* at this place.
9. זֶה *Zeh,* this.
10. שָׁם *Shom,* there.
11. זָרַק *Zorak,* to sprinkle.

All passages not inserted are N°. 1.

2. Gen. xix. 15.
—— xxi. 23, not in original.
3. —— xxii. 1, 7, 11.
3. —— xxvii. 1, 18.
3. —— xxxi. 11.
4. —————— 37.
3. —— xxxvii. 13.
3. —— xlvi. 2.
3. Exod. iii. 4.
5. —— xxiv. 14.
3. Numb. xiv. 40.
5. —— xxiii. 1.
6. Judg. xx. 7.
4. Ruth ii. 8.
5. 1 Sam. i. 26.
3. —— iii. 4, 5, 6, 8, 16.

5. 1 Sam. ix. 11.
3. —— xii. 3.
3. —— xxii. 12.
5. —— xiv. 34.
7. —— xvi. 11.
5. —— xxi. 9.
3. 2 Sam. i. 7.
5. —— xi. 12.
3. —— xv. 26.
4. —— xviii. 30.
8. 1 Kings xx. 40.
3. Job xxxviii. 35.
3. Isa. vi. 8.
9. — xxi. 9.
10. — xxviii. 10, 13.
3. — lviii. 9.
11. Hos. vii. 9.

HEREAFTER.
1. אַחֲרֵי Akharai, after.
2. לְאָחוֹר Lĕokhour, later.

2. Isa. xli. 23.
1. Ezek. xx. 39.
1. Dan. ii. 29.

HEREBY.
בְּזֹאת Bĕzouth, by this, in all passages.

HEREIN.
1. בְּזֹאת Bĕzouth, by this.
2. עַל־זֹאת Al-zouth, over, upon this.

1. Gen. xxxiv. 22.
2. 2 Chron. xvi. 9.

HERETOFORE.
תְּמוֹל שִׁלְשֹׁם Tĕmoul shilshoum, yesterday, and a day before.

Exod. iv. 10.
—— v. 7.
Josh. iii. 4.
Ruth ii. 11.
1 Sam. iv. 7.

HEREUNTO.
חוּץ Khoots, besides.
Eccles. ii. 25.

N.B.—In the English Authorized Version, "hereunto" is in italics. It is here inserted, because it stands in lieu of the above Hebrew word, which is not translated.

HEREWITH.
בְּזֹאת Bĕzouth, by this.
Ezek. xvi. 29.

HERITAGE.
מוֹרָשָׁה Mouroshoh, or נַחֲלָה Nakhăloh, heritage, in all passages.

HERITAGES.
נְחָלוֹת Nĕkholouth, rivers.
Isa. xlix. 8.

HERON.
אֲנָפָה Anophoh, a heron.
Lev. xi. 19. | Deut. xiv. 18.

HER.
Designated by an affixed ה to the relative word alluded to.

HER'S.
לָהּ Loh, her's.
Job xxxix. 16.

HEW.
1. פָּסַל Posal, to grave in stone.
2. חָטַב Khotav, to cut wood.
3. חָצַב Khotsav, to hew out of a rock.
4. גָּדַע Goda, to cut down.
5. כָּרַת Korath, to cut, divide.
6. שָׁסַף Shosaph, to cut in pieces.
7. קָמַל Komal, to decay, as trees through insects.
8. נָתַח Notakh, to cut flesh to pieces, sacrifice, or human body.
9. גָּזִית Gozzeeth, hewn stone.

1. Exod. xxxiv. 1.
1. Deut. x. 1.
4. —— xii. 3.
2. —— xix. 5.
5. 1 Kings v. 6.
1. 1 Kings v. 18.
3. 1 Chron. xxii. 2.
3. 2 Chron. ii. 2.
5. Jer. vi. 6.
4. Dan. iv. 14, 23.

HEWED.
1. Exod. xxxiv. 4.
1. Deut. x. 3.
8. 1 Sam. xi. 7.
6. —— xv. 33.
9. 1 Kings v. 17.
5. —— vi. 36.
9. 1 Kings vii. 9, 11, 12.
3. 2 Kings xii. 12.
3. Isa. xxii. 16.
3. Jer. ii. 13.
3. Hos. vi. 5.

HEWETH.
3. Isa. x. 15.
3. — xxii. 16.
5. Isa. xliv. 14.

HEWN.
9. Exod. xx. 25.
3. 2 Kings xxii. 6.
3. 2 Chron. xxxiv. 11.
3. Prov. ix. 1.
9. Isa. ix. 10.
4. — x. 33.
7. Isa. xxxiii. 9.
3. — li. 1.
9. Lam. iii. 9.
9. Ezek. xl. 42.
9. Amos v. 11.

(See STONE).

HEWER.

חֹטֵב Khoutaiv, a cutter of wood.

Deut. xxix. 11.

HEWERS.

חֹטְבִים Khoutveem, cutters of wood, in all passages.

HID -DEN.

סֵתֶר Soutair, hidden, in all passages.

HIDE, Subst.

עוֹר Our, a skin.

| Lev. viii. 17. | Lev. ix. 11. |

HIDE, HID -EST -ETH -ING, HIDDEN.

1. חָבָא Khovō, to hide.
2. סָתַר Sotar, to keep secret.
3. טָמַן Toman, to reserve, put by.
4. צָפַן Tsophan, to hold back, conceal.
5. עָלַם Olam, unknown, concealed.
6. כִּחֵד Kikhaid, to deny.
7. כָּסָה Kosoh, to cover over.
8. פָּלָא Polō, to be too difficult.
9. סָתַם Sotam, to be enclosed.
10. חָפַשׂ Khophas, to search, (Pual) be disguised.
11. נָצוּר Notsoor, to be preserved, guarded.
12. נוּס Noos, (Hiph.) to cause to flee, escape.
13. עָמַם Omam, to be obscure.
14. עָטַף Otaph, to veil about, wrap in.
15. חָשַׁךְ Khoshakh, (Hiph.) to darken.

1. Gen. iii. 8, 10.	1. Josh. x. 16, 17.
2. —— iv. 14.	12. Judg. vi. 11.
7. —— xviii. 17.	1. —— ix. 5.
3. —— xxxv. 4.	6. 1 Sam. iii. 17, 18.
6. —— xlvii. 18.	1. —— x. 22.
4. Exod. ii. 2, 3.	1. —— xiii. 6.
3. —— 12.	1. —— xix. 2.
2. —— iii. 6.	2. —— xx. 2, 5, 19, 24.
5. Lev. iv. 13.	
5. —— v. 3, 4.	2. —— xxiii. 19.
5. —— xx. 4.	1. —————— 23.
5. Numb. v. 13.	2. —— xxvi. 1.
2. Deut. vii. 20.	6. 2 Sam. xiv. 18.
5. —— xxii. 1, 3, 4.	1. —— xvii. 9.
3. —— xxxiii. 19.	6. —— xviii. 13.
4. Josh. ii. 4.	5. 1 Kings x. 3.
3. —— 6.	2. —— xvii. 3.
1. —— 16.	1. —— xviii. 4, 13.
1. —— vi. 17, 25.	1. —— xxii. 25.
5. —— vii. 19.	5. 2 Kings iv. 27.
3. —— 21.	1. —— vi. 29.
3. —— 22.	3. —— vii. 8.

1. 2 Kings vii. 12.	2. Psalm cxix. 19.
2. —— xi. 2.	6. —— cxxxix. 15.
1. —— 3.	3. —— cxl. 5.
1. 1 Chron. xxi. 20.	7. —— cxliii. 9.
5. 2 Chron. ix. 2.	4. Prov. ii. 1.
1. —— xviii. 24.	3. —— 4.
1. —— xxii. 9.	4. —— xxviii. 28.
2. —— 11.	5. Isa. i. 15.
1. —— 12.	3. — ii. 10.
2. Job iii. 10.	6. — iii. 9.
3. —— 21.	2. — xvi. 3.
2. —— 23.	1. — xxvi. 20.
1. — v. 21.	2. — xxviii. 15.
5. — vi. 16.	2. — xxix. 14, 15.
6. — x. 13.	2. — xl. 27.
2. — xiii. 20, 24.	1. — xlii. 22.
4. — xiv. 13.	1. — xlix. 2.
1. — xv. 18.	2. —— 2.
6. — xvii. 4.	2. — L. 6.
6. — xx. 12.	2. — liii. 3.
3. —— 26.	2. — liv. 8.
1. — xxiv. 4.	2. — lvii. 17.
5. — xxviii. 11, 21.	5. — lviii. 7.
1. — xxix. 8.	2. — lix. 2.
3. — xxxi. 33.	2. — lxiv. 7.
7. — xxxiii. 17.	2. — lxv. 16.
2. — xxxiv. 22.	3. Jer. xiii. 4, 5, 6, 7.
1. — xxxviii. 30.	2. — xvi. 17.
3. — xl. 13.	4. —— 17.
3. Psalm ix. 15.	3. — xviii. 22.
3. — xvii. 8.	2. — xxiii. 24.
4. —————— 14.	2. — xxxiii. 5.
2. —— xix. 6.	2. — xxxvi. 19, 26.
2. —— xxii. 24.	6. — xxxviii. 14, 25.
4. —— xxvii. 5.	3. — xliii. 9, 10.
2. —— xxx. 7.	1. — xlix. 10.
7. —— xxxi. 20.	5. Lam. iii. 56.
3. —— xxxii. 5.	5. Ezek. xxii. 26.
3. —— xxxv. 7, 8.	13. — xxviii. 3.
2. —— xxxviii. 9.	13. —— xxxi. 8.
2. —— xl. 10.	2. —— xxxix. 23, 24, 29.
9. —— li. 6.	
5. —— lv. 1.	1. Dan. x. 7.
2. —————— 12.	6. Hos. v. 3.
4. —— lvi. 6.	4. —— xiii. 12.
2. —— lxiv. 2.	2. —————— 14.
6. —— lxix. 5.	2. Amos ix. 3.
6. —— lxxviii. 4.	4. Obad. 6.
2. —— lxxxix. 46.	5. Nah. iii. 11.
6. —— cxix. 11.	2. Zeph. ii. 3.

HIDEST.

2. Job xiii. 24.	2. Psalm lxxxviii. 14.
5. Psalm x. 1.	2. —— civ. 29.
2. —— xliv. 24.	2. Isa. xlv. 15.

HIDETH.

1. 1 Sam. xxiii. 23.	3. Prov. xix. 24.
14. Job xxiii. 9.	2. —— xxii. 3.
2. — xxxiv. 29.	3. —— xxvi. 15.
5. — xlii. 3.	2. —— xxvii. 12.
2. Psalm x. 11.	4. —————— 16.
15. —— cxxxix. 12.	5. —— xxviii. 27.
7. Prov. x. 18.	2. Isa. viii. 17.

HIDING.

3. Job xxxi. 33.	2. Isa. xxviii. 17.
2. Psalm xxxii. 7.	1. — xxxii. 2.
2. —— cxix. 114.	1. Hab. iii. 4.

HIDDEN.

5. Lev. v. 2.	9. Psalm li. 6.
8. Deut. xxx. 11.	10. Prov. xxviii. 12.
3. Job iii. 16.	3. Isa. xlv. 3.
4. — xv. 20.	11. — xlviii. 6.
4. — xxiv. 1.	

HIDDEN ones.
4. Psalm lxxxiii. 3.

HIGH.

גְּבוֹהַ *Gevouho,* } high, in all passages,
רָמָה *Romoh,* }   except:

גָּדוֹל *Godoul,* great.

Gen. xxix. 7.

HIGH gate.
עֶלְיוֹן *Elyoun,* upper, and when alluding to God, Most High.

2 Chron. xxiii. 20.	Jer. xx. 2.
—— xxvii. 3.	

HIGH God.
עֶלְיוֹן *Elyoun,* the Most High, in all passages.

HIGH hill.
גְּבוֹהַ *Govouhā,* high, in all passages.

HIGH place.
בָּמָה *Bomoh,* a raised place for the purpose of sacrificing to idols; in all passages, except:

1.   שְׁפִי *Shephee,* an elevated, conspicuous place.
2.   רָמָה *Romoh,* height.

1. Numb. xxiii. 3.	2. Ezek. xvi. 24, 25, 31.

HIGH priest.
גָּדוֹל *Godoul,* great, in all passages.

HIGH tower.
1.   מִשְׂגָּב *Misgov,* a source of safety.
2.   גְּבוֹהַ *Govouhā,* high.

1. 2 Sam. xxii. 3.	1. Psalm cxliv. 2.
1. Psalm xviii. 2.	2. Isa. ii. 15.

HIGH, most.
עֶלְיוֹן *Elyoun,* in all passages.

HIGH, on.
לְמַעֲלָה *Lemaaloh,* above, in all passages.

HIGH-way -s.
מְסִלָּה *Mesilloh,* a raised way, in all passages, except:

1. דֶּרֶךְ הַמֶּלֶךְ *Derekh hamelekh,* the king's way.
2. נְתִיבָה *Netheevoh,* a path.

1. Numb. xx. 17.	1. Deut. ii. 27.
1. —— xxi. 22.	2. Judg. v. 6.

HIGHER.
1.   גָּבַהּ *Govoh,* to be high.
2.   רוּם *Room,* elevated.
3.   עֶלְיוֹן *Elyoun,* most high.
4.   צָחִיחַ *Tsekheeakh,* exposed to the sun.
5.   יָכֹל *Yokhal,* to overcome, be able.
6.   גַּב *Gav,* thickness, body.
7.   רֹאשׁ *Roush,* head, top.

2. Numb. xxiv. 7.	1. Eccles. v. 8.
1. 1 Sam. ix. 2.	1. Isa. lv. 9.
3. 2 Kings xv. 35.	3. Jer. xxxvi. 10.
4. Neh. iv. 13.	3. Ezek. ix. 2.
1. Job xxxv. 5.	5. —— xlii. 5.
2. Psalm lxi. 2.	6. —— xliii. 13.
3. —— lxxxix. 27.	1. Dan. viii. 3.

HIGHEST.

3. Psalm xviii. 13.	Ezek. xvii. 3, not in
3. —— lxxxvii. 5.	original.
7. Prov. viii. 26.	2. —— xvii. 22.
2. —— ix. 3.	3. —— xli. 7.
1. Eccles. v. 8.	

HIGHNESS.
1.   מַשְׂאֵת *Misaith,* a burden, load.
2.   גַּאֲוָה *Gaavoh,* exaltation, excellency.

1. Job xxxi. 23.	2. Isa. xiii. 3.

HILL.
1.   הַר *Hor,* a mountain.
2.   גִּבְעָה *Givoh,* a hill.
3.   קֶרֶן *Keren,* a corner.

1. Exod. xvii. 9, 10.	1. Judg. ii. 9.
1. —— xxiv. 4.	2. —— vii. 1.
1. Numb. xiv. 44, 45.	1. —— xvi. 3.
1. Deut. i. 41, 43.	2. 1 Sam. vii. 1.
2. Josh. v. 3.	1. —— ix. 11.
1. —— xiii. 6.	2. —— x. 5, 10.
1. —— xvii. 16.	2. —— xxiii. 19.
1. —— xxi. 11.	1. —— xxv. 20.
1. —— xxiv. 30, 33.	2. —— xxvi. 1, 13.

2. 2 Sam. ii. 24.
2. ———— 25.
1. ——— xiii. 34.
1. ——— xvi. 13.
1. ——— xxi. 9.
1. 1 Kings xi. 7.
2. ——— xiv. 23.
1. ——— xvi. 24.
1. 2 Kings i. 9.
1. ——— iv. 27.
2. ——— xvii. 10.
1. Psalm ii. 6.
1. ——— iii. 4.
1. ——— xv. 1.
1. ——— xxiv. 3.
1. ——— xlii. 6.
1. ——— xliii. 3.
1. ——— lxviii. 15, 16.

1. Psalm xcix. 9.
2. Cant. iv. 6.
3. Isa. v. 1.
2. — x. 32.
2. — xxx. 17.
1. ————25.
2. — xxxi. 4.
2. — xl. 4.
2. Jer. ii. 20.
2. — xvi. 16.
2. — xvii. 2.
2. — xxxi. 39.
2. — xlix. 16.
2. — L. 6.
2. Ezek. vi. 13.
2. — xx. 28.
2. ———— xxxiv. 6.
2. ———————— 26.

HILLS.

1. Gen. vii. 19.
1. ——— xlix. 26.
2. Numb. xxiii. 9.
1. Deut. viii. 7, 9.
1. ——— xi. 11.
2. ·——— xxxiii. 15.
1. Josh. x. 40.
1. ——— xi. 16.
1. 1 Kings xx. 23, 28.
1. ——— xxii. 17.
2. 2 Kings xvi. 4.
2. 2 Chron. xxviii. 4.
2. Job xv. 7.
1. Psalm xviii. 7.
1. —— L. 10.
2. —— lxv. 12.
1. —— lxviii. 15, 16.
2. —— lxxii. 3.
1. —— lxxx. 10.
1. —— xcv. 4.
1. —— xcvii. 5.
1. —— xcviii. 8.
1. —— civ. 10, 13, 18, 32.
2. —— cxiv. 4, 6.
1. —— cxxi. 1.
2. —— cxlviii. 9.
2. Prov. viii. 25.

2. Cant. ii. 8.
2. Isa. ii. 2, 14.
1. — v. 25.
1. — vii. 25.
2. — xl. 12.
2. — xli. 15.
2. — xlii. 15.
2. — liv. 10.
2. — lv. 12.
2. — lxv. 7.
2. Jer. iii. 23.
2. — iv. 24.
2. — xiii. 27.
2. — xvii. 2.
2. Ezek. vi. 3.
2. ———— xxxv. 8.
2. ———— xxxvi. 4.
2. ———————— 6.
2. Hos. iv. 13.
2. —— x. 8.
2. Joel iii. 18.
2. Amos ix. 13.
2. Mic. iv. 1.
2. —— vi. 1.
2. Nah. i. 5.
2. Hab. iii. 6.
2. Zeph. i. 10.

HIM.

The letter **וֹ** *Vov*, affixed to the relative word alluded to, in all passages.

HIMSELF.

The syllable **הִתְ** *Hitk*, prefixed to the verb, denotes the reflective, in all passages.

HIN.

הִין *Heen*, a measure for liquors, in all passages.

HIND.

אַיָלָה *Ayoloh*, a hind, in all passages.

HINDS.

אַיָלוֹת *Ayolouth*, hinds, in all passages.

HINDER.

1.   **אָחַר** *Ikhair*, to delay.
2.   **מָנַע** *Mona*, to withhold, keep back.
3.   **תּוֹעָה** *Touoh*, an error, failure.
4.   **שׁוּב** *Shoov*, to return, revoke.

1. Gen. xxiv. 56.   4. Job ix. 12.
2. Numb. xxii. 16.   4. — xi. 10.
3. Neh. iv. 8.

HINDERED.

בָּטַל *Botal*, to hinder.

Ezra vi. 8.

HINDERETH.

חָשַׂךְ *Khosakh*, to spare.

Isa. xiv. 6.

HINDER end.

אַחֲרֵי *Akharai*, behind.

2 Sam. ii. 23.

HINDERMOST, HINDMOST.

אַחֲרוֹן *Akharoun*, the last; in all passages, except:

זָנַב *Zinaiv*, to smite in the rear.

Josh. x. 19.

HINDER-part -s, and -sea.

1.   **אָחוֹר** *Okhour*, the hinder part.
2.   **סוֹף** *Souph*, the end.
3.   **אַחֲרוֹן** *Akharoun*, the latter, last, western.

1. 1 Kings vii. 25.   2. Joel ii. 20.
1. Psalm lxxviii. 66.   3. Zech. xiv. 8.

HINGES.

1.   **פֹּתוֹת** *Pouthouth*, the socket in which the hinge moves.
2.   **צִיר** *Tseer*, a hinge.

1. 1 Kings vii. 50.   2. Prov. xxvi. 14.

HIP.

שׁוֹק *Shouk*, a shank.

Judg. xv. 8.

HIRE, Subst.

שָׂכָר *Sokhor*, hire, reward, in all passages.

HIRE -ED, Verb.

שָׂכַר **Sokhar,** to hire, in all passages.

HIRED -EST.

שָׁחַד **Shokhad,** to bribe.

Ezek. xvi. 33.

HIRELING.

שָׂכִיר **Sokheer,** a hireling, in all passages.

HIRES.

אֶתְנָן **Ethnon,** a gift.

Mic. i. 7.

HIS.

The letter ו **Vov,** affixed to the relative word alluded to, in all passages.

HISS -ING.

שָׁרַק **Shorak,** to hiss, in all passages.

HIT.

מָצָא **Motso,** found.

| 1 Sam. xxxi. 3. | 1 Chron. x. 3. |

HITHER.

הֵנָּה **Hainoh,** here, hither, in all passages.

HITHERTO.

עַד פֹּה **Ad kouh,**
עַד הֵנָּה **Ad hainoh,** } hitherto.

HO.

הוֹי **Houee,** ho.

| Ruth iv. 1, not in original. | Isa. lv. 1. Zech. ii. 6. |

HOAR.

שֵׂיבָה **Saivoh,** gray from age.

Isa. xlvi. 4.

HOAR frost.

כְּפוֹר **Kephour,** a hoar frost.

| Exod. xvi. 14. | Psalm cxlvii. 16. |

HOARY.

שֵׂיבָה **Saivoh,** gray from age.

| Lev. xix. 32. | Job xli. 32. |

HOLD.

1. חָזַק **Khozak,** (Hiph.) to cause to strengthen, i.e., hold fast.
2. נָקַה **Nikkoh,** to let free.
3. אָחַז **Okhaz,** to lay hold, grasp.
4. נָשָׂא **Noso,** to lift up, bear.
5. יָשַׁט **Yoshat,** to stretch out.
6. חָרַשׁ **Khorash,** (Hiph.) to keep silent.
7. קוּם **Koom,** to rise, endure.
8. תָּמַךְ **Tomakh,** } to sustain, support,
   סָמַךְ **Somakh,** } rest upon.
9. סָעַד **Soad,** to uphold.
10. כּוּל **Kool,** to contain.
11. תָּפַשׂ **Tophas,** to seize.
12. הַס **Hass,** to still, silence.
13. אָשַׁם **Osham,** to become guilty.
14. חָשַׁב **Khoshav,** to think, reckon.
15. שׂוּם **Soom,** to set, put, place.
16. עָשָׂה **Osoh,** to make, perform.
17. לָכַד **Lokad,** to take by force, conquer.
18. חָשָׂה **Khoshoh,** (Hiph.) to keep still.
19. חָגַג **Khogag,** to solemnize.

1. Gen. xxi. 18.	8. Psalm xvii. 5.
1. Exod. ix. 2.	3. —— cxix. 53.
2. —— xx. 7.	9. ——————— 117.
2. Deut. v. 11.	3. ——————— cxxxix. 10.
3. Ruth iii. 15.	8. Prov. xxxi. 19.
4. 2 Sam. ii. 22.	3. Cant. iii. 8.
3. —— vi. 6.	1. Isa. xli. 13.
2. 1 Kings ii. 9.	1. — xlii. 6.
3. 1 Chron. xiii. 9.	10. Jer. ii. 13.
5. Esth. iv. 11.	1. — viii. 21.
6. Job vi. 24.	1. — L. 42, 43.
2. — ix. 28.	11. Ezek. xxx. 21.
6. — xiii. 19.	3. — xli. 6.
3. — xvii. 9.	12. Amos vi. 10.
7. — xli. 26.	13. Zech. xi. 5.

HOLD, caught.

| 1. 2 Sam. xviii. 9. | 1. 1 Kings ii. 28. |
| 1. 1 Kings i. 50. | |

HOLD fast.

| 1. Job viii. 15. | 1. Jer. viii. 5. |
| 1. — xxvii. 6. | |

HOLD a feast.

19. In all passages.

HOLD peace.

6. In all passages.

HOLDEN.

16. 2 Kings xxiii. 22, 23.	3. Psalm lxxiii. 23.
17. Job xxxvi. 8.	8. Prov. v. 22.
9. Psalm xviii. 35.	18. Isa. xlii. 14.
8. —— lxxi. 6.	1. — xlv. 1.

HOLDEST.

6. Esth. iv. 14.	11. Jer. xlix. 16.
14. Job xiii. 24.	6. Hab. i. 13.
3. Psalm lxxvii. 4.	

HOLDETH.

1. Job ii. 3.	6. Prov. xvii. 28.
3. — xxvi. 9.	1. Dan. x. 21.
15. Psalm lxvi. 9.	8. Amos i. 5, 8.
6. Prov. xi. 12.	

HOLDING.

8. Isa. xxxiii. 15.	10. Jer. vi. 11.

HOLD, Subst.

1.   צָרִיחַ   *Tsoreeakh*, a high building.
2.   מְצוּדָה   *Mĕtsoodoh*, a fortress.

1. Judg. ix. 46, 49.	2. 2 Sam. v. 17.
2. 1 Sam. xxii. 4, 5.	2. —— xxiii. 14.
2. —— xxiv. 22.	2. 1 Chron. xii. 16.

HOLDS.

2. Jer. li. 30.	2. Ezek. xix. 9.

HOLE.

1.   חֹר   *Khour*, a hole.
2.   מַקֶּבֶת   *Makeveth*, a tent bar, a hole made with an iron pitcher.
3.   פִּי   *Pee*, a mouth.
4.   נָקִיק   *Nokeek*, a cleft in a rock.
5.   מְעָרָה   *Mĕoroh*, a cave.
6.   מַסְגֵּר   *Masgair*, a place of confinement, prison.
7.   נָקַב   *Nokav*, an excavation.

3. Exod. xxviii. 32.	2. Isa. li. 1.
3. —— xxxix. 23.	4. Jer. xiii. 4.
1. 2 Kings xii. 9.	3. — xlviii. 28.
1. Cant. v. 4.	1. Ezek. viii. 7.
1. Isa. xi. 8.	

HOLES.

1. 1 Sam. xiv. 11.	6. Mic. vii. 17.
5. Isa. ii. 19.	1. Nah. ii. 12.
4. — vii. 19.	7. Hag. i. 6.
1. — xlii. 22.	1. Zech. xiv. 12.
4. Jer. xvi. 16.	

HOLIER.

קָדַשְׁתִּיךָ   *Kĕdashteekhō*, I am more holy than thou.

Isa. lxv. 5.

HOLINESS.

קוֹדֶשׁ   *Koudesh*, holy, in all passages.

HOLLOW.

1.   כַּף   *Kaph*, a hollow, usually applied to the hand or foot.
2.   נְבוּב   *Nevoov*, hollow.
3.   שְׁקַעֲרוּרֹת   *Shĕkaaroorouth*, cavities.
4.   מַכְתֵּשׁ   *Makhtaish*, a mortar; met., a socket of the teeth.
5.   שֹׁעַל   *Shoal*, palm of the hand.

1. Gen. xxxii. 25, 32.	4. Judg. xv. 19.
2. Exod. xxvii. 8.	5. Isa. xl. 12.
2. —— xxxviii. 7.	2. Jer. lii. 21.
3. Lev. xiv. 37.	

HOLPEN.

עָזַר   *Ozar*, to help; in all passages, except:

זְרוֹעַ   *Zĕroua*, an arm.

Psalm lxxxiii. 8.

HOLY.

קוֹדֶשׁ   *Koudesh*, holy, in all passages.

HOLY, most.

קֹדֶשׁ קָדָשִׁים   *Koudesh kodosheem*, holy of holiness.

HOLY one.

1.   קָדוֹשׁ   *Kodoush*, holy one.
2.   אִישׁ חָסִיד   *Eesh khoseed*, a pious man.
3.   חָסִיד   *Khoseed*, pious.

2. Deut. xxxiii. 8.	1. Isa. xliii. 15.
1. Job vi. 10.	1. — xlix. 7.
3. Psalm xvi. 10.	1. Dan. iv. 13.
3. —— lxxxix. 19.	1. Hos. xi. 9.
1. Isa. x. 17.	1. Hab. i. 12.
1. — xxix. 23.	1. — iii. 3.
1. — xl. 25.	

HOLY ones.

קַדִּישִׁין   *Kadeesheen* (Syriac), holy ones.

Dan. iv. 17.

HOLY Spirit.

רוּחַ הַקֹּדֶשׁ   *Rooakh hakoudesh*, the Spirit the Holy One.

Psalm li. 11.	Isa. lxiii. 10, 11.

HOME.

בַּיִת   *Bayith*, house, home, in all passages.

HOME-born.

1. אֶזְרָח   *Ezrokh,* a native.
2. בַּיִת   *Bayith,* in the house, home.

1. Exod. xii. 49.	2. Jer. ii. 14.
2. Lev. xviii. 9.	

HOMER.

חֹמֶר   *Khoumer,* a homer, a measure for corn, in all passages.

HONOUR, Subst.

1. כָּבוֹד   *Kovoud,* honour.
2. הוֹד   *Houd,* splendour, majesty.
2. תִּפְאֶרֶת   *Tiphereth,* beauty, praise, glory.
4. הָדָר   *Hodor,* glorious.
5. יְקָר   *Yokor,* worth, preciousness.

All passages not inserted are Nº. 1.

2. Numb. xxvii. 20.	2. Psalm civ. 1.
3. Deut. xxvi. 19.	4. —— cxlix. 9.
3. Judg. iv. 9.	2. Prov. v. 9.
4. 1 Chron. xvi. 27.	4. —— xiv. 28.
5. Esth. i. 4.	4. —— xxxi. 25.
5. —— vi. 3.	3. Jer. xxxiii. 9.
5. —— viii. 16.	5. Dan. ii. 6.
2. Psalm xxi. 5.	5. —— iv. 30.
5. —— xlix. 12, 20.	4. —— 36.
3. —— lxxi. 8.	4. —— v. 18.
2. —— xcvi. 6.	2. —— xi. 21.

HONOUR -ED -EST -ETH.

1. כָּבַד   *Kovad,* to honour.
2. הָדַר   *Hodar,* to glorify, adorn.
3. יָקַר   *Yokar,* to value, esteem.

All passages not inserted are Nº. 1.

2. Lev. xix. 15, 32.	2. Dan. iv. 37.
3. Esth. vi. 6, 7, 9, 11.	

HONOURED.

All passages not inserted are Nº. 1.

2. Lam. v. 12.	2. Dan. iv. 34.

HONOURABLE.

1. נִכְבָּד   *Nikhbod,* being honoured, honourable.
2. נְשׂוּא פָּנִים   *Nĕsoo poneem,* highly re- garded.
3. יְקָרוֹת   *Yĕkorouth,* preciousness, worth.
4. הוֹד   *Houd,* splendour, majesty.
5. אָדַר   *Odar,* (Hiph.) to make glorious.

All passages not inserted are Nº. 1.

---

2. 2 Kings v. 1.	2. Isa. iii. 3.
2. Job xxii. 8.	2. —— ix. 15.
3. Psalm xlv. 9.	5. —— xlii. 21.
4. —— cxi. 3.	

HONEY.

דְּבַשׁ   *Dĕvash,* honey, in all passages.

HONEYCOMB.

יַעְרַת דְּבַשׁ   *Yaarath dĕvash,* honeycomb; in all passages, except :

נֹפֶת   *Nopheth,* any sweet liquid.

Prov. v. 3.	Prov. xxvii. 7.
—— xxiv. 13.	Cant. iv. 11.

HOODS.

גִּלְיוֹנִים   *Gilyouneem,* a transparent head- dress.

Isa. iii. 23.

HOOF -S.

פַּרְסָה   *Parsoh,* hoof, divided, in all passages, except :

עֲקֵבִים   *Akoveem,* heels.

Judg. v. 22.

HOOK.

חָח   *Khokh,* a ring to put into an animal's nose.

2 Kings xix. 28.	Isa. xxxvii. 29.
Job xlii. 1.	

HOOKS.

1. וָוִים   *Voveem,* hooks to put upon garments.
2. מַזְמֵרוֹת   *Mazmairouth,* pruning-hooks.
3. חַחִים   *Khakheem,* hooks to put into animals' noses.
4. שְׁפַתַּיִם   *Shĕphatayim,* pegs for hanging meat upon offered in sacrifice.
5. סִירוֹת   *Seerouth,* pots.

1. Exod. xxvi. 32, 37.	2. Isa. xviii. 5.
1. —— xxvii. 10, 11, 17.	3. Ezek. xxix. 4.
	3. —— xxxviii. 4.
1. —— xxxvi. 36.	4. —— xl. 43.
1. —— xxxviii. 10, 11, 12, 17, 19.	2. Joel iii. 10.
	5. Amos iv. 2.
2. Isa. ii. 4.	2. Mic. iv. 3.

HOPE, Subst.

1. { תִּקְוָה   *Tikvoh,*
 מִקְוָה   *Mikvoh,* } expectation, hope.

2. תּוֹחֶלֶת *Toukheleth,* eager expectation, hope.

3. כֶּסֶל *Kesel,* vain confidence.

4. שֵׂבֶר *Saiver,* great hope.

5. חָסָה *Khosoh,* to confide.

6. בִּטָּחוֹן *Bitokhoun,* great confidence.

7. נוֹאָשׁ *Nouosh,* despair. (English ver., no hope.)

8. מִבְטָח *Mivtokh,* trust, security.

9. יָחַל *Yokhal,* (Hiph.) to wait eagerly.

10. מַחֲסֶה *Makhăseh,* a protection.

11. בֶּטַח *Betakh,* security.

All passages not inserted are Nº. 1.

3. Job xxxi. 24.	6. Eccles. ix. 4.
2. — xli. 9.	7. Isa. lvii. 10.
3. Psalm lxxviii. 7.	7. Jer. ii. 25.
4. —— cxix. 116.	8. — xvii. 7.
4. —— cxlvi. 5.	10. —— 17.
2. Prov. x. 28.	7. — xviii. 12.
2. — xi. 7.	2. Lam. iii. 18.
2. —— xiii. 12.	9. —— 21.
5. —— xiv. 32.	10. Joel iii. 16.

In HOPE.
11. Psalm xvi. 9.

HOPE, Verb.

1. יָחַל *Yokhal,* to wait eagerly.

2. שִׂבֵּר *Sibbair,* to expect good tidings.

3. בָּטַח *Botakh,* to trust.

All passages not inserted are Nº. 1.
2. Isa. xxxviii. 18.

HOPED.

2. Esth. ix. 1.	2. Psalm cxix. 166.
3. Job vi. 20.	

HORN.

קֶרֶן *Keren,* a horn, in all passages.

HORNS.

קַרְנַיִם *Karnayim,* horns, in all passages.

HORNET.

צִרְעָה *Tsiroh,* a wasp.

Deut. vii. 20. | Josh. xxiv. 12.

HORNETS.
Exod. xxiii. 28.

HORRIBLE.

1. פֵּחִים *Pakheem,* dangerous things.

2. שָׁאוֹן *Shooun,* destruction.

3. שַׁעֲרוּרָה *Shaarooroh,* horrible.

1. Psalm xi. 6.	3. Jer. xviii. 13.
2. —— xl. 2.	3. — xxiii. 14.
3. Jer. v. 30.	3. Hos. vi. 10.

HORRIBLY.

שָׂעַר *Soar,* shuddering.

Jer. ii. 12. | Ezek. xxxii. 10.

HORROR.

1. אֵמָה *Aimoh,* fear.

2. רַעַד *Raad,* trembling.

3. זַלְעָפָה *Zalophoh,* an effusion of heat.

4. פַּלָּצוּת *Palotsooth,* quaking fear.

1. Gen. xv. 12.	3. Psalm cxix. 53.
2. Psalm lv. 5.	4. Ezek. vii. 18.

HORSE.

סוּס *Soos,* a horse, in all passages.

HORSES.

סוּסִים *Sooseem,* horses, in all passages.

HORSEBACK.

רֹכֵב סוּס *Roukhaiv soos,* riding on horse, in all passages.

HORSELEECH.

עֲלוּקָה *Alookoh,* a horseleech.

Prov. xxx. 15.

HORSEMAN.

1. רַכָּב *Rakov,* } a horseman.
2. פָּרָשׁ *Porosh,* }

1. 2 Kings ix. 17. | 2. Nah. iii. 3.

HORSEMEN.

פָּרָשִׁים *Porosheem,* horsemen, in all passages.

HOSEN.

פַּטִּישִׁים *Pateesheem,* under garments.

Dan. iii. 21.

HOST.

1. צָבָא *Tsovo,* a host.

2. חַיִל *Khayil,* an army.

3. מַחֲנֶה *Makhaneh,* a camp.

1. Gen. ii. 1.	1. 1 Kings xvi. 16.
1. —— xxi. 22, 32.	2. —— xx. 1.
3. —— xxxii. 2.	3. —— xxii. 34.
2. Exod. xiv. 4, 17.	3. 2 Kings iii. 9.
3. —— 24.	1. —— iv. 13.
2. —— 28.	2. —— vi. 14.
3. —— xvi. 13.	3. —— 24.
1. Numb. ii. 4, 6, 8, 11, 13, 15, 19, 21, 23.	3. —— vii. 4, 6.
1. —— iv. 3.	2. —— ix. 5.
1. —— x. 14, 15, 16, 18, 19.	2. —— xviii. 17.
1. —— xxxi. 14, 48.	2. —— xxv. 1.
3. Deut. ii. 14, 15.	1. —— 19.
3. —— xxiii. 9.	3. 1 Chron. ix. 19.
3. Josh. i. 11.	1. —— xi. 18.
3. —— iii. 2.	3. —— xii. 22.
1. —— v. 14.	2. —— xviii. 15.
3. —— xviii. 9.	1. —— 15.
1. Judg. iv. 2.	1. —— xix. 18.
3. —— 16.	1. —— xxvii. 3.
3. —— vii. 8, 9, 10, 13, 21.	2. 2 Chron. xiv. 9.
3. —— viii. 11, 12.	2. —— xvi. 7, 8.
3. 1 Sam. xi. 11.	3. —— xviii. 33.
3. —— xiv. 15, 19.	2. —— xxiv. 24.
1. —— 50.	2. —— xxvi. 11.
2. —— xvii. 20.	1. —— xxviii. 9.
3. —— xxviii. 5, 19.	3. Psalm xxvii. 3.
3. —— xxix. 6.	1. —— xxxiii. 6.
3. 2 Sam. v. 24.	2. —— 16.
2. —— viii. 9.	2. —— cxxxvi. 15.
1. —— x. 18.	1. Isa. xiii. 4.
1. —— xvii. 25.	1. — xxiv. 21.
1. —— xix. 13.	1. — xl. 26.
1. —— xx. 23.	1. — xlv. 12.
3. —— xxiii. 16.	1. Jer. li. 3.
1. 1 Kings ii. 32, 35.	1. — lii. 25.
1. —— iv. 4.	3. Ezek. i. 24.
	1. Dan. viii. 10, 11, 12, 13.
	2. Obad. 20.

HOST of heaven.
1. In all passages.

HOSTS, God of and Lord of.
1. In all passages.

HOSTS.

1. Exod. xii. 41.	1. Psalm ciii. 21.
3. Josh. x. 5.	1. —— cviii. 11.
3. —— xi. 4.	1. —— cxlviii. 2.
3. Judg. viii. 10.	1. Jer. iii. 19.
2. 1 Kings xv. 20.	

HOSTAGES.
בְּנֵי תַּעֲרֻבוֹת Benai taaruvouth, children of mixture.

2 Kings xiv. 14. | 2 Chron. xxv. 24.

HOT.
1. חֹם Khom, hot.
2. מִכְוַת־אֵשׁ Mikhvath-aish, a burning of fire.
3. חָרָה Khoroh, fierce.
4. חֵמָה Khaimoh, fury.

---

5. רְשָׁפִים Rĕshopheem, thunder-bolts.
6. גֶּחָלִים Gĕkholeem, burning coals.
7. אֲזֶה Aizaih (Syriac), heat.

1. Exod. xvi. 21.	1. Neh. vii. 3.
2. Lev. xiii. 24.	1. Job vi. 17.
4. Deut. ix. 19.	4. Psalm vi. 1.
1. — xix. 6.	4. —— xxxviii. 1.
1. Josh. ix. 12.	1. —— xxxix. 3.
3. Judg. ii. 14, 20.	5. —— lxxviii. 48.
3. — iii. 8.	6. Prov. vi. 28.
3. — vi. 39.	1. Ezek. xxiv. 11.
3. — x. 7.	7. Dan. iii. 22.
1. 1 Sam. xi. 9.	1. Hos. vii. 7.
1. —— xxi. 6.	

HOT, wax -ed.
3. In all passages.

HOTLY.
דָּלַק Dolak, to kindle.

Gen. xxxi. 36.

HOTTEST.
חֲזָקָה Khazokoh, the strongest.

2 Sam. xi. 15.

HOUGH.
עָקַר Okar, to root out, disable.

Josh. xi. 6.

HOUGHED.
Josh. xi. 9. | 2 Sam. viii. 4.

HOUR.
1. שָׁעָה Shooh (Hebrew and Syriac), an hour.
2. שָׁעֲתָּה Shaatoh (Chaldee), a time.

2. Dan. iii. 6, 15.	2. Dan. iv. 33.
1. —— iv. 19.	2. —— v. 5.

HOUSE -S.
בַּיִת Bayith, in all passages.

HOUSEHOLD -S.
אַנְשֵׁי בַּיִת Anshai bayith, men of the house.
בַּיִת Bayith, house.
In all passages.

HOW.
אֵיךְ Aikh, } how, in all passages.
מַה Mah, }

HOW long.
עַד מָתַי Ad mothaie, until when, in all passages.

HOW many, oft.

כַּמָּה *Kamoh*, how many.

Job xiii. 23. | Psalm cxix. 84.

HOW many times.

כַּמָּה פְּעָמִים *Kamoh pěomeem*, how many times, in all passages.

HOW much less, more.

אַף *Aph*, yea, in all passages.

HOWBEIT.

Not used in Hebrew; expressed by conjunction ו *Vov*, prefixed to the relative word.

HOWL -ED.

הֵילִיל *Haileel*, in all passages.

HOWLING.
Deut. xxxii. 10.

HOWLINGS.
Amos viii. 3.

HUGE.

רֹב *Rouv*, abundant.

2 Chron. xvi. 8.

HUMBLE.

1. שַׁח עֵינַיִם *Shakh ainayim*, down cast eyes.

2.   עָנָיו *Onov*, meek, humble.

3.   שָׁפָל *Shophol*, low.

1. Job xxii. 29.	2. Psalm lxix. 32.
2. Psalm ix. 12.	3. Prov. xvi. 19.
2. —— x. 12, 17.	3. —— xxix. 23.
2. —— xxxiv. 2.	3. Isa. lvii. 15.

HUMBLE, Verb.

1.   כָּנַע *Kona*, to humble.

2.   עִנָּה *Innoh*, to afflict.

3.   שָׁפַל *Shophal*, to debase, lower.

4.   דָּכָא *Dokho*, to bruise.

5.   שׁוּחַ *Shooakh*, to sink down.

6.   רָפַס *Rophas*, to tread down.

2. Exod. x. 3.	1. 2 Chron. xxxiv. 27.
2. Deut. viii. 2, 16.	6. Prov. vi. 3.
2. Judg. xix. 24.	3. Jer. xiii. 18.
1. 2 Chron. vii. 14.	

HUMBLED.

1. Lev. xxvi. 41.	1. 2 Chron. xxxvi. 12.
2. Deut. viii. 3.	2. Psalm xxxv. 13.
2. —— xxi. 14.	3. Isa. ii. 11.
2. —— xxii. 24, 29.	3. — v. 15.
1. 2 Kings xxii. 19.	3. — x. 33.
1. 2 Chron. xii. 6, 7, 12.	4. Jer. xliv. 10.
1. —————— xxx. 11.	5. Lam. iii. 20.
1. —————— xxxii. 26.	2. Ezek. xxii. 10, 11.
1. —————— xxxiii.12,19, 23.	3. Dan. v. 22.

HUMBLEDST.
1. 2 Chron. xxxiv. 27.

HUMBLETH.

1. 1 Kings xxi. 29.	3. Psalm cxiii. 6.
5. Psalm x. 10.	3. Isa. ii. 9.

HUMBLY.

1. הִשְׁתַּחֲוֵיתִי *Hishtakhavaithee*, I bow myself down.

2. הַצְנֵעַ *Hatsnai*, to act humbly.

1. 2 Sam. xvi. 4. | 2. Mic. vi. 8.

HUMILITY.

עֲנָוָה *Anovoh*, meekness, humility.

Prov. xv. 33.	Prov. xxii. 4.
—— xviii. 12.	

HUNDRED.

מֵאָה *Maioh*, a hundred, in all passages.

HUNDREDS.

מֵאוֹת *Maiouth* (plur.), in all passages.

HUNGER.

רָעָב *Rōov*, hunger, in all passages.

HUNGER, Verb.

רָעֵב *Roav*, to hunger, in all passages.

HUNGRY.

רָעֵב *Roaiv*, hungry, in all passages.

HUNT -ED -EST -ETH -ING.

צוּד *Tsood*, to hunt; in all passages, except:

רָדַף *Rodaph*, to pursue.
1 Sam. xxvi. 20.

HUNTER -S.

צַיִד *Tsayid*, a hunter, in all passages.

HURL.

שָׁלַח **Sholakh**, to cast.

Numb. xxxv. 20.

HURLETH.

שָׂעַר **Soar**, to drive by a storm.

Job xxvii. 21.

HURT, Subst.

1.   חַבּוּרָה   **Khavooroh**, a wound, bruise.
2.   רַע   **Ro**, evil, calamity.
3.   דָּבָר   **Dovor**, a word, matter.
4.   נֶזֶק   **Nezek** (Chaldee), a hurt.
5.   שֶׁבֶר   **Shever**, a fracture, break.
6.   חֲבַל   **Khăval** (Chaldee), pain.

1. Gen. iv. 23.	2. Psalm xli. 7.
2. —— xxvi. 29.	2. —— lxx. 2.
2. —— xxxi. 29.	2. —— lxxi. 13, 24.
2. Josh. xxiv. 20.	2. Eccles. v. 13.
3. 1 Sam. xx. 21.	2. —————— viii. 9.
2. —— xxiv. 9.	5. Jer. vi. 14.
2. 2 Sam. xviii. 32.	2. — vii. 6.
2. 2 Kings xiv. 10.	5. — viii. 11, 21.
2. 2 Chron. xxv. 19.	5. — x. 19.
4. Ezra iv. 22.	2. — xxiv. 9.
2. Esth. ix. 2.	2. — xxv. 6, 7.
2. Psalm xv. 4.	2. — xxxviii. 4.
2. —— xxxv. 4, 26.	6. Dan. iii. 25.
2. —— xxxviii. 12.	6. —— vi. 22, 23.

HURT, Verb.

1.   נָגַף   **Nogaph**, to do harm.
2.   שָׁבַר   **Shovar**, to shiver, break.
3.   עָצַב   **Otsav**, to put to sorrow.
4.   כָּלַם   **Kolam**, to confound.
5.   רוּעַ   **Rooa**, to do evil.
6.   עָנָה   **Innoh**, to afflict.
7.   פָּקַד   **Pokad**, to visit, charge.
8.   חֲבַל   **Khoval** (Chaldee), to put to pain.
9.   נְזַק   **Nozak** (Chaldee), to hurt.

5. Gen. xxxi. 7.	5. Isa. xi. 9.
1. Exod. xxi. 22, 35.	7. — xxvii. 3.
5. Numb. xvi. 15.	5. — lxv. 25.
4. 1 Sam. xxv. 7.	8. Dan. vi. 22.
6. Psalm cv. 18.	

HURT, Participle.

2. Exod. xxii. 10, 14.	3. Eccles. x. 9.
4. 1 Sam. xxv. 15.	2. Jer. viii. 21.

HURTFUL.

9. Ezra iv. 15.	5. Psalm cxliv. 10.

HURTING.

5. 1 Sam. xxv. 34.

HUSBAND -S.

חָתָן **Khăthan**, a bridegroom.

Exod. iv. 25.

In other passages בַּעַל **Baal**, connected with אִשָּׁה **Isshoh**, woman or wife, signifies husband; when unconnected—master, lord, possessor.

אִישׁ **Eesh**, a man, connected with אִשָּׁה **Isshoh**, signifies a husband; except אִישִׁי **Eeshee** and בַּעֲלִי **Baalee:** the former signifies husband; the latter, master, lord, possessor, as in Hos. ii. 16.

HUSBANDMAN.

1. אִישׁ אֲדָמָה   **Eesh adomoh**, a man of the ground; Heb. idiom, who works the ground.
2.   אִכָּר   **Ikkor**, a vine cultivator, a husbandman.
3. עֹבֵד אֲדָמָה   **Ouvaid adomoh**, a labourer of the ground.

1. Gen. ix. 20.	2. Amos v. 16.
2. Jer. li. 23.	3. Zech. xiii. 5.

HUSBANDMEN.

1.   גֹּבִים   **Gouveem**, diggers.
2.   אִכָּרִים   **Ikkhoreem**, husbandmen.

1. 2 Kings xxv. 12.	1. Jer. lii. 16.
2. 2 Chron. xxvi. 10.	2. Joel i. 11.
2. Jer. xxxi. 24.	

HUSBANDRY.

אֲדָמָה **Adomoh**, ground.

2 Chron. xxvi. 10.

HUSK.

1.   זַג   **Zog**, the skin of a grape.
2.   צִקְלוֹן   **Tsikloun**, a husk.

1. Numb. vi. 4.	2. 2 Kings iv. 42.

HYPOCRISY.

חֹנֶף **Khouneph**, hypocrisy, profaneness.

Isa. xxxii. 6.

HYPOCRITE.

חָנֵף **Khonaiph**, a hypocrite, in all passages.

HYPOCRITES.

חֲנֵפִים Khanaipheem, hypocrites, in all passages.

HYPOCRITICAL.

חָנֵף Khounaiph, a hypocrite.

Psalm xxxv. 16. | Isa. x. 6.

HYSSOP.

אֵזוֹב Aizouv, hyssop, in all passages.

I

I.

אֲנִי Anee, I.

אָנֹכִי Onoukhee, I myself.

א prefixed to the Verb denotes I future.

תִּי Tee, affixed denotes I preterite.

ICE.

קֶרַח Kerakh, cold ; met., ice.

Job vi. 16. | Psalm cxlvii. 17.
— xxxviii. 29. |

IDLE.

1. רָפָה Rophoh, to slacken, hang down.
2. עָצְלָה Atsloh, to be lazy.

1. Exod. v. 8, 17. | 2. Prov. xix. 15.

IDLENESS.

1. עַצְלוּת Atslooth, laziness.
2. הַשְׁקֵט Hashkait, keeping still.

1. Prov. xxxi. 27. | 2. Ezek. xvi. 49.
1. Eccles. x. 18. |

IDOLATRY.

תְּרָפִים Těropheem, images.

1 Sam. xv. 23.

IDOLATROUS.

כְּמָרִים Kěmoreem, idolatrous priests.

2 Kings xxiii. 5.

IDOL.

אֱלִיל Eleel, an idol, a thing of nought.

Zech. xi. 17.

IDOL.

1. מַפְלֶצֶת Maphletseth, an object of terror.
2. סֶמֶל Semel, a likeness, similitude, resemblance.
3. עֹצֶב Etsev, an image representing sorrow, grief.
4. אָוֶן Oven, vanity, falsehood, iniquity.

1. 1 Kings xv. 13. | 3. Isa. xlviii. 5.
1. 2 Chron. xv. 16. | 4. — lxvi. 3.
2. ―――― xxxiii.7,15. | 3. Jer. xxii. 28.

IDOLS.

1. אֱלִילִים Eleeleem, idols, things of nought.
2. עֲצַבִּים Atsabbeem, images representing grief, sorrow.
3. גְּלוּלִים Gilooleem, filthy things.
4. שִׁקּוּצִים Shikootseem, detestable things.
5. חַמָּנִים Khamoneem, images dedicated to the sun.
6. צִירִים Tseereem, images of stone, rock.
7. אֵלִים Aileem, images fixed on trees.
8. תְּרָפִים Těropheem, images.

1. Lev. xix. 4.	1. Isa. ii. 8, 18, 20.
3. —— xxvi. 1, 30.	1. — x. 10, 11.
3. Deut. xxix. 17.	1. — xix. 1, 3.
2. 1 Sam. xxxi. 9.	1. — xxxi. 7.
3. 1 Kings xv. 12.	6. — xlv. 16.
3. —— xvi. 26.	2. — xlvi. 1.
3. 2 Kings xvii. 12.	7. — lvii. 5.
3. —— xxi. 11, 21.	2. Jer. L. 2, 38.
3. —— xxiii. 24.	3. Ezek. vi. 4.
2. 1 Chron. x. 9.	3. All passages in Ezek.
1. —— xvi. 26.	2. Hos. iv. 17.
4. 2 Chron. xv. 8.	2. —— viii. 4.
2. —— xxiv. 18.	2. —— xiii. 2.
5. —— xxxiv. 7.	2. —— xiv. 8.
1. Psalm xcvi. 5.	2. Mic. i. 7.
1. —— xcvii. 7.	1. Hab. ii. 18.
2. —— cvi. 36, 38.	8. Zech. x. 2.
2. —— cxv. 4.	2. —— xiii. 2.
2. —— cxxxv. 15.	

IF.

אִם Im,
כִּי Kee, } if, in all passages.

IGNOMINY.

קָלוֹן Koloun, contempt, disgrace.

Prov. xviii. 3.

IGNORANCE.

שְׁגָגָה *Shĕgogoh*, inadvertence, error.

Lev. iv. 2, 13, 22, 27. | Numb. xv. 24, 25, 26,
— v. 15. | 27, 28, 29.

IGNORANT.

לֹא יָדַע *Lou yoda*, not knowing.

Psalm lxxiii. 22. | Isa. lxiii. 16.
Isa. lvi. 10. |

IGNORANTLY.

1. שְׁגָגָה *Shĕgogoh*, an error.
2. בְּלִי דַעַת. *Bĕlee daath*, without knowledge.

1. Numb. xv. 28. | 2. Deut. xix. 4.

ISLE -S, ISLANDS.

אִי *Ee*, island.

אִיִּים *Iyeem*, islands.

ILL.

1. { רַע *Ro*,
    { רָעוֹת *Roouth*, fem., } evil, bad.
2. רוּעַ *Rooa*, (Hiph.) to act evil.
3. רַע־בְּעַיִן *Rā-bĕayin*, evil in the eye.
4. צַחֲנָה *Tsokhănoh*, the heat of putrefaction.

1. Gen. xli. 3, 4, 19, 20, | 2. Psalm cvi. 32.
   21. | 1. Isa. iii. 11.
2. — xliii. 6. | 3. Jer. xl. 4.
1. Deut. xv. 21. | 4. Joel ii. 20.
2. Job xx. 26. | 2. Mic. iii. 4.

ILL favouredness.

דָּבָר־רָע *Dovor-rō*, an evil thing, matter.

Deut. xvii. 1.

IMAGE.

1. צֶלֶם *Tselem*, a shadow, representation of real substance.
2. מַצֵּבָה *Matsaivoh*, a standing image.
3. תְּרָפִים *Tĕropheem*, images.
4. פֶּסֶל *Pĕsel*, a graven image, carved.
5. תְּמוּנָה *Temoonoh*, a resemblance.
6. סֶמֶל *Semel*, a likeness, similitude, resemblance.

1. Gen. i. 26, 27. | 4. 2 Chron. xxxiii. 7.
1. — v. 3. | 5. Job iv. 16.
1. — ix. 6. | 1. Psalm lxxiii. 20.
2. Lev. xxvi. 1. | 6. Ezek. viii. 3, 5.
2. Deut. xvi. 22. | 1. Dan. ii. 31, 35.
3. 1 Sam. xix. 13, 16. | 1. — iii. 1, 5, 10, 15.
2. 2 Kings iii. 2. | 2. Hos. iii. 4.
2. — x. 27. |

IMAGE work.

עֲצַעְצִים *Tsaatsueem*, carved work.

2 Chron. iii. 10.

IMAGE, molten.

1. מַסֵּכָה *Masaikhoh*, } cast or molten
2. נֶסֶךְ *Nesekh*, } image.

1. Deut. ix. 12. | 2. Jer. x. 14.
1. Judg. xvii. 3. | 2. — li. 17.
1. Psalm cvi. 19. | 1. Hab. ii. 18.

IMAGES.

1. תְּרָפִים *Tĕropheem*, images.
2. מַצֵּבוֹת *Matsaivouth*, standing images.
3. חַמָּנִים *Khamoneem*, images dedicated to the sun.
4. צְלָמִים *Tselomeem*, shadows, representations of real substance.
5. עֲצַבִּים *Atsabbeem*, images representing sorrow, grief.
6. מַסֵּכָה *Masaikhoh*, molten images.
7. גִּלּוּלִים *Gilooleem*, filthy things.
8. פְּסִלִים *Pĕsileem*, graven, carved images.
9. נְסִכִים *Nĕsikheem*, cast or molten images.
10. אֱלִילִים *Eleeleem*, idols, things of nought.

1. Gen. xxxi. 19, 34, 35. | 8. 2 Chron. xxxiii. 22.
2. Exod. xxiii. 24. | 8. — xxxiv. 3.
2. — xxxiv. 13. | 6. — xxxiv. 3.
3. Lev. xxvi. 30. | 3. ————— 4.
4. Numb. xxxiii. 52. | 3. Isa. xvii. 8.
2. Deut. vii. 5. | 3. — xxvii. 9.
4. 1 Sam. vi. 5, 11. | 8. — xxx. 22.
5. 2 Sam. v. 21. | 6. ———22.
6. 1 Kings xiv. 9. | 9. — xli. 29.
2. ————— 23. | 2. Jer. xliii. 13.
2. 2 Kings x. 26. | 7. — L. 2.
4. ———— xi. 18. | 3. Ezek. vi. 4, 6.
3. ———— xvii. 10. | 4. — vii. 20.
6. ————— 16. | 4. — xvi. 17.
2. ———— xviii. 4. | 1. — xxi. 21.
2. ———— xxiii. 14. | 3. — xxiii. 14.
7. ————24. | 10. — xxx. 13.
2. 2 Chron. xiv. 3. | 2. Hos. x. 1, 2.
3. ————— 5. | 6. — xiii. 2.
4. ———— xxiii. 17. | 4. Amos v. 26.
6. ———— xxviii. 2. | 2. Mic. v. 13.
2. ———— xxxi. 1. |

(See GRAVEN.)

IMAGERY.

מַשְׂכִּית *Maskeeth,* pictures, paintings, painted walls.

Ezek. viii. 12.

IMPOSE.

מִרְמָא *Mirmai* (Chaldee), to throw out, impose upon, deceive.

Ezra vii. 24.

IMAGINE.

1. חָשַׁב *Khoshav,* to think, devise.
2. חָמַס *Khomas,* to wrong, use violence.
3. הָגָה *Hogoh,* to meditate.
4. הָתַת *Hothath,* to attack unjustly.
5. חָרַשׁ *Khorash,* to cut out, fabricate.
6. זָמַם *Zomam,* to purpose, plan, determine.

1. Job vi. 26.	5. Prov. xii. 20.
2. — xxi. 27.	1. Hos. vii. 15.
3. Psalm ii. 1.	1. Nah. i. 9.
3. —— xxxviii. 12.	1. Zech. vii. 10.
4. —— lxii. 3.	1. —— viii. 17.
1. —— cxl. 2.	

IMAGINED.

6. Gen. xi. 6.	1. Psalm xxi. 11.
1. Psalm x. 2.	

IMAGINETH.
1. Nah. i. 11.

IMAGINATION.

1. יֵצֶר *Yaitser,* a formation, strong desire.
2. שְׁרִירוּת *Shĕreerouth,* obstinacy, stubbornness.
3. מַחְשְׁבוֹת *Makhshovouth,* thoughts, devices.

1. Gen. vi. 5.	1. 1 Chron. xxviii. 9.
1. —— viii. 21.	1. —— xxix. 18.
2. Deut. xxix. 19.	2. Jer. xxiii. 17.
1. —— xxxi. 21.	

IMAGINATIONS.

1. 1 Chron. xxviii. 9.	3. Lam. iii. 60, 61.
3. Prov. vi. 18.	

IMPARTED.

חָלַק *Kholak,* to apportion, distribute.

Job xxxix. 17.

IMPERIOUS.

שַׁלֶּטֶת *Shaleteth,* unrestrained.

Ezek. xvi. 30.

IMPOVERISH.

1. דָּלַל *Dolal,* to exhaust.
2. סָכַן *Sokhan,* to want.
3. רָשַׁשׁ *Roshash,* to impoverish.

3. Jer. v. 17.

IMPOVERISHED.

1. Judg. vi. 6.	3. Mal. i. 4.
2. Isa. xl. 20.	

IMPRISONMENT.

אֱסוּרִין *Asooreen* (Chaldee), bound up, fettered.

Ezra vii. 26.

IMPUDENT.

1. עָזַז *Ozaz,* to be bold.
2. קְשֵׁי פָנִים *Keshai poneem,* hard of face, impudent.

1. Prov. vii. 13.	2. Ezek. iii. 7.
2. Ezek. ii. 4.	

IMPUTE.

1. שׂוּם *Soom,* to set, place.
2. חָשַׁב *Khoshav,* to think, devise.

1. 1 Sam. xxii. 15.	2. 2 Sam. xix. 19.

IMPUTED.

2. Lev. vii. 18.	2. Lev. xvii. 4.

IMPUTETH.
2. Psalm xxxii. 2.

IN, preposition.

Not used; ·designated by בְ prefixed to the word.

IN, adverb.

בַּעֲדוֹ *Bāadou,* on his account.

Gen. vii. 16.

INASMUCH.

כִּי *Kee,* for.

Deut. xix. 6.	Ruth iii. 10, not in original.

INCENSE.

קְטֹרֶת Ketoureth, incense, in all passages.

INCENSE, sweet.

קְטֹרֶת הַסַּמִּים Ketoureth hasameem, incense perfumed, in all passages.

INCENSED.

נֶחֱרִים Nekhereem, being enraged.

Isa. xli. 11. | Isa. xlv. 24.

INCHANTER.

מְנַחֵשׁ Měnakhaish, an inchanter.

Deut. xviii. 10.

INCHANTERS.

עֹנְנִים Ouneneem, diviners, especially such as augur from clouds.

Jer. xxvii. 9.

INCHANTMENTS.

1. לְהָטִים Lehoteem, enchantments used by flame of fire.
2. נַחַשׁ Nakhash, divination.
3. לַחַשׁ Lakhash, charm.
4. חֲבָרִים Khavoreem, associates.

1. Exod. vii. 11, 22.		2. 2 Kings xvii. 17.
1. —— viii. 7, 18.		2. —— xxi. 6.
2. Lev. xix. 26.		2. 2 Chron. xxxiii. 6.
2. Numb. xxiii. 23.		3. Eccles. x. 11.
2. —— xxiv. 1.		4. Isa. xlvii. 9, 12.

INCLINE -ED.

נָטָה Notoh, to incline; in all passages.

INCLINETH.

שָׁחָה Shokhoh, to bow down.

Prov. ii. 18.

INCLOSE -ED.

1. סָבַב Sovav, to surround.
2. כָּתַר Kothar, to encompass.
3. סָגַר Sogar, to shut up, close.
4. נָקַף Nokaph, to encircle.
5. נָעַל Noal, to fasten, tie.
6. גָּדַר Godar, to hedge, fence.
7. צוּר Tsoor, to fence about.

1. Exod. xxxix. 6, 13.	5. Cant. iv. 12.
2. Judg. xx. 43.	7. —— viii. 9.
3. Psalm xvii. 10.	6. Lam. iii. 9.
4. —— xxii. 16.	

INCLOSINGS.

מִלֻאוֹת Miluouth, fulness, fillings.

Exod. xxviii. 20. | Exod. xxxix. 13.

INCREASE, Subst.

1. מַרְבִּית Marbeeth, } the increase of anything.
   תַּרְבִּית Tarbeeth, }
2. תְּבוּאָה Těvoooh, income, coming in.
3. יְבוּל Yěvool, produce of field or garden, generally applied to harvest.
4. שֶׁגֶר Sheger, offspring, increase of cattle.
5. תְּנוּבָה Tenoovoh, good fruit, produce.

2. Lev. xix. 25.	2. Job xxxi. 12.
2. —— xxv. 7.	3. Psalm lxvii. 6.
1. —— 36, 37.	3. —— lxxviii. 46.
3. —— xxvi. 4, 20.	3. —— lxxxv. 12.
2. Numb. xviii. 30.	2. Prov. xiv. 4.
1. —— xxxii. 14.	2. —— xviii. 20.
4. Deut. vii. 13.	2. Eccles. v. 10.
2. —— xiv. 22, 28.	1. Isa. ix. 7.
2. —— xvi. 15.	2. Jer. ii. 3.
4. —— xxviii. 4, 18, 51.	1. Ezek. xviii. 8, 13, 17.
5. —— xxxii. 13.	1. —— xxii. 12.
1. 1 Sam. ii. 33.	3. —— xxxiv. 27.
2. Neh. ix. 37.	3. Zech. viii. 12.
3. Job xx. 28.	

INCREASE.

1. רָבָה Rovoh, to multiply.
2. שָׂגָה Sogoh, to advance.
3. יָסַף Yosaph, (Hiph.) to add, increase.
4. נוּב Noov, to germinate, be productive.
5. פָּרַץ Porats, to break forth.
6. שָׁרַץ Shorats, to increase abundantly.
7. פָּרָה Poroh, to be fruitful.
8. עָלָה Oloh, (Hiph.) to go up.
9. עָצַם Otsam, to be strong.
10. גָּאָה Gōōh, to rise in dignity.
11. אָמַץ Omats, to be firm, courageous.

All passages not inserted are Nº. 1.

3. Ezra x. 10.	3. Prov. i. 5.
2. Job viii. 7.	3. —— ix. 9.
4. Psalm lxii. 10.	3. Isa. xxix. 19.
2. —— lxxiii. 12.	3. Ezek. v. 16.
3. —— cxv. 14.	5. Hos. iv. 10.

INCREASED.

5. Gen. xxx. 30, 43.	3. Prov. ix. 11.
6. Exod. i. 7.	3. Eccles. ii. 9.
7. —— xxiii. 30.	3. Isa. xxvi. 15.
8. 1 Kings xxii. 35.	9. Jer. v. 9.
5. 1 Chron. iv. 38.	9. — xv. 8.
8. 2 Chron. xviii. 34.	9. — xxx. 14, 15.
7. Psalm cv. 24.	3. Ezek. xxiii. 14.

INCREASEST.

1. Job x. 17.

INCREASETH.

10. Job x. 16.	3. Prov. xxiii. 28.
2. — xii. 23.	11. —— xxiv. 5.
8. Psalm lxxiv. 23.	3. Eccles. i. 18.
3. Prov. xi. 24.	

INCURABLE.

1. אֱנוּשׁ *Onoosh*, helpless, feeble.
2. לְאֵין מַרְפֵּא *Lĕain marpai*, without healing, incurable.

2. 2 Chron. xxi. 18.	1. Jer. xxx. 12.
1. Job xxxiv. 6.	1. Mic. i. 9.
1. Jer. xv. 18.	

INDEED.

1. אָמְנָם *Omnom*, truly, verily.
2. Verb repeated.
3. הֲרַק אַךְ *Harak akh*, but only.
4. נָתַן *Nothan*, to give, give over (verb repeated).
5. גַּם *Gam*, also, yea, even.
6. אַף אָמְנָם *Aph omnom*, yea, truly, verily.

Gen. xvii. 19, not in original.	1. Josh. vii. 20.
1. —— xx. 12.	2. 1 Sam. i. 11.
2. —— xxxvii. 8, 10.	1. 1 Kings viii. 27.
2. —— xl. 15.	2. 2 Kings xiv. 10.
2. Exod. xix. 5.	2. 1 Chron. iv. 10.
2. —— xxiii. 22.	2. —————— xxi. 17.
2. Lev. x. 18.	1. 2 Chron. vi. 18.
3. Numb. xii. 2.	6. Job xix. 4.
4. —————— xxi. 2.	1. Psalm lviii. 1.
1. —————— xxii. 37.	2. Isa. vi. 9.
5. Deut. ii. 15.	2. Jer. xxii. 4.

INDIGNATION.

1. קֶצֶף *Ketseph*, vexation.
2. כַּעַס *Kaas*, danger.
3. זַעַם *Zaam*, defiance.
4. זַעַף *Zaaph*, annoyance, indignation.
5. חֵמָה *Khaimoh*, fury.

1. 2 Kings iii. 27.	3. Jer. x. 10.
2. Neh. iv. 1.	3. — xv. 17.
5. Esth. v. 9.	3. — L. 25.
2. Job x. 17.	3. Lam. ii. 6.
3. Psalm lxix. 24.	3. Ezek. xxi. 31.
3. —— lxxviii. 49.	3. —— xxii. 24, 31.
3. —— cii. 10.	3. Dan. viii. 19.
3. Isa. x. 5, 25.	3. —— xi. 30, 36.
3. — xiii. 5.	3. Mic. vii. 9.
3. — xxvi. 20.	3. Nah. i. 6.
3. — xxx. 27.	3. Hab. iii. 12.
4. —————30.	3. Zeph. iii. 8.
1. — xxxiv. 2.	3. Zech. i. 12.
3. — lxvi. 14.	3. Mal. i. 4.

INDITING.

רָחַשׁ *Rokhash*, to rush, swell, boil up.

Psalm xlv. 1.

INDUSTRIOUS.

עֹשֵׂה מְלָאכָה *Ousaih melokhoh*, doing work.

1 Kings xi. 28.

INFAMOUS.

טְמֵא שֵׁם *Temai shaim*, an unclean name.

Ezek. xxii. 5.

INFAMY.

דִּבָּה *Dibboh*, evil report.

Prov. xxv. 10.	Ezek. xxxvi. 3.

INFANT.

עוֹלֵל *Oulail*, offspring.

1 Sam. xv. 3.	Isa. lxv. 20.

INFANTS.

עוֹלְלִים *Oulaileem*, offsprings.

Job iii. 16.	Hos. xiii. 16.

INFERIOR.

1. נָפַל *Nophal*, fallen.
2. אַרְעָא *Arĕā* (Syriac), lower than, inferior to, worse.

1. Job xii. 3.	2. Dan. ii. 39.
1. — xiii. 2.	

INFINITE.

1. אֵין קֵץ *Ain kaits*, without end.
2. אֵין מִסְפָּר *Ain mispor*, without number.

1. Job xxii. 5.	1. Nah. iii. 9.
2. Psalm cxlvii. 5.	

INFIRMITY.

1. דָּוָה *Dovoh*, to be in pain.
2. חָלָה *Kholoh*, to be sick, ill.

1. Lev. xii. 2.   1. Prov. xviii. 14.
2. Psalm lxxvii. 10.

INFLAME.

דָּלַק *Dolak*, to set on fire, kindle.
Isa. v. 11.

INFLAMING.

חָמַם *Khomam*, to heat.
Isa. lvii. 5.

INFLAMMATION.

1. צָרֶבֶת *Tsoreveth*, scorching.
2. דַּלֶּקֶת *Doleketh*, burning.

1. Lev. xiii. 28.   2. Deut. xxviii. 22.

INFLUENCES.

מַעֲדַנּוֹת *Māadanouth*, delights.
Job xxxviii. 31.

INFOLDING.

מִתְלַקַּחַת *Mithlakakhath*, flashing, flaring, glittering.
Ezek. i. 4.

INFORM.

יָרָה *Yoroh*, to instruct.
Deut. xvii. 10.

INFORMED.

בִּין *Been*, to understand.
Dan. ix. 22.

INGATHERING.

אָסִיף *Oseeph*, bringing in.
Exod. xxiii. 16.

INHABIT.

1. יָשַׁב *Yoshav*, to sit, dwell, inhabit.
2. שָׁכַן *Shokhan*, to rest, rest satisfied.
3. גְּזֵרָה *Gĕzairoh*, cut off, separated.

All passages not inserted are N°. 1.

2. Prov. x. 30.   2. Jer. xvii. 6.

INHABITED.

All passages not inserted are N°. 1.

3. Lev. xvi. 22.   2. Jer. xlvi. 26.
2. Isa. xlvi. 22.

INHABITETH.

1. Job xv. 28.   2. Isa. lvii. 15.

INHABITING.

Psalm lxxiv. 14, not in original.

INHABITANT -S.

יוֹשֵׁב *Youshaiv*, an inhabitant; in all passages, except :·
שָׁכֵן *Shokhain*, a neighbour.
Isa. xxxiii. 24.

INHERIT -ED -ETH.

יָרַשׁ *Yorash*,⎱ to inherit, succeed, in
נָחַל *Nokhal*,⎰ all passages.

INHERITANCE.

יְרֻשָׁה *Yerushoh*, inheritance; in all passages, except :
חֵלֶק *Khailek*, a portion.
Psalm xvi. 5.

INHERITANCES.

נְחָלוֹת *Nekholouth*, inheritances.
Josh. xix. 51.

INHERITOR.

יוֹרֵשׁ *Youraish*, an inheritor, successor, heir.
Isa. lxv. 9.

INIQUITY.

1. { אָוֶן / עָוֶן } *Oven*, iniquity.
2. עָוֶל *Ovel*, injustice.
3. הַוּוֹת *Havvouth*, disasters.
4. רֶשַׁע *Reshā*, wickedness.
5. עָמָל *Omol*, trouble, weariness.
6. עַוָּה *Ivvoh* (Syriac), perversion.

All passages not inserted are N°. 1.

2. Deut. xxxii. 4.   2. Psalm vii. 3.
2. 2 Chron. xix. 7.   2. —— xxxvi. 2, twice.
2. Job v. 16.   2. —— xxxvii. 1.
2. — vi. 29, 30.   2. —— liii. 1.
2. — xi. 14.   3. —— xciv. 20.
2. — xv. 16.   2. —— cvii. 42.
2. — xxii. 23.   2. —— cxix. 3.
2. — xxxiv. 32.   2. —— cxxv. 3.
2. — xxxvi. 23.   2. Prov. xxii. 8.

4. Eccles. iii. 16.　　　5. Hab. i. 13.
2. Jer. ii. 5.　　　　　2. —— ii. 12.
2. Ezek. xviii. 8.　　　2. Zeph. iii. 5, 13.
2. —— xxviii. 15.　　　2. Mal. ii. 6.
2. Hos. x. 9, 13.　　　1. —— 6.
2. Mic. iii. 10.

INIQUITIES.
All passages not inserted are Nº. 1.

2. Psalm lxiv. 6.　　　| 6. Dan. iv. 27.

INJUSTICE.
חָמָס *Khomos*, violence.

Job xvi. 17.

INK.
דְּיוֹ *Deyou*, ink.

Jer. xxxvi. 18.

INKHORN.
קֶסֶת *Keseth*, a vessel, cup, an ink-horn.

Ezek. ix. 2, 3, 11.

INN.
מָלוֹן *Moloun*, an inn, lodging-house.

Gen. xlii. 27.　　　| Exod. iv. 24.
—— xliii. 21.　　　|

INNER.
פְּנִימִי *Peneemee*, inside, in all passages.

INNERMOST.
חֶדֶר *Khaider*, a chamber.

Prov. xviii. 8.　　　| Prov. xxvi. 22.

INNOCENCY.
נִקָּיוֹן *Nikoyoun*, cleanness, innocency; in all passages, except:·

זָכוּ *Zokhoo* (Syriac), purity.

Dan. vi. 22.

INNOCENT -S.
1. נָקִי *Nokee*, clean, innocent.
2. דַּם־נָקִי *Dam-nokee*, innocent blood.
3. חִנָּם *Khinnom*, without cause.

1. In all passages, except:

2. Deut. xxvii. 25.　　| 3. 1 Kings ii. 31.

INNUMERABLE.
אֵין מִסְפָּר *Ain mispor*, without number.

Job xxi. 33.　　　　Psalm civ. 25.
Psalm xl. 12.　　　　Jer. xlvi. 23.

INORDINATE.
עַגְבָה *Agvoh*, lewdness.

Ezek. xxiii. 11.

INQUISITION.
1. דָּרַשׁ *Dorash*, to search after, out, through.
2. בִּקֵּשׁ *Bikaish*, to seek after.

1. Deut. xix. 18.　　| 1. Psalm ix. 12.
2. Esth. ii. 23.　　　|

INSIDE.
בַּיִת *Bayith*, the inside.

1 Kings vi. 15.

INSPIRATION.
נְשָׁמָה *Neshomoh*, breath of God, soul of man.

Job xxxii. 8.

INSTANT.
1. פֶּתַע *Petha*, sudden.
2. רֶגַע *Rega*, a moment, the twinkling of an eye.

1. Isa. xxix. 5.　　　| 2. Jer. xviii. 7, 9.
1. — xxx. 13.　　　|

INSTRUCT.
1. יָרָה *Yoroh*, to instruct.
2. יָסַד *Yosad*, to found.
3. יָסַר *Yosar*, to correct, admonish, chastise.
4. שָׂכַל *Sokhal*, to enlighten.
5. לָמַד *Lomad*, to teach.
6. בִּין *Been*, (Hiph.) to cause to, to make to understand.
7. יָדַע *Yoda*, to acquaint.

3. Deut. iv. 36.　　　| 4. Psalm xxxii. 8.
4. Neh. ix. 20.　　　| 5. Cant. viii. 2.
3. Job xl. 2.　　　　| 3. Isa. xxviii. 26.
3. Psalm xvi. 7.　　　| 6. Dan. xi. 33.

INSTRUCTED.
6. Deut. xxxii. 10.　　| 5. Prov. v. 13.
1. 2 Kings xii. 2.　　　| 4. —— xxi. 11.
3. 1 Chron. xv. 22.　　| 3. Isa. viii. 11.
5. —— xxv. 7.　　　| 6. — xl. 14.
2. 2 Chron. iii. 3.　　| 3. Jer. vi. 8.
3. Job iv. 3.　　　　| 7. — xxxi. 19.
3. Psalm ii. 10.

INSTRUCTOR.
לֹטֵשׁ *Loutaish*, a polisher.

Gen. iv. 22.

INSTRUCTION.
מוּסָר *Moosor*, instruction, admonition, discipline; in all passages, except:

הַשְׂכֵּל *Haskail*, intelligence.
Prov. i. 3.

INSTRUMENT.
1. כְּלִי *Kelee*, an instrument, vessel.
2. נֶבֶל *Nevel*, a drum, tamborine.
3. חָרוּץ *Khoroots*, a sharp, severe instrument.
4. מוֹרַג *Mourag*, a thrashing instrument.
5. שָׁלִשִׁים *Sholisheem*, a triangle.
6. מִנִּים *Minneem*, various sorts.
7. שִׁדָּה *Shiddoh*, a symphony.
8. דַּחֲוָן *Dakhavon* (Syriac), a wind instrument.

All passages not inserted are N°. 1.

2. Psalm xxxiii. 2.	4. Isa. xli. 15.
2. —— xcii. 3.	Ezek. xxxiii. 32, not
2. —— cxliv. 9.	in original.
3. Isa. xxviii. 27.	

INSTRUMENTS.
All passages not inserted are N°. 1.

5. 1 Sam. xviii. 6.	Isa. xxxviii. 20, not
Psalm lxviii. 25, not	in original.
in original.	8. Dan. vi. 18.
—— lxxxvii. 7, not	3. Amos i. 3.
in original.	2. —— vi. 5.
6. —— cl. 4.	Hab. iii. 19, not in
7. Eccles. ii. 8.	original.

INSURRECTION.
1. נָשָׂא *Noso*, to lift up, rise.
2. רָגַשׁ *Rogash*, to rage, storm.

1. Ezra iv. 19.	2. Psalm lxiv. 2.

INTANGLED.
נָבַךְ *Novakh*, perplexed, entangled.
Exod. xiv. 3.

English version, " Entangled."

INTEGRITY.
תֻּמָּה *Tumoh*, integrity, uprightness, in all passages, except:

תָּם לֵב *Tam laiv*, upright, perfect heart.

Gen. xx. 5, 6.	Psalm lxxviii. 72.
1 Kings ix. 4.	

INTELLIGENCE.
בִּין *Been*, (Hiph.) to cause to understand.
Dan. xi. 30.

INTEND.
1. אָמַר *Omar*, to say.
2. חָשַׁב *Khoshav*, to think, devise.

1. Josh. xxii. 33.	1. 2 Chron. xxviii. 13.

INTENDED.
2. Psalm xxi. 11.

INTENDEST.
1. Exod. ii. 14.

INTENT.
1. בַּעֲבוּר *Bāǎvoor*, on account of.
2. לְמַעַן *Lemāan*, for the purpose, in order.
3. לְבִלְתִּי *Leviltee*, to prevent.
4. עַד־דִּבְרַת *Ad-divrath* (Syriac), for the purpose.

1. 2 Sam. xvii. 14.	2. Ezek. xl. 4.
2. 2 Kings x. 19.	4. Dan. iv. 17.
3. 2 Chron. xvi. 1.	

INTENTS.
מְזִמּוֹת *Mezimmouth*, full intents.
Jer. xxx. 24.

INTERCESSION.
פָּגַע *Poga*, (Hiph.) to cause to intercede, to meet; met., to supplicate.

Isa. liii. 12.	Jer. xxvii. 18.
Jer. vii. 16.	—— xxxvi. 25.

INTERCESSOR.
מַפְגִּיעַ *Maphgeea*, intercessor.
Isa. lix. 16.

INTERMEDDLE.
עָרַב *Orav*, to mix.
Prov. xiv. 10.

INTERMEDDLETH.
יִתְגַּלָּע *Yithgalo*, he intermeddleth.
Prov. xviii. 1.

INTERMISSION.

הַפּוּגָה *Haphoogoh,* cessation.

Lam. iii. 49.

INTERPRET.

1.   פָּתַר *Pothar,* to interpret.
2.   מְתָרְגֵּם *Meturgom* (Chaldee), an interpreter.
3.   מְפַשַּׁר *Mephashar* (Syriac), interpreting.

     1. Gen. xli. 8, 12.

INTERPRETED.

1. Gen. xl. 22. | 2. Ezra iv. 7.
1. —— xli. 13.

INTERPRETING.

     3. Dan. v. 12.

INTERPRETATION.

1.   פִּתְרוֹן *Pithroun,* an interpretation.
2.   שֵׁבֶר *Shever,* a breaking.
3.   מְלִיצָה *Meleetsoh,* mediation, interpretation.
4.   פִּשְׁרָה *Pishroh* (Chaldee), an interpretation.

1. Gen. xl. 5, 12, 16, 18.	4. Dan. iv. 6, 7, 9, 18, 19,
1. —— xli. 11.	24.
2. Judg. vii. 15.	4. —— v. 7, 8, 12, 15, 17,
3. Prov. i. 6.	26.
4. Dan. ii. 4, 5, 6, 7, 9, 16,	4. —— vii. 16.
24, 25, 26, 30, 36, 45.	

INTERPRETATIONS.

1. Gen. xl. 8. | 4. Dan. v. 16.

INTERPRETER.

1.   פּוֹתֵר *Pouthair,* an interpreter.
2.   מֵלִיץ *Maileets,* a mediator, interpreter.

1. Gen. xl. 8. | 2. Job xxxiii. 23.
2. —— xlii. 23.

INTREAT.

1.   עָתַר *Otar,* to intreat.
2.   פָּגַע *Pogā,* to meet.
3.   פָּלַל *Pillail,* to pray.
4.   חָלָה *Khilloh,* to supplicate.
5.   יָטַב *Yotav,* (Hiph.) to cause good.
6.   רוּעַ *Rooā,* (Hiph.) to cause evil.
7.   חָנַן *Khonan,* (Hith.) to ask a favour.
8.   רָעָה *Roōh,* (Hiph.) to feed.

2. Gen. xxiii. 8.	3. 1 Sam. ii. 25.
1. Exod. viii. 8, 9, 28, 29.	4. 1 Kings xiii. 6.
1. —— ix. 28.	4. Psalm xlv. 12.
1. —— x. 17.	4. Prov. xix. 6.
2. Ruth i. 16.	2. Jer. xv. 11.

INTREATED.

5. Gen. xii. 16.	1. 2 Sam. xxiv. 25.
1. —— xxv. 21.	1. 1 Chron. v. 20.
6. Exod. v. 22.	1. 2 Chron. xxxiii. 13.
1. —— viii. 30.	1. Ezra viii. 23.
1. —— x. 18.	7. Job xix. 16, 17.
6. Deut. xxvi. 6.	4. Psalm cxix. 58.
1. Judg. xiii. 8.	1. Isa. xix. 22.
1. 2 Sam. xxi. 14.	

INTREATETH.

     8. Job xxiv. 21.

INTREATIES.

תַּחֲנוּנִים *Thakhanooneem,* supplications.

Prov. xviii. 23.

INVADE.

1.   בּוֹא *Bou,* to enter, come in.
2.   פָּשַׁט *Poshat,* to strip, take off.

     1. 2 Chron. xx. 10.

INVADED.

2. 1 Sam. xxiii. 27.	1. 2 Kings xiii. 20.
2. —— xxvii. 8.	2. 2 Chron. xxviii. 18.
2. —— xxx. 1.	

INVASION.

פָּשַׁט *Poshat,* to strip, take off.

1 Sam. xxx. 14.

INVENT.

1.   פָּרַט *Porat,* to distinguish.
2.   חָשַׁב *Khoshav,* to think, devise.

     1. Amos vi. 5.

INVENTED.

     2. 2 Chron. xxvi. 15.

INVENTIONS.

1.   עֲלִילוֹת *Eleelouth,* evil actions.
2.   מְזִמּוֹת *Mezimmouth,* full intents, purposes.
3.   חִשְּׁבוֹנוֹת *Khishvounouth,* thoughts.

1. Psalm xcix. 8.	2. Prov. viii. 12.
1. —— cvi. 29, 39.	3. Eccles. vii. 29.

INVITED.

קָרָא *Koro,* to call, meet.

1 Sam. ix. 24.	Esth. v. 12.
2 Sam. xiii. 23.	

INWARD.

1. בַּיִת *Bayith*, within, inside.
2. קֶרֶב *Kerev*, in the midst.
3. סוֹד *Soud*, secret counsel.
4. טְחוֹת *Tukhouth*, things covered, invisible.
5. חֶדֶר *Kheder*, an inner part of a house, a chamber.

Lev. xiii. 55, not in original.	2. Psalm xlix. 11.
1. 1 Kings vii. 25.	4. —— li. 6.
1. 2 Chron. iii. 13.	2. —— lxiv. 6.
3. Job xix. 19.	5. Prov. xx. 27, 30.
4. — xxxviii. 36.	2. Isa. xvi. 11.
2. Psalm v. 99.	2. Jer. xxxi. 33.

INWARDLY.

קֶרֶב *Kerev*, within, in the midst.

Psalm lxii. 4.

INWARDS.

קֶרֶב *Kerev*, within, in the midst, in all passages.

IRON.

בַּרְזֶל *Barzel*, } iron, in all
פַּרְזֶל *Parzel* (Chaldee), } passages.

IRONS.

שֻׂכּוֹת *Sukouth*, coverings, tabernacles.

Job xli. 7.

IS.

Not used in Hebrew.

ISSUE.

1. מוֹלָד *Moulad*, begetting, bringing forth.
2. מָקוֹר *Mokour*, a spring, fountain.
3. זָב *Zov*, flowing, running.
4. צְפִעוֹת *Tsephiouth*, infants, new-born.
5. זִרְמָה *Zirmoh*, pouring out, down, a heavy shower.

1. Gen. xlviii. 6.	3. 2 Sam. iii. 29.
2. Lev. xii. 7.	4. Isa. xxii. 24.
3. ——xv. 2, 3, 8, 25, 28.	5. Ezek. xxiii. 20.
3. —— xxii. 4.	

ISSUE -D.

יָצָא *Yotso*, to go forth, out; in all passages, except:

נְפַק *Nophaik* (Syriac), to go out.

Dan. vii. 10.

ISSUES.

תּוֹצָאוֹת *Toutsoouth*, goings out.

Psalm lxviii. 20.	Prov. iv. 23.

IT.

Not used in Hebrew, but designated by a pronominal letter.

ITCH.

חָרֶס *Khores*, a dry scab.

Deut. xxviii. 27.

J

JASPER.

יָשְׁפֵה *Yoshpaih*, a jasper, precious stones of different colours.

Exod. xxviii. 20.	Ezek. xxviii. 13.
—— xxxix. 13.	

JAVELIN.

1. רֹמַח *Roumakh*, a spear.
2. חֲנִית *Khaneeth*, a javelin.

1. Numb. xxv. 7.	2. 1 Sam. xix. 9, 10.
2. 1 Sam. xviii. 10, 11.	

JAW-BONE.

לְחִי *Lekhee*, a jaw, jaw-bone.

Judg. xv. 15, 16, 17, 19.	Job xli. 2.

JAWS.

1. מְתַלְעוֹת *Mĕthalouth*, tusks.
2. מַלְקוֹחַ *Malkouakh*, jaw-teeth.
3. לְחִים *Lakheem*, jaws.

1. Job xxix. 17.	3. Isa. xxx. 28.
2. Psalm xxii. 15.	3. Hos. xi. 14.

JAW-TEETH.

מְתַלְּעוֹת *Mĕthalouth*, tusks.

Prov. xxx. 14.

JEALOUS.

קַנָּא *Kano*, jealous, in all passages.

JEALOUSY.

קִנְאָה *Kinoh*, jealousy, in all passages.

JEALOUSIES.

קְנָאוֹת *Kĕnoouth*, jealousies.

Numb. v. 29.

JEOPARDED.

חֵרֵף *Khairaiph*, exposed to reproach.

Judg. v. 18.

JEOPARDY.

Not used in the Hebrew.

JEWEL.

1.   נֶזֶם *Nozem*, a nose-ring.
2.   כְּלִי *Kĕlee*, a vessel of earthenware, gold, silver.

1. Prov. xi. 22.	1. Ezek. xvi. 12.
2. —— xx. 15.	

JEWELS.

כֵּלִים *Kaileem*, vessels; in all passages, except:

חֲלָאִים *Khaloeem*, ornaments.

Cant. vii. 1.	Hos. ii. 13.

JOIN.

1.   חָבַר *Khovar*, to join.
2.   יָסַף *Yosaph*, to add.
3.   חָתַן *Khothan*, (Hith.) to contract in marriage.
4.   נָגַע *Noga*, to reach, touch.
5.   סָכַךְ *Sokhakh*, (Piel) to protect.
6.   לָוָה *Lovvoh*, to accompany.
7.   קָרַב *Korav*, to come near, approach.
8.   עָרַךְ *Orakh*, to arrange, prepare.
9.   נָטַשׁ *Notash*, to let loose, extend.
10.   חוּט *Khoot* (Chaldee), to sew together, join.

---

11.   קָשַׁר *Koshar*, to knot, tie together.
12.   חָדָה *Khodoh*, to rejoice.
13.   דָּבַק *Dovak*, to cleave to.
14.   בָּחַר *Bokhar*, (Pual) to be chosen.
15.   סָפָה *Sophoh*, (Niph.) to be adhered to.
16.   יָחַד *Yokhad*, to unite.
17.   קְטֻרוֹת *Kĕturouth*, open roofed.
18.   צָמַד *Tsomad*, (Niph.) bound or yoked together.

2. Exod. i. 10.	4. Isa. v. 8.
1. 2 Chron. xx. 35.	5. — ix. 11.
3. Ezra ix. 14.	6. — lvi. 6.
Prov. xi. 21, not in original.	6. Jer. L. 5.
—— xvi. 5, not in original.	7. Ezek. xxxvii. 17.
	1. Dan. xi. 6.

JOINED.

1. Gen. xiv. 3.	13. Job xli. 17, 23.
8. —————— 8.	6. Psalm lxxxiii. 8.
6. —— xxix. 34.	18. —— cvi. 28.
6. Numb. xviii. 2, 4.	14. Eccles. ix. 4.
18. —— xxv. 3, 5.	15. Isa. xiii. 15.
9. 1 Sam. iv. 2.	6. — xiv. 1.
7. 1 Kings xx. 29.	16. —————— 20.
3. 2 Chron. xviii. 1.	6. — lvi. 6.
1. —— xx. 36, 37.	1. Ezek. i. 9.
10. Ezra iv. 12.	17. —— xlvi. 22.*
11. Neh. iv. 6.	1. Hos. iv. 17.
6. Esth. ix. 27.	6. Zech. ii. 11.
12. Job iii. 6.	

* The word translated "joined," and in the marginal note, "made with chimneys:" the Mishneh (Treatise of Middouth, i.e., measures, arrangements) explains: That the four corner courts were to be appropriated to the use of the Nazarites, to offer their peace-offerings, round which were rows of boiling-places for the ministers of the house to boil the peace-offerings; and in order to prevent inconvenience from the smoke and steam arising therefrom, these smaller courts were to have open roofs.

JOININGS.

1. מְחַבְּרוֹת *Mĕkhabrouth*, joinings.
2.   דָּבֵק *Dovaik*, adhering.

1. 1 Chron. xxii. 3.	2. 2 Chron. iii. 12.

JOINT.

1.   יָקַע *Yoka*, to dislocate.
2.   פֵּרַד *Porad*, to separate.
3.   מֻעֶדֶת *Muedeth*, tottering.

1. Gen. xxxii. 25.	3. Prov. xxv. 19.
2. Psalm xxii. 14.	

JOINTS.

1. דְּבָקִים **Devokeem**, joinings.
2. חֲמוּקִים **Khamookeem**, rounds, circles.
3. קִטְרִים **Kitreem** (Chaldee), knots.

1. 1 Kings xxii. 34.	2. Cant. vii. 1.
1. 2 Chron. xviii. 33.	3. Dan. v. 6.

JOURNEY -S.

1. דֶּרֶךְ **Derekh**, a way.
2. נָסַע **Nosa**, to go a journey.
3. מַהֲלָךְ **Mehalokh**, a walk, journey.

All passages not inserted are Nº. 1.

2. Gen. xxxiii. 12.	2. Numb. x. 13.
2. —— xlvi. 1.	2. Deut. x. 11.
2. Exod. xiii. 20.	3. Neh. ii. 6.
2. —— xvi. 1.	3. Jonah iii. 4.

JOURNEYS -INGS.

מַסָּעוֹת **Massoouth**, journeys, in all passages.

JOURNEYED -ING.

נָסַע **Nosa**, to go a journey; in all passages, except:

עָשָׂה דַרְכּוֹ **Osoh darkou**, to make his way.

Judg. xvii. 8.

JOY, Subst.

1. שִׂמְחָה **Simkhoh**, joy, gladness.
2. חֶדְוָה **Khedvoh**, joy.
3. שָׂשׂוֹן **Sosoun**, great exultation.
4. מָשׂוֹשׂ **Mĕsous**, cause of joy.
5. תְּרוּעָה **Tĕroooh**, a sound of a trumpet.
6. דוּץ **Doots**, to dance for joy.
7. רִנָּה **Rinnoh**, a shout of joy.
8. שִׂמְחַת גִּילִי **Simkhath geelee**, the delight of my rejoicing.
9. גִּיל **Geel**, to rejoice.
10. נוּד **Nood**, (Hith.) to move quickly.
11. רוּעַ **Rooă**, (Hiph.) to sound a trumpet.
12. רָנַן **Ronan**, to make a joyful noise.

1. 1 Sam. xviii. 6.	2. Neh. viii. 10.
1. 1 Chron. xii. 40.	1. —— xii. 43.
1. —— xv. 16, 25.	3. Esth. viii. 16.
1. —— xxix. 17.	1. —— ix. 22.
1. 2 Chron. xx. 27.	4. Job viii. 19.
1. Ezra iii. 13.	1. —— xx. 5.
2. —— vi. 16.	— xxix. 13, not in
1. —— 22.	original.

---

5. Job xxxiii. 26.	1. Isa. li. 11.
6. — xli. 22.	— lii. 9, not in original.
1. Psalm xvi. 11.	
5. —— xxvii. 6.	4. — lx. 15.
7. —— xxx. 5.	3. — lxi. 3.
7. —— xli. 4.	1. —— 7.
8. —— xliii. 4.	— lxv. 14, not in original.
4. —— xlviii. 2.	
3. —— li. 12.	9. —— 18.
—— lxvii. 4, not in original.	1. — lxvi. 5.
	4. —— 10.
3. —— cv. 43.	1. Jer. xv. 16.
7. —— cxxvi. 5.	3. — xxxi. 13.
1. —— cxxvii. 6.	3. — xxxiii. 9, 11.
1. In all passages in Prov. and Eccles.	10. — xlviii. 27.
	9. —— 33.
1. Isa. ix. 3, 17.	4. —- xlix. 25.
3. — xii. 3.	4. Lam. ii. 15.
9. — xvi. 10.	4. —— v. 15.
4. — xxiv. 8, 11.	4. Ezek. xxiv. 25.
1. — xxix. 19.	1. —— xxxvi. 5.
4. — xxxii. 13.	9. Hos. ix. 1.
9. — xxxv. 2.	3. Joel i. 12.
1. —— 10.	1. Zeph. iii. 17.

JOY, great.

1. In all passages.

JOY, shout -ed.

1. Ezra iii. 12.	12. Psalm xxxv. 27.
11. Job xxxviii. 7.	11. —— lxv. 13.
12. Psalm v. 11.	1. —— cxxxii. 9, 16.
12. —— xxxii. 11.	

JOY, Verb.

1. שָׂמַח **Somakh**, to be glad.
2. שׂוּשׂ **Soos**, to exult in.
3. גִּיל **Geel**, to rejoice.

1. Psalm xxi. 1.	3. Hab. iii. 18.
1. Isa. ix. 3.	3. Zeph. iii. 17.
2. — lxv. 19.	

JOYFUL -NESS.

1. שָׂמֵחַ **Somaiakh**, joyful.
2. רְנָנָה **Rĕnonoh**, shouting for joy.
3. עָלַץ **Olats**, to delight in.
4. גִּיל **Geel**, to rejoice.
5. רוּעַ **Rooă**, (Hiph.) to sound a trumpet.
6. רָנַן **Ronan**, to shout for joy.
7. עָלַז **Olaz**, to exult, rejoice.
8. בְּטוֹב **Bĕtouv**, in good spirits.

1. 1 Kings viii. 66.	1. Psalm lxiii. 5.
1. Ezra vi. 22.	5. —— lxvi. 1.
1. Esth. v. 9.	5. —— lxxxi. 1.
2. Job iii. 7.	5. —— lxxxix. 15.
3. Psalm v. 11.	5. —— xcv. 1, 2.
4. —— xxxv. 9.	5. —— xcviii. 4, 6.

6. Psalm xcviii. 8.
5. —— ci. 1.
1. —— cxiii. 9.
4. —— cxlix. 2.
7. —————— 5.

8. Eccles. vii. 14.
4. Isa. xlix. 13.
1. — lvi. 7.
4. — lxi. 10.

JOYFULNESS.
1. Deut. xxviii. 47.

JOYFULLY.
רָאָה *Rooh*, to see, behold.
Eccles. ix. 9.

JOYOUS.
עֲלִיזָה *Aleezoh*, joyous.

Isa. xxii. 2.
— xxiii. 7.

Isa. xxxii. 13.

JUDGE, Subst.
1. שׁוֹפֵט *Shouphait*, a judge.
2. אֱלֹהִים *Elouheem*, God, superior, mighty, supreme.
3. דַּיָּן *Dayon*, a justice.
4. פְּלִילִי *Peleelee*, of my arbitration, decision.

All passages not inserted are Nº. 1.

2. 1 Sam. ii. 25.
3. ——— xxiv. 15.

3. Psalm lxviii. 5.
4. Job xxxi. 28.

JUDGES.
1. שׁוֹפְטִים *Shouphteem*, judges.
2. אֱלֹהִים *Elouheem*, superior, mighty, supreme.
3. פְּלִילִים *Peleeleem*, arbitrators.
4. אֲדַרְגָּזְרַיָּא *Adargozrayo* (Syriac), chief judges.

All passages not inserted are Nº. 1.

2. Exod. xxi. 6, 22.
2. ——— xxii. 8, 9.
3. Deut. xxxii. 31.

3. Job xxxi. 11.
4. Dan. iii. 2, 3.

JUDGE, applied to God.
1. שָׁפַט *Shophat*, to judge.
2. דּוּן *Doon*, to pass sentence.
3. יָכַח *Yokhakh*, (Hiph.) to correct, instruct.
4. פָּלַל *Pillail*, to arbitrate, decide.

All passages not inserted are Nº. 1.

2. Deut. xxxii. 36.
2. 1 Sam. ii. 10.
2. Psalm vii. 8.
2. ——— L. 4.

2. Psalm liv. 1.
2. ——— xcvi. 10.
2. ——— cx. 6.
2. Isa. iii. 13.

JUDGE, will I.
2. Gen. xv. 14.

JUDGE, applied to man.
All passages not inserted are Nº. 1.

3. Gen. xxxi. 37.
2. ——— xlix. 16.
4. 1 Sam. ii. 25.

2. Psalm lxxii. 2.
2. Zech. iii. 7.

JUDGED.
1. In all passages, except :
2. Jer. xxii. 16.
4. Ezek. xvi. 52.

4. Ezek. xxviii. 23.

JUDGEST.
1. Psalm li. 4.

1. Jer. xi. 20.

JUDGETH.
1. In all passages, except :
2. Job xxxvi. 31.

JUDGING.
2. Gen. xxx. 6.
1. 2 Kings xv. 5.
1. 2 Chron. xxvi. 21.

1. Psalm ix. 4.
1. Isa. xvi. 5.

JUDGMENT.
1. מִשְׁפָּט *Mishpot*, judgment.
2. דִּין *Deen*, a judicial sentence.
3. טַעַם *Taam*, reason, cause.
4. פְּלִילָה *Peleeloh*, arbitration, decision.
5. פָּלַל *Pillail*, to arbitrate, decide.
6. פָּקַד *Pokad*, to lay to charge.
7. דִּבֵּר *Dibbair*, to speak earnestly, emphatically.
8. דָּבָר *Dovor*, a word, matter, cause, subject.

All passages not inserted are Nº. 1.

2. Judg. v. 10.
7. 2 Kings xxv. 6.
8. 2 Chron. xix. 6.
2. Ezra vii. 26.
2. Esth. i. 13.
2. Job xix. 29.
2. — xxxv. 14.
2. — xxxvi. 17.
5. Psalm cvi. 30.

3. Psalm cxix. 66.
4. Isa. xvi. 3.
5. — xxviii. 7.
7. Jer. xxxix. 5.
6. — li. 47, 52.
7. — lii. 9.
2. Dan. iv. 39.
2. ——— vii. 10, 22, 26.

JUDGMENTS.
מִשְׁפָּטִים *Mishphoteem*, } judgments, in all
שְׁפָטִים *Shĕphoteem*, } passages.

JUICE.
עָסִיס *Osees*, sweet thick juice.
Cant. viii. 2.

JUMPING.
רָקַד *Rokad*, to jump, skip, dance.
Nah. iii. 2.

JUNIPER.
רֹתֶם *Routhem*, a juniper-tree.

1 Kings xix. 4, 5.
Job xxx. 4.

Psalm cxx. 4.

JUST.

צֶדֶק *Tsedek,* just, in all passages.

JUSTICE.

צְדָקָה *Tsĕdokoh,* righteousness, in all passages.

JUSTIFY -ED -ETH -ING.

צָדַק *Tsodak,* to justify, in all passages.

JUSTLE.

שָׁקַק *Shokak,* to run to and fro.
Nah. ii. 4.

JUSTLY.

מִשְׁפָּט *Mishpot,* judgment, equity.
Mic. vi. 8.

K

KAB or CAB.

קַב *Kav,* a measure, containing the eighteenth part of an ephah.
2 Kings vi. 25.

KEEP.

1. שָׁמַר *Shomar,* to keep, watch, guard.
2. יְהִי *Yehee,* be.
3. עָבַד *Ovad,* (Hiph.) to make to labour.
4. חָגַג *Khogag,* to solemnize.
5. עָשָׂה *Osoh,* to do, make, perform.
6. עָבַד *Ovad,* to serve.
7. קָדַשׁ *Kodash,* to sanctify.
8. רָחַק *Rokhak,* to keep away, far off.
9. פִּקָּדוֹן *Pikkodoun,* a thing given in charge, to take care of.
10. דָּבַק *Dovak,* to cleave to.
11. בַּעֲבוּר *Băăvoor,* for the sake of.
12. עָדַר *Odar,* to set in order, arrange.
13. עָצַר *Otsar,* to stop, keep back, retain.
14. כָּבַשׁ *Kovash,* to subdue, compel.
15. מָנַע *Mona,* to withhold, avoid.
16. חָשַׂךְ *Khosakh,* to spare.

17. נָצַר *Notsar,* to preserve, store up.
18. נָטַר *Notar,* to watch over, keep in remembrance.
19. יָשַׁב *Yoshav,* (Hiph.) to cause to dwell.
20. כָּלָא *Kolo,* to restrain.
21. נָפַל *Nophal,* to fall.
22. רָעָה *Rōōh,* to feed.
23. שָׁבַח *Shovakh,* to praise, commend.
24. אָסַר *Osar,* (Niph.) to be bound.
25. כָּתַר *Sotar,* (Niph.) to be concealed.
26. גָּרַע *Gora,* (Niph.) to be diminished.
27. חָיָה *Khoyoh,* (Hiph.) to keep alive.
28. צָפָה *Tsophoh,* to watch, anxiously look for.
29. אָצַל *Otsal,* to hold back.
30. הִקְנַנִי *Hiknanee,* (Hiph.) bought me, caused to obtain me.
31. { דּוּם *Doom,* / דָּמַם *Domam,* } to be silent.
32. הַס *Hass,* to be still, quiet.
33. חָרַשׁ *Khorash,* to be dumb.
34. חָשָׂה *Khosoh,* (Hiph.) to keep still.

All passages not inserted are N°. 1.

2. Gen. xxxiii. 9.	25. Job xiv. 13.
3. Exod. vi. 5.	15. — xx. 13.
4. —— xii. 14.	16. Psalm xix. 13.
5. —— 47.	17. —— xxxiv. 13.
6. —— xiii. 5.	18. —— ciii. 9.
7. —— xx. 8.	17. —— cv. 45.
8. —— xxiii. 7.	19. —— cxiii. 9.
4. —— 14.	17. —— cxix. 2, 33, 34,
9. Lev. vi. 2, 4.	69, 100, 129.
4. —— xxiii. 39, 41.	17. —— cxli. 3.
5. Numb. ix. 3, 11.	17. Prov. ii. 11.
4. —— xxix. 12.	17. —— iii. 21.
10. —— xxxvi. 7, 9.	17. —— iv. 13, 23.
15. Deut. v. 15.	17. —— v. 2.
5. —— xvi. 10.	18. Cant. viii. 12.
4. —— 15.	17. Isa. xxvi. 3.
10. Ruth ii. 21.	17. — xxvii. 3.
11. 2 Sam. xviii. 18.	17. — xlii. 6.
15. 1 Chron. iv. 10.	20. — xliii. 6.
2. —— xii. 33, 38.	18. Jer. iii. 12.
13. 2 Chron. xxii. 9.	15. — xlii. 4.
14. —— xxviii. 10.	4. Nah. i. 15.
15. —— xxx.3,13,23.	17. — ii. 1.
5. Neh. xii. 27.	30. Zech. xiii. 5.
5. Esth. iii. 8.	4. — xiv. 16.
5. — ix. 27.	

KEEP alive.

27. In all passages.

KEEP charge.

1. In all passages.

KEEP commandment.
1. In all passages.

KEEP Passover.
5. In all passages.

KEEP silence.

32. Judg. iii. 19.	33. Isa. xli. 1.
33. Psalm xxxv. 22.	31. — lxii. 6.
33. —— l. 3.	31. Lam. ii. 10.
31. —— lxxxiii. 1.	31. Amos v. 13.
34. Eccles. iii. 7.	32. Hab. ii. 20.

KEEP statutes.
1. In all passages.

KEEPEST.

1. 1 Kings viii. 23.	1. Neh. ix. 32.
1. 2 Chron. vi. 14.	

KEEPETH.
All passages not inserted are Nº. 1.

21. Exod. xxi. 18.	17. Prov. xxviii. 7.
22. 1 Sam. xvi. 11.	22. —— xxix. 3.
16. Job xxxiii. 18.	23. —————— 11.
17. Prov. ii. 8.	15. Jer. xlviii. 10.
17. —— xiii. 3, 6.	Lam. iii. 28, not in
17. —— xvi. 17.	original.
17. —— xxiv. 12.	Hab. ii. 5, not in
17. —— xxvii. 18.	original.

KEEPING.
All passages not inserted are Nº. 1.

17. Exod. xxxiv. 7.	22. 1 Sam. xxv. 16.

KEPT.
All passages not inserted are Nº. 1.

22. Gen. xxix. 9.	5. 2 Chron. xxx. 21, 23.
16. —— xxxix. 9.	5. ———— xxxv. 1, 17,
24. —— xlii. 16.	18, 19.
22. Exod. iii. 1.	5. Ezra iii. 4.
25. Numb. v. 13.	6. —— vi. 16.
5. ——— ix. 5.	5. —— 19, 22.
26. ——— 7.	5. Neh. viii. 18.
15. ——— xxiv. 11.	5. —— ix. 34.
17. Deut. xxxii. 10.	5. Esth. ix. 28.
17. —— xxxiii. 9.	25. Job xxviii. 21.
5. Josh. v. 10.	27. Psalm xxx. 3.
27. —— xiv. 10.	17. —— cxix. 22, 56.
10. Ruth ii. 23.	29. Eccles. ii. 10.
22. 1 Sam. xvii. 34.	18. Cant. i. 6.
20. ———— xxv. 33.	7. Isa. xxx. 29.
15. ————— 34.	5. Ezek. v. 7.
28. 2 Sam. xiii. 34.	27. Dan. v. 19.
13. 1 Chron. xii. 1.	18. —— vii. 28.
5. 2 Chron. vii. 8, 9.	

KEPT silence.

31. Job xxix. 21.	33. Psalm xxxii. 3.
31. — xxxi. 34.	33. —— L. 21.

KEEPER.

1.	רֹעֶה	*Roueh*, a feeder of a flock.
2.	שַׂר	*Sar*, a ruler, chief.
3.	שֹׁמֵר	*Shoumair*, a keeper, watcher.
4.	נֹצֵר	*Noutsair*, a preserver, observer.
5.	נֹצְרָה	*Noutairoh* (fem.), a guard, watcher.

1. Gen. iv. 2, 9.	3. Neh. iii. 29.
2. —— xxxix. 21, 22, 23.	3. Esth. ii. 3.
3. 1 Sam. xvii. 20, 22.	3. —— viii. 15.
3. ———— xxviii. 2.	4. Job xxvii. 18.
3. 2 Kings xxii. 14.	5. Psalm cxxi. 5.
3. 2 Chron. xxxiv. 22.	5. Cant. i. 6.
3. Neh. ii. 8. .	3. Jer. xxxv. 4.

KEEPERS.

3. 2 Kings xi. 5.	5. Cant. viii. 11.
3. 1 Chron. ix. 19.	3. Jer. iv. 17.
3. Eccles. xii. 3.	3. Ezek. xl. 45, 46.
3. Cant. v. 7.	3. —— xliv. 8, 14.

KERCHIEFS.
מִסְפָּחוֹת *Mispokhouth*, curtains, vails.

Ezek. xiii. 18, 21.

KERNELS.
חַרְצַנִּים *Khartsaneem*, kernels.

Numb. vi. 4.

KETTLE.
דּוּד *Dood*, a vessel made of a fruit-shell, a calabash.

1 Sam. ii. 14.

KEY.
מַפְתֵּחַ *Maphtaiakh*, a key.

Judg. iii. 25.	Isa. xxii. 22.

KICK.
בָּעַט *Boat*, to kick, resist.

1 Sam. ii. 29.

KICKED.
Deut. xxxii. 15.

KID.

1.	שָׂעִיר	*Sōeer*, masc., a kid.
2.	גְּדִי	*Gedee*, fem., a kid.
3.	שֶׂה	*Seh*, a lamb, or kid.

All passages not inserted are Nº. 1.

2. Gen. xxxviii. 17.	3. Numb. xv. 11.
2. Exod. xxiii. 19.	2. Deut. xiv. 21.
2. ——— xxxiv. 26.	

KIDS.

1. גְּדִיִּים   *Gedeeyeem*, fem., kids.
2. שְׂעִרִים   *Sëireem*, masc., kids.
3. חֲשֻׂפֵי עִזִּים   *Khasiphai izzeem*,   shorn goats.

1. Gen. xxvii. 9, 16.	3. 1 Kings xx. 27.
2. Lev. xvi. 5.	2. 2 Chron. xxxv. 7.
1. Numb. vii. 87.	1. Cant. i. 8.
1. 1 Sam. x. 3.	

KIDNEYS.

כְּלָיוֹת   *Keloyouth*, kidneys, in all passages.

KILL.

1. הָרַג   *Horag*, to kill.
2. שָׁחַט   *Shokhat*, to slay as a sacrifice.
3. מוּת   *Mooth*, (Hiph.) to cause death.
4. רָצַח   *Rotsakh*, to murder.
5. טָבַח   *Tovakh*, to slaughter.
6. זָבַח   *Zovakh*, to sacrifice.
7. חֲלָלִים   *Khăloleem*, mortally wounded.
8. הִכָּה   *Hikkoh*, to smite, strike.
9. נָקַף   *Nokaph*, to come round, encircle.
10. קְטַל   *Kotal* (Chaldee), to kill, destroy.

1. Gen. iv. 15.	4. Deut. iv. 42.
1. —— xii. 12.	4. —— v. 17.
1. —— xxvi. 7.	6. —— xii. 15, 21.
1. —— xxvii. 42.	3. —— xiii. 9.
1. —— xxxvii. 21.	3. —— xxxii. 39.
1. Exod. i. 16.	3. Judg. xiii. 23.
1. —— ii. 14.	3. —— xv. 13.
1. —— iv. 24.	1. —— xvi. 2.
2. —— xii. 6, 21.	7. —— xx. 31, 39.
3. —— xvi. 3.	1. 1 Sam. xvi. 2.
3. —— xvii. 3.	8. —— xvii. 9.
4. —— xx. 13.	3. —— xix. 1, 2, 17.
5. —— xxii. 1.	1. —— xxiv. 10.
1. ——————24.	3. —— xxx. 15.
2. —— xxix. 11, 20.	3. 2 Sam. xiii. 28.
2. Lev. i. 5. 11.	3. —— xiv. 7, 32.
2. —— iii. 2, 8, 13.	3. —— xxi. 4.
2. —— iv. 4, 24, 33.	3. 1 Kings xi. 40.
2. —— vii. 2.	1. —— xii. 17.
2. —— xiv. 13, 25, 50.	3. 2 Kings v. 7.
2. —— xvi. 11, 15.	3. —— vii. 4.
3. —— xx. 4, 16.	3. —— xi. 15.
2. —— xxii. 28.	2. 2 Chron. xxxv. 6.
1. Numb. xi. 15.	1. Esth. iii. 13.
3. —— xiv. 15.	1. Eccles. iii. 3.
3. —— xvi. 13.	3. Isa. xiv. 30.
1. —— xxii. 29.	1. —— 30.
1. —— xxxi. 17.	9. — xxix. 1.
4. —— xxxv. 27.	6. Ezek. xxxiv. 3.

KILLED.

2. Gen. xxxvii. 31.	3. 1 Kings xvi. 10.
3. Exod. xxi. 29.	4. —— xxi. 19.
2. Lev. iv. 15.	3. 2 Kings xv. 25.
2. —— vi. 25.	3. 1 Chron. xix. 18.
2. —— viii. 19.	6. 2 Chron. xviii. 2.
2. —— xiv. 5, 6.	1. —— xxv. 3.
2. Numb. xvi. 41.	2. —— xxix. 22, 24.
1. —— xxxi. 19.	2. —— xxx. 15.
1. 1 Sam. xxiv. 11.	2. —— xxxv. 1, 11.
5. —— xxv. 11.	2. Ezra vi. 20.
6. —— xxviii. 24.	1. Psalm xliv. 22.
1. 2 Sam. xii. 9.	5. Prov. ix. 2.
3. —— xxi. 17.	5. Lam. ii. 21.
8. 1 Kings xvi. 7.	

KILLEDST.

1. Exod. ii. 14.	1. 1 Sam. xxiv. 18.

KILLETH.

2. Lev. xvii. 3.	8. 1 Sam. xvii. 25, 26, 27.
8. —— xxiv. 17, 18, 21.	1. Job v. 2.
8. Numb. xxxv. 11, 15, 30.	10. — xxiv. 14.
8. Deut. xix. 4.	3. Prov. xxi. 25.
8. Josh. xx. 3, 9.	2. Isa. lxvi. 3.
3. 1 Sam. ii. 6.	

KILLING.

1. Judg. ix. 24.	2. Isa. xxii. 13.
2. 2 Chron. xxx. 17.	4. Hos. iv. 2.

KIN.

1. שְׁאֵר בָּשָׂר   *Sheair bosor*, a remnant of flesh.
2. קָרוֹב   *Korouv*, a near relation, friend.

1. Lev. xviii. 6.	1. Lev. xxv. 25, 49.
1. —— xx. 19.	2. Ruth ii. 20.
1. —— xxi. 2.	2. 2 Sam. xix. 42.

KIND, Subst.

1. מִין   *Meen*, a sort, kind, generally applied to living creatures.
2. כִּלְאַיִם   *Kiloeem*, a sort, kind, generally applied to seeds.

1. Gen. i. 11, 12, 21, 24, 25.	2. Lev. xix. 19.
1. —— vi. 20.	1. Deut. xiv. 14.
1. —— vii. 14.	1 Chron. xxviii. 14, not in original.
1. Lev. xi. 14, 15, 16, 19. 29.	Neh. xiii. 20, not in original.

KINDS.

1. מִין   *Meen*, a kind, sort.
2. מִשְׁפָּחוֹת   *Mishpokhouth*, families.
3. זְנִים   *Zĕneem*, manner, preparations.

2. Gen. viii. 19.	1. Ezek. xlvii. 10.
3. 2 Chron. xvi. 14.	3. Dan. iii. 5, 7, 10, 15.
2. Jer. xv. 3.	

KIND, Adjective.

טוֹב   *Touv*, good.

2 Chron. x. 7.

KINDLE.

1.   חַרְחַר   *Kharkhar*, to inflame.
2.   יָצַת   *Yotsath*, to set on fire.
3.   יָקַד   *Yokad*, to burn slowly.
4.   בָּעַר   *Boar*, to conflagrate.
5.   קָטַר   *Kotar*, to burn incense.
6.   דָּלַק   *Dolak*, to kindle.
7.   כָּמַר   *Komar*, to shrivel from heat.
8.   נָשַׂק   *Nosak*, to inflame, set on fire.
9.   שָׂרַף   *Soraph*, to burn with fire.
10.   חָרָה   *Khoroh*, to be kindled (applied to anger).*
11.   לָהַט   *Lohat*, to inflame.

1. Prov. xxvi. 21.	4. Isa. xliii. 2.
2. Isa. ix. 18.	5. Jer. xxxiii. 18.
3. — x. 16.	6. Obad. 18.
4. — xxx. 33.	

KINDLED.

10. Gen. xxxix. 19.	4. Psalm ii. 12.
9. Lev. x. 6.	4. —— xviii. 8.
10. Numb. xi. 33.	10. —— cvi. 40.
10. Deut. xi. 17.	10. —— cxxiv. 3.
2. 2 Kings xxii. 13, 17.	4. Isa. L. 11.
4. 2 Sam. xxii. 9.	4. Jer. xliv. 6.
10. Job xix. 11.	4. Ezek. xx. 48.
10. — xxxii. 2, 3, 5.	7. Hos. xi. 8.
10. — xlii. 7.	

KINDLETH.

8. Isa. xliv. 15.	11. Job xli. 21.

* N.B. This verb is always used for *kindle* when joined with *anger*.

KINDLY.

1.   חֶסֶד   *Khesed*, kindness.
2.   עַל־לֵב   *Al-laiv*, upon the heart.
3.   טֹבוֹת   *Touvouth*, goodness.

1. Gen. xxiv. 49.	1. Ruth i. 8.
2. —— xxxiv. 3.	1. 1 Sam. xx. 8.
1. —— xlvii. 29.	3. 2 Kings xxv. 28.
2. —— L. 21.	3. Jer. lii. 32.
1. Josh. ii. 14.	

KINDNESS.

חֶסֶד   *Khesed*, kindness, in all passages, except :

טוֹבָה   *Touvoh*, goodness.

2 Sam. ii. 6.

KINDNESSES.

חֲסָדִים   *Khasodeem*, kindnesses, in all passages.

KINDRED.

1.   נוֹלֶדֶת   *Mouledeth*, birth-place, near relatives.
2.   מִשְׁפָּחוֹת.   *Mishpokhouth*, families.
3.   אַחִים   *Akheem*, brothers, brethren.
4.   מוֹדָע   *Moudā*, a familiar friend.
5.   גְּאֻלָּה   *Geooloh*, redemption.

1. Gen. xii. 1.	2. Ruth ii. 3.
1. —— xxiv. 4, 7.	4. —— iii. 2.
2. —————— 38, 40, 41.	3. 1 Chron. xii. 29.
1. —— xxxi. 3, 13.	1. Esth. ii. 10, 20.
1. —— xxxii. 9.	1. —— viii. 6.
1. —— xliii. 7.	2. Job xxxii. 2.
1. Numb. x. 30.	5. Ezek. xi. 15.
2. Josh. vi. 23.	

KINDREDS.

2. 1 Chron. xvi. 28.	2. Psalm xcvi. 7.
2. Psalm xxii. 27.	

KINE.

פָּרוֹת   *Porouth*, cows, in all passages.

KING.

מֶלֶךְ   *Melekh*, a king, in all passages.

KINGS.

מְלָכִים   *Melokheem*, kings, in all passages.

KINGDOM.

מַמְלָכָה   *Mamlokhoh*, a kingdom, in all passages.

KINGDOMS.

מַמְלָכוֹת   *Mamlokhouth*, kingdoms, in all passages.

KINGLY.

מַלְכוּת   *Malkhooth* (Chaldee), royalty.

Dan. v. 20.

KINSFOLK.

קְרוֹבִים   *Kerouveem*, near relations.

Job xix. 14.

KINSFOLKS.

1.   גֹּאֲלִים   *Goualeem*, redeemers.
2.   מְיֻדָּעִים   *Meyoodoeem*, well-known friends.

1. 1 Kings xvi. 11.	2. 2 Kings x. 11.

KINSMAN.

1. גֹּאֵל Gouail, a redeemer.
2. שְׁאֵר Sheair, affinity.
3. מוֹדָע Mouda, a well known friend.
4. קָרוֹב Korouv, a near relation.

1. Numb. v. 8.	1. Ruth iii. 12, twice.
2. —— xxvii. 11.	1. —— 13, three
3. Ruth ii. 1.	times.
1. —— iii. 9.	1. —— iv. 1, 6, 8, 14.

KINSMEN.

1. Ruth ii. 20.	4. Psalm xxxviii. 11.

KINSWOMAN.

2. Lev. xviii. 12, 13.	3. Prov. vii. 4.

KINSWOMEN.

2. Lev. xviii. 17.

KISSES.

נְשִׁיקוֹת Nesheekouth, kisses.

Prov. xxvii. 6.	Cant. i. 2.

KISS -ED.

נָשַׁק Noshak, to kiss, in all passages.

KITE.

אַיָּה Ayoh, a kite, ravenous bird of prey.

Lev. xi. 14.	Deut. xiv. 13.

KNEAD.

לוּשׁ Loosh, to knead.

Gen. xviii. 6.	Jer. vii. 18.

KNEADED.

1 Sam. xxviii. 24.	Hos. vii. 4.
2 Sam. xiii. 8.	

KNEADING -troughs.

מִשְׁאֲרוֹת Misharouth, kneading-troughs.

Exod. viii. 3.	Exod. xii. 34.

KNEE.

בֶּרֶךְ Berekh, a knee, in all passages.

KNEES.

בִּרְכַּיִם Birkayim, knees, in all passages.

KNEEL.

1. בָּרַךְ Borakh, to bend the knee.
2. כָּרַע Kora, to kneel.

1. Gen. xxiv. 11.	2. Psalm xcv. 6.

KNEELED.

1. 2 Chron. vi. 13.	1. Dan. vi. 10.

KNEELING.

2. 1 Kings viii. 54.

KNEW.

See Know.

KNIFE.

1. מַאֲכֶלֶת Maakheleth, a consumer, devourer; met., a knife.
2. שַׂכִּין Sakeen, a knife.
3. חֶרֶב Kherev, a destroying weapon, sword.
4. מַחֲלָפִים Makhalopheem, of various sorts.

1. Gen. xxii. 6, 10.	2. Prov. xxiii. 2.
1. Judg. xix. 29.	3. Ezek. v. 1, 2.

KNIVES.

3. Josh. v. 2, 3.	4. Ezra i. 9.
3. 1 Kings xviii. 28.	1. Prov. xxx. 14.

KNIT.

1. חֲבֵרִים Khavaireem, joinings.
2. קָשַׁר Koshar, to knot, tie fast.
3. יָחַד Yokhad, to unite.

1. Judg. xx. 11.	3. 1 Chron. xii. 17.
2. 1 Sam. xviii. 1.	

KNOCKETH.

דוֹפֵק Douphaik, beating, fluttering of the heart.

Cant. v. 2.

KNOP -S.

כַּפְתּוֹר Kaphtour, a knop, button, in all passages.

KNOW.

1. יָדַע Yoda, to know.
2. נָכַר Nokar, to recognise.
3. בִּין Been, (Hiph.) to cause to understand.

All passages not inserted are Nº. 1.

2. Gen. xxxvii. 32.	3. Job xxxviii. 20.
2. Job vii. 10.	2. Psalm ciii. 16.
2. — xxi. 29.	2. —— cxlii. 4.
2. — xxiv. 13, 17.	

KNOWEST.

All passages are Nº. 1.

KNOWETH.

All passages not inserted are N°. 1.

2. Job xxxiv. 25.

KNEW.

All passages not inserted are N°. 1.

2. Gen. xxxvii. 33.	2. 1 Sam. xx. 6, 17.
2. —— xlii. 7, 8.	2. 1 Kings xviii. 7.
2. Judg. xviii. 3.	2. Job ii. 12.

KNOWN.

All passages not inserted are N°. 1.

2. Ruth iii. 14.	2. Lam. iv. 8.
2. Prov. xx. 11.	

KNOWING.

All passages are N°. 1.

KNOWLEDGE.

1. דֵּעָה *Daioh,* } knowledge.
    דַּעַת *Daath,* }
2. שֵׂכֶל *Saikhel,* intelligence.
3. בִּינָה *Beenoh,* understanding.
4. נָכַר *Nokar,* (Hiph.) to cause to recognise.
5. עֵינַיִם *Ainayim,* the eyes.

All passages not inserted are N°. 1.

5. Numb. xv. 24.	4. Ruth ii. 10, 19.
2. 2 Chron. xxx. 22.	3. Dan. ii. 21.

L

LABOUR, Subst.

1. יְגִיעַ *Yogeea,* weariness.
2. לֵדֶת *Ledeth,* bringing forth.
3. עָמָל *Omol,* labour.
4. עֲבוֹדָה *Avoudoh,* servitude, slavery.
5. פְּעֻלָּה *Pĕuloh,* work.
6. עַל יַד *Al yad,* with, by the hand.
7. עֶצֶב *Etsev,* grief, sorrow.
8. מַעֲשֶׂה *Māaseh,* a deed, action.

1. Gen. xxxi. 42.	1. Psalm lxxviii. 46.
2. —— xxxv. 16, 17.	3. —— xc. 10.
3. Deut. xxvi. 7.	4. —— civ. 23.
1. Neh. v. 13.	3. —— cv. 44.
1. Job xxxix. 11, 16.	3. —— cvii. 12.

1. Psalm cix. 11.	3. Eccles. vi. 7.
1. —— cxxviii. 2.	3. —— viii. 15.
5. Prov. x. 16.	3. —— ix. 9.
6. —— xiii. 11.	3. —— x. 15.
7. —— xiv. 23.	1. Isa. xlv. 14.
3. Eccles. i. 3.	1. — lv. 2.
1. —— 8.	1. Jer. iii. 24.
3. Eccles. ii. 10, 18, 19,	3. — xx. 18.
20, 21, 22, 24.	1. Ezek. xxiii. 29.
3. —— iii. 13.	5. —— xxix. 20.
3. —— iv. 8, 9.	8. Hab. iii. 17.
3. —— v. 15, 18, 19.	1. Hag. i. 11.

LABOURS.

8. Exod. xxiii. 16.	1. Jer. xx. 5.
1. Deut. xxviii. 33.	1. Hos. xii. 8.
7. Prov. v. 10.	8. Hag. ii. 17.
7. Isa. lviii. 3.	

LABOUR, Verb.

1. עָשָׂה *Osoh,* to execute, act, exercise.
2. עָבַד *Ovad,* to serve.
3. יָגַע *Yoga,* to exert, weary.
4. לָאָה *Loakh,* to busy.
5. עָמַל *Omal,* to labour.
6. סָבַל *Soval,* to load, burden.
7. אוּץ *Oots,* to hasten, press on.
8. גּוּחַ *Gooakh,* to break forth.
9. שְׁדַר *Shodar* (Chaldee), to exert.

1. Exod. v. 9.	3. Prov. xxiii. 4.
2. —— xx. 9.	5. Eccles. iv. 8.
2. Deut. v. 13.	5. —— viii. 17.
3. Josh. vii. 3.	7. Isa. xxii. 4.
3. —— xxiv. 13.	3. — lxv. 23.
4. Neh. iv. 22.	3. Jer. li. 58.
3. Job ix. 29.	3. Lam. v. 5.
5. Psalm cxxvii. 1.	8. Mic. iv. 10.
6. —— cxliv. 14.	3. Hab. ii. 13.
1. Prov. xxi. 25.	

LABOURED.

1. Neh. iv. 21.	3. Isa. xlix. 4.
3. Job xx. 18.	3. — lxii. 8.
5. Eccles. ii. 11, 19, 21, 22.	9. Dan. vi. 14.
5. —— v. 16.	5. Jonah iv. 10.
3. Isa. xlvii. 12, 15.	

LABOURETH.

5. Prov. xvi. 26.	5. Eccles. iii. 9.

LABOURING.

2. Eccles. v. 12.

LACE.

פְּתִיל *Pĕtheel,* thread, an ornamental platted thread.

Exod. xxviii. 28, 37.	Exod. xxxix. 31.

LACK, Subst.

1.   חָסַר   *Khosar*, want, lack.
2.   בְּלִי   *Bĕlee*, without.

1. Exod. xvi. 18.	2. Job xxxviii. 41.
2. Job iv. 11.	2. Hos. iv. 6.

LACK, Verb.

1.   חָסַר   *Khosar*, to want.
2.   רוּשׁ   *Roosh*, to be poor.
3.   פָּקַד   *Pokad*, to enquire.
4.   עָדַר   *Odar*, to fail, miss.
5.   שָׁבַת   *Shovath*, to cease.
6.   קָלַם   *Kolat*, to curtail, abridge.

1. Gen. xviii. 28.	1. Prov. xxviii. 27.
1. Deut. viii. 9.	1. Eccles. ix. 8.
2. Psalm xxxiv. 10.	

LACKED.

1. Deut. ii. 7.	1. 1 Kings xi. 22.
3. 2 Sam. ii. 30.	1. Neh. ix. 21.
4. 1 Kings iv. 27.	

LACKETH.

3. Numb. xxxi. 49.	1. Prov. vi. 32.
1. 2 Sam. iii. 29.	1. —— xii. 9.

LACKING.

5. Lev. ii. 13.	4. 1 Sam. xxx. 19.
6. —— xxii. 23.	3. Jer. xxiii. 4.
3. Judg. xxi. 3.	

LAD.

נַעַר   *Naar*, a lad, youth, in all passages.

LADS.

נְעָרִים   *Nĕoreem*, lads, in all passages.

LADDER.

סֻלָּם   *Soolom*, a ladder.

Gen. xxviii. 12.

LADE.

1.   טָעַן   *Toan*, to load.
2.   עָמַס / עָמַשׂ   *Omas*, to burden.
3.   נָשָׂא   *Noso*, to lift up, carry.
4.   כָּבַד   *Kovad*, to make weighty.

1. Gen. xlv. 17.	2. 1 Kings xii. 11.

LADED.

3. Gen. xlii. 26.	2. Neh. iv. 17.
3. —— xliv. 13.	

LADEN.

3. Gen. xlv. 23.	4. Isa. i. 4.

LADETH.

4. Hab. ii. 6.

LADING.

2. Neh. xiii. 15.

LOADEN.

2. Isa. xlvi. 1.

LOADETH.

2. Psalm lxviii. 19.

LADY.

גְּבֶרֶת   *Gĕvereth*, a female in power.

Isa. xlvii. 5, 7.

LADIES.

שָׂרוֹת   *Sorouth*, ladies, princesses.

Judg. v. 29.	Esth. i. 18.

LAMB -S.

כֶּבֶשׂ   *Keves*, ⎫ a lamb ; in all passages,
כֶּשֶׂב   *Kesev*, ⎭   except :

שֶׂה   *Seh*, a male lamb or kid.

Gen. xxii. 7, 8.	Exod. xiii. 13.
Exod. xii. 3, 5.	

LAME.

פִּסֵּחַ   *Pisaiakh*, lame, in all passages.

LAMENT.

1.   סָפַד   *Sophad*, to bewail.
2.   אָנָה   *Onoh*, to suffer.
3.   תָּנָה   *Tonoh*, to present, offer presents.
4.   קוּן   *Koon*, to lament.
5.   אָלַל   *Olal*, to complain.
6.   נָהָה   *Nohoh*, to lament.
7.   אָבַל   *Oval*, to mourn.
8.   בָּכָה   *Bokhoh*, to weep.
9.   עֲצַב   *Otsav* (Chaldee), to sorrow, grieve.

3. Judg. xi. 40.	1. Jer. xlix. 3.
2. Isa. iii. 26.	7. Lam. ii. 8.
2. — xix. 8.	4. Ezek. xxvii. 32.
1. — xxxii. 12.	4. —— xxxii. 16.
1. Jer. iv. 8.	5. Joel i. 8.
1. — xvi. 5, 6.	1. —— 13.
1. — xxii. 18.	6. Mic. ii. 4.
1. — xxxiv. 5.	

LAMENTED.

7. 1 Sam. vi. 19.
6. —— vii. 2.
1. —— xxv. 1.
1. —— xxviii. 3.
4. 2 Sam. i. 17.

4. 2 Sam. iii. 33.
4. 2 Chron. xxxv. 25.
1. Jer. xvi. 4.
1. — xxv. 33.

LAMENTABLE.

9. Dan. vi. 20.

LAMENTATION, Subst.

1. Gen. L. 10.
4. 2 Sam. i. 17.
8. Psalm lxxviii.64, verb.
1. Jer. vi. 26.
4. — vii. 29.
4. — ix. 10, 20.
6. — xxxi. 15.
1. — xlviii. 38.
2. Lam. ii. 5.
4. Ezek. xix. 1, 14.

4. Ezek. xxvi. 17.
4. —— xxvii. 2, 32.
4. —— xxviii. 12.
4. —— xxxii. 2.
6. —————— 16.
4. Amos v. 1.
6. Amos v. 16.
4. —— viii. 10.
6. Mic. ii. 4.

LAMENTATIONS.

4. 2 Chron. xxxv. 25.
4. Ezek. ii. 10.

LAMP.

1. לַפִּיד *Lapeed,* a fierce flame.
2. נֵר *Nair,* a light.
3. נִיר *Neer,* spiritual light.

1. Gen. xv. 17.
2. Exod. xxvii. 20.
2. 1 Sam. iii. 3.
2. 2 Sam. xxii. 29.
3. 1 Kings xv. 4.
1. Job xii. 5.

2. Psalm cxix. 105.
2. —— cxxxii. 17.
2. Prov. vi. 23.
2. —— xiii. 9.
2. —— xx. 20.
1. Isa. lxii. 1.

LAMPS.

2. Exod. xxv. 37, twice.
2. —— xxx. 7, 8.
2. —— xxxv. 14.
2. —— xxxvii. 23.
2. —— xxxix. 37.
2. —— xl. 4, 25.
2. Lev. xxiv. 2, 4.
2. Numb. iv. 9.
2. —— viii. 2, 3, twice.

1. Judg. vii. 16, 20.
2. 1 Kings vii. 49.
2. 2 Chron. iv. 20, 21.
2. —————— xiii. 11.
1. Job xli. 19.
1. Ezek. i. 13.
1. Dan. x. 6.
2. Zech. iv. 2.

LANCE.

כִּידוֹן *Keedoun,* a lance.

Jer. L. 42.

LANCETS.

רְמָחִים *Rĕmokheem,* spears, daggers.

1 Kings xviii. 28.

LAND -S.

אֶרֶץ *Orets,* earth, land.
אֲדָמָה *Adomoh,* ground, land.

LANDMARK.

גְּבוּל *Gevool,* a boundary, border.

Deut. xix. 14.
—— xxvii. 17.

Prov. xxii. 28.
—— xxiii. 10.

LANDMARKS.

Job xxiv. 2.

LANGUAGE.

1. לָשׁוֹן *Loshoun,* a tongue, language.
2. שָׂפָה *Sophoh,* a lip.
3. דְּבָרִים *Dĕvoreem,* words, speeches.
4. לָעֵז *Loaiz,* a strange language.
5. אֲרָמִית *Ărameeth,* Syriac.
6. יְהוּדִית *Yehoodeeth,* Hebrew, the language of Judah.

2. Gen. xi. 1, 6, 7, 9.
5. 2 Kings xviii. 26.
6. —————— 26, 28.
1. Neh. xiii. 24.
1. Esth. i. 22.
1. —— iii. 12.
1. —— viii. 9.
3. Psalm xix. 3.
2. —— lxxxi. 5.

4. Psalm cxiv. 1.
2. Isa. xix. 18.
5. — xxxvi. 11.
6. ———— 11, 13.
1. Jer. v. 15.
1. Ezek. iii. 5, 6.
1. Dan. iii. 29.
2. Zeph. iii. 9.

LANGUAGES.

1. Dan. iii. 4, 7.
1. —— iv. 1.
1. —— v. 19.

1. Dan. vi. 25.
1. —— vii. 14.
1. Zech. viii. 23.

LANGUISH -ED -ETH.

אֻמְלַל *Umlal,* being languishing, in all passages.

LANGUISHING.

דְּוָי *Davoi,* pain.

Psalm xli. 3.

LAP.

1. חֹצֶן *Khoutsen,* a lap.
2. חֵיק *Khaik,* a bosom.
3. בֶּגֶד *Beged,* a garment, cloth.

3. 2 Kings iv. 39.
1. Neh. v. 13.

2. Prov. xvi. 33.

LAPPED -ETH.

לָקַק *Lokak,* to lick.

Judg. vii. 5, 6, 7.

LAPWING.

דּוּכִיפַת *Dookheephath,* a lapwing.

Lev. xi. 19.
Deut. xiv. 18.

LARGE.

1. רַחֲבַת יָדַיִם *Rakhăvath yodayim*, wide on both hands, extensive.
2. רָחָב *Rokhav*, broad, wide.
3. רְוַח *Rovakh*, large, roomy.
4. מֶרְחָב *Merkhov*, a wide place, street.

1. Gen. xxxiv. 21.	4. Psalm xxxi. 8.
2. Exod. iii. 8.	4. —— cxviii. 5.
1. Judg. xviii. 10.	1. Isa. xxii. 18.
4. 2 Sam. xxii. 20.	2. — xxx. 23, 33.
2. Neh. iv. 19.	3. Jer. xxii. 14.
1. —— vii. 4.	2. Ezek. xxiii. 32.
2. —— ix. 35.	4. Hos. iv. 16.
2. Psalm xviii. 19.	

LARGENESS.

רֹחַב *Roukhav*, breadth, wideness.

1 Kings iv. 29.

LAST.

אַחֲרוֹן *Akharoun*,⎫ the last, latter, hinder,
אַחֲרִית *Akhareeth*,⎭   in all passages.
Except:
עָקֵב *Okaiv*, a heel.

Gen. xlix. 19.

LASTED.

הָיָה לָהֶם *Hoyoh lohem*, they had.

Judg. xiv. 17.

LASTING.

עוֹלָם *Oulom*, everlasting.

Deut. xxxiii. 15.

LATCHET.

שְׂרוֹךְ *Sěroukh*, a shoe-latchet.

Gen. xiv. 23. | Isa. v. 27.

LATE.

1. מֵאַחֲרֵי *Meakharai*, late.
2. אֶתְמוּל *Ethmool*, on the contrary, contrariwise.

1. Psalm cxxvii. 2. | 2. Mic. ii. 8.

LATTER.

See Last.

LATTICE.

1. אֶשְׁנָב *Eshnov*, a lattice, window.
2. שְׂבָכָה *Sěvokhoh*, lattice-work.
3. חֲרַכִּים *Khărakeem*, net-work.

1. Judg. v. 28. | 3. Cant. ii. 9.
2. 2 Kings i. 2.

LAVER.

כִּיּוֹר *Keeyour*, laver, in all passages.

LAVERS.

כִּיּוֹרִים *Keeyoureem*, lavers, in all passages.

LAUGH.

1. צָחַק *Tsokhak*, to laugh incredulously.
2. שָׂחַק *Sokhak*, to laugh.
3. לָעַג *Loag*, to deride.

1. Gen. xviii. 13, 15.	2. Psalm xxxvii. 13.
1. —— xxi. 6.	2. —— lii. 6.
2. Job v. 22.	2. —— lix. 8.
3. — ix. 23.	3. —— lxxx. 6.
3. — xxii. 19.	2. Prov. i. 26.
2. Psalm ii. 4.	2. —— xxix. 9.
3. —— xxii. 7.	2. Eccles. iii. 4.

LAUGHED.

1. Gen. xvii. 17.	2. Job xii. 4.
1. —— xviii. 12, 15.	2. — xxix. 24.
3. 2 Kings xix. 21.	3. Isa. xxxvii. 22.
2. 2 Chron. xxx. 10.	1. Ezek. xxii. 32.
3. Neh. ii. 19.	

LAUGHETH.

2. Job xli. 29.

LAUGHING.

2. Job viii. 21.

LAUGHTER.

2. Psalm cxxvi. 2.	2. Eccles. ii. 2.
2. Prov. xiv. 13.	2. —— vii. 3, 6.

LAVISH.

זוּל *Zool*, to pour out.

Isa. xlvi. 6.

LAW.

1. תּוֹרָה *Touroh*, instruction, the law, applied to the five books of Moses.
2. מִשְׁפָּט *Mishpot*, judgment, judicial law, custom.
3. דָּת *Doth*, edict, (law, Chaldee).
4. חוֹק *Khouk*, decree, statute.
5. מִצְוָה *Mitsvoh*, commandment, precept.
6. מְחֻקָק *Mĕkhukok*, that which is decreed.

All passages not inserted are N°. 1.

4. Gen. xlvii. 26.	3. Esth. iv. 11, 16.
2. Lev. xxiv. 22.	2. Psalm lxxxi. 4.
3. Deut. xxxiii. 2.	4. —— xciv. 20.
4. 1 Chron. xvi. 17.	4. —— cv. 10.
3. Ezra vii. 12,14,21,26.	6. Prov. xxxi. 5.
3. Esth. i. 8, 15.	5. Jer. xxxii. 11.

LAWS.

All passages not inserted are N°. 1.

3. Ezra vii. 25.	3. Esth. iii. 8.
3. Esth. i. 19.	3. Dan. vii. 25.

LAWFUL.

1. שַׁלִּיט   *Shaleet* (Chaldee), a rule.
2. צַדִּיק   *Tsadeek*, just, righteous.
3. מִשְׁפָּט   *Mishpot*, law, judgment, justice.

1. Ezra vii. 24.	3. Ezek. xxxiii. 14, 16,
2. Isa. xlix. 24.	19.
3. Ezek. xviii. 5, 19, 21, 27.	

LAWGIVER.

מְחֹקֵק   *Mĕkhokaik*, a legislator, in all passages.

LAY.

1. נָתַן   *Nothan*, to give, yield, grant.
2. קָרַב   *Korav*, to come near, bring near.
3. שׂוּם   *Soom*, to set, appoint.
4. שָׁפַל   *Shophal*, to lower, abase.
5. יָסַד   *Yosad*, to found, lay a foundation.
6. { נָקֹשׁ   *Nokash*, } to ensnare.
     { יָקֹשׁ   *Yokash*, }
7. נוּחַ   *Nooakh*, to rest, leave.
8. מָלַט   *Molat*, to deliver.
9. מָרַח   *Morakh*, to soften, rub.
10. רָבַץ   *Rovats*, to stoop, couch down as a lion.
11. צוּר   *Tsoor*, to oppress, besiege.
12. שָׁכַב   *Shokhav*, to lay down.
13. שִׁית   *Sheeth*, to place, fix.
14. עָרַךְ   *Orakh*, to prepare, arrange.
15. יָצַע   *Yotsa*, to spread out.
16. לוּן   *Loon*, to lodge all night.
17. שָׁכַן   *Shokhan*, to rest, dwell.
18. סוּר   *Soor*, to turn away, part from.
19. כָּבַד   *Kovad*, to make heavy, lay a weight upon.
20. יָצַק   *Yotsak*, to pour out, forth.
21. יָצַב   *Yotsav*, to place firm, fix.
22. נָשָׂא   *Noso*, to bear, carry.
23. טָמַן   *Toman*, to hide.
24. יָרָה   *Yoroh*, to throw, cast.
25. שָׁוָה   *Shovoh*, to equalize, level.
26. עָלָה   *Oloh*, to ascend.
27. בּוֹא   *Bou*, to enter.

28. נָגַע   *Noga*, to touch.
29. פָּגַע   *Poga*, to meet with; met., to intercede.
30. שָׁמֵם   *Shomam*, to make desolate.
31. נָטָה   *Notoh*, to stretch forth, out.
32. עָבַר   *Ovar*, to pass over, overflow.
33. תָּפַשׂ   *Tophas*, to lay hold of, overlay, enchase.
34. נָפַל   *Nophal*, to fall.
35. חָבוּל   *Khovool*, to pledge.
36. סָמַךְ   *Somakh*, to lay the hand upon, support.
37. שָׁלַח   *Sholakh*, to send forth.
38. אָחַז־שֵׂעָר   *Okhaz-soar*, to seize the hair.
39. חָזַק   *Khozak*, to strengthen, hold fast.
40. צָבַר   *Tsovar*, to heap up.
41. צָפַן   *Tsophan*, to conceal.
42. כָּמַס   *Komas*, to put out of sight, hide.
43. אָצַר   *Otsar*, to keep back, store up.
44. חָסַן   *Khosan*, to secure.
45. נְחַת   *Nokhath* (Chaldee), to deposit, lay up.
46. פָּקַד   *Pokad*, (Hiph.) to give in charge, count, number.
47. אָרַב   *Orav*, to lay in wait.
48. שָׁמַר   *Shomar*, to keep, protect, watch.
49. שׁוּר   *Shoor*, to watch for an opportunity to do evil.
50. רִיב   *Reev*, to strive, contend.
51. שָׁאָה   *Shooh*, to riot.
52. שָׁדַד   *Shodad*, to shatter.
53. חָרַב   *Khorav*, to destroy.
54. בָּתָה   *Bothoh*, to ruin, lay waste.
55. נָצָה   *Notsoh*, to strip, pluck off.
56. נָשַׂג   *Nosag*, to reach, overtake.
57. פָּרַשׂ   *Poras*, to spread out, expose.
58. צוּד   *Tsood*, to hunt, pursue.
59. שָׁגַל   *Shogal*, to lay with (a woman).
60. שָׁמַט   *Shomat*, to fallow (a field).
61. רָבַע   *Rovā*, to engender.

12. Gen. xix. 33.	3. Exod. xxii. 25.
12. —— xxx. 16.	14. Lev. i. 7, 8, 12.
12. —— xxxiv. 2, 33.	3. —— ii. 15.
12. —— xxxv. 22.	14. —— vi. 12.
3. Exod. v. 8.	13. Numb. xii. 11.
12. —— xvi. 13, 14.	1. Deut. vii. 15.
13. —— xxi. 22.	1. —— xi. 25.

LAY

1. Deut. xxi. 8.
12. —— xxii. 22, 25, 29.
3. Josh. viii. 2.
12. Judg. xvi. 3.
12. Ruth iii. 8.
12. 1 Sam. ii. 22.
12. —— iii. 15.
3. —— xi. 2.
12. —— xxvi. 5, 7.
12. 2 Sam. iv. 5.
12. —— xi. 4.
12. —— xii. 3, 16, 24.
12. —— xiii. 14, 31.
7. 1 Kings xiii. 31.
1. —— xviii. 23.
12. —— xix. 5.
12. —— xxi. 27.
12. 2 Kings iv. 34.
3. —— x. 8.
30. 2 Chron. xxxvi. 21.
15. Esth. iv. 3.
16. Job xxix. 19.
3. — xxxiv. 23.
17. Psalm vii. 5.
6. —— xxxviii. 12.
13. —— lxxxiv. 3.
1. Eccles. vii. 2.
2. Isa. v. 8.
3. — xiii. 9.

4. Isa. xiii. 11.
1. — xxii. 22.
4. — xxv. 12.
5. — xxviii. 16.
3. —— 17.
6. — xxix. 21.
7. — xxx. 32.
8. — xxxiv. 15.
9. — xxxviii. 21.
3. — xlvii. 7.
10. — liv. 11.
1. Jer. vi. 21.
1. Ezek. iii. 20.
1. —— iv. 1, 2, 8.
11. —— 3.
3. —— 4.
12. — xxiii. 8.
1. —— xxv. 14, 17.
1. —— xxviii. 17.
1. —— xxxii. 5.
1. —— xxxiii. 28.
1. —— xxxvi. 29.
30. —————— 34.
1. —— xxxvii. 6.
7. —— xlii. 13, 14.
7. —— xliv. 19.
1. Jonah i. 14.
3. Mic. i. 7.
3. Mal. ii. 2.

LAID.

3. Gen. ix. 23.
3. —— xxii. 6.
3. —— xxx. 41.
18. —— xxxviii. 19.
13. —— xlviii. 14.
3. Exod. ii. 3.
19. —— v. 9.
13. —— xxi. 30.
1. Deut. xxvi. 6.
14. Josh. ii. 6.
20. —— vii. 23.
3. —— ix. 24.
13. Ruth iv. 16.
21. 2 Sam. xviii. 17.
12. 1 Kings iii. 20.
22. —— viii. 31.
7. —————— xiii. 29, 30.
12. —— xvii. 19.
12. 2 Kings iv. 21.
3. —————— 31.
12. —————— 32.
22. —— ix. 25.
3. —— xx. 7.
22. 2 Chron. vi. 22.
1. Neh. xiii. 5.
22. Job vi. 2.
23. — xviii. 10.
24. — xxxviii. 6.
25. Psalm xxi. 5.
23. —— xxxiv. 4.

13. Psalm xlix. 14.
26. —— lxii. 9.
3. —— lxxix. 1.
13. —— lxxxviii. 6.
25. —— lxxxix. 19.
27. —— cv. 18.
25. —— cxix. 30.
1. —————— 110.
13. —— cxxxix. 5.
6. —— cxli. 9.
23. —— cxlii. 3.
28. Isa. vi. 7.
3. — xlii. 25.
19. — xlvii. 6.
29. — liii. 6.
3. — lvii. 11.
6. Jer. l. 24.
12. Ezek. xxxii. 19.
1. —— xxxiii. 29.
30. —— xxxv. 12.
31. Hos. xi. 4.
30. Joel i. 17.
35. Amos iii. 8.
3. Obad. 7.
32. Jonah iii. 6.
3. Mic. v. 1.
33. Hab. ii. 19.
3. Hag. ii. 15.
1. Zech. iii. 9.
3. —— vii. 14.

LAY down.

12. Gen. xix. 4, 33, 35.
12. —— xxviii. 11.
12. Numb. xxiv. 9.
12. Judg. v. 27.
12. Ruth iii. 4.
12. 1 Sam. iii. 5, 9.
34. —————— xix. 24.

12. 2 Sam. xiii. 5, 6.
3. Job xiii. 3.
12. Psalm iv. 8.
10. —— civ. 22.
10. Ezek. xix. 2.
31. Amos ii. 8.

LAID down.

12. Josh. ii. 8.
12. —— iv. 8.
7. Ruth iii. 7.
12. 1 Sam. iii. 2, 3.
12. 2 Sam. xiii. 8.

12. 1 Kings xix. 6.
12. —— xxi. 4.
12. Psalm iii. 5.
12. Isa. xiv. 8.

LAY -ED foundation -s.
5. In all passages.

LAY hand.

37. Gen. xxii. 12.
37. —— xxxvii. 22.
1. Exod. vii. 4.
36. Lev. iii. 2, 8, 13.
36. —— iv. 4, 15, 24, 29, 33.
36. Numb. xxvii. 18.
3. Judg. xviii. 19.

37. Esth. ii. 21.
37. —— ix. 2.
13. Job ix. 33.
3. — xl. 4.
3. — xli. 8.
37. Isa. xi. 14.
3. Mic. vii. 6.

LAY hands.

36. Lev. xvi. 21.
36. —— xxiv. 14.
36. Numb. viii. 12.

37. Neh. xiii. 21.
37. Esth. iii. 6.

LAID hand.

37. Exod. xxiv. 11.
3. 2 Sam. xiii. 19.
37. Esth. viii. 7.
37. Esth. ix. 10, 15, 16.

3. Job xxix. 9.
13. Psalm cxxxix. 5.
3. Ezek. xxxix. 21.

LAID hands.

36. Lev. viii. 14.
36. Numb. xxvii. 23.
3. 2 Kings xi. 16.

36. 2 Chron. xxix. 23.
37. Obad. 13.

LAY hold.

33. Deut. xxi. 19.
33. —— xxii. 28.
38. 2 Sam. ii. 21.
33. 1 Kings xiii. 4.
39. Prov. iii. 18.

38. Eccles. ii. 3.
38. Isa. v. 29.
39. Jer. vi. 23.
39. Zech. xiv. 13.

LAID hold.

39. Gen. xix. 16.
39. Judg. xix. 29.

39. 1 Sam. xv. 27.
39. 2 Chron. vii. 22.

LAY up.

40. Gen. xli. 35.
7. Exod. xvi. 23, 33.
7. Numb. xvii. 4.
7. —————— xix. 9.
3. Deut. xi. 18.

7. Deut. xiv. 28.
3. Job xxii. 22.
13. —————— 24.
41. Prov. vii. 1.
41. —— x. 14.

LAID up.

7. Gen. xxxix. 16.
1. —— xli. 48.
7. Exod. xvi. 24, 34.
7. Numb. xvii. 7.
42. Deut. xxxii. 34.
7. 1 Sam. x. 25.
3. —————— xxi. 12.
43. 2 Kings xx. 17.
45. Ezra vi. 1.

41. Psalm xxxi. 19.
41. Prov. xiii. 22.
41. Cant. vii. 13.
46. Isa. x. 28.
46. — xv. 7.
44. — xxiii. 18.
43. — xxxix. 6.
46. Jer. xxxvi. 20.

LAY wait.

47. Ezra viii. 31.	47. Prov. xxiv. 15.
48. Psalm lxxi. 10.	49. Jer. v. 26.
47. Prov. i. 11, 18.	

LAID wait.

47. Judg. ix. 34, 43.	50. Job xxxi. 9.
47. —— xvi. 2.	47. Lam. iv. 19.
3. 1 Sam. xv. 2, 5.	

LAY waste.

51. 2 Kings xix. 25.	51. Isa. xxxvii. 26.
54. Isa. v. 6.	53. Ezek. xxxv. 4.

LAID waste.

30. Psalm lxxix. 7.	53. Ezek. xii. 20.
52. Isa. xv. 1.	53. —— xix. 7.
52. — xxiii. 1, 14.	53. —— xxvi. 2.
53. — xxxvii. 18.	53. —— xxix. 12.
53. — lxiv. 11.	30. Joel i. 7.
55. Jer. iv. 7.	53. Amos vii. 9.
53. — xxvii. 17.	52. Nah. iii. 7.
53. Ezek. vi. 6, twice.	30. Mal. i. 3.

LAIDEST.

3. Psalm lxvi. 11.

LAYEST.

3. Numb. xi. 11.	6. 1 Sam. xxviii. 9.

LAYETH.

41. Job xxi. 19.	13. Prov. xxvi. 24.
3. — xxiv. 12.	37. —— xxxi. 19.
56. — xli. 26.	4. Isa. xxvi. 5.
1. Psalm xxxiii. 7.	39. — lvi. 2.
—— civ. 3, not in original.	3. — lvii. 1.
	3. Jer. ix. 8.
41. Prov. ii. 7.	3. — xii. 11.
57. —— xiii. 16.	5. Zech. xii. 1.

LAYING.

58. Numb. xxxv. 20, 22.	23. Psalm lxiv. 5.

LIE.

All passages not inserted are N°. 12.

60. Exod. xxiii. 11.	16. Judg. xix. 20.
59. Deut. xxviii. 30.	16. Cant. i. 13.
10. —— Josh. viii. 9, 12, not in original.	10. Isa. xiii. 21.
	10. Ezek. xxxiv. 14.
	16. Joel i. 13.

LIE down.

All passages not inserted are N°. 12.

61. Lev. xviii. 23.	10. Isa. xvii. 2.
61. —— xx. 16.	10. — xxvii. 10.
34. Deut. xxv. 2.	10. — lxv. 10.
10. Job xi. 19.	10. Jer. xxxiii. 12.
10. Psalm xxiii. 2.	10. Ezek. xxxiv. 15.
10. Isa. xi. 6, 7.	10. Zeph. ii. 7, 14, 15.
10. — xiv. 30.	10. —— iii. 13.

LIE LIERS in wait.

47. In all passages.

LIE waste.

30. Isa. xxxiii. 8.	53. Hag. i. 4.
53. — xxxiv. 10.	

LIETH waste.

53. Neh. ii. 3, 17.

LIEN.

All passages not inserted are N°. 12.

59. Jer. iii. 2.

LIEST.

In all passages, except:

34. Josh. vii. 10.

LIETH.

All passages not inserted are N°. 12.

10. Gen. iv. 7.	Judg. xvi. 5, 6, 15, not in original.
10. —— xlix. 25.	
30. Lev. xxvi. 34, 35, 43.	36. Psalm lxxxviii. 7.

LEAD, Subst.

עֹפֶרֶת   *Ouphoreth*, lead, in all passages.

LEAD, Verb.

1.	נָהַל	*Nohal*, to lead tenderly.
2.	נָחָה	*Nokhoh*, to guide, conduct.
3.	נָהַג	*Nohag*, to lead an army, nation.
4.	יָצָא	*Yotso*, (Hiph.) to cause to go out.
5.	בְּרֹאשׁ	*Bĕroush*, on, at the head of.
6.	שָׁבָה	*Shovoh*, to capture.
7.	דָּרַךְ	*Dorakh*, (Hiph.) to cause to tread, proceed.
8.	יָלַךְ	*Yolakh*, (Hiph.) to cause to walk.
9.	אִשֵּׁר	*Ishair*, to pronounce happy.
10.	יָבַל	*Yoval*, to bring, carry.
11.	סָבַב	*Sovav*, (Hiph.) to cause to go round, encompass.
12.	גָּלָה	*Goloh*, (Hiph.) to drive captive.
13.	בּוֹא	*Bou*, (Hiph.) to bring.

1. Gen. xxxiii. 14.	2. Neh. ix. 19.
2. Exod. xiii. 21.	2. Psalm v. 8.
2. —— xxxii. 34.	7. —— xxv. 5.
4. Numb. xxvii. 17.	2. —— xxvii. 11.
3. Deut. iv. 27.	2. —— xxxi. 3.
5. —— xx. 9.	2. —— xliii. 3.
3. —— xxviii. 37.	2. —— lx. 9.
2. —— xxxii. 12.	2. —— lxi. 2.
6. Judg. v. 12.	2. —— cviii. 10.
3. 1 Sam. xxx. 22.	8. —— cxxv. 5.
6. 2 Chron. xxx. 9.	2. —— cxxxix. 10, 24.

2. Psalm cxliii. 10.
2. Prov. vi. 22.
8. —— viii. 20.
3. Cant. viii. 2.
9. Isa. iii. 12.
3. — xi. 6.
3. — xx. 4.
1. — xl. 11.

7. Isa. xlii. 16.
3. — xlix. 10.
2. — lvii. 18.
2. — lxiii. 14.
10. Jer. xxxi. 9.
8. — xxxii. 5.
3. Nah. ii. 7.

LEADEST.

3. Psalm lxxx. 1.

LEADETH.

8. Job xii. 17, 19.
1. Psalm xxiii. 2, 3.

8. Prov. xvi. 29.
7. Isa. xlviii. 17.

LED.

2. Gen. xxiv. 27, 48.
3. Exod. iii. 1.
2. —— xiii. 17.
11. —— 18.
2. —— xv. 13.
8. Deut. viii. 2, 15.
8. —— xxix. 5.
11. —— xxxii. 10.
8. Josh. xxiv. 3.
6. 1 Kings viii. 48.
8. 2 Kings vi. 19.
3. 1 Chron. xx. 1.
3. 2 Chron. xxv. 11.
2. Psalm lxxviii. 14, 53.
8. —— cvi. 9.
7. —— cvii. 7.

8. Psalm cxxxvi. 16.
7. Prov. iv. 11.
9. Isa. ix. 16.
8. — xlviii. 21.
10. Isa. lv. 12.
8. — lxiii. 12, 13.
8. Jer. ii. 6, 17.
12. — xxii. 12.
13. — xxiii. 8.
3. Lam. iii. 2.
13. Ezek. xvii. 12.
12. —— xxxix. 28.
11. —— xlvii. 2.
8. Amos ii. 10.
12. —— vii. 11.
12. Nah. ii. 7.

LEDDEST.

4. 2 Sam. v. 2.
4. 1 Chron. xi. 2.

2. Neh. ix. 12.
2. Psalm lxxvii. 20.

LEADER -S.

1. נָגִיד   *Nogeed*, a leader of a people, army, nation.
2. מְאַשֵּׁר   *Mĕashair*, (Hiph.) to cause happiness to others.

1. 1 Chron. xii. 27.
1. —— xiii. 1.

1. Isa. lv. 4.

LEADERS.

1. 2 Chron. xxxii. 21.
2. Isa. ix. 16.

LEAF.

עָלֶה   *Oleh*, a leaf, in all passages.

LEAVES.

1. עָלֶה   *Oleh*, a leaf of a plant.
2. דְּלָתוֹת   *Delothouth*, leaves of a table, &c., a door.

3. טֶרֶף   *Toreph*, prey, provision.
4. קֶלַע   *Kola*, a sling, a curtain.
5. צֶלַע   *Tsola*, a projection, met., a rib.
6. עֳפָיֶה   *Ophyaih*, boughs.

1. Gen. iii. 7.
4. 1 Kings vi. 34.
5. —————— 34.
2. Jer. xxxvi. 23.

3. Ezek. xvii. 9.
2. —— xli. 24, three times.
6. Dan. iv. 12, 14, 21.

LEAVED.

2. Isa. xlv. 1.

LEAGUE.

כָּרַת בְּרִית   *Korath bĕreeth*, to make a covenant; in all passages, except:

חָבַר   *Khovar*, to join.

Dan. xi. 23.

LEAN.

1. דַּק   *Dak*, thin.
2. רָזֶה   *Rozoh*, lean.
3. דַּל   *Dal*, poor, exhausted.
4. רָקָק   *Rokak*, empty.

1. Gen. xli. 3, 4.
3. —— 19.
4. —— 19, 20.
2. Numb. xiii. 20.

3. 2 Sam. xiii. 4.
2. Isa. xvii. 4.
2. Ezek. xxxiv. 20.

LEANNESS.

1. קָמַט   *Komat*, to shrink, wrinkle.
2. רָזוֹן   *Rozoun*, leanness.
3. רָזֶה   *Rozoh*, lean.

1. Job xvi. 8.
2. Psalm cvi. 15.

2. Isa. x. 16.
3. — xxiv. 16.

LEAN, Verb.

1. שָׁעַן   *Shoan*, to lean, support.
2. סָמַד   *Somakh*, to support, sustain.
3. חָזַק   *Khozak*, (Hiph.) to lay hold.
4. רָפַק   *Rophak*, (Hith.) to fasten, fix.

1. Judg. xvi. 26.
2. 2 Kings xviii. 21.
1. Job viii. 15.

1. Prov. iii. 5.
1. Mic. iii. 11.

LEANED.

1. 2 Sam. i. 6.
1. 2 Kings vii. 2.

1. Ezek. xxix. 7.
2. Amos v. 19.

LEANETH.

3. 2 Sam. iii. 29. | 1. 2 Kings v. 18.

LEANING.

4. Cant. viii. 5.

LEAP.

1. עָלָה Oloh, to ascend, go up.
2. נָתַר Notar, to let loose, set free.
3. זָנַק Zonak, to rush out, forth.
4. מָלַט Molat, to escape.
5. רָצַד Rotsad, to leap.
6. דָּלַג Dolag, to bound, gallop.
7. רָקַד Rokad, to dance, skip.
8. פָּזַז Pozaz, to change position, improve.
9. פָּסַח Posakh, to pass over, leap over.

1. Gen. xxxi. 12.	5. Psalm lxviii. 16.
2. Lev. xi. 21.	6. Isa. xxxv. 6.
3. Deut. xxxiii. 22.	7. Joel ii. 5.
4. Job xli. 19.	6. Zeph. i. 9.

LEAPED.

1. Gen. xxxi. 10.	9. 1 Kings xviii. 26.
6. 2 Sam. xxii. 30.	6. Psalm xviii. 29.

LEAPING.

8. 2 Sam. vi. 16. | 6. Cant. ii. 8.

LEARN -ED.

לָמַד Lomad, to learn, in all passages.

LEARNING.

1. לֶקַח Lekakh, a token, doctrine.
2. סֵפֶר Saipher, a book, narrative.

1. Prov. i. 5.	1. Prov. xvi. 21, 23.
1. —— ix. 9.	2. Dan. i. 4, 17.

LEASING.

כָּזָב Kozov, a lie.

Psalm iv. 2. | Psalm v. 6.

LEAST.

1. קָטֹן Koton, little.
2. מָעַט Moat, to lessen.
3. צָעִיר Tsoeer, younger, youngest.

1. Gen. xxxii. 10.	1. Jer. xxxi. 34.
2. Numb. xi. 32.	1. — xlii. 1, 8.
3. Judg. vi. 15.	1. — xliv. 12.
3. 1 Sam. ix. 21.	3. — xlix. 20.
1. 2 Kings xviii. 24.	3. — L. 45.
1. 1 Chron. xii. 14.	Amos ix. 9, not in
1. Jer. vi. 13.	original.
1. — viii. 10.	1. Jonah iii. 5.

LEAST, at the.

1. אוֹ Ou, or.
2. רַק Rak, only.
3. אַךְ Akh, except, but.

1. Gen. xxiv. 55. | 3. 1 Sam. xxi. 4.
2. Judg. iii. 2. |

LEATHER.

עוֹר Our, a skin.

2 Kings i. 8.

LEAVE, Subst.

1. נָתַן Nothan, to give, grant.
2. שָׁאַל Shoal, to ask, require.

1. Numb. xxii. 13. | 2. Neh. xiii. 6.
2. 1 Sam. xx. 6. |

LEAVE.

1. עָזַב Ozav, to forsake, leave behind.
2. יָצַג Yotsag, to set up, fix, establish.
3. נוּחַ Nooakh, to rest.
4. יָתַר Yothar, to abound, to leave, from having abundance.
5. שָׁאַר Shoar, to reserve, leave a remnant.
6. חָדַל Khodal, to forbear, neglect.
7. שׂוּם Soom, to place, set, appoint.
8. נָחַל Nokhal, to inherit.
9. יָרַשׁ Yorash, to succeed, drive away.
10. רָפָה Rophoh, to slacken, desist.
11. נָטַשׁ Notash, to reject, give up.
12. עָרָה Oroh, to pour out, make bare.
13. נָתַן Nothan, to give, give over.
14. שָׁשָׁא Shosho, to entice, lead astray.
15. שָׁבַק Shovak (Chaldee), to forsake.
16. כָּלָה Koloh, to finish, make an end.
17. לוּן Loon, to lodge all night, remain.
18. שָׂרַד Sorad, to escape.
19. עָמַד Omad, to stand, stay.
20. סוּר Soor, to depart.
21. שָׁבַת Shovath, (Hiph.) cause to cease.
22. שָׁלַח Shulakh, to be sent off.
23. עָתַק Othak, to remove.
24. חָרַשׁ Khorash, to be silent.
25. נָקָה Nikkoh, (repeated) to make entirely free.

1. Gen. ii. 24.
1. —— xxviii. 15.
2. —— xxxiii. 15.
3. —— xlii. 33.
1. —— xliv. 22.
4. Exod. xvi. 19.
4. —— xxiii. 11.
3. Lev. vii. 15.
3. —— xvi. 23.
1. —— xix. 10.
4. —— xxii. 30.
1. —— xxiii. 22.
5. Numb. ix. 12.
1. —— x. 31.
3. —— xxxii. 15.
5. Deut. xxviii. 51.
4. —— 54.
3. Josh. iv. 3.
6. Judg. ix. 9, 13.
1. Ruth i. 16.
6. 1 Sam. ix. 5.
5. —— xiv. 36.
5. —— xxv. 22.
7. 2 Sam. xiv. 7.
1. 1 Kings viii. 57.
1. 2 Kings ii. 2, 4, 6.
1. —— iv. 30.
4. —— 43.
5. —— xiii. 7.
8. 1 Chron. xxviii. 8.
5. Ezra ix. 8.
9. —— 12.
1. Neh. v. 10.
10. —— vi. 3.
11. —— x. 31.
1. Job ix. 27.
1. — x. 1.
1. — xxxix. 11.
1. Psalm xvi. 10.
3. —— xvii. 14.

1. Psalm xxvii. 9.
1. —— xxxvii. 33.
1. —— xlix. 10.
3. —— cxix. 121.
12. —— cxli. 8.
1. Prov. ii. 13.
11. —— xvii. 14.
3. Eccles. ii. 18.
13. —— 21.
3. —— x. 4.
1. Isa. x. 3.
3. — lxv. 15.
1. Jer. ix. 2.
3. — xiv. 9.
1. — xvii. 11.
1. — xviii. 14.
— xxx. 11, not in original.
4. — xliv. 7.
25. — xlvi. 28.
1. — xlviii. 28.
5. — xlix. 9.
1. —— 11.
4. Ezek. vi. 8.
4. —— xii. 16.
3. —— xvi. 39.
3. —— xxii. 20.
1. —— xxiii. 29.
11. —— xxix. 5.
11. —— xxxii. 4.
14. —— xxxiʌ. 2.
15. Dan. iv. 15, 23, 26.
11. Hos. xii. 14.
5. Joel ii. 14.
5. Amos v. 3.
3. —— 7.
5. Obad. 5.
5. Zeph. iii. 12.
1. Mal. iv. 1.

LEAVETH.

1. Job xxxix. 14.
8. Prov. xiii. 22.
—— xxviii. 3, not in original.

1. Zech. xi. 17.

LEFT.

16. Gen. xviii. 33.
1. —— xxiv. 27.
19. —— xxix. 35.
19. —— xxx. 9.
5. —— xxxii. 8.
1. —— xxxix. 6, 12, 13, 15, 18.
6. —— xli. 49.
16. —— xliv. 12.
5. —— xlvii. 18.
1. —— L. 8.
1. Exod. ii. 20.
1. —— ix. 21.
5. —— x. 12, 26.
4. —— 15.
4. —— xvi. 20.
17. —— xxxiv. 25.
4. Lev. ii. 10.
4. —— x. 12.
5. —— xxvi. 39.
1. —— 43.

4. Numb. xxvi. 65.
5. Deut. ii. 34.
5. —— iv. 27.
5. —— vii. 20.
5. —— xxviii. 55, 62.
1. —— xxxii. 36.
3. Josh. vi. 23.
1. —— viii. 17.
5. —— x. 33, 37, 39, 40.
5. —— xi. 8, 14, 22.
4. —— 11.
20. —— 15.
1. —— xxii. 3.
1. Judg. ii. 21.
3. —— 23.
3. — iii. 1.
5. — iv. 16.
5. — vi. 4.
4. — ix. 5.
5. Ruth i. 3, 5.
6. —— 18.

1. Ruth ii. 11.
4. —— 14.
4. 1 Sam. ii. 36.
5. —— v. 4.
5. —— ix. 24.
11. —— x. 2.
5. —— xi. 11.
11. —— xvii. 20, 22.
4. —— xxv. 34.
— xxvii. 9, not in original.
1. 2 Sam. v. 21.
4. —— ix. 1.
4. —— xiii. 30.
5. —— xiv. 7.
1. —— xv. 16.
3. —— xvi. 21.
4. —— xvii. 12.
4. 1 Kings ix. 21.
1. —— xiv. 10.
5. —— xv. 29.
5. —— xvi. 11.
4. —— xvii. 17.
3. —— xix. 3.
5. —— 18.
1. —— 20.
4. 2 Kings iv. 44.
1. —— vii. 7.
5. —— 13, twice.
1. —— viii. 6.
1. —— ix. 8.
5. —— x. 11, 21.
1. —— xiv. 26.
1. —— xvii. 16.
5. —— xix. 4.
4. —— xx. 17.
5. —— xxv. 12.
5. 1 Chron. xiii. 2.

4. 2 Chron. viii. 8.
1. —— xi. 14.
1. —— xii. 5.
5. —— xxi. 17.
1. —— xxiv. 18, 25.
4. —— xxxi. 10.
1. —— xxxii. 31.
5. —— xxxiv. 21.
5. Neh. i. 2, 3.
4. —— vi. 1.
18. Job xx. 21, 26.
4. Psalm cvi. 11.
22. Prov. xxix. 15.
4. Isa. i. 8, 9.
4. — iv. 3.
4. — vii. 22.
1. — x. 14.
5. — xi. 16.
5. — xvii. 6.
5. — xxiv. 6, 12.
4. — xxx. 17.
5. — xxxvii. 4.
4. — xxxix. 6.
1. Jer. xii. 7.
18. — xxxi. 2.
5. — xxxix. 10.
5. — xlii. 2.
1. — xlix. 25.
5. — L. 26.
5. — lii. 16.
4. Ezek. xiv. 22.
1. —— xxiii. 8.
11. —— xxxi. 12.
15. Dan. ii. 44.
4. Joel i. 4.
5. Hag. ii. 3.
4. Zech. xiii. 8.

LEFT off.

6. Gen. xi. 8.
16. —— xvii. 22.
1. Ruth ii. 20.
21. —— iv. 14.
6. 1 Kings xv. 21.
6. 2 Chron. xvi. 5.

23. Job xxxii. 15.
6. Psalm xxxvi. 3.
24. Jer. xxxviii. 27.
6. — xliv. 18.
1. Hos. iv. 10.

LEAVEN.

שְׂאֹר *St* Seor*, sour dough, in all passages.

LEAVENED.

חָמֵץ *Khomaits*, leavened, in all passages.

LED -EST.

See Lead.

LEDGES.

1. שְׁלַבִּים *Shelabbeem*, ledges, loops.
2. יָדוֹת *Yodouth*, hands; met., the sides or wings of doors.

1. 1 Kings vii. 8. | 2. 1 Kings vii. 35, 36.

LEEKS.
חָצִיר **Khotseer**, leeks.

Numb. xi. 5.

LEES.
שְׁמָרִים **Shěmoreem**, lees.

Isa. xxv. 6. | Zeph. i. 12.
Jer. xlviii. 11.

LEFT, corner, hand, pillar, side.
שְׂמֹאל **Sěmoul**, the left-hand side, &c.,
in all passages.

LEFT-handed.
אִטֵּר יַד **Ittair yad**, left-handed.

Judg. iii. 15. | Judg. xx. 16.

LEG -S.
רֶגֶל **Regel**, foot, leg, pedestal, in all
passages.

LEND.
1.   לָוָה **Lovoh**, to adhere, accompany,
      assist (Hiph.).
2.   נָתַן **Nothan**, to give.
3.   עָבַט **Ovat**, to pledge, lend on.
4.   נָשַׁךְ **Noshak**, (Hiph.) to bite; met.,
      lend on usury.
5.   נָשָׁה **Noshoh**, (Hiph.) to lend on
      usury.
6.   שָׁאַל **Shoal**, (Hiph.) to cause to ac-
      quire.

1. Exod. xxii. 25. | 4. Deut. xxiii. 19, 20.
2. Lev. xxv. 37. | 5. —— xxiv. 10, 11.
3. Deut. xv. 6, 8. | 1. —— xxviii. 12, 44.

LENDETH.
5. Deut. xv. 2. | 1. Psalm cxii. 5.
1. Psalm xxxvii. 26. | 1. Prov. xix. 17.

LENT.
6. Exod. xii. 36. | 6. 1 Sam. ii. 20.
4. Deut. xxiii. 19. | 5. Jer. xv. 10.
6. 1 Sam. i. 28.

LENDER.
מַלְוֶה **Malveh**, a lender.

Prov. xxii. 7. | Isa. xxiv. 2.

LENGTH.
אֹרֶךְ **Ourekh**, length, in all passages.

LENGTH, at.
אַחֲרִית **Akhareeth**, the last, at last.

Prov. xxix. 21.

LENGTHEN.
אָרַךְ **Orakh**, to lengthen.

1 Kings iii. 14. | Isa. liv. 2.

LENGTHENED.
Deut. xxv. 15.

LENGTHENING.
אַרְכָה **Arkoh** (Syriac), a lengthening.

Dan. iv. 27.

LENTILES.
עֲדָשִׁים **Ădasheem**, lentiles.

Gen. xxv. 34. | 2 Sam. xxiii. 11.

LEOPARD -S.
נָמֵר **Nomair**, a leopard, in all pas-
sages.

LEPER -S.
מְצוֹרָע **Metsouro**, a leper, in all pas-
sages.

LEPROSY.
צָרַעַת **Tsoraath**, leprosy, in all pas-
sages.

LEPROUS.
צָרוּעַ **Tsorooa**, leprous, in all passages.

LESS.
1.   מְעַט **Měat**, a little, trifle.
2.   קָטֹן **Koton**, small, little.
3.   לְמַטָּה **Lěmattoh**, beneath, below.
4.   אַף **Aph**, yea, indeed, although.
5.   אֶפֶס **Ephes**, deficiency, want.

All passages not inserted are N°. 1.

2. Numb. xxii. 18. | 4. Prov. xvii. 7.
2. 1 Sam. xxii. 15. | 4. —— xix. 10.
2. —— xxv. 36. | 5. Isa. xl. 17.
3. Ezra ix. 13.
Job xi. 6, not in
    original.

LESSER.

1.   קָטֹן   *Koton*, little.
2.   שֶׂה   *Seh*, a young sheep, goat.

1. Gen. i. 16.	1. Ezek. xliii. 14.
2. Isa. vii. 25.	

LEST.

פֶּן   *Pen*, perhaps, lest, peradventure ; in all passages, except :

1.   וְלֹא   *Velou*, and not.
2.   בַּל   *Bal*, not.
3.   מ   Prefixed to relative verb.

1. Gen. xiv. 23.	3. Zech. vii. 12.
2. Psalm xxxii. 9.	

LET.

1.   שָׁלַח   *Sholakh*, to send forth.
2.   נָתַן   *Nothan*, to grant.
3.   פָּרַע   *Pora*, to pull off.
4.   מָאֵן   *Moain*, to refuse.
5.   הָלַךְ   *Holakh*, to go, proceed.
6. The letter ו prefixed to the relative verb signifies, " And, then."
7. Nº. 3 in Hiph., cause to pull off.
8.   שׁוּב   *Shoov*, (Hiph.) to cause to turn.
9.   חָדַל   *Khodal*, to spare, cease.
10.   נוּחַ   *Nooakh*, (Hiph.) to give rest.
11.   רָפָה   *Rophoh*, (Hiph.) to slacken.
12.   שָׁבַק   *Shovak*, to forsake, leave.
13.   שִׁית   *Sheeth*, to set, place.

1. Gen. xlix. 21.	1. Exod. xiii. 17.
2. Exod. iii. 19.	1. —— xiv. 5.
1. —————— 20.	9. —————— 12.
1. —— iv. 21.	1. —— xviii. 27.
1. —— v. 1.	7. —— xxi. 8.
7. ————— 4.	1. —————— 26, 27.
1. —— vii. 14, 16.	—— xxiii. 11, not in
1. —— viii. 1, 20, 28,	original.
32.	10. —— xxxii. 10.
1. —— ix. 1, 7.	7. —— xxxiii. 12.
————— 8, not in	1. Lev. xiv. 7.
original.	7. —— xviii. 21.
1. —————— 13, 17, 35.	1. —— xix. 19.
1. —— x. 3, 4, 7, 10,	11. Deut. ix. 14.
20.	1. —— xv. 12, 13.
————— 24, not in	7. Josh. x. 28, 30.
original	1. —— xxiv. 28.
1. —————— 27.	1. Judg. i. 25.
1. —— xi. 10.	11. —— xi. 37.
6. —— xii. 4.	2. 1 Sam. xviii. 2.
7. —————— 10, 48.	1. 2 Sam. xi. 12.

7. 2 Sam. xiii. 6.	7. Job xxvii. 6.
10. ———— xvi. 11.	Psalm lxix. 6, not in
1 Kings xviii. 40, not	original.
in original.	7. —— cix. 6.
11. 2 Kings iv. 27.	7. —— cxix. 10.
2. 2 Chron. xx. 10.	7. Cant. iii. 4.
12. Ezra vi. 7.	2. —— viii. 11.
7. Esth. v. 12.	8. Isa. xliii. 13.
7. Job vi. 9.	7. Jer. xxvii. 11.
13. — x. 20.	10. Hos. iv. 17.
— xiii. 13, not in	
original.	

LETTEST.

7. Job xv. 13.	7. Job xli. 1.

LETTETH.
9. Prov. xvii. 14.

LETTING.
1. Exod. viii. 29.

LET down.

1.   נָטָה   *Notoh*, to incline.
2.   יָרַד   *Yorad*, to descend.
3.   נוּחַ   *Nooakh*, to rest, (Hiph.) cause to rest.
4.   יָלַךְ   *Yolakh*, to proceed, go on.
5.   שָׁלַח   *Sholakh*, to send forth.
6.   רָפָה   *Rophoh*, to enfeeble.

1. Gen. xxiv. 14.	2. 1 Sam. xix. 12.
2. —————— 18, 46.	4. 2 Kings xiii. 21.
3. Exod. xvii. 11.	5. Jer. xxxviii. 6.
2. Josh. ii. 15, 18.	6. Ezek. i. 24, 25.

LETTER -S.

1.   סֵפֶר   *Saipher*, a letter, book.
2.   נִשְׁתְּוָן   *Nishtevon* (Chaldee), a petition.
3.   אִגֶּרֶת   *Agereth* (Chaldee), a letter.
4.   פִּתְגָם   *Pithgom* (Chaldee), a matter, edict, word, document.

All passages not inserted are Nº. 1.

2. Ezra iv. 7.	2. Ezra vii. 11.
3. —— 8.	3. Neh. ii. 8.
3. —— v. 6.	3. —— vi. 5.
4. —— 7.	3. Esth. ix. 29.

LETTERS.
All passages not inserted are Nº. 1.

3. 2 Chron. xxx. 1, 6.	3. Neh. vi. 17, 19.
3. Neh. ii. 7.	

LEVIATHAN.
לִוְיָתָן   *Livyothon*, leviathan.

Job xli. 1.	Psalm civ. 26.
Psalm lxxiv. 14.	Isa. xxvii. 1.

LEVITE.

לֵוִי *Laivee*, a Levite, in all passages.

LEVITES.

לְוִיִּם *Leviyeem*, Levites, in all passages.

LEVY, Subst.

מַס *Mas*, tribute.

1 Kings v. 13, 14.	1 Kings ix. 15.

LEVY, Verb.

1. רוּם *Room*, to raise.
2. עָלָה *Oloh*, to put upon, (Hiph.) to bring up.

1. Numb. xxxi. 28.	2. 1 Kings ix. 21.

LEWD.

1. זִמָּה *Zimmoh*, lewdness.
2. נַבְלוּת *Navlooth*, corruption.

1. Ezek. xvi. 27.	1. Ezek. xxiii. 44.

LEWDLY.

1. Ezek. xxii. 11.

LEWDNESS.

1. In all passages, except:
2. Hos. ii. 10.

LIAR.

1. שֶׁקֶר *Sheker*, a falsehood.
2. כֹּזֵב *Kouzaiv*, deceiving, lying.
3. כָּזָב *Kozov*, a deliberate lie.
4. כָּחַשׁ *Kokhash*, to deny.
5. בַּדִּים *Baddeem*, singularities.
6. דְּבַר־כָּזָב *Devar-kozov*, a lying word.
7. שָׁוְא *Shove*, vain, false.
8. תַּאֲנִים *Tĕuneem*, afflictions, sorrows.

2. Job xxiv. 25.	2. Prov. xxx. 6.
1. Prov. xvii. 4.	2. Jer. xv. 18.
3. —— xix. 22.	

LIARS.

4. Deut. xxiii. 29.	5. Isa. xliv. 25.
2. Psalm cxvi. 11.	5. Jer. l. 36.

LIE, Subst.

3. Psalm lxii. 9.	1. Jer. xxix. 21, 31.
1. —— cxix. 69.	3. Ezek. xxi. 29.
1. Isa. xliv. 20.	3. Mic. i. 14.
1. Jer. xxvii. 10,14,15,16.	1. Zech. x. 2.
1. — xxviii. 15.	

LIES.

3. Judg. xvi. 10, 13.	1. Jer. xvi. 19.
5. Job xi. 3.	1. — xx. 6.
1. — xiii. 4.	1. — xxiii. 14,25,26,32.
3. Psalm xl. 4.	1. — xlviii. 30.
3. —— lviii. 3.	5. — xlviii. 30.
3. —— lxii. 4.	3. Ezek. xiii. 8, 9, 19.
1. —— lxiii. 11.	1. —————— 22.
1. —— ci. 7.	3. —— xxii. 28.
3. Prov. vi. 19.	8. —— xxiv. 12.
3. —— xiv. 5, 25.	3. Dan. xi. 27.
3. —— xix. 5, 9.	4. Hos. vii. 3.
1. —— xxix. 12.	3. ————————13.
6. —— xxx. 8.	4. —— x. 13.
1. Isa. ix. 15.	4. —— xi. 12.
5. — xvi. 6.	3. —— xii. 1.
3. — xxviii. 15, 17.	3. Amos ii. 4.
1. — lix. 3.	1. Mic. vi. 12.
7. —————— 4.	4. Nah. iii. 1.
1. Jer. ix. 3, 5.	1. Hab. ii. 18.
1. — xiv. 14.	3. Zeph. iii. 13.
	1. Zech. xiii. 3.

LIE, Verb.

1. כָּזַב *Kozav*, to deceive, lie.
2. שָׁקַר *Shokar*, to speak falsely.
3. מָעַל *Moal*, to transgress against God.
4. כָּחַשׁ *Kokhash*, (Piel) to deny.
5. שָׁוְא *Shove*, false, vain.
6. שֶׁקֶר *Sheker*, a falsehood.
7. כַּחַשׁ *Kakhash*, a lie, denial.
8. כָּזָב *Kozov*, a deliberate lie.

3. Lev. vi. 2.	1. Job xxxiv. 6.
2. —— xix. 11.	1. Psalm lxxxix. 35.
1. Numb. xxiii. 19.	1. Prov. xiv. 5.
2. 1 Sam. xv. 29.	2. Isa. lxiii. 8.
1. 2 Kings iv. 16.	1. Mic. ii. 11.
1. Job vi. 28.	1. Hab. ii. 3.

LIED.

4. 1 Kings xiii. 18.	1. Isa. lvii. 11.
1. Psalm lxxviii. 36.	

LIETH.

4. Lev. vi. 3.

LYING.

5. Psalm xxxi. 6.	6. Prov. xxi. 6.
6. —————— 18.	6. —— xxvi. 28.
6. —— lii. 3.	7. Isa. xxx. 9.
7. —— lix. 12.	6. — xxxii. 7.
6. —— cix. 2.	6. — lix. 13.
6. —— cxix. 29, 163.	6. Jer. vii. 4, 8.
6. —— cxx. 2.	6. — xxix. 23.
6. Prov. vi. 17.	8. Ezek. xiii. 6, 7, 19.
6. —— x. 18.	8. Dan. ii. 9.
6. —— xii. 19, 22.	7. Hos. iv. 2.
6. —— xiii. 5.	5. Jonah ii. 8.
6. —— xvii. 7.	

LYING spirit.

6. 1 Kings xxii. 22, 23.	6. 2 Chron. xviii. 21, 22.

LIBERAL.

1. בְּרָכָה *Bĕrokhoh*, a blessing.
2. נָדִיב *Nodeev*, liberal.

1. Prov. xi. 25. | 2. Isa. xxxii. 5, 8.

LIBERALLY.

עָנַק *Onak*, to load with property, to decorate.

Deut. xv. 14.

LIBERTY.

1. דְּרוֹר *Dĕrour*, liberty, let loose.
2. רְחָבָה *Rĕkhovoh*, an open place, a wide street, space.
3. חָפְשִׁי *Khophshee*, free.

1. Lev. xxv. 10. | 3. Jer. xxxiv. 16.
2. Psalm cxix. 45. | 1. ——— 17.
1. Isa. lxi. 1. | 1. Ezek. xlvi. 17.
1. Jer. xxxiv. 8, 15. |

LICE.

כִּנִּים *Kineem*, lice.

Exod. viii. 16, 17, 18. | Psalm cv. 31.

LICK.

1. לָקַק *Lokak*, to lick, lap up.
2. לָחַךְ *Lokhakh*, to clear away, eat up entirely.

2. Numb. xxii. 4. | 2. Psalm lxxii. 9.
1. 1 Kings xxi. 19. | 2. Isa. xlix. 23.

LICKED.

2. 1 Kings xviii. 38. | 1. 1 Kings xxii. 38.
1. ——— xxi. 19. |

LICKETH.

2. Numb. xxii. 4.

LID.

דֶּלֶת *Deleth*, a leaf of a door, lid of a box, shutter.

2 Kings xii. 9.

LIEUTENANTS.

אֲחַשְׁדַּרְפָּנִים *Akhashdarpaneem* (Syriac), chief governors.

Ezra viii. 36. | Esther viii. 9.
Esther iii. 12. | ——— ix. 3.

LIFE.

1. חַיִּים *Khayeem* (plural), the life, applied to God and man only.
2. חַיָּה *Khayoh*, living, active life.
3. נֶפֶשׁ *Nephesh*, life, animal breath, applied to man and beast, or any living creature.
4. מִחְיָה *Mikhyoh*, sustenance, nourishment.
5. חָיָה *Khoyoh*, to live, (Hiph.) to cause to live.
6. נֶפֶשׁ חַיָּה *Nephesh khayoh*, living breath, or creature.
7. יָמִים עַל־יָמִים *Yomeem al-yomeem*, days upon days.
8. יָמִים *Yomeem*, days.

6. Gen. i. 20, 30. | 1. Psalm xxxvi. 9.
1. ——— ii. 7, 9. | 7. ——— lxi. 6.
1. ——— iii. 22, 24. | 1. ——— lxiii. 3.
1. ——— vi. 17. | 1. ——— lxvi. 9.
1. ——— vii. 22. | 3. ——— lxxviii. 50.
3. ——— ix. 4, 5. | 8. ——— xci. 16.
2. ——— xviii. 10, 14. | 1. ——— cxxxiii. 3.
1. ——— xxiii. 1. | 3. Prov. i. 19.
1. ——— xxv. 7, 17. | 1. ——— ii. 19.
1. ——— xlii. 15, 16. | 1. ——— iii. 2, 18, 22.
4. ——— xlv. 5. | 1. ——— iv. 22, 23.
1. ——— xlvii. 9. | 1. ——— v. 6.
1. Exod. vi. 6, 18, 20. | 1. ——— vi. 23.
4. ——— xxi. 23. | 3. ——— 26.
3. Lev. xvii. 11, 14. | 1. ——— viii. 35.
1. ——— xviii. 18. | 1. ——— x. 11, 17.
3. Deut. xii. 23. | 3. ——— xi. 30.
3. ——— xix. 21. | 3. ——— xii. 10.
3. ——— xxiv. 6. | 1. ——— 28.
1. ——— xxx. 15, 19. | 3. ——— xiii. 8.
1. ——— xxxii. 47. | 1. ——— 12, 14.
3. Josh. ii. 14. | 1. ——— xiv. 27, 30.
3. 1 Sam. xxv. 29. | 1. ——— xv. 4, 24, 31.
3. 2 Sam. xiv. 7. | 1. ——— xvi. 15, 22.
1. ——— xv. 21. | 1. ——— xviii. 21.
3. 1 Kings iii. 11. | 1. ——— xxi. 21.
2. 2 Kings iv. 16, 17. | 1. ——— xxii. 4.
3. ——— vii. 7. | 1. ——— xxxi. 12.
3. 2 Chron. i. 11. | 1. Eccles. ii. 3, 17.
1. Ezra vi. 10. | 5. ——— vii. 12.
3. Esth. viii. 11. | 1. Isa. xxxviii. 16, 20.
1. Job iii. 20. | 2. ——— lvii. 10.
1. — x. 12. | 1. Jer. viii. 3.
1. — xxiv. 22. | 3. — xxi. 7.
3. — xxxi. 39. | 1. ——— 8.
5. — xxxiii. 4. | 3. — xxxiv. 20, 21.
5. — xxxvi. 6. | 3. — xlix. 37.
2. ——— 14. | 3. Lam. ii. 19.
1. Psalm xvi. 11. | 5. Ezek. xiii. 22.
1. ——— xxi. 4. | 5. ——— xxxiii. 15.
1. ——— xxx. 5. | 3. Jonah i. 14.
1. ——— xxxiv. 12. | 1. Mal. ii. 5.

LIFE, his.

2. Gen. xliv. 40. | 3. Exod. xxi. 30.

1. Deut. xviii. 19.
1. Josh. iv. 14.
3. Judg. ix. 17.
1. —— xvi. 30.
3. 1 Sam. xix. 12.
3. —— xxiii. 15.
1. 2 Sam. xviii. 18.
3. 1 Kings ii. 23.
3. —— xix. 3.
3. —— xx. 39, 42.
3. 2 Kings x. 24.
5. Neh. vi. 11.
3. Esth. vii. 7.
3. Job ii. 4, 6.

2. Job xxxiii. 18, 20, 22, 28.
3. Prov. vii. 23.
3. —— xiii. 3.
1. Eccles. iii. 12.
1. —— viii. 15.
3. Isa. xv. 4.
3. Jer. xxi. 9.
3. — xxxviii. 2.
3. — xliv. 30.
5. Ezek. iii. 18.
2. —— vii. 13.
3. —— xxxii. 10.

LIFE, my.

3. Gen. xix. 19.
1. —— xxvii. 46.
3. —— xxxii. 30.
3. Judg. xii. 3.
1. 1 Sam. xiii. 8.
3. —— xx. 1.
3. —— xxii. 23.
3. —— xxvi. 24.
3. —— xxviii. 9, 21.
3. 2 Sam. i. 9.
3. —— xvi. 11.
3. —— xviii. 13.
3. 1 Kings xix. 4, 10, 14.
3. 2 Kings i. 13, 14.
3. Esth. vii. 3.
3. Job vi. 11.
1. — vii. 7.
3. —— 15.

1. Job ix. 21.
1. — x. 1.
3. — xiii. 14.
1. Psalm vii. 5.
1. —— xxiii. 6.
1. —— xxvi. 9.
1. —— xxvii. 1, 4.
1. —— xxxi. 10.
3. —— 13.
3. —— xxxviii. 12.
1. —— xlii. 8.
1. —— lxiv. 1.
1. —— lxxxviii. 3.
1. —— cxliii. 3.
1. Isa. xxxviii. 12.
1. Lam. iii. 53, 58.
1. Jonah ii. 6.
3. —— iv. 3.

LIFE, this.

1. Psalm xvii. 14.
1. Eccles. vi. 12.

1. Eccles. ix. 9.

LIFE, thy.

3. Gen. xix. 17.
3. Exod. iv. 19.
1. Deut. xxviii. 66.
3. Judg. xviii. 25.
3. Ruth iv. 15.
3. 1 Sam. xix. 11.
3. —— xxii. 23.
3. —— xxvi. 24.
3. 2 Sam. iv. 8.
3. —— xix. 5.
3. 1 Kings i. 12.
3. —— xix. 2.

3. 1 Kings xx. 31, 39, 42.
1. Psalm ciii. 4.
1. Prov. iv. 10, 13.
1. —— ix. 11.
3. Isa. xliii. 4.
3. Jer. iv. 30.
3. — xi. 21.
3. — xxii. 25.
3. — xxxviii. 16.
3. — xxxix. 18.
3. — xlv. 5.

LIFE, to.

2. 2 Kings viii. 1, 5.
1. Prov. x. 16.

1. Prov. xi. 19.
1. —— xix. 23.

LIVES.

3. Gen. ix. 5.
2. — xlv. 7.
5. — xlvii. 25.
1. Exod. i. 14.
3. Josh. ii. 13.
3. — ix. 24.
3. Judg. v. 18.
3. — xviii. 25.
1. 2 Sam. i. 23.
3. —— xix. 5.

3. 2 Sam. xxiii. 17.
3. 1 Chron. xi. 19.
3. Esth. ix. 16.
3. Prov. i. 18.
3. Jer. xix. 7, 9.
3. — xlvi. 26.
3. — xlviii. 6.
3. Lam. v. 9.
1. Dan. vii. 12.

LIFT.

1.   נָשָׂא   *Nosō*, to lift up, bear.
2.   רוּם   *Room*, to exalt with praise.
3.   עָלָה   *Oloh*, (Hiph.) to cause to go up.
4.   נוּף   *Nooph*, to wave, shake.
5.   קוּם   *Koom*, to rise.
6.   עוּר   *Oor*, to stir up, awake.
7.   נָתַק   *Notak*, to pluck up.
8.   גָּבַהּ   *Govoh*, to heighten.
9.   נָסַס   *Nosas*, to lift up a standard.
10.   גָּדַל   *Godal*, to magnify.
11.   עָנָה   *Onoh*, to express by mouth, answer.
12.   צָהַל   *Tsohal*, to rejoice.
13.   נָתַן   *Nothan*, to give, set forth.
14.   כְּמֵבִיא לְמַעְלָה   *Kemaivee lemaăloh*, as bringing upward.
15.   נָטַל   *Notal*, to take up.
16.   עָפַל   *Ophal*, to swell, puff up.
17.   מָרָא   *Morō*, (Hiph.) to hurry.
18.   עוֹדַד   *Oudaid*, to relieve.
19.   גֵּוָה   *Gaivvoh*, haughtiness.
20.   גֵּאוּת   *Gaiooth*, excellency.
21.   רָאַם   *Roam*, to elevate.

All passages not inserted are N°. 1.

3. Gen. xxxvii. 28.
2. Exod. vii. 20.
2. — xiv. 16.
4. — xx. 25.
5. Deut. xxii. 4.
4. — xxvii. 5.
7. Josh. iv. 18.
4. — viii. 31.
6. 2 Sam. xxiii. 18.
6. 1 Chron. xi. 11.
2. — xxv. 5.
8. 2 Chron. xvii. 6.
2. Ezra ix. 6.

4. Job xxxi. 21.
6. —— 29.
9. Psalm iv. 6.
10. — xli. 9.
2. — lxxiv. 3.
2. — lxxv. 4.
2. — cx. 7.
5. Eccles. iv. 10.
9. Isa. lix. 19.
2. — lxii. 10.
11. Jer. li. 14.
5. Ezek. xxvi. 8.

LIFT hand -s.

All passages not inserted are N°. 1.

2. Gen. xiv. 22.
2. — xli. 44.
2. Numb. xx. 11.

2. 1 Kings xi. 26.
2. Mic. v. 9.

LIFT voice -s.

All passages not inserted are N°. 1.

2. 2 Chron. v. 13.
2. Job xxxviii. 34.
12. Isa. x. 30.
2. — xl. 9.

2. Isa. lviii. 1.
13. Jer. xxii. 20.
2. Ezek. xxi. 22.

LIFTED.

All passages not inserted are N°. 1.

2. Deut. viii. 14.	2. Ezek. x. 17.
2. —— xvii. 20.	8. —— xxviii. 2, 5, 17.
2. 2 Sam. xxii. 49.	8. —— xxxi. 10.
8. 2 Chron. xxvi. 16.	2. ——————10.
8. —————— xxxii. 25.	2. Dan. v. 20, 23.
2. Psalm xxvii. 6.	15. —— vii. 4.
2. —— xxx. 1.	16. Hab. ii. 4.
14. —— lxxiv. 5.	9. Zech. ix. 16.
2. Isa. xxvi. 11.	21. —— xiv. 10.

LIFTEST.

1. Job xxx. 22.	2. Psalm xviii. 48.
2. Psalm ix. 13.	13. Prov. ii. 3.

LIFTETH.

2. 1 Sam. ii. 7, 8.	18. Psalm cxlvii. 6.
1. 2 Chron. xxv. 19.	1. Isa. xviii. 3.
17. Job xxxix. 18.	3. Jer. li. 3.
2. Psalm cvii. 25.	3. Nah. iii. 3.
2. —— cxiii. 7.	

LIFTING.

6. 1 Chron. xi. 20.	1. Psalm cxli. 2.
2. —— xv. 16.	1. Prov. xxx. 32.
3. Neh. viii. 6.	20. Isa. ix. 18.
19. Job xxii. 29.	1. xxxiii. 3.

LIFTER.

מֵרִים *Maireem*, causing to raise up.
Psalm iii. 3.

LIGHT, Subst.

אוֹר *Our*, } a light, in all passages.
מָאוֹר *Moour*,}

LIGHTS.

1. { מְאֹרֹת *Mĕourouth*, } lights.
  { אוֹרִים *Oureem*, }

2. שְׂקֻפִים *Shĕkupheem*, narrow openings for light.

1. Gen. i. 14, 15, 16.	1. Psalm cxxxvi. 7.
2. 1 Kings vi. 4.	1. Ezek. xxxii. 8.

LIGHT, Verb (applied to fire).

אוּר *Oor*, (Hiph.) to cause light, make or give light, in all passages.

LIGHT on.

1. נוּחַ *Nooakh*, to rest upon.
2. קָרָה *Koroh*, to happen, meet with.

2. Ruth ii. 3.	1. 2 Sam. xvii. 12.

LIGHT, Adj.

1. קְלֹקֵל *Keloukail*, very light, insignificant.

2. פָּחַז *Pokhaz*, restless, insufficient.

3. קַל *Kal*, light, (Hiph.) to make lighter.

4. מַקְלֶה *Makleh*, lightly esteemed.

4. Deut. xxvii. 16.	3. 2 Kings iii. 18.
1. Numb. xxi. 5.	3. —— xx. 10.
2. Judg. ix. 4.	3. Isa. xlix. 6.
3. 1 Sam. xviii. 23.	3. Ezek. viii. 17.
3. 2 Sam. ii. 18.	3. —— xxii. 7.
3. 1 Kings xvi. 31.	2. Zeph. iii. 4.

LIGHTER.

3. 1 Kings xii. 4.

LIGHT -ED -ENED -EST -ETH lamps.

1. עָלָה *Oloh*, (Hiph.) to cause to ascend.

2. אוּר *Oor*, (Hiph.) to illuminate.

3. נָהַר *Nohar*, to brighten, clear.

1. Exod. xxv. 37.	1. Numb. viii. 2, 3.
1. —— xl. 4.	2. Psalm xviii. 28.

LIGHTED.

1. Exod. xl. 25.

LIGHTENED.

3. Psalm xxxiv. 5.	2. Psalm lxxvii. 18.

LIGHTETH.

1. Exod. xxx. 8.

LIGHTED, alighted.

1. נָפַל *Nophal*, to fall, fall upon.

2. צָנַח *Tsonakh*, to sink, dismount.

3. יָרַד *Yorad*, to come down, descend.

4. מָצָא *Motso*, to find.

5. פָּגַע *Poga*, to meet with.

6. נָחַת *Nokhath*, to lower gently, easily.

1. Gen. xxiv. 64.	3. 1 Sam. xxv. 23.
1. —— xxviii. 11.	1. 2 Kings v. 21.
2. Josh. xv. 18.	4. —— x. 15.
2. Judg. i. 14.	1. Isa. ix. 8.
3. —— iv. 15.	

LIGHTETH.

4. Deut. xix. 5.

LIGHTING.

6. Isa. xxx. 30.

LIGHTEN.

1. נָגַהּ *Nogah*, to shine.

2. אוּר *Oor*, to set a light, illumine.

1. 2 Sam. xxii. 29.	2. Psalm xiii. 3.
2. Ezra ix. 8.	

LIGHTEN.

קָלַל *Kolal*, to lighten, ease.

1 Sam. vi. 5. | Jonah i. 5.

LIGHTLY.

1.   כִּמְעַט *Kimeat*, as a little, trifle.
2.   קָלַל *Kolal*, to lighten, ease.

1. Gen. xxvi. 10. | 2. Jer. iv. 24.
2. Isa. ix. 1.

LIGHTNESS.

1.   קוֹל *Koul*, a voice, noise.
2.   פַּחֲזוּת *Pakhazooth*, inefficiency, insufficient.

1. Jer. iii. 9. | 2. Jer. xxiii. 32.

LIGHTNING.

בָּרָק *Borok*, lightning, in all passages.

LIGHTNINGS.

בְּרָקִים *Berokeem*, lightnings, in all passages.

LIGN-ALOES.

אֲהָלִים *Aholeem*, aloes wood.

Numb. xxiv. 6.

LIGURE.

לֶשֶׁם *Leshem*, a precious stone.

Exod. xxviii. 19. | Exod. xxxix. 12.

LIKE, Adj.

This word is distinguished by a prefixed כ *Kaph*, to the word, to, for כֵּן *Kain*, so, like, as.

LIKE manner.

The same as above; in all passages, except:—

1.   גַּם *Gam*, also.
2. כַּדָּבָר הַזֶּה *Kadovor hazeh*, according to this thing, matter.
3.   כְּמוֹ־כֵן *Kemou-kain*, as so.

1. Exod. vii. 11. | 2. Neh. vi. 5.
1. Judg. xi. 17. | 3. Isa. li. 6.
1. 1 Sam. xix. 24.

LIKE, Verb.

חָפֵץ *Khophaits*, delight.

Deut. xxv. 7.

LIKED.

רָצָה *Rotsoh*, to accept, be willing.

1 Chron. xxviii. 4.

LIKEN.

דָּמָה *Domoh*, to resemble, compare.

Isa. xl. 18, 25. | Lam. ii. 13.
— xlvi. 5.

LIKENED.

Psalm lxxxix. 6. | Jer. vi. 2.

LIKETH.

1.   כַּטּוֹב *Katouv*, according to the good.
2.   אָהַב *Ohav*, to love, like.

1. Deut. xxiii. 16. | 2. Amos iv. 5.
1. Esth. viii. 8.

LIKENESS.

1.   דְּמוּת *Demooth*, a likeness.
2.   תְּמוּנָה *Temoonoh*, a similitude.
3.   תַּבְנִית *Tavneeth*, a structure.

1. Gen. i. 26.   2. Psalm xvii. 15.
1. —— v. 1, 3.   1. Isa. xl. 18.
2. Exod. xx. 4.   1. Ezek. i. 5, 10, 13, 22,
3. Deut. iv. 16, 17, 18.   26, 28.
2. —— 23, 25.   1. —— x. 10, 21.
2. —— v. 8.

LIKEWISE.

כֵּן *Kain*, so, like, in all passages.

LIKING, Part.

חָלַם *Kholam*, to become fat, strong.

Job xxxix. 4.

LIKING, Subst.

זֹעֲפִים *Zouapheem*, excited.

Dan. i. 10.

LILY.

שׁוֹשָׁן *Shoushan*, a rose.

Cant. ii. 1, 2. | Hos. xiv. 5.

LILIES.

שׁוֹשַׁנִּים *Shoushaneem*, roses.

1 Kings vii. 26. | Cant. v. 13.
2 Chron. iv. 5. | —— vi. 2, 3.
Cant. ii. 16. | —— vii. 2.
—— iv. 5.

LILY-work.

1 Kings vii. 19, 22.

LIME.

שִׂיד *Seed*, lime.

Isa. xxxiii. 12. | Amos ii. 1.

LIMIT.

גְּבוּל *Gevool*, to make a border, limit.

Ezek. xliii. 12.

LIMITED.

תָּוָה *Tovoh*, to mark.

Psalm lxxviii. 41.

LINE -S.

1.   קַו *Kav*, a line.
2.   חֶבֶל *Khevel*, a rope, cord.
3.   חוּט *Khoot*, a thread, string.
4.   פְּתִיל *Petheel*, an ornamental string, lace.

All passages not inserted are N°. 1.

3. Josh. ii. 18.	4. Ezek. xl. 3.
2. 2 Sam. viii. 2.	2. Amos vii. 17.
3. 1 Kings vii. 15.	2. Zech. ii. 1.
2. Psalm lxxviii. 55.	

LINES.

2. 2 Sam. viii. 2. | 2. Psalm xvi. 6.

LINGERED.

מָהָה *Mohoh*, to tarry, delay.

Gen. xix. 16. | Gen. xliii. 10.

LINEN.

1.   פִּשְׁתִּים *Pishteem*, linen made of flax.
2.   שֵׁשׁ *Shaish*, very fine Egyptian linen, also marble.
3.   בּוּץ *Boots*, the finest white cotton linen of Egypt.
4.   בַּד *Bād*, white linen.
5.   אֵטוּן *Aitoon*, Egyptian tapestry.
6.   סָדִין *Sodeen*, sheets, under garments.
7.   מִקְוֵה *Mikvaih*, collections (various things).
8.   שַׁעַטְנֵז *Shāatnaiz*, wool mixed with flax.

2. Gen. xli. 42.	4. 2 Sam. vi. 14.
2. Exodus in all passages, except:—	7. 1 Kings x. 28.
	3. 1 Chron. iv. 21.
4. —— xxviii. 42.	4. —— xv. 27.
4. Lev. vi. 10.	7. 2 Chron. i. 16.
1. —— xiii. 47,48,52,59.	3. —— ii. 14.
4. —— xvi. 4, 23, 32.	3. —— iii. 14.
8. —— xix. 19.	3. Esth. i. 6.
1. Deut. xxii. 11.	3. —— viii. 15.
4. 1 Sam. ii. 18.	5. Prov. vii. 16.
4. —— xxii. 18.	6. —— xxxi. 24.

---

6. Isa. iii. 23.	2. Ezek. xxvii. 7.
1. Jer. xiii. 1.	3. —— 16.
2. Ezek. xvi. 10, 13.	1. —— xliv. 17, 18.

LINTEL.

1.   מַשְׁקוֹף *Mashkouph*, a lintel.
2.   אַיִל *Ayil*, a stone side post.
3.   כַּפְתּוֹר *Kaphtour*, a knob, ball, button.

1. Exod. xii. 22, 23.	3. Amos ix. 1.
2. 1 Kings vi. 31.	

LINTELS.

3. Zeph. ii. 14.

LION.

1.   אַרְיֵה *Aryaih*, a lion.
2.   לָבִיא *Lovee*, an old lion.
3.   שַׁחַל *Shakhal*, a dark lion.
4.   כְּפִיר *Kepheer*, a young lion.
5.   לַיִשׁ *Layish*, a strong, powerful lion.

All passages not inserted are N°. 1.

2. Numb. xxiii. 24.	4. Prov. xix. 12.
2. —— xxiv. 9.	4. —— xx. 2.
2. Deut. xxxiii. 20.	4. —— xxviii. 1.
1. 2 Sam. xxiii. 20.	5. —— xxx. 30.
1. 2 Chron. xi. 22.	2. Isa. v. 29.
3. Job x. 16.	4. Jer. xxv. 38.
3. — xxviii. 8.	3. Hos. v. 14.
2. — xxxviii. 39.	3. — xiii. 7.
3. Psalm xci. 13.	2. —— 8.

LION, old.

2. Gen. xlix. 9.	5. Isa. xxx. 6.
5. Job iv. 11.	2. Nah. ii. 11.

LION, young.

1. Numb. xxiii. 24.	4. Ezek. xix. 3, 5, 6.
4. Judg. xiv. 5.	4. —— xxxii. 2.
4. Psalm xvii. 12.	4. —— xli. 19.
4. —— xci. 13.	4. Hos. v. 14.
4. Isa. xi. 6.	4. Amos iii. 4.
2. — xxx. 6.	4. Mic. v. 8.
4. — xxxi. 4.	

LIONS.

1.   אֲרָיוֹת *Aroyouth*, lions.
2.   כְּפִירִים *Kepheereem*, young lions.
3.   לְבָאִים *Levoeem*, old lions.

All passages not inserted are N°. 1.

2. Psalm xxxv. 17.	2. Jer. li. 38.
3. —— lvii. 4.	

LION'S whelp -s.

1.   גּוּר אַרְיֵה *Goor aryaih*, a lion's whelp.
2.   בְּנֵי־לָבִיא *Běnai lovee*, sons of an old lion.

3. שֶׁחַץ בְּנֵי *Bĕnai shokhats*, sons of a fierce animal.

1. Gen. xlix. 9.	3. Job xxviii. 8.
1. Deut. xxxiii. 22.	1. Jer. li. 38.
2. Job iv. 11.	

LIONS, young.
כְּפִירִים *Kepheereem*, young lions, in all passages.

LION-LIKE men.
אֲרָאֵל *Ariail*, a lion of God.

2. Sam. xxiii. 20.	1 Chron. xi. 22.

LIONESS.
לָבִיא *Leviyo*, a lioness.

Ezek. xix. 2.

LIONESSES.
לְבִיאֹת *Leviyouth*, lionesses.

Nah. ii. 12.

LIP -S.
שָׂפָה *Sophoh*, a lip, border, in all passages.

LIQUOR.
1. מִשְׁרָה *Mishroh*, juice.
2. מֶזֶג *Mezeg*, spiced wine.
3. דָּמַע *Doma*, pure juice of grapes or olives.

1. Numb. vi. 3.	2. Cant. vii. 2.

LIQUORS.
3. Exod. xxii. 29.

LISTEN.
שָׁמַע *Shoma*, to hear, listen, obey.

Isa. xlix. 1.

LITTERS.
צַבִּים *Tsabbeem*, covered waggons, ships.

Isa. lxvi. 20.

LITTLE.
1. מְעַט *Mĕat*, a little, small space, few.
2. אֶרֶץ כִּבְרַת *Kivrath orets*, an acre of land.
3. קָטָן *Koton*, little, small.
4. חֲשִׂיפִים *Khaseepheem*, shorn, bare.
5. שֶׁמֶץ *Shemets*, trifling.
6. זְעֵיר *Zĕair*, a small thing.
7. צָעִיר *Tsoeer*, young, small, tender.

8.	דַּק *Dak*, thin, fine as dust.
9.	שֶׁצֶף *Shetseph*, overflowing.
10.	לְמִצְעָר *Lamitsor*, too small, diminutive.
11.	טַף *Toph*, little, small, applied to children.
12.	אֱוִילִים *Aveeleem*, foolish.
13.	עֹלָלִים *Ouloleem*, offspring, children.

All passages not inserted are N°. 1.

2. Gen. xxxv. 16.	Psalm cxiv. 4, not in original.
2. —— xlviii. 7.	
3. 1 Sam. ii. 19.	3. Prov. xxx. 24.
3. —— xv. 17.	3. Eccles. ix. 14.
3. 2 Sam. xii. 3.	3. Cant. ii. 15.
3. 1 Kings viii. 64.	3. —— viii. 8.
3. —— xii. 10.	6. Isa. xxviii. 10, 13.
3. —— xvii. 13.	8. — xl. 15.
3. —— xviii. 44.	9. — liv. 8.
4. —— xx. 27.	Ezek. xxxi. 4, not in original.
3. 2 Kings iv. 18.	
3. —— v. 2.	—— xl. 7, 13, not in original.
5. Job iv. 12.	
5. — xxvi. 14.	6. Dan. vii. 8.
6. — xxxvi. 2.	7. —— viii. 9.
Psalm lxv. 12, not in original.	3. Amos vi. 11.
	7. Mic. v. 2.
7. —— lxviii. 27.	
—— lxxii. 3, not in original.	

LITTLE one -s.

10. Gen. xix. 20.	11. Josh. viii. 35.
11. —— xxxiv. 29.	11. Judg. xviii. 21.
11. —— xliii. 8.	11. 2 Sam. xv. 22.
3. —— xliv. 20.	11. 2 Chron. xx. 13.
11. —— xlv. 19.	11. —— xxxi. 18.
11. —— xlvi. 5.	11. Ezra viii. 21.
11. —— L. 8, 21.	11. Esth. viii. 11.
11. Exod. x. 10, 24.	12. Job xxi. 11.
11. Numb. xiv. 31.	13. Psalm cxxxvii. 9.
11. —— xxxi. 9, 17.	3. Isa. lx. 22.
11. —— xxxii. 16, 17, 26.	7. Jer. xiv. 3.
	7. — xlviii. 4.
11. Deut. ii. 34.	7. Zech. xiii. 7.
11. —— xx. 14.	

LITTLE while.
1. In all passages, except:
10. Isa. lxiii. 18.

LIVE -ED -EST -ETH -ING.
חַי *Khae*, ⎱ to live, living, in all
חָיָה *Khayoh*, ⎰ passages.

LIVE, Adj.
1. חַי *Khae*, alive.
2. רִצְפָּה *Ritsphoh*, a stone containing heat.

1. Exod. xxi. 35.	2. Isa. vi. 6.
1. Lev. xvi. 20, 21.	

LIVELY.

חָיוֹת Khoyouth, lively.

Exod. i. 19. | Psalm xxxviii. 19.

LIVER.

כָּבֵד Kovaid, liver; lit., heavy, weighty, in all passages.

LIZARD.

לְטָאָה Letooh, a lizard.

Lev. xi. 30.

LO.

הֵן Hain, behold, in all passages.

LOADEN.

עָמוּס Omoos, loaden.

Isa. xlvi. 1.

LOADETH.

Psalm lxviii. 19.

LOAF.

כִּכָּר Kikor, a loaf.

Exod. xxix. 23. | 1 Chron. xvi. 3.

LOAVES and WAVE LOAVES.

1.   כִּכְּרוֹת Kikrouth, loaves.
2.   לֶחֶם Lekhem, bread.

2. Lev. xxiii. 17.	2. 1 Sam. xxv. 18.
1. Judg. viii. 5.	2. 1 Kings xiv. 3.
1. 1 Sam. x. 3.	2. 2 Kings iv. 42.
2. —— xvii. 17.	

LOAN.

שְׁאֵלָה Shĕailoh, request, petition.

1 Sam. ii. 20.

LOCK -S.

מַנְעוּל Manool, a bolt, a fastening.

Cant. v. 5. | Neh. iii. 3, 6, 13, 14, 15.

LOCKED.

1.   סָגַר Sogar, to shut, lock.
2.   נָעַל Noal, to tie together.

1. Judg. iii. 23. | 2. Judg. iii. 24.

LOCK of hair.

1.   צִיצִת Tseetsith, fringes, an ornament of hair.
2.   פֶּרַע Pera, a lock of hair.
3. מַחְלְפוֹת Makhlephouth, platted hair.
4.   צַמָּה Tsamoh, a veil.
5.   קְוֻצּוֹת Kevutsouth, ends, corners.

1. Ezek. viii. 3.

LOCKS of hair.

2. Numb. vi. 5.	4. Cant. vi. 7.
3. Judg. xvi. 13, 19.	4. Isa. xlvii. 2.
4. Cant. iv. 1, 3.	2. Ezek. xliv. 20.
5. —— v. 2, 11.	

LOCUST.

1.   אַרְבֶּה Arbeh, a multiplier; met., a locust; from רָבָה Rovoh, to multiply.
2.   סָלְעָם Solom, a rock locust; from סֶלַע Sela, a rock.
3.   חָנָב Khogov (probably Arabic), a locust, or grasshopper.
4.   צְלָצַל Tselotsal, shadowy; met., a black locust.
5.   גֵּבִים Gaiveem, locusts, grasshoppers.

1. Exod. x. 19.	1. 2 Chron. vi. 28.
1. Lev. xi. 22.	1. Psalm lxxviii. 46.
2. —— 22.	1. —— cix. 23.
4. Deut. xxviii. 42.	1. Joel i. 4.
1. 1 Kings viii. 37.	1. —— ii. 25.

LOCUSTS.

1. Exod. x. 4, 12, 13, 14, 19.	1. Psalm cv. 34.
	1. Prov. xxx. 27.
1. Deut. xxviii. 38.	5. Isa. xxxiii. 4.
3. 2 Chron. vii. 13.	1. Nah. iii. 15, 17.

LODGE, Subst.

מָלוֹן Moloun, a lodge.

Isa. i. 8.

LODGE -ED -EST.

לוּן Loon, to lodge all night, in all passages.

LODGING.

מָלוֹן Moloun, a lodge.

Josh. iv. 3.	Isa. x. 29.
Judg. xix. 15.	Jer. ix. 2.

LODGINGS.

2 Kings xix. 23.

LOFT.

עֲלִיָּה *Aliyoh*, a ɣoof. upper room
1 Kings xvii. 19.

LOFTY.

1.   רוּם   *Room*, high, lofty.
2   שָׂגַב   *Sogav*, to exalt.
3.   נָשָׂא   *Noso*, to lift up, raise.
4.   גְּבֹהִים   *Gevouheem*, haughty, lofty ones.

1. Psalm cxxxi. 1.	4. Isa. v. 15.
1. Prov. xxx. 13.	2. — xxvi. 5.
1. Isa. ii. 11, 12.	3. — lvii. 7, 15.

LOFTILY.

מִמָּרוֹם *Memoroum*, loftily; lit., from
on high.

Psalm lxxiii. 8.

LOFTINESS.

גַּבְהוּת *Gavhooth*, haughtiness.

Isa. ii. 17. | Jer. xlviii. 29.

LOG.

לֹג *Loug*, a measure for liquids.
Lev. xiv. 10, 12, 15, 21, 24.

LOINS.

חֲלָצוֹת *Khalotsouth*, } loins, in all pas-
מָתְנַיִם *Mothnayim*, }   sages.

LONG, Verb.

1.   חִכָּה   *Khikoh*, to expect anxiously.
2.   קָוָה   *Kovoh*, to hope, wait for.
3.   אִוָּה   *Ivvoh*, to desire.
4.   תָּאַב   *Toav*, to long for.
5.   יָחַל   *Yokhal*, to wait in hope.
6.   יָאַב   *Yoav*, to desire earnestly.
7.   כָּסַף   *Kosaph*, to long with greediness.
8.   כָּלָה   *Kholoh*, to finish, consume.
9.   חָשַׁק   *Khoshak*, to be attached to.
10.   כָּמַהּ   *Khomah*, to languish.
11.   שָׁקַק   *Shokak*, to thirst after.

1. Job iii. 21. | 2. Job vi. 8.

LONGED.

8. 2 Sam. xiii. 39.	4. Psalm cxix. 40.
3. — xxiii. 15.	6. ———— 131.
3. 1 Chron. xi. 17.	5. ———— 174.

LONGEDST.

7. Gen. xxxi. 30.

LONGETH.

9. Gen. xxxiv. 8.	10. Psalm lxiii. 1.
3. Deut. xii. 20.	7. —— lxxxiv. 2.

LONGING.

11. Psalm cvii. 9. | 4. Psalm cxix. 20.

LONG, Adject.

1.   אֹרֶךְ   *Ourekh*, long, length.
2.   מֵעֹדִי   *Maioudee*, since I existed.
3.   מָשַׁךְ   *Moshahk*, to draw out.
4.   הוֹלֵךְ   *Houlaikh*, to proceed, go forward.
5.   רַב   *Răv*, abundant, much.
6.   יָשַׁן   *Yoshan*, (Niph.) to grow old.
7.   רָבָה   *Rovoh*, to multiply, increase.
8.   יָמִים רַבִּים   *Yomeem rabbeem*, many days.
9.   עוֹלָם   *Oulom*, everlasting, for ever.
10.   מֵרָחוֹק   *Mairokhouk*, from far off.
11.   בֵּית עוֹלָם   *Baith oulom*, the house ever-
lasting.
12.   גָּדוֹל   *Godoul*, great, magnificent.
13.   כָּל־הַיָּמִים   *Kol·hayomeem*, all the days.
14.   וּבִימֵי   *Ooveemai*, and in the days.
15.   עִם   *Im*, with, along, by.
16.   לִפְנֵי   *Liphnai*, before the face.
17.   בְּעֹדִי   *Běoudee*, whilst I exist.
18.   בְּיָמַי   *Běyomae*, in my days.
19.   בּוֹשֵׁשׁ   *Boushaish*, to be ashamed, con-
founded.
20.   מִיּוֹם   *Miyoum*, from the day.
21.   עַד   *Ad*, until, as long.
22.   בְּכָל־עֵת   *Běkhol-aith*, at all time.
23.   מִיָּמַי   *Miyomae*, from my days.
24.   עַד־בְּלִי   *Ad-bělee*, until, without.
25.   יִרְבּוּ הַיָּמִים   *Yirboo hayomeem*, the days
increased.
26.   לָרוֹב   *Lorouv*, too much.
27.   לְאֹרֶךְ יָמִים   *Lěourekh yomeem*, for length
of days.

2. Gen. xlviii. 15.	5. Josh. ix. 13.
3. Exod. xix. 13.	8. —— xxiv. 7.
4. ———— 19.	1. 2 Sam. iii. 1.
1. —— xx. 12.	8. 1 Kings iii. 11.
1. Numb. ix. 19.	10. 2 Kings xix. 25.
5. Deut. i. 6.	8. 2 Chron. i. 11.
5. —— ii. 3.	8. —— xv. 3.
6. —— iv. 25.	13. Psalm xxxii. 3.
7. —— xiv. 24.	13. —— xxxv. 28.
7. —— xix. 6.	13. —— xxxviii. 6, 12.
Deut. xxviii. 59, not	13. —— xliv. 8, 22.
in original.	13. —— lxxi. 24.
3. Josh. vi. 5.	13. —— lxxiii. 14.

1. Psalm xci. 16.
Psalm xcv. 10, not in original.
5. —— cxx. 6.
1. —— cxxix. 3.
9. —— cxliii. 3.
1. Prov. iii. 2.
10. —— vii. 19.
13. —— xxi. 26.
13. —— xxiii. 17.
———— 30, not in original.
1. —— xxv. 15.
11. Eccles. xii. 5.
10. Isa. xxii. 11.

10. Isa. xxxvii. 26.
— lxv. 22. (See Enjoy.)
1. Jer. xxix. 28.
Lam. ii. 20, not in original.
1. Ezek. xvii. 3.
1. —— xlii. 16, 17.
—— xliv. 20, not in original.
12. Dan. x. 1.
Hos. xiii. 13, not in original.

LONG as.

Lev. xviii. 19, not in original.
13. —— xxvi. 34, 35.
13. Numb. ix. 18.
13. Deut. xii. 19.
13. —— xxxi. 13.
13. 1 Sam. i. 28.
13. —— xx. 31.
13. —— xxv. 15.

14. 2 Chron. xxvi. 5.
13. ————xxxvi. 21.
15. Psalm lxxii. 5.
16. ————— 5.
16. ————— 17.
17. —— civ. 33.
18. —— cxvi. 2.
1. Ezek. xlii. 11.

LONG, so.

19. Judg. v. 28.
20. 1 Sam. xxix. 8.
21. 2 Kings ix. 22.
13. 2 Chron. vi. 31.

22. Esth. v. 13.
23. Job xxvii. 6.
24. Psalm lxxii. 7.

LONG -suffering.

אֶרֶךְ אַפַּיִם Erekh apayeem, long-suffering, in all passages.

LONG time.

1. Gen. xxvi. 8.
8. Numb. xx. 15.
8. Deut. xx. 19.
8. Josh. xi. 18.
8. —— xxiii. 1.

25. 1 Sam. vii. 2.
8. 2 Sam. xiv. 2.
26. 2 Chron. xxx. 5.
9. Isa. xlii. 14.
27. Lam. v. 20.

LONGER.

1. אֹרֶךְ Ourekh, length.
2. עוֹד Oud, any more.
3. יָסַף Yosaph, (Hiph.) to add, increase.

2. Exod. ii. 3.
3. —— ix. 28.
2. Judg. ii. 14.
2 Sam. xx. 5, not in original.

2. 2 Kings vi. 33.
1. Job xi. 9.
2. Jer. xliv. 22.

LOOK.

1. רָאָה Roōh, to see.
2. נָבַט Novat, (Hiph.) to look into, investigate.
3. פָּנִים רָעִים Poneem roeeem, bad faces.
4. פָּנָה Ponoh, to turn round.
5. פָּקַד לְשָׁלוֹם Pokad lesholoum, commend to peace.

6. חגל Khool, (Hiph.) to expect anxiously.
7. צָפָה Tsophoh, (Piel) to look for.
8. שִׁית לֵב Sheeth laiv, to set the heart.
9. שׁוּר Shoor, to watch for.
10. קִוָּה Kivvoh, to hope.
11. שָׁעָה Shooh, to turn towards, regard.
12. שׂוֹם עַיִן Soom ayin, to set the eye.
13. מַרְאֶה Mareh, a countenance.
14. שָׁקַף Shokaph, to look down.
15. חָזָה Khozoh, to see in a vision.
16. שָׁגַח Shogakh, (Hiph.) to watch carefully.
17. שָׁמַר Shomar, to keep, observe.
18. שָׁזַף Shozaph, to shine.
19. בִּין Been, (Hiph.) cause to understand.

All passages not inserted are N°. 1.

2. Gen. xv. 5.
2. —— xix. 17.
3. —— xl. 7.
4. Deut. ix. 27.
5. 1 Sam. xvii. 18.
2. 1 Kings xviii. 43.
2. 2 Kings iii. 14.
6. Job xx. 21.
2. — xxxv. 5.
7. Psalm v. 3.
2. Prov. iv. 25.
8. —— xxvii. 23.
9. Cant. iv. 8.
10. Isa. viii. 17.
4. ———— 21.
11. — xvii. 7, 8.
11. — xxii. 4.
2. ———— 8.
14. Psalm xiv. 2

11. Isa. xxxi. 1.
2. — xlii. 18.
4. — xlv. 22.
4. — li. 1, 2.
4. — lvi. 11.
10. — lix. 11.
4. — lxvi. 2.
10. Jer. xiii. 16.
12. — xxxix. 12.
12. — xl. 4.
4. — xlvi. 5.
4. — xlvii. 3.
13. Ezek. xxiii. 15.
4. ———— xxix. 16.
4. Hos. iii. 1.
2. Jonah ii. 4.
7. Mic. vii. 7.
4. Nah. ii. 8.

LOOK down.

14. Deut. xxvi. 15.
2. Psalm lxxx. 14.
14. —— lxxxv. 11.

2. Isa. lxiii. 15.
14. Lam. iii. 50.

LOOK on, unto, upon.

All passages not inserted are N°. 1.

13. Gen. xii. 11.
13. —— xxiv. 16.
2. Exod. iii. 6.
2. 1 Sam. xvi. 7.
4. 2 Sam. ix. 8.
13. ———— xi. 2.
13. Esth. i. 11.
4. Job vi. 28.
2. Psalm xxii. 17.
2. —— lxxxiv. 9.
4. —— cxix. 132.
2. Prov. iv. 25.

15. Cant. vi. 13.
2. Isa. v. 30.
2. — viii. 22.
16. — xiv. 16.
15. — xxxiii. 20.
15. — li. 6.
2. — lxvi. 24.
15. Mic. iv. 11.
2. Hab. i. 13.
2. —— ii. 15.
2. Zech. xii. 10.

LOOKED.
All passages not inserted are Nº. 1.

14. Gen. xviii. 16.	2. 1 Kings xviii. 43.
2. —— xix. 26.	4. 2 Kings ii. 24.
14. —— xxvi. 8.	14. —— ix. 30.
4. Exod. ii. 12.	4. 2 Chron. xiii. 14.
14. —— xiv. 24.	4. —— xxvi. 20.
4. —— xvi. 10.	2. Job vi. 19.
2. —— xxxiii. 8.	14. Psalm xiv. 2.
4. Numb. xii. 10.	2. —— xxxiv. 5.
4. —— xvi. 42.	14. —— liii. 2.
4. Josh. viii. 20.	14. —— cii. 19.
14. Judg. v. 28.	18. Cant. i. 6.
4. —— vi. 14.	10. Isa. v. 2, 7.
4. —— xx. 40.	2. — xxii. 11.
2. 1 Sam. xvii. 42.	10. — lxiv. 3.
2. —— xxiv. 8.	10. Jer. viii. 15.
4. 2 Sam. i. 7.	10. Lam. ii. 16.
4. —— ii. 20.	4. Ezek. x. 11.
14. —— vi. 16.	4. Hag. i. 9.
11. —— xxii. 42.	

LOOKED with the eyes.
1. In all passages.

LOOKED, I.
All passages not inserted are Nº. 1.

10. Job xxx. 26.	4. Eccles. ii. 11.
10. Psalm lxix. 20.	10. Isa. v. 4.
2. —— cxlii. 4.	2. — lxiii. 5.
14. Prov. vii. 6.	

LOOKEST.

17. Job xiii. 27.	2. Hab. i. 13.

LOOKETH.

13. Lev. xiii. 12.	16. Psalm xxxiii. 14.
1. Numb. xxi. 8.	2. —— civ. 32.
14. —————— 20.	19. Prov. xiv. 15.
14. —— xxiii. 28.	7. —— xxxi. 27.
2. 1 Sam. xvi. 7.	16. Cant. ii. 9.
10. Job vii. 2.	14. —— vi. 10.
2. — xxviii. 24.	7. —— vii. 4.
9. — xxxiii. 27.	1. Isa. xxviii. 4.
2. Psalm xxxiii. 13.	4. Ezek. in all passages in.

LOOKING.

4. 1 Kings vii. 25.	4. 2 Chron. iv. 4.
14. 1 Chron. xv. 29.	

LOOK -S.

1. עֵינַיִם *Ainayim,* eyes.
2. פָּנִים *Poneem,* faces.
3. חֶזְוָה *Khezvoh* (Syriac), look, appearance.

1. Psalm xviii. 27.	1. Isa. x. 12.
1. —— ci. 5.	2. Ezek. ii. 6.
1. Prov. vi. 17.	2. —— iii. 9.
1. —— xxi. 4.	3. Dan. vii. 20.
1. Isa. ii. 11.	

LOOKING -glass -es.

1. מַרְאוֹת *Marouth,* mirrors.
2. רְאִי *Reee,* a sight.

1. Exod. xxxviii. 8.	2. Job xxxvii. 18.

LOOPS.

לְלָאוֹת *Luloouth,* loops, bows, in all passages.

LOOSE, Subst.

1. שְׁלוּחָה *Shelookhoh,* sent forth.
2. יְתַר *Yothar,* to unbind, loosen.
3. שְׁרָה *Shoroh* (Chaldee), to let loose.

1. Gen. xlix. 21.	1. Job xxx. 11.
1. Lev. xiv. 7.	3. Dan. iii. 25.
2. Job vi. 9.	

LOOSE.

1. חָלַץ *Kholats,* to draw off, pull off, as a shoe.
2. נָשַׁל *Noshal,* to cast off.
3. פָּתַח *Pothakh,* to open.
4. נָזַח *Nozakh,* (Niph.) to be removed.
5. נָמַס *Nomas,* to dissolve.
6. רָחַק *Rokhak,* (Niph.) to be far off, removed.
7. יְתַר *Yothar,* to let loose, untie.
8. נָטַשׁ *Notash,* to slacken, relax.
9. שְׁרָה *Shoroh* (Syriac), to let loose.

1. Deut. xxv. 9.	3. Isa. xlv. 1.
2. Josh. v. 15.	3. — lii. 2.
3. Job xxxviii. 31.	3. — lviii. 6.
3. Psalm cii. 20.	3. Jer. xl. 4.
3. Isa. xx. 2.	

LOOSED.

4. Exod. xxviii. 28.	3. Psalm cxvi. 16.
4. —— xxxix. 21.	6. Eccles. xii. 6.
1. Deut. xxv. 10.	3. Isa. v. 27.
5. Judg. xv. 14.	8. — xxxiii. 23.
3. Job xxx. 11.	3. — li. 14.
3. — xxxix. 5.	9. Dan. v. 6.
7. Psalm cv. 20.	

LOOSETH.

3. Job xii. 18.	7. Psalm cxlvi. 7.

LOP.

סָעַף *Soaph,* to chop off.

Isa. x. 33.

LORD.

1. יְהֹוָה *Yehouvoh,* ⎫ Jehovah, ever-ex-
2. יָהּ *Yohh,*   ⎭ istent.

In all passages.

Note.—No. 2 is an abbreviation of No. 1. This word is derived from הָיָה *Hoyoh,* to be, exist, and is so formed that it signifies He was, He is, He will be.

LORD, my.

אֲדֹנָי *Adounoe,* (plural), my Lord, applied to God.

אֲדֹנִי *Adounee* (singular), my lord, applied to man.

LORDS.

1. אֲדֹנִים *Adouneem,* applied to men, holding authority.
2. בְּעָלִים *Baaleem,* owners, masters.
3. סְרָנִים *Seroneem,* Philistian princes.
4. שָׂרִים *Soreem,* rulers, sirs.
5. שָׁלִשִׁים *Sholisheem,* third officers in rank.
6. רַבְרְבָן *Ravrevon* (Chaldee), great ones.
7. רָדָה *Rodoh,* to domineer.

1. Gen. xix. 2.	3. 1 Sam. xxix. 2, 6, 7.
2. Numb. xxi. 28.	4. Ezra viii. 25.
1. Deut. x. 17.	2. Isa. xvi. 8.
3. Josh. xiii. 3.	1. —— xxvi. 13.
3. Judg. iii. 3.	7. Jer. ii. 31.
3. —— xvi. 5, 30.	5. Ezek. xxiii. 23.
3. 1 Sam. v. 8, 11.	6. Dan. iv. 36.
3. —— vi. 4, 12.	6. —— v. 1, 23.
3. —— vii. 7.	6. —— vi. 17.

LOSE.

1. אָבַד *Ovad,* to lose.
2. אָסַף *Osaph,* to put out of sight.
3. נָפַח *Nophakh,* to blow away.
4. שָׁחַת *Shokhath,* to destroy.
5. חָטָא *Khoto,* to bear sin.
6. שָׁבַת *Shovath,* to cease.
7. שָׁכַל *Shokhal,* to deprive, bereave.
8. נָפַל *Nophal,* to fall away, fail.
9. כָּרַת *Korath* (Niph.) to be cut off.

2. Judg. xviii. 25.	4. Prov. xxiii. 8.
9. 1 Kings xviii. 5.	1. Eccles. iii. 6.
3. Job xxxi. 39.	

LOSS (a verb in the original).

5. Gen. xxxi. 39.	7. Isa. xlvii. 8, 9.
6. Exod. xxi. 19.	

LOST (passively).

1. Exod. xxii. 9.	1. Psalm cxix. 176.
1. Lev. vi. 3, 4.	1. Jer. L. 6.
8. Numb. vi. 12.	1. Ezek. xix. 5.
1. Deut. xxii. 3.	1. —— xxxiv. 4, 16.
1. 1 Sam. ix. 3, 20.	1. —— xxxvii. 11.

LOST (actively).

1. Deut. xxii. 3.	7. Isa. xlix. 20, 21.
8. 1 Kings xx. 25.	

LOT -S.

1. גּוֹרָל *Gourol,* a lot.
2. חֶבֶל *Khevel,* a measure, cord.

All passages not inserted are Nº. 1.

2. Deut. xxxii. 9. Josh. xiii. 6, not in original.	Ezek. xlv. 1, not in original.
2. —— xvii. 14.	—— xlvii. 22, not in original.
—— xxiii. 4, not in original.	—— xlviii. 29, not in original.

LOTHE.

1. לָאָה *Lōoh,* to be weary.
2. קָטַט *Kotat,* to grieve.
3. מָאַס *Mōas,* to despise, abhor.
4. גָּעַל *Goal,* to loathe, abhor.
5. קָצַר *Kotsar,* to grow short.
6. קוּץ *Koots,* to be weary, abhor.
7. בּוּס *Voos,* to tread upon.
8. נִקְלָה *Nikloh,* an inflammation.
9. בָּאַשׁ *Boash,* (Hiph.) to cause corruption.

1. Exod. vii. 18.	2. Ezek. xx. 43.
3. Job vii. 16.	2. —— xxxvi. 31.
2. Ezek. vi. 9.	

LOATHED.

4. Jer. xiv. 19.	5. Zech. xi. 8.

LOATHETH.

6. Numb. xxi. 5.	4. Ezek. xvi. 45.
7. Prov. xxvii. 7.	

LOTHING.

4. Ezek. xvi. 5.

LOATHSOME.

3. Numb. xi. 20.	8. Psalm xxxviii. 7.
3. Job vii. 5.	9. Prov. xiii. 5.

LOUD.

1. עֹז *Ouz,* strength.
2. רוּעַ *Rooa,* to shatter.
3. שָׁמַע *Shoma,* (Hiph.) to cause to hear.
4. גָּדוֹל *Godoul,* great.
5. פָּצַח *Potsakh,* to break forth.

6.   הָמָה   *Homoh,* to hum, bluster, roar.

7.   חָזָק   *Khozok,* hard, firm, vehement.

8.   רָם   *Rom,* high, lofty.

1. 2 Chron. xxx. 21.	2. Psalm xxxiii. 3.
2. Ezra iii. 13.	5. —— xcviii. 4.
3. Neh. xii. 42.	2. —— cl. 5.
4. Esth. iv. 1.	6. Prov. vii. 11.

LOUD, joined with voice.

4. Gen. xxxix. 14.	4. 2 Chron. xx. 19.
7. Exod. xix. 16.	4. Ezra iii. 12.
8. Deut. xxvii. 14.	4. —— x. 12.
4. 2 Sam. xv. 23.	4. Prov. xxvii. 14.
4. 1 Kings viii. 55.	4. Ezek. viii. 18.
4. 2 Chron. xv. 14.	4. —— ix. 1.

LOUDER.

הוֹלֵךְ וְחָזֵק   *Houlaikh vekhozok,* going on stronger and stronger.

Exod. xix. 19.

LOVE, Subst.

1.   אַהֲבָה   *Ahavoh,* love.

2.   דּוֹדִים   *Doudeem,* beloved.

3.   עַגְבָה   *Agvoh,* affection.

4.   רַחֲמִים   *Rakhameem,* mercies.

5.   חָשַׁק   *Khoshak,* to desire.

6.   רֵעַ   *Raiā,* a friend.

All passages not inserted are N°. 1.

2. Prov. vii. 18.	2. Ezek. xxiii. 17.
2. Ezek. xvi. 8.	3. —— xxxiii. 31.
3. —— xxiii. 11.	4. Dan. i. 9.

LOVE, his.

5. Deut. vii. 7.	1. Isa. lxiii. 9.
5. Psalm xci. 14.	1. Zeph. iii. 17.

LOVE, in.

1. 1 Kings xi. 2.	5. Isa. xxxviii. 17.

LOVE, my.

1. Psalm cix. 4, 5.	1. Cant. iii. 5.
6. Cant. i. 9, 15.	6. —— iv. 7.
2. —— ii. 2.	6. —— vi. 4.
1. —— 7.	1. —— viii. 4.
6. —— 10.	

LOVE, thy.

1. In all passages, except :
2. Cant. iv. 10.

LOVES.

1. Prov. vii. 18.	2. Cant. vii. 12.

LOVE -ED -EDST -EST -ETH -ING.

1.   אָהַב   *Ohav,* to love.

2.   רָחַם   *Rokham,* to love, have mercy.

3.   חָבַב   *Khovav,* to show favour, love.

4.   טוֹב   *Touv,* good.

   1. In all passages, except :
     2. Psalm xviii. 1.

LOVED.

   1. In all passages, except :
     3. Deut. xxxiii. 3.

LOVING.

1. Prov. v. 19.	1. Isa. lvi. 10.
4. —— xxii. 1.	

LOVELY.

1.   נֶאֱהָבִים   *Neehoveem* (plural), lovely.

2.   מַחֲמַדִּים   *Makhmadeem* (plural), desirable, delectable.

3.   עֲגָבִים   *Agoveem* (plural), affectionate.

1. 2 Sam. i. 23.	3. Ezek. xxxiii. 32.
2. Cant. v. 16.	

LOVER.

אֹהֵב   *Ouhaiv,* a lover.

1 Kings v. 1.	Psalm lxxxviii. 18.

LOVERS.

1.   אֲהָבִים   *Ahoveem,* lovers.

2.   רֵעִים   *Raieem,* friends.

3.   עֲגָבִים   *Agoveem* (plural), affectionate.

All passages not inserted are N°. 1.

2. Jer. iii. 1.	3. Jer. iv. 30.

LOW.

1.   מַטָּה   *Motoh,* beneath, below.

2.   שָׁפַל   *Shophal,* to bring low; subst., a low place.

3.   בְּנֵי אָדָם   *Benai odom,* children of earth, sons of Adam.

4.   שָׁחָה   *Shokhoh,* to bow down, depress.

5.   תַּחְתִּית   *Takhteeth,* the lowest part of a place.

6.   כָּנַע   *Kona,* to humble, submit.

7.   קָצֶה   *Kotseh,* an end, part, fragment, section, extremity.

8.   חָסַר   *Khosar,* to be in want of.

1. Deut. xxviii. 43.
2. 1 Sam. ii. 7.
2. 2 Chron. ix. 27.
2. ———— xxvi. 10.
2. ———— xxviii. 18.
2. Job v. 11.
6. — xl. 12.
3. Psalm xlix. 2.
3. —— lxii. 9.
2. —— cxxxvi. 23.
2. Prov. xxix. 23.

2. Eccles. x. 6.
2. ——— xii. 4.
2. Isa. xiii. 11.
2. — xxv. 12.
2. — xxvi. 5.
4. — xxix. 4.
2. — xxxii. 19.
5. Lam. iii. 55.
2. Ezek. xvii. 6, 24.
2. ——— xxi. 26.
2. ——— xxvi. 20.

LOWER.

5. Gen. vi. 16.
2. Lev. xiii. 20, 21.
5. Neh. iv. 13.
8. Psalm viii. 5.
5. ——— lxiii. 9.

2. Prov. xxv. 7.
5. Isa. xxii. 9.
5. — xliv. 23.
5. Ezek. xlii. 5.
5. ——— xliii. 14.

LOWEST.

5. Deut. xxxii. 22.
7. 1 Kings xii. 31.
7. ——— xiii. 33.
7. 2 Kings xvii. 32.
5. Psalm lxxxvi. 13.

5. Psalm lxxxviii. 6.
5. ——— cxxxix. 15.
5. Ezek. xli. 7.
5. ——— xlii. 6.

LOWETH.

1.   גָּעָה   Gōŏh, to bellow.
2.   קוֹל   Koul, a voice.
   1. Job vi. 5.

LOWING.

1. 1 Sam. vi. 12. | 2. 1 Sam. xv. 14.

LOWLY.

1.   שָׁפָל   Shophol, brought low.
2.   עָנָו   Onov, meek.
3.   צֶנַע   Tsona, upright, correct.
4.   עָנִי   Onee, poor, afflicted.

1. Psalm cxxxviii. 6.
2. Prov. iii. 34.
3. —— xi. 2.

3. Prov. xvi. 19.
4. Zech. ix. 9.

LUCRE.

בֶּצַע   Botsa, gain.
    1 Sam. viii. 3.

LUMP.

דְּבֶלֶת   Děvéleth, a lump of dried fruit.

2 Kings xx. 7. | Isa. xxxviii. 21.

LURK.

1.   צָפַן   Tsophan, to conceal, hide.
2.   מַחֲבֵא   Makhabai, a place of conceal-
   ment.

3.   מַאֲרָב   Maarov, a place to lay in wait.
4. מִסְתָּרִים   Mistoreem, secret places.
   1. Prov. i. 11, 18.

LURKING.

2. 1 Sam. xxiii. 23. | 4. Psalm xvii. 12.
3. Psalm x. 8.

LUST.

1.   נֶפֶשׁ   Nephesh, life, animality.
2.   תַּאֲוָה   Taăvoh, desire.
3. שְׁרִירוּת   Shereerooth, obstinacy.

1. Exod. xv. 9.
1. Psalm lxxviii. 18.

2. Psalm lxxviii. 30.
3. ——— lxxxi. 12.

LUST, Verb.

1.   חָמַד   Khomad, to covet.
2.   אִוָּה   Ivvoh, to desire.
   1. Prov. vi. 25.

LUSTED.

2. Numb. xi. 34. | 2. Psalm cvi. 14.

LUSTETH.

2. Deut. xii. 15, 20, 21. | 2. Deut. xiv. 26.

LUSTING.

2. Numb. xi. 4.

LUSTY.

שָׁמֵן   Shomen, fat.
    Judg. iii. 29.

M

MAD.

1.   מְשֻׁגָּע   Meshugo, mad.
2.   הֹלֵל   Houlail, foolish, vain-glorious.
3.   לָהָהּ   Lohoh, (Hith.) to be imbecile
   in mind.

1. Deut. xxviii. 34.
2. 1 Sam. xxi. 13.
1. ————— 14.
1. 2 Kings ix. 11.
2. Psalm cii. 8.
2. Eccles. ii. 2.
2. ——— vii. 7.

2. Isa. xliv. 25.
2. Jer. xxv. 16.
1. — xxix. 26.
2. — l. 38.
2. — li. 7.
1. Hos. ix. 7.

MAD man.

1. 1 Sam. xxi. 15. | 3. Prov. xxvi. 18.

MAD men.

1. 1 Sam. xxi. 15.

MADMEN.

מַדְמֵן   *Madmain*, a city of Moab; lit.,
         a dunghill.

Jer. xlviii. 2.

MADNESS.

1. שִׁגָּעוֹן   *Shigooun*, madness.
2. הֹלֵלוּת   *Houlailooth*, foolishness.

1. Deut. xxviii. 28.
2. Eccles. i. 17.
2. —— ii. 12.
2. —— vii. 25.

2. Eccles. ix. 3.
2. —— x. 13.
1. Zech. xii. 4.

MADE.
See Make.

MAGICIAN.

חַרְטֹם   *Khartoum*(Syriac),an enchanter.

Dan. ii. 10.

MAGICIANS.

חַרְטֻמִּים   *Khartumeem*, enchanters, in all
         passages.

MAGISTRATE.

יֹרֵשׁ עֶצֶר   *Youraish etser*, a possessor of
         restraint.

Judg. xviii. 7.

MAGISTRATES.

שָׁפְטִין   *Shophteen* (Chaldee), judges.

Ezra vii. 25.

MAGNIFICAL.

נָדַל   *Godal*, (Hiph.) to magnify, make
         magnificent.

1 Chron. xxii. 5.

MAGNIFY.

1.   נָדַל   *Godal*, to magnify.
2.   שְׂגָא   *Shogō*, (Hiph.) to increase.
3.   נָשָׂא   *Noso*, (Niph.) to be exalted.

1. In all passages, except:
     2. Job xxxvi. 24.

MAGNIFIED.

1. In all passages, except:
     3. 2 Chron. xxxii. 23.

MAID.

1.   שִׁפְחָה   *Shiphkhoh*, a slave, maid-servant
         of another nation.
2.   אָמָה   *Omoh*, a maid-servant, a nurse.
3.   נַעֲרָה   *Naăroh*, a damsel.
4.   עַלְמָה   *Almoh*, a young maiden.
5.   בְּתוּלָה   *Bethooloh*, a virgin.
6.   נְקֵבָה   *Nekaivoh*, a female.

1. Gen. xvi. 2, 6, 8.
1. —— xxix. 24, 29.
2. —— xxx. 3.
1. ——— 7, 10, 12.
3. Exod. ii. 5.
4. ——— 8.
2. —— xxi. 20, 26.
5. —— xxii. 16.
2. Lev. xxv. 6.

5. Deut. xxii. 14, 17.
3. 2 Kings v. 2, 4.
3. Esth. ii. 7.
5. Job xxxi. 1.
4. Prov. xxx. 19.
1. Isa. xxiv. 2.
5. Jer. ii. 32.
5. — li. 22.
3. Amos ii. 7.

MAIDS.

3. Esth. ii. 9.
2. Job xix. 15.
5. Lam. v. 11.

5. Ezek. ix. 6.
2. Nah. ii. 7.
5. Zech. ix. 17.

MAID child.

6. Lev. xii. 5.

MAIDEN.

1. Gen. xxx. 18.
5. Judg. xix. 24.
5. 2 Chron. xxxvi. 17.

3. Esth. ii. 13.
1. Psalm cxxiii. 2.

MAIDENS.

3. Exod. ii. 5.
3. Ruth ii. 8, 22, 23.
3. 1 Sam. ix. 11.
3. Esth. iv. 16.
3. Job xli. 5.
5. Psalm lxxviii. 63.

5. Psalm cxlviii. 12.
3. Prov. ix. 3.
3. —— xxvii. 27.
3. —— xxxi. 15.
1. Eccles. ii. 7.
5. Ezek. xliv. 22.

MAID-servant.

1. Exod. xi. 5.	2. Deut. xv. 17.
2. —— xx. 10, 17.	2. —— xvi. 11, 14
2. —— xxi. 7, 27, 32.	2. Judg. ix. 18.
2. Deut. v. 14, 21.	2. Job xxxi. 13.
2. —— xii. 18.	1. Jer. xxxiv. 9, 10.

MAID-servants.

1. Gen. xii. 16.	2. Deut. xii. 12.
2. —— xx. 17.	1. 1 Sam. viii. 16.
1. —— xxiv. 35.	2. 2 Sam. vi. 22.
1. —— xxx. 43.	1. 2 Kings v. 26.
2. —— xxxi. 33.	

MAIL, coat of.

שִׁרְיוֹן   *Shiryoun*, a coat of mail.

1 Sam. xvii. 5, 38.

MAIMED.

שָׁבוּר   *Shovoor*, broken, bruised.

Lev. xxii. 22.

MAINTAIN.

1.   עָשָׂה   *Osoh*, to do, make, exercise.
2.   חָזַק   *Khozak*, to strengthen.
3.   יָכַח   *Yokhakh*, to shew, inform, convince.
4.   תָּמַה   *Tomakh*, to support, sustain.

1. 1 Kings viii. 45, 49, 59.	1. 2 Chron. vi. 35, 39.
	3. Job xiii. 15.
2. 1 Chron. xxvi. 27.	1. Psalm cxl. 12.

MAINTAINED.

1. Psalm ix. 4.

MAINTAINEST.

4. Psalm xvi. 5.

MAINTENANCE.

1.   מֶלַח   *Melakh*, salt.
2.   חַיִּים   *Khayeem*, life.

1. Ezra iv. 14.	2. Prov. xxvii. 27.

MAJESTY.

1.   נָאוֹן   *Gooun*, majesty, dignity.
2.   הוֹד   *Houd*, glory, glorious.
3.   הָדָר   *Hodor*, beauty, splendour.
4.   גְּדוּלָה   *Gĕdooloh*, greatness.
5.   גֵּאוּת   *Gaiooth*, excellency.
6.   רְבוּתָא   *Revootho* (Chaldee), greatness.

2. 1 Chron. xxix. 11, 25.	3. Psalm cxlv. 12.
4. Esth. i. 4.	1. Isa. ii. 10.
2. Job xxxvii. 22.	1. — xix. 21.
1. — xl. 10.	1. — xxiv. 14.
3. Psalm xxi. 5.	5. — xxvi. 10.
3. —— xxix. 4.	1. Ezek. vii. 20.
3. —— xlv. 3, 4.	3. Dan. iv. 30.
5. —— xciii. 1.	6. —— 36.
3. —— xcvi. 6.	6. —— v. 18, 19.
3. —— civ. 1.	1. Mic. v. 4.
2. —— cxlv. 5.	

MAKE.

1.   עָשָׂה   *Osoh*, to make, do, exercise.
2.   שָׂכַל   *Sokhal*, (Hiph.) to cause information.
3.   לָבַן   *Lovan*, to whiten.
4.   שׂוּם   *Soom*, to set, place, appoint.

5. The verb "to make," in all tenses, is expressed only by the Hebrew verb being in Piel, Hiphil, or Hithpael, as in all passages N°. 5.

6.   כָּסָה   *Kosoh*, to cover.
7.   שָׁלַם   *Shallaim*, to appease, pay.
8.   נָתַן   *Nothan*, to give, appoint, set, grant.
9.   שָׁקַץ   *Shokats*, to abominate.
10.   קָרַח   *Korakh*, to make bald.
11.   טִמֵּא   *Timmo*, to defile, make unclean.
12.   שָׂרַר   *Sorar*, to rule, govern.
13.   בְּרָא   *Boro*, to create.
14.   יָסַף   *Yosaph*, (Hiph.) to cause to add, increase.
15.   מָלַךְ   *Molakh*, (Hiph.) to cause to reign.
16.   נוּעַ   *Nooā*, (Hiph.) to cause to wander about.
17.   גָּדַל   *Giddail*, to magnify, raise up.
18.   פָּלַל   *Pillail*, to pray, supplicate.
19.   שִׁית   *Sheeth*, to place, fix, appoint.
20.   עַל־תְּאַחַר   *Al-tĕakhair*, delay not.
21.   הָפַךְ   *Hophakh*, to turn round, about.
22.   שָׂמַח   *Somakh*, to rejoice.
23.   חָסָה   *Khosoh*, to trust, confide.
24.   רָהַב   *Rohav*, to attack, press, urge.
25.   בָּקַר   *Bokar*, (Piel) to search diligently.
26.   יָצַר   *Yotsar*, to form.
27.   חָלַץ   *Kholats*, to draw out.

28. פָּגַע *Poga,* to meet ; met., to intercede.

29. בָּקַק *Bokak,* to empty, depopulate.

30. יָכֹל *Yokhal,* to be able.

31. וַהֲשִׁמּוֹתִיהוּ *Vahashimoutheehoo,* and I will cause him to be an astonishment.

32. שׂוּשׂ *Soos,* to rejoice.

33. גָּדַר *Godar,* to fence up.

34. טָעַם *Toam,* to taste.

35. הִתְכַּבְּדִי *Hithcabdee,* make thyself burdensome.

36. בָּהַל *Bohal,* to terrify.

37. בָּרַח *Borakh,* to run, flee.

38. מָהַר *Mohar,* to hasten.

39. אָסַר *Osar,* to tie, bind, prohibit.

40. כּוּן *Koon,* to arrange, prepare.

41. מָסַס *Mosas,* to dissolve, waste away.

42. מוּג *Moog,* to melt like snow, waste away.

43. כָּרַת *Korath,* to cut, separate.*

44. נָתַּר *Notar,* (Hiph.) to loosen, relax.

45. שָׁוָה *Shovoh,* to make equal.

46. חָכַם *Khokham,* (Piel) to make wise.

47. קָנַן *Konan,* (Pual) to make a nest.

48. גָּרַע *Gorā,* to diminish.

49. דָּרַשׁ *Dorash,* to search out through.

50. חוּל *Khool,* (Piel) to be in pain, bring forth.

51. קוּם *Koom,* (Hiph.) to cause to rise, establish.

52. דָּשֵׁן *Doshan,* to fatten, enrich.

53. פָּעַל *Poal,* to work.

54. בְּעָא *Boai,* (Syriac) to request.

55. אָץ *Ots,* to be hasty, press on.

56. בָּעַת *Biaith,* to be excited.

57. רָעַשׁ *Roash,* (Hiph.) to storm, shake, quake.

58. יָרֵא *Yoro,* to fear.

59. דָּחַל *Dokhal* (Syriac), to be afraid.

60. חָתַת *Khothath,* to be anxious, dismayed.

61. כָּלָה *Koloh,* to finish, make an end.

62. נָלָה *Noloh,* to accomplish.

63. תָּמַם *Tomam,* to perfect.

64. פָּרַע *Porā,* to pull off, disorder.

65. קָלַל *Killail,* to esteem lightly, make vile.

66. שָׁכַל *Shokal,* (Piel) to deprive, bereave.

67. פָּשַׁט *Poshat,* to spread abroad.

68. נָגַע *Nogā,* (Niph.) to be touched, plagued.

69. כָּרָה *Koroh,* to dig.

70. עֲבַד *Ovad,* (Chaldee) to work, make, labour.

71. יָצַג *Yotsag,* (Hiph.) to place, fix, set up.

72. פָּרַץ *Porats,* to break through, forth.

73. בָּלָה *Boloh,* (Piel) to wear out.

74. רָפַד *Rophad,* (Piel) to support, comfort.

75. שָׂכַךְ *Sokhakh,* to cover, protect, shelter.

76. חָסַר *Khosar,* to diminish.

77. קָרַב *Korav,* to make near, similar.

78. אָמַץ *Omats,* (Hith.) to strengthen.

79. פּוּר *Poor,* (Hiph.) to destroy.

80. נָאַר *Noar,* to reject.

81. פָּזַז *Pozaz,* to move by strength.

82. סָלַל *Solal,* (Pual) to be raised up.

All passages not inserted are Nᵒ. 1.

* Lit., to cut, separate. When followed by the word covenant, it signifies to establish, confirm ; but the Hebrew expression is to cut a covenant, as in Gen. xv. 10, 18, Jehovah cut a covenant with Abraham by dividing asunder the sacrifice, and as the pieces so sundered could not be re-united, so God's covenant could never be broken.

5. Numb. viii. 7.
8. —— xiv. 4.
12. —— xvi. 13.
13. ——— 30.
5. —— xvii. 5.
5. —— xxx. 8.
5. —— xxxi. 23.
14. Deut. i. 11.
4. —— 13.
5. —— iv. 10.
5. —— vii. 3.
5. —— viii. 3.
4. —— xiv. 1.
5. —— xx. 11, 12.
8. —— xxvi. 19.
5. —— xxviii. 11.
8. ——— 13.
5. —— xxx. 9.
5. —— xxxii. 26, 39.
5. Josh. i. 8.
5. —— vi. 18.
4. —— 18.
8. —— vii. 19.
5. —— xxii. 25.
5. —— xxiii. 12.
Judg. xvi. 25, not in original.
8. Ruth iv. 11.
5. 1 Sam. i. 6.
5. —— ii. 8, 24, 29.
4. —— viii. 5.
15. ——— 22.
4. —— xxviii. 2.
5. —— xxix. 4.
5. 2 Sam. ix. 21.
4. ——- 23.
5. —— xiii. 5.
16. —— xv. 20.
5. —— xxiii. 5.
17. 1 Kings i. 37, 47.
5. —— 47.
5. —— ii. 42.
18. —— viii. 29.
5. ——— 33, 47.
19. —— xi. 34.
5. —— xii. 9, 10.
8. —— xvi. 3.
15. ——— 21.
4. —— xix. 2.
8. —— xxi. 22.
5. 2 Kings v. 7.
5. —— ix. 2.
8. ——— 9.
15. —— x. 5.
14. —— xxi. 8.
5. —— xxiii. 10.
15. 1 Chron. xi. 10.
15. —— xii. 31, 38.
4. —— xvii. 21.
8. ——— 22.
14. —— xxi. 3.
15. —— xxviii. 4.
17. —— xxix. 12.
18. 2 Chron. vi. 21.
5. ——— 22, 24.
8. —— vii. 20.
5. —— x. 10.
15. —— xi. 22.
5. —— xxv. 8.
4. Ezra vi. 8.

4. Ezra vii. 13, 21.
8. —— x. 11.
5. Esth. iv. 8.
—— vii. 7, not in original.
5. Job v. 18.
5. — ix. 30.
5. — xi. 3.
5. — xiii. 23.
5. — xix. 3.
5. — xxii. 27.
5. — xxiv. 25.
5. — xxxiv. 29.
5. — xxxv. 9.
5. — xl. 19.
5. — xli. 3.
5. Psalm v. 8, 10.
5. —— vi. 6.
19. —— xxi. 9, 12.
5. —— xxii. 9.
5. —— xxxi. 16.
—— xxxiv. 2, not in original.
5. —— xxxix. 4.
4. ——— 8.
20. —— xl. 17.
21. —— xli. 3.
5. —— xlv. 17.
22. —— xlvi. 4.
5. —— li. 6, 8.
23. —— lvii. 1.
4. —— lxvi. 2.
5. ——— 8.
20. —— lxx. 5.
5. —— lxxxiii. 2.
19. ——— 11, 13.
19. —— lxxxiv. 6.
8. —— lxxxix. 27.
4. ——— 29.
22. —— xc. 15.
19. —— cx. 1.
5. —— cxix. 27, 35, 135.
5. —— cxxxii. 17.
5. —— cxxxix. 8.
5. —— cxli. 1.
24. Prov. vi. 3.
5. —— xiv. 9.
25. —— xx. 25.
5. —— xxii. 21.
5. ——— 24.
22. —— xxvii. 11.
4. —— xxx. 26.
30. Eccles. vii. 13.
5. ——— 16.
5. Isa. i. 15, 16.
4. — iii. 7.
5. — vi. 10.
5. — vii. 6.
5. — xi. 3, 15.
5. — xii. 4.
5. — xiii. 12.
19. — xvi. 3.
5. — xxviii. 9.
5. — xxix. 21.
5. — xxxii. 6.
47. — xxxiv. 15.
5. — xxxviii. 16.
5. — xl. 3.
4. — xli. 18.

4. Isa. xlii. 15, 16.
5. — xlii. 21.
4. — xliii. 19.
26. — xliv. 9.
5. — xlv. 2.
18. ——— 14.
5. — xlvi. 5.
— xlvii. 2, not in original.
5. — xlviii. 15.
4. — xlix. 11.
4. — L. 2.
5. — li. 4.
— lii. 5, not in original.
4. — liii. 10.
4. — liv. 12.
22. — lvi. 7.
5. — lvii. 4.
5. — lviii. 4.
27. ——— 11.
5. — lx. 13.
4. ——— 15, 17.
4. — lxii. 7.
5. — lxiii. 6.
5. — lxiv. 2.
5. Jer. iv. 30.
8. — v. 14.
28. — vii. 16.
8. — ix. 11.
19. — xiii. 16.
8. — xv. 20.
29. — xix. 7.
8. — xx. 4.
19. — xxii. 6.
5. — xxiii. 16.
8. — xxvi. 6.
28. — xxvii. 18.
8. — xxix. 17.
4. ——— 22.
8. — xxxiv. 17.
5. — xlviii. 26.

8. Jer. xlix. 15.
8. — li. 25.
5. ——— 36.
19. ——— 39.
5. ——— 39, 57.
31. Ezek. xiv. 8.
5. —— xvi. 42.
32. —— xxi. 10.
33. —— xxii. 30.
17. —— xxiv. 9.
8. —— xxvi. 4, 14, 21.
5. —— xxxii. 7, 8.
8. —— xxxiv. 26.
8. —— xliv. 14.
34. Dan. iv. 25, 32.
5. —— viii. 16.
5. — ix. 24.
5. — x. 14.
5. — xi. 35, 44.
19. Hos. ii. 3.
33. ——— 6.
5. ——— 18.
22. —— vii. 3.
5. — x. 11.
8. — xi. 3.
5. — xii. 9.
8. Joel ii. 19.
5. Amos viii. 4.
5. Mic. iii. 5.
4. — iv. 7.
5. — vi. 13.
4. Nah. i. 14.
—— iii. 6, not in original.
35. ——— 15.
Hab. ii. 2, not in original.
4. —— iii. 19.
8. Zeph. iii. 20.
4. Hag. ii. 23.
4. Zech. xii. 2, 3.

MAKE afraid.

5. 2 Sam. xvii. 2.
56. Job xiii. 11, 21.
56. — xv. 24.
56. Job xviii. 11.
56. — xxxiii. 7.
57. — xxxix. 20.

MAKE atonement.

כִּפֵּר *Kippair*, to atone, in all passages.

MAKE covenant.

43. In all passages, except:
8. Gen. xvii. 2.

MAKE desolate -ion.

5. In all passages.

MAKE an end.

61. 1 Sam. iii. 12.
61. Neh. iv. 2.
4. Job xviii. 2.
62. Isa. xxxiii. 1.
7. — xxxviii. 12, 13 (Hiph.).
61. Jer. iv. 27.
61. Jer. v. 10, 18.
61. — xxx. 11.
61. — xlvi. 28.
61. Ezek. xi. 13.
61. —— xx. 17.
63. Dan. ix. 24.
61. Nah. i. 8, 9.

MAKE good.

7. Exod. xxi. 34.	7. Lev. xxiv. 18.
7. —— xxii. 11, 13, 14,	51. Numb. xxiii. 19.
15.	5. Jer. xviii. 11.

MAKE haste, speed.

מָהַר   *Mohar,* } to hasten, make haste;
חוּשׁ   *Khoosh,* }   in all passages.

Except:

36. 2 Chron. xxxv. 21.	37. Cant. viii. 14.

MAKE ready.

38. Gen. xviii. 6.	39. Psalm xi. 2.
37. —— xliii. 16.	39. —— xxi. 12.
38. 2 Kings ix. 21.	39. Ezek. vii. 14.

MAKE waste.

8. Lev. xxvi. 31.	8. Ezek. xxix. 10.
5. Isa. xlii. 15.	8. —— xxx. 12.
8. Ezek. v. 14.	

MAKEST.

1. Judg. xviii. 3.	19. Psalm civ. 20.
5. Job xiii. 26.	—— cxliv. 3, not in
8. — xxii. 3.	original.
5. Psalm iv. 8.	5. Cant. i. 7.
42. —— xxxix. 11.	1. Isa. xlv. 9.
5. —— xliv. 10.	47. Jer. xxii. 23.
4. —— 13, 14.	5. — xxviii. 15.
5. —— lxv. 8.	1. Ezek. xvi. 31.
41. —— 10.	1. Hab. i. 14.
4. —— lxxx. 6.	5. —— ii. 15.

MAKETH.

4. Exod. iv. 11.	5. Psalm xxxiii. 10.
Lev. vii. 7, not in	4. —— xl. 4.
original.	5. —— xlvi. 9.
—— xiv. 11, not in	4. —— civ. 3.
original.	1. —— 4.
—— xvii. 11, not in	22. —— 15.
original.	51. —— cvii. 29.
5. Deut. xviii. 10.	5. —— 36.
1. —— xx. 20.	4. —— 41.
5. —— xxi. 16.	5. —— cxiii. 9.
5. —— xxiv. 7.	1. —— cxxxv. 7.
1. —— xxvii. 15.	5. —— cxlvii. 8.
5. —— 18.	4. —— 14.
43. —— xxix. 12.	22. Prov. x. 1.
5. 1 Sam. ii. 6, 7.	5. —— 4, 22.
44. 2 Sam. xxii. 33.	5. —— xii. 4, 25.
45. —— 34.	22. —— 25.
5. Job v. 18.	5. —— xiii. 7, 12.
1. — ix. 9.	5. —— xv. 13.
5. — xii. 17, 25.	22. —— 20.
1. — xv. 27.	52. —— 30.
5. — xxiii. 16.	5. —— xvi. 7.
1. — xxv. 2.	5. —— xviii. 16.
1. — xxvii. 18.	5. —— xix. 4.
46. — xxxv. 11.	1. —— xxxi. 22, 24.
48. — xxxvi. 27.	1. Eccles. iii. 11.
5. — xli. 31, 32.	5. —— vii. 7.
49. Psalm ix. 12.	5. —— viii. 1.
8. —— xviii. 32.	1. —— xi. 5.
45. —— 33.	29. Isa. xxiv. 1.
5. —— xxiii. 2.	1. — xl. 23.
50. —— xxix. 9.	8. — xliii. 16.

53. Isa. xliv. 15.	1. Jer. li. 16.
1. —— 17, 24.	1. Ezek. xxii. 3.
5. —— 25.	54. Dan. vi. 13.
1. — xlvi. 6.	8. —— xi. 31.
5. — lv. 10.	8. —— xii. 11.
5. — lix. 15.	1. Amos iv. 13.
1. Jer. x. 13.	1. —— v. 8.
4. — xvii. 5.	5. Nah. i. 4.
5. — xxix. 26, 27.	

MAKETH haste.

55. Prov. xxviii. 20.

MAKING.

5. In all passages, except:

1. Eccles. xii. 12.	1. Ezek. xxvii. 16, 18.
22. Jer. xx. 15.	

MADE.

4. Exod. ii. 14.	69. Psalm vii. 15.
4. —— iv. 11.	53. —— 15.
5. —— ix. 20.	1. —— ix. 15.
5. —— xxxii. 4.	4. —— lii. 7.
64. —— 25.	17. Eccles. ii. 4.
1. —— 31.	1. —— 5, 6.
1. —— xxxix. 42.	4. Cant. i. 6.
5. Numb. xx. 5.	1. —— iii. 10.
1. Deut. ix. 21.	4. —— vi. 12.
68. Josh. viii. 15.	1. Isa. ii. 8.
1. —— ix. 4.	5. — xiv. 16.
5. —— xiv. 8.	43. — xxviii. 15.
1. —— xxii. 28.	4. —— 15.
5. Judg. xvi. 19, 25, 27.	1. — xxix. 16.
1. —— xviii. 24.	1. — xxxi. 7.
65. 1 Sam. iii. 13.	— lix. 8, not in
4. —— viii. 1.	original.
5. —— xii. 1.	70. Jer. x. 11.
66. —— xv. 33.	8. — xii. 10.
67. —— xxvii. 10.	1. — xviii. 4.
5. 2 Sam. xiii. 6.	8. — xxxvii. 15.
1. 1 Kings xii. 32.	1. — xli. 9.
1. —— xv. 12, 13.	71. — li. 34.
4. —— xx. 34.	5. Ezek. xiii. 22.
5. 2 Kings xi. 12.	5. —— xvii. 16.
1. —— xvi. 11.	4. —— xx. 28.
4. 1 Chron. xxvi. 10.	5. —— xxi. 24.
1. 2 Chron. xv. 16.	17. —— xxxi. 4.
8. —— xxv. 16.	51. Dan. v. 11.
64. —— xxviii. 19.	—— ix. 13, not in
1. —— xxxiii. 7.	original.
5. —— xxxiv. 33.	5. Hos. vii. 5.
4. Ezra v. 14.	5. —— viii. 4.
5. Neh. iv. 9.	1. —— 6.
5. Esth. ii. 17.	1. Amos v. 26.
1. —— ix. 17, 18.	4. Zech. vii. 12.
50. Job xv. 7.	

MADE afraid.

58. 2 Sam. xiv. 15.	56. Psalm xviii. 4.
56. —— xxii. 5.	59. Dan. iv. 5.
58. Neh. vi. 9.	60. Hab. ii. 17.

MADE covenant.

43. In all passages.

MADE an end.

61. In all passages.

MADE with, by fire.
Not used in the original.

MADE, meant of God.
All passages not inserted are N°. 1.

5. Gen. ii. 9.	8. 1 Kings xvi. 2.
5. —— viii. 1.	5. 2 Chron. i. 11.
5. —— xxiv. 21.	22. —— xx. 27.
5. —— xxvi. 22.	5. —— xxvi. 5.
5. —— xxxix. 3, 23.	22. Ezra vi. 22.
5. —— xli. 51.	5. Job xvi. 7.
4. —— xlv. 8, 9.	71. — xvii. 6.
4. Exod. xiv. 21.	5. Psalm xviii. 35.
5. Lev. xxiii. 43.	22. —— xxx. 1.
5. —— xxvi. 13.	4. —— xlvi. 8.
5. Numb. xxxii. 13.	5. —— cv. 28.
5. Deut. ii. 30.	5. —— cxxxvi. 14.
5. —— iv. 36.	8. —— cxlviii. 6.
4. —— x. 22.	53. Prov. xvi. 4.
5. —— xi. 4.	5. Isa. xxx. 33.
5. —— xxxii. 13.	5. —— liii. 12.
8. Josh. xxii. 25.	8. Jer. xxix. 26.
Judg. v. 13, not in	8. Lam. i. 13.
original.	5. —— 14.
5. 1 Sam. xii. 8.	73. —— iii. 4.
5. —— xv. 35.	5. —— 7.
72. 2 Sam. vi. 8.	4. —— 11.
19. —— xxii. 12.	5. —— 15.
5. —————— 36.	5. Ezek. xxxi. 16.
4. 1 Kings x. 9.	5. Zeph. iii. 6.
8. —— xiv. 7.	

MADE, I have, have I.
All passages not inserted are N°. 1.

5. Gen. xiv. 23.	5. Isa. xvi. 10.
8. —— xvii. 5.	5. — xxi. 2.
4. —— xxvii. 37.	8. Jer. i. 18.
8. Exod. vii. 1.	8. Ezek. iii. 8, 9, 17.
5. 1 Kings viii. 59.	5. —— xiii. 22.
5. 1 Chron. xxix. 19.	5. —— xvii. 24.
4. Ezra vi. 11, 12.	8. —— xxii. 4.
74. Job xvii. 13.	70. Dan. iii. 15.
4. — xxxi. 24.	5. Amos iv. 10.
4. — xxxix. 6.	8. Obad. 2.
Psalm xlv. 1, not in	8. Mal. ii. 9.
original.	

MADE, hast thou.
All passages not inserted are N°. 1.

53. Exod. xv. 17.	26. Psalm lxxiv. 17.
5. Josh. ii. 17, 20.	19. —— lxxxviii. 8.
5. 1 Kings iii. 7.	5. —— lxxxix. 42, 44.
5. —— ix. 3.	13. ————————47.
75. Job i. 10.	4. —— xci. 9.
5. — xvi. 7.	22. —— xcii. 4.
76. Psalm viii. 5.	26. —— civ. 26.
4. —— xviii. 43.	4. Isa. xxv. 2.
19. —— xxi. 6.	5. — xliii. 24.
5. —— xxx. 7.	5. — lxiii. 17.
8. —— xxxix. 5.	4. Lam. iii. 45.
57. —— lx. 2, 3.	33. Ezek. xiii. 5.

MADE haste.

מָהַר *Mohar,*
חָפַז *Khophaz,* } to make haste, hurry,
הוּשׁ *Khoosh,* } in all passages.

MADE peace.

1. Josh. ix. 15.	5. 2 Sam. x. 19.
5. —— x. 1, 4.	5. 1 Kings xxii. 44.
5. —— xi. 19.	5. 1 Chron. xix. 19.

MADE ready.

39. Gen. xliii. 25.	1 Kings vi. 7, not in
38. —— xlvi. 29.	original.
38. Exod. xiv. 6.	38. 2 Kings ix. 21.
Judg. vi. 19, not in	40. 1 Chron. xxviii. 2.
original.	39. 2 Chron. xxxv. 14.
—— xiii. 15, not in	39. Psalm vii. 12.
original.	77. Hos. vii. 6.

MADE speed.

78. 1 Kings xii. 18.	78. 2 Chron. x. 18.

MADE void.

79. Numb. xxx. 12.	79. Psalm cxix. 126.
80. Psalm lxxxix. 39.	

MADE (passively).

81. Gen. xlix. 24.	82. Prov. xv. 19.
Lev. xxii. 5, not in	—— xx. 11, not in
original.	original.
1. Numb. iv. 26.	52. —— xxviii. 25 (pas-
1. —— vi. 4.	sive).
2 Chron. vi. 29, not in	Eccles. i. 15, not in
original.	original.
Ezra v. 17, not in	5. —— vii. 3.
original.	1. —— x. 19.
—— vi. 1, not in	8. Isa. li. 12 (passive).
original.	50. — lxvi. 8 (passive).
70. ————— 11.	Jer. xix. 11, not in
1. Esth. v. 14.	original.
5. Job vii. 3.	— xx. 8, not in
1. — xli. 33.	original.
5. Psalm xlix. 16.	45. Dan. v. 21.
—— cxxxix. 14, not	
in original.	

MADEST.

5. Psalm viii. 6.	5. Ezek. xxix. 7.
78. —— lxxx. 15, 17.	17. Jonah iv. 10.
1. Ezek. xvi. 17.	

MAKER.

1.	עֹשֶׂה	*Ousah,* a maker.
2.	פֹּעַל	*Poual,* a worker.
3.	יֹצֵר	*Youtsair,* a former, contriver.
4.	חָרָשִׁים	*Khorosheem,* artificers.

1. Job iv. 17.	1. Isa. xvii. 7.
1. — xxxii. 22.	1. — xxii. 11.
1. — xxxv. 10.	3. — xlv. 9, 11.
2. — xxxvi. 3.	1. — li. 13.
1. Psalm xcv. 6.	1. — liv. 5.
1. Prov. xiv. 31.	1. Jer. xxxiii. 2.
1. —— xvii. 5.	1. Hos. viii. 14.
1. —— xxii. 2.	3. Hab. ii. 18.
2. Isa. i. 31.	

MAKERS.
4. Isa. xlv. 16.

MALE.
זָכָר *Zokhor,* a male, in all passages.

MALES.

זְכָרִים   *Zekhoreem*, males, in all passages.

MALE children.

זְכָרִים   *Zekhoreem*, males.
Josh. xvii. 2.

MALLOWS.

מַלּוּחַ   *Malooakh*, a saline plant, fruit.
Job xxx. 4.

MAN.

1.   אָדָם   *Odom*, mankind, man (made) of earth.
2.   אִישׁ   *Eesh*, a man of virtue, valiant.
3.   גֶּבֶר   *Gever*, a man of strength, physical power.
4.   אֱנוֹשׁ   *Enoush*, a mortal man, weak, feeble.
5.   בַּעַל   *Bāal*, an owner, master.
6.   נֶפֶשׁ   *Nephesh*, life, animal breath.
7.   גֻלְגֹּלֶת   *Gulgouleth*, a man's skull, poll.
8.   גִּבּוֹר   *Gibbour*, mighty, powerful.
9.   רָשָׁע   *Roshō*, a bad, wicked man.
10.   חָכָם   *Khokhom*, a wise man, a sage.
11.   נַעַר   *Nāar*, a youth, lad.
12.   עַד־אֶחָד   *Ad-ekhod*, even one.
13.   נֶפֶשׁ אָדָם   *Nephesh odom*, the life of mankind.
14.   הַנּוֹפֵל   *Hanouphail*, he that falleth.
15.   אֶחָד   *Ekhod*, one.
16.   זֶרַע אֲנָשִׁים   *Zerā anosheem*, the seed of men.
17.   אֵלָיו   *Ailov*, unto, upon him.
18.   זָכָר   *Zokhor*, a male.
19.   בֶּן־זָכָר   *Ben-zokhor*, a male child.
20.   נָבוֹן‪)‬ מֵבִין‪)‬   *Novoun,* } a man of understanding. *Maiveen,* }
21.   אִישׁ אָוֶן   *Eesh oven*, a man of iniquity.
22.   עֶלֶם   *Elem*, a lad.
23.   בָּחוּר   *Bokhoor*, a chosen young man.
24.   יֶלֶד   *Yeled*, a child (masc.).
25.   הָאָדָם   *Hoōdom*, the man, Adam.
26.   עֶבֶד   *Eved*, a man-servant, slave.
27.   רוֹצֵחַ   *Routsaiakh*, a murderer.
28.   נָבָל   *Novol*, a vile person.
29.   דַּל   *Dol*, exhausted, poor.
30.   אֶבְיוֹן   *Evyoun*, needy.
31.   רָשׁ   *Rosh*, impoverished.
32.   עָנִי   *Onee*, afflicted.
33.   מִסְכֵּן   *Miskain*, destitute.
34.   עָשִׁיר   *Osheer*, rich.
35.   צַדִּיק   *Tsadeek*, righteous, just.
36.   צֶדֶק   *Tsedek*, righteousness.
37.   זָקֵן   *Zokain*, aged, old.
38.   יוֹשֵׁב   *Youshaiv*, an inhabitant.

1. Gen. i. 26.	2. Judg. xix. 22, 28.
5. —— 27.	2. Ruth i. 2.
5. —— ii. 7, 8, 15,16, 18, 22, 25.	2. —— ii. 19.
	2. —— iii. 18.
5. —— iii. 12, 22, 24.	2. 1 Sam. ii. 33.
1. —— vi. 3, 5, 6, 7.	2. —— iv. 14.
2. —— 9.	2. —— ix. 6, 17.
5. —— viii. 21.	2. —— x. 22.
5. —— ix. 6.	1. —— xvi. 7, twice.
1. —— 6.	2. —— xvii. 26.
5. —— 6.	2. —— xxi. 14.
1. —— xvi. 12.	2. 2 Sam. xii. 5, 7.
2. —— xix. 8, 9.	2. —— xvi. 7, 8.
2. —— xx. 7.	2. —— xvii. 3.
2. —— xxiv. 21, 22, 29, 30, 32, 58, 61, 65.	2. —— xxi. 5.
	3. —— xxiii. 1.
2. —— xxv. 27.	2. 1 Kings xx. 20.
2. —— xxvi. 13.	2. 2 Kings v. 26.
2. —— xxvii. 11.	2. —— vi. 19.
2. —— xxix. 19.	2. —— ix. 11.
2. —— xxx. 43.	2. —— xxii. 15.
2. —— xxxii. 24.	3. 1 Chron. xxiii. 3 (plur.)
2. —— xxxiv. 25.	1. —— xxix. 3.
2. —— xxxvii. 17.	4. 2 Chron. xiv. 11.
2. —— xxxviii. 25.	1. —— xix. 6.
2. —— xxxix. 2.	2. —— xxiv. 23.
2. —— xlii. 25, 30, 33, 35.	2. Esth. vi. 6, 7, 9, 11.
	4. Job iv. 17.
2. —— xliii. 3, 5, 6, 7, 11, 13, 17, 21, 24.	3. —— 17.
2. —— xliv. 17.	1. — v. 7.
2. Exod. ii. 20, 21.	4. —— 17.
1. —— iv. 11.	4. — vii. 1, 17.
1. —— xxx. 32.	4. — ix. 2.
2. —— xxxii. 1.	4. — x. 4, 5.
2. Lev. xvii. 4.	3. —— 5.
2. Numb. v. 15.	2. — xi. 12.
2. —— ix. 13.	1. —— 12.
2. —— xii. 3.	1. — xiv. 1.
2. —— xv. 35.	3. —— 10.
2. —— xvi. 7.	1. —— 10.
2. —— xix. 20.	2. —— 12.
1. —— xxxi. 35.	1. — xv. 7.
1. Deut. iv. 32.	4. —— 14.
1. — v. 24.	2. —— 16.
1. —— viii. 3.	1. — xx. 4.
1. —— xx. 19.	1. — xxi. 4.
2. —— xxii. 25.	4. — xxv. 4, 6.
3. Josh. vii. 14, 17, 18 (plural).	1. —— 6.
	4. — xxxii. 8.
2. Judg. i. 25.	2. —— 13.
2. — iv. 22.	4. — xxxiii. 12.
2. —— viii. 21.	1. —— 6.
4. —— ix. 9, 13 (plur.).	3. Job xxxiii. 17.
2. —— x. 18.	1. —— 23.
2. —— xiii. 10, 11.	3. —— 29.
1. —— xvi. 7, 11, 17.	17. —— 14.
	4. — xxxiv. 7, 9.

1. Job xxxiv. 15.
2. ——— 21, 23.
3. ——— 34.
4. Psalm viii. 4.
1. ——— 4.
4. —— ix. 19.
4. —— x. 18.
2. —— xxv. 12.
2. —— xxxiv. 12.
2. —— xxxix. 11.
1. —— xlix. 12, 20.
1. —— lvi. 11.
2. —— lxxviii. 25.
2. —— lxxx. 17.
1. ——— 17.
1. —— lxxxiv. 5, 12.
3. —— lxxxix. 48.
4. —— xc. 3.
1. ——— 3.
1. —— xciv. 10, 11.
3. ——— 12.
4. —— ciii. 15.
1. —— civ. 14.
4. ——— 15.
1. ——— 23.
1. —— cxviii. 6, 8.
1. —— cxliv. 3.
4. ——— 3.
1. ——— 4.
2. Prov. ii. 12.
2. —— vi. 11.
1. —— xvi. 1.
3. —— xx. 24.

MAN, a.

1. Gen. ii. 5.
2. ——— 24.
1. —— iv. 1.
2. ——— 23.
2. —— xiii. 16.
2. —— xix. 31.
5. —— xx. 3.
2. —— xxv. 27.
2. —— xxxii. 24.
2. Gen. xli. 33.
2. ——— 38.
2. —— xliv. 15.
2. —— xlix. 6.
2. Exod. xxxiii. 11.
1. Lev. xiii. 9.
1. —— xviii. 5.
2. —— xxiv. 10.
1. ——— 20.
2. —— xxvii. 28.
1. ——— 28.
2. Numb. i. 4.
2. —— xiii. 2.
2. —— xv. 32.
1. —— xix. 14.
2. —— xxiii. 19.
1. ——— 19.
2. —— xxvi. 64, 65.
2. —— xxvii. 16, 18.
2. Deut. i. 31.
2. —— iii. 11.
2. —— viii. 5.
2. —— xix. 15.
2. Josh. iii. 12.
2. —— iv. 2, 4.
2. —— v. 13.
2. —— x. 8, 14.

1. Prov. xx. 24.
2. —— xxiv. 34.
2. —— xxvi. 19.
2. Eccles. i. 8.
1. —— ii. 12, 22.
1. —— vi. 10, 11.
5. —— vii. 14.
1. ——— 20.
5. ——— 29.
5. —— ix. 12.
2. ——— 15.
5. —— xii. 5, 13.
5. Isa. ii. 22.
1. — xxxviii. 11.
2. —— xlvi. 11.
1. Jer. x. 23.
2. ——— 23.
3. Lam. iii. 1.
5. Ezek. iv. 15.
2. —— xviii. 8.
4. Dan. iv. 16.
2. —— x. 19.
2. Hos. xi. 9.
1. Amos iv. 13.
2. Mic. v. 2.
1. —— vi. 8.
1. Zeph. i. 3.
2. Zech. vi. 12.
2. —— xiii. 5.
1. ——— 5.
3. ——— 7.
2. Mal. ii. 12.

1. Josh. xiv. 15.
2. —— xxi. 44.
2. Judg. i. 24.
2. —— iii. 29.
12. —— iv. 16.
2. —— vii. 13, 14.
2. —— x. 1.
2. —— xvi. 19.
2. Ruth iv. 7.
2. 1 Sam. ix. 16.
2. ——— xi. 13.
2. —— xiii. 14.
2. —— xiv. 36.
1. —— xv. 29.
2. —— xvi. 16, 17.
2. —— xvii. 8, 10.
2. —— xxx. 17.
2 Sam. iii. 34, 38, not in original.
2. —— xvi. 23.
2. —— xviii. 24.
2. —— xx. 1.
2. 1 Kings ii. 2, 4.
2. —— viii. 25.
2. —— xx. 39, 42.
2. 2 Kings i. 6.
2. —— iv. 42.
2. —— v. 7.
2. —— x. 21.
2. —— xiii. 21.
2. 1 Chron. xxii. 9.
2. 2 Chron. vi. 16.
2. ——— vii. 18.
1. Neh. ii. 10.
2. —— vi. 11.
1. —— ix. 29.

2. Job ii. 4.
3. — iii. 23.
4. — iv. 17.
3. ——— 17.
2. — ix. 32.
2. — xi. 2.
2. — xii. 14.
3. — xiv. 14.
3. — xvi. 21.
1. ——— 21.
3. — xxii. 2.
1. — xxxiv. 11, 29.
2. — xxxv. 8.
1. ——— 8.
2. — xxxvii. 20.
3. — xxxviii. 3.
3. — xl. 7.
2. Psalm xxxviii. 14.
4. —— lv. 13.
2. —— lxii. 3.
—— lxxiv. 5, not in original.
3. —— lxxxviii. 4.
2. —— cv. 17.
2. —— cxlvii. 10.
1. Prov. iii. 30.
3. —— vi. 34.
2. —— xiv. 12.
2. —— xvi. 2, 7, 25.
3. —— xx. 24.
1. ——— 24.
5. —— xxiii. 2.
2. —— xxvi. 21.
2. —— xxvii. 8, 21.
1. —— xxviii. 12.
2. ——— 23.
3. —— xxix. 5.
2. ——— 20.
1. Eccles. ii. 21, 26.
2. —— iv. 4.
2. —— vi. 2.
1. ——— 12.
2. —— vii. 5.
1. —— viii. 1, 15.
25. ——— 17.
25. —— x. 14.
25. —— xi. 8.
2. Cant. viii. 7.
2. Isa. vi. 5.

MAN, any.

2. Gen. xxiv. 16.
4. —— xlvi. 6 (plural).
5. Exod. xxiv. 14.
2. —— xxxiv. 3, 24.
2. Lev. xv. 2, 16, 24.
13. —— xxiv. 17.
2. Numb. v. 10, 12.
—— vi. 9, not in original.
1. —— xix. 11, 13.
2. —— xxi. 9.
2. Deut. xix. 11, 16.
14. —— xxii. 8.
2. —— xxiii. 10.
2. Josh. i. 5.
2. — ii. 11.
2. Judg. iv. 20.
1. — xvi. 17.
1. — xviii. 7, 28.
2. 1 Sam. ii. 13, 16.

4. Isa. xiii. 12.
1. ——— 12.
1. — xvii. 7.
— xxviii. 20, not in original.
1. — xxix. 21.
2. — xxxii. 2.
2. — xliv. 13.
1. ——— 13.
1. — xlvii. 3.
2. — liii. 3.
1. — lviii. 5.
2. — lxvi. 3.
2. Jer. iv. 29.
2. — v. 1.
2. — xiv. 9.
2. — xv. 10.
1. — xvi. 20.
3. — xxii. 30.
2. — xxiii. 9.
3. — xxx. 6.
3. — xxxi. 22.
2. — xxxiii. 17, 18.
2. — xxxv. 19.
2. — L. 42.
Lam. iii. 26, not in original.
3. ——— 27.
1. ——— 39.
3. ——— 39.
1. Ezek. xx. 11, 13, 21.
2. —— xxii. 30.
1. —— xxviii. 2, 9.
2. Ezek. xxxiii. 2.
4. Dan. ii. 10.
3. ——— 25.
3. — v. 11.
4. —— vii. 4.
1. —— viii. 16.
2. —— x. 11.
2. Hos. vi. 9.
1. —— ix. 12.
1. —— xi. 4.
2. Amos ii. 7.
2. — v. 19.
3. Mic. ii. 2.
2. ——— 2, 11.
2. —— vii. 6.
2. Mal. iii. 17.

2. 1 Sam. xii. 4.
2. 2 Sam. xv. 2, 5.
2. ——— xix. 22.
2. ——— xxi. 4.
2. 1 Kings viii. 31.
1. ——— 38.
2. 2 Kings iv. 29.
2. 2 Chron. vi. 5.
1. ——— 29.
1. Neh. ii. 12.
2. Job xxxii. 21.
1. ——— 21.
2. Prov. xxx. 2.
1. ——— 2.
2. Isa. lii. 14.
2. Jer. xliv. 26.
2. Ezek. ix. 6.
4. Dan. vi. 7.
3. ——— 12.

MAN and beast.
1. In all passages, except:
2. Exod. xi. 7. | 2. Exod. xix. 13.

MAN, blessed.
2. Psalm i. 1. | 3. Psalm xciv. 12.
1. —— xxxii. 2. | 2. —— cxii. 1.
3. —— xxxiv. 8. | 1. Prov. viii. 34.
3. —— xl. 4. | 4. Isa. lvi. 2.
1. —— lxxxiv. 5, 12. | 3. Jer. xvii. 7.

MAN, a certain.
2. Gen. xxxvii. 15. | 2. 1 Kings xxii. 34.
2. 2 Sam. xviii. 10. | 2. 2 Chron. xviii. 33.

MAN -child.
18. Gen. xvii. 10, 12, 14. | 18. Isa. lxvi. 7.
18. Lev. xii. 2. | 2. Jer. xx. 15.
16. 1 Sam. i. 11. | 19. —— 15.
3. Job iii. 3.

MAN, cursed.
2. Josh. vi. 26. | 3. Jer. xvii. 5.
2. Jer. xi. 3. | 2. — xx. 15.

MAN, each.
2. Gen. xxxiv. 25. | 2. Judg. xxi. 22.
2. — xl. 5. | 15. 1 Kings iv. 7.
2. — xlv. 22. | 2. 2 Kings xv. 20.

MAN, every.
7. Gen. vii. 21. | 2. Deut. xii. 8.
1. — ix. 5. | 2. —— xvi. 17.
1. — xvi. 12. | 2. —— xxiv. 16.
2. — xlii. 25, 35. | 2. Josh. iv. 5.
2. — xliii. 21. | 2. —— vi. 5, 20.
2. — xliv. 11, 13. | 2. —— xxiv. 28.
2. — xlv. 1. | 2. Judg. ii. 6.
2. — xlvii. 20. | 3. —— v. 30.
2. Exod. i. 1. | 2. —— vii. 7, 8, 16, 22.
2. — vii. 12. | 2. —— viii. 24, 25.
2. — xi. 2. | 2. —— ix. 49.
2. — xii. 3, 4. | 2. —— xvii. 6.
6. ——— 16. | 2. —— xxi. 21, 24, 25.
2. — xvi. 16. | 2. 1 Sam. iv. 10.
7. ——— 18, 21. | 2. —— viii. 22.
2. ——— 29. | 2. —— xiv. 20, 34.
2. — xxv. 2. | 2. —— xxv. 10, 13.
2. — xxx. 12. | 2. —— xxvi. 23.
2. — xxxii. 27. | 2. —— xxx. 6, 22.
2. — xxxiii. 8, 10. | 2. 2 Sam. xiii. 9, 29.
2. — xxxvi. 4. | 2. —— xv. 4, 30.
7. — xxxviii. 26. | 2. —— xix. 8.
2. Lev. xix. 3. | 2. —— xx. 1.
2. — xxv. 10, 13. | 2. 1 Kings iv. 25.
2. Numb. i. 52. | 2. —— viii. 38, 39.
2. ——— ii. 2, 17. | 2. —— x. 25.
2. ——— v. 10. | 2. —— xii. 24.
2. ——— vii. 5. | 2. —— xx. 24.
2. ——— xvi. 17, 18. | 2. —— xxii. 17, 36.
2. ——— xvii. 2, 9. | 2. 2 Kings vi. 2.
2. ——— xxxi. 53. | 2. —— xi. 8.
2. ——— xxxii. 18. | 2. —— xiv. 6, 12.
——— 27, 29, | 2. —— xviii. 31.
not in original. | 2. 2 Chron. vi. 30.
2. Deut. i. 16. | 2. —— ix. 24.
2. — iii. 20. | 2. —— xi. 4.

2. 2 Chron. xxv. 4. | 2. Jer. xxxi. 34.
2. Neh. v. 13. | 2. — xxxiv. 15, 17.
2. Esther i. 8, 22. | 2. — xxxv. 15.
1. Job xxi. 33. | 2. — xxxvi. 3.
2. — xxxiv. 11. | 2. — xxxvii. 10.
1. — xxxvii. 7. | 1. — li. 17.
1. Psalm xxxix. 5. | 2. — 45.
2. ——— 6. | 2. Ezek. viii. 11, 12.
1. ——— 11. | 2. — ix. 1, 2.
2. ——— lxii. 12. | 2. —— xx. 7, 8.
2. Prov. xix. 6. | 2. —— xxxii. 10.
1. — xxiv. 12. | 2. —— xlvi. 18.
——— 26, not in | 4. Dan. iii. 10.
original. | 4. —— vi. 12.
1. ——— xxix. 26. | 2. Jonah i. 5.
2. Isa. ix. 20. | 2. Mic. iv. 4.
4. — xiii. 7. | 2. —— vii. 2.
2. — xxxi. 7. | 2. Hag. i. 9.
1. Jer. x. 14. | 2. Zech. iii. 10.
2. — xvii. 10. | 2. —— viii. 4, 16.
2. — xxvi. 3. | 2. Mal. ii. 10.
2. — xxix. 26.

MAN, evil.
1. Psalm cxl. 1. | 2. Prov. xxix. 6.

MAN, foolish.
Job v. 2, not in | 1. Prov. xv. 7.
original. | 1. —— xxi. 20.
28. Psalm lxxiv. 22. | 2. —— xxix. 9.
2. Prov. xiv. 7.

MAN, good.
2. 2 Sam. xviii. 27. | 2. Prov. vii. 19.
3. Psalm xxxvii. 23. | 2. —— xiv. 14.
2. —— cxii. 5.

MAN of God.
2. In all passages.

MAN, mighty.
8. Judg. vi. 12. | 8. Psalm lii. 1.
8. — xi. 1. | 8. —— lxxviii. 65.
8. Ruth ii. 1. | 8. —— cxxvii. 4.
8. 1 Sam. ix. 1. | 8. Isa. iii. 2.
8. —— xvi. 18. | 2. — v. 15.
8. 2 Sam. xvii. 10. | 2. — xxxi. 8.
8. 1 Kings xi. 28. | 8. — xlii. 13.
8. 2 Kings v. 1. | 8. Jer. ix. 23.
8. 1 Chron. xii. 4. | 8. — xiv. 9.
8. 2 Chron. xvii. 17. | 8. — xlvi. 6, 12.
8. ——— xxviii. 7. | 8. Zeph. i. 14.
2. Job xxii. 8. | 8. Zech. ix. 13.
8. Psalm xxxiii. 16. | 8. — x. 7.

MAN, no.
2. Gen. xxxi. 50. | 2. Lev. xxvii. 26.
2. — xli. 44. | 2. Numb. v. 19.
2. — xlv. 1. | 2. Deut. vii. 24.
2. Exod. ii. 12. | 2. — xi. 25.
2. — xvi. 19, 29. | ——— xxviii. 29, 68,
2. — xxii. 10. | not in original.
2. — xxxiii. 4. | 2. —— xxxiv. 6.
1. ——— 20. | 2. Josh. xxiii. 9.
2. — xxxiv. 3. | 2. Judg. xi. 39.
1. Lev. xvi. 17. | 2. — xix. 15, 18.
2. — xxi. 21. | 2. — xxi. 12.

2. 1 Sam. ii. 9.
——— xi. 3, not in original.
1. ——— xvii. 32.
2. ——— xxi. 2.
——— xxvi. 12, not in original.
2 Sam. xv. 3, not in original.
1. 1 Kings viii. 46.
2. 2 Kings vii. 5, 10.
2. ——— xxiii. 18.
2. 1 Chron. xvi. 21.
1. 2 Chron. vi. 36.
Esth. v. 12, not in original.
——— viii. 8, not in original.
2. —— ix. 2.
Job xi. 3, not in original.
— xv. 28, not in original.
— xx. 24, not in original.
— xxiv. 22, not in original.
2. — xxxviii. 26.
1. ——— 26.
2. Psalm xxii. 6.
1. —— cv. 14.
—— cxlii. 4, not in original.
—— cxliii. 2, not in original.
Prov. i. 24, not in original.
—— xxviii. 1, not in original.
1. ——— 17.
1. Eccles. viii. 8.

5. Eccles. ix. 1.
2. ——— 15.
1. ——— 15.
2. ——— 15.
2. Isa. ix. 19.
— xxiv. 10, not in original.
4. — xxxiii. 8.
2. — xli. 28.
2. — L. 2.
2. — lvii. 1.
2. — lix. 16.
— lx. 15, not in original.
2. Jer. ii. 6.
1. ——— 6.
1. — iv. 25.
2. — viii. 6.
2. — xii. 11.
2. — xxii. 30.
— xxx. 17, not in original.
2. — xxxvi. 19.
2. — xxxviii. 24.
2. — xl. 15.
2. — xli. 4.
38. — xliv. 2.
2. — xlix. 18, 33.
2. — L. 40.
2. — li. 43.
Lam. iv. 4, not in original.
Ezek. xiv. 15, not in original.
2. —— xliv. 12.
2. Hos. iv. 4.
Nah. iii. 18, not in original.
2. Zeph. iii. 6.
2. Zech. i. 21.
—— vii. 14.

MAN, one.

2. Gen. xlii. 11.
2. ——— 13.
2. Exod. xxi. 35.
2. Numb. xiv. 15.
2. —— xvi. 22.
2. —— xxxi. 49.
2. Josh. xxiii. 10.
2. Judg. vi. 16.
2. —— xviii. 19.
2. —— xx. 1, 8.
2. 1 Sam. ii. 25.

2. 2 Sam. xix. 14.
2. 1 Kings xxii. 8.
2. 2 Chron. xviii. 7.
2. Ezra iii. 1.
2. Neh. viii. 1.
4. Job xiii. 9.
1. Eccles. vii. 28.
25. ——— viii. 9.
2. Isa. iv. 1.
2. Ezek. ix. 2.

MAN, poor.

29. Exod. xxiii. 3.
30. Deut. xv. 7.
2. —— xxiv. 12.
31. 1 Sam. xviii. 23.
31. 2 Sam. xii. 3.
2. ——— 4.
32. Psalm xxxiv. 6.

2. Psalm cix. 16.
31. Prov. xix. 22.
2. —— xxi. 17.
3. —— xxviii. 3.
31. —— xxix. 13.
2. Eccles. ix. 15.
33. ——— 16.

MAN, rich.

34. 2 Sam. xii. 2.
2. ——— 4.
34. Job xxvii. 19.
34. Prov. x. 15.

34. Prov. xviii. 11.
2. —— xxviii. 11.
34. Jer. ix. 23.

MAN, righteous.

35. In all passages, except:

36. Isa. xli. 2.

MAN -servant.

26. In all passages.

MAN -slayer.

27. Numb. xxxv. 6, 12.

MAN, son of.

All passages not inserted are N°. 1.

4. Psalm cxliv. 3. | 4. Dan. vii. 13.

MAN, that.

2. Lev. xvii. 9.
2. —— xx. 3, 5.
2. Numb. ix. 13.
2. Deut. xvii. 5.
2. —— xxii. 18.
2. —— xxv. 9.
2. —— xxix. 20.
2. Josh. xxii. 20.

2. Job i. 1.
2. Psalm xxxvii. 37.
3. —— xl. 4.
2. —— lxxxvii. 5.
3. Prov. xxviii. 21.
2. Jer. xx. 16.
2. — xxiii. 34.
2. Ezek. xiv. 8.

MAN, this.

2. Gen. xxiv. 58.
2. —— xxvi. 11.
Exod. x. 7, not in original.
2. Deut. xxii. 16.
2. Judg. xix. 23, 24.
2. 1 Sam. i. 3.
—— x. 27, not in original.
2. ——— xvii. 25.
2. ——— xxv. 25.
2. 1 Kings xx. 39.
2 Kings v. 7, not in original.
2. Neh. i. 11.
2. Esth. ix. 4.

2. Job i. 3.
3. Psalm lii. 7.
—— lxxxvii. 4, not in original.
2. ——— 5.
——— 6, not in original.
2. Isa. xiv. 16.
— lxvi. 2, not in original.
2. Jer. xxii. 28, 30.
2. — xxvi. 11, 16.
2. — xxxviii. 4.
Dan. viii. 16, not in original.
2. Jonah i. 14.

MAN, of.

1. Gen. ix. 5.
1. Exod. xiii. 13.
1. Numb. xviii. 15.
2. Deut. i. 17.
1. 2 Sam. vii. 19.
1. —— xxiv. 14.
2. 2 Kings i. 7.
1. —— vii. 10.
1. 1 Chron. xxi. 13.
4. Job x. 5.
4. — xiv. 19.
1. Psalm lx. 11.
1. —— lxxvi. 10.
1. —— cviii. 12.
2. Prov. v. 21.
1. —— xviii. 14.
1. —— xix. 11, 22.
1. —— xxvii. 19.
1. —— xxix. 25.
2. —— xxx. 2.

1. Prov. xxx. 2.
3. ——— 19.
1. Eccles. vi. 7.
1. —— viii. 6.
1. —— xii. 13.
2. Isa. xliv. 13.
1. ——— 13.
4. — li. 12.
1. ——— 12.
1. Jer. x. 23.
3. Lam. iii. 35.
1. Ezek. i. 10.
1. —— x. 14.
1. —— xxix. 11.
1. —— xxxii. 13.
3. Dan. viii. 15.
1. ——— 16.
1. — x. 18.
1. Zech. ix. 1.
1. —— xii. 1.

MAN, old.

37. Gen. xxv. 8.
37. —— xliii. 27.
37. —— xliv. 20.
37. Lev. xix. 32.
2. Judg. xix. 16, 17.

37. 1 Sam. ii. 31, 32.
2. —— iv. 18.
2. —— xxviii. 14.
37. 2 Chron. xxxvi. 17.
37. Isa. lxv. 20.

MAN of understanding.

All passages not inserted are N°. 2.

20. Prov. i. 5.	20. Prov. xxviii. 2.
20. —— xvii. 28.	

MAN of war.

2. In all passages.

MAN, wicked.

All passages not inserted are N°. 9.

21. Prov. vi. 12.	2. Prov. xxi. 29.
1. —— xi. 7.	

MAN, wise.

2. Gen. xli. 33.	10. Prov. xxi. 22.
2. 1 Kings ii. 9.	2. —— xxvi. 12.
2. 1 Chron. xxvii. 32.	2. —— xxix. 9.
10. Job xv. 2.	10. ———— 11.
10. — xvii. 10.	10. Eccles. ii. 14, 16, 19.
3. — xxxiv. 34.	10. ———— vii. 7.
10. Prov. i. 5.	10. ———— 1, 5, 17.
10. —— ix. 8, 9.	2. ———— ix. 15.
10. —— xiv. 16.	10. —— x. 2, 12.
2. —— xvi. 14.	2. Jer. ix. 12.
20. —— xvii. 10.	

MAN, joined to woman.

All passages not inserted are N°. 2.

25. Gen. iii. 12.	3. Deut. xxii. 5.
5. —— xx. 3.	18. Judg. xxi. 11.

MAN, young.

All passages not inserted are N°. 11.

24. Gen. iv. 23.	23. 2 Chron. xxxvi. 17.
23. Deut. xxxii. 25.	23. Eccles. xi. 9.
23. 1 Sam. ix. 2.	23. Isa. lxii. 5.
22. —— xx. 22.	

MEN.

1. אֲנָשִׁים   *Anosheem*, men, mortals.
2. אָדָם   *Odom*, mankind, man (made) of earth.
3. זְכָרִים   *Zekhoreem*, males.
4. יְלָדִים   *Yĕlodeem*, children (masc.).
5. גְּבָרִים   *Gevoreem*, men of physical power.
6. אֱנוֹשׁ   *Enoush*, a mortal man, weak, feeble.
7. מְתִים   *Metheem*, met., men ; lit., subjects of death.
8. חָזַק   *Khozak*, (Hith.) to strengthen one's self.
9. אֲרִיאֵל   *Areeail*, a lion of God.
10. הָאָדָם   *Hoŏdom*, the man, Adam.

11. גֻּבְרַיָּא   *Guvrayō* (Chaldee), powerful men.
12. בְּנֵי אָדָם   *Benai odom*, sons, or children of Adam.
13. בְּנֵי אִישׁ   *Benai eesh*, sons of men of high degree.
14. כַּבִּירִים   *Kabbeereem*, mighty, great men.
15. אִישִׁים   *Eesheem*, men of virtue, high degree.
16. אָשַׁשׁ   *Oshash*, (Hith.) to be firm, substantial.
17. אִישׁ   *Eesh*, a man of virtue, high degree.
18. בְּנֵי קֶדֶם   *Bĕnai kedem*, sons of the East.
19. גִּבּוֹרִים   *Gibboureem*, men of power.
20. אֵילִים   *Aileem*, mighty, noble, strong.
21. שַׁלִּיטִים   *Shalleeteem*, men of authority.
22. אַבִּירִים   *Abeereem*, vigorous.
23. חַיִל   *Khayil*, an army, strength.
24. גְּדוּד   *Gedood*, a troop.
25. נֶפֶשׁ אָדָם   *Nephesh odom*, the life of man.
26. זָכָר   *Zokhor*, a male.
27. בְּנֵי אֲנָשָׁא   *Benai enoshō* (Syriac), sons of men.
28. עֲבָדִים   *Avodeem*, servants, slaves.
29. רָאשִׁים   *Rosheem*, heads, chiefs.
30. אֲצִילִים   *Atseeleem*, eminent persons.
31. בַּחוּרִים   *Bakhooreem*, chosen young men.
32. רָעִים   *Roeem*, bad, evil ones.
33. רְשָׁעִים   *Reshoeem*, wicked men.
34. אַנְשֵׁי רָעָה   *Anshai rōōh*, men of evil.
35. רַבִּים   *Rabbeem*, abundant.
36. עֲשִׁירִים   *Asheereem*, rich men.
37. צַדִּיקִים   *Tsadeekeem*, righteous.
38. שָׁרִים   *Shoreem*, singers.
39. זְקֵנִים   *Zekaineem*, old men.
40. אַנְשֵׁי צָבָא   *Anshai tsovo*, warriors.
41. חֲכָמִים   *Khakhomeem*, wise (plur.).
42. בַּעֲלִים   *Bāaleem*, masters, owners.
43. נְעָרִים   *Neoreem*, young men, lads.

All passages not inserted are N°. 1.

10. Gen. vi. 1.	3. Exod. xxxiv. 23.
4. Exod. i. 17, 18.	10. Numb. xvi. 29, twice.
5. —— x. 11.	6. Deut. xxxii. 26.

7. Deut. xxxiii. 6.
Judg. ix. 54, not in original.
—— xvi. 9, not in original.
2. 1 Sam. xxiv. 9.
8. 2 Sam. x. 12.
2. ———— xxiii. 3.
9. ———————— 20.
10. 2 Chron. vi. 18.
11. Ezra iv. 21.
11. —— vi. 8.
Neh. v. 5, not in original.
6. Job xxviii. 4.
7. — xxxi. 31.
6. Psalm ix. 20.
7. —— xvii. 14.
12. —— lxii. 9.
13. ———————— 9.
2. —— lxviii. 18.
6. —— lxxiii. 5.
2. ———————— 5.
2. —— lxxxii. 7.
2. —— cxxiv. 2.

15. Prov. viii. 4.
12. ———————— 4.
2. —— xx. 6.
2. —— xxviii. 28.
7. Isa. iii. 25.
10. — vi. 12.
2. — xxxi. 3.
2. — xliii. 4.
16. — xlvi. 8.
17. Jer. vi. 23.
10. — xlvii. 2.
18. — xlix. 28.
2. — li. 14.
18. Ezek. xxv. 4, 10.
2. ———— xxxiv. 31.
2. ———— xxxvi. 10, 37.
11. Dan. iii. 12, 22, 27.
11. —— vi. 5.
———————— 26, not in original.
2. Hos. vi. 7.
Mic. ii. 8, not in original.
2. Hab. i. 14.
10. Zech. xi. 6.

MEN, all.

10. Numb. xvi. 29.
17. Deut. iv. 3.
17. 2 Sam. xiii. 9.
10. 1 Kings iv. 31.
2. Psalm lxiv. 9.

12. Psalm lxxxix. 47.
10. —— cxvi. 11.
10. Eccles. vii. 2.
10. Zech. viii. 10.

MEN children.

4. Exod. i. 17.
3. —— xxxiv. 23.

3. Josh. xvii. 2.

MEN, chief.

29. 1 Chron. vii. 3.
29. ———— xxiv. 4.
29. Ezra v. 10.

29. Ezra vii. 28.
30. Isa. xli. 9.

MEN, chosen.

17. Judg. xx. 16.
31. 1 Kings xii. 21.

31. 2 Chron. xi. 1.
17. ———— xiii. 3.

MEN, evil.

32. Job xxxv. 12.
32. Prov. xii. 12.

34. Prov. xxiv. 1.
34. —— xxviii. 5.

MEN, great.

2 Kings x. 6, 11, not in original.
1 Chron. xvii. 8, not in original.
Neh. xi. 14, not in original.
35. Job xxxii. 9.

Prov. xviii. 16, not in original.
Jer. v. 5, not in original.
Nah. iii. 13, not in original.

MEN of Israel.

17. In all passages, except :

1. 1 Sam. xxxi. 1.
1. 2 Sam. ii. 17.

31. Psalm lxxviii. 31.
7. Isa. xli. 14.

MEN of Judah.

17. In all passages, except :

1. 2 Sam. ii. 4.
1. Ezra x. 9.

1. Jer. xliii. 9.

MEN, like.

1. 1 Sam. iv. 9.
2. Psalm lxxii. 7.

2. Hos. vi. 7.

MEN, mighty.

19. In all passages, except :

20. Exod. xv. 15.
14. Job xxxiv. 24.

21. Eccles. vii. 19.
22. Lam. i. 15.

MEN, of.

All passages not inserted are N°. 1.

10. Gen. vi. 2, 4.
10. Lev. xxvii. 29.
2. Numb. xviii. 15.
2. ———— xxxi. 11.
23. 1 Sam. x. 26.
24. 2 Kings xiii. 21.
2. ———— xxiii. 14.
25. 1 Chron. v. 21.
24. 2 Chron. xxii. 1.
10. Job vii. 20.
2. Psalm xvii. 4.

2. Psalm xxii. 6.
2. Isa. xliv. 11.
6. — li. 7.
15. — liii. 3.
10. Jer. ix. 22.
10. — xxxiii. 5.
26. Ezek. xvi. 17.
25. ———— xxvii. 13.
2. ———— xxxvi. 38.
2. Mic. ii. 12.
2. Zech. ii. 4.

MEN, old.

39. In all passages.

MEN, rich.

36. In all passages.

MEN, righteous.

37. Prov. xxviii. 12.
1. Ezek. xxiii. 45.

MEN, singing.

38. In all passages.

MEN, sons of.

All passages not inserted are N°. 12.

13. Psalm iv. 2.
27. Dan. v. 21.

MEN-servants.

28. In all passages.

MEN of war.

All passages not inserted are N°. 1.

17. Judg. xx. 17.
40. 1 Chron. xii. 8.

19. 2 Chron. xiii. 3.
17. Ezek. xxxix. 20.

MEN, wicked.

33. In all passages.

MEN, wise.

41. Gen. xli. 8.
41. Exod. vii. 11.

41. Prov. xiii. 20.

MEN, joined to women and children.

1. In all passages.

MEN, ye.

42. Judg. ix. 7.
1. Job xxxiv. 10.

MEN, young.

43. Gen. xiv. 24.	31. Psalm cxlviii. 12.
43. Exod. xxiv. 5.	31. Prov. xx. 29.
31. Numb. xi. 28.	31. Isa. ix. 17.
43. Josh. vi. 23.	31. — xiii. 18.
31. Judg. xiv. 10.	31. — xxiii. 4.
43. Ruth ii. 9.	31. — xxxi. 8.
31. —— iii. 10.	31. — xl. 30.
43. 1 Sam. ii. 17.	31. Jer. vi. 11.
31. —— viii. 16.	31. — ix. 21.
43. —— xxi. 4, 5.	31. — xi. 22.
43. —— xxv. 8, 25.	31. — xv. 8 (singular).
43. —— xxvi. 22.	31. — xviii. 21.
43. —— xxx. 17.	31. — xxxi. 13.
43. 2 Sam. i. 15.	31. — xlviii. 15.
43. —— ii. 14, 21.	31. — xlix. 26.
43. —— xiii. 32.	31. — L. 30.
43. —— xviii. 15.	31. — li. 3.
4. 1 Kings xii. 8, 14.	31. Lam. i. 15, 18.
43. —— xx. 14.	31. —— ii. 21.
43. 2 Kings iv. 22.	31. —— v. 13, 14.
43. —— v. 22.	31. Ezek. xxiii. 6, 12, 23.
31. —— viii. 12.	31. —— xxx. 17.
4. 2 Chron. x. 8, 14.	31. Joel ii. 28.
31. —— xxxvi. 17.	31. Amos ii. 11.
43. Job i. 19.	31. —— iv. 10.
43. — xxix. 8.	31. —— viii. 13.
31. Psalm lxxviii. 63.	31. Zech. ix. 17.

MANDRAKES.

דּוּדָאִים   *Doodoeem*, a met. name for
violets; lit., lovely.

Gen. xxx. 14, 15, 16. | Cant. vii. 13.

MANIFEST.

בָּרַר   *Borar*, to select, search out.

Eccles. iii. 18.

MANIFOLD.

רַבִּים   *Rabbeem*, many, multitudes.

Neh. ix. 19, 27. | Amos v. 12.
Psalm civ. 24.

MANKIND.

1.   זָכָר   *Zokhor*, a male.
2.   בְּשַׂר אִישׁ   *Běsar eesh*, flesh of man.

1. Lev. xviii. 22. | 2. Job xii. 10.
1. —— xx. 13.

MANNA.

מָן   *Mon*, a gift.

Exod. xvi. 15, 33, 35.	Josh. v. 12.
Numb. xi. 6, 7, 9.	Neh. ix. 20.
Deut. viii. 3, 16.	Psalm lxxviii. 24.

MANNER.

1.   דֶּרֶךְ   *Derekh*, a way.
2.   דָּבָר   *Dovor*, a matter, word, subject,
object.

---

3.   לְאֻמִּים   *Leummeem*, nations.
4.   מַעֲשֶׂה   *Māaseh*, work, labour.
5.   כָּל   *Kol*, all, any.
6.   עַל־כָּל   *Al-kol*, upon all.
7.   מִשְׁפָּט   *Mishpot*, law, custom.
8.   תּוֹרָה   *Touroh*, the law of Moses.
9.   אֹרַח   *Ourakh*, a straight path, way.
10.   אֵיפֹה   *Aiphouh*, where are?
11.   מְגָדִים   *Megodeem*, precious, choice
things.
12.   כָּאֵלֶּה   *Koaileh*, according to these.
13.   כָּכָה   *Kokhoh*, or כֹּה *Kouh*, thus, so.
14.   חֻקּוֹת   *Khukkouth*, statutes.

3. Gen. xxv. 23.	5. Deut. xxvii. 21.
4. —— xl. 17.	10. Judg. viii. 18.
Exod. i. 14, not in	7. 1 Sam. viii. 9, 11.
original.	7. —— x. 25.
5. —— xii. 16.	1. —— xxi. 5.
6. —— xxii. 9.	7. —— xxvii. 11.
5. —— xxxi. 3, 5.	8. 2 Sam. vii. 19.
5. —— xxxv. 31, 33, 35.	7. 2 Kings i. 7.
5. —— xxxvi. 1.	7. —— xi. 14.
7. Lev. v. 10.	7. —— xvii. 26, 27.
5. —— vii. 23, 26, 27.	5. 1 Chron. xxiii. 29.
5. —— xiv. 54.	5. —— xxviii. 21.
5. —— xvii. 10, 14.	2. Esth. i. 13.
5. —— xxiii. 31.	5. Psalm cvii. 18.
—— xxiv. 22, not in	—— cxliv. 13, not in
original.	original.
7. Numb. ix. 14.	11. Cant. vii. 13.
7. —— xv. 16, 24.	2. Isa. v. 17.
5. —— xxviii. 18.	1. Jer. xxii. 21.
5. Deut. iv. 15.	5. Dan. vi. 23.
2. —— xv. 2.	1. Amos viii. 14.

MANNER, after the.

9. Gen. xviii. 11.	2 Chron. xiii. 9, not in
1. —— xix. 31.	original.
7. —— xl. 13.	2. Neh. vi. 4.
7. Exod. xxi. 9.	1. Isa. x. 24, 26.
7. Numb. xxix. 18.	1. Ezek. xx. 30.
7. Josh. vi. 15.	14. —— xxiii. 15.
7. Judg. xviii. 7.	7. ———— 45.
2. 1 Sam. xvii. 30.	1. Amos iv. 10.
7. 2 Kings xvii. 33.	

MANNER, after this.

2. Gen. xviii. 25.	2. 2 Sam. xvii. 6.
2. —— xxxix. 19.	13. Jer. xiii. 9.
12. Numb. xxviii. 24.	

MANNER, on this.

2. Gen. xxxii. 19.	13. 1 Kings xxii. 20.
2. 1 Sam. xviii. 24.	13. 2 Chron. xviii. 19.
2. 2 Sam. xv. 6.	

MANNERS.

14. Lev. xx. 23.	7. Ezek. xi. 12.
7. 2 Kings xvii. 34.	
2 Chron. xxxii. 15, not	
in original.	

MANTLE.

1. מְעִיל   *Mĕeel,* an upper garment.
2. אַדֶּרֶת   *Adereth,* a splendid robe.
3. שְׂמִיכָה   *Semeekhoh,* a mattress, couch.
4. מַעֲטָף   *Māatoph,* a veil, shawl, cloak.

·3. Judg. iv. 18.	1. Ezra ix. 3, 5.
1. 1 Sam. xxviii. 14.	1. Job i. 20.
2. 1 Kings xix. 13, 19.	1. — ii. 12.
2. 2 Kings ii. 8, 13, 14.	1. Psalm cix. 29.

MANTLES.
4. Isa. iii. 22.

MANY.

רַבִּים   *Rabbeem,* many, multitudes ; in all passages, except :

הָמוֹן   *Hamoun,* a crowd of people.

Gen. xvii. 4.

MAR.

1. שָׁחַת   *Shokhath,* to destroy, spoil.
2. כָּאַב   *Koav,* to give pain, disorder.
3. נָתַס   *Notas,* to tear up.

1. Lev. xix. 27.	2. 2 Kings iii. 19.
1. Ruth iv. 6.	3. Job xxx. 13.
1. 1 Sam. vi. 5.	1. Jer. xiii. 9.

MARRED.

1. Isa. lii. 14.	1. Nah. ii. 2.
1. Jer. xiii. 7.	

MARBLE.

שַׁיִשׁ   *Shayish,*
שֵׁשׁ   *Shaish,* } marble.

1 Chron. xxix. 2.	Cant. v. 15.
Esth. i. 6.	

MARCH.

1. צָעַד   *Tsoad,* to march, step.
2. יָלַךְ   *Yolakh,* to walk, proceed.
3. נָסַע   *Nosa,* to travel.

1. Psalm lxviii. 7.	2. Hab. i. 6.
2. Jer. xlvi. 22.	1. —— iii. 12.
2. Joel ii. 7.	

MARCHED.
3. Exod. xiv. 10.

MARCHEDST.
1. Judg. v. 4.

MARINERS.

1. שָׁטִים   *Shoteem,* rowers, roving about.
2. מַלָּחִים   *Malokheem,* mariners.

1. Ezek. xxvii. 8.	2. Jonah i. 5.
2. —— 9, 27, 29.	

MARISHES.

גְּבָאִים   *Gevoeem,* cisterns, pools of water.

Ezek. xlvii. 11.

MARK, Subst.

1. אוֹת   *Outh,* a sign, memorial, type.
2. מַטָּרָה   *Matoroh,* a goal, aim, mark.
3. מִפְגָּע   *Miphgo,* a place of meeting, an object of attack.
4. תָּו   *Tov,* the last letter in the alphabet, a mark, a peculiar mark that cannot be erased.

1. Gen. iv. 15.	2. Job xvi. 12.
2. 1 Sam. xx. 20.	2. Lam. iii. 12.
3. Job vii. 20.	4. Ezek. ix. 4, 6.

MARKS.

הַעֲקַע   *Kaaka,* to burn a mark in the flesh.

Lev. xix. 28.

MARK, Verb.

1. יָדַע   *Yoda,* to know, acknowledge.
2. רָאָה   *Rooh,* to see, discern, behold.
3. בִּין   *Been,* to understand.
4. פָּנָה אֶל   *Ponoh el,* to turn unto.
5. קָשַׁב   *Koshav,* to attend.
6. שָׁמַר   *Shomar,* to keep, watch, observe.
7. שִׁית לֵב   *Sheeth laiv,* to replace, set the heart upon.
8. שׂוּם לֵב   *Soom laiv,* to prepare the heart.
9. חָתַם   *Khotham,* to seal.
10. פָּתַם   *Kotham,* to spot, stain.
11. תָּאַר   *Toar,* to shape, form.

1. Ruth iii. 4.	6. Job xxxix. 1.
2. 2 Sam. xiii. 28.	6. Psalm xxxvii. 37.
1. 1 Kings xx. 7, 22.	7. —— xlviii. 13.
3. Job xviii. 2.	6. —— lvi. 6.
4. — xxi. 5.	6. —— cxxx. 3.
5. — xxxiii. 31.	8. Ezek. xliv. 5.

MARKED.

6. 1 Sam. i. 12.	10. Jer. ii. 22.
6. Job xxii. 15.	5. — xxiii. 18.
9. — xxiv. 16.	

MARKEST.

6. Job x. 14.

MARKETH.

6. Job xxxiii. 11.	11. Isa. xliv. 13.

MARKET.

מַעֲרָב Maărov, a place for exchange, traffic.

Ezek. xxvii. 13, 17, 19, 25.

MARRIAGE.

1. עוֹנָה Ounoh, a testimony.
2. הוּלָל Hoolol, praised, celebrated.

1. Exod. xxi. 10.	2. Psalm lxxviii. 63.

MARRIAGES.

חָתַן Khothan, to contract marriage.

Gen. xxxiv. 9.	Josh. xxiii. 12.
Deut. vii. 3.	

MARRY.

1.   יַבֵּם Yibbaim, to perform the duty of a husband's brother *by marriage.*
2. תִּהְיֶה לְאִשָּׁה Tiheyeh leishoh, to become a wife.
3.   בָּעַל Boal, to master, own.
4.   לָקַח Lokakh, to take.
5.   בַּעַל Bāăl, a master, owner.
6.   נָשָׂא Nosō, to take, bear.
7.   יָשַׁב Yoshav, (Hiph.) to cause to dwell.
8. בְּעוּלָה Bĕooloh, a mistress, married woman.

1. Gen. xxxviii. 8.	2. Deut. xxv. 5.
2. Numb. xxxvi. 6.	3. Isa. lxii. 5.

MARRIED.

4. Gen. xix. 14.	4. 1 Chron. ii. 21.
5. Exod. xxi. 3.	6. 2 Chron. xiii. 21.
2. Lev. xxii. 12.	7. Neh. xiii. 23.
4. Numb. xii. 1.	8. Prov. xxx. 23.
———— xxxvi.3, not in	8. Isa. liv. 1.
original.	3. — lxii. 4.
2. ———————— 11.	3. Jer. iii. 14.
3. Deut. xxii. 22.	3. Mal. ii. 11.

MARRIETH.

3. Isa. lxii. 5.

MARRYING.

7. Neh. xiii. 27.

MARROW.

1.   מוֹחַ Mouakh, marrow.
2.   חֵלֶב Khailev, fat.
3.   שִׁקּוּי Shikooe, moisture.

1. Job xxi. 24.	3. Prov. iii. 8.
2. Psalm lxiii. 5.	1. Isa. xxv. 6.

MART.

סָחַר Sokhor, a mart, place for traffic.

Isa. xxiii. 3.

MARVEL.

מָהָה Mohoh, to marvel, astonish.

Eccles. v. 8.

MARVELLED.

Gen. xliii. 33.	Psalm xlviii. 5.

MARVELLOUS.

1. נִפְלָאוֹת Niphloouth, wonders.
2.   פֶּלֶא Pele, wonderful.
3.   פָּלָא Polo, to wonder.
4.   פָּלָה Poloh, (Hiph.) to select, choose.
5. תָּמַהּ Tomoh, (repeated,) to astonish greatly.

1. Job v. 9.	1. Psalm xcviii. 1.
3. — x. 16.	1. ———— cxviii. 23.
4. Psalm xvii. 7.	1. Dan. xi. 36.
4. ———— xxxi. 21.	1. Mic. vii. 15.
2. ———— lxxviii. 12.	3. Zech. viii. 6.

MARVELLOUS work.

4. Isa. xxix. 14.

MARVELLOUS works.

1. 1 Chron. xvi. 12, 24.	1. Psalm cv. 5.
1. Psalm ix. 1.	1. ———— cxxxix. 14.

MARVELLOUSLY.

4. 2 Chron. xxvi. 15.	5. Hab. i. 5.
1. Job xxxvii. 5.	

MARVELS.

1. Exod. xxxiv. 10.

MASONS.

1. חָרָשֵׁי אֶבֶן Khoroshai even, stonemasons.
2. גֹּרְרִים Goureereem, sawyers.
3. חֹצְבִים Khoutsveem, hewers of stone.
4. חָרָשֵׁי קִיר Khourshai keer, bricklayers.

1. 2 Sam. v. 11.	3. 1 Chron. xxii. 2.
2. 2 Kings xii. 12.	3. 2 Chron. xxiv. 12.
2. ——— xxii. 6.	3. Ezra iii. 7.
4. 1 Chron. xiv. 1.	

MAST -S.

1.   חֶבֶל Khibbail, a cable, thick rope.
2.   תֹּרֶן Touren, a mast, steeple.

1. Prov. xxiii. 34.	2. Ezek. xxvii. 5.
2. Isa. xxxiii. 23.	

MASTER.

1.   אָדוֹן Odoun, a lord, master.
2.   בַּעַל Bāāl, a master, owner, husband.
3. אִישׁ בַּעַל Eesh bāāl, the man-master.
4.   שַׂר Sār, sir, a ruler.
5.   רַב Rāv, great in power.
6.   עֵר Air, a promoter, watcher.

All passages not inserted are N°. 1.

2. Exod. xxii. 8.	5. Dan. i. 3.
3. Judg. xix. 22.	5. ——— iv. 9.
2. ——— 23.	5. ——— v. 11.
4. 1 Chron. xv. 27.	6. Mal. ii. 12.

MASTER, his.
2. Isa. i. 3.

MASTER, my.
אֲדֹנִי Adounee, my master, lord, in all passages.

MASTER, thy.
אֲדֹנֶיךָ Adounekhō, thy master, lord, in all passages.

MASTERS.
אֲדֹנִים Adouneem, masters, lords, in all passages, except:
בַּעֲלִים Bāāleem, masters, owners.
Eccles. xii. 11.

MASTERY.

1.   גְּבוּרָה Gěvooroh, power, strength.
2.   שְׁלַט Sholat (Chaldee), to rule.

1. Exod. xxxii. 18.	2. Dan. vi. 24.

MATE.

רְעוּת Rěooth, a companion.
Isa. xxxiv. 15, 16.

MATRIX.

רֶחֶם Rekhem, the womb.

Exod. xiii. 12, 15.	Numb. iii. 12.
——— xxxiv. 19.	——— xviii. 15.

MATTER -S.

דָּבָר Dovor, a word, matter, thing, in all passages.

MATTOCK.

1.   מַחֲרֵשׁ Makharosh, a cutting instrument.
2.   מַעְדֵּר Māădor, a harrow.
3.   חָרְבָּה Kharvoh, a dry, desolate place.

1. 1 Sam. xiii. 20.	2. Isa. vii. 25.

MATTOCKS.

1. 1 Sam. xiii. 21.	3. 2 Chron. xxxiv. 6.

MAUL.

מֵפִיץ Maipheets, a scatterer, disperser.
Prov. xxv. 18.

MAW.

קֵבָה Kaivoh, the stomach.
Deut. xviii. 3.

MAY.

הוֹלֵךְ Houlaikh, go.
2 Sam. xv. 20.
Isa. xxx. 18, not in original.

MAY -EST be.

1.   לְמַעַן Lemāān, in order that.
2.   אוּלַי Oolae, peradventure, perhaps.
3.   בַּעֲבוּר Baavoor, on account of, for the sake of.
4.   Expressed by the verb being in (Niph.), i. e., passive fut.
5.   יִהְיֶה Yiheyeh, he, it shall be.
6.   הֱיוֹת Heyouth, to be.
7. אוּלַי יֵשׁ Oolae yaish, peradventure there is.
8.   וְהָיִיתָ Vehoyeetho, and thou shalt be.

1. Gen. xii. 13.
2. —— xvi. 2.
1. Exod. xiii. 9.
3. —— xx. 20.
4. Lev. xi. 34.
4. —— xxi. 3.
5. —— xxiii. 21.
5. Numb. x. 10.
—— xxxii. 32, not
　　in original.
Deut. v. 33, not in
　　original.
—— vi. 3, not in
　　original.
1. —— 18.
1. —— xxii. 7.
5. —— xxix. 13.
5. —— xxxi. 26.
Ruth iii. 1, not in
　　original.
2. 1 Sam. xiv. 6.
5. —— xviii. 21.
2. 2 Sam. xiv. 15.
2. —— xvi. 12.
2. 2 Kings xix. 4.
6. 1 Chron. xvii. 27.

1. Ezra ix. 12.
2. Job i. 5.
4. Psalm lxxxiii. 4.
6. Prov. xxii. 19.
　　Eccles. i. 10, not in
　　　　original.
5. Isa. xxx. 8.
—— 18, not in
　　　original.
2. — xxxvii. 4.
4. — xlvi. 5.
— lx. 21, not in
　　　original.
1. Jer. vii. 23.
4. — xi. 19.
2. — xxxvi. 3, 7.
1. — xlii. 6.
4. — li. 8.
7. Lam. iii. 29.
2. Ezek. xii. 3.
5. — xiv. 11.
5. Dan. iv. 27.
1. Hos. viii. 4.
2. Amos v. 15.
2. Zeph. ii. 3.

MAYEST be.

8. Gen. xxviii. 3.
8. Numb. x. 31.
8. Deut. xxvi. 19.
6. Neh. vi. 6.
1. Job xl. 8.
1. Psalm cxxx. 4.

1. Isa. xxiii. 16.
6. — xlix. 6.
1. Jer. iv. 14.
— xxx. 13, not in
　　　original.

ME.

1.   נִי   *Nee*, affixed to the relative verb.
2.   בִּי   *Bee*, in, at, with, against me.
3.   וְלִי   *Velee*, and to me.
4.   מֵאִתִּי   *Maiittee*, from, away from me.
5.   אָנִי   *Onee*, I.
6.   זוּלָתִי   *Zoolothee*, besides me.
7. {   מִמֶּנִּי   *Mimenee,* } from me, more than
    מִמִּי   *Minnee,* }   me.
8.   בַּעֲדִי   *Bāadee*, about me.
9.   סְבִיבֹתַי   *Seveevouthae*, round about me.
10.   אַחֲרַי   *Akhăroi*, after me.
11. {   לִי   *Lee,* } to, for, concerning,
    אֵלַי   *Ailae,* } against, over me.
12.   עָלַי   *Olae*, upon, over, against me.
13.   מִמֻּלִי   *Mimulee*, opposite me.
14.   לִקְרָאתִי   *Likrothee*, to meet me.
15.   נֶגְדִי   *Negdee*, in my presence, before
     me.
16.   אֹתִי   *Outhee*, me.
17.   עִמָּדִי   *Immodee*, with me.
18.   וְחֹטְאִי   *Vekhoutee*, lit., and my sinner.

19.   בִּלְתִּי   *Biltee*, except, without me.
20.   אֶצְלִי   *Etslee*, close to me.
21.   בְּיָדִי   *Beyodee*, in, by my hand.
22.   אֹדוֹתַי   *Oudouthae*, on my account.
23.   לְבַדִּי   *Levadee*, alone, by myself.
24.   וְאָנֹכִי   *Veonoukhee*, but I myself.
25.   הֶאָנֹכִי   *Heonoukhee*, shall I myself?
26.   חֻקִּי   *Khukkee*, appointed for me.
27.   בְּחֵיקִי   *Bekhaikee*, in my bosom.
28.   בִּטְנִי   *Bitnee*, of my belly.
29. {   בְּקִרְבִּי   *Bekirbee,* } within me.
    קִרְבִּי   *Kerovae,* }
30. {   לִפְנֵי   *Liphnai,* } before my face.
    עַל־פָּנַי   *Al-ponoi,* }
31.   אַפְסִי   *Aphsee*, except me.
32.   מִבַּלְעָדַי   *Mibbalodae*, other than me.
33.   אִתִּי   *Ittee*, with me.
34.   וַאֲנִי   *Vāanee*, and I.
35.   בְּעֵינַי   *Bĕainae*, in mine eyes.
36.   בִּלְעָדַי   *Bilodae*, not me.
37.   פָּנַי   *Ponoi*, my face.
38.   תַּשְׁלִימֵנִי   *Tashleemainee*, wilt thou recom-
     pense me?
39.   יְצָאֵנִי   *Yĕtsōunee*, put me forth.
40.   הוֹאַלְתִּי   *Houaltee*, I have cause to begin.
41.   קְרָאַנִי   *Keroanee*, met me.
42.   עִמִּי   *Immee*, with me.
43.   לִי וָלָךְ   *Lee volokh*, to me and to thee.
44.   אָנֹכִי עִמָּדִי   *Onoukhee immodee*, I am by
     myself.
45.   שֹׁלְמִי   *Shoulmee*, my friend.
46.   בְּרִיתִי   *Bereethee*, my covenant.

All passages not inserted are N°. 1.

3. 1 Kings i. 26.
4. Isa. lvii. 8.
5. Jer. xvii. 18.

6. Hos. xiii. 4.
19. —— 4.

ME, above.

7. 1 Sam. ii. 29.

ME, about.

9. Deut. xvii. 14.
9. Job xxix. 5.
9. Psalm lxxxviii. 17.

8. Psalm cxxxix. 11.
8. Jonah ii. 6.

ME, after.

10. In all passages.

ME, against.

11. Gen. xx. 6.	12. Psalm iii. 1.
12. —— xlii. 36.	—— xviii. 39, 48,
12. —— l. 20.	not in original.
11. Exod. xxiii. 33.	2. —— xxvii. 12.
11. —— xxxii. 33.	12. —— xxxv. 21.
2. Lev. xxvi. 40.	12. —— xli. 7.
12. Numb. xiv. 27, 29, 35.	12. —— liv. 3.
13. —— xxii. 5.	2. —— cii. 8.
14. —— 34.	2. —— cxix. 23.
2. Deut. xxxii. 51.	18. Prov. viii. 36.
16. —— 51.	2. Isa. i. 2.
2. Judg. vi. 39.	12. Jer. xii. 8.
12. —— vii. 2.	2. Lam. iii. 3.
2. —— xi. 27.	11. —— 60.
2. Ruth i. 13.	2. Ezek. ii. 3.
2. 1 Sam. xii. 3.	2. —— xvii. 20.
12. —— xvii. 35.	2. —— xx. 8.
12. —— xxii. 8, 13.	11. —— 8.
2. —— xxvi. 19.	2. —— 13, 21.
2. 2 Sam. xxiv. 17.	2. —— xxxix. 23, 26.
11. 2 Kings v. 7.	11. Hos. iv. 7.
15. Job x. 17.	2. —— vii. 13, 14.
12. — xiii. 26.	11. —— 15.
2. — xix. 19.	2. Mic. vi. 3.
17. — xxiii. 6.	11. —— vii. 8.
12. — xxxi. 38.	12. Mal. iii. 13.
12. — xxxiii. 10.	

ME, at.

1. Psalm cxviii. 13.

ME, before.

30. In all passages.

ME, behind.

10. 2 Kings ix. 18, 19.	10. Ezek. iii. 12.

ME, beside.

20. 1 Kings iii. 20.	32. Isa. xlv. 21.
32. Isa. xliii. 11.	6. —— 21.
32. — xliv. 6.	31. — xlvii. 8, 10.
6. — xlv. 5.	19. Hos. xiii. 4.
36. —— 6.	

ME, between.

1. In all passages.

ME, by.

12. Gen. xlviii. 7.	33. 2 Chron. xviii. 27.
33. Exod. xxxiii. 21.	20. Neh. iv. 18.
2. Numb. xx. 18.	12. Job ix. 11.
17. Deut. v. 31.	33. Prov. viii. 15.
2. Judg. ix. 9.	33. —— ix. 11.
21. 1 Sam. xxviii. 17.	7. Isa. xlvi. 3.
33. 2 Sam. xxiii. 2.	7. Hos. viii. 4.
33. 1 Kings xxii. 28.	

ME, concerning -eth.

22. Josh. xiv. 6.	8. Psalm cxxxviii. 8.
12. 1 Kings ii. 4.	2. Ezek. xiv. 7.
12. —— xxii. 8, 18.	

ME, for.

All passages not inserted are N°. 11.

2. Gen. xxx. 33.	7. Job xlii. 3.
8. Exod. viii. 28.	8. Psalm iii. 3.
23. Numb. xi. 14.	34. —— v. 7.
7. —— xxii. 6.	5. —— xvii. 15.
24. Josh. xxiv. 15.	34. —— xxxv. 13.
Judg. vii. 2, not in	34. —— xli. 12.
original.	5. —— lv. 16.
25. 1 Sam. xii. 23.	12. —— lvii. 2.
12. —— xxii. 8.	34. —— lxix. 13.
7. 2 Sam. iii. 39.	35. —— lxxiii. 16.
7. —— x. 11.	33. —— cix. 21.
7. —— xxii. 18.	7. —— cxxxi. 1.
8. 1 Kings xiii. 6.	7. —— cxxxix. 6.
8. 2 Kings xxii. 13.	26. Prov. xxx. 8.
5. 1 Chron. xxii. 7.	7. —— 18.
8. 2 Chron. xxxiv. 21.	7. Jer. xxxii. 27.
25. Job xxi. 4 (interroga-	Jonah iv. 3, not in
tive).	original.
26. — xxiii. 14.	

ME, from.

7. In all passages.

ME, in.

All passages not inserted are N°. 2.

36. Gen. xli. 16.	11. Isa. xxvii. 4.
11. Job xxxiii. 9.	12. Jer. xlix. 11.
12. Psalm vii. 8.	12. Lam. iii. 20.
12. —— xlii. 4, 5.	11. Dan. vi. 22.
11. —— li. 10.	11. Hos. xii. 8.

ME, of.

11. Gen. xx. 13.	11. Psalm lxxxi. 11.
37. —— xxxii. 20.	7. Isa. xxx. 1.
11. Judg. ix. 54.	38. — xxxviii. 12, 13.
1. Ruth ii. 10.	2. —— xliii. 22.
7. 1 Sam. xxvii. 1.	1. — xliv. 21.
1. —— xxviii. 16.	4. — liv. 17.
33. 2 Chron. xi. 4.	1. — lviii. 2.
11. Job xlii. 7.	39. Jer. x. 20.
7. Psalm ii. 8.	1. — xxxvii. 7.
12. —— xl. 7.	16. Ezek. xx. 3.
11. —— xli. 5.	11. —— 49.
12. —— lx. 8.	

ME, on, upon.

40. Gen. xviii. 27, 31.	2. Job vi. 28.
12. —— xx. 9.	2. — vii. 8.
12. —— xxvii. 12, 13.	2. — x. 16.
11. —— xxxi. 35.	12. — xvi. 14.
1. —— xl. 14.	1. — xix. 21.
2. Judg. xv. 12.	1. Psalm iv. 1.
12. —— xix. 20.	1. —— vi. 2.
11. 1 Sam. xiii. 12.	1. —— ix. 13.
2. —— xxv. 24.	2. —— xxii. 17.
12. 2 Sam. xiv. 9.	1. —— xxv. 16.
12. 1 Kings ii. 15.	1. —— xxx. 10.
2. 1 Chron. xxi. 17.	12. —— xxxii. 4.
12. —— xxviii. 19.	11. —— xl. 17.
12. Ezra vii. 28.	1. —— li. 1.
12. Neh. ii. 8, 18.	12. —— lv. 3.
11. —— v. 19.	12. —— lvi. 12.
11. Job iii. 25.	1. —— lxxxvi. 16.
41. — iv. 14.	2. —— xci. 14.

1. Psalm xci. 15.
1. —— cxix. 132.
12. —— cxxxix. 5.
1. Cant. i. 6.
16. Isa. xliii. 22.
11. — li. 5.
12. — lxi. 1.
41. Jer. xiii. 22.
16. — xxix. 12.
2. Lam. iii. 53.

12. Ezek. iii. 14, 22.
12. —— viii. 1.
12. —— xi. 5.
11. —— xxxiii. 22.
12. —— xxxvii. 1.
12. —— xl. 1.
11. Zeph. iii. 8.
16. Zech. vi. 8.
16. —— xi. 11.
11. —— xii. 10.

ME, over.

12. In all passages, except:

2. Psalm xix. 13.
11. —— xxv. 2.

2. Psalm cxix. 133.

ME, to, unto.
11. In all passages.

ME, towards.

11. Gen. xxxi. 5.
12. Psalm lxxxvi. 13.
12. —— cxvi. 12.
12. Cant. vii. 10.

16. Isa. xxix. 13.
11. — lxiii. 15.
42. Dan. iv. 2.

ME, under.

1. 2 Sam. xxii. 37, 40,
    48.
1. Neh. ii. 14.

1. Psalm xviii. 36, 39,
    47.
1. —— cxliv. 2.

ME, with.

11. Gen. xii. 13.
17. —— xxviii. 20.
33. —— xxx. 29.
17. —— xxxi. 5, 32.
42. —— xxxix. 7, 12, 14.
33. —— xliii. 8.
33. —— xliv. 34.
17. Exod. xvii. 2.
33. —— xx. 23.
11. Numb. xi. 15.
17. Deut. xxxii. 34, 39.
33. Josh. viii. 5.
16. —— xiv. 12.
42. Judg. iv. 8.
33. —— vii. 18.
43. —— xi. 12.
33. —— xvi. 15.
33. —— xvii. 2.
17. —————— 10.
17. Ruth i. 8.
42. —————— 11.
42. 1 Sam. ix. 19.
33. —— xvii. 9.
33. —— xxii. 23.
33. —— xxiv. 18.
42. —— xxviii. 19.
42. 2 Sam. xiii. 11.

42. 2 Sam. xix. 25.
33. —————— 33.
11. —— xxiii. 5.
42. 1 Chron. iv. 10.
42. 2 Chron. xxxv. 21.
44. Job ix. 35.
17. — xxviii. 14.
17. — xxix. 5.
45. Psalm vii. 4.
17. —— xxiii. 4.
42. —— xlii. 8.
46. —— L. 5.
17. —————— 11.
17. —— lv. 18.
17. —— ci. 6.
11. —— cxix. 98.
33. Prov. viii. 18.
33. Cant. iv. 8.
11. Isa. xxvii. 5.
33. — L. 8.
33. — lxiii. 3.
16. Jer. xx. 11.
11. — xxvi. 14.
42. Dan. x. 21.
11. Hos. ii. 7.
11. Joel iii. 4.
33. Mal. ii. 6.

ME, within.

17. Job vi. 4.
27. — xix. 27.
28. — xxxii. 18.
29. Psalm xxxix. 3.

12. Psalm xlii. 6, 11.
12. —— xliii. 5.
29. —— li. 10.
29. —— xciv. 19.

29. Psalm ciii. 1.
12. —— cxlii. 3.
12. —— cxliii. 4.
29. Isa. xxvi. 9.

29. Jer. xxiii. 9.
29. Lam. i. 20.
12. Hos. xi. 8.
12. Jonah ii. 7.

ME, without.
19. Isa. x. 4.

MEADOW.
בָּאָחוּ   *Boōkhoo*, in a meadow.
Gen. xli. 2.

MEADOWS.
מְעָרָה   *Meōroh*, a cave.
Judg. xx. 33.

MEALTIME.
עֵת הָאֹכֶל   *Haith hooukhel*, time of eating.
Ruth ii. 14.

MEAL.
קֶמַח   *Kemakh*, flower, meal.

Numb. v. 15.
2 Kings iv. 41.
1 Chron. xii. 40.

Isa. xlvii. 2.
Hos. viii. 7.

MEAN, Verb.
לָכֶם   *Lokhem*, to you.

Exod. xii. 26.
Isa. iii. 15.

Ezek. xviii. 2.

MEANEST and MEANETH.
Not used in the original.

MEAN, Adject.
1. חֲשׁוּפִים   *Khashookeem*, obscure persons.
2. אָדָם   *Odom*, a man of earth, mankind.

1. Prov. xxii. 29.
2. Isa. ii. 9.

2. Isa. v. 15.
2. — xxxi. 8.

MEAN while.
עַד כֹּה   *Ad kouh*, as far as here, thus.
1 Kings xviii. 45.

MEANS.
Not in the original.

MEANING.
בִּינָה   *Beenoh*, understanding.
Dan. viii. 15.

MEANT.

חָשַׁב **Khoshav**, thought.

Gen. L. 20.

MEASURE.

1. אֵיפָה **Aiphoh**, a dry measure, ephah.
2. מִדָּה **Middoh**, a measure, mete-yard.
3. סְאָה **Sooh**, third part of an ephah.
4. שָׁלִישׁ **Sholeesh**, a triangle.
5. מִשְׁפָּט **Mishpot**, justice, equity.
6. אַמָּה **Amoh**, a cubit.
7. חֹק **Khouk**, a decree.
8. מְשׂוּרָה **Mĕsooroh**, a measure for liquids.
9. כֹּר **Kour**, a measure containing ten ephahs.

2. Exod. xxvi. 2, 8.	4. Psalm lxxx. 5.
8. Lev. xix. 35.	7. Isa. v. 14.
1. Deut. xxv. 15.	3. — xxvii. 8.
2. 1 Kings vi. 25.	4. — xl. 12.
2. —— vii. 37.	5. Jer. xxx. 11.
3. 2 Kings vii. 1.	5. — xlvi. 28.
3. —— xvi. 18.	6. — li. 13.
2. Job xi. 9.	8. Ezek. iv. 11, 16.
2. — xxviii. 25.	1. Mic. vi. 10.
2. Psalm xxxix. 4.	

MEASURES.

3. Gen. xviii. 6.	9. 2 Chron. ii. 10.
1. Deut. xxv. 14.	9. Ezra vii. 22.
3. 1 Sam. xxv. 18.	2. Job xxxviii. 5.
9. 1 Kings iv. 22.	1. Prov. xx. 10.
9. —— v. 11.	2. Jer. xiii. 25.
2. —— vii. 9, 11.	2. Ezek. xl. 24, 28, 29, 32.
3. —— xviii. 32.	2. —— xliii. 13.
8. 1 Chron. xxiii. 29.	2. —— xlviii. 16.

MEASURE (Verb), -ED.

מָדַד **Modad**, to measure, in all passages.

MEASURING.

מִדָּה **Middoh**, a measure, mete-yard.

Jer. xxxi. 39.	Zech. ii. 1.
Ezek. xl. 3, 5.	
— xlii. 15, 16, 17, 18, 19.	

MEAT -S.

1. { אֹכֶל **Oukhel**, } food, meat.
   { מַאֲכָל **Māakhol**, }
2. מַטְעַמִּים **Matameem**, dainties.
3. מָזוֹן **Mozoun**, food, nourishment.

---

4. לֶחֶם **Lekhem**, bread.
5. פַּת **Path**, a morsel, bit.
6. בָּרוּת **Vorooth**, refreshment.
7. מֶרֶף **Tereph**, provision.
8. פַּתְבַּג **Pathbag** (Syriac), pastry.

All passages not inserted are N°. 1.

2. Gen. xxvii. 4, 31.	7. Psalm cxi. 5.
3. —— xlv. 23.	4. Prov. vi. 8.
4. Lev. xxii. 11, 13.	4. —— xxiii. 3.
4. 1 Sam. xx. 34.	2. —————— 6.
4. 2 Sam. iii. 35.	4. —— xxx. 22, 25.
5. —— xii. 3.	7. —— xxxi. 15.
4. —— xiii. 5.	4. Isa. lxv. 25.
4. Job vi. 7.	6. Lam. iv. 10.
4. — xx. 14.	4. Ezek. xvi. 19.
4. — xxx. 4.	8. Dan. i. 8.
4. Psalm xlii. 3.	3. —— iv. 12, 21.
6. —— lxix. 21.	8. —— xi. 26.
4. —— lxxviii. 25.	7. Mal. iii. 10.

MEAT -offering -s.

מִנְחָה **Minkhoh**, a rest-offering, in all passages.

MEDDLE.

1. גָּרַר **Gorar**, to stir up, provoke.
2. עָרַב **Orav**, to mix.
3. גָּלַע **Gola**, to meddle.
4. מִתְעַבֵּר **Mithabbair**, to provoke to anger.

1. Deut. ii. 5, 19.	2. Prov. xx. 19.
1. 2 Kings xiv. 10.	2. —— xxiv. 21.
1. 2 Chron. xxv. 19.	

MEDDLED.

3. Prov. xvii. 14.

MEDDLETH.

4. Prov. xxvi. 17.

MEDDLING.

2 Chron. xxxv. 21, not in original.	3. Prov. xx. 3.

MEDICINE.

1. גֵּהָה **Gaihoh**, medicine.
2. תְּרוּפָה **Tĕroophoh**, healing, cure.
3. תְּעָלָה **Tĕoloh**, a plaster, assistance.

1. Prov. xvii. 22.	2. Ezek. xlvii. 12.

MEDICINES.

3. Jer. xxx. 13.	3. Jer. xlvi. 11.

MEDITATE -TION.

הָגָה *Hogoh,* ⎱ meditation, in all
שׂוּחַ *Sooakh,* ⎰   passages.

MEEK.

עָנָיו *Onov,* meek, humble, in all
passages.

MEEKNESS.

עֲנָוָה *Anovoh,* meekness.

Psalm xlv. 4. | Zeph. ii. 3.

MEET, Adject.

1. נֶגֶד *Neged,* opposite, in presence of.
2. נָכוֹן *Nokhoun,* correct.
3. אָרוּךְ *Orookh,* prepared.
4. יָשָׁר *Yoshor,* perfect, straight.
5. צָלַח *Tsolakh,* to prosper.
6. בְּנֵי חַיִל *Běnai khayil,* sons of value.
7. עָשָׂה *Osoh,* (Niph.) to be made.

1. Gen. ii. 18, 20.	4. Prov. xi. 24.
2. Exod. viii. 26.	4. Jer. xxvi. 14.
6. Deut. iii. 18.	4. — xxvii. 5.
3. Ezra iv. 14.	5. Ezek. xv. 4.
Job xxxiv. 31, not in	7. ——— 5.
original.	

MEETEST.

4. 2 Kings x. 3.

MEET (Verb) -ETH, MET.

פָּגַע *Poga,*
פָּגַשׁ *Pogash,* ⎬ to meet.
קָרָה *Koroh,*

MEETEST.

Isa. lxiv. 5.

MEETING, Subst.

1. מִקְרָא *Mikrō,* a convocation.
2. לִקְרַאת *Likrath,* against.

2. 1 Sam. xxi. 1. | 1. Isa. i. 13.

MELODY.

1. נַגֵּן *Nagain,* to sing, play upon an
instrument of music.
2. זִמְרָה *Zimroh,* to chant.

1. Isa. xxiii. 16.	2. Amos v. 23.
2. — li. 3.	

MELONS.

אֲבַטִּחִים *Avatikheem,* melons.

Numb. xi. 5.

MELT.

1. מוּג *Moog,* to dissolve.
2. נָמַס *Nomas,* to melt.
3. מָאַס *Moas,* to despise, reject.
4. צָרַף *Tsoraph,* to refine.
5. נָתַךְ *Notakh,* to flow, melt.
6. נָזַל *Nozal,* to run down.
7. דָּלַף *Dolaph,* to drop.
8. נָסַךְ *Nosakh,* to cast, pour out.

1. Exod. xv. 15.	2. Isa. xix. 1.
2. Josh. ii. 11.	4. Jer. ix. 7.
2. — xiv. 8.	2. Ezek. xxi. 7.
1. 2 Sam. xvii. 10.	5. — xxii. 20.
3. Psalm lviii. 7.	1. Amos ix. 5, 13.
2. — cxii. 10.	1. Nah. i. 5.
2. Isa. xiii. 7.	

MELTED.

2. Exod. xvi. 21.	1. Psalm xlvi. 6.
2. Josh. v. 1.	2. — xcvii. 5.
6. Judg. v. 5.	1. — cvii. 26.
1. 1 Sam. xiv. 16.	2. Isa. xxxiv. 3.
2. Psalm xxii. 14.	5. Ezek. xxii. 21, 22.

MELTETH.

2. Psalm lviii. 8.	8. Isa. xl. 19.
2. — lxviii. 2.	4. Jer. vi. 29.
7. — cxix. 28.	2. Nah. ii. 10.
2. — cxlvii. 18.	

MELTING.

2. Isa. lxiv. 2.

MEMBER -S.

1. שָׁפְכָה *Shophkhoh,* pouring out.
2. יְצֻר *Yětsoor,* a formation, form.

1. Deut. xxiii. 1.	Psalm cxxxix. 16,
2. Job xvii. 7.	not in original.

MEMORIAL, MEMORY.

זֵכֶר *Zaikher,* ⎱ remembrance, memo-
זִכָּרוֹן *Zikkoroun,* ⎰ rial, in all passages.

MEN.

See Man.

MEND.

חָזַק *Khozak,* to strengthen.

2 Chron. xxiv. 12. | 2 Chron. xxxiv. 10.

MENSTRUOUS.

1.   דָּוֶה   *Dovoh*, infirm, sick.
2.   נִדָּה   *Nidoh*, removing.

1. Isa. xxx. 22.	2. Ezek. xviii. 6.
2. Lam. i. 17.	

MENTION -ED.

זָכַר   *Zokhar*, (Hiph.) to cause to remember, make mention, in all passages.

MERCHANDISE.

1.   עָמַר   *Omar*, to gain unlawfully.
2.   סַחֲרָה   *Sakhroh*, merchandise.
3.   רֹכֵל   *Roukhail*, a traveller, merchant.
4.   מַעֲרָב   *Määrov*, an exchanger, trafficker.

1. Deut. xxi. 14.	2. Isa. xlv. 14.
1. —— xxiv. 7.	3. Ezek. xxvi. 12.
2. Prov. iii. 14.	4. —— xxvii. 9.
2. —— xxxi. 18.	2. ——— 15.
2. Isa. xxiii. 18.	3. —— xxviii. 16.

MERCHANT -S.

סוֹחֵר   *Soukhair*, a merchant, in all passages.

MERCY -IES.

חֶסֶד   *Khesed*, mercy, kindness, in all passages.

MERCY, have.

1.   חָנַן   *Khonan*, to bestow.
2.   רִחַם   *Rikham*, to pity, compassionate.

1. Psalm iv. 1.	2. Isa. xxx. 18.
1. —— vi. 2.	2. — xlix. 13.
1. —— ix. 13.	2. — liv. 8.
1. —— xxv. 16.	2. — lv. 7.
1. —— xxvii. 7.	2. Jer. xiii. 14.
1. —— xxx. 10.	2. — xxi. 7.
1. —— xxxi. 9.	2. —— xxx. 18.
1. —— li. 1.	2. — xxxi. 20.
1. —— lxxxvi. 16.	2. — xxxiii. 26.
2. —— cii. 13.	2. — xlii. 12.
1. —— cxxiii. 2, 3.	2. Ezek. xxxix. 25.
2. Prov. xxviii. 13.	2. Hos. i. 6, 7.
2. Isa. ix. 17.	2. —— ii. 4, 23.
2. — xiv. 1.	2. Zech. i. 12.
2. — xxvii. 11.	2. —— x. 6.

MERCIFUL.

1.   רַחוּם   *Rakhoom*, merciful.
2.   חֶמְלָה   *Khemloh*, compassion.

3.   כִּפֵּר   *Kippair*, to forgive, pardon.
4.   חָסִיד   *Khoseed*, pious, godly.
5.   תִּתְחַסָּד   *Tithkhassod*, thou wilt show thyself kind.
6.   חֶסֶד   *Khesed*, kindness.
7.   חָנַן   *Khonan*, to bestow, be gracious.
8.   מְרַחֵם   *Merakhaim*, showing mercy.

2. Gen. xix. 16.	7. Psalm lix. 5.
1. Exod. xxxiv. 6.	7. —— lxvii. 1.
3. Deut. xxi. 8.	7. —— lxxxvi. 3.
3. —— xxxii. 43.	1. —— ciii. 8.
4. 2 Sam. xxii. 26.	—— cxvii. 2, not in
5. ——— 26.	original.
6. 1 Kings xx. 31.	—— cxix. 76, not in
1. 2 Chron. xxx. 9.	original.
1. Neh. ix. 17.	6. Prov. xi. 17.
7. Psalm xxvi. 11.	6. Isa. lvii. 1.
7. —— xxxvii. 26.	4. Jer. iii. 12.
7. —— xli. 4, 10.	1. Joel ii. 13.
7. —— lvi. 1.	1. Jonah iv. 2.
7. —— lvii. 1.	

MERCIFUL God.

1. Exod. xxxiv. 6.	1. Neh. ix. 31.
1. Deut. iv. 31.	8. Psalm cxvi. 5.
1. 2 Chron. xxx. 9.	1. Jonah iv. 2.

MERCY -seat.

כַּפֹּרֶת   *Kappoureth*, a covering, applied only to the holy ark.

Exod. xxv. 17, 20, 22.	Lev. xvi. 2, 13.
—— xxvi. 34.	Numb. vii. 89.
—— xxxvii. 6.	1 Chron. xxviii. 11.
—— xl. 20.	

MERRY.

1.   שִׁכּוּר   *Shikkoor*, drunk.
2.   הָלוּל   *Hilool*, foolish.
3.   טוֹב לֵב   *Touv laiv*, cheerful; lit., good of heart.
4.   שְׂמֵחִים   *Semaikheem*, rejoicing.
5.   שָׂמַח   *Somakh*, to rejoice.
6.   מְשַׂחֵק   *Mesakhaik*, laughing.

1. Gen. xliii. 34.	3. Esth. i. 10.
2. Judg. ix. 27.	4. Prov. xv. 13.
3. —— xvi. 25.	3. ——— 15.
3. —— xix. 6, 9, 22.	4. —— xvii. 22.
3. Ruth iii. 7.	4. Eccles. viii. 15.
1. 1 Sam. xxv. 36.	3. ——— ix. 7.
3. 2 Sam. xiii. 28.	5. —— x. 19.
4. 1 Kings iv. 20.	4. Isa. xxiv. 7.
3. ——— xxi. 7.	6. Jer. xxx. 19.
3. 2 Chron. vii. 10.	6. — xxxi. 4.

MERRILY.

שָׂמַח   *Somakh*, to rejoice, be glad.

Esth. v. 14.

MESSAGE.

1. דָּבָר   *Dovor*, a word, matter, subject.
2. דְּבָרִים   *Devoreem*, words, matters, subjects.
3. מַלְאֲכוּת   *Malaakhooth*, a message, embassy.

1. Judg. iii. 20.	2. Prov. xxvi. 6.
1. 1 Kings xx. 12.	3. Hag. i. 13.

MESSENGER.

1. מַלְאָךְ   *Malokh*, a messenger, angel.
2. צִוָּה   *Tsivvoh*, to command.
3. מְבַשֵּׂר   *Mĕvasair*, a reporter of good tidings.
4. מַגִּיד   *Mageed*, a declarer, reporter.
5. צִיר   *Tseer*, an express.

2. Gen. l. 16.	1. Prov. xiii. 17.
3. 1 Sam. iv. 17.	1. —— xvii. 11.
4. 2 Sam. xv. 13.	5. —— xxv. 13.
1. 1 Kings xix. 2.	1. Isa. xlii. 19.
1. —— xxii. 13.	4. Jer. li. 31.
1. 2 Kings vi. 32.	1. Ezek. xxiii. 40.
1. —— ix. 18.	1. Hag. i. 13.
1. 2 Chron. xviii. 12.	1. Mal. ii. 7.
1. Job i. 14.	1. —— iii. 1.
1. — xxxiii. 23.	

MESSENGERS.

מַלְאָכִים   *Malokheem*, messengers, angels.

Gen. xxxii. 3.	1 Kings xx. 2.
Numb. xx. 14.	2 Kings i. 3, 16.
—— xxi. 21.	—— xiv. 8.
—— xxii. 5.	—— xvi. 7.
—— xxiv. 12.	—— xvii. 4.
Deut. ii. 26.	—— xix. 9, 23.
Josh. vi. 17, 25.	1 Chron. xiv. 1.
—— vii. 22.	—— xix. 2.
Judg. vi. 35.	2 Chron. xxxvi. 15,16.
—— xi. 12, 14.	Prov. xvi. 14.
1 Sam. xi. 4.	Isa. xiv. 32.
—— xvi. 19.	— xviii. 2.
—— xix. 11, 14, 15,	—— xxxvii. 9, 14.
20, 21.	— xliv. 26.
1 Sam. xxv. 14, 42.	— lvii. 9.
2 Sam. ii. 5.	Jer. xxvii. 3.
—— iii. 12, 14, 26.	Ezek. xxiii. 16.
—— v. 11.	—— xxx. 9.
—— xi. 4.	Nah. ii. 13.
—— xii. 27.	

MESS.

מַשְׂאֵת   *Masaith*, a liberal gift, portion.

Gen. xliii. 34. | 2 Sam. xi. 8.

MESSES.

מַשְׂאוֹת   *Masouth*, liberal gifts, portions.

Gen. xliii. 34.

MESSIAH.

מָשִׁיחַ   *Mosheeakh*, The Anointed, Messiah.

Dan. ix. 25, 26.

MET.
See Meet.

METE.

1. מָדַד   *Modad*, to measure, mete.
2. תָּכַן   *Tokhan*, (Piel) to direct.
3. קַו קָו   *Kav kav*, line to line.

1. Exod. xvi. 18.	1. Psalm cviii. 7.
1. Psalm lx. 6.	

METED.

3. Isa. xviii. 2, 7.	2. Isa. xl. 12.

METE-YARD.

מִדָּה   *Middoh*, a measure.

Lev. xix. 35.

MICE.

עַכְבָּרִים   *Akhboreem*, mice.

1 Sam. vi. 4, 5, 18.

MIDDAY.

1. צָהֳרַיִם   *Tsohoroyim*, brightness.
2. חֲצִי הַיּוֹם   *Khatsee hayoum*, half the day.

1. 1 Kings xviii. 29.	2. Neh. viii. 3.

MIDDLE, MIDST.

תּוֹךְ   *Toukh*, middle, midst, in all passages.

MIDNIGHT.

חֲצִי הַלַּיְלָה   *Khatsee halayeloh*, half of the night, in all passages.

MIDWIFE.

1. מְיַלֶּדֶת   *Meyaledeth*, a midwife.
2. בְּיַלֶּדְכֶן   *Beyalledkhen*, when you cause to bring forth.

1. Gen. xxxv. 17.	2. Exod. i. 16.
1. —— xxxviii. 28.	

MIDWIVES.

1. Exod. i. 17, 19, 20, 21.

MIGHT, Subst.

1. אוֹן   *Oun*, virtue.
2. כֹּחַ   *Kouakh*, vigour.
3. גְּבוּרָה   *Gevooroh*, might.
4. לְאֵל   *Leail*, to, by God.
5. חַיִל   *Khayil*, valiant.
6. עֹז   *Ouz*, strength, force.
7. מְאֹד   *Meoud*, mightily, exceedingly.
8. אוֹנִים   *Ouneem*, virtues.
9. תְּקָף   *Tekoph* (Syriac), power.
10. עֹצֶם   *Outsem*, firmness.
11. גְּבוּרִים   *Gibboureem*, mighty.

All passages not inserted are N°. 1.

2. Gen. xlix. 3.	3. 1 Chron. xxix. 12, 30.
2. Numb. xiv. 13.	3. 2 Chron. xx. 6.
3. Deut. iii. 24.	2. ——— 12.
7. —— vi. 5.	3. Esth. x. 2.
10. —— viii. 17.	5. Psalm lxxvi. 5.
4. —— xxviii. 32.	6. —— cxlv. 6.
3. Judg. v. 31.	2. Eccles. ix. 10.
2. —— vi. 14.	3. Isa. xi. 2.
2. —— xvi. 30.	3. — xxxiii. 13.
6. 2 Sam. vi. 14.	8. — xl. 26, 29.
3. 1 Kings xv. 23.	3. Jer. ix. 23.
3. ——— xvi. 5, 27.	3. — x. 6.
3. ——— xxii. 45.	3. — xvi. 21.
3. 2 Kings x. 34.	3. — xlix. 35.
3. ——— xiii. 8, 12.	3. — li. 30.
3. ——— xiv. 15, 28.	3. Ezek. xxxii. 30.
3. ——— xx. 20.	3. Dan. ii. 20, 23.
7. ——— xxiii. 25.	9. —— iv. 30.
11. ——— xxiv. 16.	3. Mic. iii. 8.
11. 1 Chron. xii. 8.	3. —— vii. 16.
2. ——— xxix. 2.	5. Zech. iv. 6.

MIGHT be.

1. הָיָה   *Hoyoh*, to be.
2. לְמַעַן   *Lemāan*, in order that, for that sake.
3. לְהִתְחַתֵּן   *Lehithkhatain*, to contract a marriage.

1. In all passages, except:

2. Deut. v. 29.	3. 1 Sam. xviii. 27.

MIGHTY.

1. גִּבּוֹר   *Gibbour*, mighty.
2. עָצוּם   *Otsoom*, strong.
3. אֱלֹהִים   *Elouheem*, God, superior, mighty, supreme.
4. עָצַם   *Otsam*, (Hiph.) to become strong.

5. מְאֹד   *Meoud*, exceedingly, mightily.
6. אַדִּיר   *Addeer*, glorious, magnificent, ample.
7. גָּדוֹל   *Godoul*, great.
8. אֵילִים   *Aileem*, powerful.
9. חָזַק   *Khozak*, (Hith.) strengthened himself.
10. חָיִל   *Khoyil*, valiant.
11. תַּקִּיף   *Takkeeph* (Chaldee), powerful.
12. עַזִּים   *Azzeem*, rapid, powerful.
13. חָזָק   *Khozok*, strong.
14. עָרִיץ   *Oreets*, terrible.
15. אַמִּיץ   *Ammeets*, courageous.
16. אֵיתָן   *Aithon*, stubborn, untractable, irresistible.
17. אַפִּיק   *Apheek*, bold, resolute.
18. אַבִּיר   *Abbeer*, strength, power.
19. רַבִּים   *Rabbeem*, many, multitudes.
20. אֵל   *Ail*, God, godly, mighty.
21. גְּבוּרָה   *Gevooroh*, might, power, strength.
22. עָיֹם   *Ayom*, power, influence.
23. כַּבִּיר   *Kabbeer*, abundant.
24. רַב   *Rav*, great, abundant.
25. בָּצוּר   *Botsoor*, fenced, hidden.

1. Gen. x. 9.	16. Job xii. 19.
2. —— xviii. 18.	17. ——— 21.
3. —— xxiii. 6.	1. — xxi. 7.
4. Exod. i. 7, 20.	18. — xxiv. 22.
3. —— ix. 28.	18. — xxxiv. 20.
5. —— x. 19.	19. — xxxv. 9.
6. —— xv. 10.	8. — xli. 25.
7. Lev. xix. 15.	1. Psalm xxiv. 8.
2. Numb. xxii. 6.	8. ——— xxix. 1.
7. Deut. iv. 37.	1. —— xlv. 3.
7. —— vii. 23.	12. —— lix. 3.
7. —— ix. 29.	12. —— lxviii. 33.
2. —— xxvi. 5.	2. —— lxix. 4.
1. Judg. v. 13, 23.	16. —— lxxiv. 15.
6. 1 Sam. iv. 8.	20. —— lxxxii. 1.
1. 2 Sam. i. 19, 20, 22, 25.	8. —— lxxxix. 6.
	21. ——— 13.
8. 2 Kings xxiv. 15.	1. ——— 19.
1. 1 Chron. i. 10.	19. ——— 50.
1. ——— xii. 28.	6. —— xciii. 4.
1. ——— xxvii. 6.	21. —— cvi. 8.
9. 2 Chron. xiii. 21.	1. —— cxii. 2.
10. ——— xxvi. 13.	1. —— cxx. 4.
19. ——— xxvii. 6.	2. —— cxxxv. 10.
11. Ezra iv. 20.	1. Prov. xvi. 32.
1. —— vii. 28.	2. —— xviii. 18.
1. Neh. iii. 16.	1. —— xxi. 22.
12. —— ix. 11.	13. —— xxiii. 11.
13. Job v. 15.	21. Isa. iii. 25.
14. — vi. 23.	1. — v. 22.
15. — ix. 4.	22. — xi. 15.

23. Isa. xvii. 12.
1. — xxii. 17.
1. — xlix. 24.
24. — lxiii. 1.
16. Jer. v. 15.
24. — xxxii. 19.
25. — xxxiii. 3.
8. Ezek. xvii. 13.
1. —— xxxii. 12, 21, 27.
24. —— xxxviii. 15.

1. Ezek. xxxix. 18.
11. Dan. iv. 3.
4. —— viii. 24.
1. —— xi. 3.
2. ——— 25.
1. Amos ii. 14, 16.
2. —— v. 12.
16. —— 24.
7. Jonah i. 4.
6. Zech. xi. 2.

MIGHTY one.

1.   גִּבּוֹר   *Gibbour*, mighty.
2.   אַבִּיר   *Aveer*, the mighty one.
3.   אַדִּיר   *Addeer*, glorious, magnificent, ample.
4.   חָזָק   *Khozok*, strong.
5.   צוּר   *Tsoor*, a rock.
6.   אֵל   *Ail*, God, godly, mighty.

1. Gen. x. 8.
2. Isa. i. 24.
3. — x. 34.
4. — xxviii. 2.
5. — xxx. 29.

2. Isa. xlix. 26.
2. — lx. 16.
1. Jer. xx. 11.
6. Ezek. xxxi. 11.

MIGHTY ones.

1.   גִּבּוֹרִים   *Gibboureem*, mighty ones.
2.   אַבִּירִים   *Abbeereem*, powerful.

2. Judg. v. 22.
1. Isa. xiii. 3.

1. Jer. xlvi. 5.
1. Joel iii. 11.

MIGHTIER.

Expressed by a prefixed מ to the word following the adjective.

MIGHTIES.

גִּבּוֹרִים   *Gibboureem*, mighty.
1 Chron. xi. 12, 19, 24.

MIGHTILY.

1.   חָזְקָה   *Khozkoh*, with strength.
2.   מְאֹד   *Meoud*, exceedingly, mightily.
3.   צָלַח   *Tsolakh*, (preter.) prospered.
4.   שָׁאַג   *Shoag*, to roar (repeated).

2. Deut. vi. 3.
1. Judg. iv. 3.
3. —— xiv. 6.
3. —— xv. 14.

4. Jer. xxv. 30.
1. Jonah iii. 8.
2. Nah. ii. 1.

MILCH.

1.   מְנִיקוֹת   *Měneekouth*, giving suck.
2.   עָלוֹת   *Olouth*, bringing up.

1. Gen. xxxii. 15. | 2. 1 Sam. vi. 7, 10.

MILDEW.

יֵרָקוֹן   *Yairokoun*, paleness, pale-green.

1 Kings viii. 37.
2 Chron. vi. 28.

Amos iv. 9.
Hag. ii. 17.

MILK, Subst.

חָלָב   *Kholov*, milk, in all passages.

MILK, Verb.

מָצַץ   *Motsats*, to squeeze, suck.
Isa. lxvi. 11.

MILL -S.

רֵחַיִם   *Raikhayim*, a mill, millstone.

Exod. xi. 5. | Numb. xi. 8.

MILLET.

דֹּחַן   *Doukhan*, millet, bruised grain.
Ezek. iv. 9.

MILLIONS.

רְבָבָה   *Revovoh*, ten thousands.
Gen. xxiv. 60.

MILLSTONE.

רֶכֶב   *Rekhev*, an upper millstone, a rider.

Deut. xxiv. 6.
Judg. ix. 53.

2 Sam. xi. 21.

MILLSTONES, MILLS.

רֵחַיִם   *Raikhayim*, a mill, millstone.

Isa. xlvii. 2. | Jer. xxv. 10.

MINCING.

טָפוֹף   *Tophouph*, tripping.
Isa. iii. 16.

MIND -S, Subst.

1.   רוּחַ   *Rooakh*, spirit.
2.   נֶפֶשׁ   *Nephesh*, animality, life, breath.
3.   לֵב   *Laiv*, the heart.
4.   זִמָּה   *Zimmoh*, wicked intention, lewdness.
5.   יֵצֶר   *Yaitser*, imagination, formation.

6. לִפְרוֹשׁ לָהֶם עַל־פִּי יְהוָה *Liphroush lohem al-pee Yehouvoh*, to explain to them according to the mouth of Jehovah.

7. הֲמֵעִמְּךָ *Hamaiimkho*, is it of thee?

8. מָרֵי נֶפֶשׁ *Morai nephesh*, bitter of life.

1. Gen. xxvi. 35.	5. Prov. xxix. 11.
6. Lev. xxiv. 12.	5. Isa. xxvi. 3.
2. Deut. xviii. 6.	3. — xlvi. 8.
2. —— xxviii. 65.	3. — lxv. 17.
3. —— xxx. 1.	3. Jer. iii. 16.
2. 1 Chron. xxviii. 9.	3. — xliv. 21.
3. Neh. iv. 6.	2. Ezek. xxiii. 17, 18, 22.
3. Psalm xxxi. 12.	3. Dan. v. 20.
4. Prov. xxi. 27.	1. Hab. i. 11.

MIND, my.

3. Numb. xvi. 28.	2. Jer. xv. 1.
3. —— xxiv. 13.	3. — xix. 5.
3. 1 Sam. ii. 35.	3. — xxxii. 35.
3. 1 Chron. xxii. 7.	3. Lam. iii. 21.

MIND, thy.

3. 1 Sam. ix. 20.	3. Ezek. xxxviii. 10.
7. Job xxxiv. 33.	

MIND, your.

2. Gen. xxiii. 8.	1. Ezek. xi. 5.
3. Jer. li. 50.	1. — xx. 32.

MINDS.

8. 2 Sam. xvii. 8.	2. Ezek. xxiv. 25.
2. 2 Kings ix. 15.	2. — xxxvi. 5.

MINDED.

עִם־לֵב *Im-laiv*, with the heart.

Ruth i. 18, not in original.	Ezra vii. 13, not in original.
2 Chron. xxiv. 4.	

MINDFUL.

זָכַר *Zokhar*, to remember, in all passages.

MINE.

Expressed by an affixed י *Yod*, to the subst. or verb; in all passages, except:

עִמָּדִי *Immodee*, with me.

Psalm l. 11.

MINGLE -D.

1. עָרַב *Orav*, to mix, mingle.
2. מָסַךְ *Mosakh*, to mingle liquids.

3. מִתְלַקַּחַת *Mithlakakhath*, devouring.

4. כִּלְאַיִם *Kiloyim*, a mixture of seeds or grain.

2. Isa. v. 22.	1. Dan. ii. 43.

MINGLED.

3. Exod. ix. 24.	2. Prov. ix. 2, 5.
4. Lev. xix. 19.	2. Isa. xix. 14.
1. Ezra ix. 2.	1. Jer. xxv. 20, 24.
2. Psalm cii. 9.	1. — L. 37.
1. —— cvi. 35.	1. Ezek. xxx. 5.

MINISH -ED.

1.	גָּרַע *Gora*,	to diminish, lessen.
2.	מָעַט *Moat*,	

1. Exod. v. 19.	2. Psalm cvii. 39.

MINISTER.

מְשָׁרֵת *Meshoraith*, a minister in the service of Jehovah.

Exod. xxiv. 13.	Josh. i. 1.

MINISTERS.

מְשָׁרְתִים *Meshortheem*, ministers; in all passages, except:

פָּלְחִין *Polkheen* (Chaldee), servers, worshippers.

Ezra vii. 24.

MINISTER -ED -ETH.

כָּהַן *Kohan*, to minister, applied only to the priesthood.

שָׁרַת *Shorath*, to serve, minister, applied only to Levites.

MINISTERING.

1. עֲבוֹדָה *Avoudoh*, service.
2. שָׁרֵת *Shoraith*, ministering, ministry.

1. 1 Chron. ix. 28.	2. Ezek. xliv. 11.

MINISTRY.

1. שָׁרֵת *Shoraith*, ministering, ministry.
2. עֲבֹדָה *Avoudoh*, service.
3. יָד *Yod*, hand.

1. Numb. iv. 12.	3. 2 Chron. vii. 6.
2. —— 47.	3. Hos. xii. 10.

MINSTREL.

מְנַגֵּן   *Měnagain,* a minstrel.

2 Kings iii. 15.

MIRACLE -S.

1.   מוֹפֵת   *Mouphaith,* a miracle.
2.   אוֹת   *Outh,* a sign, type.
3.   נִפְלָא   *Niphlo,* a wonder.

1. Exod. vii. 9.

MIRACLES.

2. Numb. xiv. 22.	1. Deut. xxix. 3.
2. Deut. xi. 3.	3. Judg. vi. 13.

MIRE.

1.   חֹמֶר   *Khoumer,* morter.
2.   טִיט   *Teet,* clay.
3.   { בִּצָּה   *Bitsoh,*
   { בִּץ   *Bouts* (Chaldee), } mud, marsh.
4.   יָוֵן   *Yovon,* mire.
5.   טִינָא   *Teeno* (Chaldee), potter's clay.

2. 2 Sam. xxii. 43.	2. Isa. lvii. 20.
3. Job viii. 11.	2. Jer. xxxviii. 6, twice.
1. — xxx. 19.	3. ———— 22.
2. — xli. 30.	2. Mic. vii. 10.
4. Psalm lxix. 2.	2. Zech. ix. 3.
2. ————14.	2. — x. 5.
1. Isa. x. 6.	

MIRY.

2. Psalm xl. 2.	5. Dan. ii. 41, 43.
3. Ezek. xlvii. 11.	

MIRTH.

שִׂמְחָה   *Simkhoh,* mirth, joy, gladness, in all passages.

MISCARRYING.

מַשְׁכִּיל   *Mashkeel,* miscarrying.

Hos. ix. 14.

MISCHIEF.

1.   אָסוֹן   *Osoun,* injury, accident.
2.   רָעָה   *Rooh,* evil.
3.   אָוֶן   *Oven,* iniquity.
4.   עָמָל   *Omol,* mischief, trouble.
5.   זִמָּה   *Zimmoh,* wicked intention, lewdness.
6.   הָתַת   *Hothath,* to attack unjustly.
7.   רוֹעַ   *Rooa,* to do evil.
8.   הַוּוֹת   *Havvouth,* a disaster.

1. Gen. xlii. 4, 38.	4. Psalm xciv. 20.
1. — xliv. 29.	5. — cxix. 150.
1. Exod. xxi. 22.	4. — cxl. 9.
2. — xxxii. 12, 22.	7. Prov. iv. 16.
2. 1 Sam. xxiii. 9.	2. — vi. 14, 18.
2. 2 Sam. xvi. 8.	5. — x. 23.
2. 1 Kings xi. 25.	2. — xi. 27.
2. ——— xx. 7.	2. — xii. 21.
3. 2 Kings vii. 9.	2. — xiii. 17.
2. Neh. vi. 2.	2. — xvii. 20.
2. Esth. viii. 3.	4. — xxii. 2.
4. Job xv. 35.	2. ——— 16.
4. Psalm vii. 14, 16.	2. — xxviii. 14.
4. — x. 7, 14.	2. Isa. xlvii. 11.
5. — xxvi. 10.	4. — lix. 4.
2. — xxviii. 3.	8. Ezek. vii. 26, twice.
3. — xxxvi. 4.	3. — xi. 2.
2. — lii. 1.	2. Dan. xi. 27.
4. — lv. 10.	2. Hos. vii. 15.
6. — lxii. 3.	

MISCHIEFS.

2. Deut. xxxii. 23.	2. Psalm cxl. 2.
8. Psalm lii. 2.	

MISCHIEVOUS.

1.   מְזִמָּה   *Mězimmoh,* deep thought.
2.   הַוּוֹת   *Havvouth,* a disaster.
3.   רָעָה   *Rooh,* an evil action.

1. Psalm xxi. 11.	3. Eccles. x. 13.
2. — xxxviii. 12.	2. Mic. vii. 3.
1. Prov. xxiv. 8.	

MISERABLE.

עָמָל   *Omol,* mischief, trouble.

Job xvi. 2.

MISERY.

עָמָל   *Omol,* mischief, trouble, in all passages.

MISERIES.

עֲנִיָה   *Aniyoh,* affliction.

Lam. i. 7.

MISS -ED -ING.

1.   חָטָא   *Khoto,* to sin.
2.   פָּקַד   *Pokad,* to visit, command, count, number.

1. Judg. xx. 16.	2. 1 Sam. xx. 6.

MISSED.

2. 1 Sam. xx. 18.	2. 1 Sam. xxv. 15, 21.

MISSING.

2. 1 Sam. xxv. 7.	2. 1 Kings xx. 39.

MIST.

אֵד *Aid*, a mist.

Gen. ii. 6.

MISTRESS.

1.   גְּבֶרֶת *Gevereth*, a mistress.
2.   בַּעֲלַת *Baǎlath*, an owner (fem.).

1. Gen. xvi. 4, 8.	1. Prov. xxx. 23.
2. 1 Kings xvii. 17.	1. Isa. xxiv. 2.
1. 2 Kings v. 3.	2. Nah. iii. 4.
1. Psalm cxxiii. 2.	

MISUSED.

מִתַעְתְּעִים *Mitatĕeem*, deceiving, mocking.

2 Chron. xxxvi. 16.

MITRE.

1.   מִצְנֶפֶת *Mitsnepheth*, a mitre.
2.   צָנִיף *Tsoneeph*, a head dress, a turban.

1. Exod. xxviii. 4, 37, 39.	1. Lev. viii. 9.
1. —— xxix. 6.	1. —— xvi. 4.
1. —— xxxix. 28, 31.	2. Zech. iii. 5.

MIXED.

1.   עֵרֶב *Airev*, a mixture.
2.   בָּלַל *Bolal*, (Hith.) to confuse, confound.
3. אֲסַפְסֻף *Asaphsooph*, a mixed multitude.
4. מִמְסָךְ *Mimsokh*, a mixture of liquids.
5.   מָהוּל *Mohool*, being reduced.

1. Exod. xii. 38.	5. Isa. i. 22.
3. Numb. xi. 4.	1. Dan. ii. 41.
1. Neh. xiii. 3.	2. Hos. vii. 8.
4. Prov. xxiii. 30.	

MIXTURE.

מֶסֶךְ *Mesekh*, a mixture of liquids.

Psalm lxxv. 8.

MOCK.

1.   לוּץ *Loots*, to mock, scorn.
2.   צָחַק *Tsokhak*, to laugh to scorn.
3.   הָתַל *Hothal*, to deceive, delude.
4.   לָעַג *Loag*, to deride.
5.   עָלַל *Olal*, to provoke.
6.   שָׂחַק *Sokhak*, to smile, laugh.
7.   קְלַס *Kolas* (Chaldee), to boast.

2. Gen. xxxix. 14.	4. Prov. i. 26.
2. ———— 17.	5. Jer. xxxviii. 19.
3. Job xiii. 9.	6. Lam. i. 7.
4. — xxi. 3.	7. Ezek. xxii. 5.

MOCK -ING, Subst.

1. Prov. xiv. 9.	7. Ezek. xxii. 4.

MOCKED.

2. Gen. xix. 14.	4. 2 Chron. xxx. 10.
5. Numb. xxii. 29.	4. ———— xxxvi. 16.
3. Judg. xvi. 10, 13, 15.	4. Neh. iv. 1.
3. 1 Kings xviii. 27.	6. Job xii. 4.
7. 2 Kings ii. 23.	

MOCKEST.

4. Job xi. 3.

MOCKETH.

3. Job xiii. 9.	4. Prov. xxx. 17.
6. — xxxix. 22.	4. Jer. xx. 7.
4. Prov. xvii. 5.	

MOCKING.

2. Gen. xxi. 9.

MOCKER.

לֵץ *Laits*, a scorner.

Prov. xx. 1.

MOCKERS.

1. הַתֻּלִים *Hathooleem*, delusions.
2.   לַעֲגִים *Lāageem*, mockers.
3.   לָצֵץ *Lotsats*, to scorn, scoff.
4. מְשַׂחֲקִים *Mĕsakhakeem*, laughers.

1. Job xvii. 2.	3. Isa. xxviii. 22.
2. Psalm xxxv. 16.	4. Jer. xv. 17.

MODERATELY.

צְדָקָה *Tsedokoh*, righteousness.

Joel ii. 23.

MOIST.

מִשְׁרָה *Mishroh*, juice.

Numb. vi. 3.

MOISTENED.

שָׁקָה *Shokoh*, to moisten.

Job xxi. 24.

MOISTURE.

שַׁד *Shad*, refreshing moisture; met., a breast.

Psalm xxxii. 4.

MOLE.

תִּנְשָׁמֶת *Tinshometh,* a mole.

Lev. xi. 30.

MOLES.

חֲפֹר פֵּרוֹת *Khappour pairouth,* lit., a fruit-digger, fruit-pit.

Isa. ii. 20.

MOLLIFIED.

רָכַּךְ *Rokakh,* to soften.

Isa. i. 6.

MOLTEN.

1. מַסֵּכָה *Massaikhoh,* lit., a pouring out, a cast.
2. יָצַק *Yotsak,* molten.
3. נָתַךְ *Notakh,* (Hiph.) to pour out.
4. נָמַס *Nomas,* to dissolve.

1. Exod. xxxii. 4, 8.	1. Neh. ix. 18.
1. —— xxxiv. 17.	2. Job xxviii. 2.
1. Lev. xix. 4.	2. — xxxvii. 18.
1. Deut. ix. 12, 16.	3. Ezek. xxiv. 11.
2. 1 Kings vii. 16, 23, 33.	4. Mic. i. 4.

See IMAGE.

MOMENT.

רֶגַע *Roga,* a moment, twinkle of an eye, in all passages.

MONEY.

כֶּסֶף *Keseph,* silver, in all passages.

MONSTERS.

תַּנִּינִים *Taneeneem,* monsters.

Lam. iv. 3.

MONTH -S.

יֶרַח *Yerakh,* ⎫
חֹדֶשׁ *Khoudesh,* ⎬ a month.

The latter word is always employed when a particular day in a month is mentioned.

MONTHLY.

חֹדֶשׁ *Khoudesh,* a month; met., the new moon.

Isa. xlvii. 13.

MONUMENTS.

נְצוּרִים *Netsooreem,* safe places, caverns.

Isa. lxv. 4.

MOON.

1. לְבָנָה *Levonoh,* the moon.
2. יֶרַח *Yoraiakh,* the light of the moon.

2. In all passages, except:

1. Cant. vi. 10.	1. Isa. xxx. 26.
1. Isa. xxiv. 23.	

Note.—Whenever the sun and moon are mentioned together, חַמָּה *Khammoh,* the sun, is always followed by לְבָנָה *Levonoh,* the moon. Whenever שֶׁמֶשׁ *Shemesh,* the servant (light) of the sun, it is followed by יֶרַח *Yoraiakh,* the scent (light) of the moon.

MOON, new.

חֹדֶשׁ *Khoudesh,* a month; met., the new moon, in all passages.

MOONS, new.

חֳדָשִׁים *Khodosheem,* months; met., new moons, in all passages.

MORE.

עוֹד *Oud,* more, again.

It is sometimes designated by a prefixed מ to the word following the adjective.

MORE, much.

1. מַרְבִּים *Marbeem,* multiplying.
2. אַף *Aph,* yea, also.
3. גָּדוֹל *Godoul,* great, large.

1. Exod. xxxvi. 5.	3. Isa. lvi. 12.
2. Prov. xi. 31.	

MOREOVER.

גַּם *Gam,* also, but the word is designated by a prefixed ו to the word alluded to.

Psalm xix. 11.	Ezek. xvi. 29.
Isa. xxxix. 8.	Zech. v. 6.

MORNING.

בֹּקֶר *Bouker,* early morning; in all passages, except:

שַׁחַר *Shakhar,* morning star, dawn.

Gen. xix. 15.

MORNING light, star.

שַׁחַר *Shakhar,* the morning star, dawn, in all passages.

MORNING watch.

בֹּקֶר *Bouker,* early morning.

Exod. xiv. 24. | 1 Sam. xi. 11.

MORROW.

1.   מָחָר *Mokhor,* to-morrow.
2.   בֹּקֶר *Bouker,* early morning.
3. מִמָּחֳרָת *Mimokhroth,* the following day.

All passages not inserted are Nº. 1.

3. Exod. ix. 6.	2. Numb. xvi. 5.
3. Lev. vii. 16.	3. ———— 41.
3. —— xix. 6.	3. Josh. v. 12.
2. —— xxii. 30.	3. 2 Kings viii. 15.
3. —— xxiii. 11, 15.	2. Zeph. iii. 3.

MORSEL.

פַּת *Path,* a bit, piece.

Gen. xviii. 5.	Job xxxi. 17.
Judg. xix. 5.	Prov. xvii. 1.
Ruth ii. 14.	—— xxiii. 8.

MORSELS.

פִּתִּים *Phitteem,* morsels.

Psalm cxlvii. 17.

MORTAL.

אֱנוֹשׁ *Enoush,* mortal man.

Job iv. 17.

MORTALLY.

נֶפֶשׁ *Nephesh,* life, breath.

Deut. xix. 11.

MORTAR.

1. מְדוֹכָה *Medoukhoh,* ⎫
2. מַכְתֵּשׁ *Makhtaish,* ⎬ a mortar.

1. Numb. xi. 8. | 2. Prov. xxvii. 22.

MORTER.

1.   חֹמֶר *Khoumer,* morter.
2.   עָפָר *Ophor,* dust.
3.   תָּפֵל *Tophail,* slime.

1. Gen. xi. 3.	3. Ezek. xiii. 10, 11, 14,
1. Exod. i. 14.	15.
2. Lev. xiv. 42, 45.	3. —— xxii. 28.
1. Isa. xli. 25.	1. Nah. iii. 14.

MORTGAGED.

עוֹרֵב *Ouraiv,* to pledge.

Neh. v. 3.

MOST.

רֹב *Rov,* most, plentiful.

Prov. xx. 6.

MOTH.

עָשׁ *Osh,* a moth.

Job iv. 19.	Isa. l. 9.
— xiii. 28.	— li. 8.
— xxvii. 18.	Hos. v. 12.
Psalm xxxix. 11.	

MOTHER.

אֵם *Aim,* mother, in all passages.

MOTHERS.

אִמֹּת *Immouth,* mothers, in all passages.

MOVE.

1.   חָרַץ *Khorats,* to point, determine.
2.   שֶׁרֶץ *Sherets,* a creeping thing.
3.   נוּף *Nooph,* to wave.
4.   פָּעַם *Poam,* to strike, drive, urge.
5.   רְגַז *Rogaz,* to tremble with rage.
6.   נוּד *Nood,* to wander.
7.   נוּעַ *Nooa,* to move continually.
8.   פּוּק *Pook,* to stagger.
9.   רָחַף *Rokhaph,* to float, hover.
10.   רָמַשׁ *Romas,* to creep, glide along.
11.   הָמָה *Homoh,* to make a noise.
12.   מוֹט *Moot,* to slip, totter.
13.   סוּת *Sooth,* to induce, excite.
14.   עָבַד *Ovad,* to serve, labour.
15.   יָתַר *Yothar,* to let loose, remain.
16.   זוּעַ *Zooa,* to move with trembling.
17.   נוּט *Noot,* to shake.

18.   קַלְקַל   *Kalkal,* to lighten.

19.   גָּעַשׁ   *Goash,* to perplex, enrage.

20.   רָעַשׁ   *Roash,* to bluster, shake.

21.   מַרְמַר   *Marmar,* to embitter.

22.   חָפֵץ   *Khophats,* to desire.

23.   הָלַךְ   *Holakh,* to go, walk, proceed.

24.   קָרַץ   *Korats,* to taunt.

1. Exod. xi. 7.	5. 2 Sam. vii. 10.
2. Lev. xi. 10.	6. 2 Kings xxi. 8.
3. Deut. xxiii. 25.	7. ——— xxiii. 18.
—— xxxii. 21, not in	8. Jer. x. 4.
original.	5. Mic. vii. 17.
4. Judg. xiii. 25.	

MOVED.

9. Gen. i. 2.	12. Psalm lxii. 2, 6.
10. —— vii. 21.	12. —— lxvi. 9.
Deut. xxxii. 21, not in	20. —— lxviii. 8.
original.	—— lxxviii. 58, not
1. Josh. x. 21.	in original.
13. —— xv. 18.	12. —— xciii. 1.
13. Judg. i. 14.	12. —— xcvi. 10.
11. Ruth i. 19.	17. —— xcix. 1.
7. 1 Sam. i. 13.	12. —— cxii. 6.
5. 2 Sam. xviii. 33.	12. —— cxxi. 3.
5. —— xxii. 8.	12. Prov. xii. 3.
13. —— xxiv. 1.	11. Cant. v. 4.
12. 1 Chron. xvi. 30.	7. Isa. vi. 4.
5. —— xvii. 9.	7. — vii. 2.
13. 2 Chron. xviii. 31.	6. — x. 14.
14. Ezra iv. 15.	5. — xiv. 9.
16. Esth. v. 9.	7. — xix. 1.
15. Job xxxvii. 1.	12. —— xxiv. 19.
12. — xli. 23.	12. — xl. 20.
12. Psalm x. 6.	12. — xli. 7.
12. —— xiii. 4.	18. Jer. iv. 24.
12. —— xv. 5.	19. —— xxv. 16.
12. —— xvi. 8.	19. — xlvi. 7, 8.
5. —— xviii. 7.	20. — xlix. 21.
12. —— xxi. 7.	20. — L. 46.
12. —— xxx. 6.	21. Dan. viii. 7.
12. —— xlvi. 5, 6.	21. — xi. 11.
12. —— lv. 22.	

MOVEDST.
13. Job ii. 3.

MOVETH.

10. Gen. i. 21, 28.	10. Psalm lxix. 34.
10. —— ix. 2.	23. Prov. xxiii. 31.
10. Lev. xi. 46.	10. Ezek. xlvii. 9.
22. Job xl. 17.	

MOVING.

2. Gen. i. 20.	24. Prov. xvi. 30.
10. —— ix. 3.	

MOVEABLE.
7. Prov. v. 6.

MOVING, Subst.
6. Job xvi. 5.

MOULDY.
נָקֹד   *Nokood,* spotted, speckled.

Josh. ix. 5, 12.

MOUNT.

1.   עָלָה   *Oloh,* to ascend.

2.   רוּם   *Room,* to lift up, raise, exalt.

3.   אָבַךְ   *Ovakh,* to involve, entangle.

4.   גָּבַהּ   *Govah,* to be high-minded, heighten.

1. Job xx. 6.	1. Isa. xl. 31.
4. — xxxix. 27.	1. Jer. li. 53.
1. Psalm cvii. 26.	2. Ezek. x. 16, 19.
3. Isa. ix. 18.	

MOUNTING.
1. Isa. xv. 5.

MOUNT, MOUNTAIN.

1.   הָר   *Hor,* a mount, mountain.

2.   טוּר   *Toor* (Chaldee and Syriac), a mount.

3.   סֹלְלָה   *Soulĕloh,* a rampart.

All passages not inserted are N°. 1.

3. Jer. vi. 6.	3. Ezek. xxvi. 8.
3. Ezek. iv. 2.	2. Dan. ii. 35, 45.
3. —— xxi. 22.	3. —— xi. 15.

מֻצָּב   *Mutsov,* an erection. Isa. xxix. 3.

MOUNT of Olives.
הַר הַזֵּיתִים   *Har Hazaitheem,* Mount of Olives.

Zech. xiv. 4.

MOUNTS, MOUNTAINS.

1.   הָרִים   *Horeem,* mountains.

2.   סֹלְלוֹת   *Soulĕlouth,* ramparts.

1. In all passages, except:

2. Jer. xxxii. 24.	2. Ezek. xvii. 17, sin-
2. — xxxiii. 4.	gular.

MOURN -ED -ETH -ING.

אָבַל   *Oval,*
סָפַד   *Sophad,*   } to mourn, lament.

MOURNER.
הִתְאַבְּלִי   *Hithablee,* make thyself to mourn.

2 Sam. xiv. 2.

MOURNERS.
1. אֲבֵלִים *Availeem*, mourners.
2. סוֹפְדִים *Souphdeem*, bewailers.
3. אוֹנִים *Ouneem*, sorrowful.

1. Job xxix. 25.	1. Isa. lvii. 18.
2. Eccles. xii. 5.	3. Hos. ix. 4.

MOURNFULLY.
קְדֹרַנִּית *Kedouranneeth*, in obscurity.
Mal. iii. 14.

MOURNING.
1. אָבֵל *Aivel*, mourning.
2. קֹדֵר *Koudair*, obscure.
3. קוּן *Koon*, (Piel) to make a lamentation.
4. הָמָה *Homoh*, to make a noise, roar.

1. Gen. xxxvii. 35.	2. Psalm xliii. 2.
1. 2 Sam. xiv. 2.	3. Jer. ix. 17.
1. Esth. vi. 12.	1. — xvi. 7.
2. Job xxx. 28.	4. Ezek. vii. 16.
2. Psalm xxxviii. 6.	1. Dan. x. 2.
2. — xlii. 9.	1. Mic. i. 8.

MOUSE.
עַכְבָּר *Akhbor*, a mouse.

Lev. xi. 29.	Isa. lxvi. 17.

MOUTH -S.
פֶּה or פִּי *Peh*, or *Pee*, in all passages.

MOWER.
קוֹצֵר *Koutsair*, a cutter of corn, or grass.
Psalm cxxix. 7.

MOWINGS.
גִּזִּים *Gizzeem*, shearings.
Amos vii. 1.

MOWN.
גֵּז *Gaiz*, shorn.
Psalm lxxii. 6.

MUCH.
רַב *Rav*, much, abundant, in all passages.

MUCH, as.
Not used in Hebrew.

MUCH, so.
Not used in Hebrew.

MUCH, too.
יֶתֶר *Yether*, superfluous, in all passages.

MUCH, very.
מְאֹד *Měoud*, exceeding, in all passages.

MUFFLERS.
רְעָלוֹת *Rěolouth*, veils.
Isa. iii. 19.

MULBERRY-TREES.
בְּכָאִים *Běkhoeem*, mulberry-trees.

2 Sam. v. 23, 24.	1 Chron. xiv. 14, 15.

MULE.
פֶּרֶד *Pered*, a mule.

2 Sam. xiii. 29.	1 Kings i. 38, 44.
—— xviii. 9.	Psalm xxxii. 9.
1 Kings i. 33.	Zech. xiv. 15.

MULES.
1. פְּרָדִים *Perodeem*, mules.
2. יֵמִים *Yaimeem*, springs of water.
3. רֶכֶשׁ *Rekhesh*, a swift beast.

All passages not inserted are Nº. 1.

2. Gen. xxxvi. 24.	3. Esth. viii. 10, 14.

MULTIPLY -ED -EDST -ETH -ING.
רָבָה *Rovoh*, to multiply, increase; in all passages, except:
כָּבַר *Kovar*, (Hiph.) to make great, important.
Job xxxv. 16.

MULTITUDE.
הָמוֹן *Hamoun*, ⎫ a multitude, crowd,
רַבִּים *Rabbeem*, ⎭   many.
In all passages.
See GREAT.

MULTITUDES.
הֲמוֹנִים *Hamouneem*, multitudes.

Ezek. xxxii. 20.	Joel iii. 14.

MUNITION.
1. מְצוּדָה *Mětsoodoh*, munition.
2. מְצוּרָה *Mětsooroh*, a citadel.

1. Isa. xxix. 7.	2. Nah. ii. 1.

MUNITIONS.
2. Isa. xxxiii. 16.

MURDER, Verb.
1. הָרַג *Horag*, to kill, slay.
2. רָצַח *Rotsakh*, to murder.

| 1. Psalm x. 8. | 2. Jer. vii. 9. |
| 2. —— xciv. 6. | 2. Hos. vi. 9. |

MURDERER.

1. רֹצֵחַ *Routsaiakh*, a murderer.
2. הֹרֵג *Houraig*, a killer, slayer.

1. Numb. xxxv. 16, 17,	1. Job xxiv. 14.
18, 19, 21, 30, 31.	2. Hos. ix. 13.
1. 2 Kings vi. 32.	

MURDERERS.

1. מְרַצְּחִים *Meratskheem*, murderers.
2. הֹרְגִים *Hourgeem*, killers, slayers.
3. מַכִּים *Makkeem*, smiters.

| 3. 2 Kings xiv. 6. | 2. Jer. iv. 31. |
| 1. Isa. i. 21. | |

MURMUR.

1. נַלַן *Nolan*, (generally in Hiph.) to murmur.
2. רָגַן *Rogan*, (Niph.) to be discontented.

| 1. Exod. xvi. 7, 8. | 1. Numb. xvi. 11. |
| 1. Numb. xiv. 27, 36. | 1. —— xvii. 5. |

MURMURED.

1. Exod. xv. 24.	2. Deut. i. 27.
1. —— xvi. 2.	1. Josh. ix. 18.
1. —— xvii. 3.	2. Psalm cvi. 25.
1. Numb. xiv. 2, 29.	2. Isa. xxix. 24.
1. —— xvi. 41.	

MURMURINGS.

תְּלֻנּוֹת *Telunouth*, murmurings.

| Exod. xvi. 7, 8, 9, 12. | Numb. xvii. 5, 10. |
| Numb. xiv. 27. | |

MURRAIN.

דֶּבֶר *Dever*, plague, pestilence.

Exod. ix. 3.

MUSE.

שׂוּחַ *Sooakh*, to utter, commune.

Psalm cxliii. 5.

MUSING.

הָגָה *Hogoh*, to meditate.

Psalm xxxix. 3.

MUSIC.

1. שִׁיר *Sheer*, a song, singing.
2. מַנְגִּינָה *Mangeenoh*, a musical instrument.
3. זְמָרָא *Zemoro*, a tune, chant.

4. דַּחֲוָן *Dakhavon* (Syriac), wind instruments.
5. נֵבֶל *Novel*, a violin.
6. שָׁלִשִׁים *Sholisheem*, triangles.
7. נְגִינָה *Negeenoh*, melody, sweet music.

6. 1 Sam. xviii. 6.	1. Eccles. xii. 4.
1. 1 Chron. xv. 16.	2. Lam. iii. 63.
1. 2 Chron. v. 13.	7. —— v. 14.
1. —— vii. 6.	3. Dan. iii. 5, 7, 10, 15.
1. —— xxiii. 13.	4. —— vi. 18.
1. —— xxxiv. 12.	5. Amos vi. 5.

MUSICAL.

| 1. 1 Chron. xvi. 42. | Eccles. ii. 8, not in |
| 1. Neh. xii. 36. | original. |

MUST.

Not used; sometimes designated by repetition of verb.

MUSTERED.

1. צָבָא *Tsovo*, to assemble for war.
2. פָּקַד *Pokad*, to command, visit, superintend.

| 1. 2 Kings xxv. 19. | 1. Jer. lii. 25. |

MUSTERETH.

2. Isa. xiii. 4.

MUTTER -ED.

הָגָה *Hogoh*, to meditate.

| Isa. viii. 19. | Isa. lix. 3. |

MUZZLE.

חָתַם *Khotham*, to seal.

Deut. xxv. 4.

MYRRH.

מֹר *Mour*, myrrh; in all passages, except:
לֹט *Lout*, balsam.

| Gen. xxxvii. 25. | Gen. xliii. 11. |

MYRTLE.

הֲדַס *Hodais*, a myrtle-tree.

| Neh. viii. 15. | Isa. lv. 13. |
| Isa. xli. 19. | |

MYRTLE-TREES.

הֲדַסִּים *Hadasseem*, myrtle-trees.

Zech. i. 8, 10, 11.

N

NAIL.

יָתֵד *Yothaid,* a tent-pin.

Judg. iv. 21, 22.	Isa. xxii. 23, 25.
—— v. 26.	Zech. x. 4.
Ezra ix. 8.	

NAILS.

1. צִפָּרְנִין *Tsipporneen,* finger or toe nails.
2. מִסְמְרוֹת *Mismerouth,* nails, pegs.
3. טִפְרִין *Tiphreen* (Chaldee), finger or toe nails.

1. Deut. xxi. 12.	2. Isa. xli. 7.
2. 1 Chron. xxii. 3.	2. Jer. x. 4.
2. 2 Chron. iii. 9.	1. Dan. iv. 33.
2. Eccles. xii. 11.	3. —— vii. 19.

NAKED.

עָרוֹם *Oroom,* naked ; in all passages, except :

פָּרוּעַ *Porooa,* in a state of disorder.
Exod. xxxii. 25.

NAKEDNESS.

עֶרְוָה *Ervoh,* nakedness, in all passages.

NAME.

שֵׁם *Shaim,* a name, in all passages.

NAMES.

שֵׁמוֹת *Shĕmouth,* names, in all passages.

NAME, Verb.

1. נָקַב *Nokav,* to specify, pronounce.
2. אָמַר *Omar,* (Niph.) to be said.
3. דִּבֵּר *Dibbair,* to speak.
4. קָרָא *Koro,* (Niph.) to be called.
5. שׂוֹם *Soom,* to place, fix, set, appoint.

2. 1 Sam. xvi. 3.	1. Isa. lxii. 2.
2. —— xxviii. 8.	

NAMED.

3. Gen. xxiii. 16.	4. Eccles. vi. 10.
4. —— xxvii. 36.	2. Isa. lxi. 6.
4. —— xlviii. 16.	4. Jer. xliv. 26.
4. 1 Sam. iv. 21.	1. Amos vi. 1.
5. 2 Kings xvii. 34.	2. Mic. ii. 7.
4. 1 Chron. xxiii. 14.	

NARROW.

1. צַר *Tsor,* narrow, an oppressor.
2. אַץ *Ots,* pressing, confining.
3. אָטַם *Otam,* stopped up, closed.

1. Numb. xxii. 26.	1. Prov. xxiii. 27.
2. Josh. xvii. 15.	1. Isa. xlix. 19.
3. 1 Kings vi. 4.	

NARROWED.

מִגְרָעוֹת *Migroouth,* diminished.
1 Kings vi. 6.

NARROWER.

צָרָה *Tsoroh,* narrow.
Isa. xxviii. 20.

NARROWLY.

1. שָׁמַר *Shomar,* to watch, observe.
2. שָׁגַח *Shogakh,* to examine closely.

1. Job xiii. 27.	2. Isa. xiv. 16.

NATION.

גּוֹי *Goue,* } a body, a nation, in all
אֹם *Oum,* } passages.

NATIONS.

גּוֹיִם *Gouyim,* } nations, in all passages.
אֻמִּים *Umeem,* }

NATIVE.

מוֹלֶדֶת *Mouledeth,* nativity.
Jer. xxii. 10.

NATIVITY.

Gen. xi. 28.	Ezek. xvi. 3, 4.
Ruth ii. 11.	—— xxi. 30.
Jer. xlvi. 16.	—— xxiii. 15.

NATURAL.

לֵחָה *Laikhoh,* moisture.
Deut. xxxiv. 7.

NAUGHT, NOUGHT.

חִנָּם *Khinnom*, for nought; in all passages, except:

1. מְאוּמָה *Měoomoh*, anything.
2. לֹא *Lou*, not.

1. Deut. xiii. 17. | 2. Deut. xv. 9.

Nought, see p. 589

NAUGHTY.

1. בְּלִיַעַל *Beliyāal*, a useless, worthless person (Belial).
2. הַוּוֹת *Havvouth*, mischievous, disastrous.
3. רָעוֹת *Rōouth*, evils.

1. Prov. vi. 12. | 3. Jer. xxiv. 2.
2. —— xvii. 4. |

NAUGHTINESS.

1. רֹעַ *Rouā*, badness, naughtiness.
2. הַוָּה *Havvoh*, disaster, mischief.

1. 1 Sam. xvii. 28. | 2. Prov. xi. 6.

NAVEL.

שְׁרִיר *Shereer*, the navel.

Job xl. 16.   Cant. vii. 2.
Prov. iii. 8.   Ezek. xvi. 4.

NAVES.

גַּבִּים *Gabbeem*, backs.
1 Kings vii. 33.

NAVY.

אֳנִי *Onee*, a ship; collectively, a fleet.

1 Kings ix. 26, 27. | 1 Kings x. 11, 22.

NAY.

שׁוּב פָּנִים *Shoov poneem*, causing the face to turn.
1 Kings ii. 17, 20.

NAZARITE.

נָזִיר *Nozeer*, a Nazarite.

Numb. vi. 2, 13, 18, | Judg. xiii. 5, 7.
19, 20, 21, | —— xvi. 17.

NAZARITES.

נְזִרִים *Nezireem*, Nazarites.

Lam. iv. 7. | Amos ii. 11, 12.

NEAR.

קָרוֹב *Korouv*, near, in all passages.

NEAR, come, draw, drew.

קָרַב *Korav*,) to approach, come near,
נָגַשׁ *Nogash*,) in all passages.

NEARER.

Designated by the following word having a מ prefixed, as:-

מִמֶּנִּי *Mimmenee*, more than me.
Ruth iii. 12.

NECESSARY.

חֻקִּי *Khukkee*, my allotted portion.
Job xxiii. 12.

NECK.

צַוָּאר *Tsavvor*, a neck, in all passages.

NECKS.

צַוָּארִים *Tsavvoreem*, necks, in all passages.

NECROMANCER.

דֹּרֵשׁ הַמֵּתִים *Douraish hamaitheem*, lit., an inquirer of the dead.
Deut. xviii. 11.

NEED.

1. מַחֲסוֹר *Makhasour*, deficiency.
2. צוֹרֶךְ *Tsourokh*, want, necessity.
3. לֹא לָכֶם *Lou lokhem*, not for you.
4. חַשְׁחָן *Khashkon* (Chaldee), they have need for.
5. חָסַר *Khosar*, to be deficient.

1. Deut. xv. 8. | 3. 2 Chron. xx. 17.
5. 1 Sam. xxi. 15. | 4. Ezra vi. 9.
2. 2 Chron. ii. 16. | 5. Prov. xxxi. 11.

NEEDETH.

לָמָה זֶּה *Lomoh zeh*, wherefore this?
Gen. xxxiii. 15.

NEEDFUL.

חַשְׁחוּת *Khashkhooth* (Chaldee), necessary.
Ezra vii. 20.

NEEDS, Adverb.

Verb repeated; as,

נָשׂוֹא יִנָּשׂוּא Nosou yinnosoo, to bear shall they be borne.

Jer. x. 5.

NEEDY.

אֶבְיוֹן Evyoun, needy, in all passages.

NEEDLEWORK.

רֹקֵם Roukhaim, embroidery.

Exod. xxvi. 36.	Exod. xxxviii. 18.
—— xxvii. 16.	—— xxxix. 29.
—— xxviii. 39.	Judg. v. 30.
—— xxxvi. 37.	Psalm xlv. 14.

NEESINGS.

עֲטִישׁוֹת Ăteeshouth, sneezings.

Job xli. 18.

NEGLIGENT.

נָשַׁל Noshal, to put off, fall off.

2 Chron. xxix. 11.

NEIGHBOUR.

1.   רֵעַ   Raiā, a friend.
2.   שְׁכֶנְתָּהּ   Shekhentoh, her neighbour.
3.   שָׁכֵן   Shokhain, a neighbour.
4.   עָמִית   Ameeth, an associate.
5.   קְרֹבִים   Kerouveem, relatives, kindred.
6.   שְׁכֵנִים   Shekhaineem, neighbours, masc. ; וֹת Outh, fem.
7.   רֵעִים   Raieem, friends.

All passages not inserted are Nº. 1.

2. Exod. iii. 22.	3. Prov. xxvii. 10.
3. —— xii. 4.	3. Jer. vi. 21.
4. Lev. vi. 4.	3. — xlix. 18.
4. —— xxiv. 19.	3. — L. 40.

NEIGHBOUR, my.

1. Job xxxi. 9.

NEIGHBOUR, thy.

All passages not inserted are Nº. 1.

4. Lev. xviii. 20.	4. Lev. xxv. 14, 15.
4. —— xix. 15, 17.	

NEIGHBOURS.

5. Josh. ix. 16.	6. Psalm lxxxix. 41.
6. Ruth iv. 17.	6. Jer. xii. 14.
6. 2 Kings iv. 3.	7. — xxix. 23.
7. Psalm xxviii. 3.	6. — xlix. 10.
6. —— xxxi. 11.	6. Ezek. xvi. 26.
6. —— xliv. 13.	7. —— xxii. 12.
6. —— lxxix. 4, 12.	5. —— xxiii. 5, 12.
6. —— lxxx. 6.	

NEIGHED -ING -S.

צָהַל Tsohal, cry aloud for joy.

Jer. v. 8.	Jer. xiii. 27.
— viii. 16.	

NEITHER.

לֹא Lou, not.

Gen. iii. 3.	1 Kings xxii. 31.

NEPHEW.

נֶכֶד Nekhed, a nephew.

Job xviii. 19.	Isa. xiv. 22.

NEPHEWS.

בְּנֵי בָנִים Benai boneem, children's children.

Judg. xii. 14.

NEST.

קַן Kan, a nest, in all passages.

NESTS.

קַנִּים Kaneem, nests, in all passages.

NET.

1.   רֶשֶׁת   Resheth, a net.
2.   מְצוּדָה   Metsoodoh, a snare.
3.   מִכְמָר   Mikhmor, a drag, net, toil used by hunters.
4.   חֵרֶם   Khaireem, devoted to destruction.

1. Job xviii. 8.	1. Prov. xxix. 5.
2. — xix. 6.	2. Eccles. ix. 12.
1. Psalm ix. 15.	3. Isa. li. 20.
1. —— x. 9.	1. Lam. i. 13.
1. —— xxv. 15.	2. Ezek. xii. 13.
1. —— xxxi. 4.	1. —— xvii. 20.
1. —— xxxv. 7, 8.	1. —— xix. 8.
1. —— lvii. 6.	1. —— xxxii. 3.
2. —— lxvi. 11.	1. Hos. v. 1.
1. —— cxl. 5.	1. —— vii. 12.
1. Prov. i. 17.	4. Mic. vii. 2.
2. —— xii. 12.	4. Hab. i. 15, 16, 17.

NETS.

1. שְׂבָכִים *Sevokheem*, lattice-work.
2. מַכְמוֹרִים *Makhmoureem*, drags, nets, toils used by hunters.
3. חֲרָמִים *Kharomeem*, devoted to destruction, entanglements.

1. 1 Kings vii. 17.	2. Isa. xix. 8.
2. Psalm cxli. 10.	3. Ezek. xxvi. 5, 14.
3. Eccles. vii. 26.	3. —— xlvii. 10.

NETHER.

תַּחְתִּית *Takhteeth*, the lowest, in all passages.

NETHERMOST.

תַּחְתֹּנָה *Takhtounoh*, the nethermost.

1 Kings vi. 6.

NETTLES.

1. חָרוּל *Khorool*, a thorn-bush.
2. קִמּוֹשׁ *Kimmoush*, a prickly plant.

1. Job xxx. 7.	2. Hos. ix. 6.
1. Prov. xxiv. 31.	1. Zeph. ii. 9.
2. Isa. xxxiv. 13.	

NETWORK.

1. מַעֲשֵׂה רֶשֶׁת *Maasaih resheth*, network.
2. שְׂבָכָה *Sevokhoh*, lattice-work.
3. חוֹרָי *Khouroe*, white linen.

1. Exod. xxvii. 4.	2. 1 Kings vii. 18, 42.
1. —— xxxviii. 4.	2. Jer. lii. 22, 23.

NETWORKS.

2. 1 Kings vii. 41, 42. | 3. Isa. xix. 9.

NEVER.

לֹא *Lou*, not, in all passages.

NEVER so.

מֵחֲכָם *Mekhukom*, being wise.

Psalm lviii. 5.

NEVER so much.

מְאֹד *Mĕoud*, exceedingly.

Gen. xxxiv. 12.

NEVERTHELESS.

A prefixed וְ to the following word.

NEW.

חָדָשׁ *Khodosh*, new, in all passages.

NEW wine.

תִּירוֹשׁ *Teeroush*, sweet or new wine, in all passages.

NEWS.

שְׁמוּעָה *Shemoooh*, a hearing, report.

Prov. xxv. 25.

NEWLY.

מִקָּרֹב *Mikorouv*, from near, at hand.

Deut. xxxii. 17.
Judg. vii. 19, not in original, but verb repeated.

NEXT.

1. אַחֶרֶת *Akhereth*, following.
2. קָרוֹב *Korouv*, near.
3. מָחֳרָת *Mokhoroth*, to-morrow, the morrow.
4. מִשְׁנֶה *Mishneh*, second.

1. Gen. xvii. 21.	4. 1 Sam. xxiii. 17.
2. Exod. xii. 4.	3. —— xxx. 17.
3. Numb. xi. 32.	4. 2 Chron. xxviii. 7.
2. —— xxvii. 11.	4. Esth. x. 3.
2. Deut. xxi. 3, 6.	3. Jonah iv. 7.
2. Ruth ii. 20.	

NIGH.

קָרוֹב *Korouv*, near or nigh; in all passages, except:

שְׁאֵר בְּשָׂרוֹ *Sheair besorou*, the remnant of his flesh.

Lev. xxv. 49.
2 Sam. xi. 20, 21, not in original.

NIGHT.

1. לַיְלָה *Layeloh*, night.
2. נֶשֶׁף *Nesheph*, twilight.
3. עֶרֶב *Erev*, evening.
4. חֹשֶׁךְ *Khoushekh*, dark.
5. לוּן *Loon*, to lodge all night.

All passages not inserted are Nº. 1.

5. Gen. xix. 2.	3. Job vii. 4.
5. —— xxiv. 54.	4. — xxvi. 10.
5. —— xxviii. 11.	5. — xxix. 19.
3. —— xlix. 27.	5. Cant. i. 13.
3. Lev. vi. 20.	2. Isa. v. 11.
5. —— xix. 13.	2. — xxiv. 4.
5. Judg. xix. 6, 9, 10, 13.	2. — lix. 10.
5. 2 Sam. xii. 6.	5. Joel i. 13.

NIGHTS.

לֵילוֹת‎ *Lailouth*, nights, in all passages.

NIGHTHAWK.

תַּחְמָס‎ *Takhmos*, a nighthawk.

Lev. xi. 16. | Deut. xiv. 15.

NIGHT-WATCHES.

אַשְׁמֻרוֹת‎ *Ashmurouth*, night-watches.

Psalm lxiii. 6. | Psalm cxix. 148.

NINE.

תִּשְׁעָה‎ *Tishoh*, nine, in all passages.

NINETEEN -TH.

תִּשְׁעָה עָשָׂר‎ *Tishoh osor*, nineteen, in all passages.

NINETY.

תִּשְׁעִים‎ *Tisheem*, ninety, in all passages.

NINETY -five.

תִּשְׁעִים וְחָמֵשׁ‎ *Tisheem vekhomaish*, ninety and five, in all passages.

NINETY -six.

תִּשְׁעִים וָשֵׁשׁ‎ *Tisheem voshaish*, ninety and six, in all passages.

NINETY -eight.

תִּשְׁעִים וּשְׁמֹנָה‎ *Tisheem ooshmounoh*, ninety and eight, in all passages.

NINETY -nine.

תִּשְׁעִים וְתִשְׁעָה‎ *Tisheem vetishoh*, ninety and nine, in all passages.

NINTH.

תְּשִׁיעִית‎ *Teshĕeeth*, ninth, in all passages.

NITRE.

נֶתֶר‎ *Nether*, nitre.

Prov. xxv. 20. | Jer. ii. 22.

NO.

לֹא‎ *Lou,*
אַל‎ *Al,*   } no, or not, none, in all
אֵין‎ *Ain,*   passages.

NO -where.

אַיִן‎ *Ayin*, not.

1 Sam. x. 14.

NOBLE.

1. יַקִּירָא‎ *Yakeero* (Chaldee), worthy.
2. פַּרְתְּמִים‎ *Partaimeem* (Chaldee), chiefs.
3. שׂוֹרֵק‎ *Souraik*, choicest vine.
4. אֲצִילִים‎ *Ătseeleem*, next, next in rank.
5. נְדִיבִים‎ *Nĕdeeveem*, noble-minded.
6. אַדִּירִים‎ *Adeereem*, glorious.
7. חוֹרִים‎ *Khoureem*, nobles dressed in white.
8. נְגִידִים‎ *Nĕgeedeem*, leaders, commanders.
9. גְּדוֹלִים‎ *Gĕdouleem*, great ones.
10. נִכְבָּדִים‎ *Nikhbodeem*, honourables.
11. בָּרִיחִים‎ *Boreekheem*, fugitives.

1. Ezra iv. 10. | 3. Jer. ii. 21.
2. Esth. vi. 9.

NOBLES.

4. Exod. xxiv. 11. | 5. Psalm lxxxiii. 11.
5. Numb. xxi. 18. | 10. —— cxlix. 8.
6. Judg. v. 13. | 5. Prov. viii. 16.
7. 1 Kings xxi. 8. | 7. Eccles. x. 17.
6. 2 Chron. xxiii. 20. | 5. Isa. xiii. 2.
7. Neh. ii. 16. | 7. — xxxiv. 12.
6. —— iii. 5. | 11. — xliii. 14.
7. —— v. 7. | 6. Jer. xiv. 3.
7. —— vi. 17. | 7. — xxvii. 20.
7. —— vii. 5. | 6. — xxx. 21.
6. —— x. 29. | 7. — xxxix. 6.
7. —— xiii. 17. | 9. Jonah iii. 7.
8. Job xxix. 10. | 6. Nah. iii. 18.

NOISE.

1. קוֹל‎ *Koul*, a voice.
2. תְּשֻׁאוֹת‎ *Tĕshuouth*, shoutings.
3. רוּעַ‎ *Rooa*, to sound as a trumpet.
4. רָגַז‎ *Rogaz*, to tremble with rage.
5. הוּם‎ *Hoom*, to throw into confusion, harass.
6. הָמָה‎ *Homoh*, to crowd.
7. שָׁאוֹן‎ *Shooun*, a tumultuous noise.
8. רַעַשׁ‎ *Răăsh*, a quaking, trembling, an earthquake.

9.   הָמוֹן   *Homoun*, a crowd, multitude.
10.   רָעָה   *Rooh*, evil, mischief.

1. Exod. xx. 18.	1. Isa. xxiv. 18.
1. —— xxxii. 17, 18.	7. — xxv. 5.
1. Josh. vi. 10.	1. — xxix. 6.
1. Judg. v. 11.	9. — xxxi. 4.
1. 1 Sam. iv. 6, 14.	1. — xxxiii. 3.
9. ——— xiv. 19.	7. — lxvi. 6.
1. 1 Kings i. 41, 45.	6. Jer. iv. 19.
1. 2 Kings vii. 6.	1. ——— 29.
1. ——— xi. 13.	1. — x. 22.
1. 1 Chron. xv. 28.	1. — xi. 16.
1. 2 Chron. xxiii. 12.	7. — xxv. 31.
1. Ezra iii. 13.	7. — xlvi. 17.
2. Job xxxvi. 29.	1. — xlvii. 3.
10. ——— 33.	1. — xlix. 21.
4. — xxxvii. 2.	1. — L. 46.
3. Psalm xxxiii. 3.	7. — li. 55.
1. —— xlii. 7.	1. Lam. ii. 7.
5. —— lv. 2.	1. Ezek. i. 24.
6. —— lix. 6, 14.	1. ——— iii. 13.
7. —— lxv. 7.	1. ——— xix. 7.
3. —— lxvi. 1.	1. ——— xxvi. 10.
1. —— lxxxi. 1.	1. Ezek. xxvi. 13.
1. —— xciii. 4.	1. ——— xxxvii. 7.
3. —— xcv. 1, 2.	1. ——— xliii. 2.
3. —— xcviii. 4, 6.	1. Joel ii. 5.
3. —— c. 1.	9. Amos v. 23.
8. Isa. ix. 5.	5. Mic. ii. 12.
1. — xiii. 4.	1. Nah. iii. 2.
6. —· xiv. 11.	1. Zeph. i. 10.
6. — xvii. 12.	6. Zech. ix. 15.
7. — xxiv. 8.	

NOISED.
Josh. vi. 23, not in original.

NOISOME.
1.   הַוּוֹת   *Havvouth*, disasters, disastrous.
2.   רָעָה   *Rôoh*, evil, bad.

1. Psalm xci. 3. | 2. Ezek. xiv. 21.

NONE.
לֹא *Lou,*
אַל *Al,*   not, no, none, nothing, in
אֵין *Ain,*   all passages.

NOON, after.
נְטוֹת הַיּוֹם *Nĕtouth hayoum*, the decline of
the day.
Judg. xix. 8.

NOON -day.
צָהֳרָיִם *Tsohoroyim*, the brightness of
the day, in all passages.

NOON -tide.
עֵת צָהֳרָיִם *Aith tsohoroyim*, noon-time.
Jer. xx. 16.

NORTH.
צָפוֹן *Tsophoun*, the north, in all
passages.

NORTH, from.
מִצָּפוֹן *Mitsophoun*, from the north, in
all passages.

NORTH border.
צָפוֹנָה *Tsophounoh*, towards the north.
Numb. xxxiv. 7.

NORTH quarter.
1.   צָפוֹנָה *Tsophounoh*, towards the north.
2.   צָפוֹן *Tsophoun*, the north.

1. Josh. xv. 5. | 2. Ezek. xxxviii. 6.

NORTH side.
See North.

NORTHERN.
1.   מִצָּפוֹן *Mitsophoun*, from the north.
2.   צְפֹעֲנִי *Tsiphounee*, northern.

1. Jer. xv. 12. | 2. Joel ii. 20.

NORTHWARD.
צָפוֹנָה *Tsophounoh*, towards the north,
in all passages.

NOSE.
אַף *Aph*, a nose, in all passages.

NOSES.
אַף *Aph*, a nose.
Psalm cxv. 6.

NOSE jewels.
נִזְמֵי אָף *Nizmai oph*, nose-rings.
Isa. iii. 21.

NOSTRILS.
אַפִּים *Appeem*, nostrils, in all passages.

NOT.
לֹא *Lou,*
אַל *Al,*   not, no, none, nothing, in
אֵין *Ain,*   all passages.

NOTABLE.

חֲזוּת *Khazooth* (Chaldee), apparent.
Dan. viii. 5, 8.

NOTE -D.

1. חָקַק *Khokak*, to engrave.
2. רָשַׁם *Rosham*, to note.

1. Isa. xxx. 8. | 2. Dan. x. 21.

NOTHING.

לֹא *Lou,*
אַל *Al,* } not, no, none, nothing, in all passages.
אֵין *Ain,*

NOTHING, for.

1. חִנָּם *Khinom*, for nought.
2. בִּלְתִּי *Biltee*, without, unless.
3. לַכֹּל *Lakoul*, for all.

1. Exod. xxi. 2. | 3. Jer. xiii. 7, 10.
2. Isa. xliv. 10.

NOTHING, of.

מֵאַיִן *Maaiyin*, of nothing.
Isa. xli. 24.

NOTWITHSTANDING.

1. The letter ו prefixed to the relative word, signifies, and, yea, moreover, notwithstanding.
2. אַךְ *Akh*, surely, but, yea.

1. Exod. xvi. 20. | 2. 1 Kings xi. 12.
2. —— xxi. 21. | 1. 2 Kings xvii. 14.
1. Deut. i. 26. | 1. Jer. xxxv. 14.
1. 1 Sam. ii. 25.

NOURISH.

1. כִּלְכֵּל *Kilkail*, to nourish.
2. חָיָה *Khiyoh*, to revive.
3. גִּדֵּל *Giddail*, to bring up.
4. רָבַב *Rovav*, to increase, multiply.

1. Gen. xlv. 11. | 3. Isa. xxiii. 4.
1. —— L. 21. | 3. — xliv. 14.
2. Isa. vii. 21.

NOURISHED.

1. Gen. xlvii. 12. | 3. Isa. i. 2.
2. 2 Sam. xii. 3. | 4. Ezek. xix. 2.

NOURISHING.

3. Dan. i. 5.

NOURISHER.

כַּלְכֵּל *Kalkail*, a sustainer, nourisher.
Ruth iv. 15.

NOW.

נָא *Nō*, now, }
עַתָּה *Attoh*, now, } in all passages.
at this time.

NUMBER -S, Subst.

מִסְפָּר *Mispor*, a number, in all passages.

NUMBER, Verb.

1. סָפַר *Sophar*, to cipher, give account, tell.
2. מָנָה *Monoh*, to number.
3. פָּקַד *Pokad*, to order, charge.
4. מִסְפָּר *Mispor*, sum, number.

2. Gen. xiii. 16.	2. 2 Sam. xxiv. 1.
1. —— xv. 5.	3. —————— 2, 4.
1. Lev. xv. 13, 28.	2. 1 Kings xx. 25.
1. —— xxiii. 16.	2. 1 Chron. xxi. 1.
1. —— xxv. 8.	1. —————— 2.
3. Numb. i. 3, 49.	2. —————— xxvii. 24.
3. —— iii. 15, 40.	1. Job xxxviii. 37.
3. —— iv. 23, 29, 30, 37, 41.	1. — xxxix. 2.
1. Deut. xvi. 9.	2. Psalm xc. 12.
3. 1 Sam. xiv. 17.	2. Isa. lxv. 12.

NUMBERED.

2. Gen. xiii. 16.	3. Josh. viii. 10.
1. —— xvi. 10.	3. Judg. xx. 15.
1. —— xxxii. 12.	3. 1 Sam. xi. 8.
3. Exod. xxx. 13, 14.	3. —— xv. 4.
3. —— xxxviii. 25, 26.	3. 2 Sam. xviii. 1.
3. Numb. i. 19, 21, 23, 25, 27, 29, 31, 33, 35, 37, 39, 41, 43, 44, 45, 46, 47.	3. —— xxiv. 10.
	2. 1 Kings iii. 8.
	2. —— viii. 5.
3. —— ii. 4, 6, 8, 9, 13, 15, 16, 19, 21, 23, 24, 26, 28, 30, 31, 32, 33.	3. —— xx. 15, 26, 27.
	3. 2 Kings iii. 6.
	2. 1 Chron. xxi. 17.
	3. —— xxiii. 3.
3. —— iii. 16, 22, 34, 39, 42, 43.	4. —————— 27.
	3. 2 Chron. ii. 17.
3. —— iv. 34, 36, 37, 38, 40, 41, 42, 44, 45, 46, 48, 49.	3. —— v. 6.
	3. —— xxv. 5.
3. —— vii. 2.	1. Ezra i. 8.
3. —— xiv. 29.	1. Psalm xl. 5.
3. —— xxvi. 7, 18, 22, 25, 27, 34, 37, 41, 43, 47, 50, 51, 54, 57, 62, 63, 64.	2. Eccles. i. 15.
	1. Isa. xxii. 10.
	2. — liii. 12.
	1. Jer. xxxiii. 22.
	2. Dan. v. 6.
	1. Hos. i. 10.

NUMBEREST.

3. Exod. xxx. 12. | 3. Job xiv. 16.

NUMBERING.

1. Gen. xli. 49. | 1. 2 Chron. ii. 17.

NURSE, Verb.

1. יָנַק *Yonak*, to suckle.
2. אָמַן *Oman*, to be faithful.

    1. Exod. ii. 7, 9.

NURSED.

1. Exod. ii. 9. | 2. Isa. lx. 4.

NURSING.

2. Numb. xi. 12. | 2. Isa. xlix. 23.

NURSE, Subst.

1. מֵינִיקָה *Maineekoh*, a nurse.
2. אֹמֶנֶת *Oumeneth*, faithful.

1. Gen. xxiv. 59.	2. 2 Sam. iv. 4.
1. —— xxxv. 8.	1. 2 Kings xi. 2.
1. Exod. ii. 7.	1. 2 Chron. xxii. 11.
2. Ruth iv. 16.	

NUTS.

1. בָּטְנִים *Botneem*, a sort of hazel-nut.
2. אֱגוֹז *Egouz*, a nut.

1. Gen. xliii. 11. | 2. Cant. vi. 11.

O

OAK.

1. אֵלָה *Ailoh*, a lime-tree.
2. אַלּוֹן *Aloun*, an oak-tree.

1. Gen. xxxv. 4.	1. 1 Chron. x. 12.
2. —————— 8.	1. Isa. i. 30.
1. Josh. xxiv. 26.	2. — vi. 13.
1. Judg. vi. 11.	2. — xliv. 14.
1. 2 Sam. xviii. 9, 10, 14.	1. Ezek. vi. 13.
1. 1 Kings xiii. 14.	

OAKS.

1. אֵלִים *Aileem*, lime-trees.
2. אַלּוֹנִים *Alouneem*, oak-trees.

1. Isa. i. 29.	2. Hos. iv. 13.
2. — ii. 13.	2. Amos ii. 9.
2. Ezek. xxvii. 6.	2. Zech. xi. 2.

OAR.

מָשׁוֹט *Moshout*, ⎱
שׁוּט *Shoot*, ⎰ an oar.

    Ezek. xxvii. 29.

OARS.

שׁוֹטִים *Shouteem*, oars.

Isa. xxxiii. 21. | Ezek. xxvii. 6.

OATH.

1. ⎰ שְׁבוּעָה *Shevoooh*, ⎱
  ⎱ שָׁבַע *Shova*, ⎰ a sacred oath.
2. אָלָה *Oloh*, an oath, execration.

1. Gen. xxiv. 8, 41.	1. 1 Kings xviii. 10.
1. —— xxvi. 3.	1. 2 Kings xi. 4.
2. ——————— 28.	1. 1 Chron. xvi. 16.
1. —— L. 25.	1. 2 Chron. vi. 22.
1. Exod. xxii. 11.	1. —— xv. 15.
1. Lev. v. 4.	1. Neh. v. 12.
1. Numb. v. 19, 21.	1. — x. 29.
1. —— xxx. 2, 10, 13.	1. Psalm cv. 9.
1. Deut. vii. 8.	1. Eccles. viii. 2.
2. —— xxix. 12, 14.	1. —— ix. 2.
1. Josh. ii. 17.	1. Jer. xi. 5.
1. — ix. 20.	2. Ezek. xvi. 59.
1. Judg. xxi. 5.	2. — xvii. 13, 16, 18,
1. 1 Sam. xiv. 26, 27, 28.	19.
1. 2 Sam. xxi. 7.	1. Dan. ix. 11.
1. 1 Kings ii. 43.	1. Zech. viii. 17.
2. —— viii. 31.	

OATHS.

שְׁבֻעוֹת *Shevuouth*, oaths.

Ezek. xxi. 23. | Hab. iii. 9.

OBEDIENT.

שָׁמַע *Shomā*, to hear, listen, obey.

Exod. xxiv. 7.	2 Sam. xxii. 45.
Numb. xxvii. 20.	Prov. xxv. 12.
Deut. iv. 30.	Isa. i. 19.
—— viii. 20.	— xlii. 24.

OBEY -ED -EDST -ETH -ING.

שָׁמַע   *Shomā*, to hear, listen, obey; in all passages, except:

יְקָהַת   *Yikkhath*, obedience.

Prov. xxx. 17.

OBEISANCE.

שָׁחָה   *Shokhoh*, to bow down, incline.

Gen. xxxvii. 7, 9.	2 Sam. xiv. 4.
—— xliii. 28.	—— xv. 5.
Exod. xviii. 7.	1 Kings i. 16.
2 Sam. i. 2.	2 Chron. xxiv. 17.

OBLATION.

1.   קָרְבָּן   *Korbon*, an offering of any sort, to God.

2.   מִנְחָה   *Minkhoh*, an oblation, meat, rest-offering.

3.   תְּרוּמָה   *Teroomoh*, a heave-offering.

1. Lev. ii. 4, 5, 7, 12, 13.	2. Isa. lxvi. 3.
1. —— iii. 1.	2. Jer. xiv. 12.
1. —— vii. 14, 29.	3. Ezek. xliv. 30.
1. —— xxii. 18.	3. —— xlv. 1, 13, 16.
1. Numb. xviii. 9.	3. —— xlviii. 9, 20, 21.
1. —— xxxi. 50.	2. Dan. ii. 46.
2. Isa. xix. 21.	2. —— ix. 21.
3. — xl. 20.	

OBLATIONS.

1. Lev. vii. 38.	3. Ezek. xx. 40.
3. 2 Chron. xxxi. 14.	3. —— xliv. 30.
2. Isa. i. 13.	

OBSCURE.

אִישׁוֹן   *Eeshoun*, obscurity.

Prov. xx. 20.

OBSCURITY.

1.   אֹפֶל   *Ouphel*, thick darkness.

2.   חֹשֶׁךְ   *Khoushekh*, dark.

1. Isa. xxix. 18.	2. Isa. lix. 9.
2. — lviii. 10.	

OBSERVE.

1.   שָׁמַר   *Shomar*, to keep.

2.   עָשָׂה   *Osoh*, to do, perform, act.

3.   עוֹנֵן   *Ounain*, to augur from the appearance of clouds.

4.   נָחַשׁ   *Nokhash*, to experience.

5.   נָצַר   *Notsar*, to guard, secure, preserve.

6.   שׁוּר   *Shoor*, to watch attentively.

All passages not inserted are Nº. 1.

---

2. Exod. xxxiv. 22.	4. 1 Kings xx. 33.
3. Lev. xix. 26.	5. Prov. xxiii. 26.
2. —— 37.	6. Hos. xiii. 7.
2. Deut. xvi. 13.	

OBSERVED.

2. Numb. xv. 22.	3. 2 Chron. xxxiii. 6.
3. 2 Kings xxi. 6.	6. Hos. xiv. 8.

OBSERVEST.

1. Isa. xlii. 20.

OBSERVETH.

1. Eccles. xi. 4.

OBSERVER.

מְעוֹנֵן   *Meounain*, an augurer from the appearance of the clouds.

Deut. xviii. 10.

OBSERVERS.

Deut. xviii. 14.

OBSTINATE.

1.   אָמֵץ   *Immaits*, to be firm, courageous.

2.   קָשָׁה   *Koshoh*, to harden.

1. Deut. ii. 30.	2. Isa. xlviii. 4.

OBTAIN.

1.   בָּנָה   *Bonoh*, to build.

2.   פּוּק   *Pook*, to bring out, supply.

3.   נָשַׂג   *Nosag*, to reach.

4.   חָזַק   *Khozak*, to strengthen.

5.   שָׁאַל   *Shōal*, to acquire.

6.   נָשָׂא   *Noso*, to bear.

7.   רֻחָמָה   *Rukhomoh*, having obtained mercy.

1. Gen. xvi. 2.	3. Isa. li. 11.
2. Prov. viii. 35.	4. Dan. xi. 21.
3. Isa. xxxv. 10.	

OBTAINED.

5. Neh. xiii. 6.	7. Hos. ii. 23.
6. Esth. ii. 9, 17.	

OCCASION.

1.   גָּלַל   *Golal*, to roll, rush.

2.   מָצָא יָד   *Motso yod*, to find power, means.

3.   תַּאֲנָה   *Tăănoh*, provocation.

4.   עִלָּה   *Illoh* (Chaldee), an evil action.

This word is not in the original, except in the following passages:

1. Gen. xliii. 18.
2. Judg. ix. 33.
3. —— xiv. 4.

2. 1 Sam. x. 7.
3. Jer. ii. 24.
4. Dan. vi. 4, 5.

OCCASIONED.

סָבַב   *Sovav*, to surround.

1 Sam. xxii. 22.

OCCASIONS.

1. עֲלִילוֹת   *Aleelouth*, actions.
2. תְּנוּאוֹת   *Tenooouth*, aversions.

1. Deut. xxii. 14, 17. | 2. Job xxxiii. 10.

OCCUPATION.

1. מַעֲשֶׂה   *Määseh,*
2. מְלָאכָה   *Mĕlokhoh,* } work, employment.

1. Gen. xlvi. 33. | 2. Jonah i. 8.
1. —— xlvii. 3.

OCCUPY.

עָרַב   *Orav*, to mix, change.

Ezek. xxvii. 9.

OCCUPIED.

1. עָשָׂה   *Osoh*, to exercise, employ.
2. נָתַן   *Nothan*, to give, appoint, settle.

1. Exod. xxxviii. 24.   Ezek. xxvii. 21, 22,
1. Judg. xvi. 11.   not in original.
2. Ezek. xxvii. 16, 19.

OCCUPIERS.

עֹרְבִים   *Ourveem*, traders.

Ezek. xxvii. 27.

OCCURRENT.

פֶּגַע   *Pega*, accident.

1 Kings v. 4.

ODD.

עוֹדֵף   *Oudaiph*, over and above.

Numb. iii. 48.

ODIOUS.

1. בָּאַשׁ   *Boash*, offensive.
2. שְׂנוּאָה   *Sĕnoooh*, hated.

1. 1 Chron. xix. 6. | 2. Prov. xxx. 23.

ODOURS.

1. נִיחוֹחַ   *Neekhouakh,* pleasant.
2. בְּשָׂמִים   *Bĕsomeem*, spices.

1. Lev. xxvi. 31. | 2. Esth. ii. 12.
2. 2 Chron. xvi. 14. | 1. Dan. ii. 46 (plural).

OFFENCE.

1. מִכְשׁוֹל   *Mikhshoul*, a stumbling-block.
2. אָשֵׁם   *Oshom*, guilt, fault.
3. חֵטְא   *Khaitĕ*, a sin.

1. 1 Sam. xxv. 31. | 2. Hos. v. 15.
1. Isa. viii. 14.

OFFENCES.

3. Eccles. x. 4.

OFFEND.

1. חָבַל   *Khoval*, to twist, injure.
2. בָּגַד   *Bogad*, to be faithless.
3. כָּשַׁל   *Koshal*, to stumble.
4. אָשַׁם   *Osham*, to be in fault.
5. חָטָא   *Khoto*, to sin.
6. פָּשַׁע   *Posha*, to do mischief.

1. Job xxxiv. 41.   4. Jer. l. 7.
2. Psalm lxxiii. 15.   4. Hos. iv. 15.
3. —— cxix. 165.   4. Hab. i. 11.
4. Jer. ii. 3.

OFFENDED.

5. Gen. xx. 9.   6. Prov. xviii. 19.
5. —— xl. 1.   5. Jer. xxxvii. 18.
5. 2 Kings xviii. 14.   4. Ezek. xxv. 12.
4. 2 Chron. xxviii. 13.   4. Hos. xiii. 1.

OFFENDER.

חָטָא   *Khotai*, a sinner.

Isa. xxix. 21.

OFFENDERS.

חַטָּאִים   *Khatoeem*, sinners.

1 Kings i. 21.

OFFER.

1. קָרַב   *Korav*, to bring near, approach.
2. זָבַח   *Zovakh*, to sacrifice.
3. עָשָׂה   *Osoh*, to do, execute, make.
4. עָלָה   *Oloh*, to ascend.
5. רוּם   *Room*, to lift up, send on high.
6. נוּף   *Nooph*, to wave.
7. נָטַל   *Notal*, to lay, cast upon.
8. נָטָה   *Notoh*, to incline, stretch out.
9. נָדַב   *Nodav*, to be willing.
10. נָסַךְ   *Nosakh*, to pour out.
11. קָטַר   *Kotar*, to smoke incense.
12. נָשָׂא   *Noso*, to bear.

13.   נָגַשׁ   *Nogash*, to bring near, come.
14.   שָׁחַט   *Shokhat*, to slay.
15.   חִטָּא   *Khitto*, to cleanse, purify.
16.   נוּחַ   *Nooakh*, to rest, pacify.
17.   מָסַךְ   *Mosakh*, to mix, mingle liquids.
18.   שָׁלַם   *Sholam*, to make peace.
19.   יָהַב   *Yohav*, to set in order, arrange,
          prepare.

4. Gen. xxii. 2.	3. Judg. xiii. 16.
2. Exod. xxiii. 18.	2. —— xvi. 23.
3. —— xxix. 36, 38, 39,	2. 1 Sam. i. 21.
41.	2. —— ii. 19.
4. —— xxx. 9.	4. —— 28.
14. —— xxxiv. 25.	4. —— x. 8.
5. —— xxxv. 24.	7. 2 Sam. xxiv. 12.
1. Lev. i. 3.	4. ———— 24.
1. —— ii. 1, 13, 14.	4. 1 Kings iii. 4.
1. —— iii. 1, 6, 7, 12.	4. —— ix. 25.
1. —— iv. 14.	2. —— xiii. 2.
3. ——— 22.	3. 2 Kings v. 17.
1. —— v. 8.	8. 1 Chron. xxi. 10.
1. —— vi. 14.	4. ——— 24.
3. ——— 22.	4. —— xxiii. 31.
1. —— vii. 3, 12, 38.	9. —— xxix. 14, 17.
1. —— ix. 2, 7.	4. 2 Chron. xxiv. 14.
1. —— xiv. 12.	4. —— xxix. 27.
3. ——— 19.	4. Ezra iii. 2.
3. —— xv. 15, 30.	1. —— vi. 10.
2. —— xvii. 7.	4. Job xlii. 8.
3. ——— 9.	2. Psalm iv. 5.
2. —— xix. 5, 6.	10. —— xvi. 4.
1. —— xxi. 6, 21.	2. —— xxvii. 6.
1. —— xxii. 20, 23.	2. —— L. 14.
3. Numb. vi. 11, 17.	2. —— li. 19.
1. ——— vii. 11.	4. —— lxvi. 15.
6. ——— viii. 11, 13, 15.	1. —— lxxii. 10.
1. ——— ix. 7.	2. —— cxvi. 17.
1. ——— xv. 7.	2. Isa. lvii. 7.
3. ——— 14.	11. Jer. xi. 12.
5. ——— 19.	4. — xxxiii. 18.
3. ——— 24.	12. Ezek. xx. 31.
1. —— xvi. 40.	4. —— xliii. 18.
5. ——— xviii. 24, 26,	1. —— xliv. 7, 15.
28, 29.	5. —— xlv. 1, 13.
1. —— xxviii. 2.	1. —— xlvi. 4.
3. ——— 8.	5. —— xlviii. 9.
1. ——— 11.	10. Dan. ii. 46.
3. ——— 23, 24.	10. Hos. ix. 4.
3. Deut. xii. 14.	11. Amos iv. 5.
2. —— xviii. 3.	4. —— v. 22.
2. —— xxxiii. 19.	1. Hag. ii. 14.
1. Judg. iii. 18.	13. Mal. i. 7, 8.
4. —— xi. 31.	13. —— iii. 3.
4. —— xiii. 16.	

OFFERED.

4. Gen. viii. 20.	1. Numb. vii. 2, 10.
4. —— xxii. 13.	6. ——— viii. 21.
2. —— xxxi. 54.	1. ——— xvi. 35.
2. —— xlvi. 1.	2. ——— xxii. 40.
6. Exod. xxxv. 22.	4. ——— xxiii. 2, 4, 14,
1. Lev. ix. 15.	30.
1. —— x. 1.	1. ——— xxvi. 61.
1. —— xvi. 1.	9. Judg. v. 2, 9.
1. Numb. iii. 4.	4. —— xiii. 19.

2. 1 Sam. i. 4.	4. 2 Chron. xxix. 7.
2. —— ii. 13.	9. Ezra i. 6.
4. —— vi. 14.	9. —— ii. 68.
4. —— vii. 9.	1. —— vi. 17.
4. —— xiii. 12.	9. —— vii. 15.
4. 2 Sam. vi. 17.	5. —— viii. 25.
4. —— xxiv. 25.	9. Neh. xi. 2.
4. 1 Kings iii. 15.	2. —— xii. 43.
2. —— viii. 62, 63.	4. Job i. 5.
3. ———— 64.	4. Isa. lvii. 6.
4. —— xii. 32, 33.	10. Jer. xxxii. 29.
2. —— xxii. 43.	2. Ezek. xx. 28.
4. 2 Kings iii. 20, 27.	Dan. xi. 18, not in
4. —— xvi. 12.	original.
9. 1 Chron. xxix. 6, 9.	13. Amos v. 25.
4. ———— 21.	2. Jonah i. 16.
2. 2 Chron. xv. 11.	13. Mal. i. 11.
9. —— xvii. 16.	

OFFERETH.

15. Lev. vi. 26.	2. Psalm L. 23.
1. —— vii. 18.	4. Isa. lxvi. 3.
1. —— xxi. 8.	

OFFERING.

4. 1 Sam. vii. 10.	4. 2 Chron. xxix. 29.
4. 2 Sam. vi. 18.	2. —— xxx. 22.
4. 2 Kings x. 25.	4. —— xxxv. 14.
4. 1 Chron. xvi. 2.	9. Ezra vii. 16.
4. 2 Chron. viii. 13.	11. Jer. xi. 17.

OFFERING.

1.   קָרְבָּן   *Korbon*, an offering.
2.   עוֹלָה   *Ouloh*, a burnt-offering.
3.   מִנְחָה   *Minkhoh*, an offering of the fruit of the ground.
4.   תְּרוּמָה   *Teroomoh*, an oblation.
5.   אִשֶּׁה   *Issheh*, a sacrifice made by fire.
6.   תְּנוּפָה   *Tenoophoh*, a wave-offering.
7.   אָשָׁם   *Oshom*, a trespass-offering.
8.   פְּסָחִים   *Pesokheem*, passovers. peace offering
9.   הַבְהָבַי   *Havhovae*, my gifts, appoint-ments. שִׁיר הֲמִיבְ

3. Gen. iv. 3, 4.	5. Lev. iii. 9, 11.
4. Exod. xxv. 2, 3.	1. ——— 12.
4. —— xxx. 13, 15.	5. —— 14, 16.
4. —— xxxv. 5.	1. —— iv. 23, 28.
1. Lev. i. 2, 3, 14.	1. —— vi. 20.
1. —— ii. 1.	1. —— vii. 16.
3. ——— 11.	1. Numb. v. 15.
5. ——— 11.	1. —— vi. 14.
3. ——— 13.	1. —— vii. 10, 11.
1. ——— 13.	6. —— viii. 11, 21.
5. ——— 16.	1. —— ix. 13.
1. —— iii. 2.	3. —— xvi. 15.
5. ——— 3.	3. 1 Sam. ii. 17, 29.
5. ——— 5.	3. —— iii. 14.
1. ——— 6, 7, 8.	3. —— xxvi. 19.
	3. 1 Kings xviii. 29.

3. 1 Chron. xvi. 29.	1. Ezek. xx. 28.
4. Neh. x. 39.	3. Zeph. iii. 10.
3. Psalm xcvi. 8.	3. Mal. i. 10, 13.
3. Isa. xliii. 23.	3. —— ii. 12, 13.
7. — liii. 10.	3. —— iii. 3.
3. — lxvi. 20.	

OFFERINGS.

1. Lev. i. 10.	2. Psalm xx. 3.
1. —— ii. 13.	3. Jer. xli. 5.
4. 2 Sam. i. 21.	3. Ezek. xx. 40.
4. 2 Chron. xxxi. 12.	9. Hos. viii. 13.
8. —— xxxv. 8, 9, 13.	2. Amos v. 25.
	2. Mal. iii. 4.
3. Neh. x. 37.	3. —— 8.
3. —— xii. 44.	

OFFERING, burnt.

עֹלָה Ouloh, ascension ; met., a burnt-offering, in all passages.

OFFERINGS, burnt.

עֹלוֹת Oulouth, ascensions, burnt-offerings, in all passages.

OFFERING, drink.

נֶסֶךְ Nesekh, a pouring out ; met., a drink-offering, in all passages.

OFFERINGS, drink.

נְסָכִים Nesokheem, drink-offerings, in all passages.

OFFERING, free.

נְדָבָה Nedovoh, a free-will offering.
Exod. xxxvi. 3.

OFFERING, fire.

אִשֶּׁה Issheh, a fire-offering, in all passages.

OFFERING, free-will.

נְדָבָה Nedovoh, a free-will offering.

Lev. xxii. 21, 23.	Ezra i. 4.
Numb. xv. 3.	—— iii. 5.
Deut. xvi. 10.	—— vii. 16.
—— xxiii. 23.	—— viii. 26.

OFFERINGS, free-will.

נְדָבוֹת Nedovouth, free-will offerings.

Lev. xxii. 18.	Deut. xii. 6, 17.
—— xxiii. 38.	2 Chron. xxxi. 14.
Numb. xxix. 39.	Psalm cxix. 108.

OFFERING, heave.

תְּרוּמָה Teroomoh, a heave-offering.

Exod. xxix. 27.	Numb. xviii. 24, 28.
Lev. vii. 14.	—— xxxi. 29, 41.
Numb. xv. 19, 20, 21.	

OFFERINGS, heave.

תְּרוּמֹת Teroomouth, heave-offerings.

Numb. xviii. 8. | Deut. xii. 6.

OFFERING, meat.

מִנְחָה Minkhoh, a meat, rest, present, offering, in all passages.

OFFERINGS, meat.

מְנָחוֹת Menokhouth, meat, rest, present, offerings, in all passages.

OFFERING, peace.

שְׁלָמִים Shelomeem, a peace-offering.
Lev. iii. 1, 3, 6, 9.

OFFERINGS, peace.

שְׁלָמִים Shelomeem, peace-offerings, in all passages.

OFFERING, trespass.

אָשָׁם Oshom, a guilt-offering, in all passages.

OFFERING, sin.

חַטָּאת Khatoth, a sin-offering, in all passages.

OFFERINGS, sin.

חַטָּאוֹת Khattoouth, sin-offerings.
Neh. x. 33.

OFFERINGS, thank.

תּוֹדוֹת Thoudouth, thank-offerings.

2 Chron. xxix. 31. | 2 Chron. xxxiii. 16.

OFFERING, wave.

תְּנוּפָה Tenoophoh, a wave-offering.

Exod. xxix. 24, 26, 27.	Lev. x. 15.
Lev. vii. 30.	—— xiv. 12, 24.
—— viii. 27, 29.	—— xxiii. 15, 20.
—— ix. 21.	Numb. vi. 20.

OFFERINGS, wave.

תְּנוּפֹת Tenoophouth, wave-offerings.
Numb. xviii. 11.

OFFERINGS, wine.

יַיִן Yayin, wine.
Hos. ix. 4.

OFFERING, wood.

קָרְבַּן הָעֵצִים *Korbon hoaitseem*, offering of wood.

Neh. x. 34. | Neh. xiii. 31.

OFFICE.

1.   כֵּן   *Kan*, station.
2.   אֱמוּנָה   *Emoonoh*, faithful.
3.   פְּקוּדָה   *Pĕkoodoh*, command, government.
4.   עֲבוֹדָה   *Avoudoh*, service.
5.   מַעֲמָד   *Maamod*, station.

1. Gen. xli. 13.	3. 2 Chron. xxiv. 11.
Exod. i. 16, not in	2. —— xxxi. 18.
original.	Neh. xiii. 13, not in
3. Numb. iv. 16.	original.
4. 1 Chron. vi. 32.	3. Psalm cix. 8.
2. —— ix. 22, 26.	Ezek. xliv. 13, not in
5. —— xxiii. 28.	original.

OFFICE -S, priest's.

כְּהוּנָה *Kĕhounoh*, the priestly office, in all passages.

OFFICER.

1.   פָּקִיד   *Pokeed*, a commander.
2.   סָרִיס   *Sorees*, a courtier, chamberlain.
3.   נָצִיב   *Notseev*, a fixed, appointed officer.
4.   שׁוֹטֵר   *Shoutair*, a taskmaster, overseer.
5. עוֹשֵׂי הַמְּלָאכָה   *Ousai hamlokhoh*, executors of the work.
6.   כֹּהֵן   *Kouhain*, a priest.

2. Gen. xxxvii. 36.	3. 1 Kings iv. 19.
2. —— xxxix. 1.	2. —— xxii. 9.
1. Judg. ix. 28.	2. 2 Kings viii. 6.
6. 1 Kings iv. 5.	2. —— xxv. 19.

OFFICERS.

2. Gen. xl. 2, 7.	3. 1 Kings v. 16.
1. —— xli. 34.	3. —— ix. 23.
4. Exod. v. 15, 19.	1. 2 Kings xi. 15, 18.
4. Numb. xi. 16.	2. —— xxiv. 12, 15.
4. Deut. i. 15.	4. 1 Chron. xxiii. 4.
4. —— xvi. 18.	4. —— xxvi. 29.
4. —— xx. 5, 8.	3. 2 Chron. viii. 10.
4. —— xxxi. 28.	4. —— xix. 11.
2. 1 Sam. viii. 15.	1. —— xxiii. 18.
3. 1 Kings iv. 5, 7.	5. Esth. ix. 3.
—— 28, not in	1. Isa. lx. 17.
original.	1. Jer. xxix. 26.

OFFSCOURING.

סְחִי *Sĕkhee*, sweepings.

Lam. iii. 45.

OFFSPRING.

צֶאֱצָאִים *Tseëtsoeem*, offspring, in all passages.

OFT.

1.   מִדַּי   *Midai*, more than enough, too much.
2.   כַּמָּה   *Kamoh*, often.

1. 2 Kings iv. 8.	2. Psalm lxxviii. 40.
2. Job xxi. 17.	

OFTEN.

Prov. xxix. 1, not in	Mal. iii. 16, not in
original.	original.

OFTENTIMES.

1. פַּעֲמַיִם שָׁלֹשׁ   *Păămayim sholoush*, twice and thrice.
2.   פְּעָמִים   *Pĕomeem*, often.

1. Job xxxiii. 29.	2. Eccles. vii. 22.

OIL.

שֶׁמֶן *Shomen*, oil, in all passages.

OIL, with wine.

יִצְהָר *Yitshor*, pure oil, in all passages.

OILED.

שֶׁמֶן *Shemen*, oil.

Exod. xxix. 23.	Lev. viii. 26.

OIL, olive.

שֶׁמֶן זַיִת *Shemen zayith*, olive-oil.

Exod. xxvii. 20.	Deut. viii. 8.
—— xxx. 24.	2 Kings xviii. 32.
Lev. xxiv. 2.	

OIL -tree.

עֵץ שֶׁמֶן *Aits shomen*, oil-tree.

Isa. xli. 19.

OINTMENT.

1.   מִשְׁחָה   *Mishkhoh*, ointment.
2.   שֶׁמֶן   *Shemen*, oil, ointment.
3. רֹקְחֵי מִרְקַחַת   *Roukkhai mirkakhath*, compounding, compounds.
4.   מֶרְקָחָה   *Merkokhoh*, a compound, perfumery.

1. Exod. xxx. 25.
3. ———— 25.
2. 2 Kings xx. 13.
3. 1 Chron. ix. 30.
4. Job xli. 31.
2. Psalm cxxxiii. 2.
2. Prov. xxvii. 9, 16.

2. Eccles. vii. 1.
2. ———— ix. 8.
2. ———— x. 1.
2. Cant. i. 3.
2. Isa. i. 6.
2. — xxxix. 2.
2. — lvii. 9.

OINTMENTS.

שְׁמָנִים *Shemoneem*, oils, ointments.

Cant. i. 3.   Amos vi. 6.
—— iv. 10.

OLD.

1.   בֵּן   *Ben*, a structure, building, son.
2.   זָקֵן   *Zokain*, old (alluding to man).
3.   יָשָׁן   *Yoshon*, old (alluding to the produce of the earth).
4.   כַּמָּה יְמֵי שְׁנֵי חַיֶּיךָ   *Kammoh yemai shenai khayekho*, how many the days of the years of thy life?
5.   בָּלָה   *Boloh*, to wither, wear out.
6.   עָבוּר   *Ovoor*, a grain of corn, produce.
7.   עָתַק   *Othak*, to endure.
8.   יָשִׁישׁ   *Yosheesh*, substantial, durable, very old.
9.   עוֹלָם   *Oulom*, everlasting, of old.
10. קֶדֶם   *Kedem*, former.
11. כְּבָר   *Kevar* (Syriac), already.

All passages not inserted are Nº. 1.

2. Gen. xviii. 11, 12, 13.
2. —— xix. 4, 31.
   —— xxiii. 1, not in original.
2. —— xxiv. 1.
2. —— xxvii. 1, 2.
2. —— xxix. 2.
4. —— xlvii. 8.
2. Exod. x. 9.
3. Lev. xiii. 11.
3. —— xxv. 22.
3. —— xxvi. 10.
5. Deut. viii. 4.
2. —— xxviii. 50.
5. —— xxix. 5.
6. Josh. v. 11.
2. —— vi. 21.
5. —— ix. 4, 13.
2. —— xiii. 1.
2. —— xxiii. 1, 2.
2. Ruth i. 12.
2. 1 Sam. ii. 22.
2. ———— viii. 1, 5.
2. ———— xii. 2.

2. 1 Kings i. 1.
2. ———— xi. 4.
2. ———— xiii. 11.
2. 2 Kings iv. 14.
2. 1 Chron. xxiii. 1.
3. Neh. iii. 6.
3. —— xii. 39.
2. Esth. iii. 13.
7. Job xxi. 7.
8. — xxxii. 6.
5. Psalm xxxii. 3.
2. —— xxxvii. 25.
2. —— lxxi. 18.
2. Prov. xxii. 6.
9. —— xxiii. 10.
2. ———— 22.
2. Eccles. iv. 13.
3. Cant. vii. 13.
   Isa. xv. 5, not in original.
2. — xx. 4.
5. — L. 9.
9. — lviii. 12.
9. — lxi. 4.

2. Isa. lxv. 20.
9. Jer. vi. 16.
5. — xxxviii. 11, 12.
   — xlviii. 3, not in original.
2. — li. 22.
2. Lam. ii. 21.

5. Lam. iii. 4.
2. Ezek. ix. 6.
5. — xxiii. 43.
9. — xxv. 15.
10. — xxxvi. 11.
11. Dan. v. 31.

OLD age.

1.   שֵׂיבָה   *Saivoh*, gray-headed.
2.   זִקְנָה   *Ziknoh*, old age.
3.   כֶּלַח   *Kolakh*, maturity.

1. Gen. xv. 15.
2. —— xxi. 2, 7.
2. —— xxv. 8.
2. —— xxxvii. 3.
2. —— xliv. 20.
1. Judg. viii. 32.
1. Ruth iv. 15.

2. 1 Kings xv. 23.
1. 1 Chron. xxix. 28.
3. Job xxx. 2.
2. Psalm lxxi. 9.
1. —— xcii. 14.
2. Isa. xlvi. 4.

OLD man.

זָקֵן   *Zokain*, an old man, in all passages.

OLD men.

זְקֵנִים   *Zekaineem*, old men, in all passages.

OLD, of.

1.   מֵעוֹלָם   *Maioulom*, from everlasting.
2.   מִקֶּדֶם   *Mikedem*, formerly, of old.
3.   לְפָנִים   *Lephoneem*, before.
4.   מִנִּי־עַד   *Minnee-ad*, from, before, until, for ever.
5.   קֶדֶם   *Kedem*, before; met., the east.
6.   מֵאָז   *Maioz*, from that time.
7.   מֵרָחוֹק   *Mairokhouk*, from far off.
8.   מֵאֶתְמוֹל   *Maiethmool*, from, before yesterday.
9.   עוֹלָם   *Oulom*, everlasting, eternal.
10. קַדְמֹנִיּוֹת   *Kadmouniyouth*, of ancient times.
11. עֹלָמִים   *Oulomeem*, everlasting, eternal.
12. מִיָּמִים   *Miyomeem*, from the days.

1. Gen. vi. 4.
1. 1 Sam. xxvii. 8.
3. 1 Chron. iv. 40.
2. Neh. xii. 46.
4. Job xx. 4.
1. Psalm xxv. 6.
5. —— xliv. 1.
5. —— lv. 19.
5. —— lxviii. 33.
5. —— lxxiv. 2.
2. ———— 12.

2. Psalm lxxvii. 5, 11.
2. —— lxxviii. 2.
6. —— xciii. 2.
3. —— cii. 25.
1. ———— cxix. 52.
5. ———— 152.
2. —— cxliii. 5.
6. Prov. viii. 22.
7. Isa. xxv. 1.
8. — xxx. 33.
10. — xliii. 18.

1. Isa. xlvi. 9.	9. Lam. iii. 6.
11. — li. 9.	5. —— v. 21.
1. — lvii. 11.	1. Ezek. xxvi. 20.
9. — lxiii. 9, 11.	9. Amos ix. 11.
1. Jer. xxviii. 8.	2. Mic. v. 2.
7. — xxxi. 3.	9. —— vii. 14.
5. — xlvi. 26.	5. —— 20.
5. Lam. i. 7.	12. Nah. ii. 8.
5. —— ii. 17.	9. Mal. iii. 4.

OLD time -s.

1. לִפָנִים   *Lephoneem*, before.
2. רֵאשׁנִים   *Reeshouneem*, first, former.
3. מֵעוֹלָם   *Maioulom*, from everlasting.
4. בָּרִאשׁוֹנָה   *Boreeshounoh*, at the first.
5. יוֹמָה עַלְמָא   *Youmoh almō* (Chaldee), days without end.
6. לְעֹלָמִים   *Leoulomeem*, for everlasting.
7. עוֹלָם   *Oulom*, everlasting, eternal.
8. יָמִים קַדְמוֹנִים   *Yomeem kadmouneem*, former days.

1. Deut. ii. 20.	6. Eccles. i. 10.
2. —— xix. 14.	3. Jer. ii. 20.
3. Josh. xxiv. 2.	7. Ezek. xxvi. 20.
4. 2 Sam. xx. 18.	8. —— xxxviii. 17.
5. Ezra iv. 15.	

OLD way.

עוֹלָם   *Oulom*, everlasting, eternal.

Job xxii. 15.

OLIVE.

זַיִת   *Zayith*, an olive.

Gen. viii. 11.	Psalm cxxviii. 3.
Deut. xxviii. 40.	Hab. iii. 17.
Neh. viii. 15.	Zech. iv. 12.
Job xv. 33.	

OLIVES.

זֵיתִים   *Zaitheem*, olives.

Judg. xv. 5.	Mic. vi. 15.

OLIVET.

זֵיתִים   *Zaitheem*, olives.

2 Sam. xv. 30.

OLIVE -tree.

1.   זַיִת   *Zayith*, an olive-tree.
2.   שֶׁמֶן   *Shomen*, oil.

1. Deut. xxiv. 20.	1. Isa. xvii. 6.
1. Judg. ix. 8, 9.	1. — xxiv. 13.
2. 1 Kings vi. 23, 31, 32, 33.	1. Jer. xi. 16.
1. Psalm lii. 8.	1. Hos. xiv. 6.
	1. Hag. ii. 19.

OLIVE -trees.

זֵיתִים   *Zaitheem*, olives.

Deut. vi. 11.	Amos iv. 9.
—— xxviii. 40.	Zech. iv. 3.
1 Chron. xxvii. 28.	

OLIVE -yard.

זַיִת   *Zayith*, an olive.

Exod. xxiii. 11.

OLIVE -yards.

זֵיתִים   *Zaitheem*, olives.

Josh. xxiv. 13.	Neh. v. 11.
1 Sam. viii. 14.	—— ix. 25.
2 Kings v. 26.	

ONCE.

פַּעַם   *Paam*, once, in all passages.

ONE.

אֶחָד   *Ekhod*, one (masculine).
אַחַת   *Akhath*, one (feminine).

In all passages.

ONES.

Not used in the original.

ONLY.

אַךְ   *Akh*, ⎫
רַק   *Rak*, ⎬ only, but, in all passages.

ONIONS.

בְּצָלִים   *Betsoleem*, onions.

Numb. xi. 5.

ONWARD.

יִסְעוּ   *Yisoo*, journeyed.

Exod. xl. 36.

ONYCHA.

שְׁחֵלֶת   *Shekhaileth*, a perfume.

Exod. xxx. 34.

ONYX.

שֹׁהַם   *Shouham*, a carbuncle.

Exod. xxviii. 20.	Job xxviii. 16.
—— xxxix. 13.	Ezek. xxviii. 13.

OPEN, Adj.

1. פְּתוּגַח *Pothooakh*, open.
2. שָׁתֻם *Shethum*, stopped up, shut up.
3. גְּלוּי *Golooe*, uncovered, revealed.
4. נִפְרָץ *Niphrots*, wide, open.
5. פָּטוּר *Potoor*, loose, free.
6. פָּרַשׂ *Poras*, spread out, abroad.
7. בְּכָל *Bekol*, with the whole, entire.
8. פָּקַח *Pokakh*, to perceive, see.
9. פְּתַח עֵינַיִם *Pĕthakh ainayim*, lit., the opening of the eyes; met., conspicuously.
10. עַל פְּנֵי *Al penai*, upon, before the face.
11. בִּמְקוֹם רֹאִים *Bimkoum roueem*, in the place of spectators.

10. Gen. i. 20.	11. Job xxxiv. 26.
9. —— xxxviii. 14.	1. Psalm v. 9.
1. Numb. xix. 15.	—— xxxiv. 15, not
2. —— xxiv. 3.	in original.
3. —————— 4.	6. Prov. xiii. 16.
2. —————— 15.	3. —— xxvii. 5.
3. —————— 16.	7. Isa. ix. 12.
1. Josh. viii. 17.	1. —— xxiv. 18.
4. 1 Sam. iii. 1.	1. — lx. 11.
5. 1 Kings vi. 18, 29, 32,	1. Jer. v. 16.
35.	3. — xxxii. 11.
1. —— viii. 29, 52.	8. —————— 19.
1. 2 Chron. vi. 20, 40.	10. Ezek. xxxvii. 2.
1. —— vii. 15.	1. Dan. vi. 10.
1. Neh. i. 6.	1. Nah. iii. 13.
1. —— vi. 5.	

OPEN, Verb.

1. פָּתַח *Pothakh*, to open.
2. פָּטַר *Potar*, to loosen, set free.
3. פָּקַח *Pokakh*, to perceive, see.
4. גָּלָה *Goloh*, to reveal, uncover.
5. פָּשַׂק *Posak*, to spread asunder, abroad.
6. פָּצָה *Potsoh*, to burst open.
7. רָחַב *Rokhav*, (Hiph.) to open wide.
8. כָּרָה *Koroh*, to pierce.

1. Exod. xxi. 23.	6. Job xxxv. 16.
2. Numb. viii. 16.	1. — xli. 14.
6. —— xvi. 30.	1. Psalm xlix. 4.
1. Deut. xv. 8, 11.	1. —— lxxviii. 2.
1. —— xx. 11.	7. —— lxxxi. 10.
1. —— xxviii. 12.	1. —— cxviii. 19.
1. Josh. x. 22.	1. Prov. xxxi. 8, 9.
3. 2 Kings vi. 20.	1. Cant. v. 2, 5.
1. —— ix. 3.	1. Isa. xxii. 22.
1. —— xiii. 17.	1. —— xxvi. 2.
1. Job xi. 5.	1. — xxviii. 24.
1. — xxxii. 20.	1. — xli. 18.

3. Isa. xlii. 7.	1. Ezek. xxi. 22.
1. — xlv. 1, 8.	1. —— xxv. 9.
1. Jer. xiii. 19.	1. —— xxxvii. 12.
1. — L. 26.	1. —— xlvi. 12.
6. Ezek. ii. 8.	1. Zech. xi. 1.
1. —— iii. 27.	1. Mal. iii. 10.
1. —— xvi. 63.	

OPENED.

1. Gen. iii. 5, 7.	1. Job xxxi. 32.
3. —— vii. 11.	4. — xxxviii. 17.
1. —— viii. 6.	6. Psalm xxii. 13.
1. —— xxi. 19.	8. —— xl. 6.
1. —— xxix. 31.	1. —— lxxviii. 23.
1. —— xxx. 22.	1. —— cv. 41.
1. —— xli. 56.	1. —— cvi. 17.
1. —— xlii. 27.	1. Cant. v. 6.
1. —— xliii. 21.	1. Isa. xiv. 17.
1. —— xliv. 11.	3. — xxxv. 5.
1. Exod. ii. 6.	1. — xlviii. 8.
1. Numb. xvi. 32.	1. — L. 5.
4. —————— xxii. 31.	4. Jer. xx. 12.
1. Judg. iii. 25.	1. — L. 25.
1. —— iv. 19.	1. Ezek. i. 1.
1. —— xix. 27.	5. —— xvi. 25.
3. 2 Kings vi. 17.	1. —— xxxvii. 13.
1. —————— ix. 10.	1. —— xliv. 2.
1. —————— xv. 16.	1. —— xlvi. 1.
1. 2 Chron. xxix. 3.	1. Dan. vii. 10.
1. Neh. vii. 3.	1. Nah. ii. 6.
1. —— viii. 5.	1. Zech. xiii. 1.
1. —— xiii. 19.	

OPENEST.

1. Psalm civ. 28.	1. Psalm cxlv. 16.

OPENETH.

2. Exod. xiii. 2, 12, 15.	1. Psalm xxxviii. 13.
2. —— xxxiv. 19.	3. —— cxlvi. 8.
2. Numb. iii. 12.	5. Prov. xiii. 3.
2. —— xviii. 15.	1. —— xxiv. 7.
3. Job xxvii. 19.	1. —— xxxi. 26.
4. — xxxiii. 16.	1. Isa. liii. 7.
4. — xxxvi. 10, 15.	2. Ezek. xx. 26.

OPENING.

3. Isa. xlii. 20.

OPENING, Subst.

1. מַפְתֵּחַ *Maphtaiakh*, an opening, a key.
2. פָּתַח *Pothakh*, (Niph.) shall be opened.
3. פְּתָחִים *Pethokheem*, openings, doors.
4. פְּקַח־קוֹחַ *Pekakh-kouakh*, to free from bondage.
5. פִּתְחוֹן *Pithkhoun*, a full opening.

1. 1 Chron. ix. 27.	4. Isa. lxi. 1.
2. Job xii. 14.	5. Ezek. xxix. 21.
1. Prov. viii. 6.	

OPENINGS.

3. Prov. i. 21.

OPENLY.

1. בְּעֵינַיִם *Boainayim*, lit., in the eyes; met., in sight.

2. גִּלָּה *Gilloh*, fully revealed.

1. Gen. xxxviii. 21. | 2. Psalm xcviii. 2.

OPERATION.

מַעֲשֶׂה *Mădseh*, deed, work.

Psalm xxviii. 5. | Isa. v. 12.

OPINION.

דֵּעָה *Daioh*, knowledge.

Job xxxii. 6, 10, 17.

OPINIONS.

סְעִפִּים *Sĕippeem*, divisions, parties.

1 Kings xviii. 21.

OPPOSEST.

שָׂטַם *Sotam*, to oppose, hate.

Job xxx. 21.

OPPRESS.

1. לָחַץ *Lokhats*, to press.
2. יָנָה *Yonoh*, to defraud.
3. עָשַׁק *Oshak*, to extort.
4. עָרַץ *Orats*, to frighten.
5. שָׁדַד *Shoddad*, to destroy.
6. דָּכָא *Dokhō*, to bruise, pound.
7. רָצַץ *Rotsats*, to break in pieces, smash.
8. דַּךְ *Dokh*, reduced, bruised.
9. חָמוֹץ *Khomouts*, the aggrieved.
10. נָגַשׂ *Nigas*, to exact.
11. צָרַר *Tsorar*, to oppress.

1. Exod. iii. 9.	6. Prov. xxii. 22.
1. —— xxii. 21.	2. Isa. xlix. 26.
1. —— xxiii. 9.	3. Jer. vii. 6.
2. Lev. xxv. 14, 17.	1. — xxx. 20.
2. Deut. xxviii. 16.	2. Ezek. xlv. 8.
3. —— xxiv. 14.	3. Hos. xii. 7.
1. Judg. x. 12.	3. Amos iv. 1.
3. Job x. 3.	3. Mic. ii. 2.
4. Psalm x. 18.	3. Zech. vii. 10.
5. —— xvii. 9.	3. Mal. iii. 5.
3. —— cxix. 122.	

OPPRESSED.

3. Deut. xxviii. 29, 33.	3. Eccles. iv. 1.
1. Judg. ii. 18.	9. Isa. i. 17.
1. —— iv. 3.	10. — iii. 5.
1. —— vi. 9.	3. — xxiii. 12.
1. 1 Sam. x. 18.	3. — xxxviii. 14.
7. —— xii. 3, 4.	3. — lii. 4.
1. 2 Kings xiii. 4, 22.	10. — liii. 7.
7. 2 Chron. xvi. 10.	7. — lviii. 6.
7. Job xx. 19.	3. Jer. L. 33.
8. Psalm ix. 9.	2. Ezek. xviii. 7, 12, 16.
8. —— x. 18.	3. ———— 18.
8. —— lxxiv. 21.	3. —— xxii. 29.
3. —— ciii. 6.	3. Hos. v. 11.
1. —— cvi. 42.	3. Amos iii. 9.
3. —— cxlvi. 7.	

OPPRESSETH.

11. Numb. x. 9.	3. Prov. xiv. 31.
1. Psalm lvi. 1.	3. —— xxviii. 3.

OPPRESSING.

2. Jer. xlvi. 16.	2. Jer. L. 16.

Except:

הַיּוֹנָה *Hayounoh*, the dove.

Zeph. iii. 1.

OPPRESSION.

1. לַחַץ *Lakhats*, oppression, cruelty.
2. שׁוֹד *Shoud*, destruction.
3. עָקָה *Okoh*, pressure.
4. עֹשֶׁק *Oushek*, extortion.
5. עֹצֶר *Outser*, restraint.
6. מִשְׁפָּח *Mispokh*, a conspiracy.
7. הוֹנָה *Hounoh*, to defraud, deprive.

1. Exod. iii. 9.	4. Psalm cxix. 134.
1. Deut. xxvi. 7.	4. Eccles. v. 8.
1. 2 Kings xiii. 4.	4. —— vii. 7.
1. Job xxxvi. 15.	6. Isa. v. 7.
2. Psalm xii. 5.	4. — xxx. 12.
1. —— xlii. 9.	4. — liv. 14.
1. —— xliii. 2.	4. — lix. 13.
1. —— xliv. 24.	4. Jer. vi. 6.
3. —— lv. 3.	4. — xxii. 17.
4. —— lxii. 10.	4. Ezek. xxii. 7, 29.
4. —— lxxiii. 8.	7. —— xlvi. 18.
5. —— cvii. 39.	

OPPRESSIONS.

עֲשׁוּקִים *Ashookeem*, extortions.

Job xxxv. 9.	Isa. xxxiii. 15.
Eccles. iv. 1.	

OPPRESSOR.

1. נוֹגֵשׂ *Nougais*, a persecutor.
2. עָרִיץ *Oreets*, terrible, dreadful.

3.   עוֹשֵׁק   *Oushaik*, an extortioner.

4. אִישׁ חָמָס   *Eesh khomos*, a man of vio-
lence.

5. רַב עֲשֻׁקוֹת   *Rav ashukouth*, a great ex-
tortioner.

6.   מֵצִיק   *Maitseek*, an oppressor.

7.   יוֹנֶה   *Younoh*, an oppressor, deceiver.

1. Job iii. 18.	6. Isa. li. 13.
2. — xv. 20.	3. Jer. xxi. 12.
3. Psalm lxxii. 4.	3. — xxii. 3.
4. Prov. iii. 31.	7. — xxv. 38.
5. —— xxviii. 16.	1. Zech. ix. 8.
1. Isa. ix. 4.	1. —— x. 4.
1. — xiv. 4.	

OPPRESSORS.

1.   נֹגְשִׂים   *Nougseem*, persecutors.

2. עָרִיצִים   *Oreetseem*, terrible ones.

3. עֲשֻׁקִים   *Ashukeem*, extortioners.

4. רוֹמֵס   *Roumais*, lit., treaders down,
tyrants.

5. לֹחֲצִים   *Loukhatseem*, oppressors.

2. Job xxvii. 13.	1. Isa. iii. 12.
2. Psalm liv. 3.	1. — xiv. 2.
3. —— cxix. 121.	4. — xvi. 4.
3. Eccles. iv. 1.	5. — xix. 20.

ORACLE.

1.   דָּבָר   *Dovor*, a word, matter, subject.

2.   דְּבִיר   *Děveer*, the most holy place in
the Temple; lit., subject,
matter.

1. 2 Sam. xvi. 23.	2. 1 Kings viii. 6.
2. 1 Kings vi. 5, 16, 19,	2. 2 Chron. iv. 20.
20, 21, 22, 23.	2. Psalm xxviii. 2.

ORATOR.

נְבוֹן לַחַשׁ   *Novoun lakhash*, an elegant
speaker; lit., an intelligent
whisperer.

Isa. iii. 3.

ORCHARD.

פַּרְדֵּס   *Pardais*, paradise, ornamental
pleasure-ground.

Cant. iv. 13.

ORCHARDS.

פַּרְדֵּסִים   *Pardaiseem*, paradise, orna-
mental pleasure-grounds.

Eccles. ii. 5.

ORDAIN.

1.   יָסַד   *Yissad*, to found.

2.   שׂוּם   *Soom*, to set, place, appoint.

3.   שָׁפַת   *Shophath*, to ordain, fix.

4.   עָשָׂה   *Osoh*, to make.

5.   נָתַן   *Nothan*, to give, place.

6.   עַל־יְדֵי   *Al-yedai*, by the hands of.

7.   קִיֵּם   *Kiyaim*, to establish.

8.   כּוּן   *Koon*, (Piel) to set firm.

9.   עָרַךְ   *Orakh*, to arrange, prepare.

10.   מַנִּי   *Mannee* (Syriac), to set, appoint.

11.   יִפְעָל   *Yiphol*, he worketh, useth.

1. 1 Chron. ix. 22.	3. Isa. xxvi. 12.
2. —— xvii. 9.	

ORDAINED.

4. Numb. xxviii. 6.	8. Psalm viii. 3.
4. 1 Kings xii. 32, 33.	2. —— lxxxi. 5.
5. 2 Kings xxiii. 5.	9. —— cxxxii. 17.
4. 2 Chron. xi. 15.	9. Isa. xxx. 33.
6. —— xxiii. 18.	5. Jer. i. 5.
7. Esth. ix. 27.	10. Dan. ii. 24.
1. Psalm viii. 2.	2. Hab. i. 12.

ORDAINETH.

11. Psalm vii. 13.

ORDER, Subst.

1.   מִשְׁנֶה   *Mishneh*, the second in rank.

2.   מִשְׁפָּט   *Mishpot*, law, manner, custom.

3.   עַל־יְדֵי   *Al-yedai*, by the hands of.

4.   סְדָרִים   *Sedoreem*, regularities, systems.

5.   דִּבְרָתִי   *Divrothee*, my word, matter,
promise, import.

1. 2 Kings xxiii. 4.	3. 1 Chron. xxv. 2.
2. 1 Chron. vi. 32.	2. 2 Chron. viii. 14.
2. —— xv. 13.	4. Job x. 22.
2. —— xxiii. 31.	5. Psalm cx. 4.*

* Literal interpretation :

עַל־דִּבְרָתִי מַלְכִּי־צֶדֶק   According to my
word (promise) to Melchizedek.

ORDER, in.

1.   עָרַךְ   *Orakh*, to arrange, prepare.

2. מְשֻׁלָּבוֹת   *Meshulovouth*, joined together.

3. הַמַּעֲרָכָה   *Hamāarokhoh*, the arrangement,
array.

4.   צִוָּה   *Tsivvoh*, to command.

5.   כּוּן   *Koon*, to set firm.
6.   תִּקֵּן   *Tikkain*, to set in order.
7.   פְּעָמִים   *Peomeem*, times.

1. Gen. xxii. 9.	4. 2 Kings xx. 1.
2. Exod. xxvi. 17.	3. 2 Chron. xiii. 11.
3. —— xxxix. 37.	5. —— xxix. 35.
1. —— xl. 4, 23.	1. Job xxxiii. 5.
1. Lev. i. 7, 8, 12.	1. Psalm xl. 5.
1. —— vi. 12.	1. —— L. 21.
1. —— xxiv. 8.	6. Eccles. xii. 9.
1. Josh. ii. 6.	4. Isa. xxxviii. 1.
4. 2 Sam. xvii. 23.	1. — xliv. 7.
1. 1 Kings xviii. 33.	7. Ezek. xli. 6.

ORDER, Verb.

1.   עָרַךְ   *Orakh*, to arrange, prepare.
2.   מַה יִּהְיֶה מִשְׁפָּט   *Mah yiheyeh mishpot*, what shall be the law?
3.   אָסַר   *Osar*, to bind, tie together.
4.   כּוּן   *Koon*, to set firm, establish.
5.   מַעֲרָכָה   *Māarokhoh*, arrangement, array.
6.   שׂוּם   *Soom*, to set, make.
7.   פְּקוּדָה   *Pekoodoh*, charge, order.

1. Exod. xxvii. 21.	1. Job xxvii. 19.
1. Lev. xxiv. 3, 4.	4. Psalm cxix. 133.
2. Judg. xiii. 12.	4. Isa. ix. 7.
3. 1 Kings xx. 14.	1. Jer. xlvi. 3.
1. Job xxiii. 4.	

ORDERED.

5. Judg. vi. 26.	1. Job xiii. 18.
1. 2 Sam. xxiii. 5 (pass.)	4. Psalm xxxvii. 23.

ORDERETH.

6. Psalm L. 23.

ORDERINGS.

7. 1 Chron. xxiv. 19.

ORDINANCE.

1.   חֹק   *Khouk*, a decree, statute.
2.   מִשְׁפָּט   *Mishpot*, judgment, law.
3.   עַל־יְדֵי   *Al-yedai*, by the hands of.
4.   מִשְׁמֶרֶת   *Mishmereth*, ordinance, observance.

1. Exod. xii. 14, 24, 43.	2. Josh. xxiv. 25.
1. —— xiii. 10.	2. 1 Sam. xxx. 25.
2. —— xv. 25.	2. 2 Chron. xxxv. 13.
4. Lev. xviii. 30.	1. —————— 25.
4. —— xxii. 9.	3. Ezra iii. 10.
1. Numb. ix. 14.	1. Psalm xcix. 7.
1. —— x. 8.	1. Isa. xxiv. 5.
1. —— xv. 15.	2. — lviii. 2.
1. —— xviii. 8.	1. Ezek. xlv. 14.
1. —— xix. 2.	1. —— xlvi. 14.
1. —— xxxi. 21.	4. Mal. iii. 14.

ORDINANCES.

1. { חֻקּוֹת   *Khukkouth*, } ordinances, decrees,
   { חֻקִּים   *Khukkeem*, }   statutes.
2. מִשְׁפָּטִים   *Mishpoteem*, laws, judgments.
3. מִצְוֹת   *Mitsvouth*, commandments.
4. חֹק   *Kouhk*, a decree.

1. Exod. xviii. 20.	2. Isa. lviii. 2.
1. Lev. xviii. 3, 4.	1. Jer. xxxi. 35, 36.
4. Numb. ix. 12.	1. —— xxxiii. 25.
2. 2 Kings xvii. 34, 37.	2. Ezek. xi. 20.
2. 2 Chron. xxxiii. 8.	1. —— xliii. 11, 18.
3. Neh. x. 32.	1. —— xliv. 5.
1. Job xxxviii. 33.	1. Mal. iii. 7.
2. Psalm cxix. 91.	

ORDINARY.

חֹק   *Khouk*, a decree, statute.

Ezek. xvi. 27.

ORGAN.

עוּגָב   *Oogov*, an organ.

Gen. iv. 21.	Job xxx. 31.
Job xxi. 12.	Psalm cl. 4.

ORNAMENT.

1.   לִוְיָה   *Livyoh*, a companion.
2.   חֲלִי   *Khălee*, a jewel for the neck.
3.   אֲפֻדָּה   *Ăphoodoh*, an ephod.
4.   עֲדִי   *Ădee*, an ornament.

1. Prov. i. 9.	3. Isa. xxx. 22.
1. —— iv. 9.	4. — xlix. 18.
2. —— xxv. 12.	4. Ezek. vii. 20.

ORNAMENTS.

1.   עֲדִי   *Ădee*, an ornament.
2. שַׂהֲרֹנִים   *Sahărouneem*, small ornaments.
3.   עֲכָסִים   *Ăkhoseem*, foot-rings.
4.   צְעָדוֹת   *Tsĕodouth*, ornamental chains for feet.
5.   כֵּלִים   *Kaileem*, trinkets.

1. Exod. xxxiii. 4, 5, 6.	5. Isa. lxi. 10.
2. Judg. viii. 21, 26.	1. Jer. ii. 32.
1. 2 Sam. i. 24.	1. — iv. 30.
3. Isa. iii. 18.	1. Ezek. xvi. 7, 11.
4. ——— 20.	1. —— xxiii. 40.

ORPHANS.

יְתוֹמִים   *Yethoumeem*, orphans.

Lam. v. 3.

OSPRAY.

עָזְנִיָּה   *Ozniyoh,* a sparrow-hawk.

Lev. xi. 13. | Deut. xiv. 12.

OSSIFRAGE.

פֶּרֶס   *Peres,* a sea-eagle.

Lev. xi. 13. | Deut. xiv. 12.

OSTRICH.

נוֹצָה   *Noutsoh,* an ostrich.

Job xxxix. 13.

OSTRICHES.

יְעֵנִים   *Yaaneem,* night owls.

Lam. iv. 3.

OTHER.

אַחֵר   *Akhair,* another, in all passages.

OTHERS.

אֲחֵרִים   *Akhaireem,* others, in all passages.

OTHERWISE.

1.   אוֹ   *Ou,* or, otherwise.
2.   בְּלֹא   *Bělou,* being without.

1. 2 Sam. xviii. 13. | 2. 2 Chron. xxx. 18.
   1 Kings i. 21, not in
   original.

OUCHES.

מִשְׁבְּצֹות   *Mishbetsouth,* fastenings.

Exod. xxviii. 11, 13, 14, | Exod. xxxix. 6, 13, 18.
25.

OVEN.

תַּנּוּר   *Tanoor,* an oven.

Lev. ii. 4.   Psalm xxi. 9.
—— vii. 9.   Lam. v. 10.
—— xi. 35.   Hos. vii. 4, 6, 7.
—— xxvi. 26.   Mal. iv. 1.

OVENS.

תַּנּוּרִים   *Tanooreem,* ovens.

Exod. viii. 3.

OVER.

1.   עַל   *Al,* upon, over, above, or a בּ prefixed to the relative word.
2.   עָבַר   *Ovar,* over, to pass over.
3.   כֻּלּוֹ   *Kulou,* all of him.
4.   מִכָּל   *Mikol,* from, of, all.
5.   לַכֹּל   *Lakoul,* to all.
6.   לְמַעְלָה   *Lemaaloh,* above.
7.   נָתַן   *Nothan,* to give, give over.
8.   רְוָיָה   *Revoyoh,* satiated, full.
9.   עָדַף   *Odaph,* to remain over.

All passages not inserted are N°. 1.

3. Gen. xxv. 25. | 8. Psalm xxiii. 5.
9. Exod. xvi. 18, 23. | 7. —— xxvii. 12.
9. Numb. iii. 49. | 7. —— cxviii. 18.
4. 1 Chron. xxix. 3. | 5. —— cxlv. 9.
6. Ezra ix. 6. | 2. Cant. ii. 11.

OVER against.

1.   נֹכַח   *Noukhakh,* towards, opposite.
2.   אֶל־מוּל   *El-mool,*   }
      מִמּוּל   *Mimool,*   } from opposite.
3.   נֶגֶד   *Neged,*   }
      מִנֶּגֶד   *Mineged,*   } in the presence of.
4.   לְעֻמַּת   *Leumath,* opposite.
5.   עַל־פְּנֵי   *Al-penai,* over, against the face.
6.   קֳבֵל   *Kebail* (Syriac), opposite.

4. Exod. xxv. 27. | 2. 1 Chron. xiv. 14.
1. —— xxvi. 35. | 4. —— xxiv. 31, *bis.*
4. —— xxviii. 27. | 3. Neh. iii. 10, 16, 19, 23,
4. —— xxxvii. 14. | 25, 26, 27, 28,
4. —— xxxix. 20. | 29, 30, 31.
4. —— xl. 24. | 3. —— vii. 3.
2. Numb. viii. 2, 3. | 3. —— xii. 9.
2. —— xxii. 5. | 3. —— 24.
2. Deut. i. 1. | 4. —— 24.
2. —— ii. 19. | 3. —— 37.
2. —— iii. 29. | 2. —— 38.
2. —— iv. 46. | 1. Esth. v. 1.
2. —— xi. 30. | 4. Eccles. vii. 14.
5. —— xxxii. 49. | 4. Ezek. i. 20, 21.
2. —— xxxiv. 6. | 4. —— xl. 18.
3. Josh. v. 13. | 3. —— 23.
2. —— viii. 33, twice. | 5. —— xli. 15.
2. —— ix. 1. | 3. —— 16.
1. —— xviii. 17. | 3. —— xlii. 1.
2. —— 18. | 3. —— 3, twice.
1. Judg. xix. 10. | 4. —— 7.
1. —— xx. 43. | 5. —— 10.
2. 1 Sam. xiv. 5, twice.| 4. —— xlv. 6, 7.
5. —— xv. 7. | 1. —— xlvi. 9.
2. 2 Sam. v. 23. | 1. —— xlvii. 20.
4. —— xvi. 13. | 4. —— xlviii. 13.
4. 1 Kings vii. 20. | 5. —— 15.
2. —— 39. | 4. —— 18.
1. —— xx. 29. | 5. —— 21.
3. 1 Chron. viii. 32. | 4. —— 21.
3. —— ix. 38. | 6. Dan. v. 5.

OVERCOME.

1. חֲלוּשָׁה *Khalooshoh,* weakness.
2. הֲלוֹם *Haloum,* beaten in pieces.

1. Exod. xxxii. 18. | 2. Isa. xxviii. 1.

OVERCOME, Verb.

1.   גָּדַד *Godad,* to assemble as a troop, to press upon.
2.   יָכֹל *Yokhal,* to enable, be able.
3.   לָחַם *Lokham,* to fight, obtain victory.
4.   רָהַב *Rohav,* to excite, to dare.
5.   עָבַר *Ovar,* to pass over.

1. Gen. xlix. 19.	3. 2 Kings xvi. 5.
2. Numb. xiii. 30.	4. Cant. vi. 5.
3. —— xxii. 11.	5. Jer. xxiii. 9.

OVERDRIVE.

דָּפַק *Dophak,* to overdrive, press, force.

Gen. xxxiii. 13.

OVERFLOW.

1. שָׁטַף *Shotaph,* to overflow.
2. שׁוּק *Shook,* (Hiph.) to overrun.

1. Deut. xi. 14.	1. Isa. xliii. 2.
1. Psalm lxix. 2, 15.	1. Jer. xlvii. 2.
1. Isa. viii. 8.	1. Dan. xi. 10, 26, 40.
1. — x. 22.	2. Joel ii. 24.
1. — xxviii. 17.	2. — iii. 13.

OVERFLOWED.
1. Psalm lxxviii. 20.

OVERFLOWETH.

מָלֵא *Molai,* full.

Josh. iii. 15.

OVERFLOWING.

1. שֶׁטֶף *Sheteph,* an overflowing.
2. בְּכִי *Bĕkhee,* weeping.
3. זֶרֶם *Zerem,* a shower of rain, violent rain, an inundation.

2. Job xxviii. 11.	1. Jer. xlvii. 2.
1. — xxxviii. 25.	1. Ezek. xiii. 11, 13.
1. Isa. xxviii. 2, 15, 18.	1. —— xxxviii. 22.
1. — xxx. 28.	3. Hab. iii. 10.

OVERFLOWN.

1. מָלֵא *Molai,* full.
2. יֻצַּק *Yutsak,* poured out.
3. שָׁטַף *Shotaph,* to overflow.

1. 1 Chron. xii. 15.	3. Dan. xi. 22.
2. Job xxii. 16.	

OVERLAY -LAID.

1.   צִפָּה *Tsippoh,* to overlay, cover.
2. שָׁכְבָה עָלָיו *Shokhvoh olov,* she laid over, upon him.
3. מְעֻלֶּפֶת *Meulepheth,* covered, overwhelmed.

1. In all passages, except :

2. 1 Kings iii. 16. | 3. Cant. v. 14.

OVERLAYING.

צִפּוּי *Tsippoe,* a covering.

Exod. xxxviii. 17, 19.

OVERLIVED.

הֶאֱרִיכוּ יָמִים *Heĕreekhoo yomeem,* prolonged their days.

Josh. xxiv. 31.

OVERMUCH.

הַרְבֵּה *Harbaih,* much, abundant.

Eccles. vii. 16, 17.

OVERPASS -ED -EST.

עָבַר *Ovar,* to pass over, by, transgress.

Psalm lvii. 1.	Jer. v. 28.
Isa. xxvi. 20.	

OVERPLUS.

עוֹדֵף *Oudaiph,* overplus, remnant.

Lev. xxv. 27.

OVERRAN.

עָבַר *Ovar,* passed over.

2 Sam. xviii. 23.

OVERRUNNING.

עֹבֵר *Ouvair,* passing over.

Nah. i. 8.

OVERSEE.

1.   עַל *Al,* over.
2. מְנַצְּחִים *Menatskheem,* leaders, overseers.

1. 1 Chron. ix. 29. | 2. 2 Chron. ii. 2.

OVERSEER.

1. פָּקַד *Pokad*, (Hiph.) to cause to command.
2. פָּקִיד *Pokeed*, a commander.
3. שׁוֹטֵר *Shoutair*, a taskmaster.

1. Gen. xxxix. 4, 5,	2. Neh. xii. 42.
2. Neh. xi. 9, 14, 22.	3. Prov. vi. 7.

OVERSEERS.

1. פְּקִידִים *Pekeedeem*, commanders.
2. מְנַצְּחִים *Menatskheem*, leaders, overseers.
3. מֻפְקָדִים *Muphkodeem*, being appointed over.

1. Gen. xli. 34	3. 2 Chron. xxxiv. 12.
2. 2 Chron. ii. 18.	2. ——————— 13.
1. ——— xxxi. 13.	3. ——————— 17.

OVERSIGHT.

1. מִשְׁגֶּה *Mishgeh*, an error.
2. פְּקֻדָּה *Pekoodoh*, the charge, command.
3. מֻפְקָדִים *Muphkodeem*, being appointed.
4. עַל *Al*, over.
5. נָתוּן *Nothoon*, set over.

1. Gen. xliii. 12.	4. 1 Chron. ix. 23.
2. Numb. iii. 32.	3. 2 Chron. xxxiv. 10.
2. ——— iv. 16.	4. Neh. xi. 16.
3. 2 Kings xii. 11.	5. ——— xiii. 4.
3. ——— xxii. 5, 9.	

OVERSPREAD.

נָפַץ *Nophats*, to scatter abroad.

Gen. ix. 19.

OVERSPREADING.

כָּנָף *Konoph*, the wing.

Dan. ix. 27.

OVERTAKE -EN -ETH.

1. נָשַׂג *Nosag*, to overtake.
2. דָּבַק *Dovak*, to cleave to, join.
3. נָגַשׁ *Nogash*, (Hiph.) to come near.

1. In all passages, except:
3. Amos ix. 10, 13.

OVERTOOK.

2. Gen. xxxi. 23.	1. 2 Kings xxv. 5.
1. ——————— 25.	1. Jer. xxxix. 5.
1. Exod. xiv. 9.	1. — lii. 8.
2. Judg. xviii. 22.	1. Lam. i. 3.
2. ——— xx. 42.	

OVERTHROW.

1. הָפַךְ *Hophakh*, to turn over.
2. נָעַר *Noar*, to throw in, out.
3. סָלַף *Solaph*, to turn aside.
4. הָרַס *Horas*, to overthrow, break down.
5. נָפַל *Nophal*, to fall.
6. עֲוֵת *Ivaith*, to deal unfairly.
7. שָׁמַט *Shomat*, to set free, throw off.
8. כָּשַׁל *Koshal*, to stumble, hurt.
9. שָׁמַד *Shomad*, to destroy.

1. In all passages.

OVERTHROWETH.

3. Job xii. 19.	4. Prov. xxii. 12.
4. Prov. xiii. 6.	4. ——— xxix. 4.
4. ——— xxi. 12.	

OVERTHROWN.

4. Exod. xv. 7.	9. Prov. xiv. 11.
5. Judg. ix. 40.	1. Isa. i. 7.
5. 2 Sam. xvii. 9.	8. Jer. xviii. 23.
5. 2 Chron. xiv. 13.	1. Lam. iv. 6.
6. Job xix. 6.	8. Dan. xi. 41.
7. Psalm cxli. 6.	1. Amos iv. 11.
4. Prov. xi. 11.	1. Jonah iii. 4.
1. ——— xii. 7.	

OVERTHREW.

1. In all passages, except:
2. Exod. xiv. 27.

OVERTHROW, Subst.

הֲפֵכָה *Haphaikhoh*, an overthrow.

Gen. xix. 29.	Jer. xlix. 18.
Deut. xxix. 23.	

OVERTURN.

1. הָפַךְ *Hophakh*, to overturn.
2. עִוָּה *Ivvoh*, to deal unfairly.

1. Job. xii. 15.	2. Ezek. xxi. 27.

OVERTURNED.

1. Judg. vii. 13.

OVERTURNETH.

1. Job ix. 5.	1. Job xxxiv. 25.
1. — xxviii. 9.	

OVERWHELM.

נָפַל *Nophal*, to fall.

Job vi. 27.

OVERWHELMED.

1. פָּסָה *Kissoh*, to cover over.
2. עָטַף *Otaph*, to wrap up, veil over.
3. שָׁטַף *Shotaph*, to overflow.

1. Psalm lv. 5.	3. Psalm cxxiv. 4.
2. —— lxi. 2.	2. —— cxlii. 3.
2. —— lxxvii. 3.	2. —— cxliii. 4.
1. —— lxxviii. 53.	

OVERWISE.

תִּתְחַכַּם יוֹתֵר *Tithkhakaim youthair*, over-wise.

Eccles. vii. 16.

OUGHT, Verb.

Not used in Hebrew, except:

1. הֲלֹא לָכֶם *Halou lokhem*, is it not for you?
2. הֲלֹא *Halou*, is it not?

1. 2 Chron. xiii. 5.	2. Neh. v. 9.

OUGHT, Subst.

1. מְאוּמָה *Meoomoh*, any thing.
2. בִּלְתִּי *Biltee*, except, without.
3. מִן *Min*, from, out of.
4. דָּבָר *Dovor*, a word, matter.
5. מִמְכָּר *Mimkor*, a purchase.
6. מִכֹּל *Mikoul*, of all.

1. Gen. xxxix. 6.	5. Lev. xxv. 14.
2. —— xlvii. 18.	Numb. xxx. 6, not in
4. Exod. v. 11.	original.
3. —— xii. 46.	4. Josh. xxi. 45.
—— xxix. 34, not in	1. 1 Sam. xii. 4, 5.
original.	1. —— xxv. 7.
Lev. xix. 6, not in	1. 2 Sam. iii. 35.
original.	6. —— xiv. 19.

OUGHTEST.

אֵת אֲשֶׁר *Aith asher*, that which.

1 Kings ii. 9.

OUR -S.

נוּ *Noo*, affixed to the relative word,

or

לָנוּ *Lonoo*, to us, ours, in all passages.

OUT.

מִן *Min*, or a prefixed מ, from, out of, in all passages.

OUTCAST.

נִדָּחָה *Nidokhoh*, an outcast.

Jer. xxx. 17.

OUTCASTS.

נִדָּחִים *Nidokheem*, outcasts.

Psalm cxlvii. 2.	Isa. xxvii. 13.
Isa. xi. 12.	— lvi. 8.
— xvi. 3, 4.	Jer. xlix. 36.

OUTER.

1. חִיצוֹן *Kheetsoun*, outer.
2. חוּץ *Khoots*, outside.

1. Ezek. xlvi. 21.	2. Ezek. xlvii. 2.

OUTGOINGS.

תּוֹצָאוֹת *Toutsouth*, ⎫
מוֹצָאִים *Moutsoeem*, ⎭ outgoings.

Josh. xvii. 9, 18.	Josh. xix. 14, 22, 29, 33.
—— xviii. 19.	Psalm lxv. 8.

OUTLANDISH.

נָכְרִי *Nokhree*, a stranger.

Neh. xiii. 26.

OUTLIVED.

אָרַךְ יָמִים אַחַר *Orakh yomeem akhar*, prolonging the days after.

Judg. ii. 7.

OUTRAGEOUS.

שֶׁטֶף *Sheteph*, overflowing.

Prov. xxvii. 4.

OUTSIDE.

1. קָצֶה *Kotseh*, a corner, end.
2. חוּץ *Khoots*, outside, outer.

1. Judg. vii. 11, 17, 19.	2. Ezek. xl. 5.
2. 1 Kings vii. 9.	

OUTSTRETCHED.

נְטוּיָה *Nĕtooyoh*, outstretched.

Deut. xxvi. 8.	Jer. xxvii. 5.
Jer. xxi. 5.	

OUTWARD.

1. עֵינַיִם *Ainayim*, eyes.
2. חִיצוֹן *Kheetsoun*, outside, outer.

1. 1 Sam. xvi. 7.	2. Esth. vi. 4.
2. 1 Chron. xxvi. 29.	2. Ezek. xl. 17.
2. Neh. xi. 16.	

OWL.

1. בַּת הַיַּעֲנָה *Bath hayaanoh*, literally, a daughter of noise; met., a night owl.

2. כּוֹס *Kous*, lit., a cup; met., the little owl.

3. יַנְשׁוּף *Yanshooph*, a great owl.

4. קִפּוֹז *Kippouz*, a ravenous serpent.

1. Lev. xi. 16.	2. Psalm cii. 6.
2. —— 17.	3. Isa. xxxiv. 11.
1. Deut. xiv. 15.	4. ———— 15.
2. ———— 16.	

OWLS.

1. Job xxx. 29.	1. Isa. xliii. 20.
1. Isa. xiii. 21.	1. Jer. L. 39.
1. — xxxiv. 13.	1. Mic. i. 8.

OWN.

Not used in the original, except:

1. סָפִיחַ *Sopheeakh*, self-sown grain.
2. מִלִּבִּי *Milibee*, from my heart.
3. פָּנֶיךָ *Ponekhō*, thy face, presence.
4. מִיָּדְךָ *Miyodkhō*, from thy hand.
5. אִתָּנוּ *Ittonoo*, with us.
6. לְבַדֶּךָ *Levaddekhō*, for thyself.

1. Lev. xxv. 5.	4. 1 Chron. xxix. 14, 16.
2. Numb. xvi. 28.	5. Psalm xii. 4.
2. ———— xxiv. 13.	6. Prov. v. 17.
3. 2 Sam. xvii. 11.	

OWNER.

בַּעַל *Baal*, owner, in all passages, except:

אָדוֹן *Odoun*, lord, master.

1 Kings xvi. 24.

OWNERS.

בְּעָלִים *Bääleem*, owners.

OWNETH.

אֲשֶׁר־לוֹ *Asher-lou*, to whom belongs.

Lev. xiv. 35.

OX.

1. שׁוֹר *Shour*, an ox.

2. אַלּוּף *Aloopk*, a leader, dignified person.

3. בָּקָר *Bokor*, horned, tame cattle.

1. Exod. xx. 17.	1. 1 Sam. xii. 3.
1. —— xxi. 28, 29, 32, 33, 36.	1. —— xiv. 34.
	3. —— xv. 15.
1. —— xxii. 1, 4, 9, 10.	1. Neh. v. 18.
1. —— xxiii. 4, 12.	1. Job vi. 5.
1. —— xxxiv. 19.	1. — xxiv. 3.
1. Lev. vii. 23.	3. — xl. 15.
1. —— xvii. 3.	1. Psalm lxix. 31.
1. Numb. vii. 3.	1. —— cvi. 20.
1. —— xxii. 4.	1. Prov. vii. 22.
1. Deut. v. 14, 21.	1. —— xiv. 4.
1. —— xiv. 4.	1. —— xv. 17.
1. —— xviii. 3.	1. Isa. i. 3.
1. —— xxii. 1, 4, 10.	3. — xi. 7.
1. —— xxv. 4.	1. — xxxii. 20.
1. —— xxviii. 31.	1. — lxvi. 3.
1. Josh. vi. 21.	2. Jer. xi. 19.
3. Judg. iii. 31.	1. Ezek. i. 10.
1. —— vi. 4.	

OXEN.

1. שְׁוָרִים *Shoureem*, oxen.

2. אַלּוּפִים *Aloopheem*, leaders.

3. בְּקָרִים *Bekoreem*, horned cattle.

4. אֲלָפִים *Alopheem*, thousands.

5. תּוֹרִין *Toureen* (Chaldee), oxen.

6. { צְמָדִים *Tsemodeem*, } a yoke of oxen.
    { צֶמֶד *Tsemed*, }

7. פָּרִים *Poreem*, bulls.

3. Gen. xii. 16.	3. 1 Kings viii. 5, 63.
3. —— xx. 14.	6. —— xix. 19.
3. —— xxi. 27.	3. ———— 20, 21.
1. —— xxxii. 5.	3. 2 Kings v. 26.
3. —— xxxiv. 28.	3. 1 Chron. xii. 40.
3. Exod. ix. 3.	3. 2 Chron. iv. 4, 15.
3. —— xx. 24.	3. ———— vii. 5.
1. —— xxii. i. 30.	3. —— xv. 11.
3. Numb. vii. 3, 7, 8.	3. —— xviii. 2.
3. —— xxii. 40.	3. —— xxix. 33.
7. —— xxiii. 1.	3. —— xxxi. 6.
3. Deut. xiv. 26.	3. —— xxxv. 8.
1. Josh. vii. 24.	3. Job i. 3, 14.
3. 1 Sam. xi. 7.	3. — xlii. 12.
3. —— xiv. 32.	4. Psalm viii. 7.*
3. —— xv. 9, 14, 15.	2. —— cxliv. 14.
1. —— xxii. 19.	4. Prov. xiv. 4.
3. —— xxvii. 9.	1. Isa. vii. 25.
3. 2 Sam. vi. 6.	3. — xxii. 13.
1. ———— 13.	4. — xxx. 24.
3. —— xxiv. 22, 24.	6. Jer. li. 23.
3. 1 Kings i. 9, 19, 25.	5. Dan. iv. 25, 32, 33.
3. —— iv. 23.	5. —— v. 21.
3. —— vii. 25, 44.	3. Amos vi. 12.

OX, wild.

תְּאוֹ *Tĕou*, an antelope.

Deut. xiv. 5.

* וַאֲלָפִים כֻּלָּם Yea, thousands of each of them.

P

PACES.
צְעָדִים   *Tsĕodeem*, steps.

2 Sam. vi. 13.

PACIFY.
1.   כִּפֶּר   *Kippair*, to forgive.
2.   שָׁכַךְ   *Shokhakh*, to subside, abate.
3.   כָּפָה   *Kophoh*, to cover over, put out of sight.
4.   נוּחַ   *Nooakh*, to rest, set at ease.

1. Prov. xvi. 14.

PACIFIED.
2. Esth. vii. 10. | 1. Ezek. xvi. 63.

PACIFIETH.
3. Prov. xxi. 14. | 4. Eccles. x. 4.

PADDLE.
יָתֵד   *Yothaid*, a tent-pin, a spade.

Deut. xxiii. 13.

PAID.
See Pay.

PAIN.
1.   כָּאַב   *Koav*, to grieve, give pain.
2.   { חוּל   *Khool*, } to sicken.
      { חִיל   *Kheel*, }
3.   עָמָל   *Omol*, trouble, weariness.
4.   חָלָה   *Kholoh*, to be feeble, weak.

1. Job xiv. 22.	4. Jer. xii. 13.
2. — xv. 20.	1. — xv. 18.
1. — xxxiii. 19.	2. — xxii. 23.
3. Psalm xxv. 18.	1. — xxx. 23.
2. — xlviii. 6.	1. — li. 8.
2. Isa. xiii. 8.	4. Ezek. xxx. 4, 9.
4. — xxi. 3.	1. ———— 16.
2. — xxvi. 17, 18.	1. Mic. iv. 10.
2. — lxvi. 7.	4. Nah. ii. 10.
2. Jer. vi. 24.	

PAINED.
1. Psalm lv. 4.	1. Jer. iv. 19.
1. Isa. xxiii. 5.	1. Joel ii. 6.

PAINS.
1.   צִירִים   *Tseereem*, pangs, depressions.
2.   מְצָרִים   *Metsoreem*, oppressions, distresses.

1. 1 Sam. iv. 19. | 2. Psalm cxvi. 3.

PAINFUL.
עָמָל   *Omol*, trouble, weariness.

Psalm lxxiii. 16.

PAINTED.
1.   פּוּךְ   *Pookh*, paint.
2.   מָשַׁח   *Moshakh*, to anoint, rub over.
3.   כָּהַל   *Kohal*, to blacken, paint the eyebrow.

1. 2 Kings ix. 30. | 2. Jer. xxii. 14.

PAINTEST.
3. Ezek. xxiii. 40.

PAINTING.
1. Jer. iv. 30.

PALACE.
1.   הֵיכָל   *Haikhol*, a temple.
2.   אַרְמוֹן   *Armoun*, a palace, castle.
3.   בִּירָה   *Beeroh*, the residence of royalty.
4.   בַּיִת   *Bayith*, a house.
5.   טִירָה   *Teeroh*, a tower.
6.   אַפֶּדֹן   *Appadoun*, encampment.
7.   הַרְמוֹן   *Harmoun*, a harem.

2. 1 Kings xvi. 18.	3. Esth. iii. 15.
1. ——— xxi. 1.	3. —— viii. 14.
2. 2 Kings xv. 25.	3. —— ix. 12.
1. ——— xx. 18.	1. Psalm xlv. 15.
2. 1 Chron. xxix. 1, 19.	1. —— cxliv. 12.
4. 2 Chron. ix. 11.	5. Cant. viii. 9.
1. Ezra iv. 14.	2. Isa. xxv. 2.
3. —— vi. 2.	1. Dan. iv. 4.
3. Neh. i. 1.	1. —— vi. 18.
3. —— ii. 8.	6. —— xi. 45.
3. —— vii. 2.	7. Amos iv. 3.
3. Esth. ii. 3.	1. Nah. ii. 6.

PALACES.
1.   הֵיכָלִים   *Haikholeem*, temples.
2.   אַרְמְנוֹת   *Armenouth*, palaces, castles.
3.   רָמִים   *Romeem*, lofty buildings.
4.   אַלְמְנוֹת   *Almenouth*, widows.
5.   טִירוֹת   *Teerouth*, towers.

2. 2 Chron. xxxvi. 19.
1. Psalm xlv. 8.
2. —— xlviii. 3, 13.
3. —— lxxviii. 69.
2. —— cxxii. 7.
1. Prov. xxx. 28.
1. Isa. xiii. 22.
2. — xxxii. 14.
2. — xxxiv. 13.
2. Jer. vi. 5.
2. — ix. 21.

2. Jer. xvii. 27.
2. — xlix. 27.
2. Lam. ii. 5.
4. Ezek. xix. 7.
5. —— xxv. 4.
2. Hos. viii. 14.
2. Amos i. 4, 7, 10, 12.
2. —— ii. 2, 5.
2. —— iii. 9, 10, 11.
2. Mic. v. 5.
2. Amos vi. 8.

PALE -NESS.

1.   חִוֵּר   *Khoor*, white, pale.
2.   יֵרָקוֹן   *Yĕrokoun*, green, greenish.

1. Isa. xxix. 22. | 2. Jer. xxx. 6.

PALM.

כַּף   *Kaph*, followed by יָד *Yod*, a hand, a palm of a hand.
     Lev. xiv. 15, 26.

כַּף   *Kaph*, followed by רֶגֶל *Regel*, a foot, a sole of a foot.

PALMS.

כַּפּוֹת   *Kappouth*, ⎱
כַּפַּיִם   *Kappayim*, ⎰ palms of the hands.

1 Sam. v. 4.   Isa. xlix. 16.
2 Kings ix. 35.   Dan. x. 10.

PALM -branches.

עֲלֵי תְמָרִים   *Alai temoreem*, leaves of palm-trees.
     Neh. viii. 15.

PALM -tree.

תּוֹמֶר   *Toumer*, a palm-tree, in all passages.

PALM -trees.

תְּמָרִים   *Tĕmoreem*, palm-trees, in all passages.

PALMER-WORM.

גֶּזֶם   *Gezem*, lit., a cutter off ; met., a palmer-worm.

Joel i. 4.   Amos iv. 9.
—— ii. 25.

PAN.

1.   מַחֲבַת   *Makhaboh*, a frying-pan.
2.   כִּיּוֹר   *Kiyour*, a laver.

3.   מְשָׂרֵת   *Masraith* (Chaldee), a vessel for cooking.
4.   סִירוֹת   *Seerouth*, pots.
5.   פָּרוּר   *Poroor*, an iron pot.
6.   חֲבִתִּים   *Khaviteem*, pans for cooking.
7.   צֵלָחוֹת   *Tsailokhouth*, dishes, bowls.

1. Lev. ii. 5.   2. 1 Sam. ii. 14.
1. —— vi. 21.   3. 2 Sam. xiii. 9.
1. —— vii. 9.   1. Ezek. iv. 3.

PANS.

4. Exod. xxvii. 3.   1. 1 Chron. xxiii. 29.
5. Numb. xi. 8.   7. 2 Chron. xxxv. 13.
6. 1 Chron. ix. 31.

PANGS.

1.   צִירִים   *Tseereem*, pangs, strong terrors, depression.
2.   חֲבָלִים   *Khavoleem*, pains, afflictions.
3.   מֵצַר   *Maitsar*, distress.
4.   חִיל   *Kheel*, sickness, pain.

1. Isa. xiii. 8.   3. Jer. xlviii. 41.
1. — xxi. 3.   3. — xlix. 22.
2. — xxvi. 17.   4. — L. 43.
2. Jer. xxii. 23.   4. Mic. iv. 9.

PANNAG.

פַּנַּג   *Pannag*, a perfume or balsam.
     Ezek. xxvii. 17.

PANT.

1.   שָׁאַף   *Shoaph*, to breathe heavily.
2.   תָּעָה   *Tooh*, to go astray, err.
3.   סְחַרְחַר   *Sekharkhar*, to beat quickly, as the heart.
4.   עָרַג   *Orag*, to pant.
     1. Amos ii. 7.

PANTED.

1. Psalm cxix. 131. | 2. Isa. xxi. 4.

PANTETH.

3. Psalm xxxviii. 10. | 4. Psalm xlii. 1.

PAPER-REEDS.

עָרוֹת   *Orouth*, bare places.
     Isa. xix. 7.

PAPS.

שָׁדַיִם   *Shodayim*, breasts.
     Ezek. xxiii. 21.

PARABLE.

מָשָׁל *Moshol*, a parable.

Numb. xxiii. 7.	Psalm lxxviii. 2.
——— 18.	Prov. xxvi. 7, 9.
——— xxiv. 3, 15, 20,	Ezek. xvii. 2.
21, 23.	——— xxiv. 3.
Job xxvii. 1.	Mic. ii. 4.
— xxix. 1.	Hab. ii. 6.
Psalm xlix. 4.	

PARABLES.

מְשָׁלִים *Mesholeem*, parables.

Ezek. xx. 49.

PARAMOURS.

פִּלַגְשִׁים *Pilagsheem*, paramours.

Ezek. xxiii. 20.

PARCEL.

חֵלֶק *Khailek*, a part, portion.

Gen. xxxiii. 19.	Ruth iv. 3.
Josh. xxiv. 32.	1 Chron. xi. 13, 14.

PARCHED.

1. שָׁרָב *Shorov*, a dry place.
2. חֲרֵרִים *Kharaireem*, ground burnt up by heat.

1. Isa. xxxv. 7.	2. Jer. xvii. 6.

PARDON.

1. סָלַח *Solakh*, to pardon, forgive.
2. נָשָׂא *Noso*, to bear.
3. כִּפֵּר *Kippair*, to atone.
4. רָצָה *Rotsoh*, to accept, be well pleased, receive graciously.

2. Exod. xxiii. 21.	1. Neh. ix. 17.
1. ——— xxxiv. 9.	2. Job vii. 21.
1. Numb. xiv. 19.	1. Psalm xxv. 11.
2. 1 Sam. xv. 25.	1. Isa. lv. 7.
1. 2 Kings v. 18.	1. Jer. v. 1.
1. ——— xxiv. 4.	1. — xxxiii. 8.
3. 2 Chron. xxx. 18.	1. — L. 20.

PARDONED.

1. Numb. xiv. 20.	1. Lam. iii. 42.
4. Isa. xl. 2.	

PARDONETH.

2. Mic. vii. 18.

PARE.

עָשָׂה *Osoh*, to make, let grow, to do.

Deut. xxi. 12.

PARLOUR.

1. עֲלִיָּה *Aliyoh*, an upper room, followed by מְקֵרָה *Mekairoh*, cool.
2. לִשְׁכָּה *Lishkoh*, a chamber attached to the temple.

1. Judg. iii. 20, 23.	2. 1 Sam. ix. 22.

PARLOURS.

חֲדָרִים *Khadoreem*, chambers, rooms.

1 Chron. xxviii. 11.

PART.

1. חֵלֶק *Khailek*, a part, portion, parcel.
2. מָנָה *Monoh*, a gift, present.
3. תַּחְתִּית *Takhteeth*, the lowest part.
4. קָצֶה *Kotseh*, an end.

All passages not inserted are N°. 1.

3. Exod. xix. 17.	Lev. xiii. 41, not in
2. ——— xxix. 26.	original.
2. Lev. vii. 33.	4. Numb. xxii. 41.
2. ——— viii. 29.	4. ——— xxiii. 13.
2. ——— xi. 37, 38.	

PARTS.

1. יָדוֹת *Yodouth*, hands, hands-breadth.
2. נְתָחִים *Nethokheem*, pieces.

1. Gen. xlvii. 24.	2. Lev. i. 8.

Not used in other passages.

PART, Verb.

1. פָּרַד *Porad*, to part, separate.
2. פָּתַת *Pothath*, to break in pieces.
3. חָלַק *Kholak*, to apportion.
4. חָצָה *Khotsoh*, to divide.
5. נָצַל *Notsal*, to escape, deliver.
6. פָּרַס *Poras*, to divide.

2. Lev. ii. 6.	5. 2 Sam. xiv. 6.
1. Ruth i. 17.	4. Job xli. 6.
3. 1 Sam. xxx. 24.	3. Psalm xxii. 18.

PARTED.

1. Gen. ii. 10.	3. Job xxxviii. 24.
1. 2 Kings ii. 11.	3. Joel iii. 2.
4. ——— 14.	

PARTETH.

6. Lev. xi. 3.	1. Prov. xviii. 18.
6. Deut. xiv. 6.	

PARTAKER.

חֶלְקֶךָ *Khelkekho,* thy portion.

Psalm L. 18.

PARTIAL.

נְשֹׂא פָנִים *Noso poneem,* countenancing.

Mal. ii. 9.

PARTIES.

Exod. xxii. 9, not in original.

PARTING.

אֵם *Aim,* a mother.

Ezek. xxi. 21.

PARTITION.

עִבֵּר *Ibbair,* to overlay.

1 Kings vi. 21.

PARTLY.

קְצָת *Ketsath* (Chaldee), some part.

Dan. ii. 42.

PARTNER.

הוֹלֵק *Khoulaik,* a partner, share-holder.

Prov. xxix. 24.

PARTRIDGE.

קֹרֵא *Kourai,* a caller.

1 Sam. xxvi. 20.	Jer. xvii. 11.

PASSAGE.

1.   מַעֲבַר   *Maăvor,* a ford.

2. $\left\{\begin{array}{l} עָבַר \;\; Ovar, \\ עִבֵּר \;\; Aiver, \end{array}\right\}$ over, to pass over.

2. Numb. xx. 21.	1. 1 Sam. xiii. 23.
2. Josh. xxii. 11.	1. Isa. x. 29.

PASSAGES.

1. Judg. xii. 6.	1. Jer. xxii. 20.
2. 1 Sam. xiv. 4.	1. — li. 32.

PASS, by, over, through, in all tenses.

עָבַר *Ovar,* to pass by, over, through;
in all passages, except :

פָּסַח *Posakh,* to jump, leap over.

Exod. xii. 13, 23.

PASSENGERS.

1. עֹבְרֵי דֶרֶךְ *Ouvrai derekh,* passengers.

2.   עֹבְרִים *Ouvreem,* passers over, through.

1. Prov. ix. 15.	2. Ezek. xxxix. 11, 14, 15.

PASSOVER.

פֶּסַח *Pesakh,* the passover.

Exod. xii. 11, 21, 27, 43.	2 Kings xxiii. 22, 23.
Lev. xxiii. 5.	2 Chron. xxx. 15.
Numb. ix. 5.	—— xxxv. 1, 7, 8,
—— xxviii. 16.	9, 11, 13, 17,
—— xxxiii. 3.	18, 19.
Deut. xvi. 2, 5, 6.	Ezra vi. 9.
Josh. v. 10, 11.	Ezek. xlv. 21.

PASSOVERS.

פְּסָחִים *Pĕsokheem,* passovers.

2 Chron. xxx. 17.

PAST.

1.   עָבַר   *Ovar,* to pass over, by.

2. מִתְּמוֹל שִׁלְשֹׁם *Mithmoul shilshoum,* from yesterday, and a day before.

3.   לְפָנִים *Lephoneem,* before.

4. רִאשֹׁנִים *Rishouneem,* the former, first.

5.   סָר   *Sor,* departed.

6.   שׁוּב   *Shoov,* to return, turn away.

7.   קֶדֶם   *Kedem,* ancient, before.

8. עַד־אֵין חֵקֶר *Ad-ain khaiker,* until no searching out.

9.   נִרְדָּף   *Nirdoph,* the pursued, perse-cuted.

1. Gen. L. 4.	1. 2 Sam. xvi. 1.
2. Exod. xxi. 29, 36.	1. 1 Kings xviii. 29.
1. Numb. xxi. 22.	3. 1 Chron. ix. 20.
3. Deut. ii. 10.	8. Job ix. 10.
4. —— iv. 32.	6. — xiv. 13.
2. —— 42.	1. — xvii. 11.
2. —— xix. 4, 6.	7. — xxix. 2.
5. 1 Sam. xv. 32.	1. Psalm xc. 4.
2. —— xix. 7.	9. Eccles. iii. 15.
2. 2 Sam. iii. 17.	1. Cant. ii. 11.
2. —— v. 2.	1. Jer. viii. 20.
1. —— xi. 27.	

PASTOR.

רוֹעֶה *Roueh,* a pastor.

Jer. xvii. 16.

PASTORS.

רוֹעִים *Roueem,* pastors.

Jer. ii. 8.	Jer. xii. 10.
— iii. 15.	— xxii. 22.
— x. 21.	— xxiii. 1, 2.

PASTURE.

1.   מִרְעֶה   *Mireh*, a pasture.
2.   מַרְעִית   *Mareeth*, feeding, pasturing.
3.   רְעִי   *Rĕee*, fed.
4. נְאוֹת דֶּשֶׁא   *Nĕouth deshē*, beautiful grass.
5.   נְאוֹת   *Nĕouth*, beauties.
6.   כָּרִים   *Koreem*, fat, rich pastures.
7. כַּר נִרְחָב.   *Kar nirkhov*, the fatling enlarged.
8.   מַשְׁקֶה   *Mashkeh*, a watered place.

1. Gen. xlvii. 4.	2. Jer. xxiii. 1.
1. 1 Chron. iv. 39, 40, 41.	2. — xxv. 36.
1. Job xxxix. 8.	1. Lam. i. 6.
2. Psalm lxxiv. 1.	1. Ezek. xxxiv. 14, 18.
2. —— lxxix. 13.	2. ———— 31.
2. —— xcv. 7.	2. Hos. xiii. 6.
2. —— c. 3.	1. Joel i. 18.
1. Isa. xxxii. 14.	

PASTURES.

3. 1 Kings iv. 23.	1. Isa. xlix. 9.
4. Psalm xxiii. 2.	1. Ezek. xxxiv. 18.
5. —— lxv. 12.	8. —— xlv. 15.
6. ———— 13.	5. Joel i. 19, 20.
7. Isa. xxx. 23.	5. —— ii. 22.

PATE.

קָדְקֹד   *Kodkoud*, the crown of the head.

Psalm vii. 16.

PATH.

1.   אוֹרַח   *Ourakh*, a way, path.
2. מִשְׁעוֹל   *Mishoul*, a narrow foot-path between the vineyards.
3.   נְתִיב   *Netheev*, a beaten, trodden path.
4.   שְׁבִיל   *Sheveel*, a path among rushes.
5.   מַעְגָּל   *Māagol*, a circular path.
6.   מְסִילָה   *Meseeloh*, a raised path.

1. Gen. xlix. 17.	3. Prov. i. 15.
2. Numb. xxii. 24.	5. —— ii. 9.
3. Job xxviii. 7.	1. — iv. 14, 18.
3. — xxx. 13.	5. ———— 26.
3. — xli. 32.	1. —— v. 6.
1. Psalm xvi. 11.	5. Isa. xxvi. 7.
1. —— xxvii. 11.	1. — xxx. 11.
4. —— lxxvii. 19.	1. — xl. 14.
3. —— cxix. 35, 105.	3. — xliii. 16.
1. —— cxxxix. 3.	6. Joel ii. 8.
3. —— cxlii. 3.	

PATHS.

1. Job vi. 18.	3. Job xxiv. 13.
1. — viii. 13.	1. — xxxiii. 11.
1. — xiii. 27.	3. — xxxviii. 20.
3. — xix. 8.	1. Psalm viii. 8.

1. Psalm xvii. 4.	1. Isa. ii. 3.
5. ————— 5.	1. — iii. 12.
5. —— xxiii. 3.	3. — xlii. 16.
1. —— xxv. 4, 10.	3. — lviii. 12.
5. —— lxv. 11.	6. — lix. 7.
1. Prov. ii. 8, 13.	3. ———— 8.
5. ———— 15, 18.	3. Jer. vi. 16.
1. ———— 19, 20.	4. — xviii. 15.
1. —— iii. 6.	3. ———— 15.
3. ———— 17.	3. Lam. iii. 9.
5. —— iv. 11.	3. Hos. ii. 6.
3. —— vii. 25.	1. Mic. iv. 2.
3. —— viii. 2, 20.	

PATH -way.

דֶּרֶךְ נְתִיבָה   *Derekh netheevoh*, a path-way.

Prov. xii. 28.

PATIENT.

אֶרֶךְ   *Erekh*, long-suffering, long, length.

Eccles. vii. 8.

PATIENTLY.

1. הִתְחוֹלֵל   *Hithkhoulail*, to wait anxiously.
2.   קִוָּה   *Kivvoh*, to hope; by repetition of verb, to hope faithfully, assuredly.

1. Psalm xxxvii. 7.
2. —— xl. 1, verb repeated.

PATRIMONY.

אָבוֹת   *Ovouth*, ancestors, fathers.

Deut. xviii. 8.

PATTERN.

1.   תַּבְנִית   *Tavneeth*, a model.
2.   מַרְאֶה   *Mareh*, a sight, pattern.

1. Exod. xxv. 9, 40.	1. 1 Chron. xxviii. 11, 12,
2. Numb. viii. 4.	18, 19.
1. Josh. xxii. 28.	1. Ezek. xliii. 10.
1. 2 Kings xvi. 10.	

PAVED.

1.   לִבְנָה   *Livnoh*, whiteness, brightness.
2.   רִצְפָה   *Ritsphoh*, overlaid with stone or wood.

1. Exod. xxiv. 10.	2. Cant. iii. 10.

PAVEMENT.

2. 2 Kings xvi. 17.	2. Ezek. xl. 17, 18.
2. 2 Chron. vii. 3.	2. —— xlii. 3.
2. Esth. i. 6.	

PAVILION -S.

1.   סֻכּוֹת   *Sukkouth*, tabernacles.

2. שַׁפְרִיר *Shaphreer,* an elegant covering for a throne.

1. 2 Sam. xxii. 12.	1. Psalm xxvii. 5.
1. 1 Kings xx. 12, 16.	1. —— xxxi. 20.
1. Psalm xviii. 11.	2. Jer. xliii. 10.

PAW.

יָד *Yod,* hand, power.

1 Sam. xvii. 37.

PAWS.

כַּפַּיִם *Kappayim,* palms of the hands, soles of the feet.

Lev. xi. 27.

PAWETH.

חָפַר *Khophar,* to dig.

Job xxxix. 21.

PAY -ED -ETH, PAID.

שִׁלֵּם *Shillaim,* to set at peace, satisfy, fulfil, complete; in all passages, except:

מִכְרָם *Mikhrom,* price.

Numb. xx. 19.

PEACE.

שָׁלוֹם *Sholoum,* peace, in all passages.

PEACEABLE -ABLY.

שְׁלֵמִים *Shelaimeem,* ⎫ peaceable, peace-
שָׁלוֹם *Sholoum,*   ⎬   ably.

In all passages.

PEACOCKS.

1. תֻּכִּיִּים *Tukiyeem,* peacocks.
2. רְנָנִים *Renoneem,* ostriches.

1. 1 Kings x. 22.	2. Job xxxix. 13.
1. 2 Chron. ix. 21.	

PEARLS.

גָּבִישׁ *Goveesh,* a pearl.

Job xxviii. 18.

PECULIAR.

סְגֻלָּה *Segooloh,* a peculiar treasure.

Exod. xix. 5.	Psalm cxxxv. 4.
Deut. xiv. 2.	Eccles. ii. 8.
—— xxvi. 18.	

PEDIGREES.

יָלַד *Yolad,* (Hith.) enrolled.

Numb. i. 18.

PEELED.

מוֹרָט *Mourot,* stript, bald.

Isa. xviii. 2.	Ezek. xxix. 18.

PEEP.

צָפַף *Tsophaph,* to pipe, chirp as a bird.

Isa. viii. 19.

PEEPED.

Isa. x. 14.

PELICAN.

קָאַת *Kooth,* a pelican.

Lev. xi. 18.	Psalm cii. 6.
Deut. xiv. 17.	

PEN.

1.   עֵט *Ait,* a reed pen.
2.   חֶרֶט *Kheret,* an iron pen, a graving tool.
3.   שֵׁבֶט *Shaivet,* a small stick, rod, staff, a tribe.

3. Judg. v. 14.	2. Isa. viii. 1.
1. Job xix. 24.	1. Jer. viii. 8.
1. Psalm xlv. 1.	1. — xvii. 1.

PENKNIFE.

תַּעַר *Thaar,* a sharp instrument, razor.

Jer. xxxvi. 23.

PENURY.

מַחְסוֹר *Makhsour,* want, deficiency.

Prov. xiv. 23.

PEOPLE.

עַם *Am,* a people, in all passages.

PERADVENTURE.

1.   אוּלַי *Oulae,* peradventure.
2.   פֶּן *Pen,* perhaps, lest.
3.   לוּ *Loo,* possible, may.

1. In all passages, except:

2. Gen. xxxi. 31.	3. Gen. L. 15.
2. —— xlii. 4.	2. Exod. xiii. 17.
2. —— xliv. 34.	2. 2 Kings ii. 16.

PERCEIVE.

1. רָאָה   *Rōōh*, to see, discern, perceive.
2. יָדַע   *Yoda*, to know.
3. בִּין   *Been*, to understand.
4. נָכַר   *Nokar*, to recognise.
5. אָזַן   *Ozan*, to hearken.
6. שָׁמַע   *Shoma*, to hear, listen, obey.
7. שׁוּר   *Shoor*, to behold, view, watch.
8. טָעַם   *Tōam*, to taste, reason.

1. Deut. xxix. 4.	3. Job xxiii. 8.
2. Josh. xxii. 31.	3. Prov. i. 2.
2. 1 Sam. xii. 17.	1. Eccles. iii. 22.
2. 2 Sam. xix. 6.	2. Isa. vi. 9.
2. 2 Kings iv. 9.	6. — xxxiii. 19.
3. Job ix. 11.	

PERCEIVED.

2. Gen. xix. 33, 35.	4. Neh. vi. 12.
1. Judg. vi. 22.	2. —— 16.
3. 1 Sam. iii. 8.	2. —— xiii. 10.
2. —— xxviii. 14.	2. Esth. iv. 1.
2. 2 Sam. v. 12.	3. Job xxxviii. 18.
3. —— xii. 19.	2. Eccles. i. 17.
2. —— xiv. 1.	2. —— ii. 14.
1. 1 Kings xxii. 33.	5. Isa. lxiv. 4.
2. 1 Chron. xiv. 2.	6. Jer. xxiii. 18.
1. 2 Chron. xviii. 32.	6. — xxxviii. 27.

PERCEIVEST.

2. Prov. xiv. 7.

PERCEIVETH.

3. Job xiv. 21.	8. Prov. xxxi. 18.
7. — xxxiii. 14.	

PERFECT.

1. תָּמִים *Tomeem,* / תָּם *Tom,*   } perfect.
2. שְׁלֵמָה   *Shelaimoh*, whole, complete.
3. תַּכְלִית   *Takhleeth*, end, completion.
4. מִכְלוֹת   *Mikhlouth*, entire.
5. גְּמִיר   *Gemeer*, completion, conclusion.
6. תָּמַם   *Tomam*, (Hiph.) to make perfect.
7. נָכוֹן   *Nokhoun*, correct, just.
8. שָׁלוֹם   *Sholoum*, peace (repeated).
9. כָּלִיל *Koleel,* / מִכְלָל *Mikhlol,*   } entirely.
10. שָׁלֵם   *Sholaim*, whole, perfect.
11. מִנְלָם   *Minlom*, perfection.
12. כָּלַל   *Kolal*, to perfect.

All passages not inserted are N°. 1.

2. Deut. xxv. 15.	7. Prov. iv. 18.
4. 2 Chron. iv. 21.	8. Isa. xxvi. 3.
5. Ezra vii. 12.	9. Ezek. xvi. 14.
6. Job xxii. 3.	9. —— xxvii. 3.
3. Psalm cxxxix. 22.	12. ———— 11.

PERFECT, heart.

10. In all passages, except:

1. Psalm ci. 2.

PERFECT, is.

1. In all passages, except:

מְשֻׁלָם   *Meshulom*, he that is perfect.

Isa. xlii. 19.

PERFECTION.

3. Job xi. 7.	3. Psalm cxix. 96.
11. — xv. 29.	1. Isa. xlvii. 9.
3. — xxviii. 3.	4. Lam. ii. 15.
4. Psalm L. 2.	

PERFECT, Verb.

1. גָּמַר   *Gomar*, to complete, conclude.
2. שָׁלֵם   *Sholaim*, whole, perfect.
3. עָלָה אֲרוּכָה   *Oloh arookhoh*, got up in order.
4. כָּלַל   *Kolal*, to finish, complete.

1. Psalm cxxxviii. 8.

PERFECTED.

2. 2 Chron. viii. 16.	4. Ezek. xxvii. 4.
3. —— xxiv. 13.	

PERFECTLY.

בִּינָה   *Beenoh*, with understanding.

Jer. xxiii. 20.

PERFORM.

1. קוּם   *Koom*, to raise, establish.
2. גָּמַר   *Gomar*, to perfect, conclude, complete.
3. עָשָׂה   *Osoh*, to do, execute, perform.
4. עָבַד   *Ovad*, to serve.
5. יַבֵּם   *Yibbaim*, to perform the duty of a husband's brother by marriage.
6. גָּאַל   *Goal*, to redeem.
7. שִׁלֵּם   *Shillaim*, to appease, remunerate.
8. נָתַן   *Nothan*, to give, grant, give up.
9. בָּצַע   *Botsa*, to gain, acquire.
10. פָּלָא   *Polo*, to select, set apart.

1. Gen. xxvi. 3.
3. Exod. xviii. 18.
4. Numb. iv. 23.
3. Deut. iv. 13.
1. —— ix. 5.
3. —— xxiii. 23.
5. —— xxv. 5, 7.
6. Ruth iii. 13.
1. 1 Sam. iii. 12.
3. 2 Sam. xiv. 15.
1. 1 Kings vi. 12.
1. ——— xii. 15.
1. 2 Kings xxiii. 3, 24.
1. 2 Chron. x. 15.
3. ——— xxxiv. 31.
3. Esth. v. 8.

3. Job v. 12.
7. Psalm lxi. 8.
1. —— cxix. 106.
3. ——— 112.
3. Isa. ix. 7.
7. — xix. 21.
7. — xliv. 28.
3. Jer. i. 12.
1. — xi. 5.
1. — xxviii. 6.
1. — xxix. 10.
1. — xxxiii. 14.
3. — xliv. 25.
3. Ezek. xii. 25.
8. Mic. vii. 20.
7. Nah. i. 15.

PERFORMED.

1. 1 Sam. xv. 11, 13.
3. 2 Sam. xxi. 14.
1. 1 Kings viii. 20.
1. 2 Chron. vi. 10.
1. Neh. ix. 8.
3. Esth. i. 15.
3. —— v. 6.
3. —— vii. 2.

7. Psalm lxv. 1.
9. Isa. x. 12.
1. Jer. xxiii. 20.
1. — xxx. 24.
1. — xxxiv. 18.
1. — xxxv. 14, 16.
1. — li. 29.
3. Ezek. xxxvii. 14.

PERFORMETH.

1. Neh. v. 13.
7. Job xxiii. 14.

2. Psalm lvii. 2.
7. Isa. xliv. 26.

PERFORMING.

10. Numb. xv. 3, 8.

PERFUME -S.

1. רֹקַח　*Roukakh*, perfumery.
2. קְטֹרֶת　*Ketoureth*, incense.

2. Exod. xxx. 35, 37.
2. Prov. xxvii. 9.

1. Isa. lvii. 9.

PERFUMED.

1. נוּף　*Nooph*, to sprinkle, wave.
2. קָטַר　*Kotar*, to smoke incense.

1. Prov. vii. 17.

2. Cant. iii. 6.

PERISH.

1. { אָבַד　*Ovad*, } to loose, de-
{ הוֹבַד　*Houvad* (Syriac), } stroy.
2. כָּרַת　*Korath*, (Niph.) to be cut off.
3. נָפַל　*Nophal*, to fall.
4. שָׁחַת　*Shikhaith*, to spoil, destroy, corrupt.
5. סָפָה　*Sophoh*, to come to an end.
6. דָּמָה　*Domoh*, (Niph.) to be silent.
7. פָּרַע　*Porā*, to curtail, lessen.
8. גָּוַע　*Govā*, to waste away.

9. שָׁמַד　*Shomad*, to annihilate.
10. עָבַר　*Ovar*, to pass through, over, by.
11. עֲדֵי אֹבֵד　*Adai ouvaid*, utter destruction.
12. אֹבֵד　*Ouvaid*, destroying, ruining.
13. אַבֵּד　*Ibbaid*, to ruin.
14. אוֹבֵד　*Ouvaid*, one in despair.
15. אָבַד　*Ovad*, (Hiph.) to cause to disappear.

All passages not inserted are N°. 1.

2. Gen. xli. 36.
3. Exod. xix. 21.
4. —— xxi. 26.
11. Numb. xxiv. 20, 24.
12. Deut. xxvi. 5.
5. 1 Sam. xxvi. 10.
13. Esth. iii. 13.
13. —— vii. 4.
13. —— viii. 11.

5. Esth. ix. 28.
14. Job xxix. 13.
14. — xxxi. 19.
6. Psalm xlix. 12, 20.
7. Prov. xxix. 18.
14. —— xxxi. 6.
13. Isa. xxvi. 14.
14. — xxvii. 13 (plur.).
15. Ezek. xxv. 7.

PERISH, shall.

All passages not inserted are N°. 1.

11. Numb. xxiv. 24.
5. 1 Sam. xxvii. 1.

8. Job xxxiv. 15.
8. — xxxvi. 12.

PERISHED.

8. Josh. xxii. 20.

9. Psalm lxxxiii. 10.

PERISHETH.

1. Job iv. 11.
1. Prov. xi. 7.
1. Eccles. vii. 15.

1. Isa. lvii. 1.
1. Jer. ix. 12.
1. — xlviii. 46.

PERISHING.

10. Job xxxiii. 18.

PERPETUAL.

1. עוֹלָם　*Oulom*, everlasting, eternity.
2. תָּמִיד　*Tomeed*, continual, perpetual (sometimes used as an adverb).
3. נֶצַח　*Netsakh*, prosperous, successful.

All passages not inserted are N°. 1.

2. Exod. xxx. 8.
2. Lev. vi. 20.
3. Psalm ix. 6.

3. Psalm lxxiv. 3.
3. Jer. viii. 5.
3. — xv. 18.

PERPETUALLY.

1. כָּל הַיָּמִים　*Kol hayomeem*, all the days, always.
2. לְעַד　*Lōad*, for ever.

1. 1 Kings ix. 3.
1. 2 Chron. vii. 16.

2. Amos i. 11.

PERPLEXED.

נָבוֹךְ *Novookh*, perplexed, entangled.

Esth. iii. 15. | Joel i. 18.

PERPLEXITY.

מְבוּכָה *Mĕvookhoh*, perplexity.

Isa. xxii. 5. | Mic. vii. 4.

PERSECUTE -ED.

רָדַף *Rodaph*, to persecute, pursue, follow after; in all passages, except:

דָּלַק *Dolak*, to inflame, kindle.

Psalm x. 2.

PERSECUTION.

נִרְדָּפְנוּ *Nirdophnoo*, we are persecuted.

Lam. v. 5.

PERSECUTORS.

1. רוֹדְפִים *Roudpheem*, persecutors.
2. דוֹלְקִים *Doulkeem*, kindlers, inflamers.

1. Neh. ix. 11.	1. Jer. xv. 15.
2. Psalm vii. 13.	1. — xx. 11.
1. —— cxix. 157.	1. Lam. i. 3.
1. —— cxlii. 6.	1. —— iv. 19.

PERSON.

1. נֶפֶשׁ *Nephesh*, life, animality, a person.
2. אָדָם *Odom*, mankind.
3. אִישׁ *Eesh*, a man.
4. פָּנִים *Poneem*, a face, countenance.
5. בַעַר *Vaar*, an ignorant man.
6. שַׁח־עַיִן *Shakh-ayin*, an humble eye, cast down countenance.
7. בַּעַל *Bāāl*, master, owner.
8. נִבְזֶה *Nivzeh*, a despised, vile person.
9. נָבָל *Novol*, a worthless person.
10. אֲנָשִׁים *Anosheem*, men.

All passages not inserted are Nº. 1.

4. Lev. xix. 15.	2. Prov. vi. 12.
3. Numb. xix. 18.	4. —— xviii. 5.
4. Deut. xxviii. 50.	7. —— xxii. 24.
3. 1 Sam. ix. 2.	7. —— xxiv. 8.
4. —— xxv. 35.	9. Isa. xxxii. 5.
3. 2 Sam. iv. 11.	4. Jer. lii. 25.
4. Job xiii. 8.	2. Ezek. xliv. 25.
6. — xxii. 29.	8. Dan. xi. 21.
4. — xxxii. 21.	4. Mal. i. 8.
5. Psalm xlix. 10.	

PERSONS.

2. Numb. xxxi. 28, 30.	3. 1 Sam. xxii. 18.
3. Judg. ix. 2.	3. 2 Kings x. 6, 7.
10. —— 4.	4. Job xxxiv. 19.
3. —— 5, 18.	4. Lam. iv. 16.
3. —— xx. 39.	2. Jonah iv. 11.
3. 1 Sam. ix. 22.	10. Zeph. iii. 4.

PERSUADE.

1. פָּתָה *Potoh*, to persuade.
2. סוּת *Sooth*, to soothe.

1. 1 Kings xxii. 20, 21, 22.	2. 2 Chron. xxxii. 11.
	2. Isa. xxxvi. 18.

PERSUADED.

2. 2 Chron. xviii. 2. | 1. Prov. xxv. 15.

PERSUADETH.

2. 2 Kings xviii. 32.

PERTAINED.

אֲשֶׁר הָיָה *Asher hoyoh*, which was.

2 Sam. ix. 9. | 2 Kings xxiv. 7.

PERTAINETH.

הָיָה *Hoyoh*, was.

Deut. xxii. 5, not in original. | 1 Sam. xxvii. 6.

PERTAINING.

1 Chron. xxvi. 32, not in original.

PERVERSE.

1. עָקֵשׁ *Ikkaish*, to pervert, make perverse.
2. נַעֲוָה *Nāavoh*, obstinate, obstinacy.
3. יָרַט *Yorat*, to obstruct.
4. הַוּוֹת *Havvouth*, disasters.
5. לְזוּת *Lezooth*, frowardness, perverseness.
6. לוּז *Looz*, (Niph.) to be perverse.
7. הָפַךְ *Hophakh*, (Niph.) a turning, changing.
8. תַהֲפֻכוֹת *Tahapukhouth*, perversion, perverseness.
9. עִוְעִים *Iveem*, perverseness.
10. עִוָּה *Ivvoh*, to act perversely.

11. עָמָל *Omol*, trouble, mischief.
12. סֶלֶף *Seleph*, rudeness.
13. עַוְלָה *Avloh*, injustice, wrong.
14. מִטָּה *Muttoh*, malignity.

3. Numb. xxii. 32.	2. Prov. xii. 8.
1. Deut. xxxii. 5.	6. —— xiv. 2.
2. 1 Sam. xx. 30.	7. —— xvii. 20.
4. Job vi. 30.	1. —— xix. 1.
1. — ix. 20.	8. —— xxiii. 33.
5. Prov. iv. 24.	1. —— xxviii. 6, 18.
1. —— viii. 8.	9. Isa. xix. 14.

PERVERSELY.

10. 2 Sam. xix. 19.	10. Psalm cxix. 78.
10. 1 Kings viii. 47.	

PERVERSENESS.

11. Numb. xxiii. 21.	6. Isa. xxx. 12.
12. Prov. xi. 3.	13. — lix. 3.
12. —— xv. 4.	14. Ezek. ix. 9.

PERVERT.

1. סָלַף *Solaph*, (Piel) to bend.
2. נָטָה *Notoh*, (Hiph.) to turn aside.
3. עִוֵּת *Ivvaith*, to subvert.
4. שָׁנָה *Shinnoh*, to change, alter.
5. עָקַשׁ *Ikkaish*, to pervert, make perverse.
6. שׁוּב *Shoov*, (Piel) to turn back.
7. הָפַךְ *Hophakh*, to overthrow.
8. גֵּזֶל *Gezel*, a robbery, violent act.

1. Deut. xvi. 19.	2. Prov. xvii. 23.
2. —— xxiv. 17.	4. —— xxxi. 5.
3. Job viii. 3.	5. Mic. iii. 9.
3. — xxxiv. 12.	

PERVERTED.

2. 1 Sam. viii. 3.	3. Jer. iii. 21.
3. Job xxxiii. 27.	7. — xxiii. 36.
6. Isa. xlvii. 10.	

PERVERTETH.

1. Exod. xxiii. 8.	5. Prov. x. 9.
2. Deut. xxvii. 19.	1. —— xix. 3.

PERVERTING.

8. Eccles. v. 8.

PESTILENCE.

דֶּבֶר *Dever*, pestilence, in all passages.

PESTLE.

מַכְתֵּשׁ *Makhtaish*, a pestle.

Prov. xxvii. 22.

PETITION.

1. שְׁאֵלָה *Shĕailoh*, a petition, request.
2. שֵׁלָה *Shailoh*, a descendant, offspring.

2. 1 Sam. i. 17.	1. Esth. vii. 2, 3.
1. —————— 27.	1. —— ix. 12.
1. 1 Kings ii. 16, 20.	1. Dan. vi. 7, 12, 13.
1. Esth. v. 6, 7, 8.	

PETITIONS.

מִשְׁאֲלוֹת *Mishalouth*, desires, petitions.

1. Psalm xx. 5.

PHYSICIAN.

רֹפֵא *Rouphai*, a physician, healer.

Jer. viii. 22.

PHYSICIANS.

רֹפְאִים *Roupheem*, physicians.

Gen. L. 2.	Job xiii. 4.
2 Chron. xvi. 12.	

PICK.

נָקַר *Nokar*, to pierce, dig out.

Prov. xxx. 17.

PICTURES.

1. מַשְׂכִּית *Maskeeth*, pictures.
2. שְׂכִיּוֹת *Sĕkhiyouth*, sights.

1. Numb. xxxiii. 52.	2. Isa. ii. 16.
1. Prov. xxv. 11.	

PIECE.

פַּת *Path*, a piece; in all passages, except:

1. בָּתַר *Bothor*, to cut in two, divide.
2. פֶּלַח *Pelakh*, a fragment.

1. Gen. xv. 10.	2. 2 Sam. xi. 21.
2. Judg. ix. 53.	

PIECES.

גְּזָרִים *Gezoreem*, divisions, in all passages.

PIERCE.

1. מָחַץ *Mokhats*, to wound.
2. נָקַב *Nokav*, to bore.

3.   נָקַר   *Nokar*, to pierce, dig out.
4.   דָּקַר   *Dokar*, to thrust through.
5.   כַּאֲרִי   *Kŏăree*, as (like) a lion.
6.   בָּרַח   *Boriakh*, fleeing, running.

1. Numb. xxiv. 8. | 2. Isa. xxxvi. 6.
2. 2 Kings xviii. 21. |

PIERCED.

1. Judg. v. 26. | 5. Psalm xxii. 16.*
3. Job xxx. 17. | 4. Zech. xii. 10.

PIERCETH.

2. Job xl. 24.

PIERCING.

6. Isa. xxvii. 1.

PIERCINGS.

מַדְקְרוֹת   *Madkerouth*, piercings, thrustings.

Prov. xii. 18.

* See verses 20, 21, and Isa. xxxviii. 13.

PIGEON.

1.   גּוֹזָל   *Gouzol*, a young pigeon.
2.   בֶּן־יוֹנָה   *Ben-younoh*, the son of a dove.

1. Gen. xv. 9. | 2. Lev. xii. 6.

PIGEONS.

בְּנֵי־יוֹנָה   *Benai-younoh*, children of a dove.

Lev. i. 14. | Lev. xiv. 22, 30.
—— v. 7, 11. | —— xv. 14, 29.
—— xii. 8. | Numb. vi. 10.

PILE.

מְדוּרָה   *Medooroh*, a pile, heap.

Isa. xxx. 33. | Ezek. xxiv. 9.

PILGRIMAGE.

מְגוּרִים   *Mĕgooreem*, sojournings.

Gen. xlvii. 9. | Psalm cxix. 54.
Exod. vi. 4.

PILLAR.

1.   עַמּוּד   *Amood*, a pillar.
2.   מַצֵּבָה   *Matsaivoh*, a monument, tombstone, statue, image.

3.   מְצָקִים   *Metsukeem*, castings forth, pourings out.
4.   נְצִיב   *Netseev*, a fixture.

4. Gen. xix. 26. | 1. Judg. xx. 40.
2. —— xxviii. 18, 22. | 2. 2 Sam. xviii. 18.
2. —— xxxi. 13, 51, 52. | 2. 1 Kings vii. 21.
2. —— xxxv. 14, 20. | 1. 2 Kings xi. 14.
1. Exod. xiii. 21, 22. | 1. Neh. ix. 12, 19.
1. —— xiv. 24. | 1. Psalm xcix. 7.
1. —— xxxiii. 9, 10. | 2. Isa. xix. 19.
1. Numb. xii. 5. | 1. Jer. i. 18.
1. Deut. xxxi. 15. | 1. —— lii. 21.
2. Judg. ix. 6.

PILLARS.

עַמּוּדִים   *Ămoodeem*, pillars, in all passages, except:

3. 1 Sam. ii. 8.

PILLED.

פָּצַל   *Potsal*, to pill, strip.

Gen. xxx. 37, 38.

PILLOW -S.

1.   רַאֲשׁוֹת   *Rǎǎshouth*, a support for the head, a pillow.
2.   כְּסָת   *Kĕsoth*, bed-furniture, fine covering.

1. Gen. xxviii. 11, 18. | 2. Ezek. xiii. 18, 20.
1. 1 Sam. xix. 13, 16. |

PILOTS.

חֹבְלִים   *Khouvleem*, shipmen, sailors.

Ezek. xxvii. 8, 28.

PINE away.

1.   נָמַק   *Nomak*, to melt, dissolve.
2.   זוּב   *Zoov*, to flow, issue from, run.

1. Lev. xxvi. 39. | 1. Ezek. xxiv. 23.
2. Lam. iv. 9. | 1. —— xxxiii. 10.

PINING.

דַּלָּה   *Dalloh*, exhaustion.

Isa. xxxviii. 12.

PINE branches.

עֲלֵי עֵץ שֶׁמֶן   *Alai aits shemen*, the leaf of an oil tree.

Neh. viii. 15.

PINE-tree.

תִּדְהָר   *Tidhor,* a pine-tree.

Isa. xli. 19. | Isa. lx. 13.

PIN.

יָתֵד   *Yothaid,* a nail, pin.

Judg. xvi. 14. | Ezek. xv. 3.

PINS.

יְתֵדוֹת   *Yĕthaidouth,* nails, pins.

Exod. xxvii. 19. | Exod. xxxix. 40.
—— xxxv. 18. | Numb. iii. 37.
—— xxxviii. 20, 31. | —— iv. 32.

PIPE.

חָלִיל   *Kholeel,* a tube, hollow instrument, in all passages.

PIPES.

1.   נְקָבִים   *Nĕkoveem,* holes, excavations; met., flutes.
2.   מוּצָקִים   *Mootsokeem,* cast metal pipes.
3.   צַנְתְּרוֹת   *Tsanterouth,* tubes, pipes.
4.   חֲלִלִים   *Khalileem,* wind instruments.

4. 1 Kings i. 40. | 2. Zech. iv. 2.
4. Jer. xlviii. 36. | 3. ——— 12.
1. Ezek. xxviii. 13. |

PIPED.

מְחַלְלִים   *Mĕkhalĕleem,* piping.

1 Kings i. 40.

PISS.

שֵׁינִים   *Shaiyaineem,* urine.

2 Kings xviii. 27. | Isa. xxxvi. 12.

PISSETH.

מַשְׁתִּין   *Mashteen,* moisteneth.

1 Sam. xxv. 22, 34. | 1 Kings xxi. 21.
1 Kings xiv. 10. | 2 Kings ix. 8.
—— xvi. 11. |

PIT -S.

1.   בְּאֵר   *Beair,* a well, cavity.
2.   בּוֹר   *Bour,* a pit.
3.   שְׁאוֹל   *Sheoul,* a subterraneal place.
4.   פַּחַת   *Pakhath,* a dangerous pit, ruin.

---

5.   שַׁחַת   *Shokhath,* destruction.
6.   שׁוּחָה   *Shookhoh,* a deep pit, slough.
7.   גֶּבֶא   *Gevē,* a cistern.
8.   גֶּבִים   *Gaiveem,* cisterns.
9.   מִכְרֶה   *Mikhroh,* a mine.
10. מַהֲמֹרוֹת   *Mahamourouth,* flowings, torrents.

1. Gen. xiv. 10.	2. Psalm cxliii. 7.
2. —— xxxvii. 20, 24.	2. Prov. i. 12.
2. Exod. xxi. 33, 34.	6. —— xxii. 14.
2. Lev. xi. 36.	1. —— xxiii. 27.
3. Numb. xvi. 30, 33.	5. —— xxviii. 10.
2. 1 Sam. xiii. 6.	2. —————— 17.
4. 2 Sam. xvii. 9.	2. Isa. xiv. 15, 19.
4. —— xviii. 17.	4. — xxiv. 17, 18.
2. —— xxiii. 20.	2. ——— 22.
2. 2 Kings x. 14.	7. — xxx. 14.
2. 1 Chron. xi. 22.	5. — xxxviii. 17.
3. Job xvii. 16.	2. ——— 18.
5. — xxxiii. 18, 24, 28, 30.	5. — li. 14.
	6. Jer. ii. 6.
2. Psalm vii. 15.	8. — xiv. 3.
5. —— ix. 15.	6. — xviii. 20.
2. —— xxviii. 1.	2. — xli. 7, 9.
2. —— xxx. 3.	4. — xlviii. 43, 44.
5. ——— 9.	5. Lam. iv. 20.
5. —— xxxv. 7.	5. Ezek. xix. 4.
2. —— xl. 2.	2. —— xxvi. 20.
1. —— lv. 23.	5. —— xxviii. 8.
6. —— lvii. 6.	2. —— xxxi. 14, 16.
1. —— lxix. 15.	2. —— xxxii. 18, 23, 24, 25, 29, 30.
2. —— lxxxviii. 4, 6.	
5. —— xciv. 13.	9. Zeph. ii. 9.
6. —— cxix. 85.	2. Zech. ix. 11.
10. —— cxl. 10.	

PITCH, Subst.

1.   כֹּפֶר   *Koupher,* pitch, tar.
2.   זֶפֶת   *Zepheth,* rosin, gum.

1. Gen. vi. 14. | 2. Isa. xxxiv. 9.
2. Exod. ii. 3. |

PITCH, Verb.

1.   חָנָה   *Khonoh,* to encamp.
2.   קוּם   *Koom,* (Hiph.) to establish, set up.
3.   אָהַל   *Ohal,* (Hiph.) to pitch a tent.
4.   תָּקַע   *Tokă,* to fix, fasten, drive in.
5.   נָטָה   *Notoh,* stretch out.

1. Numb. i. 52, 53.	2. Josh. iv. 20.
1. ——— ii. 2, 3.	3. Isa. xiii. 20.
1. ——— iii. 23, 29, 35.	4. Jer. vi. 3.
1. Deut. i. 33.	

PITCHED.

5. Gen. xii. 8.
3. —— xiii. 12.
1. —— xxvi. 17.
5. —— 25.
4. —— xxxi. 25.
1. —— xxxiii. 18.
1. Exod. xvii. 1.
1. —— xix. 2.
5. —— xxxiii. 7.
1. Numb. i. 51.
1. —— ii. 34.
1. —— ix. 18.

1. Numb. xii. 16.
1. —— xxi. 10, 11.
1. —— xxxiii. 5, 6.
1. Josh. viii. 11.
5. 2 Sam. vi. 17.
1. —— xvii. 26.
1. 1 Kings xx. 27, 29.
1. 2 Kings xxv. 1.
5. 1 Chron. xv. 1.
5. —— xvi. 1.
5. 2 Chron. i. 4.
1. Jer. lii. 4.

PITCHER.

כַּד *Kad*, a pitcher, jar.

Gen. xxiv. 14, 15, 45. | Eccles. xii. 6.

PITCHERS.

1.   כַּדִּים *Kadeem*, pitchers, jars.
2.   נְבָלִים *Nevoleem*, bottles.

1. Judg. vii. 16, 19, 20. | 2. Lam. iv. 2.

PITY, Subst. and Verb.

1.   חוּס *Khoos*, to spare.
2.   חָמַל *Khomal*, to have compassion.
3.   חָסֶד *Khosed*, kindness.
4.   חָנַן *Khonan*, to be gracious, bestow.
5.   נוּד *Nood*, to wander about, bemoan.
6.   רָחַם *Rikhaim*, to have mercy.
7.   חֶמְלָה *Khemloh*, compassion, pity.
8.   רַחֲמִים *Rakhameem*, mercies, affections.

1. Deut. vii. 16.
2. 2 Sam. xii. 6.
3. Job vi. 14.
4. — xix. 21.
5. Psalm lxix. 20.
4. Prov. xix. 17.
6. Isa. xiii. 18.
7. — lxiii. 9.
2. Jer. xv. 5.

2. Jer. xxi. 7.
2. Ezek. v. 11.
2. —— vii. 4, 9.
2. —— viii. 18.
2. —— ix. 5, 10.
2. —— xxxvi. 21.
8. Amos i. 11.
1. Jonah iv. 10.

PITY, Verb.

1. Deut. xiii. 8.
1. —— xix. 13, 21.
1. —— xxv. 12.
4. Prov. xxviii. 8.

2. Jer. xiii. 14.
2. Joel ii. 18.
2. Zech. xi. 5, 6.

PITIED.

8. Psalm cvi. 46.
2. Lam. ii. 2, 17, 21.

2. Lam. iii. 43.
1. Ezek. xvi. 5.

PITIETH.

6. Psalm ciii. 13. | 2. Ezek. xxiv. 21.

PITIFUL.

רַחֲמָנִיּוֹת *Rakhamoniyouth*, pitiful.
   Lam. iv. 10.

PLACE -S.

מָקוֹם *Mokoum*, place, city, town, in all passages.

PLACE, high.

בָּמָה *Bomoh*, a high place for profane sacrifice; in all passages, except:

שְׁפִי *Shephee*, a steep place.
   Numb. xxiii. 3.

PLACES, high.

בָּמוֹת *Bomouth*, high places for profane sacrifice, in all passages.

PLACES, waste.

חָרְבוֹת *Khorvouth*, desolations, ruins.

Isa. v. 17.
— li. 3.

Isa. lii. 9.
— lviii. 12.

PLAGUE, Verb.

1.   נָגַף *Nogaph*, to defeat, overthrow.
2.   נָגַע *Nogā*, to touch; met., smite with a plague.
3.   מַגֵּפָה *Magaiphoh*, a plague, pestilence.
   1. Psalm lxxxix. 23.

PLAGUED.

2. Gen. xii. 17.
1. Exod. xxxii. 35.
1. Josh. xxiv. 5.

3. 1 Chron. xxi. 17.
2. Psalm lxxiii. 5, 14.

PLAGUE, Subst.

1.   נֶגַע *Negā*, a touch; met., a plague.
2.   נֶגֶף *Negeph*, a sore (severe) calamity.
3.   מַכָּה *Makkoh*, a stroke, blow.

1. Exod. xi. 1.
2. —— xii. 13.
2. —— xxx. 12.
1. Lev. xiii. 3, 5, 6, 29,
    30, 31, 32, 44, 50,
    51, 55, 57, 58.
1. —— xiv. 35, 37, 48.
2. Numb. viii. 19.
3. —— xi. 33.
2. —— xvi. 37.
2. —— xvi. 46, 47, 48,
    49, 50.

2. Numb. xxv. 8.
3. Deut. xxviii. 61.
2. Josh. xxii. 17.
2. 1 Sam. vi. 4.
2. 2 Sam. xxiv. 21.
1. 1 Kings viii. 37, 38.
2. 1 Chron. xxi. 22.
2. 2 Chron. xxi. 14.
1. Psalm xci. 10.
2. —— cvi. 29, 30.
2. Zech. xiv. 12, 18.

PLAGUES.

1. נְגָעִים *Negoeem*, plagues.
2. מַגֵּפוֹת *Magaiphouth*, pestilences, plagues.
3. מַכָּה *Makkoh*, a stroke, blow.
4. מַכּוֹת *Makkouth*, strokes, blows.
5. דֶּבֶר *Dever*, a pestilence.

1. Gen. xii. 17.	3. 1 Sam. iv. 8.
2. Exod. ix. 14.	4. Jer. xix. 8.
3. Lev. xxvi. 21.	4. — xlix. 17.
4. Deut. xxviii. 59.	4. — l. 13.
4. —— xxix. 22.	5. Hos. xiii. 14.

PLAIN.

1. תָּם *Tom*, perfect.
2. מִישׁוֹר *Meeshour*, straight.
3. נָכוֹחַ *Nokhouakh*, correct, upright.
4. סָלוּל *Solool*, a raised pathway.
5. שָׁוֶה *Shoveh*, level, equal.
6. בָּאַר *Boair*, to clear, explain.

1. Gen. xxv. 27.	5. Isa. xxviii. 25.
2. Psa'm xxvii. 11.	2. — xl. 4.
3. Prov. viii. 9.	2. Jer. xlviii. 21.
4. —— xv. 19.	6. Hab. ii. 2.

PLAIN, Subst.

1. בִּקְעָה *Bikoh*, a valley.
2. כִּכָּר *Kikor*, a plain, circle, level tract of land.
3. אֵלוֹן *Ailoun*, a grove of oaks.
4. עֲרָבָה *Arovoh*, a desert, mixture.
5. אָבֵל *Ovail*, waste ground.
6. מִישׁוֹר *Meeshour*, level ground.
7. שְׁפֵלָה *Shĕphailoh*, low ground.
8. עֲבָרוֹת *Avrouth*, a passage.

1. Gen. xi. 2.	8. 2 Sam. xv. 28.
2. —— xiii. 10, 11, 12.	2. —— xviii. 23.
3. ———— 18.	2. 1 Kings vii. 46.
3. —— xiv. 13.	6. —— xx. 23, 25.
2. —— xix. 17, 25.	4. 2 Kings xxv. 4.
3. Josh. xi. 16.	2. Neh. iii. 22.
3. Judg. ix. 6.	7. Jer. xvii. 26.
5. —— xi. 33.	6. — xxi. 13.
3. 1 Sam. x. 3.	6. — xlviii. 8.
4. —— xxiii. 24.	4. — lii. 7.
4. 2 Sam. ii. 29.	1. Ezek. iii. 22, 23.
4. —— iv. 7.	1. — viii. 4.

PLAINS.

3. Gen. xviii. 1.	4. 2 Sam. xvii. 16.
4. Numb. xxii. 1.	4. 2 Kings xxv. 5.
4. —— xxvi. 63.	7. 1 Chron. xxvii. 28.
4. —— xxxi. 12.	6. 2 Chron. ix. 27.
4. —— xxxiii. 48, 50.	4. ———— xxvi. 10.
4. —— xxxv. 1.	4. Jer. xxxix. 5.
4. —— xxxvi. 13.	4. — lii. 8.
4. Deut. xxxiv. 1, 8.	

PLAINLY.

1. אָמַר *Omar*, to say (verb repeated).
2. בָּאֵר הֵיטֵב *Boair haitaiv*, well explained.
3. גָּלָה *Goloh*, (Niph.) to be revealed (verb repeated).
4. נָגַד *Nogad*, (Hiph.) to declare (verb repeated).
5. פְּרַשׁ *Porash* (Chaldee), to expound.
6. צָחוֹת *Tsakhouth*, clear things.

1. Exod. xxi. 5.	4. 1 Sam. x. 16.
2. Deut. xxvii. 8.	5. Ezra iv. 18.
3. 1 Sam. ii. 27.	6. Isa. xxxii. 4.

PLAISTER.

מָרַח *Morakh*, to soften, rub.

Isa. xxxviii. 21.

PLAISTER or PLASTER, Verb.

1. טוּחַ *Tooakh*, to plaster.
2. שִׂיד *Seed*, to cover with lime.

1. Lev. xiv. 42.	2. Deut. xxvii. 2, 4.

PLAISTERED.

1. Lev. xiv. 43, 48.

PLAISTER or PLASTER, Subst.

1. שִׂיד *Seed*, lime, whitewash.
2. גִּירָא *Geero* (Syriac), plaister.

1. Deut. xxvii. 2.	2. Dan. v. 5.

PLANES.

מַקְצֻעוֹת *Maktsuouth*, graving-tools.

Isa. xliv. 13.

PLANETS.

מַזָּלוֹת *Mazolouth*, planets.

2 Kings xxiii. 5.

PLANKS.

1. צְלָעוֹת *Tsalouth*, ribs, sidebeams.
2. עֵץ *Aits*, a tree, wood.
3. עֻבִּים *Ubeem*, thresholds.

1. 1 Kings vi. 15.	3. Ezek. xli. 26.
2. Ezek. xli. 25.	

PLANT, Subst.

1.   שִׂיחַ   *Seeakh*, a shrub.
2.   נֶטַע   *Neta*, ⎫
      מַטָּע   *Mato*, ⎬ a plant.
3.   יוֹנֵק   *Younaik*, a sucker.
4.   שׂוֹרֵק   *Souraik*, a choice vine.
5.   שְׁתִלִים   *Shethileem*, flourishing plants.
6.   שִׁלֻּחַ   *Shilooakh*, a shoot.
7.   נָטִישׁ   *Noteesh*, the shoot of a vine.

1. Gen. ii. 5.	3. Isa. liii. 2.
2. Job xiv. 9.	Jer. ii. 21, not in
2. Isa. v. 7.	original.
2. — xvii. 11.	2. Ezek. xxxiv. 29.

PLANTS.

2. 1 Chron. iv. 23.	4. Isa. xvi. 8.
5. Psalm cxxviii. 3.	2. — xvii. 10.
2. —— cxliv. 12.	7. Jer. xlviii. 32.
6. Cant. iv. 13.	2. Ezek. xxxi. 4.

PLANT, Verb.

1.   נָטַע   *Nota*, to plant.
2.   שָׁתַל   *Shothal*, to cause to flourish.
3.   נָתַן   *Nothan*, to give, set, place.

   1. In all passages, except:

     2. Ezek. xvii. 22, 23.

PLANTED.

   1. In all passages, except:

2. Psalm i. 3.	3. Ezek. xvii. 5.
2. —— xcii. 13.	2. —— xix. 10, 13.
2. Jer. xvii. 8, 10.	2. Hos. ix. 13.

PLANTEDST.

1. Deut. vi. 11.	1. Psalm xliv. 2.

PLANTETH.

1. Prov. xxxi. 16.	1. Isa. xliv. 14.

PLANTERS.

נֹטְעִים   *Nouteem*, planters.

    Jer. xxxi. 5.

PLANTING.

1.   מַטָּעַי   *Mattoae*, my plantings.
2.   מַטָּע   *Matta*, planting.

1. Isa. lx. 21.	2. Isa. lxi. 3.

PLANTINGS.

מַטָּעִים   *Mattoeem*, plantings.

    Mic. i. 6.

PLANTATION.

מַטָּע   *Matto*, a plantation.

    Ezek. xvii. 7.

PLAT.

חֶלְקָה   *Khelkoh*, a portion of ground.

    2 Kings ix. 26.

PLATE.

צִיץ   *Tseets*, a shining piece of metal.

Exod. xxviii. 36.	Lev. viii. 9.
—— xxxix. 30.	

PLATES.

1.   פַּחִים   *Pakheem*, plates of metal.
2.   שֵׂרִים   *Seroneem*, ornaments.

1. Exod. xxxix. 3.	Jer. x. 9, not in
1. Numb. xvi. 38.	original.
2. 1 Kings vii. 30.	

PLAY.

1.   צָחַק   *Tsokhak*, to make fun.
2.   זָנָה   *Zonoh*, to indulge, support.
3.   נָגֵן   *Nagain*, to sing, play on an instrument.
4.   הִשְׁתַּגֵּעַ   *Hishtago*, to go mad.
5.   שָׂחַק   *Sokhak*, to laugh.
6.   חָזַק   *Khozak*, to strengthen.
7.   שִׁעֲשַׁע   *Shiasha*, to attend.
8.   כָּבַל   *Sokhal*, to act foolishly.
9.   תָּפַף   *Tophaph*, to beat a drum.

1. Exod. xxxii. 6.	5. Job xli. 5.
2. Deut. xxii. 21.	3. Psalm xxxiii. 3.
3. 1 Sam. xvi. 16, 17.	5. —— civ. 26.
4. —— xxi. 15.	7. Isa. xi. 8.
5. 2 Sam. ii. 14.	3. Ezek. xxxiii. 32.
5. —— vi. 21.	2. Hos. iii. 3.
6. —— x. 12.	2. —— iv. 15.
5. Job xl. 20.	

PLAYED.

2. Gen. xxxviii. 24.	5. 2 Sam. vi. 5.
2. Judg. xix. 2.	3. 2 Kings iii. 15.
3. 1 Sam. xvi. 23.	5. 1 Chron. xiii. 8.
5. —— xviii. 7.	2. Jer. iii. 1, 6, 8.
3. —— 10.	2. Ezek. xvi. 28.
3. —— xix. 9.	2. —— xxiii. 5, 19.
8. 1 Sam. xxvi. 21.	2. Hos. ii. 5.

PLAYEDST.
2. Ezek. xvi. 15, 16.

PLAYETH.
2. Ezek. xxiii. 44.

PLAYING.

3. 1 Sam. xvi. 18.	2. Jer. ii. 20.
5. 1 Chron. xv. 29.	2. Ezek. xvi. 41.
9. Psalm lxviii. 25.	5. Zech. viii. 5.

PLAYER.
מְנַגֵּן Menagain, a player or singer.
1 Sam. xvi. 16.

PLAYERS.
1. נֹגְנִים Nougneem, singers, players.
2. חֹלְלִים Khoulĕleem, players on wind instruments.

1. Psalm lxviii. 25.	2. Psalm lxxxvii. 7.

PLEA.
דִּין Deen, justice.
Deut. xvii. 8.

PLEAD.
1. יָכַח Yokhakh, to correct.
2. שָׁפַט Shophat, to judge.
3. רִיב Reev, to contend.
4. דִּין Deen, to judge.

3. Judg. vi. 31, 32.	2. Isa. lxvi. 16.
3. 1 Sam. xxiv. 15.	3. Jer. ii. 9, 29.
3. Job xiii. 19.	2. —— 35.
1. — xvi. 21.	3. — xii. 1.
1. — xix. 5.	2. — xxv. 31.
3. — xxiii. 6.	4. — xxx. 13.
3. Psalm xxxv. 1.	3. — L. 34.
3. —— xliii. 1.	3. — li. 36.
3. —— lxxiv. 22.	2. Ezek. xvii. 20.
3. —— cxix. 154.	2. —— xx. 35, 36.
3. Prov. xxii. 23.	2. —— xxxviii. 22.
3. —— xxiii. 11.	3. Hos. ii. 2.
4. —— xxxi. 9.	2. Joel iii. 2.
3. Isa. i. 17.	3. Mic. vi. 2.
3. — iii. 13.	3. —— vii. 9.
2. — xliii. 26.	

PLEADED.

3. 1 Sam. xxv. 39.	2. Ezek. xx. 36.
2. Lam. iii. 58.	

PLEADETH.

3. Isa. li. 22.	2. Isa lix. 4.

PLEADING.
3. Job xiii. 6.

PLEASANT.
1. נֹעַם Nouam, pleasant.
2. חֶמֶד Khemed, desirable.
3. תַּאֲוָה Tăăvoh, an object of desire.
4. טוֹב Touv, good.
5. חֵן Khain, grace.
6. מֶגֶד Meged, excellence, excellent.
7. שַׁעֲשֻׁע Shiasha, attention, delight.
8. עֹנֶג Auneg, pleasure.
9. חֵפֶץ Khaiphets, a wish.
10. נָאוֹת Nĕouth, pleasant places.
11. יָפָה Yophoh, beautiful.
12. צְבִי Tsĕvee, majestic.
13. נָוֶה Noveh, a choice habitation.
14. עָרֵב Oraiv, a mixture; met., agreeable, sweet.

2. Gen. ii. 9.	7. Isa. v. 7.
3. —— iii. 6.	8. — xiii. 22.
1. —— xlix. 15.	1. — xvii. 10.
1. 2 Sam. i. 23, 26.	2. — xxxii. 12.
2. 1 Kings xx. 6.	9. — liv. 12.
4. 2 Kings ii. 19.	2. — lxiv. 11.
2. 2 Chron. xxxii. 27.	2. Jer. iii. 19.
1. Psalm xvi. 6.	2. — xii. 10.
1. —— lxxxi. 2.	10. — xxiii. 10.
2. —— cvi. 24.	2. — xxv. 34.
1. —— cxxxiii. 1.	7. — xxxi. 20.
1. —— cxxxv. 3.	2. Lam. i. 7, 10, 11.
1. —— cxlvii. 1.	2. —— ii. 4.
1. Prov. ii. 10.	2. Ezek. xxvi. 12.
5. —— v. 19.	11. —— xxxiii. 32.
1. —— ix. 17.	12. Dan. viii. 9.
1. —— xv. 26.	2. — x. 3.
1. —— xvi. 24.	2. —— xi. 38.
1. —— xxii. 18.	2. Hos. ix. 6.
1. —— xxiv. 4.	13. —— 13.
4. Eccles. xi. 7.	2. Joel iii. 5.
1. Cant. i. 16.	2. Amos v. 11.
6. —— iv. 13, 16.	8. Mic. ii. 9.
1. —— vii. 6.	2. Nah. ii. 9.
6. —— 13.	2. Zech. vii. 14.
2. Isa. ii. 16.	14. Mal. iii. 4.

PLEASANTNESS.
1. Prov. iii. 17.

PLEASE.
1. רָצָה Rotsoh, to be willing.
2. יָטַב Yotav, to do good.
3. רָעָה Rōōh, to be neighbourly, sociable.
4. טוֹב Touv, good.
5. חָפֵץ Khophats, to delight, desire.
6. יָשַׁר Yoshar, to be upright.

7.   יָאַל   *Yoal,* to resolve.

8.   שָׂפַק   *Sophak,* to clap hands.

9.   שְׁפַר   *Shophar* (Chaldee), to please.

10.   עָרַב   *Orav,* to be agreeable.

3. Exod. xxi. 8.	4. Esth. viii. 5.
6. Numb. xxiii. 27.	4. —— ix. 13.
2. 1 Sam. xx. 13.	7. Job vi. 9.
7. 2 Sam. vii. 29.	1. — xx. 10.
5. 1 Kings xxi. 6.	2. Psalm lxix. 31.
7. 1 Chron. xvii. 27.	1. Prov. xvi. 7.
1. 2 Chron. x. 7.	5. Cant. ii. 7.
4. Neh. ii. 5, 7.	5. —— iii. 5.
4. Esth. i. 19.	5. —— viii. 4.
4. —— iii. 9.	8. Isa. ii. 6.
4. —— v. 8.	5. — lv. 11.
4. —— vii. 3.	5. — lvi. 4.

PLEASED.

3. Gen. xxviii. 8.	6. 1 Kings ix. 12.
1. —— xxxiii. 10.	6. 2 Chron. xxx. 4.
2. —— xxxiv. 18.	2. Neh. ii. 6.
2. —— xlv. 16.	2. Esth. i. 21.
4. Numb. xxiv. 1.	2. —— ii. 4, 9.
2. Deut. i. 23.	2. —— v. 14.
2. Josh. xxii. 30.	1. Psalm xl. 13.
5. Judg. xiii. 23.	2. —— li. 9.
6. —— xiv. 7.	5. —— cxv. 3.
7. 1 Sam. xii. 22.	5. —— cxxxv. 6.
6. —— xviii. 20, 26.	5. Isa. liii. 10.
2. 2 Sam. iii. 36.	9. Dan. vi. 1.
6. —— xvii. 4.	5. Jonah i. 14.
6. —— xix. 6.	1. Mic. vi. 7.
2. 1 Kings iii. 10.	1. Mal. i. 8.

PLEASED, well.

5. Isa. xlii. 21.

PLEASETH.

4. Gen. xvi. 6.	2. Esth. ii. 4.
4. —— xx. 15.	4. Eccles. vii. 26.
6. Judg. xiv. 3.	5. —— viii. 3.

PLEASING.

4. Esth. viii. 5.	10. Hos. ix. 4.

PLEASURE.

1.   עֵדֶן   *Eden,* pleasure.

2.   נֶפֶשׁ   *Nephesh,* animality, life.

3.   רָצָה   *Rotsoh,* to be willing, desire.

4.   רְעוּת   *Reooth* (Chaldee), friendly.

5.   רָצוֹן   *Rotsoun,* will, favour.

6.   טוֹב   *Touv,* good.

7.   הֵפֶץ   *Khaiphets,* delight.

8.   שִׂמְחָה   *Simkhoh,* joy, gladness.

9.   חֵשֶׁק   *Khaishek,* strong desire.

10.   עָרַב   *Orav,* to be agreeable.

11.   אַוַּת נֶפֶשׁ   *Avath nephesh,* intense desire.

1. Gen. xviii. 12.	8. Prov. xxi. 17.
2. Deut. xxiii. 24.	8. Eccles. ii. 1.
3. 1 Chron. xxix. 17.	7. —— v. 4.
4. Ezra v. 17.	7. —— xii. 1.
5. — x. 11.	9. Isa. xxi. 4.
5. Neh. ix. 37.	7. — xliv. 28.
5. Esth. i. 8.	7. — xlvi. 10.
7. Job xxi. 21.	7. — xlviii. 14.
6. —— 25.	7. — liii. 10.
7. — xxii. 3.	7. — lviii. 3, 13.
7. Psalm v. 4.	11. Jer. ii. 24.
7. —— xxxv. 27.	7. — xxii. 28.
7. —— li. 18.	2. — xxxiv. 16.
3. —— cii. 14.	7. — lviii. 38.
5. —— ciii. 21.	10. Ezek. xvi. 37.
2. —— cv. 22.	7. —— xviii. 23, 32.
7. —— cxi. 2.	7. —— xxxiii. 11.
7. —— cxlvii. 10.	7. Hos. viii. 8.
3. —————— 11.	3. Hag. i. 8.
3. —— cxlix. 4.	7. Mal. i. 10.

PLEASURES.

6. Job xxxvi. 11.	1. Psalm xxxvi. 8.
8. Psalm xvi. 11.	1. Isa. xlvii. 8.

PLEDGE.

1.   עֵרָבוֹן   *Airovoun,* a pledge to keep a promise.

2.   חָבַל   *Khavoul,* a pledge to borrow money.

3.   עָבַט   *Ovat,* to change, exchange.

4.   עָרַב   *Orav,* to be agreeable.

5.   עֲרֻבָּה   *Aruboh,* a surety, security.

1. Gen. xxxviii. 17, 18, 20.	2. Job xxii. 6.
2. Exod. xxii. 26.	2. — xxiv. 3, 9.
2. Deut. xxiv. 6.	2. Prov. xx. 16.
3. —————— 10, 11, 12, 13.	2. — xxvii. 13.
2. —————— 17.	2. Ezek. xviii. 7, 12, 16.
5. 1 Sam. xvii. 18.	2. — xxxiii. 15.
	2. Amos ii. 8.

PLEDGES.

4. 2 Kings xviii. 23.	4. Isa. xxxvi. 8.

PLEIADES.

כִּימָה   *Keemoh,* a constellation of stars.

Job ix. 9.	Job xxxviii. 31.

PLENTEOUS.

1.   קְמָצִים   *Kĕmotseem,* heaps.

2.   הוֹתֵר   *Houthair,* superfluity.

3.   הַרְבֵּה   *Harbeh*, much, plenty.
4.   שָׁמֵן   *Shomain*, fat, fertile.
5. { רוֹב   *Rouv*, } abundant.
     { רַב   *Rav*, }
6.   בְּרִאָה   *Bĕrioh*, fresh.
7.   שֹׂבַע   *Sovo*, satiety.
8.   מוֹתַר   *Mouthair*, superfluous.
9.   מִקְוֵה   *Mikvoh*, a collection.
10.   תּוּגֵפוֹת   *Touaphouth*, weariness.
11.   נְדָבוֹת   *Nedovouth*, free-will.
12.   כַּרְמֶל   *Karmel*, a choice vineyard.

7. Gen. xli. 34.	5. Psalm ciii. 8.
1. ——— 47.	3. ——— cxxx. 7.
2. Deut. xxviii. 11.	4. Isa. xxx. 23.
2. —— xxx. 9.	6. Hab. i. 16.
5. Psalm lxxxvi. 5, 15.	

PLENTEOUSNESS.

7. Gen. xli. 53.	8. Prov. xxi. 5.

PLENTIFUL.

11. Psalm lxviii. 9.	12. Jer. ii. 7.
12. Isa. xvi. 10.	12. — xlviii. 33.

PLENTIFULLY.

5. Job xxvi. 3.	2. Psalm xxxi. 23.

PLENTY.

5. Gen. xxvii. 28.	5. Job xxxvii. 23.
7. — xli. 29, 30, 31.	7. Prov. iii. 10.
9. Lev. xi. 36.	7. — xxviii. 19.
3. 1 Kings x. 11.	7. Jer. xliv. 17.
5. 2 Chron. xxxi. 10.	7. Joel ii. 26.
10. Job xxii. 25.	

PLOTTETH.

זָמַם   *Zomam*, to devise evil.
Psalm xxxvii. 12.

PLOW.

1.   חָרַשׁ   *Khorash*, to plow.
2.   חֹרְשִׁים   *Khoursheem*, plowers.

1. Deut. xxii. 10.	1. Isa. xxviii. 24.
2. Job iv. 8.	1. Hos. x. 11.
1. Prov. xx. 4.	1. Amos vi. 12.

PLOWED.

1. Judg. xiv. 18.	1. Hos. x. 13.
1. Psalm cxxix. 3.	1. Mic. iii. 12.
1. Jer. xxvi. 18.	

PLOWING.

1. 1 Kings xix. 19.	1. Job i. 14.

PLOWING.

נִר   *Nir*, the light.
Prov. xxi. 4.

PLOWMAN.

חֹרֵשׁ   *Khouraish*, a plowman.

Isa. xxviii. 24.	Amos ix. 13.

PLOWERS.

חֹרְשִׁים   *Khoursheem*, plowers.
Psalm cxxix. 3.

PLOWMEN.

אִכָּרִים   *Ikkoreem*, husbandmen.

Isa. lxi. 5.	Jer. xiv. 4.

PLOWSHARES.

אִתִּים   *Itteem*, plowshares.

Isa. ii. 4.	Mic. iv. 3.
Joel iii. 10.	

PLUCK.

1.   סוּר   *Soor*, to depart, part, quit.
2.   שָׁמַד   *Shomad*, to destroy.
3.   נָתַשׁ   *Notash*, to pluck up.
4.   עָקַר   *Okar*, to root out.
5.   קְטַף   *Kotaph*, to cut off.
6.   גָּזַל   *Gozal*, to snatch away, rob.
7.   הוֹצִיא   *Houtsee*, to take out.
8.   נָסַח   *Nosakh*, to scatter about.
9.   תָּקַן   *Tokan*, to set in order, arrange.
10.   כָּלָה   *Koloh*, to finish, consume.
11.   אָרָה   *Oroh*, to select.
12.   שָׁאָה   *Shōōh*, to lay waste.
13.   נָתַק   *Notak*, to break off, burst asunder.
14.   טָרַף   *Toraph*, to tear.
15.   שָׁלַף   *Sholaph*, to draw out, take off.
16.   מָרַט   *Morat*, to bare, strip.
17.   שָׁלַךְ   *Sholakh*, to cast off, away.
18.   נָצַל   *Notsal*, to deliver.
19.   הָרַס   *Horas*, to break down, pull down.

1. Lev. i. 16.
2. Numb. xxxiii. 52.
5. Deut. xxii. 25.
3. 2 Chron. vii. 20.
6. Job xxiv. 9.
7. Psalm xxv. 15.
8. —— lii. 5.
10. —— lxxiv. 11.
11. —— lxxx. 12.
4. Eccles. iii. 2.
3. Jer. xii. 14, 17.

3. Jer. xviii. 7.
9. — xxii. 24.
3. — xxiv. 6.
3. — xxxi. 28.
19. — xlii. 13.
3. — xlv. 4.
12. Ezek. xvii. 9.
13. —— xxiii. 34.
6. Mic. iii. 2.
3. —— v. 14.

PLUCKED.

14. Gen. viii. 11.
7. Exod. iv. 7.
8. Deut. xxviii. 63.
15. Ruth iv. 7.
6. 2 Sam. xxiii. 21.
6. 1 Chron. xi. 23.
16. Ezra ix. 3.
16. Neh. xiii. 25.
17. Job xxix. 17.
16. Isa. L. 6.

13. Jer. vi. 29.
3. — xii. 15.
3. — xxxi. 40.
3. Ezek. xix. 12.
16. Dan. vii. 4.
4. —— 8.
3. —— xi. 4.
18. Amos iv. 11.
18. Zech. iii. 2.

PLUCKETH.
19. Prov. xiv. 1.

PLUMBLINE.
אֲנָךְ *Anokh,* a plummet.
Amos vii. 7, 8.

PLUMMET.
1. מִשְׁקֹלֶת *Mishkouleth,* a balance-weight.
2. אֶבֶן בְּדִיל *Even bĕdeel,* a mineral, ore, stone.

1. 2 Kings xxi. 13. | 2. Zech. iv. 10.
1. Isa. xxviii. 17.

PLUNGE.
טָבַל *Toval,* to dip.
Job ix. 31.

POINT, Verb.
תָּאָה *Tööh,* to mark.
Numb. xxxiv. 7, 8.

POINT, Subst.
1. הוֹלֵךְ *Houlaik,* going.
2. עֻמַּת *Ummath,* corresponding to, like.
3. עֵט *Ait,* an iron pen.

1. Gen. xxv. 32. | 3. Jer. xvii. 1.

POINTS.
2. Eccles. v. 16.

POINTED.
Job xli. 30, not in original.

POISON.
1. חֵמָה *Khaimoh,* fury.
2. רֹאשׁ *Roush,* the head.

1. Deut. xxxii. 24, 33. | 1. Psalm lviii. 4.
1. Job vi. 4. | 1. —— cxl. 3.
2. — xx. 16.

POLE.
נֵס *Nais,* a pole, an ensign.
Numb. xxi. 8, 9.

POLICY.
שֵׂכֶל *Saikhel,* prudence.
Dan. viii. 25.

POLISHED.
1. חָטַב *Khotav,* to cut, hew wood.
2. חַדָּה *Khaddoh,* sharp.
3. קָלַל *Kolal,* to lighten.
4. גְּזֵרָה *Gezairoh,* cutting.

1. Psalm cxliv. 12. | 3. Dan. x. 6.
2. Isa. xlix. 2.

POLISHING.
4. Lam. iv. 7.

POLL.
גֻּלְגֹּלֶת *Gulgouleth,* a skull.
Numb. i. 2, 18, 20, 22. | Numb. iii. 47.

POLLS.
גֻּלְגְּלֹת *Gulgelouth,* skulls.
1 Chron. xxiii. 3, 24.

POLL.
1. כָּסַם *Kosam,* to cut, separate, crop.
2. גָּזַז *Gozaz,* to shear.
3. גָּלַח *Golakh,* to shave.

1. Ezek. xliv. 20. | 2. Mic. i. 16.

POLLED.
3. 2 Sam. xiv. 26.

POLLUTE.
1. חָלַל *Khillail,* to profane.
2. חָנַף *Khonaph,* to flatter.

3. טָמֵא *Timmai*, to defile.

4. גָּאַל *Gōăl*, to pollute.*

5. בּוּס *Boos*, to tread down.

6. עָקַב *Okav*, to withhold, hold back.

1. Num. xviii. 32.	1. Ezek. xx. 39.
2. —— xxxv. 33.	3. —— xxiii. 30.
3. Jer. vii. 30.	3. —— xxxvi. 18.
1. Ezek. vii. 21, 22.	1. —— xxxix. 7.
1. —— xiii. 19.	1. —— xliv. 7.
3. —— xx. 31.	1. Dan. xi. 31.

POLLUTED.

1. Exod. xx. 25.	3. Ezek. xiv. 11.
3. 2 Kings xxiii. 16.	5. —— xvi. 6, 22.
3. 2 Chron. xxxvi. 14.	1. —— xx. 9, 13,14,16,
4. Ezra ii. 62.	21, 22, 24.
4. Neh. vii. 64.	3. ———— 26, 30.
2. Psalm cvi. 38.	3. —— xxiii. 17.
1. Isa. xlvii. 6.	6. Hos. vi. 8.
1. — xlviii. 11.	3. — ix. 4.
3. Jer. ii. 23.	3. Amos vii. 17.
2. — iii. 1, 2.	3. Mic. ii. 10.
1. — xxxiv. 16.	4. Zeph. iii. 1.
1. Lam. ii. 2.	1. —— 4.
4. —— iv. 14.	4. Mal. i. 7, 12.
3. Ezek. iv. 14.	

POLLUTING.

1. Isa. lvi. 2. | 1. Isa. lvi. 6.

POLLUTION.

טֻמְאָה *Tĕmaioh*, uncleanness.

Ezek. xxii. 10.

* The Author has to observe, that the primary sense of this verb is "to redeem," but the punctuation in these passages changes its meaning.

POMEGRANATE.

רִמּוֹן *Rimoun*, a pomegranate, in all passages.

POMEGRANATES.

רִמּוֹנִים *Rimouneem*, pomegranates, in all passages.

POMMELS.

גֻּלּוֹת *Gulouth*, bowls.

2 Chron. iv. 12.

POMP.

1. שָׁאוֹן *Shooun*, a tumultuous noise.

2. גָּאוֹן *Gooun*, pride, arrogance.

1. Isa. v. 14.	2. Ezek. xxx. 18.
2. — xiv. 11.	2. —— xxxii. 12.
2. Ezek. vii. 24.	2. —— xxxiii. 28.

PONDER.

1. פָּלַס *Polas*, to balance, weigh.

2. תָּכַן *Tokhan*, to arrange, examine.

1. Prov. iv. 26. | 1. Prov. v. 6.

PONDERETH.

1. Prov. v. 21. | 2. Prov. xxiv. 12.
2. —— xxi. 2. |

PONDS.

אֲגַמִּים *Ăgameem*, ponds full of reeds.

Exod. vii. 19. | Isa. xix. 10.
—— viii. 5. |

POOL.

1. בְּרֵכָה *Beraikhoh*, a pool of water.

2. אֲגַם *Agom*, a pond full of reeds.

1. In all passages, except:

2. Isa. xxxv. 7. | 2. Isa. xli. 18.

POOLS.

1. בְּרֵכוֹת *Beraikhouth*, pools of water.

2. מִקְוֶה *Mikvaih*, gatherings.

3. בְּרָכוֹת *Berokhouth*, blessings.

4. אֲגַמִּים *Agameem*, ponds full of reeds.

2. Exod. vii. 19.	4. Isa. xiv. 23.
3. Psalm lxxxiv. 6.	4. — xlii. 15.
1. Eccles. ii. 6.	

POOR.

1. דַּל *Dol*, exhausted; met., poor.

2. אֶבְיוֹן *Evyoun*, needy.

3. { עָנִי *Onee*, } afflicted;
  { עָנִין *Anoyin* (Syriac), } met., poor.

4. מִסְכֵּן *Miskain*, a creditable, profitable, poor person.

5. מוּךְ *Mookh*, to be reduced in circumstances.

6. רָשַׁשׁ *Roshash*, (Hith.) to impoverish himself.

7. רָשׁ *Rosh*, an impoverished person.

8. חֲלָכָה *Khailaikhoh*, dejected, wounded in spirit.

9. עֲנָוִים *Anoveem*, meek.

10. מַחְסוֹר *Makhsour*, want, deficiency.

11. חֵלְכָּאִים *Khailkoeem*, very miserable, cast down, dejected.

1. Gen. xli. 19.
3. Exod. xxii. 25.
1. —— xxiii. 3.
2. ———— 6, 11.
1. —— xxx. 15.
1. Lev. xiv. 21.
3. —— xix. 10.
1. ——— 15.
3. —— xxiii. 22.
5. —— xxv. 25, 35, 39, 47.
2. Deut. xv. 4, 7, 9, 11.
3. —— xxiv. 12, 14, 15.
1. Judg. vi. 15.
1. Ruth iii. 10.
6. 1 Sam. ii. 7.
1. ——— 8.
7. ——— xviii. 23.
7. 2 Sam. xii. 1, 3, 4.
1. 2 Kings xxv. 12.
2. Esth. ix. 22.
2. Job v. 15.
1. —— 16.
1. — xx. 10, 19.
3. — xxiv. 4, 9, 14.
3. — xxix. 12.
2. ——— 16.
2. — xxx. 25.
1. — xxxi. 16, 19.
1. — xxxiv. 19, 28.
3. — xxxvi. 6, 15.
2. Psalm ix. 18.
3. ——— x. 2.
8. ——— 8.
3. ——— 9.
11. ——— 10.
8. ——— 14.
3. —— xii. 5.
3. —— xiv. 6.
3. —— xxxiv. 6.
3. —— xxxv. 10.
3. —— xxxvii. 14.
3. —— xl. 17.
1. —— xli. 1.
2. —— xlix. 2.
3. —— lxviii. 10.
3. —— lxix. 29.
9. ———— 33.
3. —— lxx. 5.
3. —— lxxii. 2, 4, 12.
1. ———— 13.
3. —— lxxiv. 19, 21.
1. —— lxxxii. 3, 4.
3. —— lxxxvi. 1.
2. —— cvii. 41.
3. —— cix. 16, 22.
2. ———— 31.
2. —— cxii. 9.
1. —— cxiii. 7.
2. —— cxxxii. 15.
3. —— 'cxl. 12.
7. Prov. x. 4.
1. ———— 15.

6. Prov. xiii. 7.
7. ———— 8, 23.
7. —— xiv. 20.
9. ———— 21.
1. ———— 31.
2. ———— 31.
7. —— xvii. 5.
7. —— xviii. 23.
7. —— xix. 1.
1. ———— 4.
7. ———— 7, 22.
1. —— xxi. 13.
10. ———— 17.
7. —— xxii. 2, 7.
1. ———— 9, 16, 22.
3. ———— 22.
7. —— xxviii. 3, 6.
1. ———— 8, 11, 15.
7. ———— 27.
1. —— xxix. 7.
7. ———— 13.
1. ———— 14.
6. —— xxx. 9.
1. ———— 14.
3. —— xxxi. 9, 20.
4. Eccles. iv. 13.
7. ———— 14.
7. —— v. 8.
3. —— vi. 8.
4. ———— ix. 15, 16.
3. Isa. iii. 14, 15.
3. — x. 2, 30.
1. — xi. 4.
1. — xiv. 30.
3. ———— 32.
1. — xxv. 4.
3. — xxvi. 6.
2. — xxix. 19.
9. — xxxii. 7.
3. — xli. 17.
3. — lvii. 7.
3. — lxvi. 2.
2. Jer. ii. 34.
1. — v. 4.
2. — xx. 13.
3. — xxii. 16.
1. — xxxix. 10.
1. — xl. 7.
1. — lii. 15, 16.
3. Ezek. xvi. 49.
3. —— xviii. 12, 17.
3. —— xxii. 29.
3. Dan. iv. 27.
2. Amos ii. 6.
1. ———— 7.
1. — iv. 1.
1. — v. 11.
2. ———— 12.
9. — viii. 4.
1. ———— 6.
3. Hab. iii. 14.
1. Zeph. iii. 12.
3. Zech. vii. 10.
3. —— xi. 7, 11.

POORER.

מָךְ *Mokh,* reduced in circumstances.

Lev. xxvii. 8.

POOREST.

דַּלַּת *Dallath,* the poorest.

2 Kings xxiv. 14.

POPLAR -S.

לִבְנֶה *Livnoh,* a white tree.

Gen. xxx. 37. | Hos. iv. 13.

POPULOUS.

1. רָב *Rov,* populous, abundant.
2. אָמוֹן *Omoun,* the name of a city in Egypt.

1. Deut. xxvi. 5. | 2. Nah. iii. 8.

PORCH.

1. אוּלָם *Oolom,* a porch.
2. מִסְדְּרוֹנָה *Misderounoh,* a colonnade.

2. Judg. iii. 23. | 1. Ezek. xliv. 3.
1. 1 Chron. xxviii. 11. | 1. —— xlvi. 2, 8.
1. 2 Chron. xxix. 7, 17. | 1. Joel ii. 17.
1. Ezek. viii. 16.

PORCHES.

אֻלַמִּים *Ulammeem,* porches.

Ezek. xli. 15.

PORTER.

שׁוֹעֵר *Shouair,* a porter, in all passages.

PORTERS.

שׁוֹעֲרִים *Shouareem,* porters, in all passages.

PORTION.

1. חֵלֶק *Khailek,* a part, portion.
2. חוֹק *Khouk,* a decree, allotment.
3. שְׁכֶם *Shekhem,* a city in Mount Ephraim.*
4. אָחֻז *Okhuz,* possession.
5. פִּי *Pee,* a mouth.
6. חֶבֶל *Khevel,* a portion of land, measured by line.
7. מָנָה *Monoh,* a present, gift.
8. חָלַק *Kholak,* to part asunder, divide.

* Lit., "I have given thee the part of Shekhem above (more than) thy brethren." Jacob bought this Shekhem of the sons of Hamor for a hundred pieces of silver, Gen. xxxiii. 18, 19 ; Josh. xxiv. 32, where the bones of Joseph were buried. It was taken by Joshua from the Amorites, and given to the tribe of Ephraim.

9. דָּבָר *Dovor*, a word, matter, subject, object.

10. שֶׁמֶץ *Shemets*, a little, trifling matter.

11. פַּתְבַּג *Pathbag* (Chaldee), pastry.

All passages not inserted are N°. 1.

2. Gen. xlvii. 22.	7. Neh. xii. 47.
3. —— xlviii. 22.	10. Job xxvi. 14.
4. Numb. xxxi. 30, 47.	7. Psalm xi. 6.
5. Deut. xxi. 17.	7. —— xvi. 5.
6. Josh. xvii. 14.	7. —— lxiii. 10.
7. 1 Sam. i. 5.	2. Prov. xxxi. 15.
7. —— ix. 23.	7. Jer. xiii. 25.
5. 2 Kings ii. 9.	9. — lii. 34.
8. 2 Chron. xxviii. 21.	11. Dan. i. 8.
7. —— xxxi. 3, 4.	11. —— xi. 26.
9. Neh. xi. 23.	

PORTIONS.

All passages not inserted are N°. 1.

6. Josh. xvii. 5.	7. Neh. xiii. 10.
7. 1 Sam. i. 4.	7. Esth. ix. 19.
7. 2 Chron. xxxi. 19.	4. Ezek. xlv. 7.
7. Neh. viii. 10, 12.	6. —— xlvii. 13.
7. —— xii. 44, 47.	

POSSESS -ED -EST -ETH.

1. יָרַשׁ *Yorash*, to take into possession.

2. נָחַל *Nokhal*, to inherit, acquire.

3. חָסַן *Khosan*, (Hiph., Syriac) to take by force.

4. קָנָה *Konoh*, to purchase, possess by purchase.

All passages not inserted are N°. 1.

2. Job vii. 3.	2. Zeph. ii. 9.
2. Isa. xiv. 2.	2. Zech. viii. 12, (Hiph.)
2. — lvii. 13.	to cause to inherit.
3. Dan. vii. 18.	

POSSESSED.

All passages not inserted are N°. 1.

4. Psalm cxxxix. 13.	4. Jer. xxxii. 15.
4. Prov. viii. 22.	3. Dan. vii. 22.

POSSESSION.

1. אֲחֻזָּה *Akhuzoh*, a possession by conquest.

2. מִקְנָה *Miknoh*, a purchase.

3. יְרֵשָׁה *Yeraishoh*, for a possession.

4. נַחֲלָה *Nakhloh*, an inheritance.

5. יְרוּשָׁה *Yerooshoh*, a succession.

6. בְּרַגְלֵיהֶם *Beraglaihem*, under their feet.

7. רֵשׁ *Raish*, take possession.

8. נָחַל *Nokhal*, to inherit.

9. מוֹרָשׁ *Mourash*, a possession.

10. אָחַז *Okhaz*, (Niph.) to take hold, possession.

11. מַעֲשֶׂה *Maaseh*, work, business.

1. Gen. xvii. 8.	5. Deut. ii. 5, 9, 12, 19.
1. —— xxiii. 4, 9.	6. —— xi. 6.
2. —————— 18.	1. —— xxxii. 49.
1. —————— 20.	5. Josh. xii. 6.
2. —— xxvi. 14.	1. —— xxii. 4, 9, 19.
1. —— xxxvi. 43.	7. 1 Kings xxi. 15, 19.
1. —— xlvii. 11.	7. 2 Chron. xx. 11.
1. —— xlviii. 4.	1. Neh. xi. 3.
1. —— xlix. 30.	1. Psalm ii. 8.
1. —— L. 13.	7. —— xliv. 3.
1. Lev. xiv. 34.	7. —— lxix. 35.
1. —— xxv. 10, 13, 25,	7. —— lxxxiii. 12.
27, 28, 33, 41, 46.	8. Prov. xxviii. 10.
1. —— xxvii. 16, 21, 24.	9. Isa. xiv. 23.
3. Numb. xxiv. 18, twice.	9. Ezek. xi. 15.
4. —— xxvi. 56.	9. —— xxv. 4.
1. —— xxvii. 4, 7.	9. —— xxxvi. 2, 5.
1. —— xxxii. 5, 22.	1. —— xliv. 28.
1. —— xxxv. 2, 8, 28.	1. —— xlvi. 18.

POSSESSIONS.

10. Gen. xxxiv. 10.	1. 1 Chron. ix. 2.
10. —— xlvii. 27.	1. 2 Chron. xi. 14.
10. Numb. xxxii. 30.	2. —————— xxxii. 29.
1. Josh. xxii. 4.	2. Eccl. ii. 7.
11. 1 Sam. xxv. 2.	9. Obad. 17.

POSSESSOR.

קֹנֶה *Kouneh*, lit., a purchaser ; met., a possessor, owner.

Gen. xiv. 19, 22.

POSSESSORS.

קֹנִים *Kouneem*, lit., purchasers; met., possessors, owners.

Zech. xi. 5.

POST.

רָץ *Rots*, a runner, swift messenger.

Job ix. 25. | Jer. li. 31.

POSTS.

רָצִים *Rotseem*, runners, swift messengers.

2 Chron. xxx. 6. | Esth. viii. 10, 14.
Esth. iii. 13, 15.

POST.

1. מְזוּזָה *Mĕzoozoh*, a door-post.

2. אַיִל *Ayil*, a pillar, side-post.

1. 1 Sam. i. 9. | 2. Ezek. xl. 16.

POSTS.

1. מְזוּזֹת   *Mĕzuzouth*, door-posts.
2. אֲמוֹת   *Amouth*, pedestals.
3. אֵילִים   *Aileem*, lintels.
4. סִפִּים   *Sipheem*, thresholds.

1. Deut. vi. 9.	1. Isa. lvii. 8.
1. Judg. xvi. 3.	2. Ezek. xl. 10, 16.
1. 1 Kings vii. 5.	1. —— xliii. 8.
1. Prov. viii. 34.	4. Amos ix. 1.
2. Isa. vi. 4.	

POST, door.

1. מְזוּזָה   *Mezoozoh*, a door-post.
2. אֵיל   *Ail*, an arch over a door.

1. Exod. xxi. 6.	2. Ezek. xli. 3.

POSTS, door.

1. מְזוּזֹת   *Mezoozouth*, door-posts.
2. אַמּוֹת   *Ammouth*, pedestal, basis.
3. סִפִּים   *Sippeem*, thresholds.

1. Exod. xii. 7.	2. Isa. vi. 4.
1. Deut. xi. 20.	3. Ezek. xli. 16.

POSTS, side.

1. Exod. xii. 7, 22, 23.	1. 1 Kings vi. 31.

POSTERITY.

1. שְׁאֵרִית   *Sheaireeth*, a remnant.
2. דֹּרוֹת   *Dourouth*, generations.
3. אַחֲרַי   *Akhrai*, after.

1. Gen. xlv. 7.	3. Psalm xlix. 13.
2. Numb. ix. 10.	3. —— cix. 3.
3. 1 Kings xvi. 3.	3. Dan. xi. 4.
3. —— xxi. 21.	3. Amos iv. 2.

POT.

1. צִנְצֶנֶת   *Tsintseneth*, a glass vessel.
2. כְּלִי   *Kelee*, a vessel.
3. פָּרוּר   *Poroor*, an iron pot.
4. אָסוּךְ   *Osookh*, a cup for holding oil.
5. דּוּד   *Dood*, a kettle, basket.
6. סִיר   *Seer*, a pot.
7. מַצְרֵף   *Matsraiph*, a crucible.
8. כִּירַיִם   *Keerayim*, hearths.
9. שְׁפַתַּיִם   *Shĕphatayim*, two stones, or andirons set upon a hearth.
10. גְּבִעִים   *Gĕvieem*, cups, goblets, chalices.

1. Exod. xvi. 33.	6. Job xli. 31.
2. Lev. vi. 28.	7. Prov. xvii. 3.
3. Judg. vi. 19.	7. —— xxvii. 21.
3. 1 Sam. ii. 14.	6. Jer. i. 13.
4. 2 Kings iv. 2.	6. Ezek. xxiv. 3, 6.
6. —— 38, 41.	6. Mic. iii. 3.
5. Job xli. 20.	6. Zech. xiv. 21.

POTS.

6. Exod. xvi. 3.	6. 2 Chron. xxxv. 13.
6. —— xxxviii. 3.	6. Psalm lviii. 9.
8. Lev. xi. 35.	9. —— lxviii. 13.
6. 1 Kings vii. 45.	5. —— lxxxi. 6.
6. 2 Chron. iv. 11, 16.	10. Jer. xxxv. 5.

POTSHERD.

חֶרֶשׂ   *Kheres*, earthenware.

Job ii. 8.	Prov. xxvi. 23.
Psalm xxii. 15.	Isa. xlv. 9.

POTTAGE.

נָזִיד   *Nozeed*, seethed victuals.

Gen. xxv. 29, 34.	Hag. ii. 12.
2 Kings iv. 38, 39, 40.	

POTTER.

1. יוֹצֵר   *Youtsair*, a former, fashioner, moulder, potter.
2. פֶּחָר   *Pekhor* (Syriac), a potter.

1. Psalm ii. 9.	1. Jer. xviii. 2, 6.
1. Isa. xxix. 16.	1. —— xix. 1, 11.
1. —— xxx. 14.	1. Lam. iv. 2.
1. —— xli. 25.	2. Dan. ii. 41.
1. —— lxiv. 8.	1. Zech. xi. 13.

POTTERS.

יוֹצְרִים   *Youtsreem*, potters.

1 Chron. iv. 23.

POUNDS.

מָנִים   *Moneem*, weights of one hundred shekels.

1 Kings x. 17.	Neh. vii. 71, 72.
Ezra ii. 69.	

POUR.

1. שָׁפַךְ   *Shophakk*, to destroy, throw away, cast forth; met., pour out.
2. יָצַק   *Yotsak*, to pour out oil, or hot metal.

3.   נָסַךְ *Nosakh,* to pour out a drink-offering.

4.   נָבַע *Nova,* to flow.

5.   נָתַן *Nothan,* to give, place.

6.   נָזַל *Nozal,* to run as water.

7.   זָקַק *Zokak,* to refine, cleanse.

8.   נָגַר *Nogar,* to drag along.

9.   רִיק *Reek,* to empty, to pour out abundantly.

10.   נָתַךְ *Notakh,* to pour out violently.

11.   שְׁפֶךְ *Shephekh,* a receptacle for filth, heap of ashes.

12.   זָרַם *Zoram,* to rush out, down.

13.   צוּק *Tsook,* to press out, express.

14.   עָרָה *Oroh,* to loosen, shake out.

15.   דָּלַף *Dolaph,* to drip, drop like water.

1. Exod. iv. 9.	1. Psalm lxxix. 6.
2. —— xxix. 7.	4. Prov. i. 23.
1. —— 12.	2. Isa. xliv. 3.
3. —— xxx. 9.	6. — xlv. 8.
2. Lev. ii. 1, 6.	1. Jer. vi. 11.
1. — iv. 7, 18, 25, 30, 34.	3. — vii. 18.
	3. — x. 25.
2. —— xiv. 15.	1. — xiv. 16.
5. —— 18.	8. — xviii. 21.
2. —— 26.	3. — xliv. 17, 18, 19, 25.
1. —— 41.	
1. —— xvii. 13.	1. Lam. ii. 19.
2. Numb. v. 15.	1. Ezek. vii. 8.
6. —— xxiv. 7.	1. —— xiv. 19.
1. Deut. xii. 16, 24.	1. —— xx. 8, 13, 21.
1. —— xv. 23.	1. —— xxi. 31.
1. Judg. vi. 20.	2. —— xxiv. 3.
2. 1 Kings xviii. 33.	1. —— xxx. 15.
2. 2 Kings iv. 4, 41.	1. Hos. v. 10.
2. —— ix. 3.	1. Joel ii. 28, 29.
7. Job xxxvi. 27.	8. Mic. i. 6.
1. Psalm xlii. 4	1. Zeph. iii. 8.
1. —— lxii. 8.	1. Zech. xii. 10.
1. —— lxix. 24.	9. Mal. iii. 10.

POURED.

2. Gen. xxviii. 18.	2. 2 Kings iv. 5, 40.
3. —— xxxv. 14.	3. —— xvi. 13.
2. ——— 14.	3. 1 Chron. xi. 18.
10. Exod. ix. 33.	10. 2 Chron. xii. 7.
3. —— xxx. 32.	10. —— xxxiv. 21,25.
11. Lev. iv. 12.	10. Job iii. 24.
2. —— viii. 12, 15.	10. — x. 10.
2. —— ix. 9.	2. — xxix. 6.
2. —— xxi. 10.	1. — xxx. 16.
3. Numb. xxviii. 7.	1. Psalm xxii. 14.
1. Deut. xii. 27.	2. —— xlv. 2.
1. 1 Sam. i. 15.	12. —— lxxvii. 17.
1. —— vii. 6.	1. —— cxlii. 2.
2. —— x. 1.	9. Cant. i. 3.
2. 2 Sam. xiii. 9.	13. Isa. xxvi. 16.
3. —— xxiii. 16.	3. — xxix. 10.
1. 1 Kings xiii. 3, 5.	14. — xxxii. 15.
2. 2 Kings iii. 11.	1. — xlii. 25.

14. Isa. liii. 12.	3. Ezek. xx. 28.
1. — lvii. 6.	1. ——— 33, 34.
10. Jer. vii. 20.	1. —— xxii. 22, 31.
3. — xix. 13.	1. —— xxiii. 8.
3. — xxxii. 29.	1. —— xxiv. 7.
10. — xlii. 18.	1. —— xxxvi. 18.
10. — xliv. 6.	1. —— xxxix. 29.
3. ——— 19.	10. Dan. ix. 11, 27.
1. Lam. ii. 4, 11.	8. Mic. i. 4.
1. —— iv. 1, 11.	10. Nah. i. 6.
1. Ezek. xvi. 36.	1. Zeph. i. 17.

POUREDST.

1. Ezek. xvi. 15.

POURETH.

1. Job xii. 21.	1. Psalm cvii. 40.
1. — xvi. 13.	4. Prov. v. 2, 28.
15. ——— 20.	1. Amos v. 8.
8. Psalm lxxv. 8.	1. —— ix. 6.

POURING.

1. Ezek. ix. 8.

POURTRAY.

חָקַק *Khokak,* to engrave.

Ezek. iv. 1.

POURTRAYED.

Ezek. viii. 10. | Ezek. xxiii. 14.

POVERTY.

1.   רוּשׁ *Roosh,* to impoverish.

2.   יָרַשׁ *Yorash,* (Niph.) to come to poverty.

3.   מַחְסוֹר *Makhsour,* cause of deficiency, want.

4.   { רִישׁ *Reesh,* } poverty.
       { רֵאשׁ *Raish,* }

5.   חֶסֶר *Kheser,* want, necessity.

2. Gen. xlv. 11.	2. Prov. xxiii. 21.
1. Prov. vi. 11.	5. —— xxiv. 34.
1. — x. 15.	4. —— xxviii. 19.
3. — xi. 24.	5. ——— 22.
4. — xiii. 18.	4. —— xxx. 8.
2. — xx. 13.	4. —— xxxi. 7.

POWDER.

1.   דַּק *Dak,* thin, clear.

2.   אָבָק *Ovok,* dust raised by the wind.

3.   עָפָר *Ophor,* dust upon the earth.

1. Exod. xxxii. 20.	3. 2 Kings xxiii. 6, 15.
2. Deut. xxviii. 24.	1. 2 Chron. xxxiv. 7.

POWDERS.

2. Cant. iii. 6.

POWER.

1. גְּבוּרָה *Gevooroh,* power.
2. אוֹן *Oun,* power physical.
3. עוֹז *Ouz,* strength of body.
4. כֹּחַ *Kouakh,* vigour, vigorous.
5. מֶמְשָׁלָה *Memsholoh,* power to domineer.
6. יָד *Yod,* a hand; met., power.
7. יָדַיִם *Yodayim,* hands; met., power.
8. חַיִל *Khail,* military power.
9. יָכַל *Yokhal,* to be able.
10. שָׂרַר *Sorar,* to rule.
11. לָאֵל יָד *Lĕail yod,* to God the hand.
12. שָׁלַט *Sholat,* to prevail.
13. חֹסֶן *Khousen,* strong in wealth, rich.
14. מָשַׁל *Moshal,* rule, dominion.
15. כַּף *Kaph,* the palm of the hand.
16. זְרוֹעַ *Zĕroua,* an arm.
17. שִׁלְטוֹן *Shiltoun,* great authority, prevailing power.

10. Gen. xxxii. 28.
2. —— xlix. 3.
3. Lev. xxvi. 19.
9. Numb. xxii. 38.
4. Deut. iv. 37.
4. —— viii. 18.
6. —— xxxii. 36.
8. 2 Sam. xxii. 33.
6. 2 Kings xix. 26.
8. 1 Chron. xx. 1.
1. —— xxix. 11.
4. —— 12.
4. 2 Chron. xx. 6.
4. —— xxv. 8.
5. —— xxxii. 9.
8. Ezra iv. 23.
8. —— viii. 22.
11. Neh. v. 5.
8. Esth. i. 3.
1. —— viii. 11.
2. —— ix. 1.
6. Job v. 20.
4. — xxiv. 22.
4. — xxvi. 2, 12.
1. —— 14.
4. — xxxvi. 22.
1. — xli. 12.
6. Psalm xxii. 20.
6. —— xlix. 15.
3. —— lxii. 11.
1. —— lxv. 6.
1. —— lxvi. 7.
3. —— lxviii. 35.
3. —— lxxviii. 26.
3. —— xc. 11.

1. Psalm cvi. 8.
4. —— cxi. 6.
3. —— cl. 1.
4. Eccles. iv. 1.
12. —— v. 19.
12. —— vi. 2.
17. —— viii. 4.
2. —— 8.
17. —— 8.
6. Isa. xxxvii. 27.
4. — xl. 29.
3. — xliii. 17.
6. — xlvii. 14.
4. Jer. x. 12.
4. — li. 15.
16. Ezek. xxii. 6.
3. —— xxx. 6.
13. Dan. ii. 37.
17. —— vi. 27.
4. Dan. viii. 6.
4. —— 22, 24.
4. —— xi. 6, 25.
14. —— 43.
6. —— xii. 7.
2. Hos. xii. 3.
10. —— 4.
6. —— xiii. 14.
6. Mic. ii. 1.
4. —— iii. 8.
4. Hab. i. 11.
15. —— ii. 9.
3. —— iii. 4.
4. Zech. iv. 6.
8. —— ix. 4.

POWER, great.

4. Exod. xxxii. 11.
4. Numb. xiv. 17.
4. Josh. xvii. 17.
4. 2 Kings xvii. 36.
4. Neh. i. 10.
4. Job xxiii. 6.

4. Psalm cxlvii. 5.
4. Jer. xxvii. 5.
4. — xxxii. 17.
16. Ezek. xvii. 9.
4. Nah. i. 3.

POWER, in.

11. Gen. xxxi. 29.
4. Exod. xv. 6.
8. Job xxi. 7.
4. — xxxvii. 23.

11. Prov. iii. 27.
3. —— xviii. 21.
4. Isa. xl. 26.
3. Nah. i. 3.

POWER, no.

14. Exod. xxi. 8.
　　Lev. xxvi. 37, not in original.
7. Jòsh. viii. 20.
4. 1 Sam. xxx. 4.

4. 2 Chron. xiv. 11.
4. —— xxii. 9.
4. Isa. L. 2.
12. Dan. iii. 27.
4. —— viii. 7.

POWER, my.

4. Gen. xxxi. 6.
4. Exod. ix. 16.

4. Deut. viii. 17.
13. Dan. iv. 30.

POWER, thy.

4. Deut. ix. 29.
6. Job i. 12.
1. Psalm xxi. 13.
8. —— lix. 11, 16.
3. —— lxiii. 2.
3. —— lxvi. 3.

1. Psalm lxxi. 18.
16. —— lxxix. 11.
8. —— cx. 3.
1. —— cxlv. 11.
4. Nah. ii. 1.

POWERFUL.

כֹּחַ *Kouakh,* strength, vigour, power.

Psalm xxix. 4.

PRACTISE.

1. עָלַל *Olal,*
2. עָשָׂה *Osoh,* ⎬ to act, or do.
3. פָּעַל *Poul,*
4. חָרַשׁ *Khorash,* to contrive, work.

1. Psalm cxli. 4.
2. Isa. xxxii. 6.

2. Dan. viii. 24.
3. Mic. ii. 1.

PRACTISED.

4. 1 Sam. xxiii. 9.

2. Dan. viii. 12.

PRAISE, Subst.

1. תְּהִלָּה *Tehilloh,* praise.
2. תּוֹדָה *Thoudoh,* thanksgiving.
3. זָמַר *Zomar,* (Piel) to chant.

All passages not inserted are Nᵒ. 1.

3. Psalm vii. 17.
3. —— ix. 2.
3. —— xxx. 12.
2. —— xlii. 4.
2. —— L. 23.
3. —— lvii. 7.
3. —— lxi. 8.

3. Psalm xcviii. 4.
3. —— civ. 33.
3. —— cviii. 1.
3. —— cxxxviii. 1.
3. —— cxlvii. 7.
2. Jer. xvii. 26.
2. — xxxiii. 11.

PRAISES.

1. תְּהִלּוֹת *Tehillouth,* praise.
2. זָמַר *Zomar,* (Piel) to chant.
3. הַלֵּל *Hillail,* to praise.
4. תּוֹדוֹת *Toudouth,* thanksgivings.

1. Exod. xv. 11.
2. 2 Sam. xxii. 50.
3. 2 Chron. xxix. 30.
2. Psalm ix. 11.
2. —— xviii. 49.
1. —— xxii. 3.
2. —— xxvii. 6.
2. —— xlvii. 6, 7.
4. —— lvi. 12.
2. —— lxviii. 4, 32.
2. —— lxxv. 9.

1. Psalm lxxviii. 4.
2. —— xcii. 1.
2. —— cviii. 3.
2. —— cxxxv. 3.
2. —— cxliv. 9.
2. —— cxlvi. 2.
2. —— cxlvii. 1.
2. —— cxlix. 3.
1. Isa. lx. 6.
1. — lxiii. 7.

PRAISE, Verb.

1. הַלֵּל *Hillail,* to praise.
2. יָדָה *Yodoh,* (Hiph.) to give thanks, celebrate.
3. הַלּוּלִים *Hillooleem,* praises.
4. תְּהִלָּה *Tehilloh,* praise.
5. זָמַר *Zomar,* (Piel) to chant.
6. שָׁבַח *Shovakh,* (Piel) to commend, applaud.
7. בָּרַךְ *Borakh,* to bless.

2. Gen. xlix. 8.
3. Lev. xix. 24.
1. 1 Chron. xxiii. 5.
1. —————— xxix. 13.
1. 2 Chron. viii. 14.
1. —————— xx. 21.
4. —————— 22.
1. —————— xxxi. 2.
5. Psalm xxi. 13.
1. —— xxii. 23.
2. —— xxx. 9.
2. —— xlii. 5, 11.
2. —— xliii. 5.
2. —— xliv. 8.
2. —— xlv. 17.
2. —— xlix. 18.
6. —— lxiii. 3.
2. —— lxvii. 3, 5.
1. —— lxix. 34.
4. —— lxxi. 14.
1. —— lxxiv. 21.
2. —— lxxvi. 10.
2. —— lxxxviii. 10.
2. —— lxxxix. 5.
2. —— xcix. 3.

1. Psalm cvii. 32.
1. —— cxiii. 1.
1. —— cxv. 17.
1. —— cxix. 164, 175.
1. —— cxxxv. 1.
2. —— cxxxviii. 2, 4.
2. —— cxlii. 7.
6. —— cxlv. 4.
2. —————— 10.
6. —— cxlvii. 12.
1. —————— 12.
1. —— cxlviii. 1, 2, 3, 4, 5.
1. —— cxlix. 3.
1. —— cl. 1, 2, 3, 4, 5, 6.
1. Prov. xxvii. 2.
1. —— xxviii. 4.
1. —— xxxi. 31.
2. Isa. xxxviii. 18, 19.
1. Jer. xxxi. 7.
6. Dan. ii. 23.
6. —— iv. 37.
1. Joel ii. 26.

PRAISE, I will.

2. Gen. xxix. 35.
2. Psalm vii. 17.
2. —— ix. 1.
1. —— xxii. 22.
2. —— xxviii. 7.
1. —— xxxv. 18.
2. —— xliii. 4.
2. —— lii. 9.
2. —— liv. 6.
1. —— lvi. 4.
2. —— lvii. 9.
1. —— lxix. 30.
2. —— lxxi. 22.

2. Psalm lxxxvi. 12.
2. —— cviii. 3.
2. —— cix. 30.
1. —————— 30.
2. —— cxi. 1.
2. —— cxviii.19,21,28.
2. —— cxix. 7.
2. —— cxxxviii. 1.
2. —— cxxxix. 14.
1. —— cxlv. 2.
2. Isa. xii. 1.
2. — xxv. 1.

PRAISE the Lord.

All passages not inserted are Nº. 1.

7. Judg. v. 2.
2. Psalm cvii. 8, 15, 21, 31.
2. —— cix. 30.

1. Psalm cix. 30.
2. —— cxviii. 19.
2. Isa. xii. 4.
2. Jer. xxxiii. 11.

PRAISED.

All passages not inserted are Nº. 1.

2. 2 Chron. vii. 3.
7. Psalm lxxii. 15.
6. Eccles. iv. 2.

6. Dan. iv. 34.
6. —— v. 4.

PRAISETH.

1. Prov. xxxi. 28.

PRAISING.

1. 2 Chron. v. 13.
1. —————— xxiii. 12.

1. Ezra iii. 11.
1. Psalm lxxxiv. 4.

PRANCING.

דֹּהֵר *Douhair,* prancing.

Nah. iii. 2.

PRANCINGS.

דַּהֲרוֹת *Daharouth,* prancings.

Judg. v. 22.

PRATING.

שְׂפָתַיִם *Sephothayim,* lit., of lips; met., prating, talking.

Prov. x. 8, 10.

PRAY.

1. פָּלַל *Pollal,* (Piel) to pray.
2. עָתַר *Ottar,* to entreat.
3. חָנַן *Khonan,* (Hith.) to implore.
4. צְלָא *Tsolō* (Chaldee), to pray.
5. פָּגַע *Pogā,* to intercede.

6. שִׂיחַ *Seeakh*, to utter, meditate.
7. שָׁאַל *Shoal*, to ask, request.
8. חָלָה *Kholoh*, (Piel) to beseech, supplicate.

All passages not inserted are N°. 1.

3. 2 Chron. vi. 37.	6. Psalm lv. 17.
4. Ezra vi. 10.	7. —— cxxii. 6.
5. Job xxi. 15.	8. Zech. vii. 2.
2. — xxxiii. 26.	

PRAYED.
1. In all passages.

PRAYETH -ING.
1. In all passages, except :
3. Dan. vi. 11.

PRAYER.
1. תְּפִלָּה *Tephilloh*, prayer.
2. לַחַשׁ *Lakhash*, an appropriate prayer.
3. שִׂיחַ *Seeakh*, utterance, meditation.
4. חָלָה *Kholoh*, to beseech, supplicate.
5. עָתַר *Ottar*, to entreat.

All passages not inserted are N°. 1.

3. Job xv. 4.	2. Isa. xxvi. 16.
5. — xxii. 27.	4. Dan. ix. 13.
3. Psalm lxiv. 1.	

PRAYERS.
תְּפִלּוֹת *Tephillouth*, prayers.

Psalm lxxii. 20.	Isa. i. 15.

PREACH.
1. קָרָא *Korō*, to call.
2. בִּשֵּׂר *Bissair*, to bring a good report.

1. Neh. vi. 7.	1. Jonah iii. 2.
2. Isa. lxi. 1.	

PREACHED.
2. Psalm xl. 9.

PREACHING.
קְרִיאָה *Kereeoh*, the calling.
Jonah iii. 2.

PREACHER.
קֹהֶלֶת *Kouheleth*, a collector, gatherer.

Eccles. i. 1, 2, 12.	Eccles. xii. 8, 9, 10.
—— vii. 27.	

PRECEPT.
1. מִצְוָה *Mitsvoh*, a commandment.
2. פָּקוּד *Pokood*, a precept.
3. צַו *Tsav*, a command.

1. Neh. ix. 14.	3. Isa. xxviii. 10.
2. Psalm cxix. (in all verses).	1. — xxix. 13.

PRECEPTS.

1. Jer. xxxv. 18.	1. Dan. ix. 5.

PRECIOUS.
1. יָקָר *Yokar*, dear, rare, valuable.
2. מֶגֶד *Meged*, precious, choice.
3. נְכֹאת *Nekhouth*, spices.
4. חֲמֻדוֹת *Khamudouth*, desirable things.
5. טוֹב *Touv*, good.
6. מֶשֶׁךְ *Meshekh*, a seed basket.
7. חֹפֶשׁ *Khouphesh*, liberty, freedom.

All passages not inserted are N°. 1.

2. Gen. xxiv. 53.	4. Ezra viii. 27.
2. Deut. xxxiii. 13, 14, 15, 16.	6. Psalm cxxvi. 6.
	5. —— cxxxiii. 2.
3. 2 Kings xx. 13.	5. Eccles. vii. 1.
5. ———— 13.	3. Isa. xxxix. 2.
4. 2 Chron. xx. 25.	7. Ezek. xxvii. 20.
2. —— xxi. 3.	4. Dan. xi. 8, 43.
2. Ezra i. 6.	

PRE-EMINENCE.
מוֹתַר *Mouthar*, superiority.
Eccles. iii. 19.

PREFER.
1. עָלָה *Oloh*, to go up, ascend.
2. שָׁנָה *Shinnoh*, to change.
3. מִתְנַצַּח *Mithnatsakh* (Chaldee), prevailed.
1. Psalm cxxxvii. 6.

PREFERRED.

2. Esth. ii. 9.	3. Dan. vi. 3.

PREPARATION.
1. כּוּן *Koon*, to erect, prepare, confirm.
2. עָרַךְ *Orakh*, to arrange, prepare.

1. 1 Chron. xxii. 5.	1. Nah. ii. 3.

PREPARATIONS.
2. Prov. xvi. 1.

PREPARE.

1.   כּוּן   *Koon*, to erect, prepare, confirm.
2.   פִּנָּה   *Pinnoh*, to clear, make ready.
3.   עָשָׂה   *Osoh*, to make.
4.   וְאַנְוֵהוּ   *Veanvaihoo*, and I will rest upon, glorify him.
5.   אָסַר   *Osar*, to bind, tie together.
6.   מָן   *Man*, to appoint, constitute.
7.   עָרַךְ   *Orakh*, to arrange.
8.   קָדַשׁ   *Kodash*, to sanctify.
9.   כָּרָה   *Koroh*, to prepare a banquet.
10.   זָמַן   *Zoman*, (Syriac, Hith.) to agree, determine.

4. Exod. xv. 2.	7. Isa. xxi. 5.
1. —— xvi. 5.	2. — xl. 3.
3. Numb. xv. 5, 6, 12.	1. —— 20.
1. —— xxiii. 1, 29.	2. — lvii. 14.
1. Deut. xix. 3.	2. — lxii. 10.
1. Josh. i. 11.	7. — lxv. 11.
3. —— xxii. 26.	8. Jer. vi. 4.
1. 1 Sam. vii. 3.	8. Jer. xii. 3.
5. 1 Kings xviii. 44.	8. — xxii. 7.
1. 1 Chron. ix. 32.	1. — xlvi. 14.
1. —— xxix. 18.	1. — li. 12.
1. 2 Chron. ii. 9.	8. —— 27, 28.
1. —— xxxi. 11.	3. Ezek. iv. 15.
1. —— xxxv. 4, 6.	3. —— xii. 3.
3. Esth. v. 8.	3. —— xxxv. 6.
1. Job viii. 8.	1. —— xxxviii. 7.
1. — xi. 13.	3. —— xliii. 25.
1. — xxvii. 16, 17.	3. —— xlv. 17, 22, 24.
1. Psalm x. 17.	3. —— xlvi. 2, 7, 12, 13,
1. —— lix. 4,	14, 15.
6. —— lxi. 7.	8. Joel iii. 9.
1. —— cvii. 36.	1. Amos iv. 12.
1. Prov. xxiv. 27.	8. Mic. iii. 5.
1. —— xxx. 25.	2. Mal. iii. 1.
1. Isa. xiv. 21.	

PREPARED.

2. Gen. xxiv. 31.	1. 2 Chron. xxix. 19, 36.
3. Exod. xii. 39.	1. —— xxxi. 11.
1. —— xxiii. 20.	1. —— xxxv. 10, 15,
1. Numb. xxi. 27.	16, 20.
7. —— xxiii. 4.	1. Ezra vii. 10.
3. 2 Sam. xv. 1.	3. Neh. v. 18.
3. 1 Kings i. 5.	1. —— viii. 10.
1. —— v. 18.	3. Neh. xiii. 5.
1. —— vi. 19.	3. Esth. v. 4, 12.
9. 2 Kings vi. 23.	1. — vi. 4.
1. 1 Chron. xii. 39.	3. —— 14.
1. —— xv. 1, 3, 12.	1. — vii. 10.
1. —— xxii. 3, 5, 14.	1. Job xxviii. 27.
1. —— xxix. 2.	1. — xxix. 7.
1. 2 Chron. i. 4.	1. Psalm vii. 13.
1. —— iii. 1.	1. — ix. 7.
1. —— viii. 16.	1. — lvii. 6.
1. —— xii. 14.	1. — lxviii. 10.
1. —— xix. 3.	1. — lxxiv. 16.
1. —— xx. 33.	1. — ciii. 19.
1. —— xxvi. 14.	1. Prov. viii. 27.
1. —— xxvii. 6.	1. — xix. 29.

1. Prov. xxi. 31.	3. Hos. ii. 8.
1. Isa. xxx. 33.	1. —— vi. 3.
3. — lxiv. 4.	6. Jonah i. 17.
7. Ezek. xxiii. 41.	6. —— iv. 6, 7, 8.
1. —— xxviii. 13.	1. Nah. ii. 5.
2. —— xxxviii. 7.	1. Zeph. i. 7.
10. Dan. ii. 9.	

PREPAREDST.

2. Psalm lxxx. 9.

PREPAREST.

3. Numb. xv. 8.	1. Psalm lxv. 9.
7. Psalm xxiii. 5.	

PREPARETH.

1. 2 Chron. xxx. 19.	1. Psalm cxlvii. 8.
1. Job xv. 35.	

PREPARING.

3. Neh. xiii. 7.

PRESCRIBED.

כָּתַב   *Kothav*, to write.

Isa. x. 1.

PRESCRIBING.

Ezra vii. 22.

PRESENCE.

1.   מִפְּנֵי   *Mipnai*, from the face, because of.
2.   מִלִּפְנֵי   *Miliphnai*, from before the face.
3.   פָּנִים   *Poneem*, face.
4.   נֶגֶד   *Neged*, in the presence.
5.   עָלַי   *Olae*, upon, against me.
6.   רֹאֵי פָנִים   *Rouai poneem*, the beholders of the face.
7.   מֵעִם פְּנֵי   *Maiim penai*, from with the face.

2. Gen. iii. 8.	1. 1 Kings xii. 2.
3. — iv. 16.	3. 2 Kings iii. 14.
1. — xxvii. 30.	2. —— v. 27.
1. — xlv. 3.	3. —— xiii. 23.
4. — xlvii. 15.	3. —— xxiv. 20.
3. Exod. x. 11.	6. —— xxv. 19.
3. —— xxxiii. 14, 15.	3. 1 Chron. xvi. 27.
2. —— xxxv. 20.	2. —————— 33.
3. Lev. xxii. 3.	3. 2 Chron. ix. 23.
1. Numb. xx. 6.	3. —— xx. 9.
3. 1 Sam. xviii. 11.	3. —— xxxiv. 4.
1. —— xix. 10.	3. Neh. ii. 1.
5. —— xxi. 15.	2. Esth. vii. 6.
3. 2 Sam. xvi. 19.	2. —— viii. 15.

7. Job i. 12.
3. — ii. 7.
3. — xxiii. 15.
3. Psalm ix. 3.
3. —— xvi. 11.
2. —— xvii. 2.
3. —— xxxi. 20.
2. —— li. 11.
1. —— lxviii. 2, 8.
3. —— xcv. 2.
2. —— xcvii. 5.
3. —— c. 2.
2. —— cxiv. 7.
3. —— cxxxix. 7.

3. Psalm cxl. 13.
4. Prov. xiv. 7.
4. Isa. i. 7.
1. — xix. 1.
3. — lxiii. 9.
1. — lxiv. 1, 2, 3.
1. Jer. iv. 26.
3. — v. 22.
3. — xxiii. 39.
3. — lii. 3.
1. Ezek. xxxviii. 20.
2. Jonah i. 3, 10.
1. Nah. i. 5.
1. Zeph. i. 7.

1. Gen. xlvi. 29.
2. —— xlvii. 2.
3. Exod. xxxiv. 2.
4. Lev. ii. 8.
4. —— vii. 35.
5. —— ix. 12, 13.
6. —— xiv. 11.
6. —— xvi. 7, 10.
6. —— xxvii. 8, 11.
6. Numb. iii. 6.
3. Deut. xxxi. 14.
3. Josh. xxiv. 1.

7. Judg. vi. 19.
3. —— xx. 2.
3. 1 Sam. x. 19.
3. —— xvii. 16.
3. Job i. 6.
3. — ii. 1.
8. Jer. xxxvi. 7.
8. — xxxviii. 26.
8. — xlii. 9.
9. Ezek. xx. 28.
8. Dan. ix. 18.

PRESENTING.

8. Dan. ix. 20.

PRESENCE, in the.

1. פָּנִים *Poneem,* face.
2. עֵינַיִם *Ainayim,* eyes.
3. נֶגֶד *Neged,* in the presence.

1. Gen. xvi. 12.
2. —— xxiii. 11, 18.
1. —— xxv. 18.
2. Deut. xxv. 9.
1. 2 Sam. xvi. 19.
3. 1 Kings viii. 22.
3. —— xxi. 13.

1. 1 Chron. xxiv. 31.
3. Psalm xxiii. 5.
3. —— cxvi. 14, 18.
1. Prov. xvii. 18.
1. —— xxv. 6, 7.
2. Jer. xxviii. 1, 11.

PRESENTLY.

1. כַּיּוֹם *Kayoum,* according to the day.
2. בַּיּוֹם *Bayoum,* on that day.

1. 1 Sam. ii. 16. | 2. Prov. xii. 16.

PRESENT -S, Subst.

מִנְחָה *Minkhoh,* a present, offering, in all passages.

PRESENT, Participle.

1. נִמְצָא *Nimtso,* found, in existence.
2. נֶגֶד *Neged,* present.
3. עֲמוֹד *Amoud,* stand thou.

1. 1 Sam. xiii. 15.
1. —— xxi. 3.
3. 2 Sam. xx. 4.
2. 1 Kings xx. 27.
1. 1 Chron. xxix. 17.
1. 2 Chron. v. 11.

1. 2 Chron. xxx. 21.
1. —— xxxi. 1.
1. —— xxxiv. 32.
1. Ezra viii. 25.
1. Esth. iv. 16.
1. Psalm xlvi. 1.

PRESERVE.

1. נָצַר *Notsar,* to preserve.
2. שָׁמַר *Shomar,* to watch, keep, observe.
3. חָיָה *Khoyoh,* to keep alive, revive.
4. הוֹתַר *Houthar,* to leave, remain.
5. מָלַט *Molat,* to escape from danger.
6. נָצַל *Notsal,* (Niph.) to deliver, rescue.
7. יָשַׁע *Yosha,* to save.

3. Gen. xix. 32, 34.
3. —— xlv. 5, 7.
3. Deut. vi. 24.
1. Psalm xii. 7.
2. —— xvi. 1.
1. —— xxv. 21.
1. —— xxxii. 7.
1. —— xl. 11.
2. —— xli. 2.
1. —— lxi. 7.
1. —— lxiv. 1.
4. —— lxxix. 11.

2. Psalm lxxxvi. 2.
2. —— cxi. 7, 8.
1. —— cxl. 1, 4.
2. Prov. ii. 11.
2. —— iv. 6.
2. — xiv. 3.
1. —— xx. 28.
1. —— xxii. 12.
5. Isa. xxxi. 5.
1. — xlix. 8.
3. Jer. xlix. 11.

PRESENT -ED.

1. נִרְאָה *Niroh,* to appear.
2. יָצַג *Yotsag,* to establish, set up.
3. יָצַב *Yotsav,* to fix, stand firm.
4. קָרַב *Korav,* to approach, come near.
5. מָצָא *Motsō,* (Hiph.) to cause to find, present.
6. הֶעֱמִיד *Heĕmeed,* to cause to stand.
7. נָגַשׁ *Nogash,* to approach.
8. נָפַל *Nophal,* to fall, fall down.
9. נָתַן *Nothan,* to give.

PRESERVED.

6. Gen. xxxii. 30.
2. Josh. xxiv. 17.
2. 1 Sam. xxx. 23.
7. 2 Sam. viii. 6.
7. 1 Chron. xviii. 6, 13.

2. Job x. 12.
2. — xxix. 2.
2. Psalm xxxvii. 28.
1. Isa. xlix. 6.
1. Hos. xii. 13.

PRESERVETH.

3. Job xxxvi. 6.
1. Psalm xxxi. 23.
2. —— xcvii. 10.
2. —— cxvi. 6.

2. Psalm cxlv. 20.
2. —— cxlvi. 9.
2. Prov. ii. 8.
2. —— xvi. 17.

PRESERVEST.

3. Neh. ix. 6. | 7. Psalm xxxvi. 6.

PRESERVER.

נוֹצֵר *Noutsair,* a preserver.

Job vii. 20.

PRESIDENTS.

סָרְכִין *Sorkheen* (Chaldee), chief over-
seers.

Dan. vi. 2, 3, 4, 6, 7.

PRESS.

1.   גַּת *Gath,* a press vat.
2.   פּוּרָה *Pooroh,* a winepress.

1. Joel iii. 13. | Hag. ii. 16.

PRESSES.

יְקָבִים *Yekoveem,* wine vaults, cellars.

Prov. iii. 10. | Isa. xvi. 10.

PRESS-FAT.

יֶקֶב *Yekev,* a wine vault, cellar.

Hag. ii. 16.

PRESS, wine.

1.   יֶקֶב *Yekev,* a wine vault, cellar.
2.   פּוּרָה *Pooroh,* a wine press.
3.   גַּת *Gath,* a press, vat.

1. Numb. xviii. 27, 30.	1. Isa. v. 2.
1. Deut. xv. 14.	2. — lxiii. 3.
3. Judg. vi. 11.	3. Lam. i. 15.
1. —— vii. 25.	1. Hos. ix. 2.
1. 2 Kings vi. 27.	

PRESSES, wine.

1.   גִּתּוֹת *Gittouth,* press vats.
2.   יְקָבִים *Yekoveem,* wine vaults.

1. Neh. xiii. 15.	2. Jer. xlviii. 33.
2. Job xxiv. 11.	2. Zech. xiv. 10.

PRESSED -ETH.

1.   פָּצַר *Potsar,* to urge.
2.   שָׁחַט *Sokhat,* to squeeze.
3.   צוּק *Tsook,* to constrain.
4.   פָּרַץ *Porats,* to burst out.
5.   דָּחַף *Dokhaph,* to push on.
6.   נָחַת *Nokhath,* to come down upon.
7.   מָעַךְ *Moakh,* to bring, crush.
8.   עוּק *Ook,* to press down.

1. Gen. xix. 3, 9.	5. Esth. viii. 14.
2. —— xl. 11.	7. Ezek. xxiii. 3.
3. Judg. xvi. 16.	8. Amos ii. 13.
4. 2 Sam. xiii. 25, 27.	

PRESSETH.

6. Psalm xxxviii. 2.

PRESUME.

1.   זוּד *Zood,* (Hiph.) to act licentiously.
2.   מְלָאוֹ לִבּוֹ *Meloou libbou,* filled his heart.
3.   עָפַל *Ophal,* (Hiph.) to swell; met.,
     be arrogant.

1. Deut. xviii. 20. | 2. Esth. vii. 5.

PRESUMED.

3. Numb. xiv. 44.

PRESUMPTUOUS.

זֵדִים *Zaideem,* licentious.

Psalm xix. 13.

PRESUMPTUOUSLY.

1.   זוּד *Zood,* (Hiph.) to act licentiously.
2.   בְּיָד רָמָה *Beyod romoh,* with a high
     hand.
3.   בְּזָדוֹן *Bezodoun,* licentiously.

1. Exod. xxi. 14.	3. Deut. xvii. 12.
2. Numb. xv. 30.	1. —— 13.
1. Deut. i. 43.	3. —— xviii. 22.

PREVAIL.

1.   גָּבַר *Govar,* to overpower.
2.   תָּקַף *Tokaph,* to prevail, be superior.
3.   רָדָה *Rodoh,* to domineer.
4.   יָכַל *Yokhal,* to be able, overcome.
5.   עָצַר *Otsar,* to keep back, restrain.
6.   חָזַק *Khozak,* to strengthen, seize.
7.   עָזַז *Ozaz,* to be stern, resolute.
8.   לָחַם *Lokham,* to fight.
9.   עָרַץ *Orats,* to terrify.
10.   כָּבַד *Kovad,* to make heavy.
11.   יָלַךְ *Yolakh,* to go, proceed.
12.   אָמַץ *Omats,* to be strong, powerful,
     to overpower.

1. Gen. vii. 20.
4. Numb. xxii. 6.
4. Judg. xvi. 5.
1. 1 Sam. ii. 9.
1. —— xvii. 9.
1. —— xxvi. 25.
1. 1 Kings xxii. 22.
5. 2 Chron. xiv. 11.
4. —————— xviii. 21.
4. Esth. vi. 13.
2. Job xv. 24.
6. — xviii. 9.
7. Psalm ix. 19.

1. Psalm xii. 4.
1. —— lxv. 3.
2. Eccles. iv. 12.
8. Isa. vii. 1.
4. — xvi. 12.
1. — xlii. 13.
9. — xlvii. 12.
4. Jer. i. 19.
4. — v. 22.
4. — xv. 20.
4. — xx. 10, 11.
6. Dan. xi. 7.

PREVAILED.

1. Gen. vii. 18, 19, 24.
4. —— xxx. 8.
4. —— xxxii. 25, 28.
6. —— xlvii. 20.
1. —— xlix. 26.
1. Exod. xvii. 11.
10. Judg. i. 35.
7. —— iii. 10.
11. —— iv. 24.
7. —— vi. 2.
6. 1 Sam. xvii. 50.
1. 2 Sam. xi. 23.
6. —————— xxiv. 4.
6. 1 Kings xvi. 22.

6. 2 Kings xxv. 3.
1. 1 Chron. v. 2.
6. 2 Chron. viii. 3.
12. —————— xiii. 18.
6. —————— xxvii. 5.
4. Psalm xiii. 4.
4. —— cxxix. 2.
4. Jer. xx. 7.
4. — xxxviii. 22.
1. Lam. i. 16.
4. Dan. vii. 21.
4. Hos. xii. 4.
4. Obad. 7.

PREVAILEST.

2. Job xiv. 20.

PREVAILETH.

3. Lam. i. 13.

PREVENT.

קָדַם   *Kodam*, to go before, precede.

Job iii. 12.
Psalm lix. 10.
—— lxxix. 8.

Psalm lxxxviii. 13.
—— cxix. 148.
Amos ix. 10.

PREVENTED.

2 Sam. xxii. 6, 19.
Job xxx. 27.
— xli. 11.

Psalm xviii. 5, 18.
—— cxix. 147.
Isa. xxi. 14.

PREVENTEST.

Psalm xxi. 3.

PREY, Verb.

אָכַל   *Okhal*, to eat, devour.

Jer. xxx. 16.

PREY, Subst.

1.   טֶרֶף   *Tereph*, a prey.
2.   בַּז   *Vaz*, plunder.

3.   מַלְקוֹחַ   *Malkouakh*, anything taken by force, spoil.
4.   בָּזַז   *Bozaz*, to plunder.
5.   שָׁלָל   *Sholol*, booty, spoil.
6.   אֹכֶל   *Oukhail*, food, meat.
7.   חֶתֶף   *Kheteph*, violence.
8.   שָׁלַל   *Sholal*, (Hith.) to spoil.
9.   אָכַל   *Okhal*, (Niph.) to be devoured.
10.   עַד   *Ad*, until, enough.
11.   טָרַף   *Toraph*, to tear in pieces.

1. Gen. xlix. 9.
10. ————— 27.
2. Numb. xiv. 3, 31.
1. —————— xxiii. 24.
3. —————— xxxi. 12, 26, 27, 32.
2. Deut. i. 39.
4. —— ii. 35.
4. —— iii. 7.
4. Josh. viii. 2, 27.
4. —— xi. 14.
5. Judg. v. 30.
5. —— viii. 24, 25.
2. 2 Kings xxi. 14.
2. Neh. iv. 4.
4. Esth. iii. 13.
4. —— viii. 11.
2. —— ix. 15, 16.
1. Job iv. 11.
6. — ix. 26.
1. — xxiv. 5.
1. — xxxviii. 39.
6. — xxxix. 29.
11. Psalm xvii. 2.
1. —— lxxvi. 4.
1. —— civ. 21.
1. —— cxxiv. 6.
7. Prov. xxiii. 28.

1. Isa. v. 29.
5. — x. 2.
2. —— 6.
1. — xxxi. 4.
10. — xxxiii. 23.
2. ———— 23.
2. — xlii. 22.
3. — xlix. 24, 25.
8. — lix. 15.
5. Jer. xxi. 9.
9. — xxx. 16.
5. — xxxviii. 2.
5. — xxxix. 18.
5. — xlv. 5.
2. Ezek. vii. 21.
1. —— xix. 3.
1. —— xxii. 27.
4. —— xxvi. 12.
2. —— xxix. 19.
2. —— xxxiv. 8, 22, 28.
2. —— xxxvi. 4, 5.
2. —— xxxviii. 12, 13.
2. Dan. xi. 24.
1. Amos iii. 4.
1. Nah. ii. 12, 13.
1. —— iii. 1.
10. Zeph. iii. 8.

PRICE.

1.   מִקְנֶה   *Mikneh*, a purchase.
2.   כֶּסֶף   *Keseph*, silver.
3.   מְחִיר   *Mekheer*, a price.
4.   עֵרֶךְ   *Erekh*, estimation.
5.   מֶכֶר   *Mekher*, a sale.
6.   מְשֶׁךְ   *Meshekh*, a possession.
7.   שָׂכָר   *Sokhor*, a reward.
8.   יְקָר   *Yokor*, value, valuable, worthy.

1. Lev. xxv. 16.
2. ————— 50.
—————— 52, not in original.
3. Deut. xxiii. 18.
3. 2 Sam. xxiv. 24.
3. 1 Kings x. 28.
2. 1 Chron. xxi. 22, 24.
3. 2 Chron. i. 16.
4. Job xxviii. 13.
3. —————— 15.

6. Job xxviii. 18.
3. Psalm xliv. 12.
3. Prov. xvii. 16.
3. —— xxvii. 26.
5. —— xxxi. 10.
3. Isa. xlv. 13.
3. — lv. 1.
3. Jer. xv. 13.
7. Zech. xi. 12.
8. ————— 13.

PRICKED.

שָׁנַן   *Shonan*, to sharpen.

Psalm lxxiii. 21.

PRICKING.

מַמְאִיר   *Mameer*, irritating.

Ezek. xxviii. 24.

PRICKS.

שִׂכִּים   *Sikheem*, thorns.

Numb. xxxiii. 55.

PRIDE.

1.	גָּאוֹן	*Gōoun*, arrogance.
2.	זָדוֹן	*Zodoun*, licentious.
3.	גֹּבַהּ	*Gouvoh*, haughtiness.
4.	גֵּוָה	*Gaivoh*, elevation.
5.	גַּאֲוָה	*Gāavoh*, pride.
6.	שַׁחַץ	*Shokhats*, greatness, power.
7.	רְכָסִים	*Rekhoseem*, conspiracy, combination.
8.	גֵּאוּת	*Gaiooth*, excellency.

1. Lev. xxvi. 19.	1. Isa. xxiii. 9.
2. 1 Sam. xvii. 28.	5. — xxv. 11.
3. 2 Chron. xxxii. 26.	8. — xxviii. 1, 3.
4. Job xxxiii. 17.	1. Jer. xiii. 9.
1. — xxxv. 12.	4. —— 17.
5. — xli. 15.	1. — xlviii. 29.
6. —— 34.	5. —— 29.
5. Psalm x. 2.	2. — xlix. 16.
3. —— 4.	2. Ezek. vii. 10.
7. —— xxxi. 20.	1. —— xvi. 49, 56.
5. —— xxxvi. 11.	1. —— xxx. 6.
1. —— lix. 12.	4. Dan. iv. 37.
5. —— lxxiii. 6.	2. — v. 20.
5. Prov. viii. 13.	1. Hos. v. 5.
2. —— xi. 2.	1. —— vii. 10.
2. —— xiii. 10.	2. Obad. 3.
5. —— xiv. 3.	1. Zeph. ii. 10.
1. —— xvi. 18.	5. —— iii. 11.
5. —— xxix. 23.	1. Zech. ix. 6.
5. Isa. ix. 9.	1. —— x. 11.
1. — xvi. 6.	1. —— xi. 3.

PRIEST.

כֹּהֵן   *Kouhain*, a priest, in all passages.

PRIESTS.

כֹּהֲנִים   *Kouhaneem*, priests; in all passages, except:

כְּמָרִים   *Kemoreem*, idolatrous priests.

2 Kings xxiii. 5.	Zeph. i. 4.
Hos. x. 5.	

PRIEST, high.

כֹּהֵן הַגָּדוֹל   *Kouhain hagodoul*, priest the great one, in all passages.

PRIESTS, high.

כֹּהֲנִים גְּדֹלִים   *Kouhaneem gedouleem*, priests the great ones, in all passages.

PRIEST'S office.

Not in original, except:

כְּהֻנָה   *Kehunoh*, priesthood.

Exod. xxix. 9.	Numb. xviii. 7.

PRIESTHOOD.

כְּהֻנָּה   *Kĕhoonoh*, priesthood.

Exod. xl. 15.	Josh. xviii. 7.
Num. xvi. 10.	Ezra ii. 62.
—— xviii. 1.	Neh. vii. 64.
—— xxv. 13.	—— xiii. 29.

PRINCE.

1.	שַׂר	*Sar*, a ruler, sir.
2.	נָשִׂיא	*Nosee*, a person of dignity, rank.
3.	נָגִיד	*Nogeed*, a leader.
4.	נָדִיב	*Nodeev*, a liberal person.
5.	רָזוֹן	*Rozoun*, a prince.
6.	קָצִין	*Kotseen*, a wealthy (influential) man.
7.	שָׂרַר	*Sorar*, to rule.

2. Gen. xxiii. 6.	6. Prov. xxv. 15.
7. —— xxii. 28.	3. —— xxviii. 16.
2. —— xxxiv. 2.	4. Cant. vii. 1.
1. Exod. ii. 14.	1. Isa. ix. 6.
2. Numb. in all passages.	1. Jer. li. 59.
2. Josh. xxii. 14.	2. Ezek. in all passages.
1. 2 Sam. iii. 38.	1. Dan. i. 7, 8, 9.
2. 1 Kings xi. 34.	1. —— viii. 11, 25.
3. —— xiv. 7.	3. —— ix. 25, 26.
3. —— xvi. 2.	1. —— x. 13, 20, 21.
2. Ezra i. 8.	6. —— xi. 18.
4. Job xxi. 28.	3. —— 22.
3. — xxxi. 37.	1. —— xii. 1.
5. Prov. xiv. 28.	1. Hos. iii. 4.
4. —— xvii. 7.	1. Mic. vii. 3.
4. —— xxv. 7.	

PRINCES.

1.	שָׂרִים	*Soreem*, rulers, sirs.
2.	נְשִׂיאִים	*Neseeeem*, persons of dignity, rank.
3.	נְדִיבִים	*Nedeeveem*, liberal persons, nobles.

4.   רוֹזְנִים   *Rouzneem*, princes.

5.   כֹּהֲנִים   *Kouhaneem*, priests.

6. חַשְׁמַנִּים   *Khashmaneem*, Chasmoneans.*

7.   סְגָנִים   *Segoneem*, deputies.

8. שָׁלִישִׁים   *Sholeesheem*, officers third in rank.

9.   נְסִיכִים   *Neseekheem*, anointed ones.

10. אֲחַשְׁדַּרְפְּנִים   *Akhashdarpaneem*, Persian chiefs.

11.   שָׂרַר   *Sorar*, (Hiph.) to cause to rule.

12.   נְגִידִים   *Negeedeem*, leaders.

13.   קְצִינִים   *Ketseeneem*, influential men.

All passages not inserted are Nº. 1.

2. Gen. xvii. 20.	3. Psalm cxviii. 9.
2. —— xxv. 16.	3. —— cxlvi. 3.
2. Numb. vii. 3.	4. Prov. viii. 15.
2. —— xvi. 2.	3. —— xvii. 26.
2. Josh. ix. 15.	4. —— xxxi. 4.
2. —— xiii. 21.	4. Isa. xl. 23.
2. —— xxii. 14.	7. — xli. 25.
4. Judg. v. 3.	8. Ezek. xxiii. 15.
3. 1 Sam. ii. 8.	2. —— xxxii. 29.
2. 1 Chron. iv. 38.	9. —————— 30.
5. Job xii. 19.	2. —— xxxix. 18.
3. —————— 21.	2. —— xlv. 8.
3. — xxxiv. 18.	10. Dan. iii. 2.
3. Psalm xlvii. 9.	10. —— vi. 1, 2, 3, 4, 6.
6. —— lxviii. 31.	11. Hos. viii. 4.
12. —— lxxvi. 12.	13. Mic. iii. 1, 9.
3. —— cvii. 40.	4. Hab. i. 10.
3. —— cxiii. 8.	

PRINCES, all the.

All passages not inserted are Nº. 1.

3. Psalm lxxxiii. 11.	2. Ezek. xxvi. 16.

PRINCES of Israel.

2. Numb. i. 44.	1. 2 Chron. xxi. 4.
2. —— vii. 2, 84.	2. Ezek. xix. 1.
1. 1 Chron. xxii. 17.	2. —— xxi. 12.
1. —— xxiii. 2.	2. —— xxii. 6.
1. —— xxviii. 1.	2. —— xlv. 9.
1. 2 Chron. xii. 6.	

PRINCES of Judah.

1. Neh. xii. 31.	1. Jer. lii. 10.
1. Psalm lxviii. 27.	1. Hos. v. 10.

* A province in Egypt called Ashmeenein.

PRINCESS.

שָׂרָתִי   *Sorothee*, a princess.

Lam. i. 1.

PRINCESSES.

שָׂרוֹת   *Sorouth*, princesses.

1 Kings xi. 3.

PRINCIPAL.

1.   רֹאשׁ   *Roush*, head, chief, principal.

2.   כֹּהֵן   *Kouhain*, a priest.

3.   שַׂר   *Sar*, a ruler, sir.

4.   בֵּית־אָב   *Baith-ov*, house of a father.

5.   רֵאשִׁית   *Raisheeth*, first, beginning.

6.   שֹׂרֵק   *Souraik*, the choicest vine.

7.   שׁוֹרָה   *Souroh*, a middle row.

8.   אַדִּירִים   *Adeereem*, noble, mighty.

9.   נְסִיכִים   *Neseekheem*, anointed ones, princes.

1. Exod. xxx. 23.	1. Neh. xi. 17.
1. Lev. vi. 5.	5. Prov. iv. 7.
1. Numb. v. 7.	6. Isa. xvi. 8.
2. 1 Kings iv. 5.	7. — xxviii. 25.
3. 2 Kings xxv. 19.	8. Jer. xxv. 34, 35.
4. 1 Chron. xxiv. 6.	3. — lii. 25.
1. —————— 31.	9. Mic. v. 5.

PRINCIPALITIES.

רָאשׁוֹת   *Roshouth*, heads, chiefs.

Jer. xiii. 18.

PRINT, Subst.

תִּתְחַקֶּה   *Tithkhakkeh*, thou impressest thyself.

Job xiii. 27.

PRINT, Verb.

כְּתֹבֶת   *Kethouveth*, a writing.

Lev. xix. 28.

PRINTED.

חָקַק   *Khokak*, to engrave.

Job xix. 23.

PRISON, PRISON HOUSE.

1. בֵּית הַסֹּהַר   *Baith hasouhar*, a castle, tower.

2. בֵּית הָאֲסוּרִים   *Baith hoasooreem*, a prison house, prison.

3. בֵּית הַמִּשְׁמָר   *Baith hamishmor*, a watch-house.

4. בֵּית מְהַפֶּכֶת *Baith mehapekheth*, house of punishment.

5. בֵּית כֶּלֶא *Baith kelē*, a guard house.

6. מַטָּרָה *Matoroh*, a place of confinement.

7. מַסְגֵּר *Masgair*, a lock-up place.

8. עוֹצֶר *Outser*, a place of restraint.

9. קוֹחַ *Kouakh*, a captive.

10. בֵּית הַפְּקֻדּוֹת *Baith hapkuddouth*, a house of (officers) command.

1. Gen. xxxix. 20, 22, 23.	7. Isa. xlii. 7.
1. —— xl. 3.	5. —— 7, 22.
3. —— xlii. 19.	8. — liii. 8.
2. Judg. xvi. 21, 25.	9. — lxi. 1.
5. 1 Kings xxii. 27.	4. Jer. xxix. 26.
5. 2 Kings xvii. 4.	6. — xxxii. 2, 12.
5. —— xxv. 27, 29.	6. — xxxiii. 1.
4. 2 Chron. xvi. 10.	5. — xxxvii. 4, 15.
5. —— xviii. 26.	6. —— 21.
6. Neh. iii. 25.	6. — xxxviii. 6, 28.
6. — xii. 39.	6. — xxxix. 14, 15.
7. Psalm cxlii. 7.	10. — lii. 11.
1. Eccles. iv. 14.	5. —— 31, 33.
7. Isa. xxiv. 22.	

PRISONER.

1. אָסִיר *Oseer*, a prisoner bound.

2. שְׁבִי *Shevee*, a captive.

1. Psalm lxxix. 11.	1. Psalm cii. 20.

PRISONERS.

All passages not inserted are N°. 1.

2. Numb. xxi. 1.	2. Isa. xx. 4.

PRIVILY.

1. { מִסְתָּר *Mistor*, } in secret.
    { סֵתֶר *Saither*, }

2. תָּרְמָה *Tormoh*, deceit.

3. לָט *Lot*, softly.

4. אֹפֶל *Ouphel*, thick darkness.

5. טָמַן *Toman*, to conceal, enclose, cover over.

6. צָפַן *Tsophan*, to hide, keep secret.

2. Judg. ix. 31.	5. Psalm lxiv. 5.
3. 1 Sam. xxiv. 4.	1. — ci. 5.
1. Psalm x. 8.	5. —— cxlii. 3.
4. —— xi. 2.	6. Prov. i. 11, 18.
5. —— xxxi. 4.	

PRIVY.

יָדַע *Yoda*, to know.

Deut. xxiii. 1, not in original.	Ezek. xxi. 14, not in original.
1 Kings ii. 44.	

PRIZED.

יָקַר *Yokar*, to value.

Zech. xi. 13.

PROCEED.

1. יָצָא *Yotsō*, to go forth.

2. יָסַף *Yosaph*, to add, increase.

All passages not inserted are N°. 1.

2. Job xl. 5.	2. Isa. xxix. 14.

PROCEEDED.

1. Numb. xxx. 12.	1. Judg. xi. 36.
1. —— xxxii. 24.	2. Job xxxvi. 1.

PROCEEDETH.

1. In all passages.

PROCESS.

1. קֵץ *Kaits*, an end.

2. רַב *Rov*, many.

3. יָמִים *Yomeem*, days.

1. Gen. iv. 3.	3. Judg. xi. 4.
2. —— xxxviii. 12.	3. 2 Chron. xxi. 19.
2. Exod. ii. 23.	

PROCLAIM.

1. קָרָא *Korō*, to call.

2. קָדַשׁ *Kodash*, to sanctify.

3. עָבַר קוֹל *Ovar koul*, to pass a voice.

4. שָׁמַע *Shomā*, (Hiph.) to publish.

5. זָעַק *Zoak*, (Hiph.) to cause to cry out.

1. Exod. xxxiii. 19.	1. Prov. xx. 6.
1. Lev. xxiii. 2, 4, 21, 37.	1. Isa. lxi. 1, 2.
1. —— xxv. 10.	1. Jer. iii. 12.
1. Deut. xx. 10.	1. — vii. 2.
1. Judg. vii. 3.	1. — xi. 6.
1. 1 Kings xxi. 9.	1. — xix. 2.
2. 2 Kings x. 20.	1. — xxxiv. 8. 17.
3. Neh. viii. 15.	1. Joel iii. 9.
1. Esth. vi. 9.	1. Amos iv. 5.

PROCLAIMED.

1. Exod. xxxiv. 5, 6.
3. —— xxxvi. 6.
1. 1 Kings xxi. 12.
1. —— xxiii. 16, 17.
1. 2 Chron. xx. 3.
1. Ezra viii. 21.

1. Esth. vi. 11.
4. Isa. lxii. 11.
1. Jer. xxxvi. 9.
1. Jonah iii. 5.
5. —— 7.

PROCLAIMETH -ING.

1. Prov. xii. 23. | 1. Jer. xxxiv. 15.

PROCLAMATION.

1. קָרָא *Koro*, to call, call out.
2. הִשְׁמִיעַ *Hishmeea* (Hiph.), to cause to hear, proclaim.
3. רִנָּה *Rinnoh*, a shout of joy.
4. קוֹל *Koul*, a voice, noise.
5. כָּרַז *Koraz* (Syriac), an edict.

1. Exod. xxxii. 5.
2. 1 Kings xv. 22.
3. —— xxii. 36.
4. 2 Chron. xxiv. 9.
4. —— xxx. 5.

4. 2 Chron. xxxvi. 22.
4. Ezra i. 1.
4. —— x. 7.
5. Dan. v. 29.

PROCURE.

1. עָשָׂה *Osoh*, to do, make, perform.
2. בָּקֵשׁ *Bikaish*, to seek, require.

1. Jer. xxvi. 19. | 1. Jer. xxxiii. 9.

PROCURED.

1. Jer. ii. 17. | 1. Jer. iv. 18.

PROCURETH.

2. Prov. xi. 27.

PRODUCE.

קָרַב *Korav*, to come, bring near.
Isa. xli. 21.

PROFANE.

1. חֹל *Khoul*, profane, common.
2. חָנֵף *Khonaiph*, a flatterer.
3. טָמֵא *Tomai*, unclean.

1. Lev. xxi. 7, 14.
2. Jer. xxiii. 11.
1. Ezek. xxi. 25.
3. —— xxii. 26.

1. Ezek. xxviii. 16.
1. —— xlii. 20.
1. —— xliv. 23.
1. —— xlviii. 15.

PROFANE -ED -ETH -ING.

חִלֵּל *Khillail*, to profane, in all passages.

PROFANENESS.

חֲנֻפָּה *Khanuphoh*, flattery.
Jer. xxiii. 15.

PROFESS.

הִגִּיד *Higeed*, to declare.
Deut. xxvi. 3.

PROFIT, Subst.

1. לָמָּה זֶה *Lomoh zeh*, wherefore this?
2. בֶּצַע *Betsa*, gain, profit.
3. שָׁוֶה *Shouveh*, equal, useful.
4. מוֹעִיל *Moueel*, help, usefulness.
5. מוֹתַר *Mouthar*, superiority.
6. יִתְרוֹן *Yithroun*, superabundant.
7. יוֹתֵר *Youthair*, much more.

1. Gen. xxv. 32.
2. —— xxxvii. 26.
3. Esth. iii. 8.
4. Job xxi. 15.
4. — xxxv. 3.
2. Psalm xxx. 9.
5. Prov. xiv. 23.
6. Eccles. i. 3.

6. Eccles. ii. 11.
6. —— iii. 9.
6. —— v. 9, 16.
7. —— vii. 11.
4. Isa. xxx. 5.
4. Jer. xvi. 19.
2. Mal. iii. 14.

PROFIT.

1. שָׁוָה *Shovoh*, to equal, be useful.
2. סָכַן *Sokhan*, to benefit.
3. יָעַל *Yoal*, to help, make use of.

3. 1 Sam. xii. 21.
3. Prov. x. 2.
3. —— xi. 4.
3. Isa. xxx. 5, 6.
3. — xliv. 9.
3. — xlvii. 12.

3. Isa. xlviii. 17.
3. — lvii. 12.
3. Jer. ii. 8, 11.
3. — vii. 8.
3. — xii. 13.
3. — xxiii. 32.

PROFITED.

1. Job xxxiii. 27.
2. — xxxiv. 9.

3. Hab. ii. 18.

PROFITABLE.

1. סָכַן *Sokhan*, to benefit.
2. יִתְרוֹן *Yithroun*, superabundant.
3. מוֹעִיל *Moueel*, help, usefulness.
4. צָלַח *Tsolakh*, to prosper.

1. Job xxii. 2.
2. Eccles. x. 10.

3. Isa. xliv. 10.
4. Jer. xiii. 7.

PROFOUND.

עָמַק *Omak,* (Hiph.) to act deeply, deceitfully.

Hos. v. 2.

PROGENITORS.

הוֹרִים *Houreem,* teachers.

Gen. xlix. 26.

PROGNOSTICATORS.

מוֹדִיעִים *Moudeeēem,* prognosticators, foretellers.

Isa. xlvii. 13.

PROLONG.

1.   אָרַךְ *Orakh,* (Hiph.) to prolong.
2.   נָטָה *Notoh,* to stretch out.
3.   יָסַף *Yosaph,* (Hiph.) to increase.
4.   מָשַׁךְ *Moshakh,* (Niph.) to be drawn out.

All passages not inserted are N°. 1.

2. Job xv. 29.	3. Psalm lxi. 6.

PROLONGED.

1. Prov. xxviii. 2.	1. Ezek. xii. 22.
1. Eccles. viii. 12.	4. ——— 25, 28.
4. Isa. xiii. 22.	1. Dan. vii. 12.

PROLONGETH.

3. Prov. x. 27.	1. Eccles. vii. 15.

PROMISE, Subst.

1.   תְּנוּאָה *Tenoooh,* a prohibition.
2.   דָּבָר *Dovor,* a word.
3.   אֹמֶר *Oumer,* a speech, saying.

1. Numb. xiv. 34.	2. Neh. v. 12, 13.
2. 1 Kings viii. 56.	3. Psalm lxxvii. 8.
2. 2 Chron. i. 9.	2. —— cv. 42.

PROMISED.

1.   דִּבֶּר *Dibbair,* he spake.
2.   אָמַר *Omar,* he said, told.
3.   לְהַחֲיוֹתוֹ *Lehakhayouthou,* that he may live.

1. Exod. xii. 25.	1. Josh. xxiii. 5, 10, 15.
2. Numb. xiv. 40.	1. 2 Sam. vii. 28.
1. Deut. i. 11.	1. 1 Kings ii. 24.
1. —— vi. 3.	1. —— v. 12.
1. —— ix. 28.	1. —— viii. 20, 56.
1. —— x. 9.	1. —— ix. 5.
1. —— xii. 20.	2. 2 Kings viii. 19.
1. —— xv. 6.	1. 1 Chron. xvii. 26.
1. —— xix. 8.	1. 2 Chron. vi. 10, 15, 16.
1. —— xxiii. 23.	2. —— xxi. 7.
1. —— xxvi. 18.	2. Neh. ix. 23.
1. —— xxvii. 3.	2. Esth. iv. 7.
1. Josh. ix. 21.	1. Jer. xxxii. 42.
1. —— xxii. 4.	1. — xxxiii. 14.

PROMISEDST.

1. 1 Kings viii. 24, 25.	2. Neh. ix. 15.

PROMISING.

3. Ezek. xiii. 22.

PROMOTE.

1.   כַּבֵּד אֲכַבֵּד *Kabaid akhabaid,* honouring I will honour.
2.   רוּם *Room,* (Piel) to heighten, extol.
3.   נוּעַ *Nooā,* to move about.
4.   גִּדֵּל *Giddail,* brought up.
5.   צָלַח *Tsolakh,* (Hiph., Syriac) caused to prosper.

1. Numb. xxii. 17, 37.	2. Prov. iv. 8.
1. —— xxiv. 11.	

PROMOTED.

3. Judg. ix. 9, 11, 13.	5. Dan. iii. 30.
4. Esth. v. 11.	

PROMOTION.

הָרִים *Haireem,* causing to rise, raise up.

Psalm lxxv. 6.	Prov. iii. 35.

PRONOUNCE.

1.   בָּטָא *Bitto,* to pronounce.
2.   דִּבֶּר *Dibbair,* to speak.
3.   קָרָא *Koro,* to call.

1. Lev. v. 4.	2. Judg. xii. 6.

Word not used in original in other passages.

PRONOUNCED.

2. In all passages, except:

3. Jer. xxxvi. 18.

PRONOUNCING.
1 Lev. v. 4.

PROPER GOOD.
סְגֻלָּה *Sĕguloh*, peculiar treasure.
1 Chron. xxix. 3.

PROPHECY.
1. נְבוּאָה *Nevoooh*, a prophecy.
2. מַשָּׂא *Massō*, a burden.

1. 2 Chron. ix. 29.	2. Prov. xxx. 1.
1. —— xv. 8.	2. —— xxxi. 1.
1. Neh. vi. 12.	

PROPHESY, Verb.
1. נִבָּא *Nibbo*, to prophesy; in all passages, except :
2. חָזָה *Khozoh*, to see in a vision.
3. נָטַף *Notaph*, to drop (words).

2. Isa. xxx. 10.	3. Mic. ii. 6, 11.

PROPHESIED.
1. In all passages.

PROPHESIETH.
1. In all passages.

PROPHESYING.
1. In all passages.

PROPHET.
נָבִיא *Novee*, a prophet; in all passages, except :
מַטִּיף *Mateeph*, a dropper (of words).
Mic. ii. 11.

PROPHETS.
נְבִיאִים *Neveeēem*, prophets, in all passages.

PROPHETESS.
נְבִיאָה *Neveeoh*, a prophetess.

Exod. xv. 20.	2 Chron. xxxiv. 22.
Judg. iv. 4.	Neh. vi. 14.
2 Kings xxii. 14.	Isa. viii. 3.

PROPORTION.
1. מַעַר *Maar*, vacancy, space.
2. עֵרֶךְ *Erekh*, proportion.

1. 1 Kings vii. 36.	2. Job xli. 12.

PROSPECT.
פָּנִים *Poneem*, faces.

Ezek. xl. 44, 46.	Ezek. xliii. 4.
—— xlii. 15.	

PROSPER -ED -ETH.
צָלַח *Tsolakh*, to prosper, in all passages.

PROSPERITY.
1. טוֹבָה *Touvoh*, goodness.
2. שָׁלוֹם *Sholoum*, peace.
3. שַׁלְוָה *Shalvoh*, ease, quietness.
4. הַצְלָחָה *Hatslokhoh*, prosperity.

1. Deut. xxiii. 6.	4. Psalm cxviii. 25.
1 Sam. xxv. 6, not in	3. —— cxxii. 7.
original.	3. Prov. i. 32.
1. 1 Kings x. 7.	1. Eccles. vii. 14.
2. Job xv. 21.	3. Jer. xxii. 21.
1. — xxxvi. 11.	2. — xxxiii. 9.
3. Psalm xxx. 6.	1. Lam. iii. 17.
2. —— xxxv. 27.	1. Zech. i. 17.
2. —— lxxiii. 3.	3. —— vii. 7.

PROSPEROUS.
1. צָלַח *Tsolakh*, (Hiph.) to cause to prosper.
2. שָׁלֵם *Shillaim*, to complete, perfect.
3. הַשָּׁלוֹם *Hasholoum*, of peace.

1. Gen. xxiv. 21.	2. Job viii. 6.
1. —— xxxix. 2.	1. Isa. xlviii. 15.
1. Josh. i. 8.	3. Zech. viii. 12.
1. Judg. xviii. 5.	

PROSPEROUSLY.
1. 2. Chron. vii. 11.	1. Psalm xlv. 4.

PROSTITUTE, Verb.
חִלֵּל *Khillail*, to profane.
Lev. xix. 29.

PROTECTION.
עֶזְרָה *Ezroh*, help.
Deut. xxxii. 38.

PROTEST -ED -ING.

יָעַד *Yoad*, (Hiph.) to testify, resolve, appoint.

Gen. xliii. 3.	Jer. xi. 7.
1 Sam. viii. 9.	Zech. iii. 6.
1 Kings ii. 42.	

PROTESTING.
Jer. xi. 7.

PROUD.

1.   רָהַב *Rohav*, insolence.

2. { גָּאוֹן *Gooun*,   } pride.
     { גֵּאָה *Gooh*,   }

2. In all passages, except:

1. Job ix. 13.	1. Job xxvi. 12.

PROUDLY.

1.   זָדָה *Zodoh*, to act licentiously.
2.   נָבַה *Govah*, to heighten, be arrogant.
3.   רָהַב *Rohav*, to be insolent.
4. גָּדַל פֶּה *Godal peh*, (Hiph.) to widen the mouth; met., speak proudly.
5.   גֵּאָה *Gooh*, to act proudly.

1. Exod. xviii. 11.	5. Psalm xvii. 10.
2. 1 Sam. ii. 3.	5. —— xxxi. 18.
1. Neh. ix. 10.	3. Isa. iii. 5.
1. —— xvi. 29.	4. Obad. 12.

PROVE.

1.   נָסָה *Nissoh*, to try, tempt (alluding to man's heart).

2.   בָּחַן *Bokhan*, to prove, try as a refiner of metal.

All passages not inserted are Nº. 1.

Job ix. 20, not in original.

PROVED.

All passages not inserted are Nº. 1.

2. Gen. xlii. 15, 16.	2. Psalm lxvi. 10.
2. Psalm xvii. 3.	2. —— lxxxi. 7.

PROVETH.

1. Deut. xiii. 3.

PROVENDER.

1.   מִסְפּוֹא *Mispou*, food for cattle.
2.   חָמֵץ *Khomaits*, leavened.

1. Gen. xxiv. 25, 32.	1. Judg. xix. 19, 21.
1. —— xlii. 27.	2. Isa. xxx. 24.
1. —— xliii. 24.	

PROVERB.

מָשָׁל *Moshol*, a proverb, parable, in all passages.

PROVERBS.

מְשָׁלִים *Mĕsholeem*, proverbs, parables, in all passages.

PROVIDE.

1.   כִּלְכֵּל *Kilkail*, to sustain.
2.   רָאָה *Rōōh*, to see, show.
3.   עָשָׂה *Osoh*, to do, make, perform, exercise.
4.   חָזָה *Khozoh*, to see in a vision.
5.   כּוּן *Koon*, to erect, establish, found.

2. Gen. xxii. 8.	2. 2 Sam. xvi. 17.
3. —— xxx. 30.	5. 2 Chron. ii. 7.
4. Exod. xviii. 21.	5. Psalm lxxviii. 20.

PROVIDED.

2. Deut. xxxiii. 21.	1. 1 Kings iv. 7, 27.
2. 1 Sam. xvi. 1.	3. 2 Chron. xxxii. 29.
1. 2 Sam. xix. 32.	5. Psalm lxv. 9.

PROVIDETH.

5. Job xxxviii. 41.	5. Prov. vi. 8.

PROVINCE.

מְרִינָה *Medeenoh*, province, in all passages.

PROVINCES.

מְדִינוֹת *Medeenouth*, provinces, in all passages.

PROVISION.

1.   צֵידָה *Tsaidoh*, provision.
2.   כַּלְכֵּל *Kalkail*, maintenance.
3.   לֶחֶם *Lekhem*, bread.
4.   בֵּרָה *Kairoh*, a banquet.
5.   כּוּן *Koon*, (Hiph.) arranged, prepared.
6.   דָּבָר *Dovor*, a matter.

1. Gen. xlii. 25.
1. —— xlv. 21.
1. Josh. ix. 5, 12.
2. 1 Kings iv. 7.
3. —————— 22.

4. 2 Kings vi. 23.
5. 1 Chron. xxix. 19.
1. Psalm cxxxii. 15.
6. Dan. i. 5.

PROVOCATION.

1. כַּעַס Kaās, indignation.
2. נֶאָצוֹת Neotsouth, blasphemies.
3. הַמְרוֹת Hamrouth, bitternesses.
4. כִּמְרִיבָה Kimereevoh, as at Meribah.

1. 1 Kings xv. 30.
1. —————— xxi. 22.
1. 2 Kings xxiii. 26.
2. Neh. ix. 18, 26.
3. Job xvii. 2.

4. Psalm xcv. 8.
   Jer. xxxii. 31, not in original.
1. Ezek. xx. 28.

PROVOKE.

1. מָרַר Morar, to embitter.
2. נָאַץ Niaits, to contemn.
3. רָגַז Rogaz, to tremble with rage.
4. קָצַף Kotsaph, to vex.
5. סוּת Sooth, to assuage, persuade.
6. כַּעַס Koas, to anger.
7. מִתְעַבֵּר Mithabair, to overcome.
8. מַקְנֶה Makneh, to excite to jealousy.

1. Exod. xxiii. 21.
2. Numb. xiv. 11.
2. Deut. xxxi. 20.
3. Job xii. 6.

1. Psalm lxxviii. 40.
1. Isa. iii. 8.
6. Jer. vii. 19.
6. — xliv. 8.

PROVOKE to anger.

6. In all passages, except :
   2. Isa. i. 4.

PROVOKED.

2. Numb. xiv. 23.
2. —————— xvi. 30.
4. Deut. ix. 8, 22.
6. 1 Sam. i. 6, 7.
   1 Kings xiv. 22, not in original.
6. 2 Kings xxiii. 26.

5. 1 Chron. xxi. 1.
3. Ezra v. 12.
1. Psalm lxxviii. 56.
1. —————— cvi. 7.
6. —————— 29.
1. —————— 33, 43.
4. Zech. viii. 14.

PROVOKEDST.

4. Deut. ix. 7.

PROVOKETH.

7. Prov. xx. 2.
6. Isa. lxv. 3.

8. Ezek. viii. 3.

PROVOKING.

6. Deut. xxxii. 19.
6. 1 Kings xiv. 15.

6. 1 Kings xvi. 7, 13.
1. Psalm lxxviii. 17.

PRUDENCE.

1. שֵׂכֶל Saikhel, skill, prudence.
2. עָרְמָה Ormoh, acuteness, craftiness.

1. 2 Chron. ii. 12. | 2. Prov. viii. 12.

PRUDENT.

1. נָבוֹן Novoun, a man of understanding.
2. עָרוּם Oroom, acute, crafty, subtle.
3. מַשְׂכִּיל Maskeel, skilful, prudent.
4. לֹחֵם Kousaim, the enchanter.
5 בָּנִים Boneem, children.

1. 1 Sam. xvi. 18.
2. Prov. xii. 16, 23.
2. —————— xiii. 16.
2. —————— xiv. 8, 15, 18.
2. —————— xv. 5.
1. —————— xvi. 21.
1. —————— xviii. 15.
3. —————— xix. 14.
2. —————— xxii. 3.

2. Prov. xxvii. 12.
4. Isa. iii. 2.
1. — v. 21.
1. — x. 13.
1. — xxix. 14.
5. Jer. xlix. 7.
1. Hos. xiv. 9.
3. Amos v. 13.

PRUDENTLY.

שָׂכַל Sokhal, to act prudently, skilfully.
   Isa. lii. 13.

PRUNE.

זָמַר Zomar, to prune, cut.
   Lev. xxv. 3, 4.

PRUNED.

Isa. v. 6.

PRUNING HOOKS.

Isa. ii. 4.
— xviii. 5.

Joel iii. 10.
Mic. iv. 3.

PSALM.

זִמְרָה Zimroh, a chant.

Psalm lxxxi. 2. | Psalm xcviii. 5.

PSALMS.

זְמִרוֹת Zemirouth, chants.

1 Chron. xvi. 9.
Psalm xcv. 2.

Psalm cv. 2.

PSALMIST.

זְמִרוֹת Zemirouth, chants.

2 Sam. xxiii. 1.

PSALTERY -IES.

נֵבֶל   *Naivel,* a musical instrument; in all passages, except :

פְּסַנְתֵּרִין   *Phesantereen* (Syriac), a wind instrument.

Dan. iii. 5, 7, 10, 15.

PUBLISH

1.   הִשְׁמִיעַ   *Hishmeea,* to publish.
2.   בִּשֵּׂר   *Bissair,* to bear good tidings.
3.   קָרָא   *Koro,* to call, proclaim.
4.   גָּלָה   *Goloh,* to reveal, make public.
5.   אָמַר   *Omar,* to say.

3. Deut. xxxii. 3.	1. Jer. v. 20.
2. 1 Sam. xxxi. 9.	1. — xxxi. 7.
2. 2 Sam. i. 20.	1. — xlvi. 14.
1. Neh. viii. 15.	1. — L. 2.
1. Psalm xxvi. 7.	1. Amos iii. 9.
1. Jer. iv. 5, 16.	1. —— iv. 5.

PUBLISHED.

4. Esth. i. 20, 22.	2. Psalm lxviii. 11.
4. —— iii. 14.	5. Jonah iii. 7.
4. —— viii. 13.	

PUBLISHETH.

2. Isa. lii. 7.	1. Nah. i. 15.
1. Jer. iv. 15.	

PUFFETH.

נָפַח   *Nophakh,* to breathe.

Psalm x. 5. | Psalm xii. 5.

PULL -ED.

1.   הֵבִיא   *Haivee,* to bring.
2.   הֵשִׁיב   *Haisheev,* to bring back, cause to return.
3.   נָסַח   *Nosakh,* to tear away.
4.   הוֹצִיא   *Houtsee,* to bring out.
5.   הָרַס   *Horas,* to break down.
6.   נָתַק   *Notak,* to pluck out.
7.   נָתַץ   *Notats,* to break in pieces.
8.   פָּשַׁח   *Poshakh,* to tear asunder, pull in pieces.
9.   נָתַשׁ   *Notash,* to pluck up.
10.   פָּשַׁט   *Poshat,* to strip off.
11.   סָרַר   *Sorar,* to be stubborn.

1. Gen. viii. 9.	7. Jer. xviii. 7.
2. —— xix. 10.	5. — xxiv. 6.
2. 1 Kings xiii. 4.	5. — xlii. 10.
3. Ezra vi. 11.	8. Lam. iii. 11.
4. Psalm xxxi. 4.	6. Ezek. xvii. 9.
5. Isa. xxii. 19.	9. Amos ix. 15.
5. Jer. i. 10.	10. Mic. ii. 8.
6. — xii. 3.	11. Zech. vii. 11.

PULPIT.

מִגְדָּל   *Migdol,* a tower, any raised work.

Neh. viii. 4.

PULSE.

זַרְעֹנִים   *Zarouneem,* vegetables.

2 Sam. xvii. 28, not | Dan. i. 12, 16.
     in original. |

PUNISH.

1.   עָנַשׁ   *Onash,* to punish.
2.   יָסַר   *Yosar,* to chastise, correct.
3.   פָּקַד   *Pokad,* to visit, command, call to mind.
4.   וַיֵּרַע   *Haira,* to displease.
5.   נָקַם   *Nokam,* to revenge, avenge.
6.   חָשַׂךְ   *Khosakh,* to spare, withhold.
7.   הִכָּה   *Hikkoh,* to smite, strike.

2. Lev. xxvi. 18.	3. Jer. xxvii. 8.
7. —— 24.	3. — xxix. 32.
1. Prov. xvii. 26.	3. — xxx. 20.
3. Isa. x. 12.	3. — xxxvi. 31.
3. — xiii. 11.	3. — xliv. 13, 29.
3. — xxiv. 21.	3. — xlvi. 25.
3. — xxvi. 21.	3. — L. 18.
3. — xxvii. 1.	3. — li. 44.
3. Jer. ix. 25.	3. Hos. iv. 9, 14.
3. — xi. 22.	3. —— xii. 2.
3. — xiii. 21.	3. Amos iii. 2.
3. — xxi. 14.	3. Zeph. i. 8, 9, 12.
3. — xxiii. 34.	4. Zech. viii. 14.
3. — xxv. 12.	

PUNISHED.

5. Exod. xxi. 20, 21, 22.	1. Prov. xxvii. 12.
6. Ezra ix. 13.	3. Jer. xliv. 13.
Job xxxi. 11, not in	3. — L. 18.
original.	3. Zeph. iii. 7.
1. Prov. xxi. 11.	3. Zech. x. 3.
1. —— xxii. 3.	

PUNISHMENT.

1.   עָוֹן   *Ovoun,* iniquity.
2.   חֵטְא   *Khait,* sin.
3.   עֹנֶשׁ   *Ounesh,* punishment.

1. Gen. iv. 13.
Lev. xxvi. 41, 43, not
in original.
1. 1 Sam. xxviii. 10.
3. Prov. xix. 19.
Lam. iii. 39, not in
original.

1. Lam. iv. 6.
2. —— 6.
1. —— 22.
1. Ezek. xiv. 10.
Amos, not in original
in any passage.
2. Zech. xiv. 19.

PUNISHMENTS.

1. עֲוֹנוֹת **Avounouth**, iniquities.
2. תּוֹכֵחוֹת **Toukhaikhouth**, reproofs, corrections.

1. Job xix. 29. | 2. Psalm cxlix. 7.

PUR.

פּוּר **Poor** (Persian), a lot.

Esth. iii. 7. | Esth. ix. 24, 26.

PURCHASE, Subst.

מִקְנֶה **Mikneh**, a purchase.

Gen. xlix. 32. | Jer. xxxii. 11, 12, 14, 16.

PURCHASE.

קָנָה **Konoh**, to purchase.

Lev. xxv. 33.

PURCHASED.

Gen. xxv. 10.
Exod. xv. 16.
Ruth iv. 10.

Psalm lxxiv. 2.
—— lxxviii. 54.

PURE.

1. טָהוֹר **Tohour**, clean.
2. זָךְ **Zokh**, pure, applied only to oil.
3. דְּרוֹר **Děrour**, unchecked, flowing.

2. Exod. xxvii. 20.
3. —— xxx. 23, 34.
1. —— xxxi. 8.
1. —— xxxix. 37.
2. Lev. xxiv. 2.
1. —— 4, 6.
2. —— 7.
1. Deut. xxxii. 14.
1. 2 Sam. xxii. 27.
2. 1 Kings v. 11.
1. 2 Chron. xiii. 11.
1. Ezra vi. 20.
1. Job iv. 17.
1. — viii. 6.
1. — xi. 4.

1. Job xvi. 17.
1. — xxv. 5.
1. Psalm xii. 6.
1. —— xviii. 26.
1. —— xix. 8.
1. —— cxix. 140.
1. Prov. xv. 26.
1. —— xx. 9, 11.
1. —— xxi. 8.
1. —— xxx. 5, 12.
1. Dan. vii. 9.
1. Mic. vi. 11.
1. Zeph. iii. 9.
1. Mal. i. 11.

PURE gold.

1. טָהוֹר **Tohour**, clean, pure.
2. כֶּתֶם **Kethem**, pure gold.
3. פָּז **Poz**, refined gold.

All passages not inserted are Nº. 1.

2. Job xxviii. 19. | 3. Psalm xxi. 3.

PURER.

The comparative is not used in Hebrew, but is designated by a prefixed מ to the noun following, and the adjective is mentioned only, as :—

זָךְ מִשֶּׁלֶג **Zokh mesheleg**, clearer than snow.

Lam. iv. 7. | Hab. i. 13.

PURELY.

כַּבֹּר **Kabbour**, as a purifier.

Isa. i. 25.

PURENESS.

נָקִי **Nokee**, clear.

Job xxii. 30. | Prov. xxii. 11.

PURGE.

1. טָהַר **Tohar**, to cleanse, purify.
2. כִּפֵּר **Kippair**, to forgive, to atone, pardon.
3. צָרַף **Tsoraph**, to refine.
4. בָּרַר **Borar**, to make pure.
5. זָקַק **Zokak**, to clarify by heat.
6. דּוּחַ **Dooakh**, to expel, dispel.

1. 2 Chron. xxxiv. 3.
1. Psalm li. 7.
2. —— lxv. 3.
2. —— lxxix. 9.
3. Isa. i. 25.

4. Ezek. xx. 38.
2. —— xliii. 20, 26.
4. Dan. xi. 35.
5. Mal. iii. 3.

PURGED.

2. 1 Sam. iii. 14.
1. 2 Chron. xxxiv. 8.
2. Prov. xvi. 6.
6. Isa. iv. 4.

2. Isa. vi. 7.
2. — xxii. 14.
2. — xxvii. 9.
1. Ezek. xxiv. 13.

PURIFICATION -S.

1. טׇהֳרָה **Taharoh**, purification.
2. חַטָּאת **Khatoth**, sin-offering.
3. תַּמְרוּק **Tamrook**, perfumery, ointment.

2. Numb. xix. 9, 17.
1. 2 Chron. xxx. 19.

1. Neh. xii. 45.
3. Esth. ii. 3, 12.

PURIFY.

1.   חִטֵּא   *Khitto*, to free from sin, expiate.
2.   טָהַר   *Tohar*, to cleanse.
3.   קָדַשׁ   *Kodash*, to sanctify.
4.   זָקַק   *Zokak*, to clarify.
5.   בָּרַר   *Borar*, to purify.

1. Numb. xix. 12, 19, 20.	2. Isa. lxvi. 17.
1. —— xxxi. 19, 20.	2. Ezek. xliii. 26.
1. Job xli. 25.	4. Mal. iii. 3.

PURIFIED.

1. Lev. viii. 15.	2. Ezra vi. 20.
1. Numb. viii. 21.	4. Psalm xii. 6.
1. —— xxxi. 23.	5. Dan. xii. 10.
3. 2 Sam. xi. 4.	

PURIFIETH.
1. Numb. xix. 13.

PURIFYING.

1.   טָהֳרָה   *Tăhăroh*, purification.
2.   חַטָּאת   *Khatoth*, sin-offering.
3.   תַּמְרוּק   *Tamrook*, perfumery, ointment.

1. Lev. xii. 4, 6.	1. 1 Chron. xxiii. 28.
2. Numb. viii. 7.	3. Esth. ii. 12.

PURIFIER.

מְטַהֵר   *Mětahair*, a purifier.

Mal. iii. 3.

PURIM.

פּוּרִים   *Pooreem*, lots, the feast of lots.

Esth. ix. 26, 28, 29, 31, 32.

PURPLE.

אַרְגָּמָן   *Argomon*, purple, in all passages.

PURPOSE.

1.   עֵצָה   *Aitso*, counsel.
2.   דָּבָר   *Dovor*, a word, matter.
3.   מַעֲשֶׂה   *Măăsai*, deed, work.
4.   מַחֲשָׁבָה   *Makhashovoh*, thought.
5.   חֵפֶץ   *Khaiphets*, wish, desire.
6.   רִיק   *Reek*, emptiness.
7.   צְבִי   *Tsevee* (Chaldee), will.
8.   זִמָּה   *Zimmoh*, determination.
9.   שָׁתוֹת   *Shothouth*, foundations.

Ruth ii. 16, not in original.
1. Ezra iv. 5.
2. Neh. viii. 4.
3. Job xxxiii. 17.
4. Prov. xx. 18.
5. Eccles. iii. 1, 17.
5. —— viii. 6.
Isa. i. 11, not in original.

1. Isa. xiv. 26.
6. — xxx. 7.
Jer. vi. 20, not in original.
4. — xlix. 30.
4. — li. 29.
7. Dan. vi. 17.

PURPOSES.

8. Job xvii. 11.	4. Jer. xlix. 20.
4. Prov. xv. 22.	4. — L. 45.
9. Isa. xix. 10.	

PURPOSE, Verb.

1.   אָמַר   *Omar*, to say.
2.   פָּנִים   *Poneem*, face.
3.   זָמַם   *Zomam*, to purpose, devise.
4.   חָשַׁב   *Khoshav*, to think, imagine.
5.   יָעַץ   *Yoats*, to advise, counsel.
6.   יָצַר   *Yotsar*, to form.
7.   שׂוּם   *Soom*, to set, place, act.

1. 1 Kings v. 5.	4. Jer. xxvi. 3.
1. 2 Chron. xxviii. 10.	4. — xxxvi. 3.

PURPOSED.

2. 2 Chron. xxxii. 2.	6. Isa. xlvi. 11.
3. Psalm xvii. 3.	3. Jer. iv. 28.
4. —— cxl. 4.	4. — xlix. 20.
3. Isa. xiv. 24.	4. — L. 45.
5. —— 26, 27.	4. Lam. ii. 8.
5. — xix. 12.	7. Dan. i. 8.
5. — xxiii. 9.	

PURSE.

כִּיס   *Kees*, a purse.

Proverbs i. 14.

PURSUE.

1.   רָדַף   *Rodaph*, to pursue, persecute.
2.   רָדַף אַחַר   *Rodaph akhar*, to pursue after.
3.   הָלַךְ אַחַר   *Holakh akhar*, to walk after.
4.   דָּבַק   *Dovak*, to cleave to, stick to.
5.   נָשַׂג   *Nosag*, to reach, overtake.
6.   מֵאַחֲרָיו   *Maiakharov*, from after him.
7.   דָּלַק   *Dolak*, to pursue hotly.

All passages not inserted are N°. 1.

2. Deut. xix. 6.	3. Jer. xlviii. 2.

PURSUED.

All passages not inserted are N°. 1.

7. Gen. xxxi. 36.	7. Lam. iv. 19.
4. Judg. xx. 45.	

PURSUING.

5. 1 Kings xviii. 27.	6. 2 Chron. xviii. 32.
6. —— xxii. 33.	

PURSUER.

רוֹדֵף   *Roudaip*, a pursuer.

Lam. i. 6.

PURSUERS.

רֹדְפִים   *Roudpheem*, pursuers.

Josh. ii. 16, 22.	Josh. viii. 20.

PURTENANCE.

קֶרֶב   *Kerev*, inside, within.

Exod. xii. 9.

PUSH -ED -ING.

נָגַח   *Nagokh*, to push, in all passages.

PUT.

1. שׂוּם   *Soom*, to put.
2. נָחָה   *Nokhoh*, (Hiph.) to guide.
3. שִׁית   *Sheeth*, to set, place.
4. לָבַשׁ   *Lovash*, to clothe.
5. שׁוּב   *Shoov*, (Hiph.) to cause to turn, bring back.
6. נָתַן   *Nothan*, to give.
7. אָסַף   *Osaph*, to gather in.
8. נָשַׁל   *Noshal*, to cast off.
9. בּוֹא   *Bou*, (Hiph.) to bring, cause to come.
10. פָּלָה   *Poloh*, (Hiph.) to set apart, select.
11. שָׁלַח   *Sholakh*, to send forth.
12. הוֹרִד   *Houraid*, to put down, off.
13. רָדַף   *Rodaph*, to pursue, persecute.
14. חָלַץ   *Kholats*, to put off, draw off.
15. נוס   *Noos*, (Hiph.) to cause to flee.
16. סָפַח   *Sophakh*, to adhere, join.
17. עָשָׂה   *Osoh*, to make, do.
18. נָשַׂג   *Nosag*, to reach.
19. סוּר   *Soor*, to turn aside, put away.
20. הַרְכֵּב יָד   *Harkaiv yod*, to make the hand to ride; met., lay hold of.
21. בְּנַפְשׁוֹתָם   *Benaphshouthom*, with their lives.
22. פָּשַׁט   *Poshat*, to strip.
23. רָחַק   *Rokhakh*, (Hiph.) to extend, remove to a distance.
24. פָּתַח   *Pothakh*, (Piel) to open, loosen.
25. אָלַם   *Olam*, (Niph.) to be dumb.
26. בּוּשׁ   *Boosh*, (Hiph.) to put to shame.
27. בָּטַח   *Botakh*, to confide.
28. כָּלַם   *Kolam*, (Hiph.) to confound.
29. חָסַר   *Khosad*, (Piel) to accuse.
30. גָּבַר   *Govar*, (Piel) to make powerful.
31. הָדָה   *Hodoh*, to guide the hand.
32. זָכַר   *Zokhar*, (Hiph.) to cause to remember, make mention.
33. כִּפֵּר   *Kippair*, to expiate.
34. חָלָה   *Kholoh*, (Hiph.) to cause illness.
35. דום   *Doom*, (Hiph.) to cause silence.
36. בָּדַל   *Bodal*, (Hiph.) to make a division, discriminate.
37. שָׁפַל   *Shophal*, (Hiph.) to make, bring low, abase.
38. הֻגַּשׁוּ   *Huggashoo*, brought near.
39. שָׁבַת   *Shovath* (Hiph.) to cause to cease.
40. גֵּרוּשָׁה   *Gerooshoh*, driven out.
41. בָּעַר   *Boar*, (Piel) to clear away, extirpate.
42. עָבַר   *Ovar*, (Hiph.) to pass over, by, away.
43. יָצָא   *Yotsō*, (Hiph.) to cause to go out.
44. נָטָה   *Notoh*, to decline.
45. נוּד   *Nood*, (Piel) to wander about, move away.
46. מוֹת יָמוּת   *Mouth yomooth*, dying he shall die.
47. יוּמַת   *Yoomoth*, shall be put to death.
48. רָצַח   *Rotsakh*, to murder.
49. מוּת   *Mooth*, (Hiph.) to cause death (of him).

50. הַרְגֵי מָוֶת *Harugai moveth*, lit., the killed of death, slain.

51. גֶּרֶשׁ *Geresh*, a produce.

52. הָדַר *Hoddar*, (Hith.) to glorify himself.

53. לָבַשׁ *Lovash*, to put on raiment.

54. חָגַר *Khogar*, to gird.

55. תִּהְיֶה *Tiheyeh*, she shall be.

56. נָגַף *Nogaph*, (Niph.) being injured.

57. עָלָה *Oloh*, to ascend.

58. חָפַר *Khophar*, to blush.

59. יָסַף *Yosaph*, (Hiph.) to add, increase.

60. אָמַן *Oman*, (Hiph.) to cause to believe.

61. בָּטַח *Botakh*, to trust.

62. חָסָה *Khosoh*, to seek protection, secure.

63. חָנַט *Khonat*, to ripen, embalm.

64. עָטָה *Otoh*, to invest, wrap round, up.

65. כָּבָה *Kovoh*, to extinguish.

66. מָחָה *Mokhoh*, to erase, expel.

67. נָקַר *Nokar*, to dig out, pierce.

68. עִוֵּר *Ivvair*, to blind.

69. נָתַן יָד *Nothan yod*, to put out, give the hand.

70. דָּעַךְ *Doakh*, to quench.

2. Gen. ii. 8, 15.
3. —— iii. 15.
1. —— xxiv. 2, 9, 47.
4. —— xxvii. 15, 16.
1. —— xxviii. 11.
5. —— xxix. 3.
3. —— xxx. 40.
1. ——— 42.
1. —— xxxi. 34.
1. —— xxxii. 16.
19. —— xxxviii. 14.
6. —— xxxix. 4.
1. —— xl. 15.
7. —— xlii. 17.
3. —— xlvi. 4.
1. —— xlvii. 29.
1. —— xlviii. 18.
8. Exod. iii. 5.
1. ——— 22.
9. —— iv. 6.
5. ——— 7.
1. ——— 15.
6. —— v. 21.
1. —— viii. 23.
10. —— xi. 7.
1. —— xv. 26.
6. —— xvi. 33.

11. Exod. xxii. 5, 8, 11.
3. —— xxiii. 1.
1. —— xxix. 24.
6. —— xxx. 36.
1. —— xxxii. 27.
12. —— xxxiii. 5.
1. ——— 22.
6. Lev. viii. 27.
6. —— xix. 14.
2. —— xxiv. 12.
13. —— xxvi. 8.
1. Numb. vi. 27.
1. —— xi. 17.
6. ——— 29.
1. —— xxi. 19.
1. —— xxiii. 5, 16.
1. Deut. x. 2, 5.
6. —— xi. 29.
1. —— xii. 5.
11. ——— 7.
1. ——— 21.
6. —— xviii. 18.
6. —— xxiii. 24.
15. —— xxxii. 30.
1. Josh. vii. 11.
1. Judg. xii. 3.
16. 1 Sam. ii. 36.

17. 1 Sam. viii. 16.
18. —— xiv. 26.
19. —— xvii. 39.
1. ——— 54.
1. —— xix. 5.
1. —— xxviii. 21.
6. 1 Kings v. 3.
1 —— ix. 3.
1. —— xi. 36.
1. —— xii. 29.
1. —— xiv. 21.
1. —— xviii. 23.
1. —— xxii. 27.
1. 2 Kings iv. 34.
6. —— xi. 12.
20. —— xiii. 16, twice.
1. ——— 16.
1. —— xix. 28.
1. —— xxi. 7.
21. 1 Chron. xi. 19.
11. —— xiii. 10.
5. —— xxi. 27.
1. 2 Chron. vi. 11, 20.
1. —— xii. 13.
1. —— xxxiii. 7.
19. —— xxxvi. 3.
11. Ezra vi. 12.
6. —— vii. 27.
6. Neh. ii. 12.
9. —— iii. 5.
22. —— iv. 23.
11. ——— 23.
—— vi. 14, 19, not in original.
17. Esth. ix. 1.
1. Job iv. 18.
1. — xiii. 14.
1. — xvii. 3.
23. — xix. 13.
1. — xxiii. 6.
3. — xxxviii. 36.
1. — xli. 2.
6. Psalm iv. 7.
3. —— viii. 6.
3. —— ix. 20.
24. —— xxx. 11.
25. —— xxxi. 18.
6. —— xl. 3.

26. Psalm xl. 14.
26. —— xliv. 7, 9.
26. —— liii. 5.
1. —— lvi. 8.
6. —— lxxviii. 66.
23. —— lxxxviii. 18.
27. —— cxviii. 8, 9.
26. —— cxix. 31.
1. Prov. xxiii. 2.
28. —— xxv. 8.
29. ——— 10.
30. Eccles. x. 10.
22. Cant. v. 3.
11. ——— 4.
1. Isa. v. 20.
12. — x. 13.
31. — xi. 8.
14. — xx. 2.
1. — xxxvii. 29.
6. — xlii. 1.
32. — xliii. 26.
33. — xlvii. 11.
1. — li. 16, 23.
34. — liii. 10.
1. — lix. 21.
1. — lxiii. 11.
6. Jer. i. 9.
3. — iii. 19.
35. — viii. 14.
34. — xii. 13.
6. — xxxi. 33.
6. — xxxii. 40.
7. — xlvii. 6.
11. Ezek. viii. 17.
6. —— xi. 19.
1. —— xvi. 14.
36. —— xxii. 26.
6. —— xxix. 4.
6. —— xxx. 13.
6. —— xxxvi. 26, 27.
6. —— xxxvii. 6, 14.
6. —— xxxviii. 4.
37. Dan. v. 19.
11. Joel iii. 13.
1. Mic. ii. 12.
27. —— vii. 5.
26. Zeph. iii. 19.

PUT away.

19. Gen. xxxv. 2.
39. Exod. xii. 15.
40. Lev. xxi. 7.
41. Deut. xix. 13.
41. —— xxi. 9.
11. —— xiii. 19, 29.
19. Josh. xxiv. 14, 23.
19. Judg. x. 16.
41. —— xx. 13.
19. 1 Sam. i. 14.
19. —— vii. 3.
19. —— xxviii. 3.
42. 2 Sam. xii. 13.
19. 2 Kings iii. 2.
41. —— xxiii. 24.

42. 2 Chron. xv. 8.
43. Ezra x. 3, 19.
23. Job xi. 14.
23. — xxii. 23.
19. Psalm xviii. 22.
44. —— xxvii. 19.
23. —— lxxxviii. 8.
19. Prov. iv. 24.
23. ——— 24.
11. Isa. L. 1.
11. Jer. iii. 1, 8.
19. — iv. 1.
23. Ezek. xliii. 9.
40. —— xliv. 22.
19. Hos. ii. 2.
45. Amos vi. 3.

PUT to death.

46. Gen. xxvi. 11. | 47. Exod. xxi. 29.

PUT (continued)

47. Exod. xxxv. 2.	47. 1 Sam. xi. 13.
47. Lev. xix. 20.	49. 2 Sam. viii. 2.
46. —— xx. 11.	47. —————— xix. 21, 22.
47. —— xxiv. 21.	49. —————— xxi. 9.
47. Numb. i. 51.	49. 1 Kings ii. 8.
47. —————— iii. 10, 38.	47. —————— 24.
47. —————— xviii. 7.	49. —————— 26.
48. —————— xxxv. 30.	49. 2 Kings xiv. 6.
47. Deut. xiii. 5.	47. 2 Chron. xv. 13.
49. —————— 9.	47. —————— xxiii. 7.
47. —— xvii. 6.	49 Esth. iv. 11.
49. —————— 7.	50. Jer. xviii. 21.
47. —— xxi. 22.	49. — xxvi. 15, 19, 21.
47. —— xxiv. 16.	47. — xxxviii. 4.
47. Josh. i. 18.	49. —————— 15, 16,
47. Judg. vi. 31.	25.
49. —— xx. 13.	49. — xliii. 3.
49. 1 Sam. xi. 12.	49. — lii. 27.

PUT away evil.

41. In all passages, except:

42. Eccles. xi. 10.	19. Isa. i. 16.

PUT forth.

11. In all passages, except:

51. Deut. xxxiii. 14.	52. Prov. xxv. 6.
31. Judg. xiv. 12, 13.	31. Ezek. xvii. 2.
6. Prov. viii. 1.	

PUT on.

53. In all passages, except:

3. Exod. xxxiii. 4.	1. Jer. xiii. 1, 2.
1. Numb. xvi. 46.	1. Ezek. xxiv. 17.
54. 2 Kings iii. 21.	

PUT out.

69. Gen. xxxviii. 28.	65. 2 Chron. xxix. 7.
66. Exod. xvii. 14.	70. Job xviii. 5, 6.
65. Lev. vi. 12.	70. — xxi. 17.
11. Numb. v. 2, 3, 4.	66. Psalm ix. 5.
67. —— xvi. 14.	70. Prov. xiii. 9.
8. Deut. vii. 22.	70. —————— xx. 20.
66. —— xxv. 6.	70. —————— xxiv. 20.
67. Judg. xvi. 21.	68. Jer. xxxix. 7.
11. 2 Sam. xiii. 17.	68. — lii. 11.
11. 2 Kings vi. 7.	65. Ezek. xxxii. 7.
68. —————— xxv. 7.	

PUT trust.

62. Judg. ix. 15.	62. Psalm xxv. 20.
61. 2 Kings xviii. 24.	62. —————— xxxi. 1.
61. 1 Chron. v. 20.	62. —————— xxxvi. 7.
61. Psalm iv. 5.	61. —————— lvi. 4.
62. —————— v. 11.	62. —————— lxxi. 1.
62. —————— vii. 1.	62. —————— lxxiii. 28.
61. —————— ix. 10.	61. —————— cxlvi. 3.
62. —————— xi. 1.	62. Prov. xxx. 5.
62. —————— xvi. 1.	61. Isa. xxxvi. 9.
62. —————— xvii. 7.	61. Jer. xxxix. 18.

PUT, Participle.

1. Gen. L. 26.	Ezra ii. 62, not in
9. Lev. xi. 32.	original.
6. —————— 38.	Neh. vii. 64, not in
55. —— xv. 19.	original.
—— xviii. 19, not in	28. Psalm xxxv. 4.
original.	28. —— lxx. 2.
38. 2 Sam. iii. 34.	26. —— lxxi. 1.
53. 1 Kings xxii. 10.	58. —— lxxxiii. 17.
56. 2 Kings xiv. 12.	37. Prov. xxv. 7.
56. 1 Chron. xix. 16, 19.	59. Eccles. iii. 14.
57. —————— xxvii. 24.	58. Isa. liv. 4.
6. 2 Chron. ii. 14.	Jer. L. 42, not in
56. —————— vi. 24.	original.
56. —————— xxv. 22.	26. Zeph. iii. 19.

PUTTEST.

1. Numb. xxiv. 21.	1. Job xiii. 27.
11. Deut. xii. 18.	39. Psalm cxix. 119.
11. —— xv. 10.	16. Hab. ii. 15.
6. 2 Kings xviii. 14.	

PUTTETH.

19. Gen. xxxviii. 14.	37. Psalm lxxv. 7.
6. Exod. xxx. 33.	61. Prov. xxviii. 25.
1. Numb. xxii. 38.	61. —— xxix. 25.
11. Deut. xxv. 11.	63. Cant. ii. 13,
1. —— xxvii. 15.	62. Isa. lvii. 13.
24. 1 Kings xx. 11.	64. Jer. xliii. 12,
60. Job xv. 15.	6. Lam. iii. 29.
11. — xxviii. 9.	1. Ezek. xiv. 4, 7.
1. — xxxiii. 11.	6. Mic. iii. 5.
6. Psalm xv. 5.	

PUTTING.

1. Gen. xxi. 14.	11. Isa. lviii. 9.
6. Lev. xvi. 21.	11. Mal. ii. 16.

PUTRIFYING.

טְרִיָּה *Teriyoh*, putrifying.

Isa. i. 6.

Q

QUAILS.

שְׂלָו *Sělov*, } quails.
שַׂלְוִים *Salveem*, }

Exod. xvi. 13.	Psalm cv. 40.
Numb. xi. 31, 32.	

QUAKE.

1. רָעַשׁ *Roash*, to quake (as an earth-quake).
2. רָגַז *Rogaz*, to tremble, be excited.
3. חָרַד *Khorad*, to shake, move.

2. Joel ii. 10. | 1. Nah. i. 5.

QUAKED.

3. Exod. xix. 18. | 2. 1 Sam. xiv. 15.

QUAKING.

1. Ezek. xii. 18. | 3. Dan. x. 7.

QUANTITY.

קָטֹן *Koton*, little, small.

Isa. xxii. 24.

QUARREL.

1. נָקָם *Nokom*, revenge, vengeance.
2. מִתְאַנֶּה *Mithaneh*, seeketh occasion.

1. Lev. xxvi. 25. | 2. 2 Kings v. 7.

QUARRIES.

פְּסִילִים *Peseeleem*, graven images.

Judg. iii. 19, 26.

QUARTER.

1. קָצֶה *Kotseh*, an end.
2. פֵּאָה *Paioh*, a corner.
3. עֵבֶר *Aiver*, a passage, direction.

1. Gen. xix. 4.   3. Isa. xlvii. 15.
2. Numb. xxxiv. 3.   1. — lvi. 11.
2. Josh. xviii. 14, 15.

QUARTERS.

1. גְּבוּלִים *Gĕvooleem*, borders.
2. כַּנְפוֹת *Kanphouth*, wings.
3. רוּחוֹת *Rookhouth*, winds.
4. קְצוֹת *Ketsouth*, ends.

1. Exod. xiii. 7.   3. 1 Chron. ix. 24.
2. Deut. xxii. 12.   4. Jer. xlix. 36.

QUEEN.

1. מַלְכָּה *Malkoh*, a queen.
2. שֵׁגָל *Shaigol*, the wife of a king.
3. שָׂרוֹת *Sorouth*, princesses.

4. מְלָכוֹת *Melokhouth*, queens.
5. גְּבִירָה *Geveeroh*, the mistress of a house.
6. מְלֶכֶת *Melekheth*, works.

All passages not inserted are N°. 1.

5. 1 Kings xi. 19.   2. Psalm xlv. 9.
5. —— xv. 13.   6. Jer. vii. 18.
5. 2 Kings x. 13.   5. — xiii. 18.
5. 2 Chron. xv. 16.   6. — xliv. 17, 18 19,
2. Neh. ii. 6.   25.*

QUEENS.

4. Cant. vi. 8, 9. | 3. Isa. xlix. 23.

* Solomon Yarchi, Maimonides, and Abarbenel quote authorities more ancient than themselves, that the prophet alluded to Judah worshipping the moon.

QUENCH.

1. כָּבָה *Kovoh*, to extinguish.
2. שָׁבַר *Shovar*, to break.
3. שָׁקַע *Shoka*, to subside, sink.
4. דָּעַךְ *Doakh*, to quench.

1. 2 Sam. xiv. 7.   1. Isa. xlii. 3.
1. —— xxi. 17.   1. Jer. iv. 4.
2. Psalm civ. 11.   1. — xxi. 12.
1. Cant. viii. 7.   1. Amos v. 6.
1. Isa. i. 31.

QUENCHED.

3. Numb. xi. 2.   1. Isa. xliii. 17.
1. 2 Kings xxii. 17.   1. — lxvi. 24.
1. 2 Chron. xxxiv. 25.   1. Jer. vii. 20.
4. Psalm cxviii. 12.   1. — xvii. 27.
1. Isa. xxxiv. 10.   1. Ezek. xx. 47, 48.

QUESTIONED.

דָּרַשׁ *Dorash*, to enquire, search after.

2 Chron. xxxi. 9.

QUESTIONS.

1. חִידוֹת *Kheedouth*, sharp sayings, riddles.
2. דְּבָרִים *Dĕvoreem*, words.

1. 1 Kings x. 1.   1. 2 Chron. ix. 1.
2. —— 3.   2. —— 2.

QUICK.

1. חָיָה *Khoyoh*, to quicken, make alive.
2. חַיִּים *Khayeem*, alive.
3. וַהֲרִיחוֹ *Vahareekho*, and he shall give him the spirit, inspire him.

1. Lev. xiii. 10, 24.
2. Numb. xvi. 30.
2. Psalm lv. 15.

2. Psalm cxxiv. 3.
3. Isa. xi. 3.

(See UNDERSTANDING.)

QUICKEN.

חָיָה *Khoyoh*, to make alive.

Psalm lxxi. 20.
—— lxxx. 18.
—— cxix. 25, 37,
40, 88, 107,

149, 154, 156,
159.
Psalm cxliii. 11.

QUICKENED.

Psalm cxix. 50, 93.

QUICKLY.

מַהֵר *Mahair*, quick, quickly; in all
passages, except:

מְאֹד *Meoud*, mightily, diligently.

1 Sam. xx. 19.

QUIET.

1. שֶׁקֶט *Sheket*, quiet, quietness.
2. שָׁלֵיו *Sholaiv*, at peace, peaceable.
3. רְגָעִים *Regoeem*, for a moment.
4. שָׁתַק *Shotuk*, to be silent.
5. שַׁאֲנָן *Shaanon*, to be at ease, indulge.
6. נַחַת *Nakhath*, rest, ease, comfort.
7. מְנוּחָה *Menookhoh*, rest.
8. שְׁלֵמִים *Shelaimeem*, at peace.
9. וַיַּתְחָרְשׁוּ *Vayithkhorshoo*, and made
themselves speechless.

All passages not inserted are Nº. 1.

9. Judg. xvi. 2.
2. Job xxi. 23.
3. Psalm xxxv. 20.
4. —— cvii. 30.
5. Prov. i. 33.
6. Eccles. ix. 17.

5. Isa. xxxii. 18.
5. — xxxiii. 20.
5. Jer. xxx. 10.
7. — li. 59.
8. Nah. i. 12.

QUIETED.

1. דָּמַם *Domam*, to silence.
2. נוּחַ *Nooakh*, to rest.
3. שָׁקַט *Shokat*, to quiet.

1. Psalm cxxxi. 2.　|　2. Zech. vi. 8.

QUIETETH.

3. Job xxxvii. 17.

QUIETLY.

1. בַּשֶּׁלִי *Basshelee*, peaceably, in peace.
2. דוּמָם *Doomom*, silently.

1. 2 Sam. iii. 27.　|　2. Lam. iii. 26.

QUIETNESS.

1. שֶׁקֶט *Sheket*, quietness.
2. שָׁקַט *Shokat*, to act quietly.
3. שַׁלְוָה *Shalvoh*, peaceably, prosper-
ously.
4. נַחַת *Nakhath*, rest, ease, comfort.

2. Judg. viii. 28.
1. 1 Chron. xxii. 9.
3. Job xx. 20.
2. — xxxiv. 29.

3. Prov. xvii. 1.
4. Eccles. iv. 6.
1. Isa. xxx. 15.
1. — xxxii. 17.

QUIT.

נִקָּה *Nikkoh*, free.

Exod. xxi. 19, 28.　|　Josh. ii. 20.

QUIT.

הָיָה *Hoyoh*, to be.

1 Sam. iv. 9.

QUITE.

1. וַיֹּאכַל אָכֹל *Vayoukhal okhoul*, devouring
he devoured.
2. שַׁבֵּר תְּשַׁבֵּר *Shabair teshabair*, breaking
thou shalt break.
3. כָּלָה *Koloh*, to consume, make an
end.
4. שָׁמַד *Shomad*, to destroy.
5. הָלַךְ *Holakh*, to walk, go (repeated).
6. עָרָה *Oroh*, to make bare (repeated).

1. Gen. xxxi. 15.
2. Exod. xxiii. 24.
3. Numb. xvii. 10.
4. —— xxxiii. 52.

5. 2 Sam. iii. 24.
Job vi. 13, not in
original.
6. Hab. iii. 9.

QUIVER.

1. תְּלִי *Telee*, a weapon suspended from
the shoulder.
2. אַשְׁפָּה *Ashpoh*, a quiver.

1. Gen. xxvii. 3.
2. Job xxxix. 23.
2. Psalm cxxvii. 5.
2. Isa. xxii. 6.

2. Isa. xlix. 2.
2. Jer. v. 16.
2. Lam. iii. 13.

QUIVERED.

צָלַל *Tsolal*, to quiver, shake, tingle.

Hab. iii. 16.

R

RACE.

1. מֵרוּץ *Mairoots*, a race.
2. אֹרַח *Ourakh*, a pathway.

1. Psalm xix. 5. | 2. Eccles. ix. 11.

RAFTERS.

רְהִיטִים *Rěheetcem*, galleries.

Cant. i. 17.

RAGE, Subst.

1. זַעַף *Zaaph*, rage, violent anger.
2. רֹגֶז *Rougez*, anger.
3. חֵמָה *Khaimoh*, fury.
4. עֶבְרָה *Evroh*, passion.
5. זַעַם *Zaam*, indignation.

3. 2 Kings v. 12.	4. Psalm vii. 6.
2. ——— xix. 27.	3. Prov. vi. 34.
1. 2 Chron. xvi. 10.	2. Isa. xxxvii. 28.
3. ——— xxviii. 9.	2. Dan. iii. 13.
2. Job xxxix. 24.	5. Hos. vii. 16.
4. — xl. 11.	

RAGE, Verb.

1. רָגַשׁ *Rogash*, to rage, be tumultuous.
2. רָגַז *Rogaz*, to tremble with anger.
3. הֹלֵל *Houlail*, to become vain-glorious.
4. הָמָה *Homoh*, to make a noise, roar.
5. מִתְעַבֵּר *Mithabair*, to be overcome with passion.
6. גָּאָה *Gooh*, to be arrogant, vain, proud.
7. זָעַף *Zoaph*, to enrage.

1. Psalm ii. 1.	3. Jer. xlvi. 9.
2. Prov. xxix. 9.	3. Nah. ii. 4.

RAGED.

4. Psalm xlvi. 6.

RAGETH.

5. Prov. xiv. 16.

RAGING.

6. Psalm lxxxix. 9.	7. Jonah i. 15.
4. Prov. xx. 1.	

RAGGED.

סְעִיפִים *Sěeepheem*, clefts.

Isa. ii. 21.

RAGS.

1. קְרָעִים *Keroeem*, rent things.
2. בֶּגֶד *Beged*, a garment.
3. מְלָחִים *Melokheem*, rags.

1. Prov. xxiii. 21.	3. Jer. xxxviii. 11, 12.
2. Isa. lxiv. 6.	

RAIL.

1. לְחָרֵף *Lekhoraiph*, to blaspheme.
2. עִיט *Eet*, to attack fiercely.

1. 2 Chron. xxxii. 17.

RAILED.

2. 1 Sam. xxv. 14.

RAIMENT.

1. בֶּגֶד *Beged*, a garment.
2. שִׂמְלָה *Simloh*, a loose outer garment, cloak.
3. כְּסוּת *Kesooth*, a covering.
4. מַדִּים *Maddeem*, long clothing.
5. מַלְבּוּשׁ *Malboosh*, clothing.
6. רְקָמוֹת *Rekomouth*, embroideries.
7. לְבוּשׁ *Levoosh*, an outer garment.

1. Gen. xxiv. 53.	1. Deut. xxiv. 17.
1. ——— xxvii. 15, 27.	2. Josh. xxii. 8.
1. ——— xxviii. 20.	4. Judg. iii. 16.
2. ——— xli. 14.	1. ——— viii. 26.
2. ——— xlv. 22.	2. Ruth iii. 3.
2. Exod. iii. 22.	1. 1 Sam. xxviii. 8.
2. ——— xii. 35.	1. 2 Kings v. 5.
3. ——— xxi. 10.	1. ——— vii. 8.
2. ——— xxii. 9, 26, 27.	2. 2 Chron. ix. 24.
1. Lev. xi. 32.	1. Esth. iv. 4.
1. Numb. xxxi. 20.	5. Job xxvii. 16.
2. Deut. viii. 4.	6. Psalm xlv. 14.
2. ——— x. 18.	7. Isa. xiv. 19.
2. ——— xxi. 13.	5. — lxiii. 3.
2. ——— xxii. 3.	5. Ezek. xvi. 13.
2. ——— xxiv. 13.	1. Zech. iii. 4.

RAIN.

1. גֶּשֶׁם *Goshem*, rain.
2. מָטָר *Motor*, slight, small rain.
3. יוֹרֶה *Youreh*, a shower.
4. מַלְקוֹשׁ *Malkoush*, latter rain.
5. שָׂעִיר *Sĕeer*, mist, small rain, vapour, hoar frost.
6. הַמּוֹרֶה *Hamoureh*, the teacher.
7. בְּרָכוֹת *Berokhouth*, blessings.

1. Gen. vii. 12.	2. Psalm cxxxv. 7.
1. —— viii. 2.	2. —— cxlvii. 8.
2. Exod. ix. 33, 34.	4. Prov. xvi. 15.
1. Lev. xxvi. 4.	1. —— xxv. 14, 23.
2. Deut. xi. 11.	2. —— xxvi. 1.
2. ——— 14.	2. —— xxviii. 3.
3. ——— 14.	1. Eccles. xi. 3.
4. ——— 14.	1. —— xii. 2.
2. ——— 17.	1. Cant. ii. 11.
2. —— xxviii. 12, 24.	2. Isa. iv. 6.
2. —— xxxii. 2.	2. — v. 6.
5. ——— 2.	2. Isa. xxx. 23.
2. 1 Sam. xii. 17, 18.	1. — xliv. 14.
2. 2 Sam. i. 21.	1. — lv. 10.
2. ——— xxiii. 4.	4. Jer. iii. 3.
2. 1 Kings viii. 35, 36.	1. — v. 24.
2. —— xvii. 1.	3. ——— 24.
1. ——— 7, 14.	4. ——— 24.
2. —— xviii. 1.	2. — x. 13.
1. ——— 41, 44, 45.	1. — xiv. 4, 22.
1. 2 Kings iii. 17.	2. — li. 16.
2. 2 Chron. vi. 26, 27.	1. Ezek. i. 28.
2. ——— vii. 13.	1. —— xxxviii. 22.
1. Ezra x. 9, 13.	1. Hos. vi. 3.
2. Job v. 10.	3. ——— 3.
2. — xxviii. 26.	6. Joel ii. 23.
2. — xxix. 23.	1. ——— 23.
2. — xxxvi. 27.	3. ——— 23.
1. — xxxvii. 6.	4. ——— 23.
2. ——— 6.	1. Amos iv. 7.
2. — xxxviii. 28.	2. Zech. x. 1.
1. Psalm lxviii. 9.	4. ——— 1.
2. —— lxxii. 6.	1. ——— 1.
7. —— lxxxiv. 6.	1. —— xiv. 17.
1. —— cv. 32.	

RAIN, Verb.

1. הִמְטִיר *Himteer*, to cause to rain.
2. יוֹרֶה *Youreh*, to teach, instruct.
3. נָשַׁם *Gosham*, to rain.

1. In all passages, except:
     2. Hos. x. 12.

RAINED.
3. Ezek. xxii. 24.

RAINY.
סַגְרִיר *Sagreer*, shutting up; met., a rainy day.
     Prov. xxvii. 15.

RAISE.

1. קוּם *Koom*, (Hiph.) to establish.
2. נָשָׂא *Nosō*, to lift up, bear.
3. עוּר *Oor*, to awake, arise.
4. סָלַל *Solal*, to raise up.
5. הֶעֱמַדְתִּיךָ *Heĕmadteekhō*, I have caused thee to stand.
6. עָלָה *Oloh*, (Hiph.) to bring up.
7. עָמַד *Omad*, (Hiph.) to cause to arise.
8. זָקַף *Zokaph*, to raise up.

All passages not inserted are N°. 1.

2. Exod. xxiii. 1.	3. Jer. L. 9.
3. Job iii. 8.	3. — li. 1.
4. — xix. 12.	3. Ezek. xxiii. 22.
4. — xxx. 12.	3. Joel iii. 7.
3. Isa. xv. 5.	2. Hab. i. 3.

RAISED.

5. Exod. ix. 16.	3. Isa. xli. 2, 25.
6. 1 Kings v. 13.	3. — xlv. 13.
6. ——— ix. 15.	3. Jer. vi. 22.
6. 2 Chron. xxxii. 5.	3. — xxv. 32.
6. ——— xxxiii. 14.	3. — L. 41.
3. Job xiv. 12.	3. — li. 11.
3. Cant. viii. 5.	3. Zech. ii. 13.
3. Isa. xxiii. 13.	3. ——— ix. 13.

RAISETH.

1. 1 Sam. ii. 8.	1. Psalm cxiii. 7.
2. Job xli. 25.	8. —— cxlv. 14.
7. Psalm cvii. 25.	8. —— cxlvi. 8.

RAISING.
3. Hos. vii. 4.

RAISER.
מַעֲבִיר *Māaveer*, a passer over.
     Dan. xi. 20.

RAISINS.
צִמּוּקִים *Tsimookeem*, dried grapes.

1 Sam. xxv. 18.	2 Sam. xvi. 1.
—— xxx. 12.	1 Chron. xii. 40.

RAM.
אַיִל *Ayil*, a ram, in all passages.

RAMS.
אֵילִים *Aileem*, rams, in all passages.

RAM'S horns.

יוֹבֵל   *Youvail,* the jubilee.

Josh. vi. 4, 5, 6, 8, 13.

RAMS' skins.

עוֹרֹת אֵילִים   *Ourouth aileem,* rams' skins.

Exod. xxv. 5.	Exod. xxxvi. 19.
—— xxvi. 14.	—— xxxix. 34.
—— xxxv. 7.	

RAMPART.

חֵל   *Khail,* strength, power, fortification.

Lam. ii. 8. | Nah. iii. 8.

RAN.
See Run.

RANG.
See Ring.

RANGE.

יִתְגֻּר   *Yĕthoor,* abundance.

Job xxxix. 8.

RANGES.

1.   כִּירַיִם   *Keerayim,* hearths.
2.   שְׂדֵרוֹת   *Sedairooth,* ranks, rows.

1. Lev. xi. 35.	2. 2 Chron. xxiii. 14.
2. 2 Kings xi. 8, 15.	

RANGING.

שׁוֹקֵק   *Shoukaik,* ranging.

Prov. xxviii. 15.

RANK.

1.   בְּרִיאוֹת   *Bĕreeouth,* fresh.
2.   עָדַר   *Odar,* to keep order.

1. Gen. xli. 5, 7.	2. 1 Chron. xii. 33, 38.
Numb. ii. 16, 24, not	
in original.	

RANKS.

1.   פְּעָמִים   *Pĕomeem,* times.
2.   אוֹרַח   *Ourakh,* a pathway.

1. 1 Kings vii. 4, 5.	2. Joel ii. 7.

RANSOM, Subst.

1.   פִּדְיוֹן   *Pidyoun,* ransom.
2.   כֹּפֶר   *Koupher,* atonement, expiation.

1. Exod. xxi. 30.	2. Prov. vi. 35.
2. —— xxx. 12.	2. —— xiii. 18.
2. Job xxxiii. 24.	2. —— xxi. 18.
2. — xxxvi. 18.	2. Isa. xliii. 3.
2. Psalm xlix. 7.	

RANSOM, Verb.

1.   פָּדָה   *Podoh,* to ransom.
2.   גָּאַל   *Goal,* to redeem.

1. Hos. xiii. 14.

RANSOMED.

1. Isa. xxxv. 10.	1. Jer. xxxi. 11.
2. — li. 10.	

RARE.

יַקִּירָה   *Yakeeroh* (Syriac), valuable, rare.

Dan. ii. 11.

RASE.

עָרָה   *Oroh,* to strip, make bare.

Psalm cxxxvii. 7.

RASH.

בָּהַל   *Bohal,* (Piel) to be rash.

Eccles. v. 2.

RATE.

1.   דְּבַר יוֹם   *Devar youm,* the cause or matter of the day.
2.   דְּבַר שָׁנָה   *Devar shonoh;* the cause or matter of the year.

1. Exod. xvi. 4.	1. 2 Chron. viii. 13.
2. 1 Kings x. 25.	2. —— ix. 24.
1. 2 Kings xxv. 30.	

RATHER.

1.   מ prefixed to the relative word signifies, more than.
2.   וְאַף   *Vĕaph,* and also.
3.   בָּחַר   *Bokhar,* to choose.
4.   וְאַל   *Vĕal,* and not.

All passages not inserted are N°. 1.

2. 2 Kings v. 13.	4. Prov. xvii. 12.
3. Psalm lxxxiv. 10.	

RATTLETH.

רָנָה *Ronoh*, to sound, ring, rattle.

Job xxxix. 23.

RATTLING.

רַעַשׁ *Raash*, quaking, shaking.

Nah. iii. 2.

RAVEN.

עוֹרֵב *Ouraiv*, a raven.

Gen. viii. 7.	Job xxxviii. 41.
Lev. xi. 15.	Cant. v. 11.
Deut. xiv. 14.	Isa. xxxiv. 11.

RAVENS.

עוֹרְבִים *Ourveem*, ravens.

1 Kings xvii. 4, 6.	Prov. xxx. 17.
Psalm cxlvii. 9.	

RAVENOUS.

1.   פָּרִיץ *Poreets*, violence.
2.   עַיִט *Ayit*, a ravenous bird.

1. Isa. xxxv. 9.	2. Ezek. xxxix. 4.
2. — xlvi. 11.	

RAVENING.

טוֹרֵף *Touraiph*, tearing.

Psalm xxii. 13.	Ezek. xxii. 25, 27.

RAVIN, Verb.

יִטְרָף *Yitroph*, will tear.

Gen. xlix. 27.

RAVIN, Subst.

טֶרֶף *Tereph*, prey.

Nah. ii. 12.

RAVISHED.

1.   לִבֵּב *Libaiv*, to revive, refresh, cherish the heart.
2.   שָׁגַל *Shogal*, to lay with.
3.   עִנָּה *Innoh*, to afflict.
4.   שָׁגָה *Shogoh*, to err, lead astray.

4. Prov. v. 19, 20.	3. Lam. v. 11.
1. Cant. iv. 9.	2. Zech. xiv. 2.
2. Isa. xiii. 16.	

RAW.

1.   נָא *No*, half-boiled.
2.   חָי *Khoe*, alive.

1. Exod. xii. 9.	2. 1 Sam. ii. 15.
2. Lev. xiii. 10, 14, 15.	

RAZOR.

1.   תַּעַר *Taar*, a razor.
2.   מוֹרָה *Mouroh*, a razor, sharp instrument.

1. Numb. vi. 5.	1. Psalm lii. 2.
2. Judg. xiii. 5.	1. Isa. vii. 20.
2. — xvi. 17.	1. Ezek. v. 1.
2. 1 Sam. i. 11.	

REACH.

1.   נָשַׂג *Nosag*, to reach.
2.   הָיָה *Hoyoh*, to be.
3.   מָחָה *Mokhoh*, to blot out.
4.   נָגַע *Nogā*, to touch.
5.   חָצָה *Khotsoh*, to divide, apportion.
6.   צָבַט *Tsovat*, to hold out, take up.
7.   מָטָא *Moto* (Syriac), stretched out.
8.   שָׁלַח *Sholakh*, to send forth.
9.   פָּגַע *Poga*, to meet.
10.   בָּרַח *Borakh*, to run.

10. Exod. xxvi. 28.	4. Isa. viii. 8.
2. — xxviii. 42.	5. — xxx. 28.
1. Lev. xxvi. 5.	4. Jer. xlviii. 32.
3. Numb. xxxiv. 11.	4. Zech. xiv. 5.
4. Job xx. 6.	

REACHED.

4. Gen. xxviii. 12.	6. Ruth ii. 14.
9. Josh. xix. 11.	7. Dan. iv. 11, 20.

REACHETH.

9. Josh. xix. 22, 26, 27, 34.	4. Jer. iv. 10, 18.
	4. Jer. li. 9.
4. 2 Chron. xxviii. 9.	7. Dan. iv. 22.
8. Prov. xxxi. 20.	

READ, READ -ETH -ING.

קָרָא *Koro*, to call, read aloud, in all passages.

READING, Subst.

מִקְרָא *Mikrō*, reading.

Neh. viii. 8.

READY.

1. { נָכוֹן *Nokhoun,*
    פוֹנָן *Kounain,* } ready, prepared.

2. עוֹד מְעַט *Oud měat,* yet a little.
3. חָשִׁים *Khusheem,* hastening, hurrying.
4. הוּן *Hoon,* to behold, regard.
5. אֹבֵד *Ouvaid,* destroying, ruining.
6. אוֹבֵד *Ouvaid,* one in despair.
7. מֹצֵאת *Moutsaith,* sufficient.
8. מָהִיר *Moheer,* quick.
9. סְלִיחוֹת *Sěleekhouth,* forgivenesses.
10. עָתִיד *Otheed,* to take place, future.
11. עָשֹׂה *Osoh,* to make, do.
12. סָלַח *Salokh,* to pardon, forgive.
13. גֹּוֵעַ *Gouvaia,* to waste away.
14. מָטִים *Moteem,* bent, cast down.
15. קָרוֹב *Korouv,* near, at hand.
16. מָהַר *Mohar,* to hasten.
17. טוֹב *Touv,* good.

2. Exod. xvii. 4.	6. Job xxix. 13.
1. —— xix. 11, 15.	—— xxxii. 19, not in
1. —— xxxiv. 2.	original.
3. Numb. xxxii. 17.	1. Psalm xxxviii. 17.
4. Deut. i. 41.	8. —— xlv. 1.
5. —— xxvi. 5.	12. —— lxxxvi. 5.
1. Josh. viii. 4.	13. —— lxxxviii. 15.
11. 1 Sam. xxv. 18.	14. Prov. xxiv. 11.
7. —— xviii. 22.	6. —— xxxi. 6.
8. Ezra vii. 6.	15. Eccles. v. 1.
9. Neh. ix. 17.	6. Isa. xxvii. 13.
10. Esth. iii. 14.	—— xxx. 13, not in
10. —— viii. 13.	original.
10. Job iii. 8.	16. —— xxxii. 4.
1. — xii. 5.	17. — xli. 7.
1. — xv. 23.	1. — li. 13.
10. —— 24, 28.	10. Dan. iii. 15.
1. — xviii. 12.	

REALM.

מַלְכוּת *Malkhooth,* a kingdom, royalty.

2 Chron. xx. 30.	Dan. vi. 3.
Ezra vii. 13, 23.	—— ix. 1.
Dan. i. 20.	—— xi. 2.

REAP -ED -EST -ETH -ING.

קָצַר *Kotsar,* to reap, shorten, cut off,
    in all passages.

REAPER.

קוֹצֵר *Koutsair,* a reaper.

Amos ix. 13.

REAPERS.

קוֹצְרִים *Koutsreem,* reapers.

Ruth ii. 3, 4, 7.	2 Kings iv. 18.

REASON.

1. מִפְּנֵי *Miphnai,* because of.
2. מִן *Min,* or מ prefixed to the word means, from.
3. מֵרֹב *Mairouv,* because of the length of.
4. עִם *Im,* with.
5. עַל *Al,* on account of, above.
6. ב Prefixed to the relative word signifies, by, with, through.

1. Gen. xli. 31.	2. Job xxxv. 9.
2. —— xlvii. 13.	1. — xxxvii. 19.
2. Exod. ii. 23.	2. — xli. 25.
1. —— iii. 7.	2. Psalm xxxviii. 8.
1. —— viii. 24.	1. —— xliv. 16.
Numb. ix. 10, not in	2. —— lxxviii. 65.
original.	2. —— lxxxviii. 9.
—— xviii. 8, 32, not	6. —— xc. 10.
in original.	2. —— cii. 5.
1. Deut. v. 5.	2. Prov. xx. 4.
3. Josh. ix. 13.	2. Isa. xlix. 19.
1. Judg. ii. 18.	2. Ezek. xix. 10.
2. 1 Kings xiv. 4.	—— xxi. 12, not in
1. 2 Chron. v. 14.	original.
1. —— xx. 15.	2. —— xxvi. 10.
6. —— xxi. 15.	5. —— xxviii. 17.
4. ———— 19.	6. Dan. viii. 12.
2. Job vi. 16.	2. Jonah ii. 2.
2. — xvii. 7.	2. Mic. viii. 12.
2. — xxxi. 23.	

REASON, Subst.

1. דָּבָר *Dovor,* a word, matter, substance.
2. טַעַם *Tāăm,* reason, taste.
3. חֶשְׁבּוֹן *Kheshboun,* an account, reckoning.
4. מִנְדַע *Minda* (Chaldee), knowledge, intelligence.

1. 1 Kings ix. 15.	3. Eccles. vii. 25.
2. Prov. xxvi. 16.	4. Dan. iv. 36.

REASON, by.

מ Prefixed to the relative word signifies, because of, in all passages.

REASONS.

1. תְּבוּנָה *Tevoonoh*, understanding.
2. עֲצֻמוֹת *Atsmooth*, strength.

1. Job xxxii. 11. | 2. Isa. xli. 21.

REASON, Verb.

1. שָׁפַט *Shophat*, to judge.
2. יָכַח *Yokhakh*, to instruct, show, correct.

1. 1 Sam. xii. 7. | 2. Job xv. 3.
2. Job xiii. 3. | 2. Isa. i. 18.

REASONING.

2. Job xiii. 6.

REBEL.

1. מָרַד *Morad*, to revolt.
2. מָרָה *Moroh*, to rebel.
3. סוּר *Soor*, to depart, turn aside.
4. פָּשַׁע *Posha*, to transgress.

1. Numb. xiv. 9. | 1. Neh. ii. 19.
2. Josh. i. 18. | 1. — vi. 6.
1. — xxii. 16, 18, 19, | 1. Job xxiv. 13.
    29. | 2. Isa. i. 20.
2. 1 Sam. xii. 14, 15. | 3. Hos. vii. 14.

REBELLED.

1. Gen. xiv. 4. | 2. Psalm v. 10.
2. Numb. xx. 24. | 2. — cv. 28.
2. —— xxvii. 14. | 2. — cvii. 11.
2. Deut. i. 26, 43. | 4. Isa. i. 2.
2. — ix. 23. | 2. — lxiii. 10.
4. 1 Kings xii. 19. | 1. Jer. lii. 3.
4. 2 Kings i. 1. | 2. Lam. i. 18.
4. —— iii. 5, 7. | 2. — iii. 42.
1. —— xviii. 7. | 1. Ezek. ii. 3.
1. —— xxiv. 1, 20. | 1. — xvii. 15.
4. 2 Chron. x. 19. | 2. — xx. 8, 13, 21.
1. —— xiii. 6. | 1. Dan. ix. 5, 9.
1. —— xxxvi. 13. | 2. Hos. xiii. 16.
1. Neh. ix. 26. |

REBELLEST.

1. 2 Kings xviii. 20. | 1. Isa. xxxvi. 5.

REBELLION.

1. מְרִי *Meree*, rebellious.
2. מָרַד *Morad*, to revolt.
3. פֶּשַׁע *Pesha*, transgression.
4. סָרָה *Soroh*, rebelliously.

1. Deut. xxxi. 27. | 3. Job xxxiv. 37.
2. Josh. xxii. 22. | 1. Prov. xvii. 11.
1. 1 Sam. xv. 23. | 4. Jer. xxviii. 16.
2. Ezra iv. 19. | 4. — xxix. 32.
1. Neh. ix. 17. |

REBELLIOUS.

1. מַמְרִים *Mamreem*, rebellious.
2. מוֹרֶה *Moureh*, rebelling.
3. מַרְדוּת *Mardooth*, revolting.
4. סוֹרְרִים *Sourĕreem*, stubborn.
5. מְרִי *Meree*, rebellious.
6. מָרָה *Moroh*, to rebel.
7. מוֹרְדִים *Mourdeem*, revolters.

1. Deut. ix. 7, 24. | 6. Isa. L. 5.
2. — xxi. 18, 20. | 4. — lxv. 2.
5. —— xxxi. 27. | 6. Jer. iv. 17.
3. 1 Sam. xx. 30. | 2. — v. 23.
3. Ezra iv. 12, 15. | 7. Ezek. ii. 3.
4. Psalm lxvi. 7. | 5. —— 5, 6, 7, 8.
4. — lxviii. 6, 18. | 5. —— iii. 9, 26, 27.
4. — lxxviii. 8. | 5. —— xii. 2, 3.
4. Isa. i. 23. | 5. —— xvii. 12.
4. — xxx. 1. | 5. —— xxiv. 3.
5. —————— 9. | 5. —— xliv. 6.

REBELS.

1. מְרִי *Meree*, rebellious.
2. הַמֹּרִים *Hammoureem*, ye rebels.
3. מוֹרְדִים *Mourdeem*, revolters.

1. Numb. xvii. 10. | 3. Ezek. xx. 38.
2. —————— xx. 10. |

REBUKE -S, Subst.

1. גְּעָרָה *Gĕoroh*, a rebuke.
2. תּוֹכַחַת *Toukhaikhoh*, punishment.
3. חֶרְפָּה *Kherpoh*, a reproach, shame.

1. Deut. xxviii. 20. | 3. Isa. xxv. 8.
2. 2 Kings xix. 3. | 1. — xxx. 17.
1. Psalm xviii. 15. | 2. — xxxvii. 3.
2. —— xxxix. 11. | 1. — L. 2.
1. —— lxxvi. 6. | 1. — li. 20.
1. —— lxxx. 16. | 1. — lxvi. 15.
1. —— civ. 7. | 3. Jer. xv. 15.
1. Prov. xiii. 1, 8. | 2. Ezek. v. 15.
2. —— xxvii. 5. | 2. Hos. v. 9.
1. Eccles. vii. 5. |

REBUKE, Verb.

1. יָכַח *Yokhakh*, to correct, instruct.
2. גָּעַר *Goar*, to rebuke.
3. רִיב *Reev*, to contend, strive.

1. Lev. xix. 17.
2. Ruth ii. 16.
1. 1 Chron. xii. 17.
1. Psalm vi. 1.
1. —— xxxviii. 1.
2. —— lxviii. 30.
1. Prov. ix. 8.

1. Prov. xxiv. 25.
1. Isa. ii. 4.
2. — xvii. 13.
2. — liv. 9.
1. Mic. iv. 3.
2. Zech. iii. 2.
2. Mal. iii. 11.

REBUKED.

1. Gen. xxxi. 42.
2. —— xxxvii. 10.
3. Neh. v. 7.

2. Psalm ix. 5.
2. —— cvi. 9.
2. ——cxix. 21.

REBUKETH.

1. Prov. ix. 7.
1. —— xxviii. 23.

1. Amos v. 10.
2. Nah. i. 4.

REBUKING.

2. 2 Sam. xxii. 16.

REBUKER.

מוּסָר   *Moosor,* an instructor, corrector.

Hos. v. 2.

RECALL.

שׁוּב לֵב   *Shoov laiv,* to turn the heart.

Lam. iii. 21.

RECEIVE.

1.   קִבֵּל   *Kibbail,* to receive.
2.   לָקַח   *Lokakh,* to take.
3.   כּוּל   *Kool,* to hold, contain.
4.   אָסַף   *Osaph,* to collect, restore.
5.   חָלַק   *Kholak,* to share, divide.
6.   מָצָא   *Motso,* to find.
7.   שָׁקַל   *Shokal,* to weigh.

2. In all passages, except:

1. Job ii. 10. | 1. Prov. xix. 20.

RECEIVED.

2. In all passages, except:

6. Gen. xxvi. 12.
4. Numb. xii. 14.
5. Josh. xviii. 2.
7. 2 Sam. xviii. 12.

3. 1 Kings viii. 64.
1. 1 Chron. xii. 18.
3. 2 Chron. vii. 7.
1. Esth. iv. 4.

RECEIVETH.

4. Judg. xix. 18.
2. Job xxxv. 7.
2. Prov. xxi. 11.
  —— xxix. 4, not in
    original.

2. Jer. vii. 28.
2. Mal. ii. 13.

RECEIVING.

2. 2 Kings v. 20.

RECEIVER.

שֹׁקֵל   *Shoukail,* a weigher.

Isa. xxxiii. 18.

RECKON.

1.   חָשַׁב   *Khoshav,* to reckon, esteem.
2.   פָּקַד   *Pokad,* to visit, number, appoint.
3.   סָפַר   *Sophar,* to count, relate.
4.   עָרַךְ   *Orakh,* to arrange, prepare.
5.   שִׂוָּה   *Shivvoh,* to wait, hope.

1. Lev. xxv. 50.
1. —— xxvii. 18, 23.

2. Numb. iv. 32.
3. Ezek. xliv. 26.

RECKONED.

1. Numb. xviii. 27.
1. —— xxiii. 9.
1. 2 Sam. iv. 2.
1. 2 Kings xii. 15.
  1 Chron. v. 1, 7, 17,
    not in original.
  ——— vii. 5, 7, not
    in original.
  ——— ix. 1, 22, not
    in original.

2 Chron. xxxi. 19, not
    in original.
Ezra ii. 62, not in
    original.
—— viii. 3, not in
    original.
Neh. vii. 5, 64, not in
    original.
4. Psalm xl. 5.
5. Isa. xxxviii. 13.

RECKONING.

1. 2 Kings xxii. 7. | 2. 1 Chron. xxiii. 11.

RECOMPENSE.

1.   שִׁלֵּם   *Shillaim,* retribution.
2.   תְּמוּרָה   *Těmooroh,* an exchange, barter.
3.   גְּמוּל   *Gěmool,* recompense.

1. Deut. xxxii. 35.
2. Job xv. 31.
3. Prov. xii. 14.
3. Isa. xxxv. 4.
3. — lix. 18.

3. Isa. lxvi. 6.
3. Jer. li. 6.
3. Lam. iii. 64.
1. Hos. ix. 7.
3. Joel iii. 4, 7.

RECOMPENSES.

1.   שִׁלּוּמִים   *Shilloomeem,* renderings.
2.   גְּמוּלוֹת   *Gěmoolouth,* recompenses.

1. Isa. xxxiv. 8. | 2. Jer. li. 56.

RECOMPENSE, Verb.

1.   גָּמַל   *Gomal,* to recompense.
2.   שׁוּב   *Shoov,* (Hiph.) to bring back.
3.   שִׁלֵּם   *Shilaim,* to restore, requite.
4.   נָתַן   *Nothan,* to give.

2. Numb. v. 7, 8.
3. Ruth ii. 12.
1. 2 Sam. xix. 36.
3. Job xxxiv. 33.
3. Prov. xx. 22.
3. Isa. lxv. 6.
3. Jer. xvi. 18.
3. — xxv. 14.
3. — L. 29.

4. Ezek. vii. 3, 4, 8, 9.
4. —— ix. 10.
4. —— xi. 21.
4. —— xvi. 43.
4. —— xvii. 19.
4. —— xxiii. 49.
2. Hos. xii. 2.
1. Joel. iii. 4.

RECOMPENSED.

2. Numb. v. 8.
2. 2 Sam. xxii. 21, 25.
2. Psalm xviii. 20, 24.

3. Prov. xi. 31.
3. Jer. xviii. 20.
4. Ezek. xxii. 31.

RECOMPENSEST.

3. Jer. xxxii. 18.

RECOMPENSING.

4. 2 Chron. vi. 23.

RECONCILE.

1.   כַּפֵּר   *Kappair*, to atone, forgive, purify.

2.   יִתְרַצֶּה   *Yithratseh*, will make himself acceptable.

1. Lev. vi. 30.
2. 1 Sam. xxix. 4.

1. Ezek. xlv. 20.

RECONCILING.

1. Lev. xvi. 20.

RECONCILIATION.

1.   כִּפֵּר   *Kippair*, to atone, forgive, purify.

2.   חִטֵּא   *Khittai*, to expiate.

1. Lev. viii. 15.
2. 2 Chron. xxix. 24.

1. Ezek. xlv. 15, 17.
1. Dan. ix. 24.

RECORD, Verb.

1.   זָכַר   *Zokhar*, to remember, mention.

2.   עוּד   *Ood*, (Hiph.) to testify.

3.   כָּתוּב   *Kothoov*, written.

1. Exod. xx. 24.
2. Deut. xxx. 19.
2. —— xxxi. 28.

1. 1 Chron. xvi. 4.
2. Isa. viii. 2.

RECORDED.

3. Neh. xii. 22.

RECORD, Subst.

1.   זִכָּרוֹן   *Zikoroun*, a remembrance.

2.   שָׂהֵד   *Sohad*, a witness, testimony.

3.   דָּכְרָן   *Dokhran* (Chaldee), a remembrance.

3. Ezra vi. 2. | 2. Job xvi. 19.

RECORDS.

3. Ezra iv. 15, twice. | 1. Esth. vi. 1.

RECORDER.

מַזְכִּיר   *Mazkeer*, the recorder.

2 Sam. viii. 16.
—— xx. 24.
1 Kings iv. 3.
2 Kings xviii. 18.

1 Chron. xviii. 15.
2 Chron. xxxiv. 8.
Isa. xxxvi. 3, 22.

RECOVER.

1.   אָסַף   *Osaph*, to collect, restore.

2.   נָצַל   *Notsal*, (Hiph.) to deliver from danger.

3.   שׁוּב   *Shoov*, (Hiph.) to bring back.

4.   חָיָה   *Khoyoh*, to keep alive.

5.   מִחְיָה   *Mikhyoh*, recovery.

6.   עָצַר   *Otsar*, to restrain, retain.

7.   קָנָה   *Konoh*, to purchase.

8.   בָּלַג   *Bolag*, (Hiph.) to revive.

9.   חָזַק   *Khozak*, to strengthen.

10.   עָלָה   *Oloh*, to ascend, go up.

2. Judg. xi. 26.
2. 1 Sam. xxx. 8.
3. 2 Sam. viii. 3.
4. 2 Kings i. 2.
1. —— v. 3, 6, 7, 11.
4. —— viii. 8, 9, 10, 14.

6. 2 Chron. xiii. 20.
5. —— xiv. 13.
8. Psalm xxxix. 13.
7. Isa. xi. 11.
4. — xxxviii. 16, 21.
2. Hos. ii. 9.

RECOVERED.

2. 1 Sam. xxx. 18.
3. —— 19.
2. —— 22.
3. 2 Kings xiii. 25.
3. —— xiv. 28.
3. —— xvi. 6.

4. 2 Kings xx. 7.
4. Isa. xxxviii. 9.
9. — xxxix. 1.
10. Jer. viii. 22.
3. — xli. 16.

RECOUNT.

זָכַר   *Zokhar*, to remember.

Nah. ii. 5.

RED.

1.   אָדֹם   *Odoum*, red earth.

2.   חַכְלִילִי   *Khakhleelee*, inflamed.

3.   בַּהַט   *Bahat*, porphyry.

4.   חָמַר   *Khomar*, strong, substantial.

5.   חֶמֶד   *Khemed*, desirable.

1. Gen. xxv. 25, 30.	3. Esth. i. 6.
2. —— xlix. 12.	4. Psalm lxxv. 8.
1. Exod. xxv. 5.	1. Prov. xxiii. 31.
1. —— xxvi. 14.	1. Isa. i. 18.
1. —— xxxv. 7, 23.	5. — xxvii. 2.
1. —— xxxvi. 19.	1. — lxiii. 2.
1. —— xxxix. 34.	1. Nah. ii. 3.
1. Numb. xix. 2.	1. Zech. i. 8.
1. 2 Kings iii. 22.	1. —— vi. 2.

RED sea.

יַם סוּף   *Yam sooph*, sea of weeds, rushes, in all passages.

REDDISH.

אֲדַמְדָּם   *Adamdom*, reddish; lit., blood red.

Lev. xiii. 19, 24, 42, 43, 49.	Lev. xiv. 37.

REDEEM.

1.   גָּאַל   *Goal*, to redeem.

2.   פָּדָה   *Podoh*, to liberate, release.

3.   גּוֹאֵל   *Gouail*, a redeemer.

4.   גְּאֻלָּה   *Gĕulloh*, redemption.

5.   פְּדוּיִים   *Pedooyeem*, the released.

6.   קָנָה   *Konoh*, to purchase.

7.   פָּרַק   *Porak*, to pluck out.

8.   גְּאוּלִים   *Geulleem*, the redeemed.

1. Exod. vi. 6.	2. 1 Chron. xvii. 21.
2. —— xiii. 13, 15.	2. Job v. 20.
2. —— xxxiv. 20.	2. — vi. 23.
1. Lev. xxv. 25.	2. Psalm xxv. 22.
3. —— 26.	2. —— xxvi. 11.
1. —— 29.	2. —— xliv. 26.
4. —— 32.	2. —— xlix. 7, 15.
1. —— 48, 49.	1. —— lxix. 18.
1. —— xxvii. 13, 15, 19, 20, 31.	1. —— lxxii. 14.
	2. —— cxxx. 8.
2. Numb. xviii. 15, 16, 17.	2. Isa. l. 2.
	2. Jer. xv. 21.
1. Ruth iv. 4, 6.	1. Hos. xiii. 14.
2. 2 Sam. vii. 23.	1. Mic. iv. 10.

REDEEMED.

1. Gen. xlviii. 16.	2. Lev. xxvii. 27.
1. Exod. xv. 13.	1. —— 28, 33.
2. —— xxi. 8.	5. Numb. iii. 46.
2. Lev. xix. 20.	5. —— xviii. 16.
1. —— xxv. 30.	2. Deut. vii. 8.
4. —— 31, 48.	2. —— ix. 26.
1. —— 54.	2. —— xiii. 5.
1. —— xxvii. 20, 27.	2. —— xv. 15.

2. Deut. xxi. 8.	2. Isa. i. 27.
2. —— xxiv. 18.	2. — xxix. 22.
2. 2 Sam. iv. 9.	1. — xxxv. 9.
2. 1 Kings i. 29.	1. — xliii. 1.
2. 1 Chron. xvii. 21.	1. — xliv. 22, 23.
2. Neh. i. 10.	1. — xlviii. 20.
6. —— v. 8.	5. — li. 11.
2. Psalm xxxi. 5.	1. — lii. 3, 9.
2. —— lxxi. 23.	8. — lxiii. 4.
1. —— lxxiv. 2.	1. Jer. xxxi. 11.
1. —— lxxvii. 15.	1. Lam. iii. 58.
1. —— cvi. 10.	2. Hos. vii. 13.
1. —— cvii. 2.	2. Mic. vi. 4.
7. —— cxxxvi. 24.	2. Zech. x. 8.

REDEEMEDST.

2. 2 Sam. vii. 23.

REDEEMETH.

2. Psalm xxxiv. 22.	1. Psalm ciii. 4.

REDEEMING.

4. Ruth iv. 7.

REDEEMER.

גּוֹאֵל   *Gouail*, redeemer.

Job xix. 25.	Isa. xlviii. 17.
Psalm xix. 14.	— xlix. 7, 26.
—— lxxviii. 35.	— liv. 5, 8.
Prov. xxiii. 11.	— lix. 20.
Isa. xli. 14.	— lx. 16.
— xliii. 14.	— lxiii. 16.
— xliv. 6, 24.	Jer. l. 34.
— xlvii. 4.	

REDEMPTION.

1.   גְּאוּלָה   *Geooloh*, redemption.

2.   פִּדְיוֹם   *Pidyoum*, release.

1. Lev. xxv. 24, 51, 52.	2. Psalm cxi. 9.
2. Numb. iii. 49.	2. —— cxxx. 7.
2. Psalm xlix. 8.	1. Jer. xxxii. 7, 8.

REDNESS.

חַכְלִילוּת   *Khakhleelooth*, inflammation.

Prov. xxiii. 29.

REED.

1.   קָנֶה   *Koneh*, a reed, pipe, tube.

2.   אֲגַם   *Agam*, a rush.

3.   עָרוֹת   *Orouth*, bare places.

1. 1 Kings xiv. 15.	1. Ezek. xxix. 6.
1. 2 Kings xviii. 21.	1. — xl. 3.
1. Isa. xxxvi. 6.	1. — xlii. 16, 17, 18, 19.
1. — xlii. 3.	

REEDS.

1. Job xl. 21.
1. Isa. xix. 6.
3. —— 7.
2. — xxxv. 7.

2. Jer. li. 32.
1. Ezek. xlii. 16, 17, 18, 19.

REEL.

1.   חָגַג   *Khogag*, to feast ; part., feasting, to move in a circle.
2.   נוּעַ   *Nooa*, to move continually.

1. Psalm cvii. 27. | 2. Isa. xxiv. 20.

REFINE.

1.   צָרַף   *Tsoraph*, to refine.
2.   זָקַק   *Zokak*, to cleanse.

     1. Zech. xiii. 9.

REFINED.

2. 1 Chron. xxviii. 18.
2. —— xxix. 4.
2. Isa. xxv. 6.

1. Isa. xlviii. 10.
1. Zech. xiii. 9.

REFINER.

מְצָרֵף   *Metsoraiph*, a refiner.

     Mal. iii. 2, 3.

REFORMED.

יָסַר   *Yosar*, corrected.

     Lev. xxvi. 23.

REFRAIN.

1.   אָפַק   *Ophak*, to refrain.
2.   חָשַׂךְ   *Khosakh*, to spare.
3.   מָנַע   *Mona*, to mind, keep back.
4.   רָחַק   *Rokhak*, to be distant, far off.
5.   חָטַם   *Khotam*, to muzzle.
6.   עָצַר   *Otsar*, to restrain.
7.   כָּלָא   *Kolo*, to withhold.

1. Gen. xlv. 1.
2. Job vii. 11.
3. Prov. i. 15.
4. Eccles. iii. 5.

5. Isa. xlviii. 9.
1. — lxiv. 12.
3. Jer. xxxi. 16.

REFRAINED.

1. Gen. xliii. 31.
1. Esth. v. 10.
6. Job xxix. 9.
7. Psalm xl. 9.

7. Psalm cxix. 101.
1. Isa. xlii. 14.
2. Jer. xiv. 10.

REFRAINETH.

     2. Prov. x. 19.

REFRESH.

1.   סָעַד   *Soad*, to support.
2.   נָפַשׁ   *Nophash*, to refresh, revive.
3.   רָוַח   *Rovakh*, to extend, relieve.
4.   שׁוּב   *Shoov*, (Hiph.) to bring back.

     1. 1 Kings xiii. 7.

REFRESHED.

2. Exod. xxiii. 12.
2. —— xxxi. 17.
3. 1 Sam. xvi. 23.

2. 2 Sam. xvi. 14.
3. Job xxxii. 20.

REFRESHETH.

     4. Prov. xxv. 13.

REFRESHING.

הַמַּרְגֵּעָה   *Hamargaioh*, the moment.

     Isa. xxviii. 12.

REFUGE.

1.   מִקְלָט   *Miklot*, refuge.
2.   מְעֹנָה   *Mĕounoh*, a dwelling, habitation.
3.   מָנוֹס   *Monous*, a place of safety, flight.
4.   מִשְׂגָּב   *Misgov*, a high tower.
5.   מַחְסֶה   *Makhseh*, a protection.
6.   חָסָה   *Khosoh*, to protect.

1. Numb. xxxv. 13, 14, 15.
2. Deut. xxxiii. 27.
1. Josh. xx. 3.
3. 2 Sam. xxii. 3.
4. Psalm ix. 9.
5. —— xiv. 6.
5. —— xlvi. 1.
4. ———— 7, 11.
6. —— lvii. 1.
3. —— lix. 16.

5. Psalm lxii. 7, 8.
5. —— lxxi. 7.
5. —— xci. 2, 9.
5. —— xciv. 22.
5. —— civ. 18.
3. —— cxlii. 4.
5. ———— 5.
5. Prov. xiv. 26.
5. Isa. iv. 6.
5. — xxv. 4.
5. — xxviii. 15, 17.
3. Jer. xvi. 19.

REFUSE.

1.   נֶמֶס   *Nomais*, the refuse.
2.   מָאוֹס   *Moous*, disgust.
3.   מַפָּל   *Mappal*, the falling off, refuse.

1. 1 Sam. xv. 9.
2. Lam. iii. 45.

3. Amos viii. 6.

REFUSE, Verb.

1.   מָאֵן   *Moain*, to refuse.
2.   מָאַס   *Moas*, to despise, disgust.
3.   פָּרַע   *Porā*, to cast off.
4.   עָזַב   *Ozav*, to forsake.

REH

All passages not inserted are N°. 1.

2. Job xxxiv. 33.	2. Isa. vii. 15.
3. Prov. viii. 33.	

REFUSED.

All passages not inserted are N°. 1.

2. 1 Sam. xvi. 7.	2. Isa. liv. 6.
2. Psalm lxxviii. 67.	2. Ezek. v. 6.
2. —— cxviii. 22.	

REFUSEDST.
1. Jer. iii. 3.

REFUSETH.

All passages not inserted are N°. 1.

4. Prov. x. 17.	3. Prov. xv. 32.
3. —— xiii. 18.	2. Isa. viii. 6.

REGARD.

דִּבְרַת *Divrath*, matter, cause.
Eccles. viii. 2.

REGARD.

1. עַיִן אַל תָּחוֹס *Ayin al tokhous*, let not your eye spare.
2. שָׁעָה *Shooh*, to regard.
3. פָּנָה *Ponoh*, to turn to.
4. נָשָׂא פָנִים *Nosō poneem*, to regard; lit., bear a face.
5. שִׁית לֵב *Sheeth laiv*, to set the heart.
6. שׂוּם לֵב *Soom laiv*, lay to heart.
7. דָּרַשׁ *Dorash*, to search, require.
8. שׁוּר *Shoor*, to watch attentively.
9. בִּין *Been*, to understand.
10. שָׁמַר *Shomar*, to keep watch.
11. רָאָה *Roōh*, to see.
12. נָבַט *Novat*, (Hiph.) to investigate, look into.
13. חָשַׁב *Khoshav*, to think, reckon, esteem.
14. קָשַׁב *Koshav*, to attend.
15. שִׂים טְעֵם *Seem tĕaim* (Syriac), to give a reason for.
16. אֵין לָךְ *Ain lokh*, not to thee.
17. נָכַּר *Nikkar*, to recognise.
18. שָׁמַע *Shomā*, to hear, listen, obey.
19. יָדַע *Yodā*, to know.
20. מֵשִׂים *Maiseem*, consideration, considering.

1. Gen. xlv. 20.	11. Psalm lxvi. 18.
2. Exod. v. 9.	9. —— xciv. 7.
3. Lev. xix. 31.	3. —— cii. 17.
4. Deut. xxviii. 50.	10. Prov. v. 2.
5. 1 Sam. iv. 20.	4. —— vi. 35.
6. —— xxv. 25.	12. Isa. v. 12.
5. 2 Sam. xiii. 20.	13. — xiii. 17.
4. 2 Kings iii. 14.	12. Lam. iv. 16.
7. Job iii. 4.	9. Dan. xi. 37.
8. — xxxv. 13.	12. Amos v. 22.
3. — xxxvi. 21.	12. Hab. i. 5.
9. Psalm xxviii. 5.	4. Mal. i. 9.
10. —— xxxi. 6.	

REGARDED.

6. Exod. ix. 21.	11. Psalm cvi. 44.
14. 1 Kings xviii. 29.	14. Prov. i. 24.
11. 1 Chron. xvii. 17.	15. Dan. iii. 12.

REGARDEST.

16. 2 Sam. xix. 6.	9. Job xxx. 20.

REGARDETH.

4. Deut. x. 17.	9. Prov. xxix. 7.
17. Job xxxiv. 19.	10. Eccles. v. 8.
18. — xxxix. 7.	11. —— xi. 4.
19. Prov. xii. 10.	13. Isa. xxxiii. 8.
10. —— xiii. 18.	15. Dan. vi. 13.
10. —— xv. 5.	3. Mal. ii. 13.

REGARDING.
20. Job iv. 20.

REGION.

1. חֶבֶל *Khevel*, a district, region.
2. נֶפֶת *Nepheth*, an elevated plain.

1. Deut. iii. 4, 13.	2. 1 Kings iv. 11.

REGISTER.

1. כְּתָב *Kethov*, a writing.
2. סֵפֶר *Saipher*, a book.

1. Ezra ii. 62.	1. Neh. vii. 64.
2. Neh. vii. 5.	

REHEARSE.

1. שׂוּם *Soom*, to set, place, put.
2. נָתַן *Nothan*, to give, represent.
3. דָּבַר *Dibbair*, to speak.
4. נָגַד *Nogad*, (Hiph.), to lead.

1. Exod. xvii. 14.	2. Judg. v. 11.

REHEARSED.

3. 1 Sam. viii. 21.	4. 1 Sam. xvii. 31.

REIGN.

1.   מֶלֶךְ   *Meloukh*, reign.
2.   מַלְכוּת   *Malkhooth*, kingdom, royalty, reigning.

1. 1 Kings vi. 1.	1. 2 Chron. xxxvi. 20.
1. 2 Kings xxiv. 12.	2. Neh. xii. 22.
1. 1 Chron. iv. 31.	2. Esth. ii. 16.
2. —— xxix. 30.	

REIGN, Verb.

1.   מָלַךְ   *Molakh*, to reign.
2.   מָשַׁל   *Moshal*, to have authority over.
3.   רָדָה   *Rodoh*, to subdue, domineer.
4.   עָצַר   *Otsar*, to restrain.
5.   שָׂרַר   *Sorar*, to rule, govern.

All passages not inserted are Nº. 1.

2. Gen. xxxvii. 8.	2. Judg. ix. 2.
3. Lev. xxvi. 17.	4. 1 Sam. ix. 17.
2. Deut. xv. 6.	

REIGNED.

All passages not inserted are Nº. 1.

5. Judg. ix. 22.	2. 1 Kings iv. 21.

REIGNEDST.

2. 1 Chron. xxix. 12.

REIGNETH.

1. In all passages.

REIGNING.

1. 1 Sam. xvi. 1.

REINS.

1.   כְּלָיוֹת   *Keloyouth*, reins, kidneys.
2.   חֲלָצַיִם   *Khalotseem*, loins.

1. In all passages, except :
    2. Isa. xi. 5.

REJECT.

1.   מָאַס   *Moas*, to despise, reject.
2.   חָדַל   *Khodal*, to cease, forbear.

    1. Hos. iv. 6.

REJECTED.

1. 1 Sam. viii. 7.	1. Jer. vi. 19.
1. —— x. 19.	1. — vii. 29.
1. —— xv. 23, 26.	1. — viii. 9.
1. —— xvi. 1.	1. — xiv. 19.
1. 2 Kings xvii. 15, 20.	1. Lam. v. 22.
2. Isa. liii. 3.	1. Hos. iv. 6.
1. Jer. ii. 37.	

REJOICE.

1.   שָׂמַח   *Somakh*, to cheer.
2.   שִׂישׂ   *Sees*, to delight.
3.   רָנַן   *Ronnan*, (Hiph.) to shout, sing for joy.
4.   וּלְשִׂמְחָה   *Oolĕsimkhoh*, and for gladness.
5.   עָלַץ   *Olats*, to exult.
6.   עָלַס   *Olas*, to rejoice.
7.   גִּיל   *Geel* (verb), to be glad.
8.   גִּיל   *Geel* (subst.), joy.
9. שִׂישׂ בְּשִׂמְחָה   *Sees besimkhoh*, to delight with mirth.
10.   עָלַז   *Olaz*, to express joy.
11.   שָׂחַק   *Sokhak*, to laugh for joy.
12.   עַלִּיזִים   *Alleezeem*, joyful persons.
13.   חָדָה   *Khodoh*, to be merry.
14.   שִׂמְחַת   *Simkhath*, the gladness of.
15.   צָהַל   *Tsohal*, to make a joyful noise.
16.   תְּרוּעָה   *Terooōh*, to sound a trumpet for joy.
17.   רִנָּה   *Rinnoh*, singing, shouting.
18.   שָׂשׂוֹן   *Sosoun*, delight, joy.
19.   מְשַׂחֶקֶת   *Mesakhaik*, laughing.
20.   מָשׂוֹשׂ   *Mosous*, rejoicing.

1. Deut. xii. 7.	1. Psalm lviii. 10.
1. —— xiv. 26.	5. —— lx. 6.
1. —— xvi. 14, 15.	3. —— lxiii. 7.
1. —— xxvi. 11.	1. —————— 11.
2. —— xxviii. 63.	8. —————— 12.
2. —— xxx. 9.	3. —— lxv. 8.
3. —— xxxii. 43.	1. —— lxvi. 6.
1. —— xxxiii. 18.	5. —— lxviii. 3.
1. Judg. ix. 19.	9. —————— 3.
4. —— xvi. 23.	10. —————— 4.
1. 1 Sam. ii. 1.	3. —— lxxi. 23.
1. —— xix. 5.	1. —— lxxxv. 6.
1. 1 Chron. xvi. 10.	1. —— lxxxvi. 4.
5. —————— 32.	3. —— lxxxix. 12.
1. 2 Chron. vi. 41.	7. —————— 16.
1. —————— xx. 27.	1. —————— 42.
1. Neh. xii. 43.	1. —— xcvi. 11.
6. Job xx. 18.	3. —————— 12.
1. — xxi. 12.	7. —— xcvii. 1.
7. Psalm ii. 11.	3. —— xcviii. 4.
1. — v. 11.	1. civ. 31.
7. — ix. 14.	1. cv. 3.
7. — xiii. 4, 5.	1. cvi. 5.
7. — xiv. 7.	1. cvii. 42.
3. — xx. 5.	10. cviii. 7.
7. — xxi. 1.	1. cix. 28.
1. — xxx. 1.	2. — cxix. 162.
1. — xxxiii. 21.	1. — cxlix. 2.
2. — xxxv. 9.	1. Prov. ii. 14.
1. —————— 19, 24, 26.	1. — v. 18.
1. — xxxviii. 16.	1. — xxiii. 15.
1. — xlviii. 11.	10. —————— 16.
7. — li. 8.	7. —————— 24, 25.

1. Prov. xxiv. 17.
1. —— xxvii. 9.
5. —— xxviii. 12.
1. —— xxix. 2, 6.
11. —— xxxi. 25.
1. Eccles. iii. 12, 22.
1. —— iv. 16.
1. —— v. 19.
1. —— xi. 8, 9.
2. Isa. viii. 6.
12. — ix. 3.
10. — xiii. 3.
1. — xiv. 8, 29.
10. — xxiii. 12.
12. — xxiv. 8.
7. — xxix. 19.
7. — xxxv. 1, 2.
3. — lxi. 7.
2. — lxii. 5.

1. Isa. lxv. 13.
7. —— 19.
1. — lxvi. 10.
2. —— 10, 14.
1. Jer. xxxi. 13.
2. — xxxii. 41.
10. — li. 39.
1. Lam. ii. 17.
1. Ezek. vii. 12.
1. —— xxxv. 15.
1. Hos. ix. 1.
1. Amos vi. 13.
1. Mic. vii. 8.
12. Zeph. iii. 11.
2. —— 17.
1. Zech. ii. 10.
7. —— ix. 9.
1. —— x. 7.
7. —— 7.

REJOICE before the Lord.

1. Lev. xxiii. 40.
1. Deut. xii. 12, 18.

1. Deut. xvi. 11.
1. — xxvii. 7.

REJOICE in the Lord.

3. Psalm xxxiii. 1.
1. —— xcvii. 12.
7. Isa. xli. 16.
2. — lxi. 10.

1. Joel ii. 23.
10. Hab. iii. 18.
1. Zech. x. 7.
7. —— 7.

REJOICED.
All passages not inserted are N°. 1.

13. Exod. xviii. 9.
2. Deut. xxviii. 63.
2. —— xxx. 9.
14. Neh. xii. 44.
15. Esth. viii. 15.

7. Psalm xcvii. 8.
2. —— cxix. 14.
10. Jer. xv. 17.
15. — L. 11.
7. Hos. x. 5.

REJOICETH.

5. 1 Sam. ii. 1.
7. Psalm xvi. 9.
2. —— xix. 5.
10. —— xxviii. 7.
10. Prov. xi. 10.
1. —— xiii. 9.

1. Prov. xv. 30.
1. —— xxix. 3.
10. Isa. v. 17.
2. — lxii. 5.
2. — lxiv. 5.
1. Ezek. xxxv. 14.

REJOICEST.
10. Jer. xi. 15.

REJOICING.

1. 1 Kings i. 45.
21. 2 Chron. xxiii. 18.
16. Job viii. 21.
1. Psalm xix. 8.
7. —— xlv. 15.
17. —— cvii. 22.
17. —— cxviii. 15.

18. Psalm cxix. 111.
17. —— cxxvi. 6.
19. Prov. viii. 30, 31.
20. Isa. lxv. 18.
14. Jer. xv. 16.
5. Hab. iii. 14.
10. Zeph. ii. 15.

RELEASE.

1.   הֲנָחָה   *Hanokhoh,* release, rest.
2.   שְׁמִטָּה   *Shemittoh,* the year of release.

2. Deut. xv. 1, 2, 9.
2. —— xxxi. 10.

1. Esth. ii. 18.

RELEASE, Verb.

שָׁמַט   *Shomat,* to release, applied to Sabbatical year only.

Deut. xv. 2, 3.

RELY.

שָׁעַן   *Shoan,* to lean upon, to support.

2 Chron. xvi. 8.

RELIED.

2 Chron. xiii. 18. | 2 Chron. xvi. 7.

RELIEVE.

1.   חָזַק   *Khozak,* to strengthen.
2.   אָשַׁר   *Oshar,* to be made happy.
3.   מֵשִׁיב   *Maisheev,* to refresh, revive.
4.   עָדַד   *Odad,* to support, provide.

1. Lev. xxv. 35. | 3. Lam. i. 11, 16, 19.
2. Isa. i. 17.

RELIEVETH.
4. Psalm cxlvi. 9.

REMAIN.

1.   שָׁאַר   *Shoar,* to remain, to be left out of a greater quantity.
2.   יָתַר   *Yothar,* (Hiph.) to be plenteous, superabundant.
3.   לוּן   *Loon,* to lodge all night.
4.   יָשַׁב   *Yoshav,* to sit, abide.
5.   הָיָה   *Hoyoh,* to be.
6.   שָׂרַד   *Sorad,* to escape, survive after a general destruction.
7.   קוּם.   *Koom,* to rise, endure.
8.   עָמַד   *Omad,* to stand.
9.   עָדַף   *Odaph,* to be redundant, remain over.
10.   שָׁכַן   *Shokan,* to dwell.
11.   יָצַב   *Yotsav,* to fix, stand firm.
12.   גּוּר   *Goor,* to sojourn.
13.   שָׁקַד   *Shokad,* to hasten, watch diligently.
14.   נוּחַ   *Nooakh,* (Hiph.) to let alone, let rest.
15.   יָשֵׁן   *Yoshan,* to grow old, sleep.
16.   כָּל יָמִים   *Kol yomeen,* all days.

4. Gen. xxxviii. 11.
1. Exod. viii. 9, 11.
2. —— xii. 10.
3. —— xxiii. 18.
2. —— xxix. 34.
2. Lev. xix. 6.
5. —— xxv. 28.
2. —— xxvii. 18.
2. Numb. xxxiii. 15.
6. Deut. ii. 34.
3. —— xvi. 4.
1. —— xix. 20.
4. —— xxi. 13.
3. —— 23.
4. Josh. i. 14.
7. —— ii. 11.
6. —— viii. 22.
6. —— x. 28, 30.
1. —— xxiii. 4, 7.
2. —— 12.
12. Judg. v. 17.
2. —— xxi. 7, 16.
4. 1 Sam. xx. 19.
4. 1 Kings xi. 16.
2. —— xviii. 22.
1. 2 Kings vii. 13.
1. Ezra ix. 15.
13. Job xxi. 32.
6. — xxvii. 15.

10. Job xxxvii. 8.
3. Psalm lv. 7.
2. Prov. ii. 21.
14. —— xxi. 16.
8. Isa. x. 32.
4. — xxxii. 16.
4. — lxv. 4.
8. — lxvi. 22.
1. Jer. viii. 3.
4. — xvii. 25.
1. — xxiv. 8.
14. — xxvii. 11.
2. —— 19.
2. —— 21.
4. — xxx. 18.
1. — xxxviii. 4.
6. — xlii. 17.
1. — xliv. 7.
6. —— 14.
5. — li. 62.
1. Ezek. xvii. 21.
10. —— xxxi. 13.
10. —— xxxii. 4.
2. —— xxxix. 14.
2. Amos vi. 9.
6. Obad. 14.
3. Zech. v. 4.
1. —— xii. 14.

REMAINED.

1. Gen. vii. 23.
1. —— xiv. 10.
1. Exod. viii. 31.
2. —— x. 15.
1. —— 19.
1. —— xiv. 28.
1. Numb. xi. 26.
4. —— xxxv. 28.
5. —— xxxvi. 12.
1. Deut. iii. 11.
15. —— iv. 25.
6. Josh. x. 20.
1. —— xi. 22.
1. —— xiii. 12.
2. —— xviii. 2.
2. —— xxi. 20, 26.
1. Judg. vii 3.
1. 1 Sam. xi. 11.
4. —— xxiii. 14.
4. —— xxiv. 3.
4. 2 Sam. xiii. 20.

1. 1 Kings xxii. 46.
1. 2 Kings x. 11, 17.
8. —— xiii. 6.
1. —— xxv. 22.
4. 1 Chron. xiii. 14.
8. Eccles. ii. 9.
1. Jer. xxxiv. 7.
1. — xxxvii. 10.
4. —— 16, 21.
4. — xxxviii. 13.
1. — xxxix. 9.
1. — xli. 10.
8. — xlviii. 11.
4. — li. 30.
1. — lii. 15.
5. Lam. ii. 22.
4. Ezek. iii. 15.
1. Dan. x. 8.
2. —— 13.
8. —— 17.

REMAINEST.

4. Lam. v. 19.

REMAINETH.

16. Gen. viii. 22.
1. Exod. x. 5.
2. —— xii. 10.
9. —— xvi. 23.
2. Lev. viii. 32.
2. —— x. 12.
10. —— xvi. 16.
6. Numb. xxiv. 19.
1. Josh. xiii. 1, 2.
1. Judg. v. 13.

1. 1 Sam. xvi. 11.
3. Job xix. 4.
1. — xxi. 34.
3. — xli. 22.
2. Isa. iv. 3.
4. Jer. xxxviii. 2.
6. — xlvii. 4.
1. Ezek. vi. 12.
8. Hag. ii. 5.
1. Zech. ix. 7.

REMAINING.

10. Numb. ix. 22.
6. Deut. iii. 3.
6. Josh. x. 33, 37, 39, 40.
6. —— xi. 8.
2. —— xxi. 40.

11. 2 Sam. xxi. 5.
6. 2 Kings x. 11.
6. Job xviii. 19.
6. Obad. 18.

REMAINDER.

1.   נוֹתָר   *Nouthor,* that which is super-fluous.

2.   שְׁאֵרִית   *Sheaireeth,* remainder.

1. Exod. xxix. 34.
1. Lev. vi. 16.
1. —— vii. 16, 17.

2. 2 Sam. xiv. 7.
2. Psalm lxxvi. 10.

REMEDY.

מַרְפֵּא   *Marpai,* healing.

2 Chron. xxxvi. 16.
Prov. vi. 15.

Prov. xxix. 1.

REMEMBER -ED -EST -ETH -ING.

זָכַר   *Zokhar,* to remember; in all passages, except:

פָּקַד   *Pokad,* to visit.

1 Sam. xv. 2.

REMEMBRANCE.

זִכָּרוֹן   *Zikkoroun,* remembrance; in all passages, except:

פָּקַד   *Pokad,* to visit.

Ezek. xxiii. 21.

REMEMBRANCES.

זִכְרֹנוֹת   *Zikhrounouth,* remembrances, in all passages.

REMNANT.

1.   נוֹתָר   *Nouthor,* that which is left.

2.   יֶתֶר   *Yether,* a rest.

3.   { נִשְׁאָר   *Nishour,*
 שְׁאָר   *Sheor,*   } a remnant.
 שְׁאֵרִית   *Shĕaireeth,* }

4.   אַחֲרֵי   *Akharai,* after.

5.   שָׁאַר   *Shoar,* (Hiph.) to cause to remain.

6.   שֵׁרִית   *Shaireeth,* service.

7.   יָתַר   *Yothar*, (Hiph.) to leave a rest.

8.   אַחֲרִית   *Akhareeth*, latter, posterity.

9.   שָׂרִיד   *Soreed*, remainder.

1. Lev. ii. 3.	3. Isa. xxiii. 3.
1. —— xiv. 18.	3. — xxv. 20.
2. Deut. iii. 11.	3. — xxxi. 7.
2. —— xxviii. 54.	2. — xxxix. 9.
2. Josh. xii. 4.	3. — xl. 11, 15.
2. —— xiii. 12.	3. — xli. 16.
3. —— xxiii. 12.	3. — xlii. 2, 15, 19.
2. 2 Sam. xxi. 2.	3. — xliii. 5.
2. 1 Kings xii. 23.	3. — xliv. 12, 14, 28.
4. —— xiv. 10.	3. — xlvii. 4, 5.
2. —— xxii. 46.	3. Ezek. v. 10.
3. 2 Kings xix. 4, 30, 31.	7. —— vi. 8.
3. —— xxi. 14.	3. — xi. 13.
2. —— xxv. 11.	1. —— xiv. 22.
3. 2 Chron. xxx. 6.	8. —— xxiii. 25.
3. Ezra iii. 8.	3. —— xxv. 16.
5. —— ix. 8.	9. Joel ii. 32.
3. —— 14.	3. Amos i. 8.
3. Neh. i. 3.	3. — v. 15.
2. Job xxii. 20.	3. — ix. 12.
1. Isa. i. 9.	3. Mic. ii. 12.
3. —ı x. 21.	3. —— iv. 7.
3. — xi. 11, 16.	2. — v. 3.
3. — xiv. 22, 30.	3. —— 7, 8.
3. — xv. 9.	3. —— vii. 18.
3. — xvi. 14.	2. Hab. ii. 8.
3. — xvii. 3.	3. Zeph. i. 4.
3. — xxxvii. 4, 31.	3. —— ii. 7, 9.
3. — xlvi. 3.	3. —— iii. 13.
3. Jer. vi. 9.	3. Hag. i. 12, 14.
3. — xi. 23.	3. Zech. viii. 6, 12.
6. — xv. 11.	

REMOVE.

1.   סוּר   *Soor*, to depart, turn aside.

2.   סָבַב   *Sovav*, to turn round, surround.

3.   נָסַג   *Nosag*, to turn back, remove a boundary.

4.   נָשַׂג   *Nossag*, to reach unto, fall upon.

5.   נָסַע   *Nosa*, to set out on a journey.

6.   נָדַד   *Nodad*, to flee, wander.

7.   גָּלָה   *Goloh*, to reveal, disclose, lay open, lead astray.

8.   רָחַק   *Rokhak*, to keep asunder, extend.

9.   רָעַשׁ   *Roash*, to quake.

10.   מוּשׁ   *Moosh*, to put away.

11.   אָהַל   *Ohăl*, to pitch a tent.

12.   עָתַק   *Otak*, to remove quickly.

13.   עָבַר   *Ovar*, to pass over.

14.   נוּעַ   *Nooa*, to move.

15.   זוּעַ   *Zooa*, to agitate, shake about.

16.   סוּת   *Sooth*, to soothe, persuade.

17.   מוּר   *Moor*, to change.

18.   מוּט   *Moot*, to totter.

19.   כָּנַף   *Konaph*, to remove to a distance.

20.   זָנַח   *Zonakh*, to cast off.

21.   עֲדָה   *Odoh* (Chaldee), to pass away.

1. Gen. xlviii. 17.	3. Prov. xxiii. 10.
2. Numb. xxxvi. 7, 9.	8. —— xxx. 8.
3. Deut. xix. 14.	1. Eccles. xi. 10.
5. Josh. iii. 3.	9. Isa. xiii. 13.
1. Judg. ix. 29.	10. — xlvi. 7.
1. 2 Sam. vi. 10.	1. Jer. iv. 1.
1. 2 Kings xxiii. 27.	8. — xxvii. 10.
1. —— xxiv. 3.	1. — xxxii. 31.
1. 2 Chron. xxxiii. 8.	6. — L. 3, 8.
4. Job xxiv. 2.	7. Ezek. xii. 3.
1. — xxvii. 5.	1. —— xxi. 26.
6. Psalm xxxvi. 11.	1. —— xlv. 9.
1. —— xxxix. 10.	3. Hos. v. 10.
7. —— cxix. 22.	8. Joel ii. 20.
1. —— 29.	8. —— iii. 6.
1. Prov. iv. 27.	10. Mic. ii. 3.
8. — v. 8.	10. Zech. iii. 9.
3. — xxii. 28.	10. —— xiv. 4.

REMOVED.

1. Gen. viii. 13.	5. Job xix. 10.
12. —— xii. 8.	16. — xxxvi. 16.
11. —— xiii. 18.	17. Psalm xlvi. 2.
12. —— xxvi. 22.	1. —— lxxxi. 6.
1. —— xxx. 35.	8. —— ciii. 12.
13. —— xlvii. 21.	18. —— civ. 5.
1. Exod. viii. 31.	18. —— cxxv. 1.
5. —— xiv. 19.	18. Prov. x. 30.
14. —— xx. 18.	8. Isa. vi. 12.
5. Numb. xii. 16.	1. — x. 13.
5. —— xxi. 12. 13.	6. —— 31.
5. —— xxxiii. 5, 7, 9,	10. — xxii. 25.
10, 11, 14, 16,	6. — xxiv. 20.
21, 24, 25, 26,	8. — xxvi. 15.
28, 32, 34, 36,	8. — xxix. 13.
37, 46, 47.	19. — xxx. 20.
15. Deut. xxviii. 25.	5. — xxxiii. 20.
5. Josh. iii. 1, 14.	7. — xxxviii. 12.
1. 1 Sam. vi. 3.	18. — liv. 10.
1. —— xviii. 13.	15. Jer. xv. 4.
2. 2 Sam. xx. 12.	15. — xxiv. 9.
1. 1 Kings xv. 12, 13, 14.	15. — xxix. 18.
1. 2 Kings xv. 4, 35.	15. — xxxiv. 17.
1. —— xvi. 17.	6. Lam. i. 8.
1. —— xvii. 18, 23.	20. —— iii. 17.
7. —— 26.	6. Ezek. vii. 19.
1. —— xviii. 4.	15. —— xxiii. 46.
1. —— xxiii. 27.	6. — xxxvi. 17.
1. 2 Chron. xv. 16.	1. Amos vi. 7.
1. —— xxxv. 12.	10. Mic. ii. 4.
12. Job xiv. 18.	8. —— vii. 11.
12. — xviii. 4.	

REMOVETH.

3. Deut. xxvii. 17.	5. Eccles. x. 9.
12. Job ix. 5.	21. Dan. ii. 21.
1. — xii. 20.	

REMOVING.

1. Gen. xxx. 32.	7. Ezek. xii. 3, 4.
1. Isa. xlix. 21.	

REND.

1.   פָּרַם *Poram*, to rend.
2.   קָרַע *Kora*, to tear, rend.
3.   פָּרַק *Porak*, to pluck, snatch away, root out.
4.   בָּקַע *Bokā*, to cleave asunder.
5.   שָׁסַע *Shosā*, to divide.

2. Exod. xxxix. 23.   2. Eccles. iii. 7.
1. Lev. x. 6.   2. Isa. lxiv. 1.
2. —— xiii. 56.   4. Ezek. xiii. 11, 13.
2. 1 Kings xi. 11, 12,   2. Hos. xiii. 8.
    13, 31.   2. Joel ii. 13.
2. 2 Chron. xxxiv. 27.

RENDING.

3. Psalm vii. 2.

RENT, Verb.

All passages not inserted are Nº. 2.

5. Judg. xiv. 6.   4. Job xxvi. 8.
4. 1 Kings i. 40.   4. Ezek. xxix. 7.
2. —— xiv. 8.   4. —— xxx. 16.
3. —— xix. 11.

RENTEST.

2. Jer. iv. 30.

RENT, Subst.

נִקְפָּה *Nikpoh*, a cutting, a wound.

Isa. iii. 24.

RENT, Part.

1.   טָרַף *Toraph*, to tear.
2.   קָרַע *Korā*, to rend.
3.   בָּקַע *Bokā*, to cleave asunder.

1. Gen. xxxvii. 33.   2. 2 Sam. xv. 32.
2. Exod. xxviii. 32.   2. 1 Kings xiii. 3, 5.
3. Josh. ix. 4, 13.   2. Ezra ix. 5.

RENT clothes.

2. In all passages.

RENDER.

1.   שָׁלֵם *Shillaim*, to pay, reward.
2.   שׁוּב *Shoov*, to turn.
3.   נָתַן *Nothan*, to give.

2. Numb. xviii. 9.   2. Psalm xciv. 2.
2. Deut. xxxii. 41, 43.   2. —— cxvi. 12.
2. Judg. ix. 57.   2. Prov. xxiv. 12, 29.
2. 1 Sam. xxvi. 23.   2. —— xxvi. 16.
3. 2 Chron. vi. 30.   2. Isa. lxvi. 15.
2. Job xxxiii. 26.   1. Jer. li. 6. 24.
1. — xxxiv. 11.   2. Lam. iii. 64.
2. Psalm xxviii. 4.   1. Hos. xiv. 2.
1. —— xxxviii. 20.   1. Joel iii. 4.
1. —— lvi. 12.   2. Zech. ix. 12.
2. —— lxxix. 12.

RENDERED.

2. Judg. ix. 56.   2. 2 Chron. xxxii. 25.
2. 2 Kings iii. 4.   2. Prov. xii. 14.

RENDEREST.

1. Psalm lxii. 12.

RENDERETH.

1. Isa. lxvi. 6.

RENEW.

1.   חָדַשׁ *Khodash*, to renew.
2.   חָלַף *Kholaph*, to change, vivify.

1. 1 Sam. xi. 14.   2. Isa. xli. 1.
1. Psalm li. 10.   1. Lam. v. 21.
2. Isa. xl. 31.

RENEWED.

1. 2 Chron. xv. 8.   1. Psalm ciii. 5.
1. Job xxix. 20.

RENEWEST.

1. Job x. 17.   1. Psalm civ. 30.

RENOWN.

1.   שֵׁם *Shaim*, a name.
2.   קָרָא *Koro*, to call.
3.   הָלַל *Hulol*, to praise.

1. Gen. vi. 4.   1. Ezek. xxxiv. 29.
1. Numb. xvi. 2.   1. —— xxxix. 3.
1. Ezek. xvi. 14, 15.   1. Dan. ix. 15.

RENOWNED.

2. Numb. i. 16.   2. Ezek. xxiii. 23.
2. Isa. xiv. 20.   3. —— xxvi. 17.

REPAIR.

1.   חָזַק *Khozak*, to strengthen, fasten.
2.   חָדַשׁ *Khodash*, to renew, renovate.
3.   רוּם *Room*, to lift up.
4.   בָּנָה *Bonoh*, to build, raise up.

5.   סָגַר   *Sogar,* to shut up, close.

6.   רָפָא   *Ropho,* to heal, cure.

7.   חָיָה   *Khoyoh,* to revive, recover.

1. 2 Kings xii. 5, 7, 8, 12.	2. 2 Chron. xxiv. 12.
1. —— xxii. 5, 6.	1. —— xxiv. 8, 10.
2. 2 Chron. xxiv. 4.	3. Ezra ix. 9.
1. —————— 5.	2. Isa. lxi. 4.

REPAIRED.

4. Judg. xxi. 23.	1. 2 Chron. xxxii. 5.
5. 1 Kings xi. 27.	4. —— xxxiii. 16.
6. —— xviii. 30.	1. Neh. iii. 4, 5, 6, 7, 8,
1. 2 Kings xii. 6, 14.	10, 12, 17, 18,
7. 1 Chron. xi. 8.	19, 20, 22, 23,
1. 2 Chron. xxix. 3.	24.

REPAIRING.

יְסוֹד   *Yesoud,* foundation.

2 Chron. xxiv. 27.

REPAIRER.

גֹּדֵר   *Goudair,* a hedger.

Isa. lviii. 12.

REPAY.

שִׁלֵּם   *Shillaim,* to pay, repay, reward.

Deut. vii. 10.	Job xli. 11.
Job xxi. 31.	Isa. lix. 18.

REPAYED.

Prov. xiii. 21.

REPAYETH.

Deut. vii. 10.

REPEATETH.

שׁוֹנֶה   *Shouneh,* changeth, repeateth.

Prov. xvii. 9.

REPENT.

1.   שׁוּב   *Shoov,* to turn, return, repent.

2.   נָחַם   *Nokham,* (Niph.) to be pleased, changed in purpose.

3.   נָחַם   *Nokham,* (Piel) to comfort.

4.   נָחַם   *Nokham,* (Hith.) to change purpose.

2. Exod. xiii. 17.	3. Jer. iv. 28.
2. —— xxxii. 12.	3. — xviii. 8, 10.
4. Numb. xxiii. 19.	3. — xxvi. 3.
4. Deut. xxxii. 36.	2. ————— 13.
2. 1 Sam. xv. 29.	1. Ezek. xiv. 6.
1. 1 Kings viii. 47.	1. —— xviii. 30.
3. Job xlii. 6.	2. —— xxiv. 14.
2. Psalm xc. 13.	3. Joel ii. 14.
2. —— cx. 4.	3. Jonah iii. 9.
4. —— cxxxv. 14.	

REPENTED.

2. Gen. vi. 6.*	2. Jer. viii. 6.
2. Exod. xxxii. 14.	2. — xx. 16.
2. Judg. ii. 18.	2. — xxvi. 19.
2. — xxi. 6, 15.	3. — xxxi. 19.
2. 1 Sam. xv. 35.	3. Amos vii. 3.
2. 2 Sam. xxiv. 16.	2. Jonah iii. 10.
2. 1 Chron. xxi. 15.	2. Zech. viii. 14.
2. Psalm cvi. 45.	

REPENTEST.

2. Jonah iv. 2.

REPENTETH.

3. Gen. vi. 7.	2. Joel ii. 13.
3. 1 Sam. xv. 11.	

REPENTING.

2. Jer. xv. 6.

* Lit., " And the Lord was pleased when He made the Adam on earth, but now he was sorry to his heart."

REPENTANCE.

נֹחַם   *Noukham,* comfort, consolation.

Hos. xiii. 14.

REPENTINGS.

נִחוּמִים   *Nikhoomeem,* consolations, comforts.

Hos. xi. 8.

REPLENISH.

מָלֵא   *Millai,* to fill.

Gen. i. 28.	Gen. ix. 1.

REPLENISHED.

Isa. ii. 6.	Ezek. xxvi. 2.
— xxiii. 2.	—— xxvii. 25.
Jer. xxxi. 25.	

REPORT.

1.   { שֵׁמַע   *Shaima,* } a report, sound,
     { שְׁמוּעָה   *Shemoooh,* } hearing.

2.   דִּבָּה   *Dibboh,* an evil report.

3.   דָּבָר   *Dovor,* a word, matter, case.

4.   שֵׁם   *Shaim,* a name.

2. Gen. xxxvii. 2.
1. Exod. xxiii. 1.
2. Numb. xiii. 32.
2. ——— xiv. 37.
1. Deut. ii. 25.
1. 1 Sam. ii. 24.
3. 1 Kings x. 6.
3. 2 Chron. ix. 5.
4. Neh. vi. 13.
1. Prov. xv. 30.
1. Isa. xxiii. 5.
1. — xxviii. 19.
1. — liii. 1.
1. Jer. L. 43.

REPORT, Verb.

1. שׁוּב־דָּבָר *Shoov-dovor*, to return a word, word for word.
2. אָמַר *Omar*, to say, tell, repeat.
3. נָגַד *Nogad*, to declare, lead.
4. שָׁמַע *Shoma*, (Niph.) to be heard.

3. Jer. xx. 10.

REPORTED.

4. Neh. vi. 6, 7.
2. ——— 19.
2. Esth. i. 17.
1. Ezek. ix. 11.

REPROACH, Subst.

1. חֶרְפָּה *Kherpoh*, / חֵרֵף *Khairaiph*, } a reproach, shame.
2. חָפֵר *Khophar*, (Hiph.) causeth reproach.
3. קָלוֹן *Koloun*, shame, confusion of face.
4. חֶסֶד *Khesed*, kindness, mercy, favour.
5. כְּלִמָּה *Kelimoh*, consternation.

1. Josh. v. 9.
1. 1 Sam. xvii. 26.
1. Neh. i. 3.
1. —— iv. 4.
1. —— v. 9.
1. Psalm lvii. 3.
1. —— lxix. 7, 20.
1. —— lxxi. 13.
1. —— lxxviii. 66.
1. —— lxxix. 12.
1. —— lxxxix. 50.
1. —— cxix. 22.
1. Prov. vi. 33.
1. —— xviii. 3.
2. —— xix. 26.
3. —— xxii. 10.
1. Isa. iv. 1.
1. Isa. li. 7.
1. — liv. 4.
1. Jer. xxiii. 40.
1. — xxxi. 19.
1. — li. 51.
1. Lam. iii. 30, 61.
1. —— v. i.
1. Ezek. xvi. 57.
1. —— xxi. 28.
1. —— xxxvi. 15, 30.
1. Dan. xi. 18.
1. Hos. xii. 14.
1. Joel ii. 17.
1. Mic. vi. 16.
1. Zeph. ii. 8.
1. —— iii. 18.

REPROACH, a.

1. Gen. xxxiv. 14.
1. 1 Sam. xi. 2.
1. Neh. ii. 17.
1. Psalm xv. 3.
1. —— xxii. 6.
1. —— xxxi. 11.
1. Psalm xxxix. 8.
1. —— xliv. 13.
1. —— lxxix. 4.
1. —— lxxxix. 41.
1. —— cix. 25.
4. Prov. xiv. 34.*

* Lit., Righteousness greatly exalteth a nation (גוי i.e., the people of God), but mercy of the nations (לְאֻמִּים i.e., Heathen), sin.

גוי, (ישראל) לאמים, (עובדי) כוכבים ומזלות)
,nation (Israel) ,nations worshippers of the stars and planets.

Sol. Yarchi.

1. Isa. xxx. 5.
1. Jer. vi. 10.
1. — xx. 8.
1. — xxiv. 9.
1. — xlii. 18.
1. — xliv. 8, 12.
1. Jer. xlix. 13.
1. Ezek. v. 14, 15.
1. —— xxii. 4.
1. Dan. ix. 16.
1. Joel ii. 19.

REPROACH, my.

1. Gen. xxx. 23.
1. 1 Sam. xxv. 39.
1. Job xix. 5.
5. Job xx. 3.
1. Psalm lxix. 10, 19.
1. —— cxix. 39.

REPROACHES.

1. חֶרְפּוֹת *Kherpouth*, reproaches.
2. גִּדּוּפִים *Gedoopheem*, revilings.

1. Psalm lxix. 9.
2. Isa. xliii. 28.

REPROACHFULLY.

1. Job xvi. 10.

REPROACH, Verb.

1. חָרַף *Khoraph*, to reproach.
2. כָּלַם *Kolam*, to confound.
3. גָּדַף *Godaph*, to blaspheme.
4. חֶרְפָּה *Kherpoh*, a reproach, shame.

2. Ruth ii. 15.
1. 2 Kings xix. 4, 16.
1. Neh. vi. 13.
1. Job xxvii. 6.
1. Psalm xlii. 10.
1. —— lxxiv. 10.
1. —— cii. 8.
1. Isa. xxxvii. 4, 17.

REPROACHED.

1. 2 Kings xix. 22, 23.
2. Job xix. 3.
1. Psalm lv. 12.
1. —— lxix. 9.
1. —— lxxiv. 18.
1. Psalm lxxix. 12.
1. —— lxxxix. 51.
1. Isa. xxxvii. 23, 24.
1. Zeph. ii. 8, 10.

REPROACHETH.

3. Numb. xv. 30.
1. Psalm xliv. 16.
4. —— lxxiv. 22.
1. —— cxix. 42.
1. Prov. xiv. 31.
1. —— xvii. 5.
1. —— xxvii. 11.

REPROBATE.

נִמְאָס *Nimos*, refused, rejected.

Jer. vi. 30.

REPROOF, Subst.

1. תּוֹכָחָה *Toukhokhoh*, correction, reproof.
2. גְּעָרָה *Georoh*, a rebuke.

1. In all passages, except:

2. Job xxvi. 11.
2. Prov. xvii. 10.

REPROOFS.

1. Psalm xxxviii. 14.
1. Prov. vi. 23.

REPROVE -ED -ETH.

1.   יָכַח   *Yokhakh*, to correct, reprove.
2.   גָּעַר   *Goar*, to rebuke.

     1. In all passages, except:
         2. Jer. xxix. 27.

REPROVER.

מוֹכִיחַ   *Moukheeakh*, a corrector, reprover.

Prov. xxv. 12. | Ezek. iii. 26.

REPUTATION.

יָקָר   *Yokor*, worthy, precious.
     Eccles. x. 1.

REPUTED.

1.   נִטְמָן   *Nitmon*, hidden.
2.   חֲשִׁיב   *Khasheev* (Syriac), reckoned, esteemed.

1. Job xviii. 3. | 2. Dan. iv. 35.

REQUEST -S.

1.   שְׁאֵלָה   *Sheailoh*, a request.
2.   דָּבָר   *Dovor*, a word, matter, import.
3.   בַּקָּשָׁה   *Bakoshoh*, a petition, supplication.
4.   מְבַקֵּשׁ   *Mevakaish*, requesting.
5.   בַּקֵּשׁ   *Bikkaish*, to seek, beseech.
6.   אֲרֶשֶׁת   *Aresheth*, desire, supplication.

1. Judg. viii. 24.	3. Esth. vii. 2, 3.
2. 2 Sam. xiv. 15, 22.	5. —— 7.
3. Ezra vii. 6.	3. —— ix. 12.
4. Neh. iv. 4.	1. Job vi. 8.
5. Esth. iv. 8.	6. Psalm xxi. 2.
3. —— v. 3, 6, 7.	1. —— cvi. 15.

REQUESTED.

1.   שָׁאַל   *Shoal*, to ask, request.
2.   בַּקֵּשׁ   *Bikkaish*, to seek, beseech.
3.   בָּעָא   *Boō* (Syriac), to pray.

1. Judg. viii. 26.	2. Dan. i. 8.
1. 1 Kings xix. 4.	3. —— ii. 49.
1. 1 Chron. iv. 10.	

REQUIRE.

1.   דָּרַשׁ   *Dorash*, to search after, require.
2.   בַּקֵּשׁ   *Bikkaish*, to seek, beseech.

---

3.   שָׁאַל   *Shoal*, to ask, request.
4.   בָּחַר   *Bokhar*, to choose.
5.   דְּבַר יוֹם בְּיוֹמוֹ   *Devar youm beyoumou*, the matter day by day, daily matter.
6.   נָחוּץ   *Nokhoots*, required haste.
7.   אָמַר   *Omar*, to say.

1. Gen. ix. 5.	2. 1 Chron. xxi. 3.
2. —— xxxi. 39.	1. 2 Chron. xxiv. 22.
2. —— xliii. 9.	1. Ezra vii. 21.
3. Deut. x. 12.	1. —— viii. 22.
1. —— xviii. 19.	2. Neh. v. 12.
2. —— xxiii. 21.	1. Psalm x. 13.
2. Josh. xxii. 23.	2. Ezek. iii. 18, 20.
2. 1 Sam. xx. 16.	1. —— xx. 40.
3. 2 Sam. iii. 13.	1. —— xxxiii. 6.
2. —— iv. 11.	2. —————— 8.
4. —— xix. 38.	1. —— xxxiv. 10.
5. 1 Kings viii. 59.	1. Mic. vi. 8.

REQUIRED.

1. Gen. xlii. 22.	2. Neh. v. 18.
6. 1 Sam. xxi. 8.	2. Esth. ii. 15.
1. 2 Sam. xii. 20.	3. Psalm xl. 6.
5. 1 Chron. xvi. 37.	3. —— cxxxvii. 3.
5. 2 Chron. viii. 14.	3. Prov. xxx. 7.
1. —— xxiv. 6.	2. Isa. i. 12.
5. Ezra iii. 4.	

REQUIREST.

7. Ruth iii. 11.

REQUIRETH.

2. Eccles. iii. 15. | 3. Dan. ii. 11.

REQUITE.

1.   שׁוּב   *Shoov*, (Hiph.) to turn, return.
2.   גָּמַל   *Gomal*, to recompense.
3.   עָשָׂה   *Osoh*, to do, make, perform.
4.   שִׁלַּם   *Shillaim*, to pay, repay.
5.   נָתַן   *Nothan*, to give, grant.

1. Gen. L. 15.	4. 2 Kings ix. 26.
2. Deut. xxxii. 6.	5. Psalm x. 14.
3. 2 Sam. ii. 6.	4. —— xli. 10.
1. —— xvi. 12.	4. Jer. li. 56.

REQUITED.

4. Judg. i. 7. | 1. 1 Sam. xxv. 21.

REQUITING.

1. 2 Chron. vi. 23.

REREWARD.

1. מְאַסֵּף   *Measaiph*, a collector, gatherer in.
2. אַחֲרוֹן   *Akhăroun*, the last.

1. Numb. x. 25.	1. Isa. lii. 12.
1. Josh vi. 9, 13.	1. — lviii. 8.
2. 1 Sam. xxix. 2.	

RESCUE.

1. נָצַל   *Notsal*, (Hiph.) to deliver, rescue.
2. פָּדָה   *Podoh*, to ransom.
3. יָשַׁע   *Yoshă*, to save.
4. שׁוּב   *Shoov*, to return, turn.

3. Deut. xxviii. 31.	1. Hos. v. 14.
4. Psalm xxxv. 17.	

RESCUED.

2. 1 Sam. xiv. 45.	1. 1 Sam. xxx. 18.

RESCUETH.
1. Deut. vi. 27.

RESEMBLANCE.

עַיִן   *Ayin*, an eye.

Zech. v. 6.

RESEMBLED.

תֹּאַר   *Touar*, form, shape.

Judg. viii. 18.

RESERVE.

1. נָטַר   *Notar*, to reserve, to keep in.
2. שָׁאַר   *Shoar*, (Hiph.) cause to remain.
3. אָצַל   *Otsal*, to withhold, lay up.
4. לָקַח   *Lokakh*, to take.
5. יָתַר   *Yothar*, (Hiph.) to be plentiful, superabundant.
6. חָשַׂךְ   *Khosakh*, to spare.
7. שָׁמַר   *Shomar*, to keep, watch.

1. Jer. iii. 5.	2. Jer. l. 20.

RESERVED.

3. Gen. xxvii. 36.	5. 1 Chron. xviii. 4.
4. Judg. xxi. 22.	6. Job xxi. 30.
5. Ruth ii. 18.	6. — xxxviii. 23.
5. 2 Sam. viii. 4.	

RESERVETH.

7. Jer. v. 24.	1. Nah. i. 2.

RESIDUE.

1. יֶתֶר   *Yether*, residue.
2. שְׁאָר   *Sheor*, remainder, remnant.
3. שְׁאֵרִית   *Sheaireeth*, the rest, remainder.
4. אַחֲרִית   *Akhareeth*, the last, latter.

1. Exod. x. 5.	3. Jer. xli. 10.
2. Neh. xi. 10.	1. — lii. 15.
2. Isa. xxi. 17.	3. Ezek. ix. 8.
2. — xxviii. 5.	4. —— xxiii. 25.
1. — xxxviii. 10.	1. —— xxxiv. 18.
2. — xliv. 17.	3. —— xxxvi. 3, 4, 5.
1. ——— 19.	1. —— xlviii. 18, 21.
3. Jer. viii. 3.	1. Dan. vii. 7, 19.
3. — xv. 9.	1. Zeph. ii. 9.
2. — xxiv. 8.	3. Hag. ii. 2.
1. — xxvii. 19.	3. Zech. viii. 11.
1. — xxix. 1.	1. —— xiv. 2.
3. — xxxix. 3.	1. Mal. ii. 15.

RESIST.
שָׂטַן   *Sotan*, to hinder.

Zech. iii. 1.

RESORT.

1. קִבֵּץ   *Kibbaits*, to gather together.
2. בּוֹא   *Bou*, to come, enter.
3. יָצַב   *Yotsav*, to fix, make firm.

1. Neh. iv. 20.	2. Psalm lxxi. 3.

RESORTED.
3. 2 Chron. xi. 13.

RESPECT.

1. שָׁעָה   *Shooh*, to regard.
2. יָדַע   *Yoda*, to know.
3. פָּנָה   *Ponoh*, to turn towards, face.
4. נָשָׂא־פָּנִים   *Noso-poneem*, to countenance.
5. נִכַּר־פָּנִים   *Nikar-poneem*, to recognise.
6. נָבַט   *Novat*, (Hiph.) to investigate, look into.
7. רָאָה   *Rooh*, to see, behold.

1. Gen. iv. 4, 5.	6. Psalm cxix. 6, 15.
2. Exod. ii. 25.	1. ———— 117.
3. Lev. xxvi. 9.	7. ———— cxxxviii. 6.
3. 1 Kings viii. 28.	5. Prov. xxiv. 23.
3. 2 Kings xiii. 23.	5. —— xxviii. 21.
3. 2 Chron. vi. 19.	1. Isa. xvii. 7.
4. ———— xix. 7.	7. — xxii. 11.
6. Psalm lxxiv. 20.	

RESPECT, Verb.

1.   נָשָׂא   *Noso*, to exalt.
2.   פָּנָה   *Ponoh*, to turn towards, face.
3.   נָכַּר   *Nikar*, to recognise.
4.   רָאָה   *Rooh*, to see, behold.

1. Lev. xix. 15.	3. Deut. xvi. 19.
2. Numb. xvi. 15.	1. 2 Sam. xiv. 14.
3. Deut. i. 17.	4. Isa. xvii. 8.

RESPECTED.

1. Lam. iv. 16.

RESPECTETH.

4. Job xxxvii. 24. | 2. Psalm xl. 4.

RESPITE.

1.   הָרְוָחָה   *Horvokhoh*, space, extension.
2.   הֶרֶף   *Hereph*, to slacken, relax.

1. Exod. viii. 15. | 2. 1 Sam. xi. 3.

REST (Repose).

1.   מְנֻחָה   *Menukhoh*, rest.
2.   שַׁבָּתוֹן   *Shabothoun*, the great Sabbath.
3.   נוּחַ   *Nooakh*, to rest.
4.   שָׁקַט   *Shokat*, to be quiet.
5.   שָׁכַב   *Shokhav*, to lie down.
6.   נָחַת   *Nokhath*, to bring down, humble.
7.   שָׁלוֹם   *Sholoum*, peace.
8.   שָׁכַן   *Shokhan*, to dwell, rest (as Jehovah among his people).
9.   מַרְגּוֹעַ   *Margoua*, refreshing rest.
10.   רָבַע   *Roga*, (Hiph.) to cause to rest quietly.
11.   שָׁלָה   *Sholoh* (Syriac), to be at peace.
12.   דָּמִי   *Domee*, quietness.
13.   פּוּגָה   *Poogoh*, a pause, relaxation.

1. Gen. xlix. 15.	3. Josh. xxi. 44.
2. Exod. xvi. 23.	3. —— xxii. 4.
2. —— xxxi. 15.	3. —— xxiii. 1.
3. —— xxxiii. 14.	4. Judg. iii. 11, 30.
2. —— xxxv. 2.	4. —— v. 31.
2. Lev. xvi. 31.	1. Ruth i. 9.
2. —— xxiii. 3, 32.	1. —— iii. 1.
2. —— xxv. 4, 5.	4. —— 18.
3. Deut. iii. 20.	3. 2 Sam. vii. 1.
1. —— xii. 9.	3. 1 Kings v. 4.
3. —————— 10.	1. —— viii. 56.
3. —— xxv. 19.	1. 1 Chron. vi. 31.
1. —— xxviii. 65.	1. —— xxii. 9.
3. Josh. i. 13, 15.	3. —————— 18.
4. —— xiv. 15.	3. —— xxiii. 25.

REST, no.

1. 1 Chron. xxviii. 2.	5. Eccles. ii. 23.
4. 2 Chron. xiv. 6.	6. —— vi. 5.
3. —————— 6, 7.	1. Isa. xi. 10.
3. —— xv. 15.	3. — xiv. 3, 7.
3. —— xx. 30.	4. — xviii. 4.
3. Neh. ix. 28.	1. — xxviii. 12.
3. Esth. ix. 16.	6. — xxx. 15.
3. Job iii. 13, 17.	1. — xxxiv. 14.
4. —————— 26.	1. — lxvi. 1.
5. — xi. 18.	9. Jer. vi. 16.
6. — xvii. 16.	4. — xxx. 10.
7. Psalm xxxviii. 3.	4. — xlvi. 27.
8. —— lv. 6.	10. — L. 34.
4. —— xciv. 13.	4. Ezek. xxxviii. 11.
1. —— xcv. 11.	11. Dan. iv. 4.
1. —— cxvi. 7.	1. Mic. ii. 10.
1. —— cxxxii. 8, 14.	4. Zech. i. 11.
3. Prov. xxix. 17.	1. —— ix. 1.

REST, no.

1. Gen. viii. 9.	12. Isa. lxii. 7.
5. Job xxx. 17.	1. Jer. xlv. 3.
6. Prov. xxix. 9.	1. Lam. i. 3.
3. Isa. xxiii. 12.	13. —— ii. 18.

REST (Remainder).

1.   יֶתֶר   *Yether*, superfluity.
2.   נִשְׁאָר   *Nishor*, that which is left.
3.   שָׂרִיד   *Soreed*, a remnant, rest.
4.   שְׁאָר   *Sheor*, a remainder.
5.   יָתַר   *Yothar*, (Niph.) to be redundant, superfluous.

1. Gen. xxx. 36.	1. 2 Kings xx. 20.
5. Exod. xxviii. 10.	1. —— xxiii. 28.
2. Lev. v. 9.	4. 1 Chron. xi. 8.
1. — xiv. 17.	4. —— xvi. 41.
5. —————— 29.	1. —— xix. 11.
Numb. xxxi. 8, not in original.	1. 2 Chron. xx. 34.
	4. —— xxiv. 14.
1. —————— 32.	1. —— xxxii. 32.
1. Deut. iii. 13.	1. Neh. ii. 16.
3. Josh. x. 20.	1. — vi. 1.
1. Judg. vii. 6.	4. — xi. 1.
1. 1 Sam. xv. 15.	4. Esth. ix. 12.
1. 2 Sam. x. 10.	1. Psalm xvii. 14.
1. 1 Kings xi. 41.	4. Isa. x. 19.
5. —— xx. 30.	4. Dan. ii. 18.
5. 2 Kings iv. 7.	2. Zech. xi. 9.
1. —— x. 34.	

REST, Verb.

1.   שָׁעַן   *Shoan*, to lean, rest.
2.   שָׁבַת   *Shovath*, to cease from labour.
3.   שָׁמַט   *Shomat*, to release, make free, applied to Sabbatical year only.
4.   נוּחַ   *Nooakh*, to rest, repose.
5.   חוּל   *Khool*, to stay, tarry, wait.

6.   שָׁאַן   *Shoan*, to indulge, be at ease, careless.

7.   חָדַל   *Khodal*, to cease, spare, desist.

8.   שָׁכַן   *Shokhan*, to dwell, rest continually (as Jehovah among his people).

9.   דוּם   *Doom*, to be dumb.

10.   אָבָה   *Ovoh*, to be willing.

11.   רָבַץ   *Rovats*, to couch down, cower.

12.   רָגַע   *Roga*, to rest for a short time.

13.   שָׁקַט   *Shokat*, to be quiet.

14.   חָרַשׁ   *Khorash*, to be deaf.

15.   חָנָה   *Khonoh*, to encamp.

16.   אָחַז   *Okhaz*, to seize, lay hold of.

17.   סָמַךְ   *Somakh*, to support, sustain.

18.   מְנוּחוֹת   *Menookhouth*, resting-places.

1. Gen. xviii. 4.	4. Isa. vii. 19.
2. Exod. v. 5.	4. — xi. 2.
3. —— xxiii. 11.	4. — xxv. 10.
2. —————— 12.	4. — xxviii. 12.
2. —— xxxiv. 21.	12. — xxxiv. 14.
2. Lev. xxvi. 34, 35.	12. — li. 4.
4. Deut. v. 14.	4. — lvii. 2.
4. Josh. iii. 13.	13. —————— 20.
5. 2 Sam. iii. 29.	13. — lxii. 1.
4. —————— vii. 11.	4. — lxiii. 14.
4. —————— xxi. 10.	12. Jer. xxxi. 2.
4. 2 Kings ii. 15.	12. — xlvii. 6.
1. 2 Chron. xiv. 11.	4. Ezek. v. 13.
6. Job iii. 18.	4. —— xvi. 42.
7. — xiv. 6.	4. —— xxi. 17.
8. Psalm xvi. 9.	4. —— xxvi. 13.
9. —— xxxvii. 7.	4. —— xliv. 30.
4. —— cxxv. 3.	4. Dan. xii. 13.
10. Prov. vi. 35.	4. Hab. iii. 16.
11. Cant. i. 7.	14. Zeph. iii. 17.

RESTED.

2. Gen. ii. 2, 3.	4. Numb. x. 36.
4. —— viii. 4.	4. —————— xi. 25, 26.
4. Exod. x. 14.	13. Josh. xi. 23.
2. —— xvi. 30.	16. 1 Kings vi. 10.
4. —— xx. 11.	17. 2 Chron. xxxii. 8.
2. —— xxxi. 17.	4. Esth. ix. 17, 18, 22.
15. Numb. ix. 18, 23.	9. Job xxx. 27.
8. —————— x. 12.	

RESTETH.

1. Job xxiv. 23.	4. Eccles. vii. 9.
4. Prov. xiv. 33.	

RESTING.

18. Numb. x. 33.	18. Isa. xxxii. 18.
4. 2 Chron. vi. 41.	11. Jer. L. 6.
11. Prov. xxiv. 15.	

RESTS.

מִגְרָעוֹת   *Migroouth*, lessenings; met., steps.

1 Kings vi. 6.

RESTITUTION.

1.   שִׁלֵּם   *Shillaim*, to complete, repay, reward.

2.   תְּמוּרָה   *Těmooroh*, an exchange.

1. Exod. xxii. 3, 5, 6, 12. | 2. Job xx. 18.

RESTORE.

1. { שׁוּב   *Shoov*,   } to bring back,
     { תּוּב   *Thoov* (Chaldee), } restore.

2.   שִׁלֵּם   *Shillaim*, to complete, repay, reward.

3.   עָלָה   *Oloh*, (Hiph.) to raise, cause to come up.

4.   חָיָה   *Khoyoh*, (Hiph.) to revive, preserve alive.

1. Gen. xx. 7.	1. 1 Kings xx. 34.
1. —— xl. 13.	1. 2 Kings viii. 6.
1. —— xlii. 25.	1. Neh. v. 11, 12.
2. Exod. xxii. 1, 4.	1. Job xx. 10, 18.
1. Lev. vi. 4.	1. Psalm li. 12.
2. —— 5.	2. Prov. vi. 31.
2. —— xxiv. 21.	1. Isa. i. 26.
1. —— xxv. 27, 28.	1. — xlii. 22.
1. Numb. xxxv. 25.	1. — xlix. 6.
1. Deut. xxii. 2.	2. — lvii. 18.
1. Judg. xi. 13.	1. Jer. xxvii. 22.
1. —— xvii. 3.	3. —— xxx. 17.
1. 1 Sam. xii. 3.	1. Ezek. xxxiii. 15.
1. 2 Sam. ix. 7.	1. Dan. ix. 25.
2. —— xii. 6.	2. Joel ii. 25.
1. —— xvi. 3.	

RESTORED.

1. In all passages, except:

     4. 2 Kings viii. 1, 5.

RESTORETH.

1. Psalm xxiii. 3.

RESTORER.

מֵשִׁיב   *Maisheev*, a restorer.

Ruth iv. 15. | Isa. lviii. 12.

RESTRAIN.

1.   עָצַר   *Otsar*, to restrain, keep back.

2.   בָּצַר   *Botsar*, to shorten, depress.

3.   כָּלָא   *Kolo*, to confine.

4.   כָּהָה   *Kihoh*, to weaken.

5.   אָפַק   *Ophak,* to go on, proceed.
6.   מָנַע   *Mona,* to avoid, keep back.
7.   גָּרַע   *Gora,* to diminish.
8.   חָגַר   *Khogar,* to gird, bind up.

7. Job xv. 8. | 8. Psalm lxxvi. 10.

RESTRAINED.

3. Gen. viii. 2.	4. 1 Sam. iii. 13.
2. —— xi. 6.	5. Isa. lxiii. 15.
1. —— xvi. 2.	6. Ezek. xxxi. 15.
3. Exod. xxxvi. 6.	

RESTRAINEST.

7. Job xv. 4.

RESTRAINT.

מַעֲצוֹר   *Maatsour,* restraint.

1 Sam. xiv. 6.

RETAIN.

1.   חָזַק   *Khozak,* (Hiph.) to strengthen.
2.   תָּמַךְ   *Tomakh,* to support.
3.   כָּלָא   *Kolo,* to confine.
4.   עָצַר   *Otsar,* to restrain, keep back.

1. Job ii. 9.	3. Eccles. viii. 8.
2. Prov. iv. 4.	4. Dan. xi. 6.
2. —— xi. 16.	

RETAINED.

1. Judg. vii. 8.	4. Dan. x. 8.
1. —— xix. 4.	

RETAINETH.

1. Prov. iii. 18.	1. Mic. vii. 18.
2. —— xi. 16.	

RETIRE.

1.   שׁוּב   *Shoov,* to turn, return.
2.   עוּז   *Ooz,* to gather together.
3.   הָפַךְ   *Hophakh,* to overthrow, vanquish.
4.   נָפַץ   *Nophats,* to scatter, disperse.

1. 2 Sam. xi. 15. | 2. Jer. iv. 6.

RETIRED.

3. Judg. xx. 39. | 4. 2 Sam. xx. 22.

RETURN, Subst.

שׁוּב   *Shoov,* to turn, return.

Gen. xiv. 17.	1 Kings xx. 22, 26.
1 Sam. vii. 17.	

RETURN, Verb.

1. {   שׁוּב   *Shoov,*   } to turn, re-
   {   הוּב   *Thoov* (Chaldee), }   turn.
2.   יָלַךְ   *Yolakh,* to walk, proceed.
3.   פָּנָה   *Ponoh,* to turn to.
4.   סָבַב   *Sovav,* to surround.
5.   שָׁנָה   *Shonoh,* to repeat.

All passages not inserted are N°. 1.

3. Josh. xxii. 4. | 2. Eccles. i. 7.

RETURNED.

All passages not inserted are N°. 1.

4. 2 Sam. xiv. 24. | 4. 1 Chron. xvi. 43.

RETURNETH.

1. Psalm cxlvi. 4.	1. Isa. lv. 10.
5. Prov. xxvi. 11.	1. Ezek. xxxv. 7.
2. Eccles. i. 6.	1. Zech. ix. 8.

RETURNING.

1. Isa. xxx. 15.

REVEAL -ED -ETH.

גָּלָה   *Goloh,* to reveal, discover, in all passages.

REVEALER.

גְּלֵי   *Golai* (Syriac), a revealer.

Dan. ii. 47.

REVENGE, Verb.

נָקַם   *Nokom,* to revenge.

Jer. xv. 15.

REVENGED.

Ezek. xxv. 12.

REVENGETH.

Nah. i. 2.

REVENGING.

Psalm lxxix. 10.

REVENGE, Subst.

נְקָמָה   *Nekomoh,* revenge, vengeance.

Jer. xx. 10. | Ezek. xxv. 15.

REVENGES.

פַּרְעוֹת   *Parouth,* exactors.

Deut. xxxii. 42.

REVENGER.

גֹּאֵל Gouail, a redeemer, avenger.

Numb. xxxv. 19, 21, 24, 25, 27.

REVENGERS.

2 Sam. xiv. 11.

REVENUE.

1. אַפְּתֹם Apthoum (Chaldee), treasure.
2. תְּבוּאָה Tevoooh, produce of the ground.

1. Ezra iv. 13.   2. Isa. xxiii. 3.
2. Prov. viii. 19.

REVENUES.

2. Prov. xv. 6.   2. Jer. xii. 13.
2. —— xvi. 8.

REVERENCE -ED.

1. יָרֵא Yoro, to fear.
2. שָׁחָה Shokhoh, to bow down.

1. Lev. xix. 30.   2. Esth. iii. 2, 5.
1. —— xxvi. 2.

REVERENCE, Subst.

1. נוֹרָא Nourō, terrible.
2. שָׁחָה Shokhoh, (Hith.) to bow down.

2. 2 Sam. ix. 6.   2. Esth. iii. 2.
2. 1 Kings i. 31.   1. Psalm lxxxix. 7.

REVEREND.

נוֹרָא Nouro, fearful, terrible.

Psalm cxi. 9.

REVERSE.

שׁוּב Shoov, (Hiph.) to restore, bring back, reverse.

Numb. xxiii. 20. | Esth. viii. 5, 8.

REVILE.

קָלַל Killail, to lightly esteem, revile.

Exod. xxii. 28.

REVILINGS.

גְּדוּפִים Gidoopheem, revilings, blasphemings.

Isa. li. 7. | Zeph. ii. 8.

REVIVE -ED -ING.

חָיָה Khoyoh, to make alive, revive, in all passages.

REVOLT, Subst.

סָרָה Soroh, to depart, revolt.

Isa. lix. 13.

REVOLT, Verb.

1. פָּשַׁע Poshā, to transgress, do wrong.
2. סָרָה Soroh, to depart, revolt.

1. 2 Chron. xxi. 10. | 2. Isa. i. 5.

REVOLTED.

1. 2 Kings viii. 20, 22. | 2. Isa. xxxi. 6.
1. 2 Chron. xxi. 8, 10. | 2. Jer. v. 23.

REVOLTING.

2. Jer. v. 23.

REVOLTERS.

1. סֹרְרִים Sourereem, revolters.
2. שֵׂטִים Saiteem, the goers astray, perverse ones.

1. Jer. vi. 28. | 1. Hos. ix. 15.
2. Hos. v. 2.

REWARD, Subst.

1. שָׂכָר Sokhor, a reward.
2. שֹׁחַד Shoukhad, bribery.
3. בְּשׂוֹרָה Besouroh, good tidings.
4. גְּמוּל Gemool, a recompense.
5. { מַתָּת Mattoth, } a gift.
    { אֶתְנָן Ethnon, }
6. שָׂחַד Shokhad, to bribe.
7. עֲקֶב־רָב Aikev-rov, because they are many.
8. פְּרִי Peree, fruit.
9. שִׁלֻּם Shillum, payment.
10. פְּעֻלָּה Peulloh, work.
11. וְיֵשׁ אַחֲרִית Veyaish akhareeth, and there be a latter end.
12. אַחֲרִית Akhareeth, a latter end.
13. מַשְׂאֵת Masaith, a liberal gift.
14. נְבִזְבָּה Nevizboh (Syriac), kindness.
15. עֵקֶב Aikev, because of, on account of.

1. Gen. xv. 1.
1. Numb. xviii. 31.
2. Deut. x. 17.
2. —— xxvii. 25.
1. Ruth ii. 12.
3. 2 Sam. iv. 10.
4. —— xix. 36.
5. 1 Kings xiii. 7.
6. Job vi. 22.
2. Psalm xv. 5.
7. —— xix. 11.
15. —— xl. 15.
8. —— lviii. 11.
15. —— lxx. 3.
9. —— xci. 8.
4. —— xciv. 2.
10. —— cix. 20.
1. —— cxxvii. 3.

1. Prov. xi. 18.
2. —— xxi. 14.
11. —— xxiv. 14.
12. ———— 20.
1. Eccles. iv. 9.
1. —— ix. 5.
4. Isa. iii. 11.
2. — v. 23.
1. — xl. 10.
2. — xlv. 13.
1. — lxii. 11.
13. Jer. xl. 5.
5. Ezek. xvi. 34.
5. Hos. ix. 1.
4. Obad. 15.
2. Mic. iii. 11.
9. —— vii. 3.

REWARDS.

Numb. xxii. 7, not in
   original.
9. Isa. i. 23.

14. Dan. ii. 6.
14. —— v. 17.
5. Hos. ∴. 12.

REWARD, Verb.

1. שַׁלֵּם   *Shillaim,* to complete, appease, repay.
2. גָּמַל   *Gomal,* to recompense.
3. שׁוּב   *Shoov,* (Hiph.) to restore, bring back.
4. שָׂכָר   *Sokhor,* a reward.
5. שֹׂכֵר   *Soukhair,* rewardeth.
6. שׂוּם   *Soom,* (Hiph.) to place, appoint.

1. Deut. xxxii. 41.
1. 1 Sam. xxiv. 19.
1. 2 Sam. iii. 39.
2. 2 Chron. xx. 11.

3. Psalm liv. 5.
1. Prov. xxv. 22.
3. Hos. iv. 9.

REWARDED.

1. Gen. xliv. 4.
2. 1 Sam. xxiv. 17.
2. 2 Sam. xxii. 21.
4. 2 Chron. xv. 7.
2. Psalm vii. 4.
2. —— xviii. 20.

1. Psalm xxxv. 12.
2. —— ciii. 10.
6. —— cix. 5.
1. Prov. xiii. 13.
2. Isa. iii. 9.
4. Jer. xxxi. 16.

REWARDETH.

1. Job xxi. 19.
1. Psalm xxxi. 23.
1. —— cxxxvii. 8.

3. Prov. xvii. 13.
5. —— xxvi. 10, twice.

RIB.

צֵלָע   *Tsela,* a rib.
Gen. ii. 21, 22.

RIBS.

עִלְעִין   *Ileen* (Syriac), ribs.
Dan. vii. 5.

RIBBAND.

פְּתִיל   *Petheel,* a woollen twist.
Numb. xv. 38.

RICH.

1. כָּבֵד   *Kovaid,* heavy.
2. עָשַׁר   *Oshar,* (Hiph.) to make rich.
3. עָשִׁיר   *Osheer,* a rich man.
4. נָשְׂגָה־יָד   *Nosag-yod,* within reach of the hand, to grow rich.
5. שׁוֹעַ   *Shoua,* bountiful, boastful.
6. הוֹן   *Houn,* wealth.
7. בְּרוֹמִים   *Beroumeem,* rich apparel.

1. Gen. xiii. 2.
2. —— xiv. 23.
3. Exod. xxx. 15.
4. Lev. xxv. 47.
3. Ruth iii. 10.
2. 1 Sam. ii. 7.
3. 2 Sam. xii. 1.
2. Job xv. 29.
5. — xxxiv. 19.
3. Psalm xlv. 12.
3. —— xlix. 2.
2. ———— 16.
2. Prov. x. 4, 22.
2. —— xiii. 7.
3. —— xiv. 20.

3. Prov. xviii. 23.
2. —— xxi. 17.
3. —— xxii. 2, 7, 16.
2. —— xxiii. 4.
3. —— xxviii. 6.
2. ———— 20.
6. ———— 22.
3. Eccles. v. 12.
3. ———— x. 6, 20.
3. Isa. liii. 9.
2. Jer. v. 27.
7. Ezek. xxvii. 24.
2. Hos. xii. 8.
2. Zech. xi. 5.

RICH man, men.

3. 2 Sam. xii. 2, 4.
3. Job xxvii. 19.
3. Prov. x. 15.
3. —— xviii. 11.

3. Prov. xxviii. 11.
3. Jer. ix. 23.
3. Mic. vi. 12.

RICHER.

2. Dan. xi. 2.

RICHES.

1. עֹשֶׁר   *Ousher,* riches.
2. רְכוּשׁ   *Rekhoosh,* great substance.
3. נְכָסִים   *Nekhoseem,* income, revenue.
4. חַיִל   *Khayil,* might, power, strength.
5. שׁוּעַ   *Shooa,* crying out.
6. הָמוֹן   *Hamoun,* a multitude.
7. קִנְיָן   *Kinyon,* possessions.
8. הוֹן   *Houn,* wealth.
9. חֹסֶן   *Khousen,* strength.
10. מַטְמֻנִים   *Matmuneem,* concealed property.
11. יִתְרָה   *Yithroh,* superfluity.

1. Gen. xxxi. 16.	1. Prov. xi. 16, 28.
2. —— xxxvi. 7.	8. —— xiii. 7.
3. Josh xxii. 8.	1. —————— 8.
1. 1 Sam. xvii. 25.	1. —— xiv. 24.
1. 1 Kings iii. 11, 13.	8. —— xix. 14.
1. —————— x. 23.	1. —— xxii. 1, 4.
1. 1 Chron. xxix. 12, 28.	8. —— xxiv. 4.
1. 2 Chron. i. 11.	9. —— xxvii. 24.
1. —————— ix. 22.	1. —— xxx. 8.
1. —————— xvii. 5.	1. Eccles. iv. 8.
1. —————— xviii. 1.	1. —————— v. 13, 14, 19.
2. —————— xx. 25.	1. —————— vi. 2.
1. —————— xxxii. 27.	1. —————— ix. 11.
1. Esth. i. 4.	4. Isa. viii. 4.
1. —— v. 11.	4. — x. 14.
4. Job xx. 15.	4. — xxx. 6.
5. — xxxvi. 19.	10. — xlv. 3.
6. Psalm xxxvii. 16.	4. — lxi. 6.
1. —————— xlix. 6.	1. Jer. ix. 23.
1. —————— lii. 7.	1. — xvii. 11.
4. —————— lxii. 10.	11. — xlviii. 36.
4. —————— lxxiii. 12.	4. Ezek. xxvi. 12.
7. —————— civ. 24.	6. —————— xxvii. 12.
1. —————— cxii. 3.	8. —————————— 18, 27, 33.
8. —————— cxix. 14.	4. —————— xxviii. 4, 5.
1. Prov. iii. 16.	1. Dan. xi. 2.
1. —— viii. 18.	2. —————— 13, 24, 28.
8. —— xi. 4.	

RID.

1.	נָצַל	Notsal, to deliver from danger.
2.	שָׁבַת	Shovath, (Hiph.) cause to cease.
3.	פָּצָה	Potsoh, to release, open.

1. Gen. xxxvii. 22.	1. Psalm lxxxii. 4.
1. Exod. vi. 6.	3. —— cxliv. 7, 11.
2. Lev. xxvi. 6.	

RIDDANCE.

1.	לָקַט	Lokat, to collect, gather together.
2.	כָּלָה	Koloh, to finish, consume, make an end of.

1. Lev. xxiii. 22. | 2. Zeph. i. 18.

RIDDLE.

חִידָה   Kheedoh, a riddle.

Judges xiv. 12, 13, 14, | Ezek. xvii. 2.
15, 16, 17, 18, 19.

RIDE -DEN -ETH -ING, RODE.

רָכַב   Rokhav, to ride, in all passages.

RIDER.

פָּרָשׁ   Porosh, a rider, in all passages.

RIDERS.

פָּרָשִׁים   Porosheem, riders, in all passages.

RIDGES.

תְּלָמִים   Telomeem, ridges.

Psalm lxv. 10.

RIE, RYE.

כֻּסֶּמֶת   Kussemeth, buck-wheat.

Exod. ix. 32. | Isa. xxviii. 25.

RIFLED.

שָׁסָה   Shosoh, to spoil, plunder.

Zech. xiv. 2.

RIGHT, Subst.

1.	מִשְׁפָּט	Mishpot, judgment, law, justice.
2.	כֵּן	Kain, so, right.
3.	גְּאוּלָה	Geooloh, redemption.
4.	צְדָקָה	Tsedokoh, justification, righteousness.
5.	אֱמֶת	Emeth, truth.
6.	צֶדֶק	Tsedek, righteous.
7.	יְשָׁרִים	Yeshoreem, uprightness.

1. Gen. xviii. 25.	1. Psalm cxl. 12.
2. Numb. xxvii. 7.	1. Prov. xvi. 8.
1. Deut. xxi. 17.	7. —————— 13.
3. Ruth iv. 6.	1. Isa. x. 2.
4. 2 Sam. xix. 28.	1. — xxxii. 7.
4. Neh. ii. 20.	1. Jer. v. 28.
5. —— ix. 33.	1. — xvii. 11.
1. Job xxxiv. 6, 17.	3. — xxxii. 7, 8.
1. — xxxvi. 6.	1. Lam. iii. 35.
1. Psalm ix. 4.	1. Ezek. xxi. 27.
6. —————— 4, 17.	

RIGHT, Adj.

1.	אֱמֶת	Emeth, truth.
2.	יָשָׁר	Yoshor, upright, straight.
3.	כֵּן	Kain, so, right.
4.	נְכוֹחָה	Nekhoukhoh, rectitude, equity.
5.	כָּשֵׁר	Koshair, proper.
6.	מִשְׁפָּט	Mishpot, justice, law, judgment.
7.	מִישׁוֹר	Meeshour, straight, direct.
8.	נָכוֹן	Nokhoun, correct.
9.	צֶדֶק	Tsedek, righteous.

10. מֵישָׁרִים   *Maishoreem*, uprightness.

11. כִּשְׁרוֹן   *Kishroun*, propriety.

12. יָשַׁר   *Yoshar*, (Piel) to find upright, just.

1. Gen. xxiv. 48.	12. Psalm cxix. 128.
2. Deut. xxxii. 4.	2. Prov. iv. 11.
2. Josh. ix. 25.	10. —— viii. 6.
3. Judg. xii. 6.	2. —————— 9.
2. 1 Sam. xii. 23.	6. —— xii. 5.
4. 2 Sam. xv. 3.	2. —— xiv. 12.
2. 2 Kings x. 15.	2. —— xvi. 25.
3. —— xvii. 9.	2. —— xx. 11.
2. Ezra viii. 21.	10. —— xxiii. 16.
2. Neh. ix. 13.	4. —— xxiv. 26.
5. Esth. viii. 5.	11. Eccles. iv. 4.
2. Job vi. 25.	4. Isa. xxx. 10.
5. — xxxv. 2.	10. — xlv. 19.
2. Psalm xix. 8.	1. Jer. ii. 21.
7. —— xlv. 6.	3. — xxiii. 10.
8. —— li. 10.	2. — xxxiv. 15.
2. —— cvii. 7.	2. Hos. xiv. 9.
9. —— cxix. 75.	4. Amos iii. 10.

RIGHT, is.

All passages not inserted are N°. 2.

8. Job xlii. 7.	9. Ezek. xxxiii. 14, 16,
9. Ezek. xviii. 5, 19.	19.
6. —— xxi. 27.	

RIGHT, was.

All passages not inserted are N°. 2.

8. Psalm lxxviii. 37.	4. Jer. xvii. 16.

RIGHT, Adverb.

נֶגֶד   *Neged*, opposite, against, in the presence of.

Josh. iii. 16.

RIGHT hand, foot, side, &c., &c.

יָמִין   *Yomeen*, on the right hand, in all passages.

RIGHT early.

פְּנוֹת־בֹּקֶר   *Penouth-bouker*, to the turning of the morning.

Psalm xlvi. 5.

RIGHT forth.

לְפָנָיו   *Lĕphonov*, before his face.

Jer. xlix. 5.

RIGHT on.

1. לְנֹכַח   *Lenoukhakh*, opposite.

2. יָשַׁר   *Yoshar*, to go straight.

1. Prov. iv. 25.	2. Prov. ix. 15.

RIGHT well.

מְאֹד   *Mĕoud*, exceedingly.

Psalm cxxxix. 14.

RIGHTEOUS.

1. צַדִּיק   *Tsadeek*, a righteous person.

2. יָשָׁר   *Yoshor*, upright.

3. צָדַק   *Tsodak*, to justify.

4. יְשָׁרִים   *Yeshoreem*, uprightness.

All passages not inserted are N°. 1.

3. Gen. xxxviii. 26.	3. Job xxii. 3.
4. Numb. xxiii. 10.	2. — xxiii. 7.
4. Job iv. 7.	3. — xxxiv. 5.
3. — ix. 15.	3. — xl. 8.
3. — x. 15.	3. Psalm xix. 9.
3. — xv. 14.	

RIGHTEOUS man, or men.

1. צַדִּיק   *Tsadeek*, a righteous person.

2. צֶדֶק   *Tsedek*, righteous.

All passages not inserted are N°. 1.

2. Isa. xli. 2.

RIGHTEOUSLY.

1. צֶדֶק   *Tsedek*, righteous.

2. מִישׁוֹר   *Meeshour*, straightness.

1. Deut. i. 16.	1. Prov. xxxi. 9.
2. Psalm lxvii. 4.	2. Isa. xxxiii. 15.
2. —— xcvi. 10.	1. Jer. xi. 20.

RIGHTEOUSNESS.

צְדָקָה   *Tsĕdokoh*, righteousness, in all passages.

Psalm xxxv. 27.

RIGHTLY.

הֲכִי   *Hakhee*, if therefore.

Gen. xxvii. 36.

RIGOUR.

פֶּרֶךְ   *Phorekh*, harshness, severity.

Exod. i. 13, 14.	Lev. xxv. 43, 46, 53.

RING.

טַבַּעַת   *Tabaath*, a seal, ring.

Gen. xli. 42.	Esth. iii. 10, 12.
Exod. xxvi. 24.	—— viii. 2, 8, 10.
—— xxxvi. 29.	

RINGS.

1. מַבָּעוֹת *Tabŏouth,* seals, rings.
2. גְּלִילִים *Geleeleem,* rings of a larger size.
3. נַבִּים *Gabbeem,* wheels.

All passages not inserted are N°. 1.

2. Esth. i. 6.	3. Ezek. i. 18.
2. Cant. v. 14.	

RINGSTRAKED.

עָקֹד *Okood,* striped.

Gen. xxx. 35.	Gen. xxxi. 8, 10, 12.

RINSED.

שָׁטַף *Shotaph,* to overflow.

Lev. vi. 28.	Lev. xv. 11, 12.

RIOTOUS.

זוֹלֵל *Zoulail,* a glutton.

Prov. xxiii. 20.	Prov. xxviii. 7.

RIP.

בָּקַע *Boka,* to split asunder.

2 Kings viii. 12.

RIPPED.

2 Kings xv. 16.	Amos i. 13.
Hos. xiii. 16.	

RIPE.

1. בָּשַׁל *Boshal,* (Hiph.) to be full ripe.
2. מָלֵא *Molai,* full.
3. בִּכּוּר *Bikoor,* the first ripe.

1. Gen. xl. 10.	3. Hos. ix. 10.
2. Exod. xxii. 29.	1. Joel iii. 13.
3. Numb. xiii. 20.	3. Mic. vii. 1.
3. —— xviii. 13.	3. Nah. iii. 12.
3. Jer. xxiv. 2.	

RIPENING.

גֹּמֵל *Goumail,* mature.

Isa. xviii. 5.

RISE.

1. קוּם *Koom,* to rise.
2. שָׁכַם *Shokham,* to rise early.
3. זָרַח *Zorakh,* to rise as the sun, shine.

All passages not inserted are N°. 1.

2. Judg. ix. 33.	3. Isa. lviii. 10.

RISE up.

1. קוּם *Koom,* to rise.
2. שָׁכַם *Shokham,* to rise early.
3. עָלָה *Oloh,* (Hiph.) to come up, cause to go up.
4. יָצָא *Yotsō,* to go out, forth.
5. זָרַח *Zorakh,* to rise, shine as the sun.
6. נָאָה *Goōh,* to elevate.
7. שָׁחַר *Shokhar,* to rise at dawn of day.

All passages not inserted are N°. 1.

2. Gen. xix. 2.	3. Eccles. x. 4.
2. Exod. viii. 20.	2. Isa. v. 11.
2. —— ix. 13.	3. Jer. xlvii. 2.
3. Judg. xx. 38, 40.	3. Amos viii. 8.
2. 1 Sam. xxix. 10.	3. Zech. xiv. 13.
2. Psalm cxxvii. 2.	

RISEN.

All passages not inserted are N°. 1.

4. Gen. xix. 23.	5. Isa. lx. 1.
5. Exod. xxii. 3.	6. Ezek. xlvii. 5.
2. 2 Kings vi. 15.	

RISEST.

1. Deut. vi. 7.	1. Deut. xi. 19.

RISETH.

All passages not inserted are N°. 1.

5. 2 Sam. xxiii. 4.	7. Isa. xlvii. 11.
5. Job ix. 7.	3. Jer. xlvi. 8.

RISING.

2. In all passages, except :

1. Job xvi. 8.	1. Job xxiv. 14.
7. —— xxiv. 5.	1. Lam. iii. 63.

ROSE.

All passages not inserted are N°. 1.

3. Gen. xix. 15.	2. Josh. vii. 16.
2. —— xx. 8.	2. —— viii. 10.
2. —— xxii. 3.	3. Judg. vi. 21, 28, 38.
2. —— xxvi. 31.	2. 1 Sam. i. 19.
2. —— xxviii. 18.	2. —— xv. 12.
2. —— xxxi. 55.	2. —— xxix. 11.
5. —— xxxii. 31.	2. 2 Kings iii. 22.
2. Exod. xxiv. 4.	2. 2 Chron. xx. 20.
5. Deut. xxxiii. 2.	5. —— xxvi. 19.
2. Josh. iii. 1.	2. Job i. 5.
2. —— vi. 12.	2. Zeph. iii. 7.

RISING sun.

5. In all passages.

RISING, Subst.

1. קוּם   *Koom*, to rise.
2. שְׂאֵת   *Seaith*, a rising, swelling.
3. עֲלוֹת   *Alouth*, to ascend.
4. זָרַח   *Zorakh*, to shine, rise as the sun.

2. Lev. xiii. 2, 10, 28.	3. Neh. iv. 21.
2. —— xiv. 56.	1. Prov. xxx. 31.
2. —— xix. 43.	4. Isa. lx. 3.

RITES.

מִשְׁפָּט   *Mishpot*, judgment, law.

Numb. ix. 3.

RIVER.

1. { נָהָר   *Nohor*,
    נַחַל   *Nakhal*, } a river, stream.
    יְאוֹר   *Yeour*, }
2. פֶּלֶג   *Peleg*, a small stream, gutter.
3. אֲפִיקִים   *Apheekeem*, channels, streams.

1. In all passages, except:

2. Psalm lxv. 9.

RIVERS.

All passages not inserted are Nº. 1.

2. Job xx. 17.	3. Ezek. vi. 3.
2. — xxix. 6.	3. —— xxxi. 12.
2. Psalm i. 3.	3. —— xxxii. 6.
2. —— cxix. 136.	3. —— xxxiv. 13.
2. Prov. v. 16.	3. —— xxxv. 8.
2. —— xxi. 1.	3. —— xxxvi. 4, 6.
3. Cant. v. 12.	3. Joel i. 20.
2. Isa. xxx. 25.	3. —— iii. 18.
2. Lam. iii. 48.	

ROAD.

פָּשַׁט   *Poshat*, to strip, pull off ; met., to spoil.

1 Sam. xxvii. 10.

ROAR.

1. רָעַם   *Roam*, to thunder.
2. הָמָה   *Homoh*, to be tumultuous.
3. שָׁאַג   *Shoag*, to roar.
4. נָהַם   *Noham*, to make a great noise.
5. צָרַח   *Tsorakh*, (Hiph.) to cry out.

1. 1 Chron. xvi. 32.	2. Jer. v. 22.
2. Psalm xlvi. 3.	3. — xxv. 30.
3. —— lxxiv. 4.	2. — xxxi. 35.
1. —— xcvi. 11.	2. — l. 42.
1. —— xcviii. 7.	3. — li. 38.
3. —— civ. 21.	2. —— 55.
3. Isa. v. 29.	3. Hos. xi. 10.
4. —— 30.	3. Joel iii. 16.
5. — xlii. 13.	3. Amos i. 2.
4. — lix. 11.	3. —— iii. 4.

ROARED.

3. Judg. xiv. 5.	3. Jer. ii. 15.
3. Psalm xxxviii. 8.	3. Amos iii. 8.
2. Isa. li. 15.	

ROARETH.

3. Job xxxvii. 4.	2. Jer. vi. 23.

ROARING, Subst.

1. שְׁאָגָה   *Sheogoh*, a roaring.
2. נַהַם   *Naham*, to bellow.
3. הָגָה   *Hogoh*, to utter, meditate.

1. Job iv. 30.	1. Isa. v. 29.
1. Psalm xxii. 1.	2. —— 30.
1. —— xxxii. 3.	1. Ezek. xix. 7.
2. Prov. xix. 12.	1. Zech. xi. 3.
2. —— xx. 2.	

ROARING, Adj.

1. Psalm xxii. 13.	1. Ezek. xxii. 25.
2. Prov. xxviii. 15.	1. Zeph. iii. 3.
3. Isa. xxxi. 4.	

ROARINGS.

1. Job iii. 24.

ROAST -ED -ETH.

1. צָלִי   *Tselee*, to roast.
2. בָּשַׁל   *Boshal*, to boil, cook, seethe.
3. קָלָה   *Koloh*, to singe, scorch.
4. חָרַךְ   *Khorakh*, to enjoy.

1. Exod. xii. 8, 9.	2. 2 Chron. xxxv. 13.
2. Deut. xvi. 7.	1. Isa. xliv. 16, 19.
1. 1 Sam. ii. 15.	3. Jer. xxix. 22.

ROASTETH.

4. Prov. xii. 27.

ROB.

1. גָּזַל   *Gozal*, to rob.
2. שָׁכַל   *Shokhal*, to bereave, deprive.
3. שָׁסָה   *Shosoh*, to spoil.

4.   בָּזַז   *Bozaz*, to plunder.
5.   עָוּד   *Ivvaid*, to surround.
6.   גְּזֵלָה   *Gezailoh*, a robbery.
7.   קָבַע   *Kovā*, to demand with authority.

1. Lev. xix. 13.	1. Isa. x. 2.
2. — xxvi. 22.	4. — xvii. 14.
3. 1 Sam. xxiii. 1.	4. Ezek. xxxix. 10.
1. Prov. xxii. 22.	7. Mal. iii. 8.

ROBBED.

1. Judg. ix. 25.	4. Isa. xlii. 22.
2. 2 Sam. xvii. 8.	4. Jer. l. 37.
5. Psalm cxix. 61.	6. Ezek. xxxiii. 15.
2. Prov. xvii. 12.	4. — xxxix. 10.
3. Isa. x. 13.	7. Mal. iii. 8, 9.

ROBBETH.

1. Prov. xxviii. 24.

ROBBER.

1.   צָמֵים   *Tsammeem*, thirsty, fasting.
2.   פָּרִיץ   *Poreets*, a breaker through.
3.   שֹׁדֵד   *Shoudaid*, a destroyer.
4.   בֹּזֵז   *Bouzaiz*, a plunderer.

1. Job v. 5.	2. Ezek. xviii. 10.
1. — xviii. 9.	

ROBBERS.

3. Job xii. 6.	Hos. vi. 9, not in
4. Isa. xlii. 24.	original.
2. Jer. vii. 11.	— vii. 1, not in
2. Ezek. vii. 22.	original.
2. Dan. xi. 14.	3. Obad. 5.

ROBBERY.

1.   גֵּזֶל   *Gozail*, a robbery.
2.   שֹׁד   *Shoud*, a destruction.
3.   פֶּרֶק   *Perek*, a plundering, plucking off.

1. Psalm lxii. 10.	1. Ezek. xxii. 29.
2. Prov. xxi. 7.	2. Amos iii. 10.
1. Isa. lxi. 8.	3. Nah. iii. 1.

ROBE.

1.   מְעִיל   *Měeel*, a mantle.
2.   כְּתֹנֶת   *Kethouneth*, an inner garment.
3.   אַדֶּרֶת   *Adereth*, a robe.
4.   שַׂלְמָה   *Salmoh*, an outer garment.
5.   בְּגָדִים   *Begodeem*, clothing.

1. Exod. xxviii. 4, 31, 34.	1. 1 Chron. xv. 27.
1. — xxix. 5.	1. Job xxix. 14.
1. — xxxix. 25, 26.	2. Isa. xxii. 21.
1. Lev. viii. 7.	1. — lxi. 10.
1. 1 Sam. xviii. 4.	3. Jonah iii. 6.
1. — xxiv. 4, 11.	4. Mic. ii. 8.

ROBES.

2. 2 Sam. xiii. 18.	5. 2 Chron. xviii. 9, 29.
5. 1 Kings xxii. 10, 30.	1. Ezek. xxvi. 16.

ROCK.

1.   צוּר   *Tsoor*, a rock.
2.   סֶלַע   *Selā*, a cleft in a rock.
3.   מָעוֹז   *Mōouz*, a strong protection, fortress.
4.   חַלָּמִישׁ   *Khalomeesh*, a flint.

1. Exod. xvii. 6.	2. Psalm xxxi. 3.
1. — xxxiii. 21, 22.	2. — xl. 2.
2. Numb. xx. 8, 10, 11.	2. — xlii. 9.
2. — xxiv. 21.	1. — lxi. 2.
1. Deut. viii. 15.	1. — lxii. 2, 6, 7.
1. — xxxii. 4.	2. — lxxi. 3.
2. — 13.	2. — lxxviii. 16.
1. — 13, 15, 18,	1. — 20, 35.
30, 31, 37.	1. — lxxxi. 16.
2. Judg. vi. 20.	1. — lxxxix. 26.
1. — 21.	1. — xcii. 15.
3. — 26.	1. — xciv. 22.
1. — vii. 25.	1. — xcv. 1.
1. — xiii. 19.	1. — cv. 41.
2. — xv. 8.	1. — cxiv. 8.
2. — xx. 45.	1. Prov. xxx. 19.
1. 1 Sam. ii. 2.	2. Cant. ii. 14.
2. — xiv. 4.	1. Isa. ii. 10.
2. — xxiii. 25.	1. — x. 26.
1. 2 Sam. xxi. 10.	1. — xvii. 10.
2. — xxii. 2.	2. — xxii. 16.
1. — 3, 32, 47.	2. — xxxii. 2.
1. — xxiii. 3.	2. — xlii. 11.
1. 1 Chron. xi. 15.	1. — xlviii. 21.
2. 2 Chron. xxv. 12.	1. — li. 1.
2. Neh. ix. 15.	2. Jer. v. 3.
1. Job xiv. 18.	2. — xiii. 4.
1. — xviii. 4.	1. — xviii. 14.
1. — xix. 24.	1. — xxi. 13.
1. — xxiv. 8.	2. — xxiii. 29.
4. — xxviii. 9.	2. — xlviii. 28.
1. — xxix. 6.	2. — xlix. 16.
2. — xxxix. i. 28.	2. Ezek. xxiv. 7, 8.
2. Psalm xviii. 2.	2. — xxvi. 4, 14.
1. — 31, 46.	2. Amos vi. 12.
1. — xxvii. 5.	2. Obad. 3.
1. — xxviii. 1.	
1. — xxxi. 2.	

ROCKS.

1.   צוּרִים   *Tsooreem*, rocks.
2.   סְלָעִים   *Seloeem*, clefts in a rock.
3.   כֵּפִים   *Kaipheem* (Syriac), rocks.
4.   סֶלַע   *Selā*, a cleft in a rock.

1. Numb. xxiii. 9.	1. Isa. ii. 19, 21.
2. 1 Sam. xiii. 6.	2. — vii. 19.
1. ——— xxiv. 2.	2. — xxxiii. 16.
2. 1 Kings xix. 11.	2. — lvii. 5.
1. Job xxviii. 10.	3. Jer. iv. 29.
3. — xxx. 6.	2. — xvi. 16.
1. Psalm lxxviii. 15.	2. — li. 25.
2. ——— civ. 18.	1. Nah. i. 6.
4. Prov. xxx. 26.	

ROD.

1. שֵׁבֶט *Shaivet,* a slender branch, tribe, sceptre.
2. מַטֶּה *Matteh,* a staff, a badge of authority.
3. חֹטֶר *Khouter,* a twig, shoot, rod.
4. מַקֵּל *Makail,* a walking-stick.

2. Exod. iv. 4, 17, 20.	1. Prov. xxvi. 3.
2. — vii. 9, 12, 19, 20.	1. ——— xxix. 15.
2. ——— xiv. 16.	1. Isa. ix. 4.
2. ——— xvii. 9.	1. — x. 5, 15, 24.
1. ——— xxi. 20.	2. ——— 26.
1. Lev. xxvii. 32.	3. — xi. 1.
2. Numb. xvii. 2, 8.	1. ——— 4.
2. ——— xx. 11.	1. — xiv. 29.
2. 1 Sam. xiv. 27.	1. — xxviii. 27.
1. 2 Sam. vii. 14.	1. — xxx. 31.
1. Job ix. 34.	4. Jer. i. 11.
1. — xxi. 9.	1. — x. 16.
1. Psalm ii. 9.	4. — xlviii. 17.
1. ——— xxiii. 4.	1. — li. 19.
1. ——— lxxiv. 2.	1. Lam. iii. 1.
1. ——— lxxxix. 32.	2. Ezek. vii. 10, 11.
2. ——— cx. 2.	2. ——— xix. 14.
1. ——— cxxv. 3.	1. ——— xx. 37.
1. Prov. x. 13.	1. ——— xxi. 10, 13.
1. ——— xiii. 24.	1. Mic. v. 1.
3. ——— xiv. 3.	2. — vi. 9.
1. ——— xxii. 8, 15.	1. ——— vii. 14.
1. ——— xxiii. 13, 14.	

RODS.

4. Gen. xxx. 37, 41.	2. Numb. xvii. 6, 7.
2. Exod. vii. 12.	2. Ezek. xix. 11, 12.

RODE.
See Ride.

ROE.

1. צְבִי *Tsevee,* a hart.
2. אַיָּל *Ayol,* a hind.
3. עֳפָרִים *Ouphoreem,* young goats.

1. 1 Chron. xii. 8.	1. Cant. ii. 9, 17.
2. Prov. v. 19.	1. ——— viii. 14.
1. — vi. 5.	1. Isa. xiii. 14.

ROES.

1. Cant. ii. 7.	3. Cant. iv. 5.
1. ——— iii. 5.	3. — vii. 3.

ROE, wild.
1. 2 Sam. ii. 18.

ROEBUCK.

1. Deut. xii. 15, 22.	1. Deut. xv. 22.
1. ——— xiv. 5.	

ROEBUCKS.
1. 1 Kings iv. 23.

ROLL.
גָּלַל *Golal,* to roll.

Gen. xxix. 8.	Jer. li. 25.
Josh. x. 18.	Mic. i. 10.
1 Sam. xiv. 33.	

ROLLED.

Gen. xxix. 3, 10.	Isa. ix. 5.
Josh. v. 9.	— xxxiv. 4.
Job xxx. 14.	

ROLLETH.
Prov. xxvi. 27.

ROLLING.
גַּלְגַּל *Galgal,* a wheel, anything driven by the whirlwind.
Isa. xvii. 13.

ROLL, Subst.

1. מְגִלָּה *Megilloh,* a roll of parchment.
2. גִּלָּיוֹן *Gilloyoun,* a piece of parchment.

1. Ezra vi. 2.	1. Ezek. ii. 9.
2. Isa. viii. 1.	1. ——— iii. 1, 3.
1. Jer. xxxvi. 2, 6, 23, 28, 29.	1. Zech. v. 1, 2.

ROLLS.
1. סִפְרַיָּא *Siphrayoh* (Chaldee), books.
Ezra vi. 1.

ROLLER.
חִתּוּל *Khitool,* a bandage for a wound.
Ezek. xxx. 21.

ROOF.
1. קוֹרָה *Kouroh,* a rafter, beam.
2. גַּג *Gog,* a roof, top of a house.

1. Gen. xix. 8.
2. Deut. xxii. 8.
2. Josh. ii. 6.
2. Judg. xvi. 27.

2. 2 Sam. xi. 2.
2. ——— xviii. 24.
2. Neh. viii. 16.
2. Ezek. xl. 13.

ROOFS.

גַּגּוֹת *Gaggouth,* tops of houses.

Jer. xix. 13. | Jer. xxxii. 29.

ROOF with mouth.

חִכָּה *Khikoh,* gums.

Job xxix. 10.
Psalm cxxxvii. 6.
Cant. vii. 9.

Lam. iv. 4.
Ezek. iii. 26.

ROOM.

1. מָקוֹם *Mokoum,* a place.
2. רָחַב *Rokhav,* (Hiph.) to enlarge.
3. תַּחַת *Takhath,* instead of.
4. מֶרְחָב *Merkhov,* a wide place.

1. Gen. xxiv. 23, 25, 31.
2. ——— xxvi. 22.
3. 2 Sam. xix. 13.
3. 1 Kings ii. 35.
3. ——— v. 1, 5.

3. 1 Kings viii. 20.
3. ——— xix. 16.
3. 2 Chron. vi. 10.
4. Psalm xxxi. 8.
2. Prov. xviii. 16.

ROOMS.

1. קִנִּים *Kinneem,* chambers.
2. תַּחַת *Takhath,* instead of.

1. Gen. vi. 14.
2. 1 Kings xx. 24.

2. 1 Chron. iv. 41.

ROOT, Subst.

1. שֹׁרֶשׁ *Shouresh,* a root.
2. שָׁרַשׁ *Shorash,* (Hiph.) to take root.
3. שָׁרַשׁ *Shorash,* (Hiph.) to cause to take root.
4. נָתַשׁ *Notash,* to pluck up, expel a people.
5. עָקַר *Okar,* to root out.

All passages not inserted are N°. 1.

2. Job v. 3.
2. Isa. xxvii. 6.

3. Isa. xl. 24.
3. Jer. xii. 2.

ROOTS.

All passages not inserted are N°. 1.

4. 2 Chron. vii. 20. | 5. Dan. vii. 8.

ROOT, Verb.

1. שָׁרַשׁ *Shorash,* to root out.
2. נָתַשׁ *Notash,* to pluck up, expel a people.
3. נָתַק *Notak,* to pluck away with violence.
4. נָסַח *Nosakh,* to disperse.
5. עָקַר *Okar,* to root out.

2. 1 Kings xiv. 15.
1. Job xxxi. 12.

1. Psalm lii. 5.
2. Jer. i. 10.

ROOTED.

2. Deut. xxix. 28.
3. Job xviii. 14.
1. — xxxi. 8.

4. Prov. ii. 22.
5. Zeph. ii. 4.

ROPE.

עָבָה *Ovoh,* a thick rope.

Isa. v. 18.

חֲבָלִים *Khavoleem,* ropes.
2 Sam. xvii. 3

ROPES.

עֲבֹתִים *Avoutheem,* thick ropes.

Judg. xvi. 11, 12.
2 Sam. xvii. 13.

1 Kings xx. 31, 32.

ROSE, Subst.

חֲבַצֶּלֶת *Khavatseleth,* a lily.

Cant. ii. 1. | Isa. xxxv. 1.

ROSE, Verb.
See Rise.

ROT.

1. נָפַל *Nophal,* to fall away.
2. רָקַב *Rokav,* to rot.

1. Numb. v. 21, 27.
2. Prov. x. 7.

2. Isa. xl. 20.

ROTTEN.

1. רָקָב *Rokov,* a rotten thing.
2. בְּלוֹיִם *Belooyim,* worn out things.
3. עָבַשׁ *Ovash,* to be useless.

1. Job xiii. 28.
1. — xli. 27.

2. Jer. xxxviii. 11, 12.
3. Joel i. 17.

ROTTENNESS.

1. רָקָב　*Rokov*, a rotten thing.
2. מָק　*Mokk*, a withering, wasting.

1. Prov. xii. 4.	1. Hos. v. 12.
1. ——— xiv. 30.	1. Hab. iii. 16.
2. Isa. v. 24.	

ROVERS.

גְּדוּד　*Gedood*, a troop.

1 Chron. xii. 21.

ROUGH.

1. אֵיתָן　*Aithon*, strong, irresistible.
2. קָשֶׁה　*Koshoh*, hard.
3. רְכַם　*Rokhas*, entangled.
4. סָמֵר　*Somar*, bristly, bristling.
5. צָפִיר　*Tsopheer*, a he-goat.
6. שֵׂעָר　*Saior*, hairy.
7. עַזוּז　*Azooz*, bold, impudent.

1. Deut. xxi. 4.	4. Jer. li. 27.
2. Isa. xxvii. 8.	5. Dan. viii. 21.
3. — xl. 4.	6. Zech. xiii. 4.

ROUGHLY.

2. Gen. xlii. 7, 30.	2. 2 Chron. x. 13.
2. 1 Sam. xx. 10.	7. Prov. xviii. 23.
2. 1 Kings xii. 13.	

ROUND, Verb.

נָקַף　*Nokaph*, to make a circle.

Lev. xix. 27.

ROUND.

1. סָבִיב　*Soveev*, round about.
2. עוּגָל　*Oogol*, round, oval.
3. סָבַב　*Sovav*, to surround.
4. מְהֻסְפָּס　*Mekhuspos*, a round substance.
5. כָּתַּר　*Kotar*, (Piel) to encompass in a hostile manner.
6. סַחַר　*Sahar*, round.
7. עָטַר　*Otar*, to encompass.
8. כַּדּוּר　*Kadoor*, in a circular form.
9. שַׂהֲרֹנִים　*Saharouneem*, head dresses, small ornaments.

3. Gen. xix. 4.	5. Psalm xxii. 12.
4. Exod. xvi. 14.	6. Cant. vii. 2.
3. Josh. vii. 9.	9. Isa. iii. 18.
2. 1 Kings vii. 23, 35.	

ROUND about.

All passages not inserted are N°. 1.

3. Josh. vi. 3.	3. Psalm xlviii. 12.
3. Judg. xix. 22.	3. ——— lxxxviii. 17.
3. ——— xx. 5.	8. Isa. xxix. 3.
7. 1 Sam. xxiii. 26.	3. Jonah ii. 5.
3. Job xvi. 13.	

ROUSE.

קוּם　*Koom*, to rise, rouse.

Gen. xlix. 9.

ROW.

טוּר　*Toor*, a row, in all passages.

ROWS.

טוּרִים　*Tooreem*, rows, in all passages.

ROWED.

חָתַר　*Khotar*, to row.

Jonah i. 13.

ROWERS.

שׁוֹטִים　*Shouteem*, rowers.

Ezek. xxvii. 26.

ROYAL.

מַלְכוּת　*Malkhooth*, royalty; in all passages, except:

כְּיַד　*Keyad*, according to the hand.

1 Kings x. 13.

RUBBISH.

1. עֲרֵמָה　*Araimoh*, a heap.
2. עָפָר　*Ophor*, dust.

1. Neh. iv. 2.	2. Neh. iv. 10.

RUBY -IES.

פְּנִינִים　*Pĕneeneem*, precious stones.

Job xxviii. 18.	Prov. xx. 15.
Prov. iii. 15.	——— xxxi. 10.
——— viii. 11.	Lam. iv. 7.

RUDDY.

אָדוֹם　*Odoum*, red.

1 Sam. xvi. 12.	Cant. v. 10.
——— xvii. 42.	Lam. iv. 7.

RUIN, Subst.

1. מִכְשׁוֹל   *Mikhshoul,* a stumbling-block.
2. מְחִתָּה   *Mekhitoh,* a destruction, place of destruction.
3. פִּיד   *Pheed,* a calamity.
4. מַדְחֶה   *Madkheh,* a casting, driving out, ruin.
5. { מַפָּלָה   *Mappoloh,* }
    { נֹפֶלֶת   *Noupheleth,* } a pulling down.
6. הֲרָסוֹת   *Horosouth,* broken down places.

1. 2 Chron. xxviii. 23.	5. Isa. xxiii. 13.
2. Psalm lxxix. 40.	5. — xxv. 2.
3. Prov. xxiv. 22.	1. Ezek. xviii. 30.
4. —— xxvi. 28.	5. —— xxvii. 27.
1. Isa. iii. 6.	5. —— xxxi. 13.

RUINS.

1. Ezek. xxi. 15.	6. Amos ix. 11.

RUINED.

1. כָּשַׁל   *Koshal,* to stumble.
2. הֲרָסוֹת   *Horosouth,* broken down places.

1. Isa. iii. 8.	2. Ezek. xxxvi. 35, 36.

RUINOUS.

1. נִצִּים   *Nitseem,* waste, bare.
2. מַפָּלָה   *Mappoloh,* a falling down.

1. 2 Kings xix. 25.	1. Isa. xxxvii. 26.
2. Isa. xvii. 1.	

RULE, Subst.

1. שָׁלַט   *Sholat,* to have authority, power over.
2. מָשַׁל   *Moshal,* to rule over.
3. עָצַר   *Otsar,* to restrain.
4. קַו   *Kov,* a measuring line.

1 Kings xxii. 31, not in original.	3. Prov. xxv. 28.
1. Esth. ix. 1.	1. Eccles. ii. 19.
2. Prov. xvii. 2.	4. Isa. xliv. 13.
2. —— xix. 10.	2. — lxiii. 19.

(See BEAR and BARE, rule).

RULE, Verb.

1. מָשַׁל   *Moshal,* to rule, govern.
2. רָדָה   *Rodoh,* to subdue, domineer.
3. שָׂרַר   *Sorar,* to rule as a prince.

4. מָלַךְ   *Molakh,* to reign.
5. שָׁלַט   *Sholat,* to have power, authority.
6. נָשַׁק   *Noshak,* to kiss, embrace, arrange.

1. Gen. i. 16, 18.	3. Isa. xxxii. 1.
1. —— iii. 16.	1. — xl. 10.
1. —— iv. 7.	2. — xli. 2.
2. Lev. xxv. 43, 46, 53.	1. — lii. 5.
1. Judg. viii. 22, 23.	1. Ezek. xix. 14.
2. Psalm cx. 2.	4. — xx. 33.
1. —— cxxxvi. 8, 9.	2. —— xxix. 15.
3. Prov. viii. 16.	5. Dan. iv. 26.
1. Isa. iii. 4, 12.	1. —— xi. 3, 39.
2. — xiv. 2.	1. Joel ii. 17.
1. — xix. 4.	1. Zech. vi. 13.
1. — xxviii. 14.	

RULED.

1. Gen. xxiv. 2.	2. Isa. xiv. 6.
6. —— xli. 40.	1. Lam. v. 8.
2. 1 Kings v. 16.	2. Ezek. xxxiv. 4.
5. Ezra iv. 20.	5. Dan. v. 21.
1. Psalm cvi. 41.	

RULEST.

1. 2 Chron. xx. 6.	1. Psalm lxxxix. 9.

RULETH.

1. 2 Sam. xxiii. 3.	1. Prov. xxii. 7.
1. Psalm lix. 13.	5. Eccles. viii. 9.
1. — lxvi. 7.	1. —— ix. 17.
1. —— ciii. 19.	5. Dan. iv. 17, 25, 32.
1. Prov. xvi. 32.	2. Hos. xi. 12.

RULING.

1. 2 Sam. xxiii. 3.	1. Jer. xxii. 30.

RULER.

1. מוֹשֵׁל   *Moushail,* a ruler.
2. לַאֲשֶׁר   *Laasher,* to him, who.
3. נָשִׂיא   *Nosee,* a person of dignity, rank, prince.
4. נָגִיד   *Nogeed,* a leader.
5. שַׂר   *Sar,* a sir, chief.
6. רֹדֶה   *Roudeh,* governor.
7. שַׁלִּיט   *Shaleet,* one possessed of authority.
8. קָצִין   *Kotseen,* an influential man.
9. שָׁלַט   *Sholat,* to have authority.

2. Gen. xliii. 16.	4. 1 Kings i. 35.
1. —— xlv. 8.	4. 1 Chron. v. 2.
3. Exod. xxii. 28.	4. —— ix. 11.
3. Numb. xiii. 2.	4. —— xi. 2.
4. 1 Sam. xxv. 30.	4. —— xvii. 7.

1. 2 Chron. vii. 18.
4. ——— xi. 22.
4. ——— xxxi. 13.
5. Neh. vii. 2.
4. —— xi. 11.
6. Psalm lxviii. 27.
1. —— cv. 20, 21.
1. Prov. vi. 7.
1. —— xxiii. 1.
1. —— xxviii. 15.
1. —— xxix. 12, 26.

1. Eccles. x. 4.
7. ——— 5.
8. Isa. iii. 6, 7.
1. — xvi. 1.
1. Jer. li. 46.
7. Dan. ii. 10, 38, 48.
9. —— v. 7, 16.
7. ——— 29.
1. Mic. v. 2.
1. Hab. i. 14.

RULERS.

1. מוֹשְׁלִים *Moushleem*, rulers.
2. שָׂרִים *Soreem*, sirs, chiefs.
3. נְשִׂיאִים *Neseeeem*, persons of dignity, rank, princes.
4. בְּרָאשֵׁיכֶם *Beroshaikhem*, at the head of you.
5. כֹּהֲנִים *Kouhaneem*, priests.
6. נְגִידִים *Negeedeem*, leaders.
7. סְגָנִים *Segoneem*, captains.
8. רוֹזְנִים *Rouzneem*, men of weight.
9. קְצִינִים *Ketseeneem*, influential men.
10. רָאשֵׁיכֶם *Roshaikhem*, your heads, chiefs.
11. שִׁלְטוֹנִים *Shiltouneem*, men of authority.
12. מָגִנִּים *Mogeeneem*, protectors.

2. Gen. xlvii. 6.
2. Exod. xviii. 21, 25.
3. —— xxxiv. 31.
3. —— xxxv. 27.
4. Deut. i. 13.
1. Judg. xv. 11.
5. 2 Sam. viii. 18.
2. 2 Kings ix. 22.
2. ——— x. 1.
2. —— xi. 4, 19.
2. 1 Chron. xxvii. 31.
6. 2 Chron. xxxv. 8.
2. Ezra ix. 2.
2. Neh. iv. 16.
7. —— v. 7.

2. Neh. xi. 1.
7. —— xii. 7.
7. —— xiii. 11.
2. Esth. ix. 3.
8. Psalm ii. 2.
9. Isa. i. 10.
1. — xiv. 5.
9. — xxii. 3.
10. — xxix. 10.
1. — xlix. 7.
1. Jer. xxxiii. 26.
7. — li. 23, 28, 57.
7. Ezek. xxiii. 6, 23.
11. Dan. iii. 3.
12. Hos. iv. 18.

RUMBLING.

הָמוֹן *Homoun*, a noise.

Jer. xlvii. 3.

RUMOUR -S.

שְׁמוּעָה *Shĕmoooh*, a report.

2 Kings xix. 7.   Jer. li. 46.
Isa. xxxvii. 7.   Ezek. vii. 26.
Jer. xlix. 14.   Obad. 1.

RUMP.

אַלְיָה *Alyoh*, the fat tail.

Exod. xxix. 22.   Lev. viii. 25.
Lev. iii. 9.   —— ix. 19.
—— vii. 3.

RUN.

1. רוּץ *Roots*, to run, overrun.
2. צָעַד *Tsoad*, to step.
3. זוּב *Zoov*, to flow, issue.
4. פָּגַע *Pogā*, to meet.
5. שׁוּט *Shoot*, to go to and fro, examine.
6. { הָלַךְ *Holakh*, / יָלַךְ *Yolakh*, } to walk, proceed.
7. נָזַל *Nozal*, to run like a stream.
8. יָרַד *Yorad*, to descend.
9. שָׁקַק *Shokak*, to run to and fro.
10. בּוֹא *Bou*, to come.
11. גָּלַל *Golal*, to roll.
12. רָוָה *Rovoh*, to satiate with water.
13. חַיִּים *Khayeem*, living.
14. נָגַר *Nogar*, to run down.
15. בָּרַח *Borakh*, to flee.
16. פָּשַׁט *Poshat*, to strip, plunder.
17. יָצַק *Yotsak*, to run as metal from a furnace, pour forth.
18. שָׁטַף *Shotaph*, to overflow, overwhelm.
19. פָּכָה *Pokhoh*, to drop, trickle down.

2. Gen. xlix. 22.
3. Lev. xv. 3, 25.
4. Judg. xviii. 25.
1. 1 Sam. viii. 11.
1. ——— xvii. 17.
1. —— xx. 6, 36.
1. 2 Sam. xv. 1.
1. ——— xviii. 19, 22, 23.
1. ——— xxii. 30.
1. 1 Kings i. 5.
1. 2 Kings iv. 22, 26.
1. —— v. 20.
5. 2 Chron. xvi. 9.
1. Psalm xviii. 29.
1. —— xix. 5.
6. —— lviii. 7.
1. —— lix. 4.
7. —— lxxviii. 16.
6. —— civ. 10.
1. —— cxix. 32.
8. ——— 136.
1. Prov. i. 16.
6. Eccles. i. 7.
1. Cant. i. 4.
9. Isa. xxxiii. 4.

1. Isa. xl. 31.
1. — lv. 5.
1. — lix. 7.
5. Jer. v. 1.
8. — ix. 18.
1. — xii. 5.
8. — xiii. 17.
8. — xiv. 17.
5. — xlix. 3.
1. — l. 44.
1. — li. 31.
8. Lam. ii. 18.
10. Ezek. xxiv. 16.
6. —— xxxii. 14.
5. Dan. xii. 4.
1. Joel ii. 4, 7, 9.
11. Amos v. 24.
1. — vi. 12.
5. — viii. 12.
1. Nah. ii. 4.
1. Hab. ii. 2.
1. Hag. i. 9.
1. Zech. ii. 4.
5. — iv. 10.

RUNNEST.
1. Prov. iv. 12.

RUNNETH.

1. Job xv. 26.	1. Prov. xviii. 10.
1. — xvi. 14.	8. Lam. i. 16.
12. Psalm xxiii. 5.	8. —— iii. 48.
1. —— cxlvii. 15.	

RAN.
All passages not inserted are N°. 1.

6. Exod. ix. 23.	18. 2 Chron. xxxii. 4.
16. Judg. ix. 44.	14. Psalm lxxvii. 2.
15. 1 Kings ii. 39.	6. —— cv. 41.
5. —— xviii. 35.	8. —— cxxxiii. 2.
17. —— xxii. 35.	19. Ezek. xlvii. 2.

RUNNING.

13. Lev. xiv. 5, 6, 50, 51, 52.	1. 2 Kings v. 21.
3. — xv. 2, 13.	1. 2 Chron. xxiii. 12.
3. — xxii. 4.	7. Prov. v. 15.
13. Numb. xix. 17.	1. — vi. 18.
1. 2 Sam. xviii. 24, 26, 27.	9. Isa. xxxiii. 4.
	6. Ezek. xxxi. 4.

RUSH, Subst.
גֹּמֶא   *Goumē,* a rush.

Job viii. 11.	Isa. xix. 15.
Isa. ix. 14.	

RUSHES.
Isa. xxxv. 7.

RUSH, Verb.
1.   שָׁאָה   *Shooh,* to lay waste.
2.   פָּשַׁט   *Poshat,* to strip, plunder.
3.   שָׁטַף   *Shotaph,* to overflow, overwhelm.
      1. Isa. xvii. 13.

RUSHED.
2. Judg. ix. 44. | 2. Judg. xx. 37.

RUSHETH.
3. Jer. viii. 6.

RUSHING.
1.   שָׁאוֹן   *Shooun,* a tumult.
2.   רַעַשׁ   *Raash,* a quaking.

1. Isa. xvii. 12, 13.	2. Ezek. iii. 12, 13.
2. Jer. xlvii. 3.	

S

SABBATH.
שַׁבָּת   *Shabboth,* sabbath, the day of rest, in all passages.

SABBATHS.
שַׁבָּתוֹת   *Shabbothouth,* sabbaths, days of rest, in all passages.

SACK.
1.   שַׂק   *Sak,* a sack.
2. אַמְתַּחַת   *Amtakhath,* a bag, sack.

1. Gen. xlii. 25, 35.	2. Gen. xliv. 1, 2, 11, 12.
2. —— xliii. 21.	1. Lev. xi. 32.

SACKS.

1. Gen. xlii. 25.	2. Gen. xliv. 1.
2. —— xliii. 12, 22, 23.	1. Josh. ix. 4.

SACKBUT.
קַרְנָא   *Karno* (Chaldee), a horn, cornet.
    Dan. iii. 5, 7, 10, 15.

SACKCLOTH.
שַׂק   *Sak,* a sack, in all passages.

SACKCLOTHES.
שַׂקִּים   *Sakeem,* sacks, in all passages.

SACRIFICE.
זֶבַח   *Zevakh,* a sacrifice, in all passages.

SACRIFICE, burnt.
עוֹלָה   *Ouloh,* an ascension; met., burnt-offering, in all passages.

SACRIFICES.
זְבָחִים   *Zevokheem,* sacrifices, in all passages.

SACRIFICES, burnt.
עֹלוֹת   *Oulouth,* ascensions; met., burnt-offerings, in all passages.

SACRIFICE -ED -EDST -ETH -ING.

זָבַח *Zovakh*, to sacrifice, in all passages.

SAD.

1.   זָעַף *Zoaph*, to be discomposed, troubled.
2.   סוּר *Soor*, to turn aside, depart.
3.   רַע *Rā*, evil, bad.
4.   כָּאַב *Koav*, to be in pain, sore.

1. Gen. xl. 6.	3. Neh. ii. 1, 2, 3.
2. 1 Kings xxi. 5.	4. Ezek. xiii. 22.

SADDLE.

מֶרְכָּב *Merkov*, a saddle.

Lev. xv. 9.

SADDLE, Verb.

חָבַשׁ *Khovash*, to tie closely, bind tight.

2 Sam. xix. 26. | 1 Kings xiii. 13, 27.

SADDLED.

Gen. xxii. 3.	1 Kings ii. 40.
Num. xxii. 21.	———— xiii. 13.
Judg. xix. 10.	———— xxiii. 27.
2 Sam. xvi. 1.	2 Kings iv. 24.
2 Sam. xvii. 23.	

SADLY.

רָעִים *Roeem*, evil.

Gen. xl. 7.

SADNESS.

רוֹעַ *Roua*, bad, evil.

Eccles. vii. 3.

SAFE.

1.   בֶּטַח *Betakh*, safe, secure, sure.
2.   שָׁלוֹם *Sholoum*, peace.
3.   יָשַׁע *Yoshā*, (Niph.) to be saved.
4.   נִשְׂגָּב *Nisgov*, exalted.
5.   פָּלַט *Polat*, (Hiph.) cause to escape.

1. 1 Sam. xii. 11.	4. Prov. xviii. 10.
2. 2 Sam. xviii. 29, 32.	4. —— xxix. 25.
2. Job xxi. 9.	5. Isa. v. 29.
3. Psalm cxix. 117.	1. Ezek. xxxiv. 27.

SAFELY.

1. Psalm lxxviii. 53.	1. Jer. xxxii. 37.
1. Prov. i. 33.	1. Ezek. xxviii. 26.
1. —— iii. 23.	1. —— xxxiv. 25, 28.
1. —— xxxi. 11.	1. —— xxxviii. 8.
2. Isa. xli. 3.	1. Hos. ii. 18.
1. Jer. xxiii. 6.	1. Zech. xiv. 11.

SAFEGUARD.

מִשְׁמֶרֶת *Mishmereth*, a watch, guard.

1 Sam. xxii. 23.

SAFETY.

1.   שָׁלָה *Sholoh*, to be at peace.
2.   יֶשַׁע *Yesha*, deliverance, safety.
3.   בֶּטַח *Betakh*, safety.
4.   תְּשׁוּעָה *Teshoooh*, salvation.

1. Lev. xxv. 18, 19.	1. Psalm iv. 8.
1. Deut. xii. 10.	2. —— xii. 5.
1. —— xxxiii. 12, 28.	4. —— xxxiii. 17.
1. Job iii. 26.	4. Prov. xi. 14.
2. — v. 4, 11.	4. —— xxi. 31.
3. — xi. 18.	4. —— xxiv. 6.
3. — xxiv. 23.	3. Isa. xiv. 30.

SAFFRON.

כַּרְכֹּם *Karkoum*, saffron.

Cant. iv. 14.

SAID, SAIDST, SAITH.
See Say.

SAIL.

נֵס *Nais*, a banner, ensign, flag.

Isa. xxxiii. 23. | Ezek. xxvii. 7.

SAINT.

1.   קָדוֹשׁ *Kodoush*, holy.
2.   חָסִיד *Khoseed*, pious.

1. Psalm cvi. 16. | 1. Dan. viii. 13.

SAINTS.

1. Deut. xxxiii. 2, 3.	1. Psalm lxxxix. 5, 7.
2. 1 Sam. ii. 9.	2. —— xcvii. 10.
2. 2 Chron. vi. 41.	2. —— cxvi. 15.
1. Job v. 1.	2. —— cxxxii. 9, 16.
1. — xv. 15.	2. —— cxlv. 10.
1. Psalm xvi. 3.	2. —— cxlviii. 14.
2. —— xxx. 4.	2. —— cxlix. 1, 5, 9.
2. —— xxxi. 23.	2. Prov. ii. 8.
1. —— xxxiv. 9.	1. Dan. vii. 18, 21, 22,
2. —— xxxvii. 28.	25, 27.
2. —— l. 5.	1. Hos. xi. 12.
2. —— lii. 9.	1. Zech. xiv. 5.
2. —— lxxix. 2.	

SAKE -S.

בַּעֲבוּר *Baavoor,* } on account of, for the
לְמַעַן *Lemaan,* } sake, in all passages.

SALE.

מִמְכָּר *Mimkor,* a sale.

Lev. xxv. 27, 50. | Deut. xviii. 8.

SALT.

מֶלַח *Melakh,* salt, in all passages.

SALT sea.

יַם־הַמֶּלַח *Yam-hamelakh,* sea of salt.

Gen. xiv. 3.	Josh. xii. 3.
Numb. xxxiv. 12.	—— xv. 2, 5.
Deut. iii. 17.	—— xviii. 19.
Josh. iii. 16.	

SALTED.

הָמְלָח *Homlakh,* being salted.
Ezek. xvi. 4.

SALVATION.

תְּשׁוּעָה *Tĕshoooh,* salvation, in all passages.

SALUTE.

1. שָׁאַל־לְשָׁלוֹם *Shoal-lesholoum,* ask for peace.

2. בָּרַךְ *Borakh,* to bless.

1. 1 Sam. x. 4.	1. 2 Sam. viii. 10.
2. —— xiii. 10.	2. 2 Kings iv. 29.
2. —— xxv. 14.	1. —— x. 13.

SALUTED.

| 1. Judg. xviii. 15. | 1. 1 Sam. xxx. 21. |
| 1. 1 Sam. xvii. 22. | 2. 2 Kings x. 15. |

SAMARITANS.

שֹׁמְרֹנִים *Shoumrouneem,* Samaritans.
2 Kings xvii. 29.

SAME.

זֶה *Zeh,* this, in all passages.

SANCTIFY -ED.

קָדַשׁ *Kodash,* to sanctify, in all passages.

SANCTUARY.

מִקְדָּשׁ *Mikdosh,* sanctuary, in all passages.

SANCTUARIES.

קָדָשִׁים *Kodosheem,* }
מִקְדָּשִׁים *Mikdosheem,* } sanctuaries.

Lev. xxi. 23.	Ezek. xxviii. 18.
—— xxvi. 31.	Amos vii. 9.
Jer. li. 51.	

SAND.

חוֹל *Khoul,* sand, in all passages.

SANG.

See Sing.

SANK.

See Sink.

SAPPHIRE.

סַפִּיר *Sappeer,* sapphire.

Exod. xxiv. 10.	Ezek. i. 26.
—— xxviii. 18.	—— x. 1.
Job xxviii. 16.	—— xxviii. 13.
Lam. iv. 7.	

SAPPHIRES.

סַפִּירִים *Sappeereem,* sapphires.

| Job xxviii. 6. | Isa. liv. 11. |
| Cant. v. 14. | |

SARDIUS.

אֹדֶם *Oudem,* a ruby.

| Exod. xxviii. 17. | Ezek. xxviii. 13. |
| —— xxxix. 10. | |

SAT, SAT down, SATTEST.

See Sit.

SATAN.

שָׂטָן *Soton,* a hinderer, Satan.

1 Chron. xxi. 1.	Psalm cix. 6.
Job i. 6, 12.	Zech. iii. 1, 2.
— ii. 1.	

SATIATE.

רָוָה *Rovoh,* to satiate with moisture.

Jer. xxxi. 14. | Jer. xlvi. 10.

SATIATED.

Jer. xxxi. 25.

SATISFACTION.

כֹּפֶר *Koupher*, atonement.

Numb. xxxv. 31, 32.

SATISFY.

1. שָׂבַע   *Sova*, to fill, satisfy, satiate.
2. רָוָה   *Rovoh*, to satiate with moisture.
3. מָלֵא   *Millai*, to fill.

All passages not inserted are Nº. 1.

2. Prov. v. 19. | 3. Prov. vi. 30.

SATISFIED.

3. Exod. xv. 9. | 2. Psalm xxxvi. 8.

SATISFIETH.

לְשָׂבְעָה *Lesovoh*, to satisfaction.

Isa. lv. 2.

SATYR.

שָׂעִיר *Soeer*, a rough goat.

Isa. xxxiv. 14.

SATYRS.

שְׂעִירִים *Sĕeereem*, rough goats.

Isa. xiii. 21.

SAVE -ED -EST -ETH -ING.

1. יָשַׁע   *Yoshă*, (Hiph.) to save.
2. חָיָה   *Khoyoh*, to live.
3. מָלַט   *Molat*, to make to escape.
4. שָׁמַר   *Shomar*, to keep, observe.
5. נָצַל   *Notsal*, (Hiph.) to deliver.
6. וְחָי   *Vokhoe*, and live.

All passages not inserted are Nº. 1.

2. Gen. xii. 12.	2. 1 Kings xx. 31.
2. —— xlv. 7.	2. 2 Kings vii. 4.
2. —— l. 20.	6. Neh. vi. 11.
2. Exod. i. 22.	4. Job ii. 6.
2. Deut. xx. 16.	3. —— xx. 20.
2. Josh. ii. 13.	3. Jer. xlviii. 6.
2. 1 Sam. x. 24.	2. Ezek. iii. 18.
3. —— xix. 11.	2. —— xiii. 18, 19.
3. 1 Kings i. 12.	2. —— xviii. 27.
2. —— xviii. 5.	

SAVED.

All passages not inserted are Nº. 1.

2. Gen. xlvii. 25.	2. Judg. xxi. 14.
2. Exod. i. 17, 18.	2. 1 Sam. xxvii. 11.
2. Numb. xxii. 33.	3. 2 Sam. xix. 5.
2. —— xxxi. 15.	5. —— 9.
2. Josh. vi. 25.	4. 2 Kings vi. 10.
2. Judg. viii. 19.	

SAVING.

2. Gen. xix. 19.

SAVE, for besides.

1. בִּלְעָדַי   *Baladai*, besides.
2. כִּי אִם   *Kee im*, except.
3. אַךְ   *Akh*, but.
4. בִּלְתִּי   *Biltee*, without.
5. זוּלָתִי   *Zoolothee*, except me.
6. אֶפֶס   *Ephes*, only.
7. רַק   *Rak*, but, yea.
8. מִנָּךְ   *Minnokh* (Syriac), but from thee.

1. Gen. xiv. 24.	2. 1 Sam. xxx. 17, 22.
2. —— xxxix. 6.	2. 2 Sam. xii. 3.
3. Exod. xii. 16.	1. —— xxii. 32.
4. —— xxii. 20.	5. 1 Kings iii. 18.
2. Numb. xiv. 30.	7. —— viii. 9.
2. —— xxvi. 65.	7. —— xv. 5.
4. —— xxxii. 12.	2. —— xxii. 31.
5. Deut. i. 36.	2. 2 Kings iv. 2.
6. —— xv. 4.	7. —— xv. 4.
5. Josh. xi. 13.	2. 2 Chron. ii. 6.
4. —— 19.	2. —— xxi. 17.
2. —— xiv. 4.	2. Neh. ii. 12.
4. Judg. vii. 14.	8. Dan. vi. 7, 12.
5. 1 Sam. xxi. 9.	

SAVE, SAVING (for except).

אֶפֶס   *Ephes*, to the end.

Deut. xv. 4. | Amos ix. 8.

SAVIOUR.

מוֹשִׁיעַ *Mousheeă*, a saviour, in all passages.

SAVIOURS.

מוֹשִׁיעִים *Mousheeeem*, saviours.

Neh. ix. 27. | Obad. 21.

SAVOUR.

רֵיחַ *Raiakh*, a scent, smell, in all passages.

SAVOUR, sweet.

נִיחוֹחַ *Neekhouakh*, sweet savour.

SAVOURS, sweet.

נִיחוֹחִין *Neekhoukheen* (Chaldee), sweet savours.

Ezra vi. 10.

SAVOURY.

מַטְעַמִּים *Matameem*, tasteful things.

Gen. xxvii. 4, 7, 14, 31.

SAW -EST.

See See.

SAW, Subst.

מַשּׂוֹר *Massour*, a saw.

Isa. x. 15.

SAWS.

מְגֵרוֹת *Megairouth*, saws, harrows.

2 Sam. xii. 31.　　|　　1 Chron. xx. 3.

SAWED.

גָּרַר *Gorar*, to saw, draw to and fro, harrow.

1 Kings vii. 9.

SAY -ED -EDST -ETH -ING, SAID.

אָמַר *Omar*,　} to say, speak; in all
דִּבֵּר *Dibbair*, } passages, except:—

1. שׁוּב פָּנִים *Shoov poneem*, to turn the face.
2. מָלַל *Millail*, to converse.
3. חִידָה *Kheeddoh*, a riddle.
4. שׂוּם בְּפֶה *Soom bepeh*, to put in the mouth.
5. מַה בְּפִיו *Mah bepheev*, what in his mouth?

5. 2 Sam. xvii. 5.　　　|　2. Job xxxii. 11.
1. 1 Kings ii. 16, 17, 20. |　2. — xxxiii. 32.
4. Ezra viii. 17.　　　　|　3. Psalm xlix. 4.

SCAB.

1. סַפַּחַת *Sappakhath*, a dry itch in the flesh.
2. שְׁחִין *Shekheen*, a dry scab.
3. שָׂפַח *Sophakh*, (Piel) to make bald.
4. יַלֶּפֶת *Yalepheth*, a sore.

1. Lev. xiii. 2, 6, 8.　　|　2. Deut. xxviii. 27.
1. —— xiv. 56.　　　　|　3. Isa. iii. 17.

SCABBED.

4. Lev. xxi. 20.　　　|　4. Lev. xxii. 22.

SCABBARD.

תַּעַר *Taar*, a sheath, scabbard.

Jer. xlvii. 6.

SCAFFOLD.

כִּיּוֹר *Keeour*, a laver.

2 Chron. vi. 13.

SCALES (of Fishes).

1. הַשְׂקַשֶׂת *Kaskeseth*, scales of a fish.
2. אֲפִיקִים *Apheekeem*, strength, force.

1. Lev. xi. 9, 10, 12.　|　2. Job xli. 15.
1. Deut. xiv. 9, 10.　　|　1. Ezek. xxix. 4.

SCALES (Balances).

פֶּלֶס *Peles*, balances.

Isa. xl. 12.

SCALETH.

עָלָה *Oloh*, to ascend.

Prov. xxi. 22.

SCALL.

נֶתֶק *Nethek*, a scall, leprosy.

Lev. xiii. 30, 31, 32, 33, |　Lev. xiv. 54.
34, 35, 36, 37. |

SCALP.

קָדְקֹד *Kodkoud*, the crown of the head.

Psalm lxviii. 21.

SCANT.

רָזוֹן *Rozoun*, deficient, lean.

Mic. vi. 10.

SCAPEGOAT.

See Goat.

SCARCE.

אַךְ *Akh*, but, only.

Gen. xxvii. 30.

SCARCENESS.

מִסְכֵּנוּת *Miskainooth*, scarceness, insufficiency.

Deut. viii. 9.

SCAREST.

חָתַת *Khotath*, to frighten, affrighten.

Job vii. 14.

SCARLET.

1. תּוֹלָע *Toulo*, a worm, cochineal; met., scarlet.

2. שָׁנִי *Shonee*, crimson.

3. תּוֹלַעַת שָׁנִי *Toulaath shonee*, scarlet and crimson.

4. אַרְגְּוָנָא *Argevonō* (Syriac), purple.

5. מְהֻלָּעִים *Methuloeem*, clothed in scarlet.

2. Gen. xxxviii. 28, 30.	3. Numb. iv. 8.
3. Exod. xxv. 4.	3. ——— xix. 6.
3. ——— xxvi. 1, 31, 36.	2. Josh. ii. 18, 21.
3. ——— xxvii. 16.	2. 2 Sam. i. 24.
3. ——— xxviii. 5, 6, 8, 15.	2. Prov. xxxi. 21.
	2. Cant. iv. 3.
3. ——— xxxv. 6, 23, 25.	2. Isa. i. 18.
3. ——— xxxviii. 18, 23.	1. Lam. iv. 5.
3. ——— xxxix. 3.	4. Dan. v. 7, 16, 29.
3. Lev. xiv. 4, 6, 49, 51, 52.	5. Nah. ii. 3.

SCATTER.

1. נָפַץ *Nophats*, to disperse.

2. זָרָה *Zoroh*, to scatter.

3. פָּאָה *Poōh*, (Hiph.) to drive into corners.

4. נוּעַ *Nooā*, (Hiph.) to cause to be tossed to and fro.

5. { בִּזַּר *Bizzar*, } to separate, sunder.
    { בְּדַּר *Biddair* (Syriac), }

6. זָרַק *Zorak*, to sprinkle, scatter about.

7. פִּזַּר *Pizzair*, to distribute.

8. פָּרַד *Porad*, to part, separate.

9. פָּרַץ *Porats*, to break through, forth.

10. פָּרַשׂ *Poras*, to spread out.

11. מָשַׁךְ *Moshakh*, (Pual) to be drawn along.

12. פָּרַשׁ *Porash*, to distinguish, divide.

13. פָּשַׁשׁ *Poshash*, to spread abroad, out.

14. סָעַר *Soar*, to drive by the whirlwind.

1. Gen. xi. 9.	1. Neh. i. 8.
1.——— xlix. 7.	4. Psalm lix. 11.
2. Lev. xxvi. 23.	5. ——— lxviii. 30.
2. Numb. xvi. 37.	2. ——— cvi. 27.
1. Deut. iv. 27.	1. ——— cxliv. 6.
1.——— xxviii. 64.	6. Isa. xxviii. 25.
3. ——— xxxii. 26.	1. — xli. 16.
2. 1 Kings xiv. 15.	1. Jer. ix. 16.

1. Jer. xiii. 24.	1. Ezek. xx. 23.
1. — xviii. 17.	1. ——— xxii. 15.
1. — xxiii. 1.	1. ——— xxix. 12.
2. — xlix. 32, 36.	1. ——— xxx. 23, 26.
2. Ezek. v. 2, 10, 12.	5. Dan. iv. 14.
2. ——— vi. 5.	5. ——— xi. 24.
6. ——— x. 2.	1. ——— xii. 7.
2. ——— xii. 14.	1. Hab. iii. 14.
1. ——— 15.	2. Zech. i. 21.

SCATTERED.

1. Gen. xi. 4, 8.	7. Jer. iii. 13.
1. Exod. v. 12.	1. — x. 21.
1. Numb. x. 35.	1. — xxiii. 2.
1. Deut. xxx. 3.	1. — xxx. 11.
1. 1 Sam. xi. 11.	2. — xxxi. 10.
1.——— xiii. 8, 11.	1. — xl. 15.
1. 2 Sam. xviii. 8.	7. — L. 17.
1. —— xxii. 15.	1. — lii. 8.
1. 1 Kings xxii. 17.	2. Ezek. vi. 8.
1. 2 Kings xxv. 5.	1. ——— xi. 16, 17.
1. 2 Chron. xviii. 16.	10. ——— xvii. 21.
7. Esth. iii. 8.	1. ——— xx. 34, 41.
8. Job iv. 11.	1. ——— xxviii. 25.
2. — xviii. 15.	1. ——— xxix. 13.
1. Psalm xviii. 14.	1. ——— xxxiv. 5, 6.
2. ——— xliv. 11.	12. ——— xxxiv. 12.
7. ——— liii. 5.	1. ——————— 12, 21.
9. ——— lx. 1.	1. ——— xxxvi. 19.
1. ——— lxviii. 1.	1. ——— xlvi. 18.
10. ——————— 14.	7. Joel iii. 2.
7. ——— lxxxix. 10.	13. Nah. iii. 18.
8. ——— xcii. 9.	1. Hab. iii. 6.
7. ——— cxli. 7.	2. Zech. i. 19, 21.
11. Isa. xviii. 2, 7.	14. ——— vii. 14.
1. — xxxiii. 3.	1. ——— xiii. 7.

SCATTERETH.

1. Job xxxvii. 11.	7. Prov. xi. 24.
1. — xxxviii. 24.	2. ——— xx. 8, 26.
7. Psalm cxlvji. 16.	1. Isa. xxiv. 1.

SCATTERING, Subst.

נֶפֶץ *Nephets*, a dispersing.

Isa. xxx. 30.

SCENT.

רֵיחַ *Raiakh*, a scent.

Job xiv. 9.	Hos. xiv. 7.
Jer. xlviii. 11.	

SCEPTRE.

שֵׁבֶט *Shaivet*, a sceptre, in all passages.

SCHOLAR.

1. תַּלְמִיד *Talmeed*, a scholar.

2. עוֹנֶה *Ouneh*, answerer, approver.

1. 1 Chron. xxv. 8.	2. Mal. ii. 12.

SCIENCE.

מַדָּע *Maddo*, knowledge.

Dan. i. 4.

SCOFF.

קָלַס *Kolas*, to scoff.

Hab. i. 10.

SCORN.

1. בּוּז בְּעֵינַיִם *Booz bĕainayim*, despicable in the eyes.
2. לַעַג *Laag*, derision.
3. שְׂחֹק *Sĕkhouk*, laughter.

3. 2 Chron. xxx. 10.	2. Psalm xxii. 7.
2. Neh. ii. 19.	2. —— xliv. 13.
1. Esth. iii. 6.	2. —— lxxix. 4.
3. Job xii. 4.	3. Ezek. xxiii. 22.
2. — xxii. 19.	3. Hab. i. 10.

SCORN, Verb.

1. מְלִיצִים *Meleetseem*, interpreters, mediators.
2. לוּץ *Loots*, to mock, scorn.
3. קָלַס *Kolas*, to deride, make ashamed, shame.
4. שָׂחַק *Sokhak*, to laugh.

1. Job xvi. 20.

SCORNEST.

2. Prov. ix. 12. | 3. Ezek. xvi. 31.

SCORNETH.

4. Job xxxix. 7, 18.	2. Prov. xix. 28.
2. Prov. iii. 34.	

SCORNING.

2. Job xxxiv. 7.	3. Prov. i. 22.
2. Psalm cxxiii. 4.	

SCORNER.

לֵץ *Laits*, a scorner, in all passages.

SCORNERS.

לֵצִים *Laitseem*, scorners, in all passages.

SCORNFUL.

1. לֵצִים *Laitseem*, scorners.
2. לָצוֹן *Lotsoun*, mockery.

1. Psalm i. 1.	2. Isa. xxviii. 14.
2. Prov. xxix. 8.	

SCORPIONS.

עַקְרַבִּים *Akrabeem*, scorpions.

Deut. viii. 15.	2 Chron. x. 11, 14.
1 Kings xii. 11, 14.	Ezek. ii. 6.

SCOURED.

שָׁטַף *Shotaph*, overflowed, overwhelmed.

Lev. vi. 28.

SCOURGE, Subst.

שׁוֹט *Shout*, a scourge.

Job v. 21.	Isa. x. 26.
— ix. 23.	— xxviii. 15, 18.

SCOURGES.

שׁוֹטִים *Shouteem*, scourges.

Josh. xxiii. 13.

SCOURGED.

בִּקֹּרֶת *Bikkoureth*, an observation, censured.

Lev. xix. 20.

SCRABBLED.

תָּו *Tov*, to make a sign, mark.

1 Sam. xxi. 13.

SCRAPE.

1. קָצַע *Kotsa*, to scrape.
2. גָּרַד *Gorad*, to scratch.
3. סָחָה *Sokhoh*, to sweep away.

1. Lev. xiv. 41.	3. Ezek. xxvi. 4.
2. Job ii. 8.	

SCRAPED.

1. Lev. xiv. 41, 43.

SCREECH OWL.

לִילִית *Leeleeth*, a night bird, owl.

Isa. xxxiv. 14.

SCRIBE.

סוֹפֵר *Souphair*, a scribe, writer, in all passages.

SCRIBES.

סוֹפְרִים *Souphreem*, scribes, in all passages.

SCRIP.

יַלְקוּט *Yalkoot*, a bag, or purse.

1 Sam. xvii. 40.

SCRIPTURE.

כְּתָב *Kethov*, writing.

Dan. x. 21.

SCROLL.

סֵפֶר *Saipher*, a book.

Isa. xxxiv. 4.

SCUM.

חֶלְאָה *Khalooh*, scum.

Ezek. xxiv. 6, 11, 12.

SCURVY.

גָּרָב *Gorov*, scurvy.

Lev. xxi. 20. | Lev. xxii. 22.

SEA.

יָם *Yom*, sea, in all passages.

SEAS.

יַמִּים *Yammeem*, seas, in all passages.

SEA monsters.

תַּנִּינִים *Tanneeneem*, monsters.

Lam. iv. 3.

SEAFARING men.

יַמִּים *Yammeem*, the seas.

Ezek. xxvi. 17.

SEA, Red.

See Red Sea.

SEA, salt.

See Salt Sea.

SEA shore.

1. שְׂפַת הַיָּם *Sephath hayom*, the border of the sea.

2. חוֹף הַיָּם *Khouph hayom*, the shore of the sea.

1. Gen. xxii. 17.	1. 1 Sam. xiii. 5.
1. Exod. xiv. 80.	1. 1 Kings iv. 29.
1. Josh. xi. 4.	2. Jer. xlvii. 7.
2. Judg. v. 17.	

SEA side.

2. Deut. i. 7.	1. 2 Chron. viii. 17.
1. Judg. vii. 12.	

SEAL.

חוֹתָם *Khouthom*, a seal, signet.

1 Kings xxi. 8.	Job xli. 15.
Job xxxviii. 14.	Cant. viii. 6.

SEAL -ED -EST -ETH.

חָתַם *Khotham*, to seal, in all passages.

SEARCH.

1.	חָקַר	*Khokar*, to search out, seek diligently.
2.	בִּקֵּר	*Bikair*, to lay open, reveal.
3.	חִפֵּשׂ	*Khippais*, to search through.
4.	תּוּר	*Toor*, to examine.
5.	חָפַר	*Khophar*, to investigate.
6.	דָּרַשׁ	*Dorash*, to seek after.
7.	מָשַׁשׁ	*Moshash*, to feel.
8.	רָגַל	*Rogal*, to reconnoitre, spy out.
9.	בַּמַּחְתֶּרֶת	*Bamakhtereth*, in digging through, a hole.

1. Deut. xiii. 14.	1. Job xxxviii. 16.
2. Ezra iv. 15, 19.	3. Psalm lxiv. 6.
2. —— v. 17.	3. —— lxxvii. 6.
2. —— vi. 1.	9. Jer. ii. 34.
1. Job viii. 8.	

SEARCH, Verb.

2. Lev. xxvii. 33.	1. Job xiii. 9.
4. Numb. x. 33.	1. Psalm xliv. 21.
4. —— xiii. 2, 32.	1. —— cxxxix. 23.
4. —— xiv. 7, 38.	1. Prov. xxv. 2, 27.
5. Deut. i. 22.	4. Eccles. i. 13.
4. —— 33.	4. —— vii. 25.
5. Josh. ii. 2, 3.	1. Jer. xvii. 10.
1. Judg. xviii. 2.	6. — xxix. 13.
3. 1 Sam. xxiii. 23.	1. Lam. iii. 40.
1. 2 Sam. x. 3.	6. Ezek. xxxiv. 6, 8, 11.
3. 1 Kings xx. 6.	1. —— xxxix. 14.
3. 2 Kings x. 23.	3. Amos ix. 3.
1. 1 Chron. xix. 3.	3. Zeph. i. 12.

SEARCHED.

7. Gen. xxxi. 34.	1. Job xxviii. 27.
3. —— 35.	1. — xxix. 16.
7. —— 37.	1. — xxxii. 11.
3. —— xliv. 12.	1. — xxxvi. 26.
4. Numb. xiii. 21, 32.	1. Psalm cxxxix. 1.
4. —— xiv. 6, 34, 38.	1. Jer. xxxi. 37.
8. Deut. i. 24.	1. — xlvi. 23.
1. Job v. 27.	3. Obad. 6.

SEARCHEST.

6. Job x. 6. | 3. Prov. ii. 4.

SEARCHETH.

6. 1 Chron. xxviii. 9. | 1. Prov. xviii. 17.
1. Job xxviii. 3. | 1. —— xxviii. 11.
6. — xxxix. 8.

SEARCHING.

4. Numb. xiii. 25. | 3. Prov. xx. 27.
1. Job xi. 7. | 1. Isa. xl. 28.

SEARCHINGS.

1. Judg. v. 16.

SEASON.

1.   עֵת   *Aith*, a time.
2.   מוֹעֵד   *Mouaid*, an appointed time, place.
3.   יָמִים   *Yomeem*, days.
4.   עִדָּן   *Iddon* (Syriac), a prophetic period.
5.   לֵילוֹת   *Lailouth*, nights.

3. Gen. xl. 4. | 1. Job xxxviii. 32.
3. Exod. xiii. 10. | 1. Psalm i. 3.
2. Numb. ix. 7, 13. | —— xxii. 2, not in
2. Deut. xvi. 6. | original.
1. —— xxviii. 12. | 1. Prov. xv. 23.
3. Josh. xxiv. 7. | 1. Eccles. iii. 1.
2. 2 Kings iv. 16, 17. | 1. Isa. L. 4.
1. 1 Chron. xxi. 29. | 1. Jer. v. 24.
3. 2 Chron. xv. 3. | 1. — xxxiii. 20.
1. Job v. 26. | 1. Ezek. xxxiv. 26.
   — xxx. 17, not in | 4. Dan. vii. 12.
     original. | 1. Hos. ii. 9.

(See DUE season).

SEASONS.

2. Gen. i. 14. | 5. Psalm xvi. 7.
1. Exod. xviii. 22, 26. | 2. —— civ. 19.
2. Lev. xxiii. 4. | 4. Dan. ii. 21.
2. Numb. ix. 2, 3.

SEASON, Verb.

מָלַח   *Molakh*, to salt.

Lev. ii. 13.

SEAT.

1. { מוֹשָׁב   *Moushav*, } a seat.
   { שֶׁבֶת   *Sheveth*, }
2.   כִּסֵּא   *Kissai*, a throne, regal chair.
3.   תְּכוּנָה   *Tekhoonoh*, establishment, estate, property.

2. Judg. iii. 20. | 3. Job xxiii. 3.
2. 1 Sam. i. 9. | 1. — xxix. 7.
2. —— iv. 13, 18. | 1. Psalm i. 1.
1. —— xx. 18, 25. | 2. Prov. ix. 14.
1. 2 Sam. xxiii. 8. | 1. Ezek. viii. 3.
2. 1 Kings ii. 19. | 1. —— xxviii. 2.
2. Esth. iii. 1. | 1. Amos vi. 3.

(See MERCY -seat).

SEATED.

סָפוּן   *Sophoon*, concealed.

Deut. xxxiii. 21.

SECOND.

שֵׁנִי   *Shainee*, second, in all passages.

SECOND time, year.

שֵׁנִית   *Shaineeth*, second (fem.), in all passages.

SECRET.

1.   סוֹד   *Soud*, a secret, secret counsel.
2.   טָמוּן   *Tomoon*, closed up.
3.   סֵתֶר   *Saither*, concealment.
4.   סָתוּם   *Sothoom*, blocked up.
5.   רָזָא   *Rozō* (Syriac), a secret matter.

1. Gen. xlix. 6. | 3. Prov. ix. 17.
1. Job xv. 8. | 3. —— xxi. 14.
1. — xxix. 4. | 1. —— xxv. 9.
2. — xl. 13. | 3. Isa. xlv. 19.
1. Psalm xxv. 14. | 3. — xlviii. 16.
3. —— xxvii. 5. | 4. Ezek. xxviii. 3.
3. —— xxxi. 20. | 5. Dan. ii. 18, 19, 27, 30,
3. —— lxiv. 4. | 47.
3. —— cxxxix. 15. | 5. — iv. 9.
1. Prov. iii. 32. | 1. Amos iii. 7.

SECRET, Adj.

1. { סֵתֶר   *Saither*, }
   { נִסְתָּר   *Nistor*, } secret, secret place.
   { מִסְתָּר   *Mistor*, }
2.   פֶּלְאִי   *Pelee*, wonderful.
3.   שָׁתַר   *Sotar*, to break out.
4.   סוֹד   *Soud*, a secret council.
5.   עָלוּם   *Oloom*, a hidden thing.
6.   עָרָה   *Oroh*, to make naked, bare.
7.   בַּמַּחְתֶּרֶת   *Bamakhtereth*, in digging through, a hole.
8.   צָפוּן   *Tsophoon*, laid up, by.
9.   סָתַר   *Sotar*, (Hiph.) to cause to hide.
10.   לָאַט   *Loat*, to cover, veil.

1. Deut. xxvii. 15.
1. —— xxix. 29.
1. Judg. iii. 19.
2. —— xiii. 18.
3. 1 Sam. v. 9.
1. —— xix. 2.
9. Job xiv. 13.
10. — xv. 11.
8. — xx. 26.
1. Psalm x. 8.
1. —— xvii. 12.
1. —— xviii. 11.
1. —— xix. 12.
4. —— lxiv. 2.
1. —— lxxxi. 7.

5. Psalm xc. 8.
1. —— xci. 1.
1. Prov. xxvii. 5.
4. Eccles. xii. 14.
1. Cant. ii. 14.
6. Isa. iii. 17.
1. — xlv. 3.
7. Jer. ii. 34.
1. — xiii. 17.
1. — xxiii. 24.
1. — xlix. 10.
1. Lam. iii. 10.
8. Ezek. vii. 22.
1. Dan. ii. 22.

SECRETS.

1.תַּעֲלֻמֹת *Taalumouth*, hidden things.
2. רָזִין *Rozeen* (Syriac), an unknown thing.

1. Job xi. 6.
1. Psalm xliv. 21.
3. Prov. xi. 13.

3. Prov. xx. 19.
2. Dan. ii. 28, 29, 47.

SECRETS.

מְבוּשׁ *Maivoosh*, the secret parts.

Deut. xxv. 11.

SECRETLY.

1. נֶחְבָּא *Nekhbō*, concealed.
2. סֵתֶר *Saither*, concealment.
3. חֶרֶשׁ *Kheresh*, deaf, silent.
4. בַּלֹט *Balot*, wrapped up, under cover.
5. חָרַשׁ *Khorash*, (Hiph.) to fabricate.
6. חָפָא *Khophō*, to cover over.
7. גָּנַב *Gunnov*, stolen.

1. Gen. xxxi. 27.
2. Deut. xiii. 6.
2. —— xxvii. 24.
2. —— xxviii. 57.
3. Josh. ii. 1.
4. 1 Sam. xviii. 22.
5. —— xxiii. 9.
2. 2 Sam. xii. 12.
6. 2 Kings xvii. 9.

7. Job iv. 12.
2. — xiii. 10.
2. — xxxi. 27.
2. Psalm x. 9.
2. —— xxxi. 20.
2. Jer. xxxvii. 17.
2. — xxxviii. 16.
2. — xl. 15.
2. Hab. iii. 14.

SECURE.

בֶּטַח *Betakh*, secure, safe.

Judg. viii. 11.
—— xviii. 7, 10, 27.

Job xi. 18.
— xii. 6.

SECURELY.

בֶּטַח *Betakh*, secure, safe.

Prov. iii. 29.

SEDITION.

אֶשְׁתַּדּוּר *Eshtadoor* (Chaldee), a rebellion, insurrection.

Ezra iv. 15.

SEDUCED.

1. תָּעָה *Tooh*, to lead astray.
2. טָעָה *Tooh*, to err.

1. 2 Kings xxi. 9.
1. Isa. xix. 13.

2. Ezek. xiii. 10.

SEDUCETH.

1. Prov. xii. 26.

SEE.

1. רָאָה *Rooh*, to see.
2. חָזָה *Khozoh*, to perceive, see in a vision, prophesy, investigate.
3. שׁוּר *Shoor*, to watch.
4. יָרֵא *Yoro*, to fear.
5. נָבַט *Novat*, (Hiph.) to investigate, look into.
6. שָׁזַף *Shozaph*, to glance at, look at.

All passages not inserted are N°. 1.

5. 1 Sam. ii. 32.
3. Job vii. 8.
3. — xvii. 15.
2. — xix. 26. 27.
2. — xxiv. 1.
2. — xxxiv. 32.
3. — xxxv. 14.
2. — xxxvi. 25.
2. Psalm lviii. 8.
5. —— xcii. 11.

5. Psalm xciv. 9.
2. Cant. vi. 13.
2. Isa. xiii. 1.
2. — xxvi. 11.
2. — xlviii. 6.
4. — lx. 5.
5. — lxiv. 9.
2. Ezek. xiii. 9, 16, 23.
2. —— xxi. 29.
2. Hab. i. 1.

SEEN.

All passages not inserted are N°. 1.

2. Job xv. 17.
2. — xxvii. 12.
6. — xxviii. 7.
2. Psalm lxiii. 2.
2. Lam. ii. 14.
2. Ezek. xiii. 6, 7, 8.

2. Dan. ii. 26.
2. —— iv. 9, 10, 18.
2. —— v. 5.
2. —— vii. 2.
2. Zech. x. 2.

SEEST.

All passages not inserted are N°. 1.

2. Prov. xxii. 29.

2. Prov. xxix. 20.

SEETH.

All passages not inserted are N°. 1.

2. Job viii. 17.
2. Psalm lviii. 10.

2. Ezek. xxii. 27.

SEEING, Verb.

1. In all passages, except:
2. Ezek. xxii. 28.

Saw, 1. In all passages, except, שָׁזַף *Shozaph*, to shine, glitter.   Job xx. 9.

SEEING, Adv.

1. וְ   *Vĕ*, and.
2. כִּי   *Kee*, for, yea.
3. וְהוּא   *Vĕhoo*, and he (it).
4. בְּלֹא   *Bĕlou*, without.
5. דִּי   *Dee* (Syriac), that, which, who.
6. אַחֲרֵי   *Akhărai*, after.
7. בְּשֶׁכְּבָר   *Beshekvor*, so as before.

All passages not inserted are Nº. 1.

2. Numb. xvi. 3.	1 Chron. xxiv. 1, not
3. Judg. xiii. 18.	in original.
2. —— xvii. 13.	3. Prov. iii. 29.
6. —— xix. 23.	7. Eccles. ii. 16.
2. —— xxi. 16.	5. Dan. ii. 47.
4. 1 Chron. xii. 17.	

SEED.

זֶרַע   *Zera*, seed; in all passages, except:

פְּרֻדוֹת   *Perudouth*, grains.
Joel i. 17.

SEEDTIME.

זֶרַע   *Zera*, seedtime.
Gen. viii. 22.

SEEDS.

כִּלְאָיִם   *Kiloyim*, a mixture of grain.
Deut. xxii. 9.

SEEK -EST -ETH -ING, SOUGHT.

1. בִּקֵּשׁ   *Bikkaish*, to request, seek.
2. דָּרַשׁ   *Dorash*, to search after, inquire.
3. בִּקֵּר   *Bikkair*, to lay open, inquire into.
4. שִׁחַר   *Shikhair*, to seek early.
5. גָּלַל   *Golal*, (Hith.) to roll upon.
6. רָצָה   *Rotsoh*, to be willing, accept.
7. עָמַק   *Omak*, to deepen.
8. קָרָא   *Korō*, to call, meet with.
9. תּוּר   *Toor*, to reconnoitre.
10. חָקַר   *Khokar*, to search out.
11. מִהְאַנֶּה   *Mithanneh*, irritating himself.
12. חָפַר   *Khophar*, to dig out; met., search through.

13. בָּעָה   *Boōh* (Niph. Syriac), to inquire diligently.

14. יָסַף לְבַקֵּשׁ   *Yosaph levakaish*, add, to seek after.

15. בִּקֵּשׁ פָּנִים   *Bikkaish poneem*, sought the face.

All passages not inserted are Nº. 1.

5. Gen. xliii. 18.	2. Psalm xxxviii. 12.
8. Numb. xxiv. 1.	2. —— liii. 2.
2. Deut. iv. 29.	4. —— lxiii. 1.
2. —— xii. 5.	2. —— lxix. 32.
2. —— xxii. 2.	2. —— cix. 10.
2. 1 Chron. xxviii. 8, 9.	2. —— cxix. 2, 45.
2. 2 Chron. xv. 2.	4. Prov. i. 28.
2. —— xix. 3.	4. —— viii. 17.
2. —— xxx. 19.	10. —— xxiii. 30.
2. —— xxxi. 21.	2. Eccles. i. 13.
2. —— xxxiv. 3.	2. Isa. i. 17.
2. Ezra iv. 2.	2. — viii. 19.
2. —— vii. 10.	2. — xi. 10.
2. Job v. 8.	2. — xix. 3.
4. — vii. 21.	4. — xxvi. 9.
4. — viii. 5.	7. — xxix. 15.
6. — xx. 10.	2. — xxxiv. 16.
2. Psalm ix. 10.	2. — lviii. 2.
2. —— x. 15.	2. Jer. xxix. 7.
2. —— xiv. 2.	3. Ezek. xxxiv. 11, 12.
2. —— xxiv. 6.	2. Amos v. 4, 5, 14.

SEEK not.

3. Lev. xiii. 36.	2. Psalm cxix. 155.
9. Numb. xv. 39.	2. Jer. xxx. 14.
2. Deut. xxiii. 6.	2. Amos v. 5.
2. Psalm x. 4.	

SEEKEST.

1. In all passages.

SEEKETH.

All passages not inserted are Nº. 1.

11. 2 Kings v. 7.	2. Jer. xxx. 17.
12. Job xxxix. 29.	2. — xxxviii. 4.
4. Prov. xi. 27.	2. Lam. iii. 25.
2. —————— 27.	2. Ezek. xiv. 10.
2. —— xxxi. 13.	3. —— xxxiv. 12.

SEEKING.

2. Esth. x. 3.	2. Isa. xvi. 5.

SOUGHT.

All passages not inserted are Nº. 1.

2. Lev. x. 16.	2. Psalm lxxviii. 34.
14. 1 Sam. xxvii. 4.	2. —— cxi. 2.
15. 1 Kings x. 24.	2. —— cxix. 10, 94.
2. 1 Chron. xv. 13.	9. Eccles. ii. 2.
2. —— xxvi. 31.	10. —————— xii. 9.
2. 2 Chron. xiv. 7.	2. Isa. lxii. 12.
2. —— xvi. 12.	2. — lxv. 1, 10.
2. —— xvii. 3, 4.	2. Jer. viii. 2.
2. —— xxii. 9.	2. — x. 21.
2. —— xxv. 15, 20.	13. Dan. ii. 13.
2. —— xxvi. 5.	13. —— iv. 36.
2. Psalm xxxiv. 4.	13. —— vi. 4.
2. —— lxxvii. 2.	13. Obad. 6.

SEEM -ED -ETH.

Not in the original in any passage, except :

הָיָה   *Hoyoh,* to be.

Gen. xxvii. 12.

SEEMLY.

1.   נָאוֶה   *Novveh,* beautiful, becoming.
2.   אָוָה   *Ivvoh,* (Hith.) to desire.

1. Prov. xix. 10. | 2. Prov. xxiv. 1.

SEER.

1.   רֹאֶה   *Roueh,* a seer.
2.   חֹזֶה   *Khouzeh,* a seer, prophet.

1. 1 Sam. ix. 9, 11, 18,	2. 1 Chron. xxix. 29.
19.	2. 2 Chron. ix. 29.
1. 2 Sam. xv. 27.	2. —— xii. 15.
1. —— xxiv. 11.	1. —— xvi. 7, 10.
1. 1 Chron. ix. 22.	2. —— xix. 2.
2. —— xxi. 9.	2. —— xxix. 25, 30.
1. —— xxv. 5.	2. —— xxxv. 15.
1. —— xxvi. 28.	2. Amos vii. 12.
1. —— xxix. 29.	

SEERS.

חוֹזִים   *Khouzeem,*   seers,   predicters, prophets.

2 Kings xvii. 13.	Isa. xxix. 10.
2 Chron. xxxiii. 18,	— xxx. 10.
19.	Mic. iii. 7.

SEETHE.

בָּשַׁל   *Boshal,* to boil, seethe, in all passages.

SEETHING.

1.   בָּשַׁל   *Boshal,* to boil, seethe.
2.   נָפוּחַ   *Nophooakh,* steaming.

1. 1 Sam. ii. 13. | 2. Jer. i. 13.
2. Job xli. 20.

SEIZE.

1.   יָרַשׁ   *Yorash,* to inherit, succeed.
2.   לָקַח   *Lokakh,* to take.
3.   נָשָׁא   *Nosho,* to lead astray, to come upon unexpectedly, to surprise.
4.   אָחַז   *Okhaz,* to seize.

1. Josh. viii. 7 (Hiph.). | 3. Psalm lv. 15.
2. Job iii. 6.

SEIZED.

4. Jer. xlix. 24.

SELAH.

סֶלָה   *Seloh,* perpetual, everlasting, for ever, in all passages.

SELF, SELVES.

Not used in the original, except :

1.   לִמְשׁוֹךְ בְּשָׂרִי   *Limshoukh besoree,* to draw my flesh.
2.   תַּחְתַּי   *Thakhtae,* under me.
3.   בְּעֶצֶם   *Beētsem,* in the strength.

3. Gen. vii. 13.	3. Josh. v. 11.
3. —— xvii. 23, 26.	1. Eccles. ii. 3.
3. Exod. xii. 17, 41, 51.	3. Ezek. xl. 1.
3. Lev. xxiii. 14, 21.	2. Hab. iii. 16.
3. Deut. xxxii. 48.	

SELFWILL.

רָצוֹן   *Rotsoun,* will.

Gen. xlix. 6.

SELL -EST -ETH.

מָכַר   *Mokhar,* to sell ; in all passages, except :

שָׁבַר   *Shovar,* (Hiph.) to bargain, sell grain.

Deut. ii. 28. | Amos viii. 5, 6.

SELLER.

מוֹכֵר   *Moukhair,* a seller.

Isa. xxiv. 2. | Ezek. vii. 12, 13.

SELLERS.

מוֹכְרוֹת   *Moukhairouth,* sellers.

Neh. xiii. 20.

SELVEDGE.

קָצֶה   *Kotseh,* an end, corner.

Exod. xxvi. 4. | Exod. xxxvi. 11.

SENATORS.

זְקֵנִים   *Zekaineem,* elders, old men.

Psalm cv. 22.

SEND -EST -ETH -ING, SENT.

1. שָׁלַח   *Sholakh,* to send forth.
2. נוּף   *Nooph,* (Hiph.) to wave, shake, move to and fro.
3. נָתַן   *Nothan,* to give, set, place.
4. בּוֹא   *Bou,* (Hiph.) to bring.
5. פָּרַץ   *Porats,* to break forth.
6. נָבַע   *Nová,* to flow.
7. קָרָה   *Koroh,* to meet, happen, befal.
8. מַרְבִּים הוֹלְכוֹת   *Marbeem houlkhouth,* multiplied, passing to.
9. צִוָּה   *Tsivvoh,* to command.
10. שׁוּב   *Shoov,* (Hiph.) to bring back, return.
11. לָקַח   *Lokakh,* to take.
12. עָבַר   *Ovar,* (Hiph.) cause to pass over.
13. הִטִּיל   *Hitteel,* to cast forth.

All passages not inserted are N°. 1.

7. Gen. xxiv. 12.	5. 1 Chron. xiii. 2.
4. Lev. xxvi. 36.	3. 2 Chron. vi. 27.
3. Deut. xi. 15.	2. Psalm lxviii. 9.
3. 1 Sam. xii. 17.	3. ———— 33.
3. 1 Kings xviii. 1.	6. Eccles. x. 1.
3. 2 Kings xix. 17.	3. Isa. xxxvii. 7.

SENDEST.

1. In all passages.

SENDETH.

1. In all passages, except:

3. 1 Kings xvii. 14.	3. Cant. i. 12.

SENDING.

1. In all passages.

SENT.

12. Gen. xxxii. 23.	10. 2 Chron. xxv. 13.
9. — L. 16.	9. Ezra viii. 17.
3. Exod. ix. 23.	8. Neh. vi. 17.
3. 1 Sam. xii. 18.	3. Psalm lxxvii. 17.
11. —— xvii. 31.	13. Jonah i. 4.

SENSE.

שׂוֹם שֵׂכֶל   *Soum sekhel,* placing the sense; met., explaining.

Neh. viii. 8.

SENTENCE.

1. דָּבָר   *Dovor,* a word, matter.
2. מִשְׁפָּט   *Mishpot,* judgment, law.
3. קֶסֶם   *Kesem,* a divination, an oracle.
4. פִּתְגָם   *Pithgom,* a decree.

1. Deut. xvii. 9, 10, 11.	4. Eccles. viii. 11.
2. Psalm xvii. 2.	2. Jer. iv. 12.
3. Prov. xvi. 10.	

SENTENCES.

אֲחִידָן   *Akheedon,*   (Syriac,) acuteness,
חִידוֹת   *Kheedouth,*   riddles, hard sentences.

Dan. v. 12.	Dan. viii. 23.

SEPARATE, Adj.

1. נָזִיר   *Nozeer,* distinguished.
2. מִבְדָּלוֹת   *Mivdolouth,* separated.

1. Gen. xlix. 26.	1. Ezek. xli. 12, 13, 14.
1. Deut. xxxiii. 16.	1. —— xlii. 1.
2. Josh. xvi. 9.	

SEPARATE.

1. פָּרַד   *Porad,* to separate, divide.
2. פָּלָה   *Poloh,* to set apart, select.
3. בָּדַל   *Bodal,* to divide, make a distinction.
4. נָזַר   *Nozar,* to separate, abstain.
5. חָלַק   *Kholak,* to apportion.

1. Gen. xiii. 9.	3. Numb. xvi. 21.
1. —— xxx. 40.	3. Deut. xix. 2, 7.
4. Lev. xv. 31.	3. —— xxix. 21.
4. —— xxii. 2.	3. 1 Kings viii. 53.
4. Numb. vi. 2, 3.	3. Ezra x. 11.
3. —— viii. 14.	5. Jer. xxxvii. 12.

SEPARATED.

1. Gen. xiii. 11, 14.	3. Ezra ix. 1.
1. —— xxv. 23.	3. —— x. 8, 16.
2. Exod. xxxiii. 16.	1. Neh. iv. 19.
3. Lev. xx. 24, 25.	3. —— ix. 2.
3. Numb. xvi. 9.	3. —— x. 28.
3. Deut. x. 8.	3. —— xiii. 3.
1. —— xxxii. 8.	1. Prov. xviii. 1.
3. 1 Chron. xii. 8.	1. —— xix. 4.
3. —— xxiii. 13.	3. Isa. lvi. 3.
3. —— xxv. 1.	3. — lix. 2.
3. 2 Chron. xxv. 10.	1. Hos. iv. 14.
3. Ezra vi. 21.	4. —— ix. 10.
3. —— viii. 24.	

SEPARATETH.

4. Numb. vi. 5, 6.	1. Prov. xvii. 9.
1. Prov. xvi. 28.	4. Ezek. xiv. 7.

SEPARATING.
4. Zech. vii. 3.

SEPARATION.
1. **בָּדַל** Bodal, to divide, distinguish.
2. **נִדָּה** Niddoh, impurity.
3. **נָזַר** Nozar, to be separated, abstain.

2. Lev. xii. 2, 5.		2. Numb. xix. 9, 13, 21.
2. —— xv. 20, 25, 26.		2. —— xxxi. 23.
3. Numb. vi. 4, 5, 8, 12,		1. Ezek. xlii. 20.
13, 18, 19, 21.		

SEPULCHRE.
קֶבֶר Kever, a grave, in all passages.

SEPULCHRES.
קְבָרִים Kevoreem, graves, in all passages.

SERAPHIMS.
שְׂרָפִים Seropheem, seraphims; lit.,
burning ones.
Isa. vi. 2, 6.

SERPENT.
תַּנִּין Tanneen, ⎫ a serpent; in all
נָחָשׁ Nokhosh, ⎬ passages, except :
שָׂרָף Soroph, a burning one; met., a
burning serpent.

Numb. xxi. 8.	Isa. xxx. 6.
Isa. xiv. 29.	

SERPENTS.
תַּנִּינִים Tanneeneem,⎫ serpents, in all
נְחָשִׁים Nekhosheem, ⎬ passages.

SERVANT.
1. **עֶבֶד** Eved, a servant.
2. **נַעַר** Naar, a young man, lad.
3. **שִׁפְחָה** Shiphkhoh, a maid-servant.
4. **מְשָׁרֵת** Meshoraith, a minister, attend-
ant, servitor.

All passages not inserted are Nº. 1.

4. Exod. xxxiii. 11.	2. 2 Sam. ix. 9.
4. Numb. xi. 28.	4. —— xiii. 17, 18.
2. Judg. vii. 10, 11.	4. —— xvi. 1.
2. —— xix. 3, 9, 11, 13.	2. 2 Kings iv. 24, 38.
2. Ruth ii. 5.	2. —— v. 20.
2. 1 Sam. ii. 13, 15.	4. —— vi. 15.
2. —— ix. 5, 7, 8, 10,	2. —— viii. 4.
27.	2. Neh. iv. 22.
3. —— xxv. 41.	

SERVANTS.
1. **עֲבָדִים** Avodeem, servants.
2. **אֲנָשִׁים** Anosheem, men.
3. **בָּנִים** Boneem, sons.
4. **נְעָרִים** Neoreem, young men.
5. **מְשָׁרְתִים** Meshortheem, ministers, attend-
ants.

All passages not inserted are Nº. 1.

4. Numb. xxii. 22.	4. Neh. v. 10, 15, 16.
4. 1 Sam. ix. 3.	4. —— xiii. 19.
4. —— xvi. 18.	4. Esth. vi. 3, 5.
4. —— xxi. 2.	4. Job i. 15, 16.
2. —— xxiv. 7.	5. Prov. xxix. 12.
4. —— xxv. 19.	1. Eccles. ii. 7.
4. 2 Sam. xiii. 28, 29.	3. —— 7.
4. 2 Kings v. 23.	4. Isa. xxxvii. 6.
4. Neh. iv. 16, 23.	

SERVANT, bond.
עֲבוֹדַת עָבֶד Avoudath oved, labour of a slave.
Lev. xxv. 39.

SERVANT, hired.
שָׂכִיר Sokheer, a hireling, in all pas-
sages.

SERVANT -maid.
See Maid-servant.

SERVANT -man.
See Man-servant.

SERVE -ED -EDST -ETH -ING.
1. **עָבַד** Ovad, to serve.
2. **שָׁרַת** Shorath, to minister, attend.
3. **מָצָא יָד** Motsō yad, to find the hand.
4. **לַעֲמוֹד לִפְנֵי** Laamoud liphnai, to stand
before.
5. **גָּמַל** Gomal, to recompense.
6. **פְּלַח** Polakh (Syriac), to serve,
worship.
7. **מַה הַדָּבָר הַזֶּה עָשִׂיתָ לָנוּ** Mah hadovor
hazeh oseethoh lonoo, what is this
thing thou hast done to us?

All passages not inserted are Nº. 1.

3. 1 Sam. x. 7.	2. Ezek. xx. 32.
2. Psalm ci. 6.	6. Dan. iii. 12, 14, 17,
2. Isa. lvi. 6.	18, 28.
4. Jer. xl. 10.	6. —— vii. 14, 27.

SERVED.
All passages not inserted are Nº. 1.

2. Gen. xxxix. 4.	2. 1 Chron. xxvii. 1.
2. —— xl. 4.	2. Esth. i. 10.
7. Judg. viii. 1.	5. Psalm cxxxvii. 8.

SERVEST.

6. Dan. vi. 16, 20.

SERVICE.

1. עֲבוֹדָה *Avoudoh*, service.
2. פָּלְחָן *Polkhon* (Chaldee), service, worship.
3. עַל־יְדֵי *Al-yedai*, through the hands.
4. לְמַלְּאוֹת יָדוֹ *Lemalouth yodou*, to fill his hand.
5. צָבָא *Tsevō*, warfare, host.
6. שְׂרָד *Serod*, covering.*
7. לְשָׁרֵת *Leshoraith*, to minister to, serve.

All passages not inserted are N°. 1.

6. Exod. xxxi. 10.	7. Exod. xxxix. 41.
6. —— xxxv. 19.	5. Numb. iv. 23, 30, 35,
7. ——————— 19.	39, 43.
6. —— xxxix. 1.	3. 1 Chron. vi. 31.
7. ——————— 1.	4. —— xxix. 5.
6. ——————— 41.	2. Ezra vii. 19.

SERVICE, bond.

מַס־עֹבֵד *Mass-ouvaid*, a servant of tribute.

1 Kings ix. 21.

* This was a covering, used by the Israelites in their journey through the wilderness, to cover the holy ark and other vessels belonging to the Tabernacle.

SERVILE.

עֲבוֹדָה *Avoudoh*, service.

Lev. xxiii. 7, 8, 21, 25,	Numb. xxviii. 18, 25, 26.
35, 36.	—— xxix. 1, 12, 35.

SERVITOR.

מְשָׁרֵת *Meshoraith*, minister, servitor, attendant.

2 Kings iv. 43.

SERVITUDE.

עֲבוֹדָה *Avoudoh*, servitude.

2 Chron. x. 4.	Lam. i. 3.

SET, active and passive.

1. נָתַן *Nothan*, to give, place, set.
2. יָהַב *Yohav*, to assign.
3. יָסַד *Yosad*, to found, lay a foundation.
4. יָעַד *Yoad*, to appoint.
5. יִצֵּב *Yotsav*, to make firm, fix.
6. יָשַׁב *Yoshav*, to sit.
7. עָמַד *Omad*, (Hiph.) to cause to stand.
8. דָּגַל *Dogal*, to raise a banner.
9. קוּם *Koom*, (Hiph.) to establish.
10. שׂוּם *Soom*, (Hiph.) to place, make.
11. שׁוּת *Shooth*, (Hiph.) to set, appoint.
12. מְנָא *Monō* (Syriac), to count, number, appoint.
13. נוּחַ *Nooakh*, (Hiph.) to give rest.
14. יָצַג *Yotsag*, (Hiph.) to place before, make to stand.
15. כּוּן *Koon*, (Hiph.) to fix, make firm.
16. נְשָׂא *Nosō*, to bear, raise.
17. שׁוּב *Shoov*, (Hiph.) to restore, bring back.
18. תָּוָה *Tovoh*, (Hiph.) to make a mark, sign.
19. יְתַב *Yothav*, (Syriac) to sit.
20. שָׁלַח *Sholakh*, to send forth.
21. גָּבַל *Goval*, to border, limit.
22. סִית *Seeth*, to entice.
23. עָשָׂה *Osoh*, to do, make.
24. שָׁוָה *Shovoh*, (Piel) to represent.
25. נָסַךְ *Nosakh*, to anoint.
26. שָׁכַן *Shokhan*, to rest safely.
27. סַכְסַךְ *Sakhsakh*, to shelter, protect; met., arm.
28. פָּקַד *Pokad*, (Hiph.) to put in charge, appoint.
29. נִדָּה *Niddoh*, impurity.
30. סוּג *Soog*, to be compassed about.
31. עָבַר *Ovar*, (Hiph.) to cause to pass over.
32. פָּלָה *Poloh*, (Hiph.) to select, set apart.
33. נָסַע *Nosā*, to set out on a journey.
34. פָּתַח *Pothakh*, to open.
35. יָעַל *Yoal*, to help, benefit, support.
36. נָצַח *Notsakh*, to preside.
37. סָמַךְ *Somakh*, to lay heavily.
38. אָסַר *Osar*, to tie, bind.
39. שָׁלַב *Sholav*, to join together.
40. צִוָּה *Tsivvoh*, to command.
41. נוּעַ *Nooa*, to move to and fro.
42. קָלַל *Kolal*, to esteem lightly, disregard.
43. אֱמוּנָה *Emoonoh*, faith, trust.
44. נַחַת *Nakhath*, a laying down, coming down.
45. שָׁפַת *Shophath*, to set down.

46. קָהָה *Kohoh,* to set on edge.
47. אוּר *Oor,* (Hiph.) to set light to.
48. בָּעַר *Boar,* to kindle, burn up.
49. יָצַת *Yotsath,* (Hiph.) to set on fire.
50. רָכַב *Rokhav,* (Hiph.) to make to ride.
51. עָרַךְ *Orakh,* to arrange, set in order.
52. חָקַק *Khokak,* to express, engrave.
53. רוּם *Room,* (Hiph.) to raise up.
54. שַׁכְלֵל *Shakhlail,* (Chaldee) to establish, found.
55. זָקַף *Zokaph,* to erect.
56. לָהַט *Lohat,* to inflame.
57. מָלַךְ *Molakh,* (Hiph.) make to reign.
58. עָלָה *Oloh,* (Hiph.) to bring up, cause to ascend.
59. שָׂגַב *Sogav,* to extol.
60. בָּנָה *Bonoh,* to build.
61. פָּשַׁט *Poshat,* to strip, draw out.
62. שָׁבַץ *Shovats,* to fasten in, set in.
63. מִלֵּא *Millai,* to fill.
64. זָרַע *Zorā,* to sow.
65. יָסַף *Yosaph,* (Hiph.) to add, again.
66. פָּרַע *Pora,* to diminish, set low.
67. יָקַר *Yokar,* to value.
68. גָּדַל *Godal,* to grow great, magnify.
69. צוּק *Tsook,* to press, oppress.
70. צָפַן *Tsophan,* to hide, conceal.
71. עוּף *Ooph,* to fly.
72. סָבַב *Sovav,* to surround.
73. בּוֹא *Bou,* to come, arrive.
74. מַעֲשֵׂה מִקְשֶׁה *Maasaih miksheh,* lit., a work of wreathing ; met., platted hair.
75. חָשַׁק *Khoshak,* to desire, delight.
76. תִּקֵּן *Tikkain,* to set in order.
77. מַשָּׂא *Massō,* a burden.
78. מוֹעֵד *Mouaid,* a fixed time, solemn season.
79. שָׁכַךְ *Shokhakh,* to lower, abate.
80. חוֹק *Khouk,* a statute, decree.

1.	Gen. i. 17.
10.	—— iv. 15.
10.	—— vi. 16.
1.	—— ix. 13.
1.	—— xviii. 8.
13.	—— xix. 16.
10.	—— xxxi. 37.
11.	—— xli. 33.

1.	Gen. xli. 41.
14.	—— xliii. 9.
10.	—— xlviii. 20.
11.	Exod. vii. 23.
31.	—— xiii. 12.
21.	—— xix. 12, 23.
10.	—— xxi. 1.
11.	—— xxiii. 31.

1.	Exod. xxv. 30.
10.	—— xxvi. 35.
62.	—— xxviii. 20.
51.	—— xl. 4.
1.	—— 5, 6, 7.
10.	—— 20.
51.	—— 23.
51.	Lev. xxiv. 8.
1.	—— xxvi. 11.
33.	Numb. ii. 9.
33.	—— iv. 15.
7.	—— v. 16.
7.	—— viii. 13.
7.	—— x. 17.
10.	—— xxi. 8.
28.	—— xxvii. 16.
1.	Deut. i. 8, 21.
1.	—— iv. 8.
10.	—— 44.
75.	—— vii. 7.
1.	—— xi. 26, 32.
10.	—— xiv. 24.
10.	—— xvii. 14, 15.
21.	—— xix. 14.
13.	—— xxvi. 4, 10.
1.	—— xxviii. 1.
14.	—— 56.
1.	—— xxx. 15, 19.
5.	—— xxxii. 8.
10.	—— 46.
49.	Josh. viii. 8, 19.
10.	—— xxiv. 25.
13.	Judg. vi. 18.
14.	—— vii. 5.
9.	—— 19.
10.	—— 22.
61.	—— ix. 33.
49.	—— 49.
48.	—— xv. 5.
6.	1 Sam. ii. 8.
11.	—— 8.
14.	—— v. 2.
17.	—— 3.
10.	—— vii. 12.
10.	—— ix. 20.
10.	—— x. 19.
1.	—— xii. 13.
51.	—— xvii. 2, 8.
50.	2 Sam. ix. 3.
51.	—— x. 17.
2.	—— xi. 15.
49.	—— xiv. 30, 31.
69.	—— xv. 24.
11.	—— xix. 28.
10.	1 Kings ii. 15.
1.	—— v. 5.
10.	—— xii. 29.
10.	—— xx. 12.
6.	—— xxi. 9, 12.
33.	2 Kings iv. 4.
10.	—— 10.
45.	—— 38.
1.	—— 43.
10.	—— vi. 22.
40.	—— xx. 1.
14.	1 Chron. xvi. 1.
51.	—— xix. 17.
1.	—— xxii. 19.
36.	—— xxiii. 4.
1.	—— xxix. 3.

1.	2 Chron. xi. 16.
38.	—— xiii. 3.
1.	—— xx. 3.
7.	—— xxiv. 13.
36.	—— xxxiv. 12.
7.	—— xxxv. 2.
36.	Ezra iii. 8, 9.
9.	—— vi. 18.
12.	—— vii. 25.
26.	Neh. i. 9.
1.	—— ii. 6.
7.	—— iv. 9.
1.	—— ix. 37.
7.	—— xiii. 11.
51.	Job vi. 4.
11.	— vii. 17.
10.	—— 20.
4.	— ix. 19.
10.	— xix. 8.
11.	— xxx. 1.
35.	—— 13.
51.	— xxxiii. 5.
10.	— xxxiv. 14.
7.	—— 24.
10.	— xxxviii. 33.
5.	Psalm ii. 2.
25.	—— 6.
11.	—— iii. 6.
32.	—— iv. 3.
1.	—— viii. 1.
11.	—— xii. 5.
24.	—— xvi. 8.
10.	—— xix. 4.
7.	—— xxxi. 8.
9.	—— xl. 2.
51.	—— L. 21.
10.	—— liv. 3.
11.	—— lxii. 10.
11.	—— lxxiii. 18.
5.	—— lxxiv. 17.
10.	—— lxxviii. 7.
15.	—— 8.
10.	—— lxxxv. 13.
10.	—— lxxxvi. 14.
11.	—— xc. 2.
75.	—— xci. 14.
59.	—— 14.
11.	—— ci. 3.
10.	—— civ. 9.
28.	—— cix. 6.
6.	—— cxiii. 8.
11.	—— cxxxii. 11.
11.	—— cxl. 5.
11.	—— cxli. 3.
66.	Prov. i. 25.
23.	—— xxii. 28.
71.	—— xxiii. 5.
1.	Eccles. iii. 11.
23.	—— vii. 14.
76.	—— xii. 9.
10.	Cant. viii. 6.
57.	Isa. vii. 6.
65.	— xi. 11.
13.	— xiv. 1.
64.	— xvii. 10.
27.	— xix. 2.
7.	— xxi. 6.
11.	— xxii. 7.
1.	— xxvii. 4.
47.	—— 11.

1. Isa. xli. 19.
10. — xlii. 4.
51. — xliv. 7.
13. — xlvi. 7.
10. — lvii. 7.
28. — lxii. 6.
10. — lxvi. 19.
28. Jer. i. 10.
5. — v. 26.
9. — vi. 17.
1. ——— 27.
26. — vii. 12.
10. ——— 30.
1. — ix. 13.
1. — xxi. 8.
10. — xxiv. 6.
1. — xxvi. 4.
49. — xxxii. 29.
20. — xxxiv. 16.
1. — xxxv. 5.
22. — xxxviii. 22.
1. — xliv. 10.
6. Lam. iii. 6.
5. ——— 12.
10. Ezek. v. 5.
10. ——— vii. 20.
1. ——— 20.
18. —— ix. 4.
1. —— xii. 6.
1. —— xvi. 18, 19.
1. —— xvii. 22.
1. —— xix. 8.
42. —— xxii. 7.

37. Ezek. xxiv. 2.
45. ————— 3.
10. ————— 7.
1. ————— 8.
77. ————— 25.
1. ——— xxvi. 20.
1. ——— xxvii. 10.
1. ——— xxviii. 2, 14.
1. ——— xxxii. 25.
1. ——— xxxvii. 26.
48. ——— xxxix. 9.
1. ————— 21.
10. —— xl. 4.
10. —— xliv. 8.
12. Dan. ii. 49.
12. ——— iii. 12.
9. ——— vi. 3.
10. ——— 14.
1. ——— ix. 10.
41. —— x. 10.
1. ——— 12.
14. Hos. ii. 3.
16. —— iv. 8.
11. —— vi. 11.
10. —— xi. 8.
34. Amos viii. 5.
10. ——— ix. 4.
10. Obad. 4.
10. Hab. ii, 9.
10. Zech. iii. 5.
13. —— v. 11.
10. —— vi. 11.
20. —— viii. 10.

SET up.

5. Gen. xxviii. 12.
10. ————— 18, 22.
53. ——— xxxi. 45.
5. ——— xxxv. 14.
9. Exod. xl. 2.
10. ——— 8, 18, 21, 28.
1. ————— 33.
1. Lev. xxvi. 1.
9. Numb. i. 51.
9. ——— vii. 1.
9. ——— x. 21.
9. Deut. xxvii. 2, 4.
9. Josh. iv. 9.
9. —— vi. 26.
9. Judg. xviii. 30.
10. ————— 31.
57. 1 Sam. xv. 11.
5. ————— 12.
9. 2 Sam. iii. 10.
9. ——— vii. 12.
9. 1 Kings xv. 4.
5. 2 Kings xvii. 10.
9. 1 Chron. xxi. 18.
7. 2 Chron. xxv. 14.
7. ——— xxxiii. 19.
7. Ezra ii. 68.
54. —— iv. 12, 13, 16.
54. —— v. 11.
55. —— vi. 11.
53. —— ix. 9.
7. Neh. iii. 1, 3, 6, 13,
      14, 15.
7. —— vi. 1.
7. —— vii. 1.

10. Job v. 11.
9. — xvi. 12.
8. Psalm xx. 5.
53. —— xxvii. 5.
59. —— lxix. 29.
10. —— lxxiv. 4.
53. —— lxxxix. 42.
25. Prov. viii. 23.
59. Isa. ix. 11.
16. — xi. 12.
9. — xxiii. 13.
16. — xlv. 20.
16. — xlix. 22.
10. — lvii. 8.
16. Jer. iv. 6.
9. — x. 20.
10. — xi. 13.
9. — xxiii. 4.
5. — xxxi. 21.
16. — L. 2.
16. — li. 12.
9. ——— 12.
16. ——— 27.
53. Lam. ii. 17.
58. Ezek. xiv. 3.
53. —— xxxi. 4.
9. —— xxxiv. 23.
60. —— xxxix. 15.
9. Dan. ii. 44.
9. —— iii. 14.
53. —— v. 19.
1. —— xii. 11.
57. Hos. viii. 4.
60. Mal. iii. 15.

SET, passive.

10. Gen. xxiv. 33.
73. ——— xxviii. 11.
5. ————— 12.
63. Exod. xxv. 7.
39. —— xxvi. 17.
72. —— xxviii. 11.
63. —— xxxv. 9, 27.
51. —— xxxix. 37.
67. 1 Sam. xviii. 30.
68. —— xxvi. 24.
10. 1 Kings ii. 19.
9. —— xiv. 4.
51. 2 Kings xii. 4.
43. 1 Chron. ix. 22.
——— xix. 10, not
    in original.
——— xx. 2, not in
    original.
63. ——— xxix. 2.
6. 2 Chron. vi. 10.

15. 2 Chron. xxix. 35.
43. ——— xxxi. 15, 18.
44. Job xxxvi. 16.
70. Psalm x. 8.
6. —— cxxii. 5.
15. —— cxli. 2.
63. Eccles. viii. 11.
1. —— x. 6.
6. Cant. v. 12.
63. ——— 14.
3. ——— 15.
30. —— vii. 2.
5. Isa. xxi. 8.
51. Jer. vi. 23.
46. — xxxi. 29, 30.
46. Ezek. xviii. 2.
29. ——— xxii. 10.
19. Dan. vii. 10.
51. Joel ii. 5.
34. Nah. iii. 13.

SET time.

78. Gen. xvii. 21.
78. ——— xxi. 2.
78. Exod. ix. 5.
78. 1 Sam. xiii. 8.

78. 2 Sam. xx. 5.
80. Job xiv. 13.
78. Psalm cii. 13.

SET well.

74. Isa. iii. 24.

SETTEST.

20. Deut. xxiii. 20.
20. —— xxviii. 8, 20.
10. Job vii. 12.

52. Job xiii. 27.
11. Psalm xxi. 3.
5. —— xli. 12.

SETTETH.

33. Numb. i. 51.
33. ——— iv. 5.
16. Deut. xxiv. 15.
42. —— xxvii. 16.
7. 2 Sam. xxii. 34.
10. Job xxviii. 3.
7. Psalm xviii. 33.
5. —— xxxvi. 4.
15. —— lxv. 6.
6. —— lxviii. 6.

53. Psalm lxxv. 7.
56. —— lxxxiii. 14.
59. —— cvii. 41.
79. Jer. v. 26.
5. ——— 26.
22. — xliii. 3.
58. Ezek. xiv. 4, 7.
9. Dan. ii. 21.
9. —— iv. 17.

SETTING.

1. Ezek. xliii. 8.

SETTINGS.

מִלֻּאִים *Millueem*, fillings; met., varieties.

Exod. xxviii. 17.

SETTLE.

עֲזָרָה *Azoroh*, a court of the temple
near the altar.

Ezek. xliii. 14, 17, 20. | Ezek. xlv. 19.

SETTLE, Verb.

1.   עָמַד   *Omad*, (Hiph.) to make, cause to stand.
2.   יָשַׁב   *Yoshav*, to sit.
3.   מָכוֹן   *Mokhoun*, an establishment.
4.   נָצַב   *Nittsov*, to be firm, fixed.
5.   טָבַע   *Tova*, (Hoph.) sunk ; met., settled.
6.   שָׁקַט   *Shokat*, to quiet.
7.   קָפָא   *Kopho*, to congeal.

1. 1 Chron. xvii. 14. | 2. Ezek. xxxvi. 11.

SETTLED.

3. 1 Kings viii. 13.	5. Prov. viii. 25.
1. 2 Kings viii. 11.	6. Jer. xlviii. 11.
4. Psalm cxix. 89.	7. Zeph. i. 12.

SETTLEST.
Psalm lxv. 10, not in original.

SEVEN.
שִׁבְעָה   *Shivoh*, seven, in all passages.

SEVENS.
שִׁבְעָה   *Shivoh*, seven (repeated), in all passages.

SEVENTEEN -TH.
שִׁבְעָה־עָשָׂר   *Shivoh-osor*, seventeen, in all passages.

SEVENTH.
שְׁבִיעִי   *Shĕēveeēe*, seventh, in all passages.

SEVENTY.
שִׁבְעִים   *Shiveem*, seventy, in all passages.

SEVER.
1.   פָּלָה   *Poloh*, to set apart, select.
2.   בָּדַל   *Bodal*, to divide, distinguish.
3.   פָּרַד   *Porad*, to part, separate.

1. Exod. viii. 22.	2. Ezek. xxxix. 14.
1. —— ix. 4.	

SEVERED.
2. Lev. xx. 26 (in Hiph.).	3. Judg. iv. 11.
2. Deut. iv. 41.	

SEVERAL.
The substantive repeated, thus:

1.   עִשָּׂרוֹן   *Issoroun*, a tenth.
2.   עִיר   *Eer*, a city.
3.   חָפְשִׁית   *Khophsheeth*, free, open to all, public (not repeated).

1. Numb. xxviii. 13.	2. 2 Chron. xi. 12.
1. ———— 21.	3. —— xxvi. 21.
1. ———— 29.	2. —— xxviii. 25.
1. —— xxix. 10, 15.	2. —— xxxi. 19.
3. 2 Kings xv. 5.	

SEW.
1.   תָּפַר   *Thophar*, to sew.
2.   טָפַל   *Tophal*, to lay over, on.

1. Eccles. iii. 7. | 2. Ezek. xiii. 18.

SEWED.
1. Gen. iii. 7. | 1. Job xvi. 15.

SEWEST.
2. Job xiv. 17.

SHADE.
צֵל   *Tsail*, a shade, shadow.
Psalm cxxi. 5.

SHADOW.
צֵל   *Tsail*, a shade, shadow, in all passages.

SHADOWS.
צְלָלִים   *Tseloleem*, shadows.

Cant. ii. 17.	Jer. vi. 4.
—— iv. 6.	

SHADOW of death.
צַלְמָוֶת   *Tsalmoveth*, shadow of death, in all passages.

SHADOWING.
1.   צִלְצַל   *Tsiltsail*, double shaded.
2.   צָלַל   *Tsolal*, shadowed.

1. Isa. xviii. 1. | 2. Ezek. xxxi. 3.

SHADY.
צֶאֱלִים   *Tseēleem*, shady, bushes, arbours.
Job xl. 21, 22.

SHAFT.

1.   יָרֵךְ   *Yerekh,* a side, thigh, hip.
2.   חֵץ   *Khaits,* an arrow.

1. Exod. xxv. 31.	1. Numb. viii. 4.
1. —— xxxvii. 17.	2. Isa. xlix. 2.

SHAKE -ED -EN -ETH -ING.

1.   נָעַר   *Noar,* to shake out, off.
2.   פָּחַד   *Pokhad,* (Hiph.) to make anxious.
3.   חָמַס   *Khomas,* to take by violence, tear off.
4.   נוּעַ   *Nooa,* to move.
5.   רָעַשׁ   *Roash,* to quake, storm.
6.   מָעַד   *Moad,* to totter.
7.   עָרַץ   *Orats,* to dread.
8.   נוּף   *Nooph,* to wave.
9.   רָגַז   *Rogaz,* (Hiph.) to cause to tremble.
10.   רָחַף   *Rokhaph,* to flutter.
11.   אָתַּר   *Otar* (Chaldee), to let loose, shake off.
12.   נָדַף   *Nodaph,* to be driven by the wind.
13.   נוּד   *Nood,* to move to and fro, wander about.
14.   נָפַץ   *Nophats,* to disperse, scatter.
15.   רָעַל   *Roal,* (Hoph.) to be utterly shaken, destroyed.
16.   חוּל   *Khool,* (Hiph.) to cause to bring forth.
17.   מָטָה   *Motoh,* bent down.
18.   שָׁמַט   *Shomat,* to let loose, go, slip.
19.   רָעַשׁ   *Roash,* to quake, storm.
20.   נָעַר   *Noar,* to shake out, off.
21.   רָגַז   *Rogaz,* to tremble.

1. Judg. xvi. 20.	5. Isa. xxiv. 18.
1. Neh. v. 13.	1. —— xxxiii. 9.
2. Job iv. 14.	1. — lii. 2.
3. — xv. 33.	10. Jer. xxiii. 9.
4. — xvi. 4.	5. Ezek. xxvi. 10, 15.
4. Psalm xxii. 7.	5. —— xxvii. 28.
5. —— xlvi. 3.	5. —— xxxi. 16.
6. —— lxix. 23.	5. —— xxxviii. 20.
5. —— lxxii. 16.	11. Dan. iv. 14.
7. Isa. ii. 19, 21.	5. Joel iii. 16.
8. — x. 15, 32.	5. Amos ix. 1.
8. — xi. 15.	5. Hag. ii. 6, 7, 21.
8. — xiii. 2.	8. Zech. ii. 9.
9. —— 13.	

SHAKED.

4. Psalm cix. 25.

SHAKEN.

12. Lev. xxvi. 36.	1. Job xxxviii. 13.
13. 1 Kings xiv. 15.	9. Psalm xviii. 7.
4. 2 Kings xix. 21.	4. Isa. xxxvii. 22.
1. Neh. v. 13.	15. Nah. ii. 3.
14. Job xvi. 12.	4. —— iii. 12.

SHAKETH.

9. Job ix. 6.	8. Isa. x. 15.
16. Psalm xxix. 8.	8. — xix. 16.
17. —— lx. 2.	1. — xxxiii. 15.

SHAKING.

1.   רַעַשׁ   *Rāash,* a storm, quaking.
2.   מָנוֹד   *Monoud,* a shaking of the head.
3.   נוֹקֶף   *Noukeph,* a knocking, beating.
4.   תְּנוּפָה   *Tenoophoh,* a waving.

1. Job xli. 29.	3. Isa. xxiv. 13.
2. Psalm xliv. 14.	4. — xxx. 32.
3. Isa. xvii. 6.	1. Ezek. xxxvii. 7.
4. — xix. 16.	1. —— xxxviii. 19.

SHOOK.

18. 2 Sam. vi. 6.	19. Psalm lxviii. 8.
19. —— xxii. 8.	19. —— lxxvii. 18.
20. Neh. v. 13.	21. Isa. xxiii. 11.
19. Psalm xviii. 7.	

SHAME.

1.   שִׂמְצָה   *Shimtsoh,* a taunt, taunting.
2.   כְּלִמָּה   *Kelimoh,* ignominy.
3.   כָּלַם   *Kolam,* to be confused.
4. { בּוּשָׁה   *Booshoh,* } shame.
   { בֹּשֶׁת   *Bousheth,* }
5.   חֶרְפָּה   *Kherpoh,* reproach.
6.   קָלוֹן   *Koloun,* contempt.
7.   בּוּשׁ   *Boosh,* to be ashamed.
8.   חָפַר   *Khophar,* to blush.
9.   עֶרְוָה   *Ervoh,* an exposure.

1. Exod. xxxii. 25.	2. Psalm cix. 29.
2. Judg. xviii. 7.	7. —— cxix. 31.
3. 1 Sam. xx. 34.	4. —— cxxxii. 18.
5. 2 Sam. xiii. 13.	6. Prov. iii. 35.
4. 2 Chron. xxxii. 21.	6. —— ix. 7.
4. Job viii. 22.	6. —— x. 5.
2. Psalm iv. 2.	6. —— xi. 2.
3. —— xxxv. 4.	6. —— xii. 16.
7. ———— 26.	6. —— xiii. 5.
7. —— xl. 14, 15.	6. ———— 18.
7. —— xliv. 7.	4. —— xiv. 35.
3. ———— 9.	4. —— xvii. 2.
4. ———— 15.	2. —— xviii. 13.
7. —— liii. 5.	4. —— xix. 26.
2. —— lxix. 7.	3. —— xxv. 8.
4. ———— 19.	8. ———— 10.
4. —— lxx. 3.	4. —— xxix. 15.
7. —— lxxi. 24.	9. Isa. xx. 4.
6. —— lxxxiii. 16.	6. — xxii. 18.
8. ———— 17.	4. — xxx. 3, 5.
4. —— lxxxix. 45.	5. — xlvii. 3.

2. Isa. L. 6.
7. — liv. 4.
4. — lxi. 7.
4. Jer. iii. 24, 25.
6. — xiii. 26.
4. — xx. 18.
2. — xxiii. 40.
6. — xlvi. 12.
4. — xlviii. 39.
2. — li. 51.
4. Ezek. vii. 18.
2. —— xvi. 52, 54, 63.
2. —— xxxii. 24, 30.
2. —— xxxiv. 29.

2. Ezek. xxxvi. 6, 7, 15.
2. —— xxxix. 26.
5. Dan. xii. 2.
6. Hos. iv. 7, 18.
4. —— ix. 10.
4. —— x. 6.
4. Obad. 10.
4. Mic. i. 11.
2. —— ii. 6.
4. —— vii. 10.
6. Nah. iii. 5.
4. Hab. ii. 10.
6. —— 16.
4. Zeph. iii. 5, 19.

SHAMED.

1.   בּוּשׁ   *Boosh*, (Hiph.) to cause shame.
2.   כָּלַם   *Kolam*, to be confused.

1. 2 Sam. xix. 5. | 1. Psalm xiv. 6.

SHAMETH.
2. Prov. xxviii. 7.

SHAMEFUL.

1.   בּוּשֶׁת   *Bousheth*, shame.
2.   קָלוֹן   *Koloun*, contempt.

1. Jer. xi. 13. | 2. Hab. ii. 16.

SHAMEFULLY.
1. Hos. ii. 5.

SHAMELESSLY.

גָּלָה   *Goloh*, to uncover (verb re-
peated).

2 Sam. vi. 20.

SHAPEN.

חוֹלָל   *Khoulol*, brought forth.
Psalm li. 5.

SHARE.

מַחֲרֶשֶׁת   *Makharesheth*, a plowshare.
1 Sam. xiii. 20.

SHARP.

1.   צוֹר   *Tsour*, a flint.
2.   חֶרֶב   *Kherev*, a knife.
3.   שֵׁן   *Shain*, a tooth.
4.   חַדָּה   *Khaddoh*, sharp.
5.   שִׁפּוּן   *Shinnoon*, sharpened.
6.   חָרוּץ   *Khoroots*, severe.
7.   לָטַשׁ   *Luttosh*, polished.

1. Exod. iv. 25.
2. Josh. v. 2.
1. —— 3.
3. 1 Sam. xiv. 4.
4. Job xli. 30.
6. —— 30.
5. Psalm xlv. 5.
7. —— lii. 2.

4. Psalm lvii. 4.
5. —— cxx. 4.
4. Prov. v. 4.
5. —— xxv. 18.
5. Isa. v. 28.
6. — xli. 15.
4. — xlix. 2.
4. Ezek. v. 1.

SHARPEN, Verb.

1.   לָטַשׁ   *Lotash*, to polish.
2.   שָׁנַן   *Shinnain*, to sharpen.
3.   חָדַד   *Khodad*, to sharpen.
4.   יָצַב   *Yotsav*, to fix, fasten.

1. 1 Sam. xiii. 20. | 4. 1 Sam. xiii. 21.

SHARPENED.

2. Psalm cxl. 3. | 3. Ezek. xxi. 9, 10, 11.

SHARPENETH.

1. Job xvi. 9.
Prov. xxvii. 17, twice, not in original.

SHARPLY.

חָזְקָה   *Khozkoh*, strength.
Judg. viii. 1.

SHAVE -ED -EN.

גָּלַח   *Golakh*, to shave, in all passages.

SHEAF.

אֲלֻמָּה   *Alumoh*, a sheaf, in all passages.

SHEAVES.

אֲלֻמּוֹת   *Alumouth*, sheaves, in all pas-
sages.

SHEAR, Verb.

גָּזַז   *Gozaz*, to shear.

Gen. xxxi. 19. | Deut. xv. 19.
—— xxxviii. 13. | 1 Sam. xxv. 4.

SHEARING.
1 Sam. xxv. 2.

SHEARERS.

גֹּזְזִים   *Gouzezeem*, shearers.

Gen. xxxviii. 12. | 2 Sam. xiii. 23, 24.
1 Sam. xxv. 7, 11. | Isa. liii. 7.

SHEARING HOUSE.

בֵּית־עֵקֶד הָרֹעִים *Baith-aiked horoueem,* house for the assembling of shepherds.

2 Kings x. 12, 14.

SHEATH.

תַּעַר *Tāār,* a sheath, scabbard, in all passages.

SHED -ETH.

1. שָׁפַךְ *Shophakh,* to shed, pour out.
2. נָגַר *Nogar,* (Hiph.) to drain.

1. In all passages, except:
2. Ezek. xxxv. 5.

SHEDDER.

שׁוֹפֵךְ *Shouphaik,* a shedder, a pourer out.

Ezek. xviii. 10.

SHEEP.

צֹאן *Tsoun,* sheep, flock of sheep, in all passages.

SHEEPCOTE.

נָוֶה *Noveh,* fine pasture, meadow.

2 Sam. vii. 8. | 1 Chron. xvii. 7.

SHEEPCOTES.

גְּדֵרוֹת *Gedairouth,* folds, enclosures.

1 Sam. xxiv. 3.

SHEEPFOLDS.

1. גְּדֵרוֹת *Gedairouth,* folds, enclosures.
2. מִשְׁפְּתַיִם *Mishpĕthayim,* boundaries, strong enclosures, fences.
3. מִכְלָאוֹת *Mikhloouth,* stalls, pens for cattle.

1. Numb. xxxii. 16. | 3. Psalm lxxviii. 70.
2. Judg. v. 16.

SHEEP-GATE.

שַׁעַר הַצֹּאן *Shaar hatsoun,* sheep-gate.

Neh. iii. 1, 32. | Neh. xii. 39.

SHEEP-MASTER.

נֹקֵד *Noukaid,* a herdsman, an owner of cattle.

2 Kings iii. 4.

SHEETS.

סְדִינִים *Sadeeneem,* sheets.

Judg. xiv. 12, 13.

SHEKEL.

שֶׁקֶל *Shekel,* a shekel, in all passages.

SHEKELS.

שְׁקָלִים *Shekoleem,* shekels, in all passages.

SHELTER.

מַחְסֶה *Makhseh,* a shelter, protection.

Job xxiv. 8. | Psalm lxi. 3.

SHEPHERD.

רֹעֵה־צֹאן *Rouaih-tsoun,* a feeder of sheep, shepherd, in all passages.

SHEPHERDS.

רֹעִים *Roueem,* feeders, shepherds, in all passages.

SHERD.

חֶרֶשׂ *Kheres,* earthenware, a sherd.

Isa. xxx. 14.

SHERDS.

חֲרָשִׂים *Kharoseem,* earthenwares.

Ezek. xxiii. 34.

SHERIFFS.

תִּפְתָּיֵא *Tiphtoyai* (Syriac), seizers, detainers.

Dan. iii. 2, 3.

SHEW, Subst.

1. צֶלֶם *Tselem,* an image, shadow.
2. הַכָּרָה *Hakoroh,* appearance.

1. Psalm xxxix. 6. | 2. Isa. iii. 9.

SHEW -bread.

לֶחֶם הַפָּנִים *Lekhem haponeem,* bread of the face or faces, in all passages.

SHEW.

1. רָאָה *Roōh*, (Hiph.) cause to see, shew.
2. נָתַן *Nothan*, to give, make, render, lay open.
3. שִׁית *Sheeth*, to set, place, make.
4. נָגַד *Nogad*, (Hiph.) to declare.
5. עָשָׂה *Osoh*, to make, do, work.
6. יָדַע *Yodā*, (Hiph.) to cause, make to know.
7. חָנַן *Khonan*, to bestow, favour.
8. שָׁמַע *Shomā*, (Hiph.) to cause to hear, publish.
9. גָּלָה אֹזֶן *Goloh ouzen*, to reveal, uncover; lit., open the ear.
10. הָיָה *Hoyoh*, to be.
11. חָזַק *Khozak*, (Hith.) to strengthen himself.
12. אוֹר *Oor*, (Hiph.) to cause light.
13. הָוָה *Khovoh*, (Piel) (Chaldee,) to declare.
14. סָפַר *Sophar*, (Piel) to tell, relate.
15. יָפַע *Yopha*, (Hiph.) to cause to shine.
16. רָעַע *Roā*, (Hith.) to make himself social.
17. אָשַׁשׁ *Oshash*, (Hitn.) to become substantial, courageous.
18. גָּלָה *Goloh*, (Niph.) to be revealed, discovered.
19. בִּשֵּׂר *Bissair*, to bring good report.
20. רִחַם *Rikhaim*, to have compassion.
21. רָאָה *Roōh*, (Niph. or Hoph.) to be seen, appear.
22. רָאָה *Roōh*, to see, behold.
23. שׂוּם *Soom*, to make, appoint, place.
24. חָכַם *Khokham*, to become wise.
25. נָטָה *Notoh*, (Hiph.) to extend, tend towards, dispose.
26. יָרָה *Yoroh*, (Hiph.) to cast forth; met., instruct.
27. פָּרַשׁ *Porash*, to explain.
28. פָּלָא *Polo*, (Hiph.) to make wonderful.
29. מֵצִיץ *Maitseets*, flourishing.
30. מְחַן *Maikhan* (Syriac), to shew favour.

2. Exod. vii. 9.	4. Job xxxiii. 23.
1. —— ix. 16.	1. Psalm iv. 6.
3. —— x. 1.	14. —— ix. 14.
4. —— xiii. 8.	6. —— xvi. 11.
5. —— xiv. 13.	6. —— xxv. 4, 14.
6. —— xviii. 20.	4. —— li. 15.
1. —— xxv. 9.	14. —— lxxi. 15.
6. —— xxxiii. 13.	14. —— lxxix. 13.
1. Deut. i. 33.	1. —— lxxxv. 7.
4. —— v. 5.	5. —— lxxxvi. 17.
7. —— vii. 2.	5. —— lxxxviii. 10.
2. —— xiii. 17.	4. —— xcii. 15.
4. —— xvii. 9, 10, 11.	15. —— xciv. 1.
7. —— xxviii. 50.	8. —— cvi. 2.
4. —— xxxii. 7.	16. Prov. xviii. 24.
1. Josh. v. 6.	7. Isa. xxvii. 11.
1. Judg. i. 24.	1. —— xxx. 30.
5. —— vi. 17.	4. — xli. 22, 23.
4. 1 Sam. iii. 15.	8. — xliii. 9.
4. —— viii. 9.	14. ——— 21.
4. —— ix. 6.	4. — xliv. 7.
8. ——— 27.	17. — xlvi. 8.
6. —— x. 8.	18. — xlix. 9.
6. —— xiv. 12.	4. — lviii. 1.
9. ——— xx. 2, 12.	19. — lx. 6.
9. ——— xxii. 17.	4. Jer. xvi. 10.
4. —— xxv. 8.	2. ——— 13.
1. 2 Sam. xv. 25.	4. — xlii. 3.
10. 1 Kings i. 52.	4. — li. 31.
10. ——— ii. 2.	6. Ezek. xxii. 2.
21. ——— xviii. 1, 2.	5. —— xxxiii. 31.
4. 2 Kings vi. 11.	4. —— xxxvii. 18.
11. 2 Chron. xvi. 9.	1. —— xl. 4.
4. Ezra ii. 59.	4. —— xliii. 10.
4. Neh. vii. 61.	6. ——— 11.
12. —— ix. 19.	4. Dan. ii. 2.
1. Esth. i. 11.	13. ——— 4, 6, 7, 10, 16, 27.
4. —— ii. 10.	13. —— iv. 2.
1. —— iv. 8.	13. —— v. 7.
6. Job x. 2.	4. —— ix. 23.
4. — xi. 6.	1. Hab. i. 3.
13. — xxxii. 6.	

SHEW, I will.

1. Gen. xii. 1.	1. Psalm xci. 16.
20. Exod. xxxiii. 19.	22. Jer. xviii. 17.
1. Judg. iv. 22.	4. — xxxiii. 3.
6. 1 Sam. xvi. 3.	2. — xlii. 12.
9. ——— xx. 12, 13.	13. Dan. ii. 24.
21. 1 Kings xviii. 15.	4. —— x. 21.
4. 2 Kings vii. 12.	4. —— xi. 2.
13. Job xv. 17.	2. Joel ii. 30.
13. — xxxii. 10, 17.	1. Mic. vii. 15.
13. — xxxvi. 2.	1. Nah. iii. 5.
14. Psalm ix. 1.	1. Zech. i. 9.
1. —— L. 23.	

SHEW kindness.

5. In all passages.

SHEWED.

21. Lev. xiii. 19, 49.	4. Judg. xiii. 10.
1. Numb. xiii. 26.	4. —— xvi. 18.
5. Deut. xxxiv. 12.	4. Ruth ii. 11.
1. Judg. i. 25.	4. 1 Sam. xi. 9.
4. —— iv. 12.	4. ——— xix. 7.

4. 1 Sam. xxii. 21.
4. —— xxiv. 18.
4. 2 Sam. xi. 22.
6. 1 Kings i. 27.
5. —— xvi. 27.
5. —— xxii. 45.
1. 2 Kings vi. 6.
1. —— xi. 4.
1. —— xx. 13, 15.
1. Esth. i. 4.

4. Esth. ii. 10, 20.
4. —— iii. 6.
4. Psalm lxxi. 18.
23. —— cv. 27.
4. —— cxlii. 2.
18. Prov. xxvi. 26.
24. Eccles. ii. 19.
1. Isa. xxxix. 2, 4.
6. — xl. 14.
6. Ezek. xxii. 26.

SHEWED, God or Lord.

5. Gen. xix. 19.
5. —— xxiv. 14.
5. —— xxxii. 10.
25. —— xxxix. 21.
5. —— xli. 25.
6. ·—— 39.
1. —— xlviii. 11.
26. Exod. xv. 25.
21. —— xxv. 40.
21. —— xxvi. 30.
21. —— xxvii. 8.
27. Lev. xxiv. 12.
1. Numb. viii. 4.
5. —— xiv. 11.
1. Deut. iv. 36.
1. —— v. 24.
2. —— vi. 22.
1. —— xxxiv. 1.
1. Judg. xiii. 23.
5. 1 Kings iii. 6.
1. 2 Kings viii. 10, 13.

5. 2 Chron. i. 8.
5. —— vii. 10.
28. Psalm xxxi. 21.
1. —— lx. 3.
1. —— lxxi. 20.
1. —— lxxviii. 11.
18. —— xcviii. 2.
4. —— cxi. 6.
12. —— cxviii. 27.
7. Isa. xxvi. 10.
8. — xliii. 12.
8. — xlviii. 3, 5.
1. Jer. xxiv. 1.
1. — xxxviii. 21.
1. Ezek. xi. 25.
6. —— xx. 11.
1. Amos vii. 1, 4, 7.
1. —— viii. 1.
4. Mic. vi. 8.
1. Zech. i. 20.
1. —— iii. 1.

SHEWEDST.

2. Neh. ix. 10. | 1. Jer. xi. 18.

SHEWEST.

28. Job x. 16. | 5. Jer. xxxii. 18.

SHEWETH.

21. Gen. xli. 28.
1. Numb. xxiii. 3.
9. 1 Sam. xxii. 8.
5. 2 Sam. xxii. 51.
4. Job xxxvi. 9, 33.
5. Psalm xviii. 50.
4. —— xix. 1.

13. Psalm xix. 2.
7. —— cxii. 5.
4. —— cxlvii. 19.
4. Prov. xii. 17.
21. —— xxvii. 25.
4. Isa. xli. 26.

SHEWING.

5. Exod. xx. 6.
5. Deut. v. 10.
14. Psalm lxxviii. 4.

29. Cant. ii. 9.
30. Dan. iv. 27.
13. —— v. 12.

SHIELD.

1.   מָגֵן   *Mogain,* a protection.
2.   צָפָה   *Tsinnoh,* a weapon similar to a hook.
3.   כִּדוֹן   *Kidoun,* a lance, spear.

All passages not inserted are Nº. 1.

2. 1 Sam. xvii. 7, 41.
2. 1 Chron. xii. 8, 24, 34.
2. 2 Chron. xxv. 5.
3. Job xxxix. 23.

2. Psalm v. 12.
2. —— xci. 4.
2. Jer. xlvi. 3.

SHIELDS.

1.   מָגִנִּים   *Moginneem,* shields.
2.   שְׁלָטִים   *Sheloteem,* arms for protection, bucklers.
3.   צִנּוֹת   *Tsinnouth,* weapons similar to hooks.

All passages not inserted are Nº. 1.

2. 2 Sam. viii. 7.
2. 2 Kings xi. 10.
2. 1 Chron. xviii. 7.
3. 2 Chron. xi. 12.

2. 2 Chron. xxiii. 9.
2. Cant. iv. 4.
2. Jer. li. 11.
2. Ezek. xxvii. 11.

SHIGGAION.

שִׁגָּיוֹן   *Shiggoyoun,* an inadvertence, error.

Psalm vii. 1.   (Hebrew ver. and English title.)

SHIGIONOTH.

שִׁגְיוֹנוֹת   *Shigyounouth,* inadvertencies.

Hab. iii. 1.

SHILOH.

שִׁילֹה   *Sheelou,* his descendant.

Gen. xlix. 10.

SHINE.

1.   אוֹר   *Oor,* (Hiph.) to enlighten.
2.   יָפַע   *Yopha,* (Hiph.) to cause to shine, make brilliant.
3.   עוּף   *Ooph,* (Hiph.) to flutter.
4.   נָגַהּ   *Nogāh,* to shine.
5.   צָהַל   *Tsohal,* (Hiph.) to make bright.
6.   הָלַל   *Holal,* (Hiph.) to cause to shine.
7.   עָשַׁת   *Oshath,* to fabricate, invent.
8.   זָהַר   *Zohar,* to brighten, clear up.
9.   קָרַן   *Koran,* emitted rays.
10.   זָרַח   *Zorakh,* to rise, shine as the sun.

1. Numb. vi. 25.
2. Job iii. 4.
2. — x. 3.
3. — xi. 17.
4. — xviii. 5.
4. — xxii. 28.
2. — xxxvii. 15.
6. — xli. 18.
1. —— 32.
1. Psalm xxxi. 16.
1. —— lxvii. 1.

2. Psalm lxxx. 1, 3, 7, 19.
5. —— civ. 15.
1. —— cxix. 135.
1. Eccles. viii. 1.
6. Isa. xiii. 10.
1. — lx. 1.
7. Jer. v. 28.
1. Dan. ix. 17.
8. —— xii. 3.

SHINED.

2. Deut. xxxiii. 2.	2. Psalm l. 2.
6. Job xxix. 3.	4. Isa. ix. 2.
6. — xxxi. 26.	1. Ezek. xliii. 2.

SHINETH.

6. Job xxv. 5.	3. Prov. iv. 18.
1. Psalm cxxxix. 12.	

SHINING.

4. 2 Sam. xxiii. 4.	4. Joel ii. 10.
1. Prov. iv. 18.	4. —— iii. 15.
4. Isa. iv. 5.	4. Hab. iii. 11.

SHONE.

9. Exod. xxxiv. 29, 30, 35.	10. 2 Kings iii. 22.

SHIP.

1. אֳנִיָּה *Oniyoh*, a large ship, a fleet.
2. סְפִינָה *Sepheenoh*, a small ship.

1. Prov. xxx. 19.	1. Jonah i. 3, 4, 5.
1. Isa. xxxiii. 21.	2. —— 5.

SHIPS.

1. אֳנִיּוֹת *Oneeyouth*, ships.
2. צִים *Tseem*, large boats.*

1. In all passages, except:

2. Numb. xxiv. 24.	2. Dan. xi. 30.
2. Ezek. xxx. 9.	

* This word is derived from צִיָּה *Tsiyoh*, which signifies to be subdued by extreme heat. May it not, prophetically, allude to steam-boats? [? ?]

SHIPMASTER.

רַב־הַחֹבֵל *Rav-hakhouvail*, master of the rope, rope master.

Jonah i. 6.

SHIPMEN.

אַנְשֵׁי־אֳנִיּוֹת *Anshai-oniyouth*, shipmen.

1 Kings ix. 27.

SHITTAH -tree.

שִׁטָּה *Shittoh*, a shittah-tree (probably trees which grow in the region of Shittim).

Isa. xli. 19.

SHITTIM -wood.

שִׁטִּים *Shitteem*, shitteem, in all passages.

SHOCK.

גָּדִישׁ *Godeesh*, a shock of corn.

Job v. 26.

SHOCKS.

גְּדִישִׁים *Godeesheem*, shocks of corn.

Judg. xv. 5.

SHOD.

נָעַל *Noal*, to tie together, shoe.

2 Chron. xxviii. 15. | Ezek. xvi. 10.

SHOE.

נַעַל *Nāal*, a shoe, in all passages.

SHOES.

נְעָלִים *Nĕoleem*, shoes, in all passages.

SHOE -latchet.

Gen. xiv. 23.

SHONE.

See Shine.

SHOOK.

See Shake.

SHOOT.

1.   יָרָה *Yoroh*, to cast forth, shoot.
2.   בָּרַח *Borakh*, to run.
3.   דָּרַךְ *Dorakh*, to tread.
4.   פָּטַר *Potar*, to unloose, loosen.
5.   שָׁלַח *Sholakh*, to send forth.
6.   יָדָה *Yodoh*, to throw.
7.   נָתַן *Nothan*, to give, set, place.
8.   יָצָא *Yotso*, to go forth, out.
9.   עָלָה *Oloh*, to ascend.
10.   רָכַב *Rovav*, to multiply, increase.
11.   רָב *Rov*, multitude, abundance.
12.   שׁוֹחֵט *Shoukhait*, killing.

2. Exod. xxxvi. 33.	4. Psalm xxii. 7.
1. 1 Sam. xx. 20, 36.	1. —— lxiv. 4, 7.
1. 2 Sam. xi. 20.	5. —— cxliv. 6.
1. 2 Kings xiii. 17.	1. Isa. xxxvii. 33.
1. —— xix. 32.	6. Jer. l. 14.
3. 1 Chron. v. 18.	7. Ezek. xxxi. 14.
1. 2 Chron. xxvi. 15.	7. —— xxxvi. 8.
1. Psalm xi. 2.	

SHOOTETH.

8. Job viii. 16. | 5. Isa. xxvii. 8.

SHOOTING.

9. Amos vii. 1.

SHOT.

9. Gen. xl. 10.	1. 2 Chron. xxxv. 23.
10. —— xlix. 23.	11. Psalm xviii. 14.
1. Exod. xix. 13.	12. Jer. ix. 8.
1. Numb. xxi. 30.	5. Ezek. xvii. 6, 7.
1. 1 Sam. xx. 37.	5. —— xxxi. 5.
1. 2 Sam. xi. 24.	7. —————— 10.
1. 2 Kings xiii. 17.	5. 1 Sam. xx. 20.

SHOT, Subst.

כִּמְטַחֲוֵי   *Kimetakkavai*, the extent of a bow-shot.

Gen. xxi. 16.

SHOOTERS.

מוֹרִים   *Moureem*, shooters.

2 Sam. xi. 24.

SHORT.

1.	קָצָר	*Kotsar*, short.
2.	קָרוֹב	*Korouv*, near.
3.	חָלֶד	*Kholed*, duration.
4.	קָצַץ	*Kotsats*, to shorten.

1. Numb. xi. 23.	2. Job xx. 5.
2. Job xvii. 12.	3. Psalm lxxxix. 47.

SHORT cut.

4. 2 Kings x. 32.

SHORTER.

1. Isa. xxviii. 20.

SHORTENED.

1. Psalm lxxxix. 45.	1. Isa. L. 2.
1. —— cii. 23.	1. — lix. 1.
1. Prov. x. 27.	

SHORTLY.

1.	מַהֵר	*Mahair*, speedily.
2.	קָרוֹב	*Korouv*, near, approaching.

1. Gen. xli. 32.	2. Ezek. vii. 8.
1. Jer. xxvii. 16.	

SHOVEL.

מִזְרֶה   *Mizroh*, a shovel.

Isa. xxx. 24.

SHOVELS.

יָעִים   *Yoeem*, shovels, in all passages.

SHOULDER.

שֶׁכֶם   *Shekhem*, a shoulder, in all passages.

SHOULDER -blade.

שֶׁכֶם   *Shekhem*, a shoulder-blade.

Job xxxi. 22.

SHOULDER, heave.

שׁוֹק   *Shouk*, a leg, thigh, shoulder of a sheep.

Lev. vii. 34.	Numb. vi. 20.
—— x. 14, 15.	

SHOULDER, right.

שׁוֹק   *Shouk*, a leg, thigh, shoulder of a sheep, in all passages.

SHOULDERS.

שִׁכְמוֹת   *Shikhmouth*, } shoulders, in all
כְּתֵפוֹת   *Kethaiphouth*, }   passages.

SHOUT, Subst.

1.	תְּרוּעָה	*Terooōh*, a shouting, blast of a trumpet.
2.	הֵידָד	*Haidod*, a shout, as a signal for joy or alarm.
3.	רוּעַ	*Rooā*, (Hiph.) to give a shout.

1. Numb. xxiii. 21.	1. Ezra iii. 11, 13.
1. Josh. vi. 5, 20.	1. Psalm xlvii. 5.
1. 1 Sam. iv. 5, 6.	2. Jer. xxv. 30.
3. 2 Chron. xiii. 15.	2. — li. 14.

SHOUT, Verb.

1.	רוּעַ	*Rooa*, to shout, blow a trumpet.
2.	עָנָה	*Onoh*, to answer, testify, utter a voice, respond to.
3.	צָוַח	*Tsovakh*, to cry out.
4.	רָנַן	*Ronan*, to sing for joy.
5.	צָהַל	*Tsohal*, to rejoice.
6.	שׁוּעַ	*Shooā*, to cry for help.
7.	הֵידָד	*Haidod*, a joyful exclamation, or signal for joy or war.

2. Exod. xxxii. 18.	4. Isa. xii. 6.
1. Josh. vi. 5, 10, 16.	3. — xlii. 11.
1. Ezra iii. 13, twice.	1. — xliv. 23.
4. Psalm v. 11.	5. Jer. xxxi. 7.
4. —— xxxii. 10.	1. — L. 15.
4. —— xxxv. 27.	6. Lam. iii. 8.
1. —— xlvii. 1.	1. Zeph. iii. 14.
1. —— lxv. 13.	1. Zech. ix. 9.
4. —— cxxxii. 9, 16.	

SHOUTED.

1. Exod. xxxii. 17.	1. 1 Sam. x. 24.
4. Lev. ix. 24.	1. ——— xvii. 20, 52.
1. Josh. vi. 20.	1. 2 Chron. xiii. 15.
1. Judg. xv. 14.	1. Ezra iii. 11, 12, 13.
1. 1 Sam. iv. 5.	1. Job xxxviii. 7.

SHOUTETH.

4. Psalm lxxviii. 65.

SHOUTING.

1. 2 Sam. vi. 15.	1. Jer. xx. 16.
1. 1 Chron. xv. 28.	7. — xlviii. 33.
1. 2 Chron. xv. 14.	1. Ezek. xxi. 22.
1. Job xxxix. 25.	1. Amos i. 14.
4. Prov. xi. 10.	1. — ii. 2.
7. Isa. xvi. 9, 10.	

SHOUTINGS.

תְּשׁוּאוֹת *Teshooouth*, shoutings.

Zech. iv. 7.

SHOWER.

גֶּשֶׁם *Geshem*, a rain.

Ezek. xiii. 11, 13. | Ezek. xxxiv. 26.

SHOWERS.

1. רְבִיבִים *Reveeveem*, abundance of rain.
2. גְּשָׁמִים *Geshomeem*, rains.
3. זֶרֶם *Zerem*, violent rain, shower.
4. מָטָר *Motor*, a casting forth.

1. Deut. xxxii. 2.	1. Jer. xiv. 22.
3. Job xxiv. 8.	2. Ezek. xxxiv. 26.
1. Psalm lxv. 10.	1. Mic. v. 7.
1. —— lxxii. 6.	4. Zech. x. 1.
1. Jer. ii. 3.	

SHRANK.

נָשֶׁה *Nosheh*, flexile, or flexible.

Gen. xxxii. 32.

SHRED.

פָּלַח *Polakh*, to cut up, peel.

2 Kings iv. 39.

SHROUD.

חֹרֶשׁ *Khouresh*, a forest.

Ezek. xxxi. 3.

SHRUBS.

שִׂיחִים *Seekheem*, thorns.

Gen. xxi. 15.

SHUT, actively or passively, SHUT up.

1.	סָגַר	*Sogar*, to shut up.
2.	עָצַר	*Otsar*, to restrain.
3.	כָּלָא	*Kolō*, to be enclosed, as a prisoner.
4.	צָרַר	*Tsorar*, to bind up.
5.	סָכַךְ	*Sokhakh*, to shelter, cover over.
6.	קָפַץ	*Kophats*, to fly off, pull off.
7.	נָעַל	*Noal*, to tie together.
8.	סָתַם	*Sotam*, to stop up.
9. {	עָצָה *Otsoh*, עָצַם *Otsam*,	} to fasten.
10.	אָטַם	*Otam*, to close up.
11.	אָטַר	*Otar*, to enclose, obstruct.
12.	טוּחַ	*Tooakh*, to plaister up (the eye).
13.	גִּיף	*Geeph*, to make firm, close.
14.	שָׁעָה	*Shoōh*, (Hiph.) cause to turn round.

All passages not inserted are N°. 1.

2. Deut. xi. 17.	5. Job xxxviii. 8.
6. —— xv. 7.	11. Psalm lxix. 15.
2. —— xxxii. 36.	6. —— lxxvii. 9.
3. 1 Sam. vi. 10.	3. —— lxxxviii. 8.
4. 2 Sam. xx. 3.	7. Cant. iv. 12.
2. 1 Kings viii. 35.	14. Isa. vi. 10.
2. —— xiv. 10.	12. — xliv. 18.
2. —— xxi. 21.	6. — lii. 15.
2. 2 Kings ix. 8.	2. — lxvi. 9.
2. —— xiv. 26.	2. Jer. xx. 9.
2. —— xvii. 4.	3. — xxxii. 2, 3.
2. 2 Chron. vi. 26.	2. — xxxiii. 1.
2. —— vii. 13.	2. — xxxvi. 5.
2. Neh. vi. 10.	2. — xxxix. 15.
13. —— vii. 3.	8. Dan. viii. 26.

SHUTTETH.

1. Job xii. 14.	9. Isa. xxxiii. 15.
9. Prov. xvi. 30.	8. Lam. iii. 8.
10. —— xvii. 28.	

SHUTTING.

1. Josh. ii. 5.

SHUTTLE.

אֶרֶג *Ereg*, a web, woof, cobweb.

Job vii. 6.

SICK.

1.   חָלָה *Kholoh*, to sicken, be sick.

2.   דָּוֶה   *Dovoh*, being in pain.
3.   אָנַשׁ   *Onash*, (Niph.) to be feeble, incurable.

    1. In all passages, except :
2. Lev. xv. 33. | 3. 2 Sam. xii. 15.

SICKNESS.

1.   חֳלִי   *Kholee*, sickness.
2.   דָּוֶה   *Dovoh*, being in pain.
3.   דַּלָּה   *Dalloh*, exhaustion.

    1. In all passages, except:
2. Lev. xx. 18. | 3. Isa. xxxviii. 12.

SICKNESSES.

חֳלָיִם   *Kholoyim*, sicknesses.

Deut. xxviii. 59. | Deut. xxix. 22.

SICKLE.

1.   חֶרְמֵשׁ   *Khermais*, a sickle, scythe.
2.   מַגָּל   *Magol*, a sickle, pruning-hook.

1. Deut. xvi. 9. | 2. Jer. l. 16.
1. —— xxiii. 25. | 2. Joel iii. 13.

SIDE.

1.   צַד   *Tsad*, a side.
2.   עַל־יַד   *Al-yad*, by the hand.
3.   מִזֶּה   *Mizeh*, from this side.
4.   יָרֵךְ   *Yoraikh*, the thigh ; met., side.
5.   קִיר   *Keer*, a wall.
6.   קָצֶה   *Kotseh*, an end.
7.   יְרֵכָה   *Yeraikhoh*, a quarter, part, side.
8.   עַד־יַד   *Ad-yad*, unto the hand.
9.   צֵלָע   *Tsailō*, a rib, projection.
10.   אִתִּי   *Ittee*, with me.
11.   עִמְּךָ   *Immkhō*, with thee.
12.   הָיוּ לוֹ   *Hoyoo lou*, they were his.
13.   מָתְנַיִם   *Mothnayim*, loins.
14.   לִי   *Lee*, to me, mine.
15.   הָיָה לָנוּ   *Hoyoh lonoo*, be for us.
16.   יָד   *Yod*, a hand.
17.   כָּתֵף   *Kothaiph*, the back of the shoulder.
18.   שְׁטַר   *Shĕtar* (Syriac), dominion.
19.   פֵּאָה   *Paioh*, a corner.
20.   קֵדְמָה   *Kaidmoh*, towards the front.
21.   מִקֶּדֶם   *Mikedem*, from before.

22.   מִזְרָחָה   *Mizrokhoh*, towards the east.
23.   מִזְרַח שֶׁמֶשׁ   *Mizrakh shemesh*, the rising of the sun.
24.   מִזְרָח   *Mizrokh*, the east.
25.   רוּחַ   *Rooakh*, wind.
26.   אֶל עֵבֶר   *El aiver*, on the opposite side.
27.   סָבִיב   *Soveev*, round about.
28.   כֹּה   *Kouh*, thus.
29.   מֵעֵבֶר   *Maiaiver*, from beyond, on the other side.
30.   מִמְּךָ וָהֵנָּה   *Mimkhō vohainnoh*, hitherwards, apart from thee.
31.   עֵבֶר   *Aiver*, beyond, opposite side.
32.   הֵנָּה   *Hainnoh*, here, hither.
33.   מִפֹּה   *Mippouh*, from here.
34.   מִנֶּגֶד   *Mineged*, from opposite.
35.   חוֹף   *Khouph*, shore.
36.   שָׂפָה   *Sophoh*, a border, lip.
37.   תֵּימָנָה   *Taimonoh*, towards the south.
38.   בָּעֵינַיִם   *Voainayim*, in the eyes.
39.   יָמָּה   *Yommoh*, towards the sea-side.

1. Gen. vi. 16.	8. 1 Sam. iv. 18.
2. Exod. ii. 5.	1. —— vi. 8.
—— xii. 7, 22, 23, not in original.	1. —— xx. 20, 25.
	1. 2 Sam. ii. 16.
3. —— xvii. 12.	1. —— xiii. 34.
26. —— xxviii. 26.	9. —— xvi. 13.
3. —— xxxii. 15.	10. 2 Kings ix. 32.
—— 26, not in original.	11. 1 Chron. xii. 18.
—— 27.	12. 2 Chron. xi. 12.
4. —— i. 11.	13. Neh. iv. 18.
5. —— 15.	9. Job xviii. 12.
5. —— v. 9.	1. Psalm xci. 7.
3. Numb. xxii. 24.	14. —— cxviii. 6.
—— xxiv. 6, not in original.	15. —— cxxiv. 1, 2.
—— xxxii. 19, not in original.	16. Eccles. iv. 1.
	1. Isa. lx. 4.
6. Deut. iv. 32.	1. Ezek. iv. 8, 9.
1. —— xxxi. 26.	13. —— ix. 2, 3, 11.
7. Judg. xix. 1, 18.	17. —— xxv. 9.
	1. —— xxxiv. 21.
	18. Dan. vii. 5.

SIDE chambers.

9. Ezek. xli. 5, 6, 9.

SIDE, east.

19. Exod. xxvii. 13.	24. 1 Chron. vi. 78.
20. Numb. ii. 3.	3. Ezek. xi. 23.
21. Josh. vii. 2.	25. —— xlii. 16.
22. —— xvi. 5.	1. —— xlviii. 2.
23. Judg. xi. 18.	21. Jonah iv. 5.
24. 1 Chron. iv. 39.	

SIDE, every.

27. In all passages.

SIDE, left.
See Left Side.

SIDE, on this.

3. Exod. xxxvii. 8.	31. Ezra v. 3, 6.
28. Numb. xi. 31.	31. —— vi. 13.
3. —— xxii. 24.	31. —— viii. 36.
29. —— xxxii. 19, 32.	31. Neh. iii. 7.
29. —— xxxiv. 15.	32. Ezek. i. 23.
29. —— xxxv. 14.	33. —— xl. 39, 41.
3. Josh. viii. 22, 33.	3. —— xlvii. 12.
30. 1 Sam. xx. 21.	32. Dan. xii. 5.
1. —— xxiii. 26.	3. Zech. v. 3.
31. Ezra iv. 16.	

SIDE, on other.

3. Exod. xxxii. 15.	29. 1 Chron. vi. 78.
31. Josh. xxiv. 2.	3. 2 Chron. ix. 19.
31. 1 Sam. xiv. 40.	34. Obad. 11.
34. 2 Kings iii. 22.	

SIDE, right.
See Right Foot, Side, &c., &c.

SIDE, sea.

35. Deut. i. 7.	36. 2 Chron. viii. 17.
36. Judg. vii. 12.	

SIDE, south.

19. Exod. xxvi. 18.	25. Ezek. xlii. 18.
19. —— xxxvi. 23.	20. —— xlvii. 1.
37. Numb. ii. 10.	19. —— xlviii. 16, 33.
37. —— x. 6.	

SIDE, way.

38. Gen. xxxviii. 21.	16. Psalm cxl. 5.
16. 1 Sam. iv. 13.	

SIDE, west.

19. Exod. xxvii. 12.	19. Ezek. xlviii. 2, 3, 4,
19. —— xxxviii. 12.	5, 6, 7, 8, 23, 24,
39. Numb. ii. 18.	34.
19. Numb. xxxv. 5.	

SIDES.

31. Exod. xxxii. 15.	1. Isa. lxvi. 12.
1. Numb. xxxiii. 55.	7. Jer. vi. 22.
1. Josh. xxiii. 13.	31. — xlviii. 28.
1. Judg. ii. 3.	31. — xlix. 32.
—— v. 30, not in original.	Ezek. i. 17, not in original.
7. 1 Sam. xxiv. 3.	—— x. 11, not in original.
1 Kings iv. 24, not in original.	7. —— xxxii. 23.
7. Psalm xlviii. 2.	19. —— xlviii. 1.
7. —— cxxviii. 3.	7. Amos vi. 10.
7. Isa. xiv. 13, 15.	7. Jonah i. 5.

SIEGE.

מָצוֹר *Motsour*, a siege, in all passages.

SIFT.

1.   נָפָה *Nophoh*, to sift.
2.   נוּעַ *Nooa*, to move quickly.

1. Isa. xxx. 28.	2. Amos ix. 9.

SIFTED.
2. Amos ix. 9.

SIEVE.

1.   נָפֶת *Nepheth*, a sieve.
2.   נוּעַ *Nooa*, to move quickly.

1. Isa. xxx. 28.	2. Amos ix. 9.

SIGH -ED -EST -ETH -ING.

אָנַח *Onakh*, to groan, in all passages, except:

אֲנָקָה *Anokoh*, sighing.

Psalm xii. 5.	Psalm lxxix. 11.

SIGHS.
אֲנָחוֹת *Anokhouth*, groaning.
Lam. i. 22.

SIGHT.

1.   עֵינַיִם *Ainayim*, eyes.
2.   מַרְאֶה *Mareh*, sight, appearance.
3.   פָּנִים *Poneem*, face, countenance.
4.   רֹאִים *Roueem*, seers.
5.   חֲזוּת *Khazooth* (Syriac), sight, vision.
6.   נֶגֶד *Neged*, presence.
7.   נֶגֶד עֵינַיִם *Neged ainayim*, in the presence of the eyes.
8.   עַל־פְּנֵי *Al-penai*, before the face.

All passages not inserted are Nº. 1.

2. Gen. ii. 9.	4. Job xxxiv. 26.
2. Exod. iii. 3.	2. — xli. 9.
2. —— xxiv. 17.	2. Eccles. vi. 9.
2. Lev. xiii. 3, 4, 20, 25, 30, 31, 32, 34.	3. Isa. v. 21.
2. —— xiv. 37.	2. — xi. 3.
8. Numb. iii. 4.	3. Ezek. xx. 43.
2. Deut. xxviii. 34.	3. —— xxxvi. 31.
3. Josh. xxiii. 5.	5. Dan. iv. 11, 20.
	3. Hos. ii. 2.

SIGHT of God.
1. Prov. iii. 4.

SIGHT, his.

All passages not inserted are N°. 1.

3. Deut. iv. 37.	6. Psalm x. 5.
6. 2 Sam. xxii. 25.	6. —— xviii. 24.
3. 2 Kings xvii. 18, 20,	3. Eccles. ii. 26.
23.	3. —— viii. 3.
3. —— xxiv. 3.	3. Hos. vi. 2.

SIGHT, in the.

All passages not inserted are N°. 1.

3. Gen. xlvii. 18.	6. Psalm lxxviii. 12.
3. Numb. iii. 4.	3. Prov. iv. 3.
3. Ezra ix. 9.	2. Eccles. xi. 9.
3. Neh. i. 11.	

SIGHT of the Lord.

1. In all passages.

SIGHT, my.

All passages not inserted are N°. 1.

3. Gen. xxiii. 4, 8.	3. 2 Chron. vii. 20.
3. 1 Kings viii. 25.	7. Psalm ci. 7.
3. —— ix. 7.	3. Jer. iv. 1.
3. 2 Kings xxiii. 27.	3. — vii. 15.
3. 1 Chron. xxii. 8.	3. — xv. 1.
3. 2 Chron. vi. 16.	7. Amos ix. 3.

SIGHT, thy.

All passages not inserted are N°. 1.

3. 2 Sam. vii. 9.	3. Psalm cxliii. 2.
7. Psalm v. 5.	3. Isa. xxvi. 17.
3. —— ix. 19.	3. Jer. xviii. 23.
3. —— xix. 14.	7. Jonah ii. 4.
3. —— lxxvi. 7.	

SIGN, Subst.

1. { אוֹת *Outh*, a sign, token, type.
   { אָתוּן *Athoon* (Syriac), a sign, &c.

2. דִּבְרֵי אֹתוֹתָיו *Divrai outhouthov*, the words of his signs.

3. מוֹעֵד *Mouaid*, an appointed time, solemn season.

4. מוֹפֵת *Mouphaith*, a miracle.

5. נֵס *Nais*, a standard, ensign.

6. מַשְׂאֵת *Masaith*, a burden.

7. צִיּוּן *Tseeyoon*, a waymark, sign-post.

All passages not inserted are N°. 1.

5. Numb. xxvi. 10.	6. Jer. vi. 1.
3. Judg. xx. 38.	4. Ezek. xii. 6, 11.
4. 1 Kings xiii. 3, 5.	4. —— xxiv. 24.
4. 2 Chron. xxxii. 24.	7. —— xxxix. 15.

SIGNS.

1. In all passages, except:

2. Psalm cv. 27.

SIGN, Verb.

רָשַׁם *Rosham* (Syriac), to sign.

Dan. vi. 8.

SIGNED.

Dan. vi. 9, 10, 12.

SIGNET.

1.	חוֹתָם *Khouthom*,	} a seal,
2.	חָתְמָה *Khathimoh* (Syriac),	} signet.

1. Gen. xxxviii. 18, 25.	1. Jer. xxii. 24.
1. Exod. xxviii. 11, 21,	2. Dan. vi. 17.
36.	1. Hag. ii. 23.
1. —— xxxix. 14, 30.	

SIGNETS.

1. Exod. xxxix. 6.

SILENCE, SILENT.

1. דּוּם *Doom*, silence, silent; met., patient expectation.

2. דָּמַם *Domam*, to stand still, applied to speech, work, or activity.

3. הַס *Hass*, to hold one's tongue.

4. חָרֵשׁ *Khorash*, to hold the peace.

5. חָשָׁה *Khoshoh*, to forbear speaking.

6. אָלַם *Olam*, (Niph.) to be tongue-tied, dumb.

7. דָּמָה *Domoh*, (Niph.) to silence; met., cut off, slay.

8. דָּמִי *Domee*, quietness.

2. Job iv. 16.	1. Psalm cxv. 17.
6. Psalm xxxi. 18.	7. Isa. xv. 1.
8. —— xxxix. 2.	2. Jer. viii. 14.
2. —— lxxxiii. 1.	2. Lam. iii. 28.
1. —— xciv. 17.	3. Amos viii. 3.

SILENCE, keep.

3. Judg. iii. 19.	2. Isa. lxii. 6.
4. Psalm xxxv. 22.	5. — lxv. 6.
4. —— L. 3.	7. Lam. iii. 10.
2. —— lxxxiii. 1.	2. Amos v. 13.
5. Eccles. iii. 7.	3. Hab. ii. 20.
4. Isa. xli. 1.	

SILENCE, kept.

2. Job xxix. 21.	4. Psalm xxxii. 3.
2. — xxxi. 34.	4. —— L. 21.

SILENT.

2. 1 Sam. ii. 9.	2. Psalm xxxi. 17.
2. Psalm xxii. 2.	2. Isa. xlvii. 5.
4. —— xxviii. 1.	7. Jer. viii. 14.
5. —— 1.	3. Zech. ii. 13.
2. —— xxx. 12.	

SILK.

1.   שֵׁשׁ   *Shaish*, fine linen.
2.   מֶשִׁי   *Meshee*, silk.

1. Prov. xxxi. 22. | 2. Ezek. xvi. 10, 13.

SILLY.

1.   אֱוִיל   *Eveel*, a fool.
2.   פֹּתֶה   *Poutoh*, silly, simple.

1. Job v. 2. | 2. Hos. vii. 11.

SILVER.

כֶּסֶף   *Keseph*, silver, in all passages.

SILVERLINGS.

כֶּסֶף   *Keseph*, silver.

Isa. vii. 23.

SIMILITUDE.

1.   תְּמוּנָה   *Těmoonoh*, a similitude.
2.   דְמוּת   *Demooth*, a likeness.
3.   תַּבְנִית   *Tavneeth*, a model, pattern, structure.

1. Numb. xii. 8. | 3. Psalm cvi. 20.
1. Deut. iv. 12, 15, 16. | 3. —— cxliv. 12.
2. 2 Chron. iv. 3. | 2. Dan. x. 16.

SIMILITUDES.

דָּמָה   *Domoh*, to liken, compare.

Hos. xii. 10.

SIMPLE.

פֶּתִי   *Pěthee*,   } silly, simple, in all
פְּתָאִים   *Pěthoeem*, } passages.

SIMPLICITY.

1.   פֶּתִי   *Pethee*, silly, simple.
2.   תֹּם   *Tumom*, integrity.

2. 2 Sam. xv. 11. | 1. Prov. i. 22.

SIN, Subst.

1.   חֵטְא   *Khait*, a sin.
2.   אָשָׁם   *Oshom*, an offence, fault.
3.   פֶּשַׁע   *Peshā*, a transgression.
4.   עָוֹן   *Ovoun*, an iniquity.

1. In all passages, except :

2. Lev. iv. 3. | 2. Isa. liii. 10.
4. 1 Kings xvii. 18. | 2. Jer. li. 5.
3. Prov. x. 19. | 2. Amos viii. 14.
2. —— xiv. 9. |

SINS.

1.   חַטָּאִים   *Khattoeem*, sins.
2.   אֲשָׁמוֹת   *Ashomouth*, offences, crimes.
3.   פְּשָׁעִים   *Peshoeem*, transgressions.

1. In all passages, except :

2. 2 Chron. xxviii. 10. | 3. Prov. x. 12.
2. Psalm lxix. 5. | 3. —— xxviii. 13.

SIN -offering.

חַטָּאת   *Khatoth*, a sin-offering, in all passages.

SIN, Verb.

1.   חָטָא   *Khoto*, to sin.
2.   שָׁגָה   *Shogoh*, to err.
3.   עָשָׂה   *Osoh*, to do, act, commit.

1. In all passages, except :
2. Lev. iv. 13.

SINNED -EST.

1. In all passages.

SINNETH.

1. In all passages, except :

2. Numb. xv. 28. | 3. Numb. xv. 29.

· SINNING.

1. In all passages.

SINNER.

חוֹטֵא   *Khoutai*, a sinner, in all passages.

SINNERS.

חוֹטְאִים   *Khouteem*, sinners, in all passages.

SINCE.

1. עַד־הֵנָּה   *Ad-hainoh*, even yet.
2.   אַחֲרֵי   *Akharai*, after.

3.   מֵאָז   *Maioz*, from that time.

4. מִן־הַיּוֹם   *Min-hayoum*, from the day.

5. מֵעוֹדְךָ   *Maioudkhō*, since thy existence.

6.   כִּי   *Kee*, for.

7. לֵאמֹר   *Laimour*, saying.

8. { מִן   *Min*, } from, since.
      { מִנִּי   *Minnee*, }

9. מֵאֲשֶׁר   *Maiasher*, because of that, in consequence.

10. מִדֵּי   *Midai*, repeatedly.

11. מִהְיוֹת   *Mihĕyouth*, since there was.

12. עוֹד   *Oud*, yet, any more.

13. וְאִם   *Vĕim*, and if.

Gen. xxx. 30, not in original.	4. 1 Chron. xvii. 5, 10.
	4. 2 Chron. xxx. 26.
1. —— xliv. 28.	8. ———— xxxi. 10.
2. —— xlvi. 30.	4. Ezra iv. 2.
3. Exod. v. 23.	8. —— v. 16.
4. —— ix. 18, 24.	4. —— ix. 7.
4. —— x. 6.	8. Job xx. 4.
5. Numb. xxii. 30.	4. — xxxviii. 12.
4. Deut. iv. 32.	3. Isa. xiv. 8.
12. —— xxxiv. 10.	3. — xvi. 13.
6. Josh. ii. 12.	9. — xliii. 4.
3. —— xiv. 10.	8. — xliv. 7.
4. Ruth ii. 11.	8. — lxiv. 8.
7. —— ix. 24.	4. Jer. vii. 25.
—— xxi. 5, not in original.	10. — xx. 8.
	13. — xxiii. 38.
4. —— xxix. 3.	10. — xxxi. 20.
4. 2 Sam. vii. 6, 11.	3. — xliv. 18.
4. 1 Kings viii. 16.	10. — xlviii. 27.
4. 2 Kings viii. 6.	11. Dan. xii. 1.
	11. Hag. ii. 16.

SINCERELY.

וּבְתָמִים   *Oovetomeem*, and with integrity.

Judg. ix. 16, 19.

SINCERITY.

בְּתָמִם   *Vetomeem*, with integrity.

Josh. xxiv. 14.

SINEW.

גִּיד   *Geed*, a sinew, vein.

Gen. xxxii. 32.	Isa. xlviii. 4.

SINEWS.

1. גִּידִים   *Geedeem*, sinews.

2. עׇרְקִים   *Ourkeem*, nerves.

1. Job x. 11.	1. Job xl. 17.
2. — xxx. 17.	1. Ezek. xxxvii. 6, 8.

SINFUL.

חֹטְאִים   *Khouteem*, sinners.

Numb. xxxii. 14.	Amos ix. 8.
Isa. i. 4.	

SING.

1. { שִׁיר   *Sheer*, } to sing.
     { שָׁרַר   *Shorar*, }

2. עָנָה   *Onoh*, to answer, utter, respond to.

3. רָנַן   *Ronan*, to shout for joy.

4. זָמַר   *Zomar*, to sound, sing praises.

5. נָגַן   *Nogan*, to play upon an instrument, tune, put to music.

6. הִלֵּל   *Hillail*, to praise.

7. נָתַן־קוֹל   *Nothan-koul*, to give a voice; met., to sing aloud.

8. שָׁמַע   *Shomă*, (Hiph.) to cause to hear.

9. שִׁירִים   *Sheereem*, songs.

10. זָמִיר   *Zomeer*, pruning.

1. Exod. xv. 21.	1. Psalm cxxxviii. 5.
1. —— xxxii. 18.	3. —— cxlv. 7.
2. Numb. xxi. 17.	2. —— cxlvii. 7.
2. 1 Sam. xxi. 11.	1. —— cxlix. 1.
1. 1 Chron. xvi. 9, 23.	4. ———— 5.
3. ———— 33.	3. Prov. xxix. 6.
3. 2 Chron. xx. 22.	4. Isa. xii. 5.
6. —— xxix. 30.	1. — xxiii. 15.
3. Job xxix. 13.	3. — xxiv. 14.
1. Psalm xxi. 13.	3. — xxvi. 19.
4. —— xxx. 4.	2. — xxvii. 2.
4. —— xxxiii. 2.	3. — xxxv. 6.
1. ———— 3.	5. — xxxviii. 20.
3. —— li. 14.	1. — xlii. 10.
1. —— lxv. 13.	3. ———— 11
4. —— lxvi. 2, 4.	3. — xliv. 23.
3. —— lxvii. 4.	3. — xlix. 13.
1. —— lxviii. 32.	3. — lii. 8, 9.
4. —— lxxi. 22.	3. — liv. 1.
3. —— lxxxi. 1.	3. — lxv. 14.
3. —— xcv. 1.	3. Jer. xxxi. 7, 12.
1. —— xcvi. 1, 2.	3. — li. 48.
1. —— xcviii. 1.	1. Ezek. xxvii. 25.
4. ———— 5.	2. Hos. ii. 15.
7. —— civ. 12.	1. Zeph. ii. 14.
1. —— cv. 2.	3. —— iii. 14.
1. —— cxxxvii. 3, 4.	3. Zech. ii. 10.

SING praise.

4. In all passages, except :

   6. 2 Chron. xxix. 30.

SING praises.

4. In all passages.

SING, will.

1. Exod. xv. 1.	4. Psalm lix. 17.
1. Judg. v. 3.	1. —— lxxxix. 1.
1. Psalm xiii. 6.	1. —— ci. 1.
1. —— lvii. 7.	1. —— civ. 33.
4. ———— 9.	1. —— cxliv. 9.
1. —— lix. 16.	1. Isa. v. 1.

SINGETH.

1. Prov. xxv. 20.

SANG.

1. Exod. xv. 1.	6. 2 Chron. xxix. 30.
1. Numb. xxi. 17.	8. Neh. xii. 42.
1. Judg. v. 1.	3. Job xxxviii. 7.
2. 1 Sam. xxix. 5.	1. Psalm cvi. 12.
1. 2 Chron. xxix. 28.	

SUNG.

2. Ezra iii. 11.	1. Isa. xxvi. 1.

SINGING.

1. 1 Sam. xviii. 6.	3. Isa. xvi. 10.
1. 1 Chron. vi. 32.	3. — xxxv. 2.
9. —— xiii. 8.	3. — xliv. 23.
1. 2 Chron. xxiii. 18.	3. — xlviii. 20.
1. Neh. xii. 27.	3. — xlix. 13.
3. Psalm c. 2.	3. — li. 11.
3. — cxxvi. 2.	3. — liv. 1.
10. Cant. ii. 12.	3. — lv. 12.
3. Isa. xiv. 7.	3. Zeph. iii. 17.

SINGING -men.

שָׁרִים   *Shoreem*, singers.

2 Sam. xix. 35.	Ezra ii. 65.
2 Chron. xxxv. 25.	Neh. vii. 67.

SINGER.

1.   מְשׁוֹרֵר   *Měshourair*, a singer.

2.   מְנַצֵּחַ   *Menatsaiakh*, one who presides, a leader.

1. 1 Chron. vi. 33.	2. Hab. iii. 19.

SINGERS.

שָׁרִים   *Shoreem*, singers, in all passages.

SINGED.

חָרַךְ   *Khorakh*   (Syriac),   singed, burned.

Dan. iii. 27.

SINGULAR.

פֶּלֶא   *Polo*, wonderful, extraordinary.

Lev. xxvii. 2.

SINK.

1.	טָבַע	*Tovă*, to sink.
2.	שָׁקַע	*Shoka*, to subside.
3.	כָּרַע	*Koră*, to kneel down.
4.	יָרַד	*Yorad*, to go down, descend.
5.	צָלַל	*Tsolal*, to become obscure, lost sight of.

1. Psalm lxix. 2, 14.	2. Jer. li. 64.

SANK.

4. Exod. xv. 5.	5. Exod. xv. 10.

SUNK.

1. 1 Sam. xvii. 49.	1. Jer. xxxviii. 6, 22.
3. 2 Kings ix. 24.	1. Lam. ii. 9.
1. Psalm ix. 15.	

SINNER -S.

See page 418.

SIR.

אֲדֹנִי   *Adounee*, my lord.

Gen. xliii. 20.

SISTER -S.

אָחוֹת   *Akhouth*, sister, in all passages.

SISTER-in-law.

יְבָמָה   *Yĕvomoh*, brother's wife, sister-in-law.

Ruth i. 15.

SIT -EST.

1.	יָשַׁב *Yoshav*,	to sit, reside.
	יְתַב *Yothav* (Chaldee),	
2.	נָתַן	*Nothan*, to give, place, set.
3.	סָבַב	*Sovav*, to go round, encompass.
4.	דָּגַר	*Dogar*, to hatch.
5.	רָבַץ	*Rovats*, to couch down, crouch.

1. In all passages, except:

2. 1 Sam. ix. 22.	3. 1 Sam. xvi. 11.

SITTETH.

1. In all passages, except:

4. Jer. xvii. 11.

SITTING.

1. In all passages, except:

5. Deut. xxii. 6.

SITTING -place.

שֶׁבֶת Shoveth, a seat.

2 Chron. ix. 18.

SITH.

אִם־לֹא Im-lou, whether not.

Ezek. xxxv. 6.

SITUATE.

יוֹשֶׁבֶת Yousheveth, she who sitteth.

Ezek. xxvii. 3.　|　Nah. iii. 8.

SITUATION.

1.　מוֹשָׁב Moushov, a seat.
2.　נוֹף Nouph, an elevation, elevated seat.

1. 2 Kings ii. 19.　|　2. Psalm xlviii. 2.

SIX.

שֵׁשׁ Shaish, (masc.) ⎫ six, in all pas-
שִׁשָּׁה Shishoh, (fem.) ⎭ sages.

SIXSCORE.

מֵאָה־וְעֶשְׂרִים Maioh-vĕesreem, an hundred and twenty.

1 Kings ix. 14.

SIXTH.

שִׁשִּׁי Shishee, sixth, in all passages.

SIXTEEN -TH.

שֵׁשׁ־עֶשְׂרֵי Shaish-esrai, sixteen, in all passages.

SIXTY.

שִׁשִּׁים Shisheem, sixty, in all passages.

SIZE.

1.　מִדָּה Middoh, a measure.
2.　קֶצֶב Ketsev, a form.

1. Exod. xxxvi. 9, 15.　|　2. 1 Kings vii. 37.
2. 1 Kings vi. 25.　|　1. 1 Chron. xxiii. 29.

SKILL.

1.　יֹדֵעַ Youdaia, knowing, having knowledge.
2.　כָּל־מֵבִין Kol-maiveen, every one of understanding.

1. 1 Kings v. 6.　|　2. 2 Chron. xxxiv. 12.
1. 2 Chron. ii. 7, 8.

SKILL.

1.　יֹדְעִים Youdeem, men of knowledge.
2.　הַשְׂכֵּל Haskail, skill.

1. Eccles. ix. 11.　|　2. Dan. ix. 22.
2. Dan. i. 17.

SKILFUL.

1.　לְמוּדִים Lemoodeem, such who are learned.
2.　מֵבִין Maiveen, a man of understanding.
3.　בַּחָכְמָה Bakhokhmoh, in wisdom.
4.　יֹדֵעַ Youdaia, knowing, having knowledge.
5.　חָרָשִׁים Khorosheem, artificers.
6.　מַשְׂכִּיל Maskeel, skilful.
7.　יֹדְעִים Youdeem, such who have knowledge.

1. 1 Chron. v. 18.　|　5. Ezek. xxi. 31.
2. —— xv. 22.　|　6. Dan. i. 4.
3. —— xxviii. 21.　|　7. Amos v. 16.
4. 2 Chron. ii. 14.

SKILFULLY.

הֵיטִיב Haiteev, to do well, thoroughly.

Psalm xxxiii. 3.

SKILFULNESS.

תְּבוּנָה Tevoonoh, understanding.

Psalm lxxviii. 72.

SKIN.

1.　עוֹר Our, a skin.
2.　בָּשָׂר Bosor, flesh.
3.　גֶּלֶד Geled, a covering ; met., skin.

1. In all passages, except:

3. Job xvi. 15.　|　2. Psalm cii. 5.

SKINS.

1. In all passages.

SKIP -PED -PEDST -PING.

1. רָקַד *Rokad*, to skip.
2. קָפַץ *Kophats*, to jump.
3. נוּד *Nood*, to move quickly.

1. Psalm xxix. 6.	2. Cant. ii. 8.
1. —— cxiv. 4, 6.	3. Jer. xlviii. 27.

SKIRT.

1. כָּנָף *Konoph*, a wing, corner; met., skirt of a garment.
2. שׁוּלִים *Shooleem*, hems of a garment.
3. פִּי *Pee*, a mouth.

1. Deut. xxii. 30.	1. 1 Sam. xxiv. 4, 5, 11.
1. —— xxvii. 20.	1. Ezek. xvi. 8.
1. Ruth iii. 9.	1. Hag. ii. 12, twice.
1. 1 Sam. xv. 27.	1. Zech. viii. 23.

SKIRTS.

3. Psalm cxxxiii. 2.	2. Lam. i. 9 (plural).
1. Jer. ii. 34.	1. Ezek. v. 3.
2. — xiii. 22, 26.	2. Nah. iii. 5.

SKULL.

גֻּלְגֹּלֶת *Gulgouleth*, a skull.

Judg. ix. 53.	2 Kings ix. 35.

SKY -IES.

שְׁחָקִים *Shekhokeem*, skies.

Deut. xxxiii. 26.	Job xxxvii. 18.

SKIES.

2 Sam. xxii. 12.	Isa. xlv. 8.
Psalm xviii. 11.	Jer. li. 9.
—— lxxvii. 17.	

SLACK, Subst.

1. רָפָה *Rophoh*, to be slack.
2. אָחַר *Ikhair*, to delay.
3. רְמִיָה *Remiyoh*, deceitful.
4. פּוּג *Poog*, to be languid.
5. עָצַר *Otsar*, to restrain, detain.

2. Deut. vii. 10.	3. Prov. x. 4.
1. Josh. xviii. 3.	1. Zeph. iii. 16.

SLACK.

2. Deut. xxiii. 21.	5. 2 Kings iv. 24.
1. Josh. x. 6.	

SLACKED.

4. Hab. i. 4.

SLAIN, Active and Passive.
See Slay.

SLANDER.

1. לָשַׁן *Loshan*, to use the tongue, slander.
2. רָגַל *Rogal*, to calumniate.
3. דִּבָּה *Dibboh*, to bring bad tidings.
4. נָתַן דֹּפִי *Nothan douphee*, to give a blow; met., slander.

3. Numb. xiv. 36.	3. Prov. x. 18.
3. Psalm xxxi. 13.	

SLANDERED.

2. 2 Sam. xix. 27.

SLANDEREST.

4. Psalm L. 20.

SLANDERETH.

1. Psalm ci. 5.

SLANDERS.

רָכִיל *Rokheel*, a slanderer.

Jer. vi. 28.	Jer. ix. 4.

SLANG.
See Sling.

SLAVE.
Not in original.

SLAUGHTER.

1. הֶרֶג *Hereg*, a deadly blow.
2. מַכָּה *Makkoh*, a blow, stroke.
3. מַגֵּפָה *Magaiphoh*, a pestilence.
4. טֶבַח *Tevakh*, slaughter, like of cattle.
5. קָטֶל *Kotel*, slaughter.
6. שַׁחֲטָה *Shikhatoh*, slaughter for sacrifice.
7. רֶצַח *Retsakh*, murder.
8. מַפָּץ *Mappots*, a cleaver, chopper.

2. 1 Sam. xiv. 14, 30.	2. Isa. x. 26.
2. —— xvii. 57.	4. — xiv. 21.
2. —— xviii. 6.	1. — xxvii. 7.
2. 2 Sam. i. 1.	4. — xxxiv. 2.
3. —— xvii. 9.	4. — liii. 7.
2. 2 Chron. xxv. 14.	4. — lxv. 12.
4. Psalm xliv. 22.	4. Jer. vii. 32.
4. Prov. vii. 22.	4. — xi. 19.

1. Jer. xii. 3, twice.
1. — xix. 6.
4. — xxv. 34.
4. — xlviii. 15.
4. — L. 27.
4. — li. 40.
8. Ezek. ix. 2.

4. Ezek. xxi. 10, 15.
7. ——— 22.
4. ——— 28.
1. ——— xxvi. 15.
6. Hos. v. 2.
5. Obad. 9.
1. Zech. xi. 4, 7.

SLAUGHTER, great.

2. Josh. x. 10, 20.
2. Judg. xi. 33.
2. — xv. 8.
2. 1 Sam. iv. 10.
3. ——— 17.
2. ——— vi. 19.
2. ——— xix. 8.

2. 1 Sam. xxiii. 5.
3. 2 Sam. xviii. 7.
2. 1 Kings xx. 21.
2. 2 Chron. xiii. 17.
2. ——— xxviii. 5.
1. Isa. xxx. 25.
4. — xxxiv. 6.

SLAY.

1.   הָרַג   Horag, to kill.
2.   חָרַב   Khorav, to destroy.
3.   טָבַח   Tovakh, to slay.
4.   מוּת   Mooth, (Hiph.) to cause death.
5.   הִכָּה   Hikkoh, to smite, strike.
6.   שָׁחַט   Shokhat, to slaughter.
7.   קְטַל   Kotal (Chaldee), to slay.
8.   חָרַם   Khoram, to devote, for good or evil.
9.   רָצַח   Rotsakh, to murder.
10.   חָלַל   Kholal, to wound, pierce through; met., slain.
11.   זָבַח   Zovakh, to sacrifice.
12.   נָגַף   Nogaph, to thrust, hurt, plague.
13.   לַהֲרֹג   Lahereg, for killing.
14.   הִכָּה נֶפֶשׁ   Hikkoh nephesh, to smite the life.
15.   פָּשַׁט   Poshat, to strip, draw off the skin, flay.
16.   הָרַג לְמַשְׁחִית   Horag lemashkheeth, lit., to kill to destruction.
17.   לָמוּת   Lamoveth, for death.
18.   הִרְבָּה חֲלָלִים   Hirboh khaloleem, multiplied the slain.
19.   הִפִּילָהוּ   Hippeeluhoo, caused him to fall.

1. Gen. iv. 14.
1. — xx. 4, 11.
1. — xxvii. 41.
5. — xxxiv. 30.
1. — xxxvii. 20, 26.
4. — xlii. 37.
3. — xliii. 16.
1. Exod. iv. 23.
1. — xxiii. 7.
6. — xxix. 16.

1. Exod. xxxii. 12, 27.
6. Lev. iv. 29, 33.
6. — xiv. 13.
6. — xx. 15.
6. Numb. xix. 3.
1. — xxv. 5.
4. ——— xxxv. 19, 21.
14. Deut. xix. 6.
1. Josh. xiii. 22.
1. Judg. viii. 19, 20.

4. Judg. ix. 54.
4. 1 Sam. ii. 25.
4. ——— v. 11.
6. ——— xiv. 34.
4. ——— xv. 3.
4. ——— xix. 15.
4. ——— xx. 8.
4. ——— xxii. 17.
4. 2 Sam. i. 9.
4. 1 Kings i. 51.
4. ——— iii. 26, 27.
4. ——— xv. 28.
1. ——— xviii. 12.
4. ——— xix. 17.
5. ——— xx. 36.
1. 2 Kings viii. 12.
5. ——— x. 25.
4. ——— xvii. 26.
4. 2 Chron. xxiii. 14.
15. ——— xxix. 34.*
1. Neh. iv. 11.
4. Job ix. 23.
7. — xiii. 15.
1. — xx. 16.
4. Psalm xxxiv. 21.

1. Psalm lix. 11.
1. — xciv. 6.
4. — cix. 16.
7. — cxxxix. 19.
1. Prov. i. 32.
4. Isa. xi. 4.
1. — xiv. 30.
1. — xxvii. 1.
4. — lxv. 15.
5. Jer. v. 6.
5. — xx. 4.
5. — xxix. 21.
5. — xl. 15.
4. — xli. 8.
2. — L. 27.
16. Ezek. ix. 6.
1. — xxiii. 47.
1. — xxvi. 8, 11.
6. — xliv. 11.
4. Hos. ii. 3.
4. — ix. 16.
1. Amos ii. 3.
1. — ix. 1, 4.
1. Zech. xi. 5.

* Cruden, as well as Bagster's Polyglott Bible, have *slay*, but the version of the Bible Society and other ancient versions have *flay*, according to the Hebrew.

SLAY, to.

4. Gen. xviii. 25.
6. — xxii. 10.
4. — xxxvii. 18.
1. Exod. ii. 15.
1. — v. 21.
1. — xxi. 14.
4. Deut. ix. 28.
5. — xxvii. 25.
4. 1 Sam. v. 10.
4. ——— xix. 5, 11.
4. ——— xx. 33.
4. 2 Sam. iii. 37.
5. ——— xxi. 2.
4. 1 Kings xvii. 18.

4. 1 Kings xviii. 9.
8. 2 Chron. xx. 23.
1. Neh. vi. 10.
1. Esth. viii. 11.
3. Psalm xxxvii. 14.
4. ——— 32.
1. Jer. xv. 3.
17. — xviii. 23.
14. — xl. 14.
4. Ezek. xiii. 19.
6. — xl. 39.
7. Dan. ii. 14.
1. Hab. i. 17.

SLAYETH.

1. Gen. iv. 15.
9. Deut. xxii. 26.
4. Job v. 2.

1. Ezek. xxviii. 9.
10. ——— 9.

SLAYING.

1. Josh. viii. 24.
5. — x. 20.
1. Judg. ix. 56.
4. 1 Kings xvii. 20.

1. Isa. xxii. 13.
6. — lvii. 5.
5. Ezek. ix. 8.

SLAIN, Active.

1. Gen. iv. 23.
6. Numb. xiv. 16.
1. ——— xxii. 33.
5. Deut. i. 4.
5. — xxi. 1.
1. Judg. ix. 18.
5. — xv. 16.
1. — xx. 5.
5. 1 Sam. xviii. 7.
5. — xxi. 11.
1. — xxii. 21.
4. 2 Sam. i. 16.

4. 2 Sam. iii. 30.
1. ——— iv. 11.
5. ——— xii. 9.
5. ——— xiii. 30.
4. ——— 32.
5. ——— xxi. 12, 16.
11. 1 Kings i. 19, 25.
1. — ix. 16.
4. — xiii. 26.
5. — xvi. 16.
1. — xix. 1, 10, 14.
5. 2 Kings xiv. 5.

1. 2 Chron. xxi. 13.
1. —— xxii. 1.
4. ——————— 9.
4. —— xxiii. 21.
1. —— xxviii. 9.
1. Esth. ix. 12.
5. Job i. 15, 17.
1. Prov. vii. 26.
1. Isa. xiv. 20.

5. Jer. xxxiii. 5.
4. — xli. 4.
5. ——— 9, 16, 18.
1. Lam. ii. 21.
1. —— iii. 43.
6. Ezek. xvi. 21.
6. —— xxiii. 39.
1. Hos. vi. 5.
1. Amos iv. 10.

SLAIN, Passive.

10. Gen. xxxiv. 27.
6. Lev. xiv. 51.
12. —— xxvi. 17.
6. Numb. xi. 22.
10. —— xix. 16, 18.
10. —— xxiii. 24.
5. —— xxv. 14, 15, 18.
10. —— xxxi. 8, 19.
10. Deut. xxi. 1, 3.
3. —— xxviii. 31.
10. —— xxxii. 42.
10. Josh. xi. 6.
1. —— xiii. 22.
9. Judg. xx. 4.
1. 1 Sam. iv. 11.
4. —— xix. 6, 11.
4. —— xx. 32.
10. —— xxxi. 1, 8.
10. 2 Sam. i. 19, 22, 25.
12. —— xviii. 7.
10. 1 Kings xi. 15.
2. 2 Kings iii. 23.
4. —— xi. 2, 8, 16.
10. 1 Chron. v. 22.
10. —— x. 1.
10. 2 Chron. xiii. 17.
1. Esth. vii. 4.
1. —— ix. 11.
10. Job xxxix. 30.
9. Psalm lxii. 3.
10. —— lxxxviii. 5.
10. —— lxxxix. 10.
9. Prov. xxii. 13.
13. —— xxiv. 11.

1. Isa. x. 4.
1. — xiv. 19.
10. — xxii. 2.
1. — xxvi. 21.
1. — xxvii. 7.
10. — xxxiv. 3.
10. — lxvi. 16.
10. Jer. ix. 1.
10. — xiv. 18.
1. — xviii. 21.
10. — xxv. 33.
10. — xli. 9.
10. — li. 4, 47, 49.
1. Lam. ii. 20.
10. — iv. 9.
10. Ezek. vi. 7, 13.
10. — ix. 7.
10. — xi. 6, 7.
10. — xxi. 14, 29.
1. — xxvi. 6.
10. — xxviii. 8.
10. — xxx. 4, 11.
10. — xxxi. 17, 18.
10. — xxxii. 20, 21, 22, 23, 24, 25, 26, 29, 30, 31, 32.
10. — xxxv. 8.
1. — xxxvii. 9.
7. Dan. ii. 13.
7. — v. 30.
7. — vii. 11.
10. — xi. 26.
10. Nah. iii. 3.
10. Zeph. ii. 12.

SLEW.

1. Gen. iv. 25.
1. —— xxxiv. 25.
1. —— xlix. 6.
5. Exod. ii. 12.
1. —— xiii. 15.
6. Lev. viii. 15, 23.
6. —— ix. 8, 12, 15.
1. Numb. xxxi. 7, 8.
5. Josh. viii. 21.
1. —— ix. 26.
5. —— x. 26.
5. Judg. i. 4, 10, 17.
5. —— iii. 29, 31.
1. —— vii. 25.
1. —— viii. 17, 18, 21.
1. —— ix. 5.
5. —— xiv. 19.
5. - — xv. 15.
18. —— xvi. 24.
4. ——————— 30.
6. 1 Sam. i. 25.

5. 1 Sam. iv. 2.
5. —— xi. 11.
4. —— xiv. 13.
6. ——————— 32, 34.
5. —— xvii. 36.
5. —— xix. 5.
4. —— xxii. 18.
5. —— xxix. 5.
4. —— xxx. 2.
5. —— xxxi. 2.
4. 2 Sam. iii. 30.
1. —— iv. 12.
5. —— viii. 5.
1. —— x. 18.
4. —— xxi. 1.
5. —— xxiii. 20, 21.
1. 1 Kings ii. 5.
5. —— xvi. 11.
1. —— xviii. 13.
6. ——————— 40.
1. 2 Kings ix. 31.

15. 2 Kings x. 9.
5. ——————— 17.
1. —— xi. 18.
4. ——————— 20.
5. —— xiv. 5.
4. ——————— 6.
5. ——————— 7.
4. —— xvi. 9.
1. —— xvii. 25.
4. —— xxi. 23.
5. ——————— 24.
11. —— xxiii. 20.
6. —— xxv. 7.
1. 1 Chron. vii. 21.
5. —————— xi. 22, 23.
5. —— xviii. 12.
1. 2 Chron. xxi. 4.
1. ———————— xxii. 8.
4. ———————— xxiii. 15, 17.

5. 2 Chron. xxv. 3.
4. ——————— 4.
1. —— xxviii. 6.
5. —— xxxiii. 25.
1. Neh. ix. 26.
1. Esth. ix. 16.
1. Psalm lxxviii. 31, 34.
4. — cv. 29.
1. — cxxxv. 10.
1. — cxxxvi. 18.
5. Isa. lxvi. 3.
4. Jer. xx. 17.
6. — xxxix. 6.
5. — xli. 3.
4. ——— 8.
6. — lii. 10.
1. Lam. ii. 4.
7. Dan. iii. 22.
7. — v. 19.

SLEW him.

1. Gen. iv. 8.
4. —— xxxviii. 7, 10.
4. Judg. ix. 54.
6. — xii. 6.
4. 1 Sam. xvii. 35.
5. ——————— 36.
4. ——————— 50.
4. 2 Sam. i. 10.
4. —— iv. 7.
1. ——————— 10.
4. —— xviii. 15.
5. —— xxi. 21.
5. —— xxiii. 21.
1. ——————— 21.
4. 1 Kings ii. 34.

4. 1 Kings xiii. 24.
5. —— xx. 36.
1. 2 Kings x. 9.
5. ——————— 9.
4. —— xiv. 19.
4. —— xv. 10, 14, 30.
4. —— xxiii. 29.
4. 1 Chron. x. 14.
4. 2 Chron. xxii. 11.
1. —— xxiv. 25.
4. —— xxv. 27.
19. —— xxxii. 21.
4. —— xxxiii. 24.
5. Jer. xxvi. 23.
4. — xli. 2.

SLEWEST.

5. 1 Sam. xxi. 9.

SLAYER.

רוֹצֵחַ *Routsaikh*, a murderer, in all passages.

SLEEP, Subst.

שֵׁנָה *Shainoh*,   ⎫
שֶׁנְתָּה *Shintai* (Chaldee), ⎬ a sleep.
     ⎭
In all passages.

SLEEP, deep.

תַּרְדֵּמָה *Tardaimoh*, a deep sleep, in all passages.

SLEEPER, SLEEP fast.

נִרְדָּם *Nirdom*, a sound sleeper.

Jonah i. 6.

SLEEP.

1.   יָשֵׁן *Yoshan*, to sleep.

2. שָׁכַב *Shokhav*, to lay, repose.
3. נוּם *Noom*, to slumber.
4. נִרְדָּם *Nirdom*, a sound sleeper.
5. חֹזִים *Khouzeem*, seeing in a vision.
6. שֵׁנָה *Shainoh*, sleep.

Gen. xxviii. 11, not in original.	2. Prov. vi. 9.
2. Exod. xxii. 27.	6. —— 9.
2. Deut. xxiv. 12, 13.	6. —— 10.
2. —— xxxi. 16.	2. —— 10.
1. Judg. xvi. 19.	6. —— xxiv. 33.
2. 1 Kings i. 21.	2. —— 33.
6. Esth. vi. 1.	6. Eccles. v. 12.
2. Job vii. 21.	1. —— 12.
1. Psalm iv. 8.	1. Cant. v. 2.
1. —— xiii. 3.	1. Isa. v. 27.
1. —— cxxi. 4.	1. Jer. li. 39, 57.
1. Prov. iv. 16.	1. Ezek. xxxiv. 25.
	1. Dan. xii. 2.

SLEEPEST.

1. Psalm xliv. 23. | 2. Prov. vi. 22.

SLEEPETH.

1. 1 Kings xviii. 27. | 4. Prov. x. 5.

SLEEPING.

1. 1 Sam. xxvi. 7. | 5. Isa. lvi. 10.

SLEPT.

1. Gen. ii. 21.	1. 1 Kings xix. 5.
1. —— xli. 5.	1. Job iii. 15.
2. 2 Sam. xi. 9.	1. Psalm iii. 5.
1. 1 Kings iii. 20.	3. —— lxxvi. 5.

SLEPT with fathers.

2. In all passages.

SLIDE.

1. מוֹט *Moot*, to slip.
2. מָעַד *Moad*, to totter, vibrate.

1. Deut. xxxii. 35. | 2. Psalm xxxvii. 31.
2. Psalm xxvi. 1.

SLIDDEN.

שׁוּב *Shoov*, to turn back.

Jer. viii. 5.

SLIDETH back.

סָרַר *Sorar*, to be stubborn.

Hos. iv. 16.

SLIGHTLY.

עַל־נְקַלָּה *Al-naikaloh*, upon the slightest, slightly.

Jer. vi. 14. | Jer. viii. 11.

SLIME.

חֵמָר *Khaimor*, slime.

Gen. xi. 3. | Exod. ii. 3.

SLIME-PITS.

חֵמָר *Khaimor*, slime.

Gen. xiv. 10.

SLING, Verb.

קָלַע *Kola*, to sling, throw.

Judg. xx. 16. | Jer. x. 18.
1 Sam. xxv. 29.

SLANG.

1 Sam. xvii. 49.

SLING, Subst.

1. קֶלַע *Kela*, a sling.
2. מַרְגֵּמָה *Margaimoh*, a heap of stones.

1. 1 Sam. xvii. 40, 50. | 2. Prov. xxvi. 8.
1. —— xxv. 29.

SLINGS.

קְלָעִים *Keloeem*, slings.

2 Chron. xxvi. 14.

SLINGERS.

קַלָּעִים *Kaloeem*, slingers.

2 Kings iii. 25.

SLING STONES.

אַבְנֵי־קֶלַע *Avnai kela*, sling stones.

Job xli. 28.

SLIP.

1. מוֹט *Moot*, to slip.
2. מָעַד *Moad*, to totter, vibrate.
3. נָשַׁל *Noshal*, to cast off, slip off.
4. פָּטַר *Potar*, to let loose, free, set at liberty.
5. נָטָה *Notoh*, to stretch out, incline.

2. 2 Sam. xxii. 37. | 1. Psalm xvii. 5.
2. Job xii. 5. | 2. —— xviii. 36.

SLIPPED.

4. 1 Sam. xix. 10. | 5. Psalm lxxiii. 2.

SLIPPETH.

3. Deut. xix. 5. | 1. Psalm xciv. 18.
1. Psalm xxxviii. 16.

SLIPPERY.

חֲלַקְלַקּוֹת *Khalaklakouth*, exceedingly slippery.

Psalm xxxv. 6. | Jer. xxiii. 12.
—— lxxiii. 18.

SLIPS.

זְמֹרוֹת *Zĕmourouth,* vine branches.

Isa. xvii. 10.

SLOTHFUL.

1. עָצֵל *Otsail,* slothful, lazy.
2. רְמִיָּה *Remiyoh,* deceitful.
3. רָפָה *Rophoh,* slack, feeble.

1. Judg. xviii. 9.	1. Prov. xxi. 25.
2. Prov. xii. 24, 27.	1. —— xxii. 13.
1. —— xv. 19.	1. —— xxiv. 30.
3. —— xviii. 9.	1. —— xxvi. 13, 15.
1. —— xix. 24.	

SLOTHFULNESS.

עַצְלָה *Atsloh,* laziness.

Prov. xix. 15.　│　Eccles. x. 18.

SLOW.

1. אֶרֶךְ *Erekh,* long, prolonging. (See note under SOON, p. 431.)
2. כָּבֵד *Kovaid,* heavy, difficult.

1. In all passages, except:-

2. Exod. iv. 10.

SLUGGARD.

עָצֵל *Otsail,* slothful, lazy.

Prov. vi. 6, 9.	Prov. xx. 4.
—— x. 26.	—— xxvi. 16.
—— xiii. 4.	

SLUICES.

שֶׂכֶר *Sekher,* for hire, wages.

Isa. xix. 10.

SLUMBER, Subst.

תְּנוּמָה *Tenoomoh,* a slumber.

Psalm cxxxii. 4.	Prov. xxiv. 33.
Prov. vi. 4, 10.	

SLUMBERINGS.

Job xxxiii. 15.

SLUMBER, Verb.

נוּם *Noom,* to slumber.

Psalm cxxi. 3, 4.	Isa. lvi. 10.
Isa. v. 27.	Nah. iii. 18.

SMALL.

1. מְעַט *Meat,* few, little.
2. קָטוֹן *Kotoun,* small, little.
3. דַּק *Dak,* thin.
4. אָבָק *Ovok,* small dust, powder.
5. חַיּוּת *Khavvouth,* sustenances, nurseries.
6. מָטָר *Motor,* slight, small rain.
7. צְרוֹר *Tserour,* a clod, bundle.
8. קְצַר־יָד *Ketsar-yod,* short of hand.
9. צָעִיר *Tsoeer,* young, minor.
10. כָּהָה *Kohoh,* languid, dim.
11. שֶׂה *Saih,* lambs, kids.
12. מְתֵי *Methai,* lit., dead ; met., few, men in a diminutive sense.
13. גָּרַע *Gora,* to diminish.
14. צֹאן *Tsoun,* sheep, flock.
15. קָטַן *Kotan,* (Hiph.) to diminish.

1. Gen. xxx. 15.	9. Psalm cxix. 141.
4. Exod. ix. 9.	10. Prov. xxiv. 10.
3. —— xvi. 14.	1. Isa. i. 9.
2. —— xviii. 22, 26.	1. — vii. 13.
3. —— xxx. 36.	1. — xvi. 14.
3. Lev. xvi. 12.	2. — xxii. 24.
1. Numb. xvi. 9, 13.	3. — xxix. 5.
5. —— xxxii. 41.	8. — xxxvii. 27.
3. Deut. ix. 21.	3. — xl. 15.
6. —— xxxii. 2.	3. — xli. 15.
2. 2 Sam. vii. 19.	11. — xliii. 23.
7. —— xvii. 13.	2. — liv. 7.
—— xxii. 43, not in original.	9. — lx. 22.
	1. Jer. xxx. 19.
2. 1 Kings ii. 20.	12. — xliv. 28.
3. —— xix. 12.	2. — xlix. 15.
8. 2 Kings xix. 26.	1. Ezek. xvi. 20.
3. —— xxiii. 6, 15.	1. —— xxxiv. 18.
2. 1 Chron. xvii. 17.	1. Dan. xi. 23.
9. 2 Chron. xxiv. 24.	2. Amos vii. 2, 5.
9. Job viii. 7.	2. Obad. 2.
1. — xv. 11.	2. Zech. iv. 10.
13. — xxxvi. 27.	
Psalm xviii. 42, not in original.	

SMALL joined with great.

2. In all passages, except :

6. Job xxxvii. 6.	15. Amos viii. 5.
14. Eccles. ii. 7.	

SMALLEST.

2. 1 Sam. ix. 21.

SMART.

רָעַע *Roăa* (verb repeated), to be broken in pieces.

Prov. xi. 15.

SMELL.
רֵיחַ *Raiakh*, a smell, scent, in all passages.

SMELL -ED -ETH.
יָרַח *Yorakh*, to smell, in all passages.

SMELLING.
עוֹבֵר *Ouvair*, running or passing over.

Cant. v. 5, 13.

SMITE.
1.   הִכָּה *Hikkoh*, to smite, strike.
2.   זָנַב *Zonav*, to smite the rear, hindermost.
3.   סָפַק *Sophak*, to clap the hands together, or hands on the thigh for sorrow.
4.   כָּתַת *Kotath*, to crush, beat in pieces.
5.   מָחַץ *Mokhats*, to wound mortally.
6.   נָגַף *Nogaph*, to hurt dangerously.
7.   הָלַם *Holam*, to strike as with a hammer.
8.   נָפַל *Nophal*, (Hiph.) to cause to fall; met., knock out.
9.   פּוּק *Pook*, (Hiph.) to stagger, stumble.
10.   שָׂפַח *Sophakh*, (Piel) to make bare.
11.   דָּכָא *Dokō*, (Piel) to bruise, beat in pieces.
12.   נָגַע *Nogā*, to touch; met., smite with a plague.
13.   מְחָא *Mokhō* (Syriac), to crush in pieces.
14.   נָקַשׁ *Nokash*, to entangle.
15.   תָּקַע *Tokā*, to force.
16.   כָּרַע *Korā*, (Hiph.) to cause to kneel, make humble.
17.   מָחַק *Mokhak*, to squash, crush.

All passages not inserted are Nº. 1.

6. Exod. viii. 2.	6. 2 Chron. xxi. 14.
6. —— xii. 23, twice.	7. Psalm cxli. 5.
8. —— xxi. 27.	10. Isa. iii. 17.
5. Numb. xxiv. 17.	6. — xix. 22.
5. Deut. xxxiii. 11.	3. Ezek. xxi. 12.
2. Josh. x. 19.	9. Nah. ii. 10.
6. 1 Sam. xxvi. 10.	4. Zech. xi. 6.

SMITEST.
1. Exod. ii. 13.

SMITETH.
1. In all passages, except:
    5. Job xxvi. 12.

SMITING.
1. In all passages.

SMITTEN.
All passages not inserted are Nº. 1.

6. Numb. xiv. 42.	6. 2 Sam. x. 15, 19.
6. Deut. i. 42.	6. 1 Kings viii. 33.
6. —— xxviii. 7, 25.	6. 2 Chron. xx. 22.
6. Judg. xx. 32, 36, 39.	12. —— xxvi. 20.
6. 1 Sam. iv. 2, 3, 10.	11. Psalm cxliii. 3.
6. —— vii. 10.	4. Isa. xxiv. 12.

SMOTE.
All passages not inserted are Nº. 1.

6. Exod. xii. 27.	6. 2 Chron. xiii. 15.
3. Numb. xxiv. 10.	6. —— xiv. 12.
2. Deut. xxv. 18.	6. —— xxi. 18.
15. Judg. iv. 21.	12. Job i. 19.
7. —— v. 26.	16. Psalm lxxviii. 31.
17. —— 26.	7. Isa. xli. 7.
6. —— xx. 35.	3. Jer. xxxi. 19.
12. 1 Sam. vi. 9.	13. Dan. ii. 34, 35.
6. —— xxv. 38.	14. —— v. 6.
12. 2 Kings xv. 5.	

SMOTEST.
1. Exod. xvii. 5.

SMITERS.
מַכִּים *Makeem*, smiters.

Isa. L. 6.

SMITH.
1.   חָרָשׁ *Khorosh*, an artificer.
2.   חָרָשׁ־בַּרְזֶל *Khorosh-barzel*, an artificer in iron.

1. 1 Sam. xiii. 19.	1. Isa. liv. 16.
2. Isa. xliv. 12.	

SMITHS.
מַסְגֵּר *Masgair*, a joiner, locksmith.

2 Kings xxiv. 14, 16.	Jer. xxix. 2.
Jer. xxiv. 1.	

SMOKE, Subst.
עָשָׁן *Oshon*, smoke; in all passages, except:

קִיטוֹר *Keetour*, a vapour.

Gen. xix. 28.	Psalm cxix. 83.

SMOKE -ING, Verb.
עָשַׁן *Oshan*, to smoke; in all passages, except:

כָּהָה *Kaihoh*, languid, weak.

Isa. xlii. 3.

SMOOTH.

חָלָק *Kholok,* smooth.

Gen. xxvii. 11, 16.   Isa. xxx. 10.
1 Sam. xvii. 40.   — lvii. 6.

SMOOTHER.

חָלָק *Kholok,* (followed by מ prefixed
to the relative word,) smoother.

Psalm lv. 21.   Prov. v. 3.

SMOOTHETH.

חָלַק *Kholak,* to smoothen.
Isa. xli. 7.

SNAIL.

1. חֹמֶט *Khoumet,* a species of lizard.
2. שַׁבְּלוּל *Shablool,* a snail.

1. Lev. xi. 30.   2. Psalm lviii. 8.

SNARE -S -ED.

1. מוֹקֵשׁ *Moukaish,* a stumbling-block,
     snare.
2. נָקַשׁ *Nokash,* (Hith.) to ensnare,
     entangle.
3. שְׂבָכָה *Sevokhoh,* bushy thorns.
4. הֶבֶל *Khevel,* met., a snare made of
     ropes; lit., a rope.
5. פַּח *Pakh,* a snare.
6. פּוּחַ *Pooakh,* (Hiph.) to blow up.
7. יָקַשׁ *Yokash,* to lay a snare.
8. פַּחַת *Pakhath,* fear, anxiety.
9. מְצוּדָה *Metsoodoh,* a trap, ambush.
10. יְקוּשִׁים *Yekoosheem,* fowlers.

1. Exod. x. 7.	1. Prov. xviii. 7.
1. —— xxiii. 33.	1. —— xx. 25.
1. —— xxiv. 12.	1. —— xxii. 25.
1. Deut. vii. 16.	1. —— xxix. 6.
1. Judg. ii. 3.	6. —————— 8.
1. —— viii. 27.	1. —————— 25.
1. 1 Sam. xviii. 21.	5. Eccles. ix. 12.
2. —————— xxviii. 9.	1. Isa. viii. 14.
3. Job xviii. 8.	5. — xxiv. 17, 18.
4. —————— 10.	7. — xxix. 21.
1. Psalm lxix. 22.	5. Jer. xlviii. 43, 44.
5. —— xci. 3.	7. — L. 24.
1. —— cvi. 36.	8. Lam. iii. 47.
5. —— cxix. 110.	9. Ezek. xii. 13.
5. —— cxxiv. 7.	9. —— xvii. 20.
5. —— cxl. 5.	5. Hos. v. 1.
5. —— cxli. 9.	5. —— ix. 8.
5. —— cxlii. 3.	5. Amos iii. 5, twice.
5. Prov. vii. 23.	

SNARES.

5. Josh. xxiii. 13.	1. Psalm lxiv. 5.
1. 2 Sam. xxii. 6.	1. Prov. xiii. 14.
5. Job xxii. 10.	1. —— xiv. 27.
1. — xl. 24.	5. —— xxii. 5.
5. Psalm xi. 6.	9. Eccles. vii. 26.
1. —— xviii. 5.	10. Jer. v. 26.
2. —— xxxviii. 12.	5. — xviii. 22.

SNARED.

7. Deut. vii. 25.	7. Eccles. ix. 12.
2. —— xii. 30.	2. Isa. viii. 15.
2. Psalm ix. 16.	2. — xxviii. 13.
2. Prov. vi. 2.	6. — xlii. 22.
1. —— xii. 13.	

SNATCH.

גָּזַר *Gozar,* to determine, cut.
Isa. ix. 20.

SNORTING.

נַחְרָה *Nakharoh,* snorting.
Jer. viii. 16.

SNOUT.

אַף *Aph,* the nostril, nose, snout.
Prov. xi. 22.

SNOW.

שֶׁלֶג *Sheleg,* snow, in all passages.

SNOWY.

שֶׁלֶג *Sheleg,* snow.
1 Chron. xi. 22.

SNUFFED.

1. שָׁאַף *Shoaph,* to pant, snuff up.
2. נָפַח *Nophakh,* to blow, breathe.

1. Jer. xiv. 6.   2. Mal. i. 13.

SNUFFETH.

1. Jer. ii. 24.

SNUFF-DISHES.

מַחְתּוֹת *Makhtouth,* fire-pans.

Exod. xxv. 38.   Numb. iv. 9.
— xxxvii. 23.

SNUFFERS.

1. מַלְקָחַיִם *Malkokhayim,* fire-tongs.
2. מְזַמְּרוֹת *Mezamrouth,* psalteries.

1. Exod. xxxvii. 23.	2. 2 Kings xxv. 14.
2. 1 Kings vii. 50.	2. Jer. lii. 18.
2. 2 Kings xii. 13.	

SO.

1. The letter ן prefixed to the relative word.

2.
{ בֵּן   *Kain,*
   כָּכָה   *Kokhoh,*   } so, like manner, thus.
   כֹּה   *Kouh,* }

3.   אוּלַי   *Oolae,* peradventure.

4.   כַּמָּה   *Kamoh,* many, several.

5.   גַּם   *Gam,* also.

6.   כָּהֶם   *Kohaim,* like them, those.

7.   זֹאת   *Zouth,* this.

8.   בְּלֹא   *Belou,* so that.

9.   כִּי   *Kee,* for, yea.

10.   כְּפִי   *Kephee,* accordingly, in consequence.

11.   עַד   *Ad,* until.

12.   אָמֵן   *Omain,* amen.

13.   כֵּן הוּא   *Ken hoo,* so be it.

14.   זֶה כָּבֵד   *Zeh kovaid,* this weighty.

15.   בּוֹשֵׁשׁ   *Boushaish,* to be ashamed, confounded.

16.   מִיּוֹם   *Miyoum,* from the day.

17.   כָּל הַיָּמִים   *Kol hayomeem,* all the days.

18.   בְּכָל־עֵת   *Bekhol-aith,* at all times, always.

19.   מִיָּמַי   *Miyomae,* from my days; met., since I live.

20.   עַד־בְּלִי   *Ad-belee,* until, without.

21.   נָשׂוּג יָד   *Nosag yod,* to reach out the hand.

22.   מְאֹד   *Meoud,* exceedingly.

All passages not inserted are N°. 1.

2. Gen. xv. 5.	2. 1 Sam. xiv. 44.
5. —— xxxii. 19.	2. 2 Sam. iii. 9.
7. —— xliv. 17.	6. Eccles. ix. 12.
3. Josh. xiv. 12.	3. Isa. xlvii. 12.
2. Ruth i. 17.	3. Jer. xxi. 2.
2. 1 Sam. iii. 17.	3. Hos. viii. 7.

SO be it.

13. Josh. ii. 21.	12. Jer. xi. 5.

SO great.

Not used in the original, except:
14. 1 Kings iii. 9.

SO long.

15. Judg. v. 28.	18. Esth. v. 13.
16. 1 Sam. xxix. 8.	19. Job xxvii. 6.
11. 2 Kings ix. 22.	20. Psalm lxxii. 7.
17. 2 Chron. vi. 31.	

SO many.

4. Zech. vii. 3.

SO much.

11. Exod. xiv. 28.	5. 2 Sam. xvii. 12.
—— xxx. 23, not in original.	2 Chron. xx. 25, not in original.
21. Lev. xiv. 21.	5. Prov. xix. 24.
11. Deut. ii. 5.	—— xxv. 16, not in original.
2 Sam. xiv. 25, not in original.	22. Jer. ii. 36.

SO that.

All passages not inserted are N°. 1.

9. Deut. xiv. 24.	8. Lam. iv. 14.
11. 1 Sam. ii. 5.	10. Zech. i. 21.
9. 2 Sam. xiii. 15.	

SOAKED.

רָוָה   *Rovoh,* to moisten, saturate.

Isa. xxxiv. 7.

SOCKET.

אֶדֶן   *Oden,* a threshold, base, foundation.

Exod. xxxviii. 27.

SOCKETS.

אֲדָנִים   *Adoneem,* thresholds, bases, foundations, in all passages.

SOD.

1.   בָּשַׁל   *Boshal,* to boil.

2.   זוּד   *Zood,* to seethe.

2. Gen. xxv. 29.	1. 2 Chron. xxxv. 13.

SODDEN.

בָּשַׁל   *Bushal,* sodden, in all passages.

SODERING.

דֶּבֶק   *Devek,* joining.

Isa. xli. 7.

SOFT.

1.   רַךְ   *Rakh,* soft, tender.

2.   מוּג   *Moog,* to dissolve.

1. Job xxiii. 16.	1. Prov. xv. 1.
1. — xli. 3.	1. —— xxv. 15.
2. Psalm lxv. 10.	

SOFTER.

רַךְ   *Rakh,* soft, tender. (The comparative is designated by a מ prefixed to the following Subst.)

Psalm lv. 21.

SOFTLY.

1. לָאַט   *Lāāt*, easily.
2. דָּדָה   *Dodoh*, to go gently.

1. Gen. xxxiii. 14.	1. 1 Kings xxi. 27.
1. Judg. iv. 21.	1. Isa. viii. 6.
1. Ruth iii. 7.	2. — xxxviii. 15.

SOIL.

שָׂדֶה   *Sodeh*, a field.

Ezek. xvii. 8.

SOJOURN -ED -ETH.

1. גּוּר   *Goor*, to sojourn.
2. מוֹשָׁב   *Moushov*, a settled place.

1. In all passages, except :

SOJOURNING.

2. Exod. xii. 40.

SOJOURNER.

1. גֵּר   *Gair*, a sojourner.
2. תּוֹשָׁב   *Toushov*, a settler.

2. Gen. xxiii. 4.	2. Numb. xxxv. 15.
2. Lev. xxii. 10.	2. Psalm xxxix. 12.
2. — xxv. 35, 40, 47.	

SOJOURNERS.

2. Lev. xxv. 23.	2. 1 Chron. xxix. 15.
1. 2 Sam. iv. 3.	

SOLACE.

עָלַם   *Olas*, to exalt.

Prov. vii. 18.

SOLD, actively and passively.

1. מָכַר   *Mokhar*, to sell.
2. שָׁבַר   *Shovar*, to bargain, sell grain.

1. In all passages, except :

2. Gen. xli. 56.	2. Gen. xlii. 6.

SOLDIERS.

1. בְּנֵי־גְדוּד   *Běnai-gedood*, sons of a troop.
2. חַיִל   *Khayil*, an army.
3. חֲלוּצִים   *Khalootseem*, drawn out, equipped.

1. 2 Chron. xxv. 13.	3. Isa. xv. 4.
2. Ezra viii. 22.	

SOLE.

כַּף   *Kaph*, sole, when followed by foot; palm, when followed by hand, in all passages.

SOLEMN.

1. מוֹעֵד   *Mouaid*, an appointed time.
2. קְרֹא   *Kěrou*, a calling.
3. הִגָּיוֹן   *Higgoyoun*, meditation.
4. חָג   *Khog*, a solemn feast-day.

1. Numb. x. 10.	1. Lam. ii. 22.
3. Psalm xcii. 3.	1. Hos. ix. 5.
2. Isa. i. 13.	

(See ASSEMBLY, solemn ; FEAST, solemn.)

SOLEMNITY.

1. Deut. xxxi. 10.	4. Isa. xxx. 29.

SOLEMNITIES.

מוֹעֲדִים   *Mouadeem*, solemn seasons, appointed times.

Isa. xxxiii. 20.	Ezek. xlvi. 11.
Ezek. xlv. 17.	

SOLEMNLY.

עוֹד   *Ood*, to testify (verb repeated).

Gen. xliii. 3.	1 Sam. viii. 9.

SOLITARY -ILY.

בָּדָד   *Bodod*, solitary, solitarily, in all passages.

SOME.

Not used in Hebrew.

SOMETHING.

מִקְרֶה   *Mikreh*, an accident, event.

1 Sam. xx. 26.

SON.

1. בֵּן   *Bain*, a son.
2. בַּר   *Bar*, pure, a son (poetically), and in Chaldee, son.
3. נִין   *Neen*, offspring, posterity.
4. מָנוֹן   *Monoun*, an absolute ruler.
5. נוֹלַד   *Noulad*, born.

1. In all passages, except :

3. Gen. xxi. 28.	4. Prov. xxix. 21.
5. 1 Chron. xx. 6.	2. — xxxi. 2.
3. Job xviii. 19.	3. Isa. xiv. 22.
2. Psalm ii. 12.	2. Dan. iii. 25.

SON -in -law.

חָתָן   *Khothon*, a son-in-law, in all passages.

SONS.

בָּנִים *Boneem*, sons; in all passages, except:

יְלָדִים *Yelodeem*, male children.

Ruth i. 5.   2 Kings iv. 1.
2 Sam. xxi. 16, 18.

SONS -in -law.

הַחֲתָנִים *Khathaneem*, sons-in-law.

Gen. xix. 14.

SONG.

1. שִׁיר *Sheer*, a song.
2. זִמְרָה *Zimroh*, a chant.
3. מַשָּׂא *Massō*, a carriage, burden.
4. נְגִינָה *Negeenoh*, a melody, tune.
5. רִנָּה *Rinnoh*, a joyful song.

All passages not inserted are Nº. 1.

2. Exod. xv. 2.	4. Psalm lxxvii. 6.
3. 1 Chron. xv. 22, 27.	2. —— cxviii. 14.
4. Job xxx. 9.	2. Isa. xii. 2.
4. Psalm lxix. 12.	4. Lam. iii. 14.

SONGS.
All passages not inserted are Nº. 1.

2. Job xxxv. 10.	2. Isa. xxiv. 16.
5. Psalm xxxii. 7.	5. — xxxv. 10.
2. —— cxix. 54.	4. — xxxviii. 20.

SOON.

1. מַהֵר *Mahair*, speedily.
2. חִישׁ *Kheesh*, in a haste.
3. קָצֵר *Kotsor*, short.*
4. אַחֲרֵי *Akharai*, after.
5. כַּאֲשֶׁר *Kaasher*, as, when, at the time.
6. כִּי *Kee*, for.
7. כִּזְרוֹחַ *Kizerouakh*, as the rising.
8. כִּמְעַט *Kimĕat*, almost, within a little.
9. לִשְׁמוֹעַ אֹזֶן *Lishmouā ouzen*, at the hearing of the ear.
10. כְּ Prefixed to the relative word, signifies, as, whilst.
11. מִבֶּטֶן *Mibeten*, from the birth.

* This word is followed by אַפַּיִם *Appayim*, breathing; lit., short breathing; met., quickly angry, contrasted with God, who is אֶרֶךְ אַפַּיִם *Erekh appayim*, long breathing; met., long-suffering. (Exod. xxxiv. 6.)

1. Exod. ii. 18.	4. Josh. ii. 7.
5. — xxxii. 19.	10. —— iii. 13.
1. Deut. iv. 26.	10. —— viii. 19, 29.

7. Judg. ix. 33.	11. Psalm lviii. 3.
10. 1 Sam. ix. 13.	—— lxviii. 31, not in original.
—— xxix. 10, not in original.	8. —— lxxxi. 14.
9. 2 Sam. xxii. 45.	2. —— xc. 10.
10. 2 Kings x. 2.	1. —— cvi. 13.
8. Job xxxii. 22.	3. Prov. xiv. 17.
9. Psalm xviii. 44.	6. Isa. lxvi. 8.
1. —— xxxvii. 2.	

SOOTHSAYER.

קוֹסֵם *Kousaim*, a diviner, soothsayer.

Josh. xiii. 22.

SOOTHSAYERS.

1. עוֹנְנִים *Ouneneem*, persons who foretel events by the appearance of the clouds.
2. גָּזְרִין *Gozreen* (Syriac), astrologers, persons determining, deciding.

1. Isa. ii. 6.	2. Dan. v. 7, 11.
2. Dan. ii. 27.	1. Mic. v. 12.

SOPE.

בּוֹרִית *Boureeth*, soap.

Jer. ii. 22. | Mal. iii. 2.

SORCERERS.

מְכַשְּׁפִים *Mekhashpheem*, magicians, enchanters.

Exod. vii. 11.	Dan. ii. 2.
Jer. xxvii. 9.	Mal. iii. 5.

SORCERESS.

עֹנְנָה *Ounenoh*, one who augurs from the appearance of the clouds.

Isa. lvii. 3.

SORCERIES.

כְּשָׁפִים *Keshopheem*, enchantments, magic.

Isa. xlvii. 9, 12.

SORE, Adverb.

1. The relative verb repeated.
2. הַרְבֵּה *Harbaih*, much.
3. בְּכִי גָדוֹל *Bekhee godoul*, great weeping.
4. חָזָק *Khozok*, strong.
5. חוֹלָה *Khouloh*, sickening.
6. כָּאַב *Koav*, painful, (Hiph.) to cause pain.

7.   כָּבֵד   *Kovaid,* heavy.

8.   גַּם־כַּעַס   *Gam-kaas,* even indignantly.

9.   מְאֹד   *Meoud,* exceedingly.

10.   נִמְרָץ   *Nimrots,* diseased.

11.   נִחַת   *Nikhaith,* to bring down.

12.   קָשֶׁה   *Kosheh,* hard.

13.   רָעָה   *Roŏh,* evil.

14.   יָד   *Yod,* a hand.

15.   נֶגַע   *Negā,* a plague.

16.   מַכָּה   *Makkoh,* a stroke, bile, wound.

17.   סָעַר   *Soar,* (Niph.) to be agitated.

18.   קָצַף   *Kotsaph,* to vex.

19.   שַׂגִּיא   *Sagee* (Syriac), enough, abundantly.

This adverb is not used in the original, except :

1. Gen. xxxi. 30.	2. Neh. ii. 2.
4. —— xli. 56, 57.	13. Job ii. 7.
7. —— xliii. 1.	11. Psalm xxxviii. 2.
7. —— xlvii. 4, 13.	9. ———— 8.
7. —— L. 10.	13. —— lxxi. 20.
9. Exod. xiv. 10.	1. —— cxviii. 13, 18.
7. Judg. xx. 34.	13. Eccles. i. 13.
8. 1 Sam. i. 6.	13. —— iv. 8.
1. —— 10.	5. —— v. 13.
12. —— v. 7.	12. Isa. xxvii. 1.
4. —— xiv. 52.	1. — lix. 11.
9. —— xxviii. 21.	9. — lxiv. 9, 12.
7. —— xxxi. 3.	1. Jer. xiii. 17.
12. 2 Sam. ii. 17.	1. — xxii. 10.
3. —— xiii. 36.	4. — lii. 6.
4. 1 Kings xvii. 17.	1. Lam. i. 2.
4. —— xviii. 2.	1. —— iii. 52.
4. 2 Kings iii. 26.	13. Ezek. xiv. 21.
17. —— vi. 11.	1. —— xxi. 10.
3. —— xx. 3.	19. Dan. vi. 14.
7. 1 Chron. x. 3.	10. Mic. ii. 10.
13. 2 Chron. xxi. 19.	18. Zech. i. 2.
1. —— xxviii. 19.	3. —— 15.
2. Ezra x. 1.	

SORE afraid.

9. In all passages, except :

9. Exod. xiv. 10. | 2. Neh. ii. 2.

SORE, Adj.

6. Gen. xxxiv. 25. | 6. Job v. 18.

SORE, Subst.

15. Lev. xiii. 42, 43. | 15. Psalm xxxviii. 11.
15. 2 Chron. vi. 28, 29. | 14. —— lxxvii. 2.

SORES.

16. Isa. i. 6.

SORELY.

Gen. xlix. 23, not in original. | Isa. xxiii. 5, not in original.

(See PAINED.)

SORROW.

1.   עֶצֶב   *Etsev,* labour.

2.   יָגוֹן   *Yogoun,* dejection, mourning.

3.   חִיל   *Kheel,* sick, ill.

4.   מְדִיבָה   *Medeevoh,* dissolving, melting.

5.   עָמָל   *Omol,* trouble.

6.   כַּעַס   *Kāas,* indignation, anger.

7.   דַּאֲבָה   *Daavoh,* fainting.

8.   מַכְאוֹב   *Makhouv,* pain.

9.   תּוּגָה   *Toogoh,* sorrow.

10.   אֲבוֹי   *Avoue,* misery.

11.   צַר   *Tsar,* distress.

12.   אֲנִיָּה   *Aniyoh,* suffering pain.

13.   דְּאָנָה   *Doagoh,* sorrowful.

14.   חֲבָלִים   *Khavoleem,* oppressions, cruelties.

15.   צִירִים   *Tseereem,* pangs.

16.   רוֹעַ   *Rouā,* evil, bad.

17.   מִגְנָּה   *Meginnoh,* veiling, covering.

1. Gen. iii. 16, 17.	10. Prov. xxiii. 29.
2. —— xlii. 38.	8. Eccles. i. 18.
2. —— xliv. 29, 31.	6. —— v. 17.
3. Exod. xv. 14.	6. —— vii. 3.
4. Lev. xxvi. 16.	6. —— xi. 10.
7. Deut. xxviii. 65.	11. Isa. v. 30.
1. 1 Chron. iv. 9.	1. — xiv. 3.
16. Neh. ii. 2.	8. — xvii. 11.
2. Esth. ix. 22.	12. — xxix. 2.
5. Job iii. 10.	2. — xxxv. 10.
3. — vi. 10.	1. — L. 11.
6. — xvii. 7.	2. — li. 11.
7. — xli. 22.	8. — lxv. 14.
2. Psalm xiii. 2.	2. Jer. viii. 18.
8. —— xxxviii. 17.	2. — xx. 18.
8. —— xxxix. 2.	8. — xxx. 15.
5. —— lv. 10.	2. — xxxi. 13.
5. —— xc. 10.	8. — xlv. 3.
2. —— cvii. 39.	13. — xlix. 23.
2. —— cxvi. 3.	8. Lam. i. 12, 18.
1. Prov. x. 10, 22.	17. —— iii. 65.
1. —— xv. 13.	2. Ezek. xxiii. 33.
9. —— xvii. 21.	

SORROWS.

8. Exod. iii. 7.	1. Psalm cxxvii. 2.
14. 2 Sam. xxii. 6.	8. Eccles. ii. 23.
1. Job ix. 28.	14. Isa. xiii. 8.
14. — xxi. 17.	8. — liii. 3, 4.
14. — xxxix. 3.	8. Jer. xiii. 21.
1. Psalm xvi. 4.	8. — xlix. 24.
14. —— xviii. 4, 5.	15. Dan. x. 16.
8. —— xxxii. 10.	8. Hos. xiii. 13.
14. —— cxvi. 3.	

SORROW, Verb.

1. דָּאֲבָה *Daavoh*, faint.
2. חוּל *Khool*, to sicken, be in pain.
3. דָּאַג *Doag*, to sorrow.

1. Jer. xxxi. 12.	2. Hos. viii. 10.
2. — li. 29.	

SORROWETH.

3. 1 Sam. x. 2.

SORROWFUL.

1. נוּגָה *Noogoh*, sorrowful.
2. קָשֶׁה *Kosheh*, hard, difficult.
3. דָּוֶה *Dovoh*, infirm; met., polluted.
4. כָּאֵב *Kouaiv*, painful.
5. דָּאֵב *Doav*, languid, failing.
6. חוּל *Khool*, to sicken, be ill.

2. 1 Sam. i. 15.	5. Jer. xxxi. 25.
3. Job vi. 7.	1. Zeph. iii. 18.
4. Psalm lxix. 29.	6. Zech. ix. 5.
4. Prov. xiv. 13.	

SORRY.

1. חוֹלֶה *Khouleh*, sick, ill.
2. עָצֵב *Otsav*, to be sorrowful.
3. דָּאַג *Doag*, sorrowful.
4. נוּד *Nood*, to move to and fro; met., shake the head.

1. 1 Sam. xxii. 8.	3. Psalm xxxviii. 18.
2. Neh. viii. 10.	4. Isa. li. 19.

SORT.

1. כָּנָף *Konoph*, wing.
2. אֵלֶּה עִם־אֵלֶּה *Ailleh im-ailleh*, these with these.
3. כְּנֵמָה *Kenaimoh*, accordingly.
4. דָּבָר *Dovor*, thing, matter.
5. מֵרוֹב *Mairouv*, of the multitude.
6. גִּיל *Geel* (Chaldee), condition, rank.

1. Gen. vii. 14.	5. Ezek. xxiii. 42.
2. 1 Chron. xxiv. 5.	1. — xxxix. 4.
— xxix. 14, not in original.	6. Dan. i. 10.
3. Ezra iv. 8.	— iii. 29, not in original.
4. Neh. vi. 4.	

SORTS.

1. שַׁעַטְנֵז *Shaatnaiz*, cloth of divers materials.
2. לְהַרְבֵּה *Leharbai*, of abundance.
3. עָרֹב *Orouv*, a mixture.

4. שָׂדָה וְשִׁדּוֹת *Shiddoh veshiddouth*, sufficient nourishments.
5. מִכְלוֹל *Mikhloul*, perfection, completeness.

1. Deut. xxii. 11.	4. Eccles. ii. 8.
2. Neh. v. 18.	5. Ezek. xxvii. 24.
3. Psalm lxxviii. 45.	5. — xxxviii. 4.
3. — cv. 31.	

SOTTISH.

סְכָלִים *Sěkholeem*, foolish.

Jer. iv. 22.

SOUGHT.

See Seek.

SOUL.

1. נֶפֶשׁ *Nephesh*, life, animal breath.
2. נְדִבָתִי *Nedivothee*, my free will, liberality.
3. נְשָׁמוֹת *Neshomouth*, souls, the breath of God.

1. In all passages, except:
    2. Job xxx. 15.

SOULS.

1. In all passages, except:
    3. Isa. lvii. 16.

SOUND, Subst.

1. קוֹל *Koul*, a voice, sound.
2. תָּקַע *Tokă*, to blow a cornet, horn.
3. עַל־פִּי *Al-pee*, by, through the mouth.
4. תְּרוּעָה *Teroooh*, a shout, sound of a trumpet.
5. שָׁמַע *Shomă*, (Hiph.) to cause to hear.
6. הֶגֶה *Hegeh*, meditation, utterance.
7. הִגָּיוֹן *Higgoyoun*, lit., meditation; met., song of praise-giving.

1. In all passages, except:

5. 1 Chron. xvi. 5.	7. Psalm xcii. 3.
7. — 42.	2. — cl. 3.
6. Job xxxvii. 2.	3. Amos vi. 5.
4. Psalm lxxxix. 15.	

SOUND, Adj.

1. תּוּשִׁיָה *Tooshiyoh*, completeness, sound wisdom.

2.   מַרְפֵּא   *Marpai,* healing, health.
3.   תָּמִים   *Tomeem,* perfect.

3. Psalm cxix. 80.	1. Prov. viii. 14.
1. Prov. ii. 7.	2. —— xiv. 30.
1. —— iii. 21.	

SOUND, Verb.

1.   רוּעַ   *Rooa,* to sound the trumpet.
2.   עָבַר   *Ovar,* to pass over, through.
3.   שָׁמַע   *Shoma,* (Hiph.) to cause to hear.
4.   הָמָה   *Homoh,* to riot, make a noise, tumult.
5.   חָקַר   *Khokar,* to search out, through.
6.   חָצַר   *Khotsar,* to call together by the sound of the trumpet.
7.   תָּקַע   *Toka,* to blow a horn.
8.   מָשַׁךְ   *Moshakh,* to draw out, lengthen.
9.   הָדַד   *Hodad,* to shout.
10.   הֹלֵךְ   *Houlaikh,* going forth.

2. Lev. xxv. 9, twice.	4. Isa. xvi. 11.
1. Numb. x. 7.	4. Jer. xlviii. 36.
3. 1 Chron. xv. 19.	1. Joel ii. 1.

SOUNDED.

10. Exod. xix. 19.	6. 2 Chron. xxiii. 13.
5. 1 Sam. xx. 12.	6. —— xxix. 28.
6. 2 Chron. vii. 6.	7. Neh. iv. 18.
6. —— xiii. 14.	

SOUNDETH.

8. Exod. xix. 13.

SOUNDING.

3. 1 Chron. xv. 16.	1. Psalm cl. 5.
6. 2 Chron. v. 12.	4. Isa. lxiii. 15.
6. —— xiii. 12.	9. Ezek. vii. 7.

SOUNDNESS.

מְתֹם   *Mĕthoum,* soundness, perfectness.

Psalm xxxviii. 3, 7. | Isa. i. 6.

SOUR.

1.   בֹּסֶר   *Bosar,* unripe fruit.
2.   סָר   *Sor,* to depart, turn aside.

1. Isa. xviii. 5.	1. Ezek. xviii. 2.
1. Jer. xxxi. 29, 30.	2. Hos. iv. 18.

SOUTH.

1.   נֶגֶב   *Negev,* the parched country which lay on the south of Judea.
2.   דָּרוֹם   *Doroum,* the south.
3.   חֶדֶר   *Kheder,* a chamber.
4.   יָמִין   *Yomeen,* on the right hand.
5.   תֵּימָן   *Taimon,* towards the south.
6.   מִדְבָּר   *Midbar,* the wilderness.
7.   יָם   *Yom,* the sea.

All passages not inserted are N°. 1.

5. Exod. xxvi. 35.	7. Psalm cvii. 3.
2. Deut. xxxiii. 23.	2. Eccles. i. 6.
5. Josh. xii. 3.	2. —— xi. 3.
5. —— xiii. 4.	5. Isa. xliii. 6.
5. —— xv. 1.	5. Ezek. xx. 46.
4. 1 Sam. xxiii. 19, 24.	2. —— 46.
5. Job ix. 9.	2. —— xl. 24, 27, 28,
3. — xxxvii. 9.	44, 45.
5. — xxxix. 26.	2. —— xli. 11.
6. Psalm lxxv. 6.	2. —— xlii. 12, 13, 18.
4. —— lxxxix. 12.	5. Zech. ix. 14.

SOUTH border.

1. Numb. xxxiv. 3.	1. Josh. xv. 2.

SOUTH country.

1. Gen. xx. 1.	1. Josh. xii. 8.
1. —— xxiv. 62.	5. Zech. vi. 6.
1. Josh. xi. 16.	

SOUTH field.

1. Ezek. xx. 46.

SOUTH land.

1. Josh. xv. 19.	1. Judg. i. 15.

SOUTH quarter.

1. Numb. xxxiv. 3.	1. Josh. xviii. 15.

SOUTH Ramoth.

1. 1 Sam. xxx. 27.

SOUTH side.

5. Exod. xxvi. 18.	5. Numb. x. 6.
1. —— xxxvi. 23.	2. Ezek. xlii. 18.
1. —— xxxviii. 9.	1. —— xlvii. 1, 19.
5. ——————— 9.	1. —— xlviii. 16, 28, 33.
5. Numb. ii. 10.	

SOUTHWARD.

1. Gen. xiii. 14.	5. Deut. iii. 27.
5. Exod. xxxviii. 9.	5. Ezek. xlvii. 19.
5. Numb. iii. 29.	5. —— xlviii. 28.
1. —— xiii. 17.	1. Dan. viii. 4.

SOUTH wind.

2. Job xxxvii. 17.	5. Cant. iv. 16.
5. Psalm lxxviii. 26.	

SOW -ED -EDST -ETH -OWN -ING.

זָרַע **Zorā**, to sow; in all passages, except :

1. מָשַׁךְ **Moshakh**, to draw out, lengthen.
2. שָׁלַח **Sholakh**, to send forth.

2. Prov. vi. 14, 19.	1. Amos ix. 13.
2. —— xvi. 28.	

SOWER.

זוֹרֵעַ **Zouraia**, a sower.

Isa. lv. 10.	Jer. L. 16.

SPACE.

1. רֶוַח **Revakh**, space, room.
2. יָמִים **Yomeem**, days.
3. מְלֹאת **Melouth**, fullness.
4. רָחוֹק **Rokhouk**, a distance.
5. רֶגַע **Rega**, a moment.
6. מָקוֹם **Mokoum**, place, room.
7. גְּבוּל **Gevool**, border, boundary, limit.

2. Gen. xxix. 14.	6. 1 Sam. xxvi. 13.
1. —— xxxii. 16.	5. Ezra ix. 8.
2. Lev. xxv. 8.	2. Jer. xxviii. 11.
3. —— 30.	7. Ezek. xl. 12.
4. Josh. iii. 4.	

SPAKE -EST.
See Speak.

SPAN, Subst.

1. זֶרֶת **Zereth**, a span.
2. טֶפַח **Tephakh**, a hand-breadth.

1. Exod. xxviii. 16.	1. Isa. xl. 12.
1. —— xxxix. 9.	2. Lam. ii. 20.
1. 1 Sam. xvii. 4.	2. Ezek. xliii. 13.

SPANNED.

טָפַח **Tophakh**, to measure with the hand.

Isa. xlviii. 13.

SPARE.

1. חָשַׂךְ **Khosakh**, to withhold.
2. חוּס **Khoos**, to spare.
3. חָמַל **Khomal**, to pity.
4. סָלַח **Solakh**, to forgive.
5. נָשָׂא **Noso**, to pardon.
6. יָשַׁע **Yosha**, to save.

5. Gen. xviii. 24, 26.	3. Isa. xxx. 14.
2. Deut. xiii. 8.	1. — liv. 2.
4. —— xxix. 20.	1. — lviii. 1.
3. 1 Sam. xv. 3.	3. Jer. xiii. 14.
2. Neh. xiii. 22.	3. — xxi. 7.
3. Job vi. 10.	3. — L. 14.
3. — xvi. 13.	3. — li. 3.
3. — xx. 13.	2. Ezek. v. 11.
3. — xxvii. 22.	2. —— vii. 4, 9.
1. — xxx. 10.	2. —— viii. 18.
6. Psalm xxxix. 13.	2. —— ix. 5, 10.
2. —— lxxii. 13.	2. —— xxiv. 14.
3. Prov. vi. 34.	2. Joel ii. 17.
5. —— xix. 18.	2. Jonah iv. 11.
3. Isa. ix. 19.	3. Hab. i. 17.
2. — xiii. 18.	3. Mal. iii. 17.

SPARED.

3. 1 Sam. xv. 9, 15.	1. 2 Kings v. 20.
2. —— xxiv. 10.	1. Psalm lxxviii. 50.
3. 2 Sam. xii. 4.	2. Ezek. xx. 17.
3. —— xxi. 7.	

SPARETH.

1. Prov. xiii. 24.	1. Prov. xxi. 26.
1. —— xvii. 27.	3. Mal. iii. 17.

SPARK.

1. נִיצוֹץ **Neetsoots**, a spark.
2. שָׁבִיב **Sheveev**, a flame.

1. Job xviii. 5.	2. Isa. i. 31.

SPARKS.

1. בְּנֵי־רֶשֶׁף **Benai-resheph**, sons of strong heat.
2. כִּידוֹדִים **Keedoudeem**, sparks of fire.
3. זִיקוֹת **Zeekouth**, sparks.

1. Job v. 7.	3. Isa. L. 11.
2. — xli. 19.	

SPARKLED.

נִצְצִים **Nitstseem**, sparkled.

Ezek. i. 7.

SPARROW.

צִפּוֹר **Tsiphour**, a sparrow.

Psalm lxxxiv. 3.	Psalm cii. 7.

SPEAK.

1. { דִּבֵּר **Dibbair**,
 אָמַר **Omar**, } to speak, say.
2. שִׂיחַ **Seeakh**, to expatiate, freely utter.
3. סָפַר **Sophar**, to recount, relate.
4. עָנָה **Onoh**, to answer, respond.
5. עוּת **Ooth**, to know in time.
6. פּוּחַ **Pooakh**, to blow, breathe.

7. חָנַן קוֹל *Khonan koul*, to make his voice gracious.

8. מָשַׁל *Moshal*, to speak a parable, or proverb.

9. הָגָה *Hogoh*, to meditate.

10. יָפַח *Yophakh*, to pant.

11. מִילִּין *Meelleem* (Chaldee), words.

12. חָרַשׁ *Khorash*, to be silent.

13. דָּבַב *Dovav*, to vibrate, quiver.

14. בָּטָא *Bitto*, to speak falsely.

15. מְלֵל *Millail* (Chaldee), to speak.

16. נָגַד *Nogad*, (Hiph.) to declare.

17. שִׁנָּה *Shinnoh*, to change.

18. נְאָם *Nĕum*, a faithful speech.

19. גָּדַל פֶּה *Godal peh*, to magnify the mouth.

All passages not inserted are N°. 1.

4. Exod. xxiii. 2.	9. Psalm cxv. 7.
8. Numb. xxi. 27.	4. —— cxix. 172.
4. Deut. vi. 5.	2. —— cxlv. 5.
4. —— xxvii. 14.	9. Prov. viii. 7.
12. 2 Sam. xix. 10.	13. Cant. vii. 9.
15. Job viii. 12.	4. Isa. xiv. 10.
11. — xxxvi. 2.	5. — L. 4.
9. Psalm xxxv. 28.	8. Ezek. xx. 49.
3. —— lix. 12.	15. Dan. vii. 25.
2. —— lxix. 12.	10. Hab. ii. 3.
3. —— lxxiii. 15.	

SPEAK (Imperatively).

All passages not inserted are N°. 1.

2. Judg. v. 10.	8. Ezek. xvii. 2.
2. Job xii. 8.	

SPEAKEST.

1. In all passages.

SPEAKETH.

All passages not inserted are N°. 1.

16. Job xvii. 5.	14. Prov. xii. 18.
9. Psalm xxxvii. 30.	14. —— xiv. 25.
15. Prov. vi. 13.	14. —— xix. 5.
6. —— 19.	7. —— xxvi. 25.
6. —— xii. 17.	

SPEAKING.

All passages not inserted are N°. 1.

11. Job iv. 2.	12. Jer. xxxviii. 27.
11. — xxxii. 15.	15. Dan. vii. 8.

SPAKE.

All passages not inserted are N°. 1.

4. Job iii. 2.	4. Cant. ii. 10.
17. — xxix. 22.	4. Dan. iii. 9.
4. — xxxv. 1.	4. —— v. 10.
14. Psalm cvi. 33.	15. —— vii. 11, 20.
18. Prov. xxx. 1.	

SPOKEN.

1. In all passages, except :
       19. Obad. 12.

SPEAKER.

אִישׁ־לָשׁוֹן *Eesh-loshoun*, a man of tongue.

Psalm cxl. 11.

SPEAR.

1. חֲנִית *Khaneeth*, a tent-bar, pitcher, javelin.

2. רֹמַח *Roumakh*, a spear.

3. כִּידוֹן *Keedoun*, a missile.

4. צְלָצַל *Tsiltsal*, lit., a double shade.

5. קַיִן *Kain*, a weapon with a long heavy handle.

3. Josh. viii. 18, 26.	1. 1 Chron. xi. 11, 20, 23.
2. Judg. v. 8.	
1. 1 Sam. xiii. 22.	1. —— xx. 5.
1. —— xvii. 7, 45, 47.	1. Job xxxix. 23.
1. —— xxi. 8.	1. — xli. 26.
1. —— xxvi. 7, 8, 11, 16.	3. —— 29.
1. 2 Sam. i. 6.	1. Psalm xxxv. 3.
1. —— ii. 23.	1. —— xlvi. 9.
5. —— xxi. 16.	3. Jer. vi. 23.
1. —— 19.	1. Nah. iii. 3.
1. —— xxiii. 7, 18, 21.	1. Hab. iii. 11.

SPEARS.

1. 1 Sam. xiii. 19.	1. Psalm lvii. 4.
1. 2 Kings xi. 10.	1. Isa. ii. 4.
2. 2 Chron. xi. 12.	2. Jer. xlvi. 4.
1. —— xxiii. 9.	2. Ezek. xxxix. 9.
2. —— xxvi. 14.	2. Joel iii. 10.
2. Neh. iv. 13, 16, 21.	2. Mic. iv. 3.
4. Job xli. 7.	

SPEARMEN.

קָנֶה *Koneh*, a reed.

Psalm lxviii. 30.

Note.—The Hebrew version is חַיַּת קָנֶה *Khayath koneh*, the beast of the reed.

SPECIAL.

סְגֻלָּה *Sĕguloh*, an object of special regard, treasure.

Deut. vii. 6.

SPECKLED.

1. נָקוֹד *Nokood*, spotted.

2. עָקוֹד *Okood*, striped.

3.   צָבוּעַ   *Tsovooa*, coloured.

4.   שָׂרוּק   *Sorook*, speckled.

1. Gen. xxx. 32, 33, 35. | 3. Jer. xii. 9.
2. —— xxxi. 8, 10, 12. | 4. Zech. i. 8.

SPED.

מָצָא   *Motsō*, to find.

Judg. v. 30.

SPEECH.

1. { אֹמֶר   *Oumer,* { a speech. (The second
   { מִדְבָּר   *Midbor,* { is used only once,
   {   Cant. iv. 3.)

2.   שָׂפָה   *Sophoh*, a lip.

3.   פֶּה   *Peh*, a mouth.

4.   דְּבָרִים   *Devoreem*, words.

5.   דָּבָר   *Dovor*, a word, subject, matter.

6.   מִלָּה   *Milloh* (Chaldee), a word, speech.

7.   לֶקַח   *Lekakh*, a token, doctrine.

8.   חִידוֹת   *Kheedouth*, riddles, parables.

9.   שְׁמוּעָה   *Shemooōh*, a hearing, report.

1. Gen. iv. 23.	6. Job xxix. 22.
2. —— xi. 1.	1. Psalm xvii. 6.
3. Exod. iv. 10.	1. —— xix. 2, 3.
4. Deut. xxii. 14.	7. Prov. vii. 21.
1. —— xxxii. 2.	2. —— xvii. 7.
5. 2 Sam. xiv. 20.	1. Cant. iv. 3.
5. —— xix. 11.	1. Isa. xxviii. 23.
5. 1 Kings iii. 10.	1. — xxix. 4.
Neh. xiii. 24, not in	1. — xxxii. 9.
original.	2. — xxxiii. 19.
2. Job xii. 20.	5. Jer. xxxi. 23.
6. — xiii. 17.	6. Ezek. i. 24.
6. — xxi. 2.	2. —— iii. 5.
6. — xxiv. 25.	9. Hab. iii. 2.

SPEECHES.

8. Numb. xii. 8.	6. Job xv. 3.
1. Job vi. 26.	1. — xxxii. 14.

SPEED.

1.   קָרָה   *Koroh*, (Hiph.) to cause to meet, happen.

2. אָסְפַּרְנָא   *Asparno* (Chaldee), diligently.

3.   מְהֵרָה   *Mĕhairoh*, speedily.

1. Gen. xxiv. 12.	3. Isa. v. 26.
2. Ezra vi. 12.	

SPEEDY.

נִבְהָלָה   *Nivholoh*, terrible one, terrific.

Zeph. i. 18.

SPEEDILY.

1. { מַהֵר   *Mahair,*   } speedily, quickly.
   { מְהֵרָה   *Mehairoh,* }

2.   עָבַר   *Ovar*, to pass over (repeated).

3.   רוּץ   *Roots*, (Hiph.) to bring hastily.

4. אָסְפַּרְנָא   *Osparnō* (Chaldee), exactly.

5.   בָּהַל   *Bohal*, (Piel) to hasten anxiously.

1 Sam. xxvii. 1, not	1. Psalm lxxix. 8.
in original.	1. —— cii. 2.
2. 2 Sam. xvii. 16.	1. —— cxliii. 7.
3. 2 Chron. xxxv. 13.	1. Eccles. viii. 11.
4. Ezra vi. 13.	1. Isa. lviii. 8.
4. —— vii. 17, 21, 26.	1. Joel iii. 4.
5. Esth. ii. 9.	Zech. viii. 21 (verb
1. Psalm xxxi. 2.	repeated).
1. —— lxix. 17.	

SPEND.

1.   כָּלָה   *Koloh*, to consume, make an end of, finish.

2.   בָּלָה   *Boloh*, to wither.

3.   שָׁקַל   *Shokal*, to weigh.

4.   בָּלַע   *Bola*, to swallow up.

5.   אָבַד   *Ovad*, to destroy, lose.

6.   עָשָׂה   *Osoh*, to do, make, perform.

1. Deut. xxxii. 23.	1. Psalm xc. 9.
2. Job xxi. 13.	3. Isa. lv. 2.
1. — xxxvi. 11.	

SPENDETH.

4. Prov. xxi. 20.	6. Eccles. vi. 12.
5. —— xxix. 3.	

SPENT.

1.   כָּלָה   *Koloh*, to consume, make an end of, finish.

2.   תָּמַם   *Tomam*, to complete, perfect.

3.   יָרַד   *Yorad*, to go down, descend.

4.   אָזַל   *Ozal*, to run away.

1. Gen. xxi. 15.	1. Job vii. 6.
2. —— xlvii. 18.	1. Psalm xxxi. 10.
2. Lev. xxvi. 20.	1. Isa. xlix. 4.
3. Judg. xix. 11.	2. Jer. xxxvii. 21.
4. 1 Sam. ix. 7.	

SPEW.

See Spue.

SPICE.

בֹּשֶׂם   *Bousem*, spice.

Exod. xxxv. 28. | Cant. v. 1.

SPICES.

בְּשָׂמִים   *Besomeem*, spices, in all passages.

SPICES, sweet.

קְטֹרֶת־סַמִּים   *Ketoureth-sammeem*, incense of perfume, in all passages.

SPICE, Verb.

רָקַח   *Rokakh*, to compound, perfume.
Ezek. xxiv. 10.

SPICED.
Cant. viii. 2.

SPICE -merchants.

רוֹכְלִים   *Roukhleem*, travelling merchants.
1 Kings x. 15.

SPICERY.

נְכֹאת   *Nekhouth*, a species of scented bark.
Gen. xxxvii. 25.

SPIDER.

1.   עַכָּבִישׁ   *Akoveesh*, a spider.
2.   שְׂמָמִית   *Sĕmomeeth*, a poisonous spider.

1. Job viii. 14.	1. Isa. lix. 5.
2. Prov. xxx. 28.	

SPIKENARD.

נֵרְדְּ   *Naird*, spikenard, or nard.

Cant. i. 12.	Cant. iv. 13, 14.

SPILLED.

שִׁחֵת   *Shikhaith*, to spoil, destroy.
Gen. xxxviii. 9.

SPILT.

נֶגַּר   *Nogar*, to flow, throw down.
2 Sam. xiv. 14.

SPIN, SPUN.

טָוָה   *Tovoh*, to spin.
Exod. xxxv. 25.

SPUN.
Exod. xxxv. 25.

SPINDLE.

כִּישׁוֹר   *Keeshour*, a distaff.
Prov. xxxi. 19.

SPIRIT.

רוּחַ   *Rooakh*, spirit; in all passages, except:
נְשָׁמָה   *Neshomoh*, the breath of God.

Job xxvi. 4.	Prov. xx. 27.

SPIRIT, familiar.

אוֹב   *Ouv*, a spirit of a divination, in all passages.

SPIRITS.

רוּחוֹת   *Rookhouth*, spirits.

Numb. xvi. 22.	Prov. xvi. 2.
——— xxvii. 16.	Zech. vi. 5.
Psalm civ. 4.	

SPIRITUAL.

אִישׁ הָרוּחַ   *Eesh horooakh*, a man of the spirit, spiritual man.
Hos. ix. 7.

SPIT.

1.   רָקַק   *Rokak*, to empty, spit.
2.   רוֹק   *Rouk*, spittle.

1. Lev. xv. 8.	1 Deut. xxv. 9.
1. Numb. xii. 14.	2. Job xxx. 10.

SPITTING.
2. Isa. L. 6.

SPITTLE.

1.   רִיר   *Reer*, saliva.
2.   רוֹק   *Rouk*, spittle.

1. 1 Sam. xxi. 13.	2. Job vii. 19.

SPITE.

כַּעַס   *Kāās*, anger, indignation.
Psalm x. 14.

SPOIL, Subst.

1.   שָׁלָל   *Sholol*, a spoil.
2.   בָּזַז   *Bozaz*, to plunder.
3.   בִּזָּה   *Bizzoh*, plunder.
4.   בַּג   *Vag*, dainty meat.

5.   גְּזֵלָה   *Gezailoh*, a robbery.
6.   חֲלִיצוֹת   *Khaleetsouth*, stripping, change of dresses.
7.   טֶרֶף   *Tereph*, a prey.
8.   שׁוֹד   *Shoud*, a destruction.
9.   מְשִׁיסָּה   *Mesheessoh*, a ruin, treading down.

All passages not inserted are N°. 1.

2. Numb. xxxi. 9, 53.	3. Jer. vi. 7.
6. Judg. xiv. 19.	3. — xv. 13.
9. 2 Kings xxi. 14.	3. — xvii. 3.
2. 2 Chron. xiv. 14.	8. — xx. 8.
2. ——— xxv. 13.	9. — xxx. 16.
3. ——— xxviii. 14.	4. Ezek. xxv. 7.
3. Ezra ix. 7.	3. ——— xxix. 19.
3. Esth. ix. 10.	8. ——— xlv. 9.
7. Job xxix. 17.	3. Dan. xi. 33.
5. Isa. iii. 14.	2. Nah. ii. 9.
9. — xlii. 22, 24.	8. Hab. ii. 17.

SPOILS.

1.   שָׁלָל   *Sholol*, spoil.
2.   אָרְבוֹת   *Orvouth*, laying in wait.

1. Josh. vii. 21.	2. Isa. xxv. 11.
1. 1 Chron. xxvi. 27.	

SPOIL, Verb.

1.   שָׁסָה   *Shosoh*, to ruin, destroy, tread down.
2.   בָּזַז   *Bozaz*, to plunder.
3.   פָּשַׁט   *Poshat*, to strip, draw out.
4.   נָצַל   *Notsal*, to overcome.
5.   חָבַל   *Khoval*, to injure.
6.   שָׁדַד   *Shodad*, to destroy, oppress.
7.   קָבַע   *Kova*, to demand forcibly, plunder.
8.   שָׁכַל   *Shokal*, to bereave, deprive.
9.   גָּזַל   *Gozal*, to rob.
10.   שָׁלַל   *Sholal*, to spoil.

4. Exod. iii. 22.	2. Jer. xx. 5.
2. 1 Sam. xiv. 36.	1. — xxx. 16.
3. 2 Sam. xxiii. 10.	6. — xlvii. 4.
1. Psalm xliv. 10.	6. — xlix. 28.
1. ——— lxxxix. 41.	10. — L. 10.
2. ——— cix. 11.	8. Ezek. xiv. 15.
7. Prov. xxii. 23.	6. ——— xxxii. 12.
6. ——— xxiv. 15.	10. ——— xxxix. 10.
5. Cant. ii. 15.	6. Hos. x. 2.
2. Isa. xi. 14.	1. ——— xiii. 15.
1. — xvii. 14.	10. Hab. ii. 8.
6. — xxxiii. 1.	2. Zeph. ii. 9.
6. Jer. v. 6.	

SPOILED.

2. Gen. xxxiv. 27, 29.	6. Jer. x. 20.
4. Exod. xii. 36.	9. — xxi. 12.
9. Deut. xxviii. 29.	9. — xxii. 3.
1. Judg. ii. 14, 16.	6. — xxv. 36.
1. 1 Sam. xiv. 48.	6. — xlviii. 1, 15, 20.
1. ——— xvii. 53.	6. — xlix. 3, 10.
2. 2 Kings vii. 16.	6. — li. 55.
2. 2 Chron. xiv. 14.	9. Ezek. xviii. 7, 12, 16,
10. Job xii. 17, 19.	18.
10. Psalm lxxvi. 5.	2. ——— xxiii. 46.
7. Prov. xxii. 23.	10. ——— xxxix. 10.
1. Isa. xiii. 16.	6. Hos. x. 14.
2. — xviii. 2, 7.	2. Amos iii. 11.
2. — xxiv. 3.	6. ——— v. 9.
6. — xxxiii. 1.	6. Mic. ii. 4.
1. — xlii. 22.	10. Hab. ii. 8.
2. Jer. ii. 14.	10. Zech. ii. 8.
6. — iv. 13, 20, 30.	6. ——— xi. 2, 3.
6. — ix. 19.	

SPOILEST.

6. Isa. xxxiii. 1.

SPOILETH.

9. Psalm xxxv. 10.	3. Hos. vii. 1.
6. Isa. xxi. 2.	3. Nah. iii. 16.

SPOILING.

8. Psalm xxxv. 12.	6. Jer. xlviii. 3.
6. Isa. xxii. 4.	6. Hab. i. 3.

SPOILER.

1.   מַשְׁחִית   *Mashkheeth*, a ruiner.
2.   שׁוֹדֵד   *Shoudaid*, destroyer.
3.   שׁוֹסִים   *Shouseem*, spoilers.

2. Isa. xvi. 4.	2. Jer. xv. 8.
2. — xxi. 2.	2. — xlviii. 8, 18, 32.
2. Jer. vi. 26.	2. — li. 56.

SPOILERS.

3. Judg. ii. 14.	3. 2 Kings xvii. 20.
1. 1 Sam. xiii. 17.	2. Jer. xii. 12.
1. ——— xiv. 15.	2. — li. 48, 53.

SPOKES.

חִשֻּׁרִים   *Khishureem*, spokes.

1 Kings vii. 33.

SPOKESMAN.

וְדִבֶּר־הוּא   *Vedibber-hoo*, and he shall speak.

Exod. iv. 16.

SPOON.

כַּף   *Kaph*, a spoon.

Numb. vii. 14, 20, 26, 32, 38, 44, 50, 56, 62.

SPOONS.

כַּפּוֹת *Kappouth*, spoons, in all passages.

SPORT, Subst.

1. שָׂחַק *Sokhak*, to laugh.
2. צָחַק *Tsokhak*, to laugh incredulously, scorn, joke.

1. Judg. xvi. 25.	1. Prov. x. 23.
2. ——— 25.	1. ——— xxvi. 19.
1. ——— 27.	

SPORT, Verb.

1. עָנַג *Onag*, (Hith.) to feel delighted, rejoice.
2. צָחַק *Tsokhak*, to joke, laugh incredulously.

1. Isa. lvii. 4.

SPORTING.

2. Gen. xxvi. 8.

SPOT.

1. תָּמִים *Tomeem*, perfect.
2. מוּם *Moom*, a blemish.

1. Numb. xix. 2.	2. Deut. xxxii. 5.
1. ——— xxviii. 3, 9, 11.	2. Job xi. 15.
1. ——— xxix. 17, 26.	2. Cant. iv. 7.

SPOT, bright.

בַּהֶרֶת *Bahereth*, a bright spot.

Lev. xiii. 2, 4, 23, 24, 38.	Lev. xiv. 56.

SPOTS.

חַבַרְבֻּרוֹת *Khabarburouth*, variegated spots, marks, colours.

Jer. xiii. 23.

SPOTTED.

טָלוּא *Toloo*, spotted.

Gen. xxx. 32, 33, 39.

SPOUSE.

כַּלָּה *Kaloh*, a spouse, bride.

Cant. iv. 8, 9, 10, 11, 12.	Cant. v. 1.

SPOUSES.

כַּלּוֹת *Kalouth*, spouses, brides.

Hos. iv. 13, 14.

SPOUTS.

See Water-spouts.

SPREAD.

1. נָטָה *Notoh*, to stretch out.
2. פָּשָׂה *Posoh*, to spread itself, increase.
3. פָּרַשׂ *Poras*, to spread out.
4. נָטַשׁ *Notash*, (Niph.) to draw out, spread along.
5. שָׂטַח *Shotakh*, to display, spread abroad.
6. יָרַד *Yorad*, (Hiph.) to cause to come down.
7. זָרָה *Zoroh*, to strew; met., lay a net.
8. יָצָע *Yotsā*, to expose, spread abroad.
9. פָּשַׁט *Poshat*, to strip, draw out, flay; met., to spread a troop.
10. רָקַע *Rokā*, to expend, extend.
11. יָלַךְ *Yolakh*, to go, proceed, advance.
12. { פּוּץ *Poots*, נָפַץ *Nophats*, } to disperse.
13. פָּרַץ *Porats*, to break forth.
14. יָצָא *Yotsō*, to go forth.
15. נָסוּךְ *Nosookh*, to pour out.
16. פָּתוּחַ *Pothooakh*, open.
17. פָּרְשֵׂז *Parshaiz*, to spread over, cover over.
18. רָפַד *Rophad*, to rivet.
19. מָתַח *Mothakh*, to stretch out, as a curtain.
20. שָׁלַח *Sholakh*, to send forth.

1. Gen. xxxiii. 19.	3. Psalm cv. 39.
1. ——— xxxv. 21.	3. —— cxl. 5.
2. Lev. xiii. 5, 6, 23, 28, 32, 34, 35, 36, 51, 53, 55.	7. Prov. i. 17.
	8. Isa. xiv. 11.
2. —— xiv. 39, 44, 48.	3. — xix. 8.
3. Numb. iv. 7, 8, 11, 13, 14.	3. — xxxiii. 23.
	3. — xxxvii. 14.
3. Deut. xxii. 17.	8. — lviii. 5.
3. Judg. viii. 25.	5. Jer. viii. 2.
4. —— xv. 9.	10. — x. 9.
4. 2 Sam. v. 18, 22.	3. Lam. i. 13.
1. ——— xvi. 22.	3. Ezek. ii. 10.
3. ——— xvii. 19.	3. —— xii. 13.
5. ——— 19.	3. —— xvii. 20.
1. ——— xxi. 10.	5. —— xxvi. 14.
6. 1 Kings vi. 32.	3. Hos. v. 1.
3. ——— viii. 54.	3. —— vii. 12.
3. 2 Kings viii. 15.	11. —— xiv. 6.
3. ——— xix. 14.	3. Joel ii. 2.
9. 1 Chron. xiv. 9, 13.	2. Hab. i. 8.
	7. Mal. ii. 3.

SPREAD abroad.

12. Gen. x. 18.	3. Exod. xl. 19.
13. —— xxviii. 14.	2. Lev. xiii. 7, 22, 27.
3. Exod. ix. 29, 33.	5. Numb. xi. 32.

4. 1 Sam. xxx. 16.	14. 2 Chron. xxvi. 15.
10. 2 Sam. xxii. 43.	12. Zech. i. 17.
9. 1 Chron. xiv. 13.	3. —— ii. 6.
11. 2 Chron. xxvi. 8.	

SPREAD forth.

1. Numb. xxiv. 6.	3. Isa. xxv. 11.
3. 1 Kings viii. 7, 22, 38.	10. — xlii. 5.
3. 2 Chron. vi. 12, 13, 29.	5. Ezek. xlvii. 10.
3. Isa. i. 15.	

SPREAD over.

3. Numb. iv. 6.	3. Jer. xlviii. 40.
3. Ruth iii. 9.	3. — xlix. 22.
15. Isa. xxv. 7.	3. Ezek. xvi. 8.
1. Jer. xliii. 10.	3. —— xix. 8.

SPREAD out.

3. Exod. xxxvii. 9.	10. Job xxxvii. 18.
3. 1 Chron. xxviii. 18.	3. Isa. lxv. 2.
3. Ezra ix. 5.	3. Lam. i. 10.
16. Job xxix. 19.	3. Ezek. xxxii. 3.

SPREADEST.
3. Ezek. xxvii. 7.

SPREADETH.

2. Lev. xiii. 8.	3. Isa. xxv. 11.
3. Deut. xxxii. 11.	10. — xl. 19.
1. Job ix. 8.	19. —— 22.
17. — xxvi. 9.	10. — xliv. 24.
3. — xxxvi. 30.	3. Jer. iv. 31.
18. — xli. 30.	20. — xvii. 8.
3. Prov. xxix. 5.	3. Lam. i. 17.

SPREADING, Verb.

מִשְׂטָה *Mishtokh,* a spreading out.

Ezek. xxvi. 5.

SPREADING.

1. פִּרְחַת *Pourakhath,* a breaking out.
2. מִתְעָרֶה *Mithoreh,* diffusing himself.
3. סֹרַחַת *Sourakhath,* loose, a display;
met., insipid.

| 1. Lev. xiii. 57. | 3. Ezek. xvii. 6. |
| 2. Psalm xxxvii. 35. | |

SPREADINGS.

מִפְרָשִׂים *Miphreseem,* spreadings.

Job xxxvi. 29.

SPRIGS.

1. זַלְזַלִּים *Zalzaleem,* tender shoots of the
vine.
2. פֹּארֹת *Pourouth,* delicate branches.

| 1. Isa. xviii. 5 | 2. Ezek. xvii. 6. |

SPRING.

1. מָקוֹר *Mokour,* a fountain.
2. מַעְיָנִים *Mááyoneem,* springs of water.
3. מוֹצָא *Moutso,* a pouring, going forth.
4. אֲשֵׁדֹת *Ashdouth,* bases, foundations;
met., torrents.
5. גֻּלֹּת *Gulouth,* basons, heaps; met.,
running waters.
6. מַבּוּעִים *Mabbooeem,* streams.
7. צֶמַח *Tsemakh,* a sprout, shoot, bud.
8. חַיִּים *Khayeem,* living.
9. נְבָכִים *Nivkheem,* mazes, intricacies.

3. 2 Kings ii. 21.	3. Isa. lviii. 11.
2. Prov. xxv. 26.	1. Hos. xiii. 15.
2. Cant. iv. 12.	

SPRINGING.

| 8. Gen. xxvi. 19. | 7. Psalm lxv. 10. |

SPRINGS.

4. Deut. iv. 49.	2. Psalm civ. 10.
4. Josh. x. 40.	3. — cvii. 33, 35.
4. —— xii. 8.	6. Isa. xxxv. 7.
5. —— xv. 19, three	2. — xli. 18.
times.	6. — xlix. 10.
5. Judg. i. 15, three times.	1. Jer. li. 36.
9. Job xxxviii. 16.	7. Ezek. xvii. 9.
2. Psalm lxxxvii. 7.	

SPRING day, of the day.

1. עֲלוֹת *Olouth,* ascending, rising.
2. שַׁחַר *Shakhar,* morning dawn.

| 1. 1 Sam. ix. 26. | 2. Job xxxviii. 12. |

SPRING, Verb.

1. עָלָה *Oloh,* to ascend.
2. צָמַח *Tsomakh,* to sprout, bud, shoot.
3. פָּרַח *Porakh,* to blossom, bloom.
4. דָּשָׁא *Doshō,* to yield grass.
5. יָצָא *Yotso,* to go forth.
6. { סָחִישׁ *Sokheesh,* } self-sown, a thing
{ שָׁחִים *Shokhees,* } which grows by itself.

1. Numb. xxi. 17.	2. Isa. xlii. 9.
6. Deut. viii. 7.	2. — xliii. 19.
1. Judg. xix. 25.	2. — xliv. 4.
2. Job v. 6.	2. — xlv. 8.
2. — xxxviii. 27.	2. — lviii. 8.
2. Psalm lxxxv. 11.	2. — lxi. 11.
3. —— xcii. 7.	2. Joel ii. 22.

SPRINGETH.
5. 1 Kings iv. 33. | 6. Isa. xxxvii. 30.
6. 2 Kings xix. 29. | 3. Hos. x. 4.

SPRUNG.
2. Gen. xli. 6, 23. | 3. Lev. xiii. 42.

SPRINKLE.
1.   נָזָה *Nozoh*, (Hiph.) to sprinkle.
2.   זָרַק *Zorak*, to scatter about, sprinkle blood, or oil.

2. Exod. ix. 8. | 1. Numb. xix. 18, 19.
1. Lev. xiv. 7, 16, 27, 51. | 1. Isa. lii. 15.
1. —— xvi. 14, 15. | 2. Ezek. xxxvi. 25.
1. Numb. viii. 7.

SPRINKLED.
2. Exod. ix. 10. | 2. Job ii. 12.
2. Numb. xix. 13, 20.

SPRINKLETH.
2. Lev. vii. 14. | 1. Numb. xix. 21.

SPRINKLE -ED blood.
2. In all passages connected with the altar; elsewhere, N°. 1.

SPROUT.
חָלַף *Kholaph*, to change; met., renew.

Job xiv. 7.

SPRUNG.
See Spring.

SPUE -ED -ING.
קָאָה *Koōh*, to vomit.

Lev. xviii. 28. | Jer. xxv. 27.
—— xx. 22.

SPUED.
Lev. xviii. 28.

SPEWING.
Hab. ii. 16.

SPUN.
See Spin.

SPY.
1.   תּוּר *Toor*, to explore, search.
2.   רָגַל *Rogal*, to run about, spy out.
3.   מְרַגְּלִים *Meragleem* (Subst.), spies.
4.   מְרַגְּלִים *Meragleem* (Part.), spying out.
5.   רָאָה *Roōh*, to see, behold.

---

1. Numb. xiii. 16, 17. | 2. Judg. xviii. 2, 14, 17.
2. —— xxi. 32. | 2. 2 Sam. x. 3.
3. Josh. ii. 1. | 5. 2 Kings vi. 13.
2. —— vi. 25. | 2. 1 Chron. xix. 3.

SPIED.
5. Exod. ii. 11. | 5. 2 Kings xiii. 21.
4. Josh. vi. 22. | 5. —— xxiii. 16.
5. 2 Kings ix. 17.

SPIES.
1.   מְרַגְּלִים *Meragleem*, spies.
2.   שׁוֹמְרִים *Shoumreem*, watchmen.
3.   אַתָרִים *Athoreem*, explorers, searchers.

1. Gen. xlii. 9, 11, 14, | 2. Judg. i. 24.
    16, 30, 31, 34. | 1. 1 Sam. xxvi. 4.
3. Numb. xxi. 1. | 1. 2 Sam. xv. 10.
1. Josh. vi. 23.

SQUARE.
רְבֻעִים *Revueem*, square.

1 Kings vii. 5. | Ezek. xlv. 2.

SQUARES.
רְבֻעִים *Revueem*, squares.

Ezek. xliii. 16, 17.

SQUARED.
רְבֻעָה *Revuoh*, squared.

Ezek. xli. 21.

(See FOUR -square.)

STABILITY.
אֱמוּנָה *Emoonoh*, faith, belief.

Isa. xxxiii. 6.

STABLE, Subst.
נָוֶה *Noveh*, a habitation.

Ezek. xxv. 5.

STABLE.
תִּכּוֹן *Tikkoun*, established.

1 Chron. xvi. 30.

STABLISH, ESTABLISH -ED -ETH.
1.   קוּם *Koom*, (Hiph.) to cause to rise, establish.
2.   כּוּן *Koon*, (Piel and Hiph.) to erect
3.   יָצַב *Yotsav*, (Hiph.) to make firm, fix.

4.   עָמַד   *Omad*, (Hiph.) to cause to stand, establish.

5.   יָשַׁב   *Yoshav*, (Hiph.) to cause to dwell, abide.

6.   סָעַד   *Soad*, to refresh, cheer, support.

7.   יָצַג   *Yotsag*, (Hiph.) to set up.

8.   נָכוֹן   *Nokhoun*, certain, fixed.

9.   מָכוֹן   *Mokhoun*, a ready place.

10.   נֶאֱמָן   *Neĕmon*, faithful.

11.   אָמַן   *Oman*, (Niph.) to be faithful.

12.   חָזַק   *Khozok*, to strengthen, confirm.

13.   יָסַד   *Yosad*, to found.

14.   סָמַךְ   *Somakh*, to support.

15.   אָמַץ   *Omats*, to make firm.

16.   תָּכַן   *Tokan*, (Hiph.) (Syriac) to set in order.

17.   קוּם   *Koom*, to raise, rise.

All passages not inserted are N°. 1.

2. 2 Sam. vii. 12, 13.	2. Psalm lxxxix. 2, 4.
4. 1 Kings xv. 4.	2. —— xc. 17.
2. 1 Chron. xvii. 12.	2. —— xcix. 4.
3. —— xviii. 3.	3. Prov. xv. 25.
4. 2 Chron. ix. 8.	6. Isa. ix. 6.
5. Job xxxvi. 7.	2. — lxii. 7.
2. Psalm vii. 9.	2. Jer. xxxiii. 2.
2. —— xlviii. 8.	4. Dan. xi. 14.
2. —— lxxxvii. 5.	7. Amos v. 15.

STABLISHED, ESTABLISHED.

All passages not inserted are N°. 1.

8. Gen. xli. 32.	2. Psalm xciii. 1.
9. Exod. xv. 17.	8. —— 2.
2. Deut. xxxii. 6.	2. —— xcvi. 10.
10. 1 Sam. iii. 20.	14. —— cxii. 18.
2. —— xiii. 13.	2. —— cxix. 90.
2. —— xx. 31.	2. —— cxl. 11.
2. 2 Sam. v. 12.	4. —— cxlviii. 6.
8. —— vii. 26.	2. Prov. iii. 19.
2. 1 Kings ii. 12, 24.	2. —— iv. 6.
8. —— 46.	15. —— viii. 28.
11. 1 Chron. xvii. 23.	2. —— xii. 3, 19.
2. —— 24.	2. —— xvi. 12.
8. —— 24.	2. —— xx. 18.
11. 2 Chron. i. 9.	2. —— xxiv. 3.
2. —— xii. 1.	11. Isa. vii. 9.
2. —— xvii. 5.	2. —— xlv. 18.
12. —— xxv. 3.	2. Jer. x. 12.
4. —— xxx. 5.	2. — xxx. 20.
8. Job xxi. 8.	2. — li. 15.
2. Psalm xxiv. 2.	16. Dan. iv. 36.
2. —— xl. 2.	13. Hab. i. 12.
13. —— lxxxvii. 69.	

ESTABLISHED, shall be.

17. Lev. xxv. 30.	10. 2 Sam. vii. 16.
17. Deut. xix. 15.	8. —— 16.
17. 1 Sam. xxiv. 20.	8. 1 Kings ii. 45.

8. 1 Chron. xvii. 14.	2. Prov. xxv. 5.
11. 2 Chron. xx. 20.	2. —— xxix. 14.
17. Job xxii. 28.	8. Isa. ii. 2.
2. Psalm lxxxix. 21, 37.	2. — xvi. 5.
2. —— xcvi. 10.	2. — liv. 14.
2. —— cii. 28.	2. Jer. xxx. 30.
2. Prov. xii. 19.	8. Mic. iv. 1.
2. —— xvi. 3.	2. Zech. v. 11.

ESTABLISHETH.

1. Numb. xxx. 14.	1. Dan. vi. 15.
4. Prov. xxix. 4.	2. Hab. ii. 12.

STACKS.

גָּדִישׁ   *Godeesh*, a stack, pile of sheaves, heap of corn.

Exod. xxii. 6.

STACTE.

נָטָף   *Notoph*, a drop, fragment which distils from a plant.

Exod. xxx. 34.

STAFF.

1.   מַקֵּל   *Makail*, a staff.

2.   מִשְׁעָן   *Mishon*, a support, cudgel.

3.   מַטֶּה   *Matteh*, a long staff.

4.   חֵץ   *Khaits*, an arrow.

5.   עֵץ   *Aits*, wood, a tree, a piece of wood.

6.   פֶּלֶךְ   *Pelakh*, a crutch.

7.   מוֹט   *Mout*, a pole.

8.   שֵׁבֶט   *Shaivet*, a rod.

1. Gen. xxxii. 10.	2. Psalm xxiii. 4.
3. —— xxxviii. 18, 25.	3. —— cv. 16.
1. Exod. xii. 11.	2. Isa. iii. 1.
2. —— xxi. 19.	3. — ix. 4.
3. Lev. xxvi. 26.	3. — x. 5, 15, 24.
7. Numb. xiii. 23.	3. — xiv. 5.
1. —— xxii. 27.	3. — xxviii. 27.
2. Judg. vi. 21.	3. — xxx. 32.
4. 1 Sam. xvii. 7.	2. — xxxvi. 6.
1. —— 40.	3. Jer. xlviii. 17.
6. 2 Sam. iii. 29.	3. Ezek. iv. 16.
5. —— xxi. 19.	3. — v. 16.
5. —— xxiii. 7.	3. — xiv. 13.
8. —— 21.	2. — xxix. 6.
2. 2 Kings iv. 29, 31.	1. Hos. iv. 12.
2. —— xviii. 21.	2. Zech. viii. 4.
8. 1 Chron. xi. 23.	1. — xi. 10, 14.
5. —— xx. 5.	

STAVES.

1.   בַּדִּים   *Baddeem*, branches of trees, bars.

2. מִשְׁעָנוֹת *Mishanouth*, supports, walking staves.

3. מַקְלוֹת *Maklouth*, staves.

4. מוֹטוֹת *Moutouth*, poles.

5. מַטּוֹת *Mattouth*, long staves.

6. מַקֵּל יָד *Makkail yod*, a hand staff.

All passages not inserted are N°. 1.

2. Numb. xxi. 18.	6. Ezek. xxxix. 9.
3. 1 Sam. xvii. 43.	5. Hab. iii. 14.
4. 1 Chron. xv. 15.	3. Zech. xi. 7.

STAGGER -ETH.

1. תָּעָה *Tōōh*, to go astray, err, wander about.

2. נוּעַ *Nooa*, to move quickly, stagger.

1. Job xii. 25.	2. Isa. xxix. 9.
2. Psalm cvii. 27.	

STAGGERETH.

1. Isa. xix. 14.

STAIN.

1. גָּאַל *Goal*, to disgrace.

2. חָלַל *Khillail*, to profane, pollute.

1. Job iii. 5.	1. Isa. lxiii. 3.
2. Isa. xxiii. 9.	

STAIRS.

1. מַעֲלוֹת *Māălouth*, steps, stairs.

2. בְּלֻלִּים *Bĕlooleem*, winding stairs.

2. 1 Kings vi. 8.	1. Cant. ii. 14.
1. 2 Kings ix. 13.	1. Ezek. xliii. 17.
1. Neh. ix. 4.	

STAKES.

יְתֵדוֹת *Yethaidouth*, pins, nails, stakes.

Isa. xxxiii. 20. | Isa. liv. 2.

STALK.

1. קָנֶה *Koneh*, a reed.

2. קָמָה *Komoh*, standing corn.

1. Gen. xli. 5, 22.	2. Hos. viii. 7.

STALKS.

עֵץ *Aits*, a tree, wood.

Josh. ii. 6.

Note.—The passage in the original is פִּשְׁתֵּי עֵץ *Pishtai aits*, flax of a tree or wood; met., cotton.

STALL.

1. מַרְבֵּק *Marbaik*, a place for fattening cattle.

2. אֻרוֹת *Urouth*, separate stalls for horses.

3. רְפָתִים *Rephotheem*, stalls, pens for cattle.

1. Amos vi. 4.	1. Mal. iv. 2.

STALLS.

2. 1 Kings iv. 26.	2. 2 Chron. xxxii. 28.
2. 2 Chron. ix. 25.	3. Hab. iii. 17.

STALLED.

אָבוּס *Ovoos*, fattened.

Prov. xv. 17.

STAMMERERS.

עִלְּגִים *Ilgeem*, stammerers.

Isa. xxxii. 4.

STAMMERING.

לַעַג *Lāag*, derision.

Isa. xxviii. 11. | Isa. xxxiii. 19.

STAMP.

1. דָּקַק *Dokak*, to bruise in pieces.

2. רָקַע *Roka*, to beat out, extend, thin.

3. הִכָּה *Hikkoh*, to smite, strike.

4. רָפַס *Rophas*, to tread down.

5. רָמַס *Romas*, to trample upon, down.

6. שַׁעֲטָה *Shaatoh*, progressing; met., stamping of horses' hoofs.

1. 2 Sam. xxii. 43.	2. Ezek. vi. 11.

STAMPED.

3. Deut. ix. 21.	2. Ezek. xxv. 6.
1. 2 Kings xxiii. 6, 15.	4. Dan. vii. 7, 19.
1. 2 Chron. xv. 16.	5. —— viii. 7, 10.

STAMPING.

6. Jer. xlvii. 3.

STAND, in all terms and sentences.

1. עָמַד *Omad*, to stand.

2. { קוּם *Koom*,
    קָאם *Koam* (Chaldee), } to rise, rise up.

3. קָרַב *Korav*, to come near, approach.

4.	סָמַךְ	*Somakh*, to support, lean upon.
5.	רָגַז	*Rogaz*, to tremble for fear, or anger.
6.	יָצָא	*Yotsō*, to go forth.
7.	עָדַד	*Odad*, (Hith.) to be preserved, saved.
8.	יָצַב	*Yotsav*, (Niph.) or (Hiph.) to stand firm.
9.	אָמַן	*Oman*, (Niph.) to be faithful, true.
10.	גּוּר	*Goor*, to sojourn; met., anxious.
11.	גֵּשׁ הָלְאָה	*Gesh holoh*, approach farther.
12.	כּוּן	*Koon*, (Niph.) to be arranged, fixed, established.
13.	פָּחַד	*Pokhad*, to be anxious, fear.
14.	מַצֵּבָה	*Matsaivoh*, a statue, standing image.
15.	אֲגַם	*Agam*, a pool.
16.	קָמָה	*Komoh*, standing corn.
17.	מַצָּב	*Matsov*, an erection.
18.	סָבַב	*Sovav*, to surround.
19.	סָמַר	*Somar*, to become hard.
20.	דָּמַם	*Domam*, to stand still, be quiet, inactive.

All passages not inserted are Nº. 1.

2. Lev. xxvi. 37.	8. Psalm lxxviii. 13.
2. —— xxvii. 14, 17.	2. —— lxxxix. 43.
2. Numb. xxx. 4, 5, 7, 11, 12.	2. Prov. xix. 21.
2. Josh. vii. 12, 13.	2. Isa. vii. 7.
8. 1 Sam. xii. 16.	2. — xiv. 24.
8. 2 Sam. xviii. 30.	8. — xxi. 8.
2. Job xix. 25.	2. — xxviii. 18.
8. — xxxviii. 14.	2. — xxxii. 8.
2. Psalm i. 5.	2. — xl. 8.
8. —— v. 5.	2. — xlvi. 10.
2. —— xxiv. 3.	2. Jer. xliv. 28, 29.
8. —— xlv. 9.	2. Dan. ii. 44.

STAND abroad.
1. Deut. xxiv. 11.

STAND against.

1. Lev. xix. 6.	2. Jer. xliv. 29.
2. Numb. xxx. 9.	

STAND aloof.
1. Psalm xxxviii. 11.

STAND back.
11. Gen. xix. 9.

STAND before.
1. In all passages, except:

8. Exod. viii. 20.	8. Prov. xxii. 29.
8. Job xli. 10.	

STAND by.

8. Gen. xxiv. 43.	3. Isa. lxv. 5.
8. Exod. vii. 15.	1. Jer. xlviii. 19.
8. —— xviii. 14.	1. Ezek. xlvi. 2.
8. Numb. xxiii. 3.	1. Zech. iii. 7.
1. Neh. vii. 3.	1. —— iv. 14.

STAND fast.

9. Psalm lxxxix. 28.	8. Jer. xlvi. 14.
4. —— cxi. 8.	

STAND forth.
8. Jer. xlvi. 4.

STAND here.

8. Gen. xxiv. 13.	1. Deut. v. 31.
8. Numb. xxiii. 15.	8. 2 Sam. xviii. 30.

STAND in awe.
1. In all passages, except:

5. Psalm iv. 4.	10. Psalm xxxiii. 8.

STAND on.

8. Exod. xvii. 9.	1. Dan. xi. 17, 31.
1. 2 Kings vi. 31.	

STAND out.
6. Psalm lxxiii. 7.

STAND still.
1. In all passages, except:

8. Exod. xiv. 13.	8. 2 Chron. xx. 17.
20. Josh. x. 12.	8. 1 Sam. xii. 7.

STAND strong.
1. Psalm xxx. 7.

STAND there.

8. Numb. xi. 16.	1. Deut. xviii. 7.

STAND together.
1. Isa. l. 8.

STAND up.
1. In all passages, except:

2. Neh. ix. 5.	8. Psalm xciv. 16.
8. Job xxxiii. 5.	2. Isa. xxvii. 9.
2. Psalm xxxv. 2.	2. — li. 17.

STAND upon.
1. In all passages, except:
8. Exod. xxxiii. 21.

STAND upright.

7. Psalm xx. 8, | 1. Dan. x. 11,

STAND with.

1. Numb. i. 5.

STAND without.

1. Ezra x. 13.

STANDEST.

1. In all passages.

STANDETH.

All passages not inserted are N°. 1,

12. Judg. xvi. 26.	8. Isa. iii. 13.
8. Psalm lxxxii. 1.	8. Zech. xi. 16.
8. Prov. viii. 2.	

STANDING, Part.

16. Exod. xxii. 6.	1. 2 Chron. ix. 18.
14. Lev. xxvi. 1.	1. —— xviii. 18.
8. Numb. xxii. 23, 31.	1. Esth. v. 2.
16. Deut. xxiii. 25.	15. Psalm cvii. 35.
16. Judg. xv. 5.	15. —— cxiv. 8.
8. 1 Sam. xix. 20.	8. Amos ix. 1.
8. —— xxii. 6.	14. Mic. v. 13.
1. 1 Kings xiii. 25.	1. Zech. iii. 1.
1. —— xxii. 19.	8. —— vi. 5.

STANDING, Subst.

עֲמָדָה *Emdoh,*   ⎫
מַעֲמָד *Māamod,* ⎬ a standing.
               ⎭

Psalm lxix. 2.	Mic. i. 11.
Dan. viii. 18.	

STOOD.

1. In all passages, except :

17. Josh. iv. 3.	8. 1 Sam. x. 23.
12. Judg. xvi. 29.	8. —— xxii. 7, 17.
8. 1 Sam. iii. 10.	8. Lam. ii. 4.

STOOD above.

8. Gen. xxviii. 13.	1. Psalm civ. 6.
1. 2 Chron. xxiv. 20.	

STOOD afar.

8. Exod. ii. 4. | 1. Exod. xx. 18, 21.

STOOD at.

1. In all passages, except :

8. Exod. xix. 17. | 8. Exod. xxxii. 8.

STOOD before.

1. In all passages, except :

2. Dan. ii. 31.	2. Dan. vii. 10.
2. —— iii. 3.	

STOOD beside.

1. In all passages,

STOOD by.

1. In all passages, except :

8. Gen. xviii. 2.	8. Judg. xviii. 16.
8. —— xlv. 1.	8. 1 Sam. iv. 20.
8. Numb. xxiii. 6, 17.	2. Dan. vii. 16.

STOOD in.

1. In all passages, except :

8. Exod. v. 20.	8. Numb. xxii. 22.
8. Numb. xvi. 27.	8. 2 Sam. xxiii. 12,

STOOD on, over.

1. In all passages.

STOOD round.

18. Gen. xxxvii. 7,

STOOD still.

1. In all passages, except :

20. Josh. x. 13.

STOOD there.

1. In all passages, except :

8. Exod. xxxiv. 5.

STOOD up.

1. In all passages, except :

2. Gen. xxiii. 3.	2. Esth. v. 9.
2. 2 Chron. xx. 19.	19. Job iv. 15.
2. —— xxviii. 12.	2. — xxx. 28.
2. Neh. ix. 3.	

STOOD upon.

1. In all passages, except :

8. Amos vii. 7.

STOOD upright.

8. Gen. xxxvii. 7. | 8. Exod. xv. 8.

STOOD with.

1. In all passages, except :

8. Lam. ii. 4.

STOODEST.

8. Numb. xxii. 34.	1. Obad. 11.
1. Deut. iv. 10.	

STANDARD.

1. דֶּגֶל *Degel*, a military flag.
2. נֵס *Nais*, a long pole, banner.
3. נוּס *Noos*, (Piel) to put to flight.

1. Numb. i. 52.
1. —— ii. 2, 3, 10, 18, 25.
1. —— x. 14.
2. Isa. xlix. 22.

3. Isa. lix. 19.
2. — lxii. 10.
2. Jer. iv. 6, 21.
2. — L. 2.
2. — li. 12, 27.

STANDARD -bearer.

נֹסֵס *Nousais*, a standard-bearer.

Isa. x. 18.

STANDARDS.

דְּגָלִים *Degoleem*, flags, banners.

Numb. ii. 17, 31, 34.

STANK.

See Stink.

STARE.

רָאָה *Rooh*, to see, behold.
Psalm xxii. 17.

STAR.

1. כּוֹכָב *Koukhov*, a star.
2. סִכּוּת *Sikooth*, the name of an idol; lit., a shelter.

1. Numb. xxiv. 17.
2. Amos v. 26.

STARGAZERS.

חֹזִים בַּכּוֹכָבִים *Khouzeem bakoukhoveem*, seers who predict by the stars.
Isa. xlvii. 13.

STARS.

כּוֹכָבִים *Koukhoveem*, stars, in all passages.

STATE.

1. יָד *Yod*, hand, power.
2. נִצָּב *Nitsov*, firmness, stability.
3. מַעֲמָד *Māamod*, establishment, office.
4. פָּנִים *Poneem*, face.

5. מַתְכֹּנֶת *Mathkouneth*, arrangement, order.
6. קַדְמוּת *Kadmooth*, origin, former condition.

5. 2 Chron. xxiv. 13.
1. Esth. i. 7.
1. —— ii. 18.

2. Psalm xxxix. 5.
4. Prov. xxvii. 23.
3. Isa. xxii. 19.

ESTATE -S.

(Omitted under ESTATE.)
6. Ezek. xvi. 55, three times.

ESTATES.

6. Ezek. xxxvi. 11.

STATELY.

כָּבוּד *Kovood*, honourable.

Ezek. xxiii. 41.

STATION.

מַצָּב *Matsov*, a place erected.
Isa. xxii. 19.

STATURE.

1. מִדָּה *Middoh*, a measure.
2. קוֹמָה *Koumoh*, height.
3. מָדוֹן *Modoun*, a quarreler, striver.*

* According to the *Keree*, of great measure.

1. Numb. xiii. 32.
2. 1 Sam. xvi. 7.
3. 2 Sam. xxi. 20.
1. 1 Chron. xi. 23.
1. —— xx. 6.
2. Cant. vii. 7.

2. Isa. x. 33.
1. — xlv. 14.
2. Ezek. xiii. 18.
2. —— xvii. 6.
2. —— xix. 11.
2. —— xxxi. 3.

STATUTE.

1. חוֹק *Khouk*, a statute, decree.
2. קְיָם *Keyom* (Syriac), an established act.

1. In all passages, except:
2. Dan. vi. 15.

STATUTES.

1. חֻקִּים *Khookeem*, statutes, decrees.
2. פִּקּוּדִים *Pikoodeem*, precepts.

1. In all passages, except:
2. Psalm xix. 8.

STAVES.

See Staff.

STAY, Subst.

1. עֹמֶד *Oumaid*, a stay, stand.
2. מִשְׁעָן *Mishon*, a support, staff.
3. פִּנָּה *Pinnoh*, corner, respect.
4. יָדוֹת *Yodouth*, hands.

1. Lev. xiii. 5, 37.	2. Isa. iii. 1.
2. 2 Sam. xxii. 19.	3. — xix. 13.
2. Psalm xviii. 18.	

STAYS.

4. 1 Kings x. 19.	4. 2 Chron. ix. 18.

STAY.

1. עָמַד *Omad*, to stand, stay.
2. סָמַךְ *Somakh*, to support.
3. עָגַן *Ogan*, (Niph.) to be prevented.
4. עָקַב *Okav*, to detain.
5. הֶרֶף *Hereph*, slacken, relax.
6. שָׁכַב *Shokhav*, (Hiph.) to lay, repose.
7. שָׁעַן *Shoan*, to lean on, recline.
8. תָּמַךְ *Tomakh*, to uphold.
9. מְחָא *Mokhō* (Syriac), to clap the hands.
10. אָחַר *Okhar*, (Piel) to delay.
11. יָחַל *Yokhal*, to wait, expect.
12. יָצַג *Yutsog*, to be fixed, keep its place.
13. כָּלָא *Kolō*, to confine.
14. עָצַר *Otsar*, to restrain.
15. שִׁית *Sheeth*, to be placed, set, put.
16. שָׁסַע *Shosā*, to cleave asunder.
17. הָגָה *Hogoh*, to meditate ; met., move, remove.
18. מָהָה *Mohoh*, (Hith.) to be astonished, surprised.

All passages not inserted are Nº. 1.

3. Ruth i. 13.	7. Isa. x. 20.
5. 1 Sam. xv. 16.	18. — xxix. 9.
5. 2 Sam. xxiv. 16.	7. — xxx. 12.
5. 1 Chron. xxi. 15.	7. — xxxi. 1.
4. Job xxxvii. 4.	2. — xlviii. 2.
6. — xxxviii. 37.	7. — L. 10.
8. Prov. xxviii. 17.	9. Dan. iv. 35.
2. Cant. ii. 5.	

STAYED.

All passages not inserted are Nº. 1.

11. Gen. viii. 10, 12.	12. Exod. x. 24.
10. —— xxxii. 4.	8. —— xvii. 12.

14. Numb. xvi. 48, 50.	14. Psalm cvi. 30.
14. —— xxv. 8.	2. Isa. xxvi. 3.
16. 1 Sam. xxiv. 7.	11. Lam. iv. 6.
14. 2 Sam. xxiv. 21, 25.	13. Ezek. xxxi. 15.
15. Job xxxviii. 11.	13. Hag. i. 10.

STAYETH.

17. Isa. xxvii. 8.

STEAD -S.

תַּחַת *Takhath*, instead of ; in all passages, except :

לְעֵינָיִם *Leainoyim*, before eyes.

Numb. x. 31.

STEADY.

אֱמוּנָה *Emoonoh*, faithful, constant.

Exod. xvii. 12.

STEAL -ETH -ING, STOLE -EN.

גָּנַב *Gonav*, to steal, in all passages.

STEAL away.

גָּנַב *Gonav*, (Hith.) lit., steal themselves (away).

2 Sam. xix. 3.

STEALTH.

גָּנַב *Gonav*, (Hith.) lit., stole themselves (away).

2 Sam. xix. 3.

STEDFAST.

1. מֻצָּק *Mutsok*, standing firm, as anything molten.
2. נֶאֱמָן *Neĕmon*, faithful.
3. קַיָּם *Kayom* (Chaldee), durable.

1. Job xi. 15.	3. Dan. vi. 26.
2. Psalm lxxviii. 8, 37.	

STEDFASTLY.

1. מִתְאַמֶּצֶת *Mithammetseth*, took courage.
2. וַיָּשֶׂם *Vayosem*, and set it.

1. Ruth i. 18.	2. 2 Kings viii. 11.

STEEL.

נְחוּשָׁה *Nekhooshoh*, copper.

2 Sam. xxii. 35.	Psalm xviii. 34.
Job xx. 24.	Jer. xv. 12.

STEEP.

1. מַדְרֵנָה *Madraigoh*, a steep ascent.
2. מוֹרָד *Mourod*, a descent, declivity.

1. Ezek. xxxviii. 20. | 2. Mic. i. 4.

STEM.

גֶּזַע *Geza*, the stem of a tree.

Isa. xi. 1.

STEP.

1. אַשּׁוּר *Ashoor*, a course, an open space.
2. כְּפָשַׂע *Kephosā*, as a step.

2. 1 Sam. xx. 3. | 1. Job xxxi. 7.

STEPS.

1. מַעֲלוֹת *Māalouth*, steps, degrees.
2. צְעָדִים *Tseodeem*, footsteps.
3. אַשּׁוּר *Ashoor*, a course, an open space.
4. הֲלִיכוֹת *Haleekhouth*, walkings.
5. עֲקֵבִים *Akaiveem*, heels.
6. פְּעָמִים *Peomeem*, times; met., regular footsteps.

1. Exod. xx. 26.	5. Psalm lvi. 6.
2. 2 Sam. xxii. 37.	6. —— lvii. 6.
1. 1 Kings x. 19, 20.	3. —— lxxiii. 2.
1. 2 Chron. ix. 18, 19.	6. —— lxxxv. 13.
2. Job xiv. 16.	6. —— cxix. 133.
2. — xviii. 7.	2. Prov. iv. 12.
3. — xxiii. 11.	2. —— v. 5.
4. — xxix. 6.	2. —— xvi. 9.
2. — xxxi. 4, 37.	6. Isa. xxvi. 6.
3. Psalm xvii. 11.	2. Jer. x. 23.
2. —— xviii. 36.	2. Lam. iv. 18.
2. —— xxxvii. 23.	1. Ezek. xl. 22, 26, 31,
3. ———— 31.	34, 37, 49.
3. —— xliv. 18.	2. Dan. xi. 43.

STEWARD.

1. אִישׁ *Eesh*, a man of honour, worth.
2. אֲשֶׁר עַל בֵּיתוֹ *Asher al baithou*, who is over the house.
3. בֶּן־מֶשֶׁק *Ben-meshek*, lit., son of drink; met., butler.

3. Gen. xv. 2.	2. Gen. xliv. 4.
1. —— xliii. 19.	2. 1 Kings xvi. 9.

STEWARDS.

שָׂרִים *Soreem*, lords, overseers.

1 Chron. xxviii. 1.

STICK out, together.

1. שָׂפָה *Shophoh*, to project.
2. לָכַד *Lokad*, to lay hold, adhere.
3. נָחַת *Nokhath*, to rest upon.
4. דָּבַק *Dovak*, to cleave to.
5. מָעוּז *Moookh*, forced in.

1. Job xxxiii. 21.	3. Psalm xxxviii. 2.
2. — xli. 17.	4. Ezek. xxix. 4.

STICKETH.

4. Psalm xviii. 24.

STUCK.

5. 1 Sam. xxvi. 7. | 4. Psalm cxix. 31.

STICK.

עֵץ *Aits*, a tree, piece of wood, a stick.

2 Kings vi. 6.	Ezek. xxxvii. 16, 17,
Lam. iv. 8.	19.

STICKS.

עֵצִים *Aitseem*, trees, pieces of wood, sticks.

Numb. xv. 32, 33.	Ezek. xxxvii. 20.
1 Kings xvii. 10, 12.	

STIFF heart, neck -s.

1. קָשֶׁה *Kosheh*, hard.
2. קָשָׁה *Koshoh*, (Hiph.) to harden.
3. עָתָק *Othok*, strong, durable.
4. חָזָק *Khozok*, strong, firm.

1. Exod. xxxii. 9.	1. Deut. xxxi. 27.
1. —— xxxiii. 3, 5.	2. 2 Chron. xxx. 8.
1. —— xxxiv. 9.	3. Psalm lxxv. 5.
1. Deut. ix. 6, 13.	2. Jer. xvii. 23.
2. —— x. 16.	4. Ezek. ii. 4.

STIFFENED.

קָשָׁה *Koshoh*, (Hiph.) to harden.

2 Chron. xxxvi. 13.

STILL, Adverb.

Not used in the original, except:

1. וְנָסַע *Venosouā*, and travelling.
2. הֹלְכִים הָלוֹךְ *Houlkheem holoukh*, proceeding to go.
3. עוֹד *Oud*, yet, much more.

STI

4. אֹמְרִים אָמוֹר *Oumreem omour,* ·saying to say, i.e., continually saying.

5. יָשֵׁב *Yoshav,* to sit (repeated); lit., sitting ye will sit, i.e., continue to sit, dwell.

6. לְמַעֲלָה *Lemāaloh,* upward (repeated).

1. Gen. xii. 9.	3. Isa. v. 25.
2. 2 Kings ii. 11.	4. Jer. xxiii. 17.
3. Job ii. 3.	5. — xlii. 10.
3. Psalm lxxxiv. 4.	6. Ezek. xli. 7.

STILL, Adj.

1. דָּמַם *Domam,* to stand still, be silent.
2. חָשָׁה *Khoshoh,* to be still, inactive.
3. דְּמָמָה *Demomoh,* calmness.
4. שָׁבַת *Shovath,* (Hiph.) to cause to cease.
5. מְנוּחֹת *Menookhouth,* rests.
6. רָפָה *Rophoh,* (Hiph.) to cause to slacken.
7. שָׁקַט *Shokat,* to be quiet.
8. עָצַר *Otsar,* to restrain.
9. חָרַשׁ *Khorash,* to hold the peace.

1. Exod. xv. 16.	7. Psalm lxxvi. 8.
2. Judg. xviii. 9.	7. —— lxxxiii. 1.
3. 1 Kings xix. 12.	2. —— cvii. 29.
2. —— xxii. 3.	1. Isa. xxiii. 2.
8. 2 Chron. xxii. 9.	— xxx. 7, not in
1. Psalm iv. 4.	original.
4. —— viii. 2.	9. — xlii. 14.
5. —— xxiii. 2.	1. Jer. xlvii. 6.
6. —— xlvi. 10.	

(See STAND and STOOD still.)

STILLED.

1. הַס *Has,* to be silent.
2. חָשָׁה *Khoshoh,* to be still, inactive.

1. Numb. xiii. 30.	2. Neh. viii. 11.

STILLEST.

שָׁבַח *Shovakh,* to soothe, calm.

Psalm lxxxix. 9.

STILLETH.

Psalm lxv. 7.

STINGETH.

פָּרַשׁ *Porash,* (Hiph.) to cause to separate.

Prov. xxiii. 32.

STINK, Subst.

1. מַק *Mak,* wasting away, rottenness.
2. בָּאְשָׁה *Boashoh,* ill savour.

1. Isa. iii. 24.	2. Joel ii. 20.
2. — xxxiv. 3.	2. Amos iv. 10.

STINK -ETH -ING, STANK.

בָּאַשׁ *Boash,* (Hiph.) to cause to corrupt, cause an ill savour, in all passages.

STIR.

1. קוּם *Koom,* to rise, rouse.
2. עוּר *Oor,* (Hiph.) to stir up, startle.
3. עָלָה *Oloh,* (Hiph.) to cause to ascend.
4. נָשָׂא *Nosō,* to carry, lift up.
5. סוּת *Sooth,* (Hiph.) to entice, persuade.
6. עָכַר *Okhar,* to trouble, grieve.
7. גָּרָה *Goroh,* to excite, irritate.

1. Numb. xxiv. 9.	2. Cant. ii. 7.
2. Job xvii. 8.	2. —— iii. 5.
2. — xli. 10.	2. —— viii. 4.
2. Psalm xxxv. 23.	2. Isa. x. 26.
2. —— lxxviii. 38.	2. — xiii. 17.
2. —— lxxx. 2.	2. — xlii. 13.
3. Prov. xv. 1.	2. Dan. xi. 2, 25.

STIRRED.

4. Exod. xxxv. 21, 26.	2. 2 Chron. xxi. 16.
4. —— xxxvi. 2.	2. —— xxxvi. 22.
1. 1 Sam. xxii. 8.	2. Ezra i. 1.
5. —— xxvi. 19.	6. Psalm xxxix. 2.
1. 1 Kings xi. 14, 23.	7. Dan. xi. 10, 25.
5. —— xxi. 25.	2. Hag. i. 14.
2. 1 Chron. v. 26.	

STIRRETH.

2. Deut. xxxii. 11.	7. Prov. xxix. 22.
2. Prov. x. 12.	2. Isa. xiv. 9.
7. — xv. 18.	2. — lxiv. 7.
7. —— xxviii. 25.	

STIRS.

תְּשֻׁאוֹת *Teshuouth,* shoutings.

Isa. xxii. 2.

STOCK.

1. עֵקֶר   *Aiker*, a root, stump of a tree.
2. גֶּזַע   *Geza*, a stem.
3. בּוּל   *Bool*, the produce.
4. עֵץ   *Aits*, a tree, piece of wood, stick.
5. סַד   *Sad*, fetters.
6. עֶכֶס   *Ekhes*, a ring for prisoner's feet.
7. מַהְפֶּכֶת   *Mahapekheth*, an overthrowing.
8. צִינוֹק   *Tseenook*, a prison.

1. Lev. xxv. 47.	3. Isa. xliv. 19.
2. Job xiv. 8.	4. Jer. ii. 27.
2. Isa. xl. 24.	4. — x. 8.

STOCKS.

5. Job xiii. 27.	7. Jer. xx. 2, 3.
5. — xxxiii. 11.	8. — xxix. 26.
6. Prov. vii. 22.	4. Hos. iv. 12.
4. Jer. iii. 9.	

STOCK gazing.

רֳאִי   *Rouee*, a sight.

Nah. iii. 6.

STOLE -EN.

See Steal.

STOMACHER.

פְּתִיגִיל   *Pĕtheegeel*, a woven girdle.

Isa. iii. 24.

STONE, Subst.

אֶבֶן   *Even*, a stone; in all passages, except:

1. צֹר   *Tsour*, a flint.
2. צְרוֹר   *Tsĕrour*, a clod, bundle.

1. Exod. iv. 25.	2. 2 Sam. xvii. 13.

STONE -squarers.

גִּבְלִים   *Givleem*, Giblites.

1 Kings v. 18.

Note.—These people were artificers in stone and wood. They are mentioned in Josh. xiii. 5 ; and their country, *Gebal*, in Psalm lxxxiii. 7, and Ezek. xxvii. 9, as calkers.

STONES.

1. אֲבָנִים   *Avoneem*, stones.
2. סֶלַע   *Selā*, a rock.
3. סָקַל   *Sokal*, to stone (remove stones).
4. צוּר   *Tsoor*, a flinty rock.
5. חָצָץ   *Khotsots*, gravel.
6. גָּזִית   *Gozeez*, hewn, cut stone.
7. פְּחָדִים   *Pakhadeem*, inward parts.
8. דַּכָּה   *Dakkō*, a bruise.
9. חֶרֶשׂ   *Kheres*, a potsherd.
10. אָשֶׁךְ   *Oshekh*, a testicle.
11. זָוִיּוֹת   *Zoveeyouth*, corners, angles, courts.

All passages not inserted are N°. 1.

10. Lev. xxi. 20.	9. Job xli. 30.
8. Deut. xxiii. 1.	2. Psalm cxxxvii. 9.
4. Job xxii. 24.	3. Isa. v. 2.
7. — xl. 17.	5. Lam. iii. 16.

STONE, corner.

1. Job xxxviii. 6.	11. Psalm cxliv. 12.

STONE -S, hewed.

6. 1 Kings vi. 36.	6. 1 Kings vii. 9, 11.

STONES, hewn.

6. In all passages.

STONY.

1. סֶלַע   *Selā*, a rock.
2. אֶבֶן   *Even*, a stone.

1. Psalm cxli. 6.	2. Ezek. xxxvi. 26.
2. Ezek. xi. 19.	

STONE, Verb.

1. סָקַל   *Sokal*, to stone, pelt.
2. רָגַם   *Rogam*, to stone to death.

1. Exod. viii. 26.	1. Deut. xvii. 5.
1. — xvii. 4.	2. — xxi. 21.
2. Lev. xx. 2, 27.	1. — xxii. 21, 24.
2. — xxiv. 14, 16, 23.	1. 1 Kings xxi. 10.
2. Numb. xiv. 10.	2. Ezek. xvi. 40.
2. — xv. 35, 36.	2. — xxiii. 47.
1. Deut. xiii. 10.	

STONED.

1. Exod. xix. 13.	1. 1 Kings xxi. 13, 14, 15.
1. — xxi. 28, 29, 32.	
2. Josh. vii. 25.	2. 2 Chron. x. 18.
1. ———— 25.	2. — xxiv. 21.
2. 1 Kings xii. 18.	

STONING.

סָקַל Sokal, to stone.

1 Sam. xxx. 6.

STOOD.

See Stand.

STOOL.

כִּסֵּא Kissai, a comfortable chair, throne.

2 Kings iv. 10.

STOOLS.

אָבְנָיִם Ovnoyim, a seat used for women in labour; lit., of stone.

Exod. i. 16.

STOOP.

1. שָׁחָה Shokhoh, to bow down, stoop.
2. קָרַס Koras, to bend.
3. כָּרַע Kora, to kneel.
4. קָדַד Kodad, to incline the head, bow.
5. יָשִׁישׁ Yosheesh, substantial, durable, very old.

1. Job ix. 13.	2. Isa. xlvi. 2.
1. Prov. xii. 25.	

STOOPED.

3. Gen. xlix. 9.	4. 2 Sam. xxviii. 14.
4. 1 Sam. xxiv. 8.	5. 2 Chron. xxxvi. 17.

STOOPETH.

2. Isa. xlvi. 1.

STOP.

1. סָתַם Sotam, to stop up.
2. עָצַר Otsar, to restrain, detain.
3. סָגַר Sogar, to shut up, lock up.
4. קָפַץ Kophats, to contract, shorten.
5. חָסַם Khosam, to muzzle.
6. סָכַר Sokhar, to close.
7. חָתַם Khotham, to seal.
8. תָּפַשׂ Tophas, to seize, imprison.
9. כָּבֵד Kovad, (Hiph.) to make heavy.
10. אָטַם Otam, to stop ear or mouth.

2. 1 Kings xviii. 44.	3. Psalm xxxv. 3.
1. 2 Kings iii. 19.	4. —— cvii. 42.
1. 2 Chron. xxxii. 3.	5. Ezek. xxxix. 11.

STOPPED.

6. Gen. viii. 2.	1. Neh. iv. 7.
1. —— xxvi. 15.	6. Psalm lxiii. 11.
7. Lev. xv. 3.	8. Jer. li. 32.
1. 2 Kings iii. 25.	9. Zech. vii. 11.
1. 2 Chron. xxxii. 4, 30.	

STOPPETH.

4. Job v. 16.	10. Prov. xxi. 13.
10. Psalm lviii. 4.	10. Isa. xxxiii. 15.

STORE, up.

אָצַר Otsar, to store up.

Amos iii. 10.

STORE, Subst.

1. אוֹצָר Outsor, a storehouse.
2. פִּקָּדוֹן Pikodoun, a depositary.
3. מִשְׁאֶרֶת Mishereth, kneading trough.
4. הָמוֹן Homoun, multitude, wealth.
5. זָן Zon, provision, store of provision.
6. תְּכוּנָה Tekhoonoh, establishment.
7. נוֹשָׁן Noushon, that which is old.
8. עֲבֹדָה Avudoh, husbandry.

8. Gen. xxvi. 14.	4. 1 Chron. xxix. 16.
2. —— xli. 36.	1. 2 Chron. xi. 11.
7. Lev. xxvi. 10.	4. —— xxxi. 10.
3. Deut. xxviii. 5, 17.	Neh. v. 18, not in
1. —— xxxii. 34.	original.
1 Kings x. 10, not in	5. Psalm cxliv. 13.
original.	1. Isa. xxxix. 6.
1. 2 Kings xx. 17.	6. Nah. ii. 9.

STORE cities.

מִסְכְּנוֹת Miskenouth, magazines.

1 Kings ix. 19.	2 Chron. xvi. 4.
2 Chron. viii. 4, 6.	—— xvii. 12.

STOREHOUSE.

אוֹצָר Outsor, a storehouse.

Mal. iii. 10.

STOREHOUSES.

1. אוֹצָרֹת Outsrouth, storehouses.
2. אֲסָמִים Asomeem, subterranean storehouses.
3. מִסְכְּנוֹת Miskenouth, magazines.

4. מַאֲבָסִים *Määvuseem*, granaries.

5. כָּל אֲשֶׁר בָּהֶם *Kol asher bohem*, all wherein was (provision).

5. Gen. xli. 56.	3. 2 Chron. xxxii. 28.
2. Deut. xxviii. 8.	1. Psalm xxxiii. 7.
1. 1 Chron. xxvii. 25.	4. Jer. l. 26.

STORK.

חֲסִידָה *Khaseedoh*, a stork.

Lev. xi. 19.	Jer. viii. 7.
Deut. xiv. 18.	Zech. v. 9.
Psalm civ. 17.	

STORM.

1. זֶרֶם *Zerem*, a sudden shower.
2. סוּפָה *Soophoh*, a whirlwind.
3. שַׂעַר *Saar*, a tempest.
4. סוֹעָה *Souoh*, a violent tempest.
5. שׁוֹאָה *Shouoh*, destruction, a sudden tempest.
6. סַעַר *Saar*, a pestilential wind.

2. Job xxi. 18.	1. Isa. xxv. 4.
3. — xxvii. 21.	3. — xxviii. 2.
4. Psalm lv. 8.	2. — xxix. 6.
2. —— lxxxiii. 15.	5. Ezek. xxxviii. 9.
6. —— cvii. 29.	3. Nah. i. 3.
1. Isa. iv. 6.	

STORMY.

סַעֲרָה *Saaroh*, pestilential.

Psalm cvii. 25.	Ezek. xiii. 11, 13.
—— cxlviii. 8.	

STORY.

מִדְרָשׁ *Midrosh*, an explanation, discourse.

2 Chron. xiii. 22.	2 Chron. xxiv. 27.

STORIES.

Not in the original, except:

מַעֲלוֹת *Määlouth*, steps, degrees.

Amos ix. 6.

STOUT.

1. לָבִיא *Lovee*, an old lion.
2. גֹּדֶל *Goudel*, greatness, magnificence.
3. רַב *Rov*, abundant, plentiful.
4. חָזָק *Khozok*, strong, resolute, firm.

1. Job iv. 11.	3. Dan. vii. 20.
2. Isa. x. 12.	4. Mal. iii. 13.

STOUTHEARTED.

אַבִּיר *Abbeer*, strong.

Psalm lxxvi. 5.	Isa. xlvi. 12.

STOUTNESS.

גֹּדֶל *Goudel*, greatness.

Isa. ix. 9.

STRAIGHT.

1. יָשַׁר *Yoshar*, to be straight, upright.
2. נֶגֶד *Neged*, straight, before.
3. תָּכַן *Tokan*, (Piel) to set in order.
4. אֶל עֵבֶר פָּנָיו *El aiver ponov*, according to the direction of his face, forward.

1. In all passages, except:

2. Josh. vi. 5.	4. Ezek. i. 9, 12.
3. Eccles. vii. 13.	4. —— x. 22.

STRAIGHTWAY.

1. כֵּן *Kain*, so, thus, right.
2. וַיְמַהֵר *Vayĕmahair*, then he hastened.
3. פִּתְאֹם *Pithoum*, suddenly, immediately.
4. מֵעַתָּה *Maiatoh*, from now, this time.

1. 1 Sam. ix. 13.	3. Prov. vii. 22.
2. —— xxviii. 20.	4. Dan. x. 17.

STRAIT, Adj.

צַר *Tsar*, strait, pressure.

1 Sam. xiii. 6.	1 Chron. xxi. 13.
2 Sam. xxiv. 14.	Job xxxvi. 16.

STRAITS.

1. צָרַר *Tsorar*, to be in trouble, oppressed.
2. מְצָרִים *Metsoreem*, restraints, troubles.

1. Job xx. 22.	2. Lam. i. 3.

STRAIT, Subst.

צַר *Tsar*, strait, narrow, pressure.

2 Kings vi. 1.	Isa. xlix. 20.

STRAITNESS.

מָצוֹק *Motsouk*, pressure, distress.

Deut. xxviii. 53, 55, 57.   Job xxxvi. 16.   Jer. xix. 9.

STRAITEN.

1.   צוּק   *Tsook*, (Hiph.) to distress, press down.
2.   צָרַר   *Tsorar*, (Niph.) to be oppressed, troubled.
3.   בְּמוּצָק   *Bemootsok*, in distress.
4.   אָצַל   *Otsal*, (Niph.) to be contracted.
5.   נָחָה   *Nokhoh*, (Hiph.) to guide, lead.

1. Jer. xix. 9.

STRAITENED.

2. Job xviii. 7.   2. Prov. iv. 12.
3. — xxxvii. 10.   4. Ezek. xlii. 6.

STRAITENETH.

5. Job xii. 23.

STRAITLY.

Not in original, but the relative verb repeated.

Gen. xliii. 7.   Josh. vi. 1.
Exod. xiii. 19.   1 Sam. xiv. 28.

STRAKES.

1.   פְּצָלוֹת   *Petsolouth*,   stripes,   streaks, peelings.
2.   שְׁקַעֲרוּרֹת   *Shekaaroorouth*,   cavities, hollows.

1. Gen. xxx. 37.   2. Lev. xiv. 37.

STRANGE, act, &c.

1.   נָכַר   *Nokhar*, (Hith.) to make himself strange.
2.   הָפַך   *Hokar*, (Hiph.) to be perverse.
3.   זָר   *Zor*, strange, excluded.
4.   נָכְרִי   *Nokhree*, foreign, not natural to, strange.
5.   נֵכָר   *Naikhor*, foreign, strange.
6.   לֹעֵז   *Louaiz*, a foreign tongue.
7.   עֵמֶק   *Emek*, deep.
8.   אַחֶרֶת   *Akhereth*, another.

1. Gen. xlii. 7.   3. Job xix. 17.
2. Job xix. 3.   3. Prov. xxi. 8.

STRANGE act.

4. Isa. xxviii. 21.

STRANGE apparel.

4. Zeph. i. 8.

STRANGE children.

5. Psalm cxliv. 7.   3. Hos. v. 7.

STRANGE fire.

3. Lev. x. 1.   3. Numb. xxvi. 61.
3. Numb. iii. 4.

STRANGE gods.

5. In all passages, except :

בִּזָרִים   *Bezoreem*, with strange things.

Deut. xxxii. 16.

STRANGE incense.

3. Exod. xxx. 9.

STRANGE land.

4. Exod. ii. 22.   5. Psalm cxxxvii. 4.
4. —— xviii. 3.

STRANGE language.

6. Psalm cxiv. 1.

STRANGE notion.

4. Exod. xxi. 8.

STRANGE punishment.

4. Job xxxi. 3.

STRANGE slips.

3. Isa. xvii. 10.

STRANGE speech.

7. Ezek. iii. 5, 6.

STRANGE thing.

3. Hos. viii. 12.

STRANGE vanities.

4. Jer. viii. 19.

STRANGE vine.

4. Jer. ii. 21.

STRANGE waters.

3. 2 Kings xix. 24.

STRANGE wives.

4. 1 Kings xi. 8.   4. Neh. xiii. 27.
4. Ezra x. 2, 10, 11, 14,
     17, 18, 44.

STRANGE woman, women.

8. Judg. xi. 2.   4. Prov. xx. 16.
4. 1 Kings xi. 1.   3. —— xxii. 14.
3. Prov. ii. 16.   4. —— xxiii. 27.
3. —— v. 3, 20.   3. ———— 33.
4. —— vi. 24.   4. —— xxvii. 13.
3. —— vii. 5.

STRANGE work.

3. Isa. xxviii. 21.

STRANGER.

1.	נָכְרִי	Nokhree, a foreigner.
2.	זָר	Zor, strange, excluded.
3.	גֵּר	Gair, a sojourner, stranger.
4.	מְגֻרִים	Megureem, sojournings.
5.	בֶּן־נֵכָר	Ben-naikhor, son of a foreigner.
6.	תּוֹשָׁב	Toushov, a settler.
7.	אִישׁ זָר	Eesh zor, an excluded man, stranger.
8.	אִישׁ נָכְרִי	Eesh nokhree, a foreigner.
9.	אִישׁ גֵּר	Eesh gair, a stranger.
10.	גֵּרִים	Goreem, sojourning

3. Gen. xv. 13.   3. Numb. xix. 10.
4. —— xvii. 8.   3. ———— xxxv. 15.
5. ———— 12, 27.   3. Deut. i. 16.
3. —— xxiii. 4.   3. —— v. 14.
4. —— xxviii. 4.   3. —— x. 18, 19.
4. —— xxxvii. 1.   3. —— xiv. 21.
3. Exod. ii. 22.   8. —— xvii. 15.
3. —— xii. 19.   3. —— xxiii. 7.
5. ———— 43.   1. ———— 20.
3. ———— 48, 49.   7. —— xxv. 5.
3. —— xx. 10.   3. —— xxvi. 11.
3. —— xxii. 21.   3. —— xxviii. 43.
3. —— xxiii. 9, 12.   3. —— xxix. 11.
2. —— xxix. 33.   1. ———— 22.
2. ———— xxx. 33.   3. —— xxxi. 12.
3. Lev. xvi. 29.   3. Josh. viii. 33.
3. —— xvii. 12, 15.   3. —— xx. 9.
3. —— xix. 10, 33, 34.   1. Judg. xix. 12.
2. —— xxii. 10, 13.   1. Ruth ii. 10.
7. ———— 12.   9. 2 Sam. i. 13.
5. ———— 25.   1. ———— xv. 19.
3. —— xxiii. 22.   3. 1 Kings iii. 18.
3. —— xxiv. 16, 22.   1. ———— viii. 41, 43.
6. —— xxv. 6.   1. 2 Chron. vi. 32, 33.
3. ———— 35, 47.   2. Job xv. 19.
2. Numb. i. 51.   2. — xix. 15.
2. ———— iii. 10, 38.   3. —— xxxi. 32.
3. ———— ix. 14.   3. Psalm xxxix. 12.
3. ———— xv. 14, 15, 16,   2. —— lxix. 8.
     29, 30.   3. —— xciv. 6.
7. ———— xvi. 40.   3. —— cxix. 19.
2. ———— xviii. 4, 7.   1. Prov. ii. 16.

1. Prov. v. 10, 20.   5. Isa. lvi. 3, 6.
2. —— vi. 1.   1. — lxii. 8.
1. —— vii. 5.   3. Jer. xiv. 8.
2. —— xi. 15.   3. Ezek. xiv. 7.
2. —— xiv. 10.   3. —— xxii. 7, 29.
2. —— xx. 16.   3. —— xliv. 9.
1. —— xxvii. 2.   3. —— xlvii. 23.
2. ———— 13.   1. Obad. 12.
1. Eccles. vi. 2.   3. Mal. iii. 5.

STRANGER, followed by fatherless.

3. In all passages.

STRANGERS.

1. Gen. xxxi. 15.   2. Prov. v. 10, 17.
4. —— xxxvi. 7.   2. Isa. i. 7.
4. Exod. vi. 4.   1. — ii. 6.
3. —— xxii. 21.   10. — v. 17.
3. —— xxiii. 9.   3. — xiv. 1.
3. Lev. xvii. 8, 10, 13.   2. — xxv. 2, 5.
3. —— xix. 34.   2. — xxix. 5.
3. —— xx. 2.   5. — lx. 10.
3. —— xxii. 18.   5. — lxi. 5.
3. —— xxv. 23.   2. Jer. ii. 25.
6. ———— 45.   2. — iii. 13.
3. Deut. x. 19.   2. — v. 19.
3. —— xxiv. 14.   2. — xxx. 8.
1. —— xxxi. 16.   10. — xxxv. 7.
3. Josh. viii. 35.   2. — li. 51.
5. 2 Sam. xxii. 45, 46.   2. Lam. v. 2.
10. 1 Chron. xvi. 19.   2. Ezek. vii. 21.
3. ———— xxii. 2.   2. —— xi. 9.
3. ———— xxix. 15.   2. —— xvi. 32.
3. 2 Chron. ii. 17.   2. —— xxviii. 7, 10.
10. ———— xv. 9.   2. —— xxx. 12.
3. ———— xxx. 25.   2. —— xxxi. 12.
5. Neh. ix. 2.   5. —— xliv. 7.
1. —— xiii. 30.   3. —— xlvii. 22.
5. Psalm xviii. 44, 45.   2. Hos. vii. 9.
2. —— liv. 3.   2. —— viii. 7.
10. —— cv. 12.   2. Joel iii. 17.
2. —— cix. 11.   2. Obad. 11.
3. —— cxlvi. 9.

STRANGELY.

יְנַכְּרוּ   Yenakroo, they will show them-
selves strange.

Deut. xxxii. 27.

STRANGLED.

חָנַק   Khonak, to strangle.

Nah. ii. 12.

STRANGLING.

Job vii. 15.

STRAW.

תֶּבֶן *Teven*, straw, in all passages.

STRAWED.

1. זָרַר *Zorar*, to scatter.
2. זָרַק *Zorak*, to sprinkle.

1. Exod. xxxii. 20. | 2. 2 Chron. xxxiv. 4.

STREAM.

1. נַחַל *Nakhal*, a stream, brook.
2. אָפִיק *Apheek*, an arm, or swelling of the sea.
3. אֶשֶׁד *Eshed*, a torrent.
4. נָהָר *Nohor*, a river.

1. In all passages, except :

3. Numb. xxi. 15. | 4. Dan. vii. 10.
2. Job vi. 15.

STREAMS.

1. נְהָרוֹת *Nehorouth*, rivers.
2. פְּלָגִים *Pelogeem*, divisions.
3. נוֹזְלִים *Nouzleem*, flowing waters.
4. נְחָלִים *Nekholeem*, streams, brooks.
5. אֲפִיקִים *Apheekeem*, arms, swellings of the sea.
6. יְבָלִים *Yevoleem*, fertile streams.

1. Exod. vii. 19. | 3. Cant. iv. 15.
1. —— viii. 5. | 4. Isa. xi. 15.
2. Psalm xlvi. 4. | 6. — xxx. 25.
3. —— lxxviii. 16. | 1. — xxxiii. 21.
4. ———— 20. | 4. — xxxiv. 9.
5. —— cxxvi. 4. | 4. — xxxv. 6.

STREET.

1. רְחוֹב *Rekhouv*, a wide street.
2. חוּץ *Khoots*, an open place, abroad.
3. שׁוּק *Shook*, a market-place.

All passages not inserted are N°. 1.

2. Josh. ii. 19. | 2. Isa. xlii. 2.
2. 2 Sam. xxii. 43. | 2. — li. 23.
2. Job xviii. 17. | 2. Lam. ii. 19.
2. — xxxi. 32. | 2. —— iv. 1.
3. Prov. vii. 8. |

STREETS.

1. חוּצוֹת *Khootsouth*, open places.

---

2. רְחֹבוֹת *Rekhouvouth*, wide streets.
3. שְׁוָקִים *Shevokeem*, market-places.

All passages not inserted are N°. 1.

2. Psalm lv. 11. | 2. Isa. xv. 3.
2. —— cxliv. 14. | 2. Jer. ix. 21.
2. Prov. i. 20. | 2. — xlviii. 38.
2. —— v. 16. | 2. — xlix. 26.
2. —— vii. 12. | 2. Lam. ii. 11.
2. —— xxii. 13. | 2. —— iv. 18.
2. —— xxvi. 13. | 2. Amos v. 16.
3. Eccles. xii. 4, 5. | 2. Nah. ii. 4.
3. Cant. iii. 2. | 2. Zech. viii. 4, 5.

STRENGTH.

1. פֹּחַ *Kouakh*, ability, fitness, power, strength.
2. חֹזֶק *Khouzek*, strength, firmness.
3. תּוֹעָפֹת *Touaphouth*, unwearying strength.
4. עֹז *Ouz*, strength.
5. חָיִל *Khoyil*, valour, might.
6. נֵצַח *Netsakh*, prosperity.
7. גְּבוּרָה *Gevooroh*, power, vigour.
8. לְחַזֵּק *Lekhazaik*, to strengthen.
9. אֲפִיקִים *Apheekeem*, arms, swellings of the sea.
10. בַּדִּים *Badeem*, bars.
11. גְּבוּרוֹת *Gevoorouth*, powers.
12. מָעוֹז *Mōouz*, strong protection.
13. בָּלַג *Bolag*, (Hiph.) to cause to rise, stir up ; met., rejoice.
14. צוּר *Tsoor*, a rock.
15. חֹסֶן *Khousen*, well secured, in-violable.
16. עָצְמָה *Otsmoh*, strength, firmness.
17. תֹּקֶף *Toukeph*, strength, authority.
18. נִצְבְּתָא *Nitsvothō* (Chaldee), firmness.
19. אֵיתָן *Aithon*, irresistibility.
20. אוֹן *Oun*, might.
21. מִלֵּא יָדוֹ *Millai yodou*, filled his hand.
22. אֱיָלוּת *Eyolooth*, swiftness, fortitude.
23. אַמְצָה *Amtsoh*, power.
24. תֵּל *Tail*, a raised mount, hill.
25. אוּל *Ool*, substance.
26. רַהַב *Rahav*, pride, spirit, courage.
27. דָּבָא *Dovō*, fine produce, (poetically,) gold.
28. זְרוֹעַ *Zerouā*, an arm.

STR

1. Gen. iv. 12.
2. Exod. xiii. 3, 14, 16.
3. Numb. xxiii. 22.
3. ———— xxiv. 8.
4. Judg. v. 21.
5. 1 Sam. ii. 4.
1. ———— 9.
4. ———— 10.
6. ———— xv. 29.
1. ———— xxviii. 22.
5. 2 Sam. xxii. 40.
7. 2 Kings xviii. 20.
1. ———— xix. 3.
4. 1 Chron. xvi. 27, 28.
1. ———— xxvi. 8.
8. ———— xxix. 12.
1. 2 Chron. xiii. 20.
1. Neh. iv. 10.
1. Job ix. 19.
7. — xii. 13.
4. —— 16.
9. ———— 21.
10. — xviii. 13.
1. — xxiii. 6.
1. — xxx. 2.
1. — xxxvi. 19.
7. — xxxix. 19.
4. — xli. 22.
4. Psalm viii. 2.
5. ———— xviii. 32, 39.
11. —— xx. 6.
12. —— xxvii. 1.
4. —— xxviii. 7.
4. ———— 8.
12. ———— 8.
4. —— xxix. 1, 11.
1. —— xxxiii. 16.
13. —— xxxix. 13.
4. —— xlvi. 1.
12. —— lx. 7.
4. —— lxviii. 34, 35.
14. —— lxxiii. 26.
4. —— lxxxi. 1.
4. —— lxxxiv. 5.
5. ———— 7.
11. —— xc. 10.
4. —— xciii. 1.

3. Psalm xcv. 4.
4. —— xcvi. 6, 7.
4. —— xcix. 4.
12. —— cviii. 8.
4. —— cxxxviii. 3.
4. —— cxl. 7.
7. Prov. viii. 14.
12. —— x. 29.
1. —— xiv. 4.
4. —— xxi. 22.
1. —— xxiv. 5.
4. —— xxxi. 17, 25.
7. Eccles. ix. 16.
5. —— x. 10.
7. ———— 17.
5. Isa. v. 22.
1. — x. 13.
12. — xxiii. 4.
12. — xxv. 4.
14. — xxvi. 4.
7. — xxviii. 6.
12. — xxx. 3.
15. — xxxiii. 6.
7. — xxxvi. 5.
1. — xxxvii. 3.
1. — xl. 9.
16. ———— 29.
4. — xlii. 25.
1. — xliv. 12.
4. — xlv. 24.
4. — li. 9.
15. Jer. xx. 5.
4. — li. 53.
1. Lam. i. 6.
12. Ezek. xxx. 15.
4. ———— 18.
4. ———— xxxiii. 28.
17. Dan. ii. 37.
18. ———— 41.
1. —— xi. 15.
17. ———— 17.
12. ———— 31.
12. Joel iii. 16.
2. Amos vi. 13.
16. Nah. iii. 9.
12. ———— 11.
2. Hag. ii. 22.

STRENGTH, his.

19. Exod. xiv. 27.
20. Deut. xxi. 17.
7. Judg. viii. 21.
1. —— xvi. 5, 9, 19.
21. 2 Kings ix. 24.
4. 1 Chron. xvi. 11.
20. Job xviii. 7, 12.
10. ———— 13.
16. — xxi. 23.
4. — xxxvii. 6.
1. — xxxix. 11, 21.
1. — xl. 16.
1. Psalm xxxiii. 17.

12. Psalm lii. 7.
4. —— lix. 9.
1. —— lxv. 6.
4. —— lxviii. 34.
4. —— lxxviii. 4, 61.
4. —— cv. 4.
1. Isa. xliv. 12.
1. — lxii. 8.
1. — lxiii. 1.
2. Dan. xi. 2.
1. Hos. vii. 9.
20. ———— xii. 3.

STRENGTH, in.

19. Gen. xlix. 24.
1. 1 Kings xix. 8.
1. Job ix. 4.
1. — xxxvi. 5.
11. Psalm lxxi. 16.

1. Psalm ciii. 20.
7. ———— cxlvii. 10.
12. Isa. xxx. 2.
4. Mic. v. 4.

STRENGTH, my.

20. Gen. xlix. 3.
4. Exod. xv. 2.
1. Josh. xiv. 11.
1. Judg. xvi. 17.
12. 2 Sam. xxii. 33.
1. Job vi. 11, 12.
2. Psalm xviii. 1.
14. ———— 2.
14. —— xix. 14.
1. —— xxii. 15.
22. ———— 19.
4. —— xxviii. 7.
12. —— xxxi. 4.
1. ———— 10.
1. —— xxxviii. 10.
12. —— xliii. 2.

4. Psalm lix. 17.
4. —— lxii. 7.
1. —— lxxi. 9.
1. —— cii. 23.
4. —— cxviii. 14.
14. —— cxliv. 1.
4. Isa. xii. 2.
12. — xxvii. 5.
1. — xlix. 4.
4. ———— 5.
5. Jer. xvi. 19.
1. Lam. i. 14.
6. ———— iii. 18.
5. Hab. iii. 19.
23. Zech. xii. 5.

STRENGTH, no.

1. 1 Sam. xxviii. 20. | 22. Psalm lxxxviii. 4.
4. Job xxvi. 2. | 1. Dan. x. 8, 16, 17.

STRENGTH, their.

24. Josh. xi. 13. | 1. Prov. xx. 29.
12. Psalm xxxvii. 39. | 26. Isa. xxx. 7.
25. —— lxxiii. 4. | 1. — xl. 31.
20. —— lxxviii. 51. | 1. — xli. 1.
4. —— lxxxix. 17. | 6. — lxiii. 6.
26. —— xc. 10. | 12. Ezek. xxiv. 25.
20. —— cv. 36. | 5. Joel ii. 22.

STRENGTH, thy.

4. Exod. xv. 13. | 7. Psalm lxxx. 2.
27. Deut. xxxiii. 25. | 4. —— lxxxvi. 16.
1. Judg. xvi. 6, 15. | 4. —— cx. 2.
4. 2 Chron. vi. 41. | 4. —— cxxxii. 8.
4. Psalm xxi. 1, 13. | 1. Prov. xxiv. 10.
7. —— liv. 1. | 5. —— xxxi. 3.
4. —— lxviii. 28. | 12. Isa. xvii. 10.
28. —— lxxi. 18. | 4. — lii. 1.
4. —— lxxiv. 13. | 7. — lxiii. 15.
4. —— lxxvii. 14. | 4. Amos iii. 11.

STRENGTH, your.

1. Lev. xxvi. 20. | 7. Isa. xxx. 15.
12. Neh. viii. 10. | 4. Ezek. xxiv. 21.
12. Isa. xxiii. 14. |

STRENGTHEN.

1. חָזַק *Khozak,* to strengthen.
2. אָמֵץ *Omats,* to be powerful.
3. גָּבַר *Govar,* to prevail.
4. סָעַד *Soad,* to support, cheer, refresh.
5. עָזַז *Ozaz,* to be firm.
6. לְמָעוֹז *Lemōouz,* for protection.
7. קַיֵּם *Kayaim,* to confirm, establish.
8. רָהַב *Rohav,* to animate, encourage.
9. בָּלַג *Bolag,* (Hiph.) to revive, raise up.

All passages not inserted are N°. 1.

2. Deut. iii. 28.	2. Psalm lxxxix. 21.
2. Job xvi. 5.	7. —— cxix. 28.
4. Psalm xx. 2.	5. Isa. xxx. 2.
2. —— xxvii. 14.	6. Dan. xi. 1.
2. —— xxxi. 24.	2. Amos ii. 14.
4. —— xli. 3.	3. Zech. x. 6, 12.
5. —— lxviii. 28.	

STRENGTHENED.

All passages not inserted are N°. 1.

2. 2 Chron. xiii. 7.	5. Prov. viii. 28.
2. —— xxiv. 13.	5. Dan. xi. 12.
2. Job iv. 4.	

STRENGTHENEDST.

8. Psalm cxxxviii. 3.

STRENGTHENETH.

3. Job xv. 25.	5. Eccles. vii. 19.
4. Psalm civ. 15.	2. Isa. xliv. 14.
2. Prov. xxxi. 17.	9. Amos v. 9.

STRETCH.

1.	נָטָה	*Notoh,* to stretch out.
2.	פָּרַשׂ	*Poras,* to spread out hands or wings.
3.	רוּץ	*Roots,* (Hiph.) to cause to quicken.
4.	שָׂרַע	*Sorā,* (Hith.) to comfort himself.
5.	סָרַח	*Sorakh,* to let loose, spread.
6.	שָׁלַח	*Sholakh,* to send forth.
7.	מָדַד	*Modad,* (Hith.) to extend, measure.
8.	נָהַר	*Gohar,* to breathe.
9.	שָׁטַח	*Shotakh,* to spread out, abroad.
10.	רָקַע	*Rokā,* to extend, enlarge.
11.	נָטַשׁ	*Notash,* to pluck up.
12.	פָּרַד	*Porad,* to separate.
13.	מָשַׁךְ	*Moshakh,* to draw along, lengthen, extend.

All passages not inserted are N°. 1.

2. Exod. xxv. 20.	3. Psalm lxviii. 31.
2. Job xi. 13.	4. Isa. xxviii. 20.
2. —— xxxix. 26.	5. Amos vi. 4.

STRETCHED, actively and passively.

All passages not inserted are N°. 1.

6. Gen. xxii. 10.	10. Psalm cxxxvi. 6.
6. —— xlviii. 14.	11. Isa. xvi. 8.
2. 1 Kings vi. 27.	12. Ezek. i. 11.
7. —— xvii. 21.	6. —— x. 7.
8. 2 Kings iv. 34, 35.	13. Hos. vii. 5.
2. Psalm xliv. 20.	5. Amos vi. 7.
9. —— lxxxviii. 9.	

STRETCHED arm.

1. In all passages.

STRETCHEDST.

1. Exod. xv. 12.

STRETCHEST.

1. Psalm civ. 2.

STRETCHETH.

1. In all passages, except:

     2. Prov. xxxi. 20.

STRETCHING.

1. Isa. viii. 8.

STRIFE.

1.	רִיב מְרִיבָה	*Reev, Mereevoh,* } a strife.
2.	דוּן	*Doon,* to contend, censure.
3.	דִּין	*Deen,* justice, judgment.
4.	מָדוֹן	*Modoun,* contention, dispute.
5.	מַצָּה	*Matsoh,* a quarrel.

All passages not inserted are N°. 1.

2. 2 Sam. xix. 9.	5. Prov. xvii. 19.
4. Psalm lxxx. 6.	3. —— xxii. 10.
4. Prov. xv. 18.	4. —— xxvi. 20.
4. —— xvi. 28.	4. —— xxviii. 25.
4. —— xvii. 14.	

STRIFES.

מְדָנִים   *Medoneem,* contentions.

Prov. x. 12.

STRIKE.

1.	הִכָּה	*Hikkoh,* to beat, smite.
2.	נָגַע	*Noga,* to touch; met., to give a blow, strike with the plague.
3.	נָתַן	*Nothan,* to give, set, place.
4.	עָרַף	*Oraph,* to drop, break down.
5.	נוּף	*Nooph,* to wave.
6.	תָּקַע	*Toka,* to strike, drive.
7.	חָלַף	*Kholaph,* to change, pass over, transfer.
8.	מָחַץ	*Mokhats,* to wound.
9.	פָּלַח	*Polakh,* to cut in pieces.
10.	נָקַב	*Nokav,* to bore through.
11.	דָּקַר	*Dokar,* to pierce through.

12. בָּא־בַּיָּמִים *Bo-bayomeem*, came in days; met., grow old.

13. סָפַק *Sophak*, to strike with the hand.

14. נָגַף *Nogaph*, to strike with death.

3. Exod. xii. 7.
2. ———— 22.
4. Deut. xxi. 4.
5. 2 Kings v. 11.
6. Job xvii. 3.
7. — xx. 24.

8. Psalm cx. 5.
9. Prov. vii. 23.
1. —— xvii. 26.
6. —— xxii. 26.
10. Hab. iii. 14.

STRICKEN.

12. Gen. xviii. 11.
12. —— xxiv. 1.
12. Josh. xiii. 1.
12. —— xxiii. 1, 2.
7. Judg. v. 26.
12. 1 Kings i. 1.
6. Prov. vi. 1.

1. Prov. xxiii. 35.
1. Isa. i. 5.
1. — vii. 7.
1. — liii. 4.
2. ———— 8.
1. Jer. v. 3.
11. Lam. iv. 9.

STRIKETH.

13. Job xxxiv. 26. | 6. Prov. xvii. 18.

STRUCK.

1. 1 Sam. ii. 14.
14. 2 Sam. xii. 15.

1. 2 Sam. xx. 10.
14. 2 Chron. xiii. 20.

STRING -S.

1. יֶתֶר *Yether*, a long cord.
2. מֵיתָרִים *Maithoreem*, long cords.

1. Psalm xi. 2. | 2. Psalm xxi. 12.

Not used in the original in the other passages.

STRINGED.
Not in original.

STRIPE.

חַבּוּרָה *Khabooroh*, a bruise.

Exod. xxi. 25.

STRIPES.

1. מַכָּה *Makkoh*, a smiting.
2. נְגָעִים *Negoeem*, plagues.
3. הַכּוֹת *Hakkouth*, to smite.
4. הֲלֻמוֹת *Halumouth*, strokes, blows.
5. מַכּוֹת *Makkouth*, stripes.
6. חֲבוּרָה *Khavooroh*, a bruise.

Deut. xxv. 3, not in original.
1. ———— 3.
2. 2 Sam. vii. 14.
2. Psalm lxxxix. 32.

3. Prov. xvii. 10.
4. —— xix. 29.
5. —— xx. 30.
6. Isa. liii. 5.

STRIP.

1. פָּשַׁט *Poshat*, to strip, flay.
2. נָצַל *Notsal*, to pluck off, tear off.

1. In all passages.

STRIPPED.

1. In all passages, except:

2. Exod. xxxiii. 6. | 2. 2 Chron. xx. 25.

STRIPLING.

עֶלֶם *Olem*, a youth, stripling.

1 Sam. xvii. 56.

STRIVE.

1. רִיב *Reev*, to strive.
2. נָצָה *Notsoh*, (Niph.) to stir up, provoke.
3. דוּן *Doon*, to judge.
4. עָשֹׁק *Osak*, to dispute.
5. מְגִיחָן *Megeekhon* (Syriac), rushing forth.
6. הִתְגָּרִית *Hithgoreeth*, thou hast excited thyself.

1. In all passages, except:

3. Gen. vi. 3.
2. Exod. xxi. 22.

2. Deut. xxv. 11.

STRIVETH.
1. Isa. xlv. 9.

STRIVEN.
6. Jer. l. 24.

STRIVINGS.
1. In all passages.

STROVE.

4. Gen. xxvi. 20.
1. ———— 21, 22.
2. Exod. ii. 13.
2. Lev. xxiv. 10.

1. Numb. xx. 13.
2. —— xxvi. 9.
2. 2 Sam. xiv. 6.
5. Dan. vii. 2.

STROKE.

1. נֶגַע *Nega*, a touch, stroke, plague.
2. נָדַח *Nodakh*, to urge forward.
3. מַכָּה *Makkoh*, a stroke, wound.
4. יָד *Yod*, a hand, power.
5. בְּשֹׁפֶק *Besophek*, when in affluence.
6. מַגֵּפָה *Magaiphoh*, a pestilence, plague.

1. Deut. xvii. 8.	5. Job xxxvi. 18.
2. —— xix. 5.	1. Psalm xxxix. 10.
1. —— xxi. 5.	3. Isa. xiv. 6.
3. Esth. ix. 5.	3. — xxx. 26.
4. Job xxiii. 2.	6. Ezek. xxiv. 16.

STROKES.

מַהֲלֻמוֹת *Mahalumouth*, beatings, blows.
Prov. xviii. 6.

STRONG.

1. חָזָק *Khozok*, strong, fast, firm.
2. גֶּרֶם *Gorem*, bony.
3. פָּזַז *Pozaz*, to be active.
4. { עֹז *Oz*, עֱזוּז *Izooz*, } strength.
5. אֵיתָן *Aithon*, mighty, irresistible.
6. שֵׁכָר *Shaikhor*, wine, or any strong liquor.
7. שָׂגַב *Sogav*, to be exalted.
8. חָזַק *Khozak*, (Hiph.) to cause to strengthen, lay hold.
9. עָצוּם *Otsoom*, possessing strength.
10. אַמִּיץ *Ameets*, firm, resolute.
11. אָמֵץ *Omats*, to encourage.
12. חָזַק *Khozak*, to strengthen.
13. חָזַק *Khozak*, (Piel) to be strong, secure.
14. חָזַק *Khozak*, (Hith.) to strengthen himself.
15. בְּצוּר *Botsoor*, fortified.
16. כַּבִּיר *Kabbeer*, mighty, great.
17. אֲפִיקִים *Apheekeem*, extensions; met., possessing force, strength.
18. גִּבּוֹר *Gibbour*, mighty, powerful.
19. מָעוֹז *Mōouz*, a strong protection.
20. מָצוֹר *Motsour*, a siege.
21. צוּר *Tsoor*, a flinty rock.
22. { חָסִין *Khaseen*, חֹסֶן *Khousen*, } strength.
23. עָזַז *Ozaz*, to strengthen.
24. עָרִיץ *Oreets*, terrible.
25. בְּעֹז *Bōouz*, in strength.
26. חַיִל *Khoyil*, valiant.
27. תַּקִּיף *Těkeeph* (Syriac), powerful, valiant.
28. מְסֻבָּלִים *Mesuboleem*, loaded, laden.

29. מִבְצָרִים *Mivtsoreem*, fortresses.
30. מְצָדוֹת *Metsodouth*, barricades.
31. מִבְצָר *Mivtsor*, a fortress.
32. סֶלַע *Selā*, a rock.
33. מִבְצְרֵי מָעֻזִּים *Mivtsěrai mouzeem*, strong fortresses.
34. עֹפֶל *Ouphel*, impregnable.
35. אַבִּירִים *Abbeereem*, stout, robust.
36. מְקֻשָּׁר *Mekushor*, joined together, compacted.
37. גָּבַר *Govar*, to prevail.
38. יוֹסִיף אֹמֶץ *Youseeph oumets*, shall increase strength.
39. עָצַם *Otsam*, to be firm, fast.
40. חֲזַקְתַּנִי *Khazaktanee*, thou hast made me strong.

All passages not inserted are N°. 1.

2.	Gen. xlix. 14.	4.	Prov. xiv. 26.
3.	—— 24.	4.	—— xviii. 10, 11, 19.
4.	Exod. xiv. 21.	4.	—— xxi. 14.
4.	Numb. xxi. 24.	25.	—— xxiv. 5.
5.	—— xxiv. 21.	4.	—— xxx. 25.
6.	—— xxviii. 7.	18.	Eccles. ix. 11.
7.	Deut. ii. 36.	26.	—— xii. 3.
8.	—— xxii. 25.	4.	Cant. viii. 6.
9.	Josh. xxiii. 9.	22.	Isa. i. 31.
4.	Judg. ix. 51.	9.	— viii. 7.
4.	—— xiv. 14.	19.	— xvii. 9.
8.	2 Sam. xi. 25.	4.	— xxv. 3.
10.	—— xv. 12.	4.	— xxvi. 1.
4.	—— xxii. 18.	10.	— xxviii. 2.
11.	—— 18.	12.	—— 22.
12.	1 Chron. xix. 12.	9.	— xxxi. 1.
13.	2 Chron. xi. 12.	10.	— xl. 26.
11.	—— 17.	9.	— xli. 21.
14.	—— xvi. 9.	9.	— liii. 12.
15.	Neh. ix. 25.	9.	— lx. 22.
16.	Job viii. 2.	26.	Jer. xlviii. 14.
10.	— ix. 19.	4.	—— 17.
9.	— xxx. 21.	5.	— xlix. 19.
17.	— xl. 18.	5.	— L. 44.
4.	Psalm xviii. 17.	8.	— li. 12.
11.	—— 17.	4.	Ezek. vii. 24.
18.	—— xix. 5.	4.	—— xix. 11, 12, 14.
4.	—— xxiv. 8.	4.	—— xxvi. 11.
4.	—— xxx. 7.	13.	—— xxx. 21.
19.	—— xxxi. 2.	18.	—— xxxii. 21.
20.	—— 21.	27.	Dan. iv. 11, 20, 22.
9.	—— xxxviii. 19.	27.	—— vii. 7.
20.	—— lx. 9.	9.	— viii. 8.
4.	—— lxi. 3.	9.	— xi. 23.
21.	—— lxxi. 3.	9.	Joel i. 6.
4.	—— 7.	9.	—— ii. 2, 5, 11.
11.	—— lxxx. 15, 17.	18.	—— iii. 10.
22.	—— lxxxix. 8.	22.	Amos ii. 9.
23.	—— 13.	4.	—— v. 9.
15.	—— cviii. 10.	9.	Mic. iv. 3, 7.
9.	Prov. vii. 26.	5.	—— vi. 2.
4.	— x. 15.	13.	Nah. ii. 1.
24.	—— xi. 16.	9.	Zech. viii. 22.

STRONG, be.
All passages not inserted are N°. 1.

4. Numb. xiii. 28.	13. 1 Chron. xxviii. 20.
12. Deut. xi. 8.	12. 2 Chron. xv. 7.
13. —— xxxi. 6, 7, 23.	12. —— xxv. 8.
13. Josh. i. 6.	13. —— xxxii. 7.
12. —— 7.	12. Ezra ix. 12.
13. —— 9, 18.	28. Psalm cxliv. 14.
13. —— x. 25.	12. Isa. xxxv. 4.
14. 1 Sam. iv. 9.	12. Ezek. xxii. 14.
12. 2 Sam. xvi. 21.	27. Dan. ii. 40, 42.
12. 1 Kings ii. 2.	12. —— x. 19.
12. 1 Chron. xix. 12.	12. —— xi. 5, 32.
13. —— xxii. 13.	12. Hag. ii. 4.
12. —— xxviii. 10.	12. Zech. viii. 9, 13.

STRONG drink.
6. In all passages.

STRONG hold -s.

29. Numb. xiii. 19.	30. Jer. xlviii. 41.
30. Judg. vi. 2.	29. Lam. ii. 2, 5.
30. 1 Sam. xxiii. 14, 19, 29.	29. Dan. xi. 24.
30. 2 Sam. v. 7.	33. —— 39.
31. —— xxiv. 7.	34. Mic. iv. 8.
29. 2 Kings viii. 12.	19. Nah. i. 7.
30. 2 Chron. xi. 11.	29. —— iii. 12, 14.
29. Psalm lxxxix. 40.	31. Hab. i. 10.
19. Isa. xxiii. 11.	20. Zech. ix. 3.
32. — xxxi. 9.	31. ——— 12.
29. Jer. xlviii. 18.	

STRONG ones.

9. Psalm x. 10.	35. Jer. viii. 16.

STRONGER.
All passages not inserted are N°. 1.

11. Gen. xxv. 23.	12. 1 Kings xx. 23, 25.
36. —— xxx. 41, 42.	38. Job xvii. 9.
4. Judg. xiv. 18.	39. Psalm cv. 24.
37. 2 Sam. i. 23.	11. —— cxlii. 6.
12. —— xiii. 14.	40. Jer. xx. 7.

STRONGEST.
18. Prov. xxx. 30.

STRONGLY.
מְסוֹבְלִין *Mesouvleen* (Chaldee), bearing a load.

Ezra vi. 3.

STROVE.
See Strive.

STRUCK.
See Strike.

STRUGGLED.
רָצַץ *Rotsats,* to struggle.

Gen. xxv. 22.

STUBBLE.

1.   קַשׁ   *Kash,* stubble.
2.   תֶּבֶן   *Teven,* straw.

1. In all passages, except:
2. Job xxi. 18.

STUBBORN.

1.   סוֹרֵר   *Sourair,* stubborn.
2.   קָשָׁה   *Koshoh,* hard, grievous.

1. Deut. xxi. 18, 20.	1. Psalm lxxviii. 8.
2. Judg. ii. 19.	1. Prov. vii. 11.

STUBBORNNESS.

1.   קְשִׁי   *Kĕshee,* hardness.
2.   הַפְצַר   *Haphtsar,* wilfulness.

1. Deut. ix. 27.	2. 1 Sam. xv. 23.

STUCK.
See Stick.

STUDS.
נְקֻדּוֹת *Nekudouth,* variegated spots.

Cant. i. 11.

STUDY.
לַהַג *Lahag,* eloquence.

Eccles. xii. 12.

STUDIETH.
הָגָה *Hogoh,* to meditate.

Prov. xv. 28.	Prov. xxiv. 2.

STUFF.

1.   כֵּלִים   *Kaileem,* vessels, goods, wares.
2.   מְלָאכָה   *Melokhoh,* work, labour.

1. In all passages, except:
2. Exod. xxxvi. 7.

STUMBLE.

1.   כָּשַׁל   *Koshal,* to stumble.
2.   נָגַף   *Nogaph,* to be plagued, hurt.
3.   פּוּק   *Pook,* to totter.
4.   שָׁמַט   *Shomat,* to slip, move suddenly.

1. In all passages, except:

2. Prov. iii. 23.	2. Jer. xiii. 16.
3. Isa. xxviii. 7.	

STUMBLED.

1. 1 Sam. ii. 4.   1. Psalm xxvii. 2.
4. 1 Chron. xiii. 9.   1. Jer. xlvi. 12.

STUMBLETH.

1. Prov. xxiv. 17.

STUMBLING -block, stone.

1.   מִכְשׁוֹל   *Mikhshoul*, a stumbling-block.
2.   נֶגֶף   *Negeph*, a plague, hurt.

    1. In all passages, except :

      2. Isa. viii. 14.

STUMBLING -blocks.

מִכְשׁוֹלִים   *Mikhshouleem*, stumbling-blocks.

Jer. vi. 21. | Zeph. i. 3.

STUMP.

שֹׁרֶשׁ   *Shouresh*, a root.

Dan. iv. 15, 23, 26.

SUBDUE.

1.   כָּבַשׁ   *Kovash*, to subdue, conquer.
2.   כָּנַע   *Kona*, to humble.
3.   יַדְבֵּר   *Yadbair*, to subdue, overthrow.
4.   רָדָה   *Rodoh*, to subjugate, domineer.
5.   שָׁפַל   *Shophal*, to bring low.
6.   כָּרַע   *Kora*, (Hiph.) to cause to kneel down.
7.   חָשֵׁל   *Khoshail* (Syriac), to bruise in pieces.

1. Gen. i. 28.   5. Dan. vii. 24.
2. 1 Chron. xvii. 10.   1. Mic. vii. 19.
3. Psalm xlvii. 3.   1. Zech. ix. 15.
4. Isa. xlv. 1.

SUBDUED.

1. Numb. xxxii. 22, 29.   2. 2 Sam. viii. 1.
4. Deut. xx. 20.   1. ———— 11.
1. Josh. xviii. 1.   6. ———— xxii. 40.
2. Judg. iii. 30.   2. 1 Chron. xviii. 1.
2. ——— iv. 23.   2. ———— xx. 4.
2. ——— viii. 28.   1. ———— xxii. 18.
2. ——— xi. 33.   6. Psalm xviii. 39.
2. 1 Sam. vii. 13.   2. ——— lxxxi. 14.

SUBDUEDST.

2. Neh. ix. 24.

SUBDUETH.

3. Psalm xviii. 47.   7. Dan. ii. 40.
4. ——— cxliv. 2.

SUBJECTION.

1.   כָּנַע   *Konā*, to humble.
2.   כָּבַשׁ   *Kovash*, to conquer, subdue.

1. Psalm cvi. 42. | 2. Jer. xxxiv. 11, 16.

SUBMIT.

1.   עָנָה   *Onoh*, (Piel) to submit, afflict.
2.   כָּחַשׁ   *Kokhash*, (Hith.) to deny, to exercise self-denial.
3.   רָפַס   *Rophas*, (Hith.) to be trodden down.
4.   נָתַן־יָד   *Nothan-yod*, to give the hand (in proof of submission).

1. Gen. xvi. 9.   2. Psalm lxvi. 3.
2. 2 Sam. xxii. 45.   3. ——— lxviii. 30.
2. Psalm xviii. 44.

SUBMITTED.

4. 1 Chron. xxix. 24. | 2. Psalm lxxxi. 15.

SUBSCRIBE.

כָּתַב   *Kothav*, to write, subscribe.

Isa. xliv. 5. | Jer. xxxii. 44.

SUBSCRIBED.

Jer. xxxii. 10, 12.

SUBSTANCE.

1.   יְקוּם   *Yekoom*, substance.
2.   רְכוּשׁ   *Rekhoosh*, property.
3.   קִנְיָן   *Kinyon*, a purchased possession.
4.   חַיִל   *Khail*, immense riches.
5.   מִקְנֶה   *Mikneh*, the possession of cattle.
6.   כֹּחַ   *Kouakh*, strength.
7.   קִים   *Keem*, an adversary, opponent.
8.   תּוּשִׁיָה   *Tooshiyoh*, sound wisdom.
9.   עֶצֶם   *Etsem*, strength, substance.
10.   גֹּלֶם   *Goulem*, inanimate, animal substance.
11.   הוֹן   *Houn*, wealth.
12.   יֵשׁ   *Yaish*, existence.
13.   הַוַּת   *Havvath*, intense desire.
14.   מַצֶּבֶת   *Matseveth*, a stem, stock of a tree.
15.   אוֹן   *Oun*, might, power.

1. Gen. vii. 4, 23.	4. Job xx. 18.
2. —— xii. 5.	7. — xxii. 20.
2. —— xiii. 6.	8. — xxx. 22.
2. —— xv. 14.	3. Psalm cv. 21.
3. —— xxxiv. 23.	9. —— cxxxix. 15.
3. —— xxxvi. 6.	10. ———— 16.
1. Deut. xi. 6.	11. Prov. i. 13.
4. —— xxxiii. 11.	11. —— iii. 9.
3. Josh. xiv. 4.	11. —— vi. 31.
2. 1 Chron. xxvii. 31.	12. —— viii. 21.
2. ——— xxviii. 1.	13. —— x. 3.
2. 2 Chron. xxi. 17.	11. —— xii. 27.
2. ——— xxxi. 3.	11. —— xxviii. 8.
2. ——— xxxii. 29.	11. —— xxix. 3.
2. ——— xxxv. 7.	11. Cant. viii. 7.
2. Ezra viii. 21.	14. Isa. vi. 13.
2. —— x. 8.	6. Jer. xv. 13.
5. Job i. 3, 10.	6. — xvii. 3.
4. — v. 5.	15. Hos. xii. 8.
6. — vi. 22.	4. Obad. 13.
4. — xv. 29.	4. Mic. iv. 13.

SUBTIL.

1. עָרוּם *Oroom*, subtil, cunning, crafty.
2. חָכָם *Khokhom*, wise.
3. נָצוּר *Notsoor*, watchful, vigilant.

1. Gen. iii. 1.	3. Prov. vii. 10.
2. 2 Sam. xiii. 3.	

SUBTILLY.

1. עָרַם *Oram*, to be cunning.
2. נִכֵּל *Nikkail*, (Hith.) to act deceit-fully, plot.

1. 1 Sam. xxiii. 22.	2. Psalm cv. 25.

SUBTILTY.

1. עָרְמָה *Ormoh*, craftiness, subtilty.
2. עָקְבָה *Okvoh*, fraud, subtilty.
3. מִרְמָה *Mirmoh*, deceit.

3. Gen. xxvii. 35.	1. Prov. i. 4.
2. 2 Kings x. 19.	

SUBVERT.

עִוָּה *Ivvoh*, to subvert, pervert.
Lam. iii. 36.

SUBURBS.

מִגְרָשׁ *Migrosh*, suburbs, in all pas-sages.

SUCCEED.

1. קוּם *Koom*, to rise.
2. יָרַשׁ *Yorash*, to succeed, inherit.
    1. Deut. xxv. 6.

SUCCEEDED.

2. Deut. ii. 12, 21, 22.

SUCCEEDEST.

2. Deut. xii. 29.	2. Deut. xix. 1.

SUCCESS.

שָׂכַל *Sokhal*, (Hiph.) to become wise.
Josh. i. 8.

SUCCOUR.

עָזַר *Ozar*, to help, assist.

2 Sam. viii. 5.	2 Sam. xviii. 3.

SUCCOURED.

2 Sam. xxi. 17.

SUCH.

1. { פֹּה *Kouh*,
    כָּכָה *Kokhoh*,
    כּ (K) prefixed to the relative word, } thus, such.
2. אֲשֶׁר *Asher*, that, which.
3. { כָּהֵן *Kohain* (fem.),
    כָּהֵם *Kohaim* (masc.), } like them.
4. כָּזֶה *Kozeh*, like this.
5. כֵּן *Kain*, so.
6. נִזְעָקְתָּ *Nizoktō*, thou art crying out.
7. פְּלֹנִי *Pelounee*, such a one, such and such.
8. דְּנָה *Denoh* (Syriac), after this sort.

All passages not inserted are N°. 1.

3. Gen. xli. 19.	5. 1 Kings x. 12.
5. Exod. x. 14.	2. 2 Chron. i. 12.
2. Lev. xiv. 22.	3. ——— ix. 11.
4. Deut. v. 29.	2. Isa. ix. 1.
6. Judg. xviii. 23.	4. — lxvi. 8.

SUCH -like.

3. Ezek. xviii. 14.

SUCH a one.

4. Gen. xli. 38.	Psalm lxviii. 21, not in original.
7. Ruth iv. 1.	
4. Job xiv. 3.	

SUCH and such.

7. 1 Sam. xxi. 2.	7. 2 Kings vi. 8.
3. 2 Sam. xii. 8.	

SUCH a thing.

1. In all passages, except:

4. Judg. xiii. 23.	8. Dan. ii. 10.
3. Job xxiii. 14.	

SUCK, Subst.

יָנַק   *Yonak,* to suck, in all passages.

SUCK -ED, Verb.

1.   יָנַק   *Yonak,* to suck.
2.   מָצָה   *Motsoh,* to wring, drain out.
3.   עָלַע   *Olă,* to sup up.

1. In all passages, except:

3. Job xxxix. 30.	2. Ezek. xxiii. 24.

SUCKING, Subst.

1.   יוֹנֵק   *Younaik,* a sucking child.
2.   עוּל   *Ool,* an infant.
3.   חָלָב   *Kholov,* milk.

1. Numb. xi. 12.	2. Isa. xlix. 15.
3. 1 Sam. vii. 9.	1. Lam. iv. 4.
1. Isa. xi. 8.	

SUCKLING -S.

יוֹנֵק   *Younaik,* a sucking child, in all passages.

SUDDEN -LY.

פִּתְאֹם   *Pithoum,* sudden, suddenly, in all passages.

SUFFER.

1.   נָתַן   *Nothan,* to give, grant, suffer.
2.   חָיָה   *Khoyoh,* (Piel) to let live.
3.   שָׁבַת   *Shovath,* (Hiph.) to cause to cease.
4.   נָשָׂא   *Nosō,* to bear, suffer.
5.   נוּחַ   *Nooakh,* (Hiph.) to let remain, rest.
6. מְהַרְבִּית   *Maiharbeeth,* prevent the increasing.
7.   כָּתַר   *Kothar,* to surround, encircle.
8.   יָכַל   *Yokhal,* (Pual) to endure.
9.   רָעַב   *Roav,* (Hiph.) to cause to hunger, famish.

---

10.   שָׁלַח   *Sholakh,* (Piel) to put forth.
11.   נָטַשׁ   *Notash,* to permit, allow.
12.   מָעַט   *Moat,* (Hiph.) to cause to lessen, diminish.

1. Exod. xii. 23.	7. Job xxxvi. 2.
2. —— xxii. 18.	1. Psalm xvi. 10.
3. Lev. ii. 13.	9. —— xxxiv. 10.
4. —— xix. 17.	1. —— lv. 22.
4. —— xxii. 16.	4. —— lxxxviii. 15.
1. Numb. xxi. 23.	—— lxxxix. 33, not in original.
1. Josh. x. 19.	
1. Judg. i. 34.	8. —— ci. 5.
1. —— xv. 1.	1. —— cxxi. 3.
5. —— xvi. 26.	9. Prov. x. 3.
6. 2 Sam. xiv. 11.	—— xix. 15, not in original.
1. 1 Kings xv. 17.	
5. Esth. iii. 8.	4. —————— 19.
1. Job ix. 18.	1. Eccles. v. 6.
4. — xxi. 3.	5. —————— 12.
— xxiv. 11, not in original.	10. Ezek. xliv. 20.

SUFFERED.

1. Gen. xx. 6.	1. 1 Sam. xxiv. 7.
1. —— xxxi. 7.	1. 2 Sam. xxi. 10.
11. —————— 28.	5. 1 Chron. xvi. 21.
9. Deut. viii. 3.	5. Psalm cv. 14.
1. —— xviii. 14.	1. Job xxxi. 30.
1. Judg. iii. 28.	4. Jer. xv. 15.

SUFFERETH.

1. Psalm lxvi. 9.	12. Psalm cvii. 38.

SUFFERING.
See Long-suffering.

SUFFICE.

1.   מָצָא   *Motso,* to find.
2.   רַב   *Rov,* abundance.
3.   שָׂפַק   *Sophak,* to suffice.
4.   שָׂבַע   *Sovo,* to satisfy.

1. Numb. xi. 22.	2. Ezek. xliv. 6.
2. Deut. iii. 26.	2. —— xlv. 9.
3. 1 Kings xx. 10.	

SUFFICED.

1. Judg. xxi. 14.	4. Ruth ii. 14, 18.

SUFFICIENCY.

סֶפֶק   *Saiphek,* sufficiency.
Job xx. 22.

SUFFICIENT.

1.   דַּי   *Dae,* enough.
2.   רַב   *Rov,* abundance, much.
3.   שָׂבַע   *Sovo,* to satisfy.

1. Exod. xxxvi. 7.
1. Deut. xv. 8.
2. —— xxxiii. 7.

1. Prov. xxv. 16.
1. Isa. xl. 16.

SUFFICIENTLY.

1. 2 Chron. xxx. 3. | 3. Isa. xxiii. 18.

SUIT.

1. אֶרֶךְ *Erekh,* an arrangement.
2. רִיב *Reev,* a plea, strife.
3. חָלָה *Kholoh,* to supplicate eagerly.

1. Judg. xvii. 10.
2. 2 Sam. xv. 4.

3. Job xi. 19.

SUITS.

מַחֲלָצוֹת *Makhalotsouth,* changes of dress.

Isa. iii. 22.

SUM, Subst.

1. כֹּפֶר *Koupher,* a ransom.
2. רֹאשׁ *Roush,* a head, chief, principal.
3. פְּקוּדִים *Pekoodeem,* commands, offices.
4. מִסְפָּר *Mispor,* a number, sum.
5. פָּרָשָׁה *Poroshoh,* a separate sum.
6. תׇּכְנִית *Tokhneeth,* an erection, structure.

1. Exod. xxi. 30.
2. —— xxx. 12.
3. —— xxxviii. 21.
2. Numb. i. 2, 49.
2. —— iv. 2, 22.
2. —— xxvi. 2.
2. —— xxxi. 26, 49.

4. 2 Sam. xxiv. 9.
4. 1 Chron. xxi. 5.
5. Esth. iv. 7.
2. Psalm cxxxix. 17.
6. Ezek. xxviii. 12.
2. Dan. vii. 1.

SUM, Verb.

תָּמַם *Tomam,* to complete.

2 Kings xxii. 4.

SUMMER.

קַיִץ *Kayits,* the summer, summer fruit, in all passages.

SUMMER -chamber.

עֲלִיַת הַמְּקֵרָה *Aliyath hamekairoh,* a cool room at the top of a house.

Judg. iii. 24.

SUMMER fruit -s.

קַיִץ *Kayits,* the summer, summer fruit, in all passages.

SUMMER house.

בֵּית הַקָּיִץ *Baith hakoyits,* a summer house.

Amos iii. 15.

SUMMER parlour.

חֲדַר הַמְּקֵרָה *Khadar hamekairoh,* a cool chamber.

Judg. iii. 20.

SUMMER, Verb.

קוּץ *Koots,* to end, finish.

Isa. xviii. 6.

SUN goeth, going down.

1. שֶׁמֶשׁ *Shemesh,* the light of the sun.
2. חַמָּה *Khammoh,* the sun.
3. חֹם *Khoum,* the heat of the sun.
4. חֶרֶס *Kheres,* a potsherd, earthenware.*
5. אוֹר *Our,* light.

1. In all passages, except:

4. Judg. viii. 13.
3. 1 Sam. xi. 9.
4. Job ix. 7.
2. —— xxx. 28.

5. Job xxxi. 26.
2. Cant. vi. 10.
2. Isa. xxiv. 23.
2. —— xxx. 26.

* This word is translated Sun, Judg. viii. 13, Job ix. 7, but potsherd, sherd, and earthen vessel, in all other passages.

SUN rising.

1. In all passages, except:

קֵדְמָה מִזְרָחָה *Kaidmoh mizrokhoh,* towards the east.

Numb. ii. 3. | Numb. xxxiv. 15.

SUNDER.

1. קָצַץ *Kotsats,* (Piel) to cut off.
2. נָתַק *Notak,* (Piel) to burst asunder.
3. גָּדַע *Godā,* (Piel) to cut down.
4. נָפַץ *Nophats,* (Pual) to be scattered about.
5. פָּרַד *Porad,* to separate, divide.

1. Psalm xlvi. 9.
2. —— cvii. 14.
3. —————— 16.

4. Isa. xxvii. 9.
3. — xlv. 2.
2. Nah. i. 13.

SUNDERED.

5. Job xli. 17.

SUNG.

See Sing.

SUNK.
See Sink.

SUP.

נְמָא Gomō, to sup up.

Hab. i. 9.

SUPERFLUOUS.

שָׂרוּעַ Sorooa, superfluous.

Lev. xxi. 18. | Lev. xxii. 23.

SUPPLANT.

עָקַב Okav, to detain, supplant; lit., to heel.

Jer. ix. 4.

SUPPLANTED.
Gen. xxvii. 36.

SUPPLE.

שָׁעָה Shōōh, to regard.

Ezek. xvi. 4.

SUPPLIANTS.

עֲתָרַי Athorae, my suppliants.

Zeph. iii. 10.

SUPPLICATION.

1.   חָנַן Khonan, (Hith.) to supplicate.
2. חִלָּה פָנִים Khilloh poneem, entreat the face, make favourable.
3.   פָּלַל Polal, (Hith.) to entreat.

1. In all passages, except :
2. 1 Sam. xiii. 12. | 3. Isa. xlv. 14.

SUPPLICATIONS.
1. In all passages.

SUPPOSE.

אָמַר Omar, to say.

2 Sam. xiii. 32.

SURE.

1.   קַיָם Kayom (Syriac), duration.
2.   קוּם Koom, to rise, establish.
3.   יָדַע Yodā, to know.
4.   חָזַק Khozak, to be firm.

---

5.   נֶאֱמָן Neëmon, faithful.
6.   שְׁמָרָה Shëmuroh, kept.
7.   אֲמָנָה Amonoh, a faithful covenant.
8.   אָמַן Oman, (Hiph.) to have faith.
9.   רָהַב Rohav, to reverence.
10.   בּוֹטֵחַ Boutaiakh, sure, safe.
11.   אֱמֶת Emeth, truth, faith.
12.   מוּסָד Moosod, founded (repeated).
13.   מִבְטָה Mivtokh, secured.
14.   הֵימָן Haimon (Syriac), faithful.

2. Gen. xxiii. 17, 20.	5. Psalm xciii. 5.
3. Exod. iii. 19.	5. —— cxi. 7.
3. Numb. xxxii. 23.	9. Prov. vi. 3.
4. Deut. xii. 23.	10. —— xi. 15.
5. 1 Sam. ii. 35.	11. ———— 18.
3. —— xx. 7.	5. Isa. xxii. 23, 25.
5. —— xxv. 28.	12. — xxviii. 16.
3. 2 Sam. i. 10.	13. — xxxii. 18.
6. —— xxiii. 5.	5. — xxxiii. 16.
5. 1 Kings xi. 38.	5. — lv. 3.
7. Neh. ix. 38.	14. Dan. ii. 45.
8. Job xxiv. 22.	1. —— iv. 26.
5. Psalm xix. 7.	

SURELY.

1.   All passages not inserted have the verb in its relative repeated, as, dying thou shalt die, Gen. ii. 17.
2.   אַךְ Akh, but, surely.
3.   רַק Rak, only, except, lest.
4.   אָכֵן Okhain, surely so.
5. כִּי עַתָּה Kee attoh, at this time, just now.
6.   כִּי Kee, for, but, yea.
7.   וְגַם Vegam, and also, truly.
8. אִם יִרְאוּ Im yiroo, should they see !
9. אִם לֹא אֶעֱשֶׂה Im lou eëseh, should I not do ?
10.   קוּם Koom, (Hiph.) to cause to rise.
11.   מָלַךְ Molakh (repeated), reigning thou shalt reign.
12.   לָכֵן Lokhain, therefore.
13.   כִּי אִם Kee im, surely.
14.   אוּלָם Oolom, indeed, otherwise, nevertheless.
15.   אָמְנָם Omnom, truly, verily.
16.   אִם Im, if, whether.
17.   בֶּטַח Betakh, safe, secure.
18.   נֶאֱמָנָה Neëmonoh, faithful, constant.

2. Gen. ix. 5.
3. —— xx. 11.
4. —— xxviii. 16.
2. —— xxix. 14.
6. —— 32.
5. —— xxxi. 42.
6. —— xlii. 16.
5. —— xliii. 10.
2. —— xliv. 28.
4. Exod. ii. 14.
6. —— iv. 25.
6. —— xxiii. 33.
7. Numb. xiii. 27.
8. —— xiv. 23.
9. —— 35.
6. —— xxii. 33.
6. —— xxiii. 23.
8. —— xxxii. 11.
8. Deut. i. 35.
3. —— iv. 6.
2. —— xvi. 15.
10. —— xxii. 4.
9. Josh. xiv. 9.
2. Judg. iii. 24.
6. —— vi. 16.
—— xi. 31, not in
    original.
2. —— xx. 39.
6. Ruth i. 10.
4. 1 Sam. xv. 32.
2. —— xvi. 6.
6. —— xvii. 25.
6. —— xx. 26.
11. —— xxiv. 20.
2. —— xxv. 21.
10. —— 34.
12. —— xxviii. 2.
—— xxix. 6, not in
    original.
6. 2 Sam. ii. 27.
6. —— xi. 23.
13. —— xv. 21.
6. 1 Kings xviii. 15.
9. —— xx. 23, 25.
2. —— xxii. 32.
6. 2 Kings iii. 14.
9. —— ix. 26.
6. —— xxiii. 22.
2. —— xxiv. 3.
5. Job viii. 6.
14. — xiii. 3.
14. — xiv. 18.
2. — xviii. 21.
6. — xx. 20.
6. — xxviii. 1.
9. — xxxi. 36.
2. — xxxiii. 8.
15. — xxxiv. 12.
2. — xxxv. 13.
6. — xxxvii. 20.
3. Psalm xxxii. 6.
2. —— xxxix. 6, 11.

2. Psalm lxxiii. 18.
6. —— lxxvi. 10.
6. —— lxxvii. 11.
2. —— lxxxv. 9.
6. —— xci. 3.
6. —— cxii. 6.
9. —— cxxxi. 2.
16. —— cxxxii. 3.
2. —— cxxxix. 11.
16. —————— 19.
2. —— cxl. 13.
6. Prov. i. 17.
16. —— iii. 34.
17. —— x. 9.
2. —— xxii. 16.
16. —— xxiii. 18.
6. —— xxx. 2, 33.
6. Eccles. iv. 16.
6. —— vii. 7.
6. —— viii. 12.
16. —— x. 11.
6. Isa. vii. 9.
9. — xiv. 24.
2. — xvi. 7.
2. — xix. 11.
16. — xxii. 14.
— xxix. 16, not in
    original.
4. — xl. 7.
2. — xlv. 14, 24.
4. — xlix. 4.
4. — liii. 4.
6. — lx. 9.
16. — lxii. 8.
2. — lxiii. 8.
2. Jer. ii. 35.
4. — iii. 20.
4. — iv. 10.
12. — v. 2.
12. — viii. 13.
2. — xvi. 19.
9. — xxii. 6.
6. —— 22.
6. — xxiv. 8.
6. — xxvi. 15.
6. — xxxi. 19.
6. — xlvi. 18.
9. — xlix. 20.
13. — li. 14.
9. Ezek. v. 11.
9. —— xvii. 16.
9. —— xx. 33.
9. —— xxxiii. 27.
9. —— xxxiv. 8.
9. —— xxxvi. 5, 7.
9. —— xxxviii. 19.
18. Hos. v. 9.
2. —— xii. 11.
6. Amos iii. 7.
16. —— viii. 7.
6. Zeph. ii. 9.
2. —— iii. 7.

SURELY die.

1. In all passages.

SURLLY be put to death.

1. In all passages.

SURETY.

עָרַב *Orav,* to be surety, in all passages.

SURETY, of a.

1. יָדֹעַ תֵּדַע *Yodouā taidā,* knowing thou shalt know.

2. הַאַף אֻמְנָם *Haäph umnom,* yea truly.

3. אַךְ *Akh,* but, surely, yea.

1. Gen. xv. 13. | 3. Gen. xxvi. 9.
2. —— xviii. 13. |

SURETIES.

תֹּקְעֵי־כָף *Thoukai-khoph,* the strikers of hands.

Prov. xxii. 26.

SURETISHIP.

תֹּוקְעִים *Toukeem,* striking hands (as surety).

Prov. xi. 15.

SURPRISED.

1. אָחַז *Okhaz,* to seize, grasp.

2. תָּפַשׂ *Tophas,* to lay hold of.

1. Isa. xxxiii. 14. | 2. Jer. li. 41.
2. Jer. xlviii. 41. |

SUSTAIN.

1. כִּלְכֵּל *Kilkail,* to sustain.

2. סָמַךְ *Somakh,* to support.

1. 1 Kings xvii. 9. | 1. Psalm lv. 22.
1. Neh. ix. 21. | 1. Prov. xviii. 14.

SUSTAINED.

2. Gen. xxvii. 37. | 2. Isa. lix. 16.
2. Psalm iii. 5. |

SUSTENANCE.

מִחְיָה *Mikhyoh,* sustenance, nourishment.

Judg. vi. 4. | 2 Sam. xix. 32.

SWADDLED.

1. טָפַח *Tophakh,* (Piel) to measure with the hand.

2. חָתַל *Khothal,* to wrap up.

1. Lam. ii. 22. | 2. Ezek. xvi. 4.

SWADDLING.

2. Job xxxviii. 9.

SWALLOW, Subst.

1. דְּרוֹר *Derour*, freedom, liberty; met.,
a swallow.

2. עָגוּר *Ogoor*, a crane.

1. Psalm lxxxiv. 3.	2. Isa. xxxviii. 14.
1. Prov. xxvi. 2.	2. Jer. viii. 7.

SWALLOW, Verb.

1. בָּלַע *Bolă*, to swallow.

2. שָׁאַף *Shoaph*, to pant, desire eagerly.

3. לוּע *Looă*, to suck up.

4. גָּמָא *Gomō*, to sup up, drink eagerly.

1. In all passages, except :

2. Psalm lvi. 1, 2.	2. Amos viii. 4.
2. —— lvii. 3.	3. Obad. 16.

SWALLOWED.

1. In all passages, except :

3. Job vi. 3.	2. Ezek. xxxvi. 3.

SWALLOWETH.

2. Job v. 5.	4. Job xxxix. 24.

SWAN.

תִּנְשֶׁמֶת *Tinshometh*, a mole.

Lev. xi. 18.	Deut. xiv. 16.

SWARM.

1. עָרֹב *Orouv*, a mixture.

2. עֵדַת *Adath*, an assembly, swarm.

1. Exod. viii. 24.	2. Judg. xiv. 8.

SWARMS.

1. Exod. viii. 21, 22, 29, 31.

SWEAR.

1. שָׁבַע *Shovă*, to take an oath, swear.

2. נָשָׂא יָד *Nosō yod*, to lift up the hand;
met., to swear.

3. אָלָה *Oloh*, (Hiph.) to cause to
swear.

1. In all passages, except :

2. Exod. vi. 8.	3. 2 Chron. vi. 22.
3. 1 Kings viii. 31.	2. Isa. iii. 7.

SWEARETH.

1. In all passages.

SWEARING.

3. Lev. v. 1.	3. Hos. iv. 2.
3. Jer. xxiii. 10.	3. —— x. 4.

SWARE -EST.

1. In all passages, except :

2. Numb. xiv. 30.

SWORN.

1. In all passages.

SWEARERS.

נִשְׁבָּעִים *Nishboeem*, swearers.

Mal. iii. 5.

SWEAT.

זֵעָה *Zōōh*, sweat.

Gen. iii. 19.	Ezek. xliv. 18.

SWEEP.

1. טָאָה *Tōăh*, to sweep.

2. יָעָה *Yooh*, to clear away.

3. סָחַף *Sokhaph*, to beat down, destroy.

4. גָּרַף *Goraph*, to carry off, seize.

1. Isa. xiv. 23.	2. Isa. xxviii. 17.

SWEEPING.

3. Prov. xxviii. 3.

SWEPT.

4. Judg. v. 21.	3. Jer. xlvi. 15.

SWEET.

1. מֶתֶק *Methek*, sweet.

2. בֹּשֶׂם *Bousem*, a scented herb.

3. נֹעַם *Nouam*, pleasant.

4. מַעֲדָן *Măadon*, savouries, delights.

5. עָרֵב *Orav*, a change, mixture ; met.,
agreeable.

6. מָלַץ *Molats*, pleasant, smooth.

7. עוֹבֵר *Ouvair*, passing over, by.

8. מֶרְקָחִים *Merkokheem*, perfumes.

9. יָטַב *Yotav*, (Hiph.) to do thoroughly,
well.

10. טוֹב *Touv*, good.

11. סַמִּים *Sammeem*, perfumeries.

12. בְּשָׂמִים *Besomeem*, spices.

13. נִיחֹחַ *Neekhouakh*, sweet savour, satis-
faction.

14. עָסִיס *Osees*, lit., pressed out ; met.,
thick juice of grapes.

15. תִּירוֹשׁ *Theeroush*, sweet wine.

1. Exod. xv. 25.
2. —— xxx. 23.
3. 2 Sam. xxiii. 1.
1. Neh. viii. 10.
1. Job xx. 12.
1. — xxi. 33.
4. — xxxviii. 31.
1. Psalm lv. 14.
5. —— civ. 34.
6. —— cxix. 103.
3. —— cxli. 6.
5. Prov. iii. 24.
1. —— ix. 17.
5. —— xiii. 19.
1. —— xvi. 24.
5. —— xx. 17.

3. Prov. xxiii. 8.
1. —— xxiv. 13.
1. —— xxvii. 7.
1. Eccles. v. 12.
1. —— xi. 7.
1. Cant. ii. 3.
5. —— 14.
7. —— v. 5.
8. —— 13.
1. —— 16.
2. Isa. iii. 24.
1. — v. 20.
9. — xxiii. 16.
5. Jer. vi. 20.
5. — xxxi. 26.

SWEET calamus.
2. Exod. xxx. 23.

SWEET cane.
Isa. xliii. 24, not in original. | 10. Jer. vi. 20.

SWEET incense.
11. In all passages.

SWEET odours.
13. Lev. xxvi. 31. | 12. Esth. ii. 12.
12. 2 Chron. xvi. 14. | 13. Dan. ii. 46.

SWEET savour.
13. In all passages.

SWEET spices.
11. Exod. xxx. 34. | 11. Exod. xxxvii. 29.

SWEET wine.
14. Isa. xlix. 26. | 15. Mic. vi. 15.
14. Amos ix. 13.

SWEETER.
1. Judg. xiv. 18. | 1. Psalm xix. 10.
N.B. The comparative is designated by a מ prefixed to the relative word.

SWEETLY.
1.   מֶתֶק   *Methek,* sweet.
2.לְמֵישָׁרִים   *Lemaishoreem,* straightly.
1. Job xxiv. 20. | 2. Cant. vii. 9.

SWEETNESS.
מֶתֶק   *Methek,* sweet, sweetness, in all passages.

SWELL.
1.   בָּצֵק   *Botsaik,* to swell, ferment.
2.   גְּאוֹן   *Gĕoun,* rising.
3.   בָּעָה   *Bŏŏh,* to boil up, swell.
1. Numb. v. 21, 22, 27. | 1. Deut. viii. 4.

SWELLED.
1. Neh. ix. 21.

SWELLING.
2. Psalm xlvi. 3. | 2. Jer. xlix. 19.
3. Isa. xxx. 13. | 2. — l. 44.
2. Jer. xii. 5.

SWIFT.
1.   קַל   *Kal,* light, swift.
2.   מְמַהֵר   *Memahair,* hastening.
3.   רֶכֶשׁ   *Rekhesh,* a swift animal.
4.   כַּרְכָּרוֹת   *Karkorouth,* dromedaries.
5.   בִּיעָף   *Biaiph,* in flight.
6.   מְהֵרָה   *Mehairoh,* quickly, speedily.
7.   אָבֶה   *Aiveh,* desire.

All passages not inserted are N°. 1.

2. 1 Chron. xii. 8. | 4. Isa. lxvi. 20.
7. Job ix. 26. | 3. Mic. i. 13.
2. Prov. vi. 18. | 2. Mal. iii. 5.

SWIFTER.
1. In all passages.

SWIFTLY.
6. Psalm cxlvii. 15. | 5. Dan. ix. 21.
1. Isa. v. 26. | 1. Joel iii. 4.

SWIM.
1.   צוּף   *Tsooph,* to float.
2.   שָׂחָה   *Sokhoh,* to swim.
1. 2 Kings vi. 6. | 2. Isa. xxv. 11.
2. Psalm vi. 6. | 2. Ezek. xlvii. 5.

SWIMMEST.
1. Ezek. xxxii. 6.

SWIMMETH.
2. Isa. xxv. 11.

SWINE.
חֲזִיר   *Khazeer,* a swine.
Lev. xi. 7. | Isa. lxv. 4.
Deut. xiv. 8. | — lxvi. 3, 17.
Prov. xi. 22.

SWOON -ED.
עָטַף   *Otaph,* to be faint.
Lam. ii. 11, 12.

SWORD.

1.   חֶרֶב   *Kherev*, a sword, weapon.
2.   שֶׁלַח   *Shelakh*, a dagger.
3.   רֶצַח   *Retsakh*, murder.
4.   פְּתֻחוֹת   *Pethikhouth*, open, loose.

1. In all passages, except:

2. Job xxxiii. 18.	3. Psalm xlii. 10.
2. — xxxvi. 12.	2. Joel ii. 8.

SWORDS.

1. In all passages, except:

4. Psalm lv. 21.

SWORN.

See Sware.

SYCAMORE fruit, trees.

שִׁקְמִים   *Shikmeem*, sycamore trees, fruit.

Amos vii. 14.

SYCAMORE trees.

1 Kings x. 27.	2 Chron. ix. 27.
1 Chron. xxvii. 28.	Psalm lxxviii. 47.
2 Chron. i. 15.	

SYCAMORES.

Isa. ix. 10.

SYNAGOGUES.

מוֹעֲדִים   *Mouadeem*, places of assembly.

Psalm lxxiv. 8.

T

TABERNACLE.

1.   מִשְׁכָּן   *Mishkon*, the Tabernacle which God commanded Moses to make (Exod. xxv. 8, 9), as a pattern for the Temple.

2.   אֹהֶל   *Ouhel*, a tent, Tabernacle of the

Congregation. It is also the tent attached to the Tabernacle, where Moses and the elders transacted all public matters. It is the tent which was covered with the pillar of the cloud (Numb. xii. 5, 10).

3.   סֻפּוֹת   *Sikkooth*, the name of an idol; lit., a protector.

4.   סֻכָּה   *Sookkoh*, an awning, a shelter from the heat.

1. Exod. xxv. 9.	2. Numb. xvi. 18, 19.
1. —— xxvi. 1, 6, 7, 13, 15, 17, 18, 20, 26, 27, 30, 35.	1. —————— 24, 27.
	2. —————— 42.
	1. —————— xvii. 13.
1. —— xxvii. 9, 19.	2. —————— xviii. 3.
2. —— xxxi. 7.	1. —————— xxxi. 30, 47.
2. —— xxxiii. 7, 8, 9, 10, 11.	2. Deut. xxxi. 15, twice.
	1. Josh. xxii. 19.
1. —— xxxv. 11, 18.	2. 2 Sam. vi. 17.
2. —————— 21.	1. —— vii. 6.
1. —— xxxvi. 8, 13, 14, 20, 22, 23, 25, 27, 28, 31, 32.	2. 1 Kings i. 39.
	2. —— ii. 28.
	2. —— viii. 4.
1. —— xxxviii. 20, 21, 31.	1. 1 Chron. vi. 48.
	2. —— ix. 19, 23.
1. —— xxxix. 32, 33.	1. —— xvi. 39.
2. —————— 38.	1. —— xvii. 5.
1. —————— 40.	1. —— xxi. 29.
1. —— xl. 2, 5, 6, 9, 17, 18, 19, 21, 33, 34, 35, 36, 38.	1. —— xxiii. 26.
	1. 2 Chron. i. 5.
1. Lev. viii. 10.	2. —— v. 5.
1. —— xv. 31.	2. Job v. 24.
1. —— xvii. 4.	2. — xviii. 6, 14, 15.
1. —— xxvi. 11.	2. — xix. 12.
1. Numb. i. 50, 51, 53.	2. — xx. 26.
2. —————— ii. 2.	2. — xxix. 4.
1. —— iii. 7, 8, 23, 25, 26, 35, 36, 38.	2. — xxxi. 31.
	4. — xxxvi. 29.
1. —— iv. 16, 25.	2. Psalm xv. 1.
2. —————— 25, twice.	2. —— xix. 4.
1. —————— 26.	2. —— xxvii. 5, 6.
2. —————— 31.	2. —— lxi. 4.
1. —————— 31.	4. —— lxxvi. 2.
2. —————— 33, 35, 37, 38, 41, 43, 47.	1. —— lxxviii. 60.
	2. —————— 67.
1. —————— v. 17.	2. —— cxxxii. 3.
1. —————— vii. 1, 3.	2. Prov. xiv. 11.
1. —————— ix. 15, three times.	4. Isa. iv. 6.
	2. — xvi. 5.
2. —————— 17.	2. — xxxiii. 20.
1. —————— 18, 19, 20, 22.	2. Jer. x. 20.
	2. Lam. ii. 4.
2. —————— x. 3.	4. —————— 6.
1. —————— 11, 17.	1. Ezek. xxxvii. 27.
2. —————— xi. 24, 26.	2. —— xli. 1.
2. —————— xii. 4, 5, 10.	3. Amos v. 26.
1. —————— xvi. 9.	4. —— ix. 11.

TABERNACLE of the congregation.

2. In all passages.

TABERNACLE door.

2. In all passages.

TABERNACLE of witness.

2. Numb. xvii. 7, 8. | 2. 2 Chron. xxiv. 6.
2. ——— xviii. 2.

TABERNACLES.

1. Numb. xxiv. 5. | 2. Psalm lxxxiii. 6.
2. Job xi. 14. | 1. ——— lxxxiv. 1.
2. — xii. 6. | 2. ——— cxviii. 15.
2. — xv. 34. | 1. ——— cxxxii. 7.
2. — xxii. 23. | 2. Dan. xi. 45.
1. Psalm xliii. 3. | 2. Hos. ix. 6.
1. ——— xlvi. 4. | 2. ——— xii. 9.
2. ——— lxxviii. 51.

TABERNACLES feast.

4. In all passages.

TABLE -S.

1. שֻׁלְחָן *Shulkhon,* a table.
2. לוּחֹת *Lookhouth,* tablets, plates, planks, either of hewn stone or of wood, for writing or engraving.
3. מֵסַב *Maisav,* a seat arranged round about any place.

All passages not inserted are N°. 1.

2. Prov. iii. 3. | 2. Isa. xxx. 8.
3. Cant. i. 12. | 2. Jer. xvii. 1.

TABLES, and Tables of Stone.

All passages not inserted are N°. 1.

2. Exod. xxiv. 12. | 2. Deut. ix. 9, 10, 11, 15,
2. ——— xxxi. 18.   17.
2. ——— xxxii. 15, 16, | 2. ——— x. 1, 2, 3, 4, 5.
      19. | 2. 1 Kings viii. 9.
2. ——— xxxiv. 1, 4, 28, | 2. 2 Chron. v. 10.
      29. | 2. Ezek. xxvii. 5.
2. Deut. iv. 13. | 2. ——— xxxii. 16.
2. ——— v. 22. | 2. Hab. ii. 2.

TABLETS.

1. כּוּמָז *Khoomoz,* a buckle.
2. בָּתֵּי הַנֶּפֶשׁ *Botai hanephesh,* houses of refreshment.

1. Exod. xxxv. 22. | 2. Isa. iii. 20.
1. Numb. xxxi. 50.

TABRET.

1. תּוֹף *Touph,* a tabret, drum, timbrel.
2. תֹּפֶת *Toupheth,* a tabret.

1. Gen. xxxi. 27. | 2. Job xvii. 6.
1. 1 Sam. x. 5. | 1. Isa. v. 12.

TABRETS.

תֻּפִּים *Tuppeem,* tabrets, drums, timbrels.

1 Sam. xviii. 6. | Jer. xxxi. 4.
Isa. xxiv. 8. | Ezek. xxviii. 13.
— xxx. 32.

TABERING.

מְתֹפְפוֹת *Mĕtouphphouth,* tabering, drumming.

Nah. ii. 7.

TACHES.

קְרָסִים *Keroseem,* loops.

Exod. xxvi. 6, 11, 33. | Exod. xxxvi. 13.
——— xxxv. 11. | ——— xxxix. 33.

TACKLINGS.

חֲבָלִים *Khăvoleem,* cords.

Isa. xxxiii. 23.

TAIL.

זָנָב *Zonov,* a tail, in all passages.

TAILS.

זְנָבוֹת *Zenovouth,* tails, in all passages.

TAKE.

1. לָקַח *Lokakh,* to take, receive.
2. אָחַז *Okhaz,* to seize, lay hold.
3. בּוֹא *Bou,* (Hiph.) to bring.
4. בָּזַז *Bozaz,* to plunder.
5. חָטָה *Khotoh,* (Piel) to cast out.
6. יָעַץ *Yoats,* to consult, advise.
7. נָצַל *Notsal,* (Hiph.) to deliver.
8. יָהַב *Yohav,* (Hiph.) to make ready, prepare, arrange.
9. נָשָׂא *Noso,* to lift up, bear, carry, take up.
10. יָסַף *Yosaph,* to increase.

11.	לָכַד	*Lokad,* to conquer, take by force.
12.	נָחַל	*Nokhal,* to inherit.
13.	נָשַׂג	*Nosag,* to reach, overtake.
14.	אָבַד	*Ovad,* (Hiph.) to cause to destroy.
15.	אָצַל	*Otsal,* to reserve.
16.	נָסַע	*Nosā,* (Piel) to take a journey.
17.	אָסַף	*Osaph,* to bring in.
18.	קִבֵּל	*Kibbail,* to receive, confirm.
19.	נָסַג	*Nosag,* to move back, avoid.
20.	חָבַל	*Khoval,* to twist, give pain; met., pledge.
21.	הָגָה	*Hogoh,* to meditate.
22.	בָּעַר	*Boar,* to destroy.
23.	יָלַךְ	*Yolakh,* (Hiph.) to cause to walk, lead.
24.	כָּלָה	*Koloh,* to consume.
25.	דָּשַׁן	*Doshan,* to cleanse, remove ashes.
26.	חָלַץ	*Kholats,* to take off, withdraw.
27.	גָּזַל	*Gozal,* to rob.
28.	יָסַד	*Yosad,* to found, establish.
29.	קָרַב	*Korav,* (Hiph.) to bring near.
30.	תָּפַשׂ	*Tophas,* to imprison.
31.	סוּר	*Soor,* (Hiph.) to put aside.
32.	צוּד	*Tsood,* to hunt.
33.	רָבָה	*Rovoh,* to increase, multiply, enlarge.
34.	שָׁלַל	*Sholal,* to spoil, take a booty.
35.	עִמָּדִי	*Immodee,* with me.
36.	שׁוּת	*Shooth,* to set, place, make.
37.	שׂוּם	*Soom,* to appoint, make.
38.	רָוָה	*Rovoh,* to nourish with moisture.
39.	קָמַץ	*Komats,* to measure by the handful.
40.	רוּם	*Room,* (Hiph.) to cause to go up, heighten.
41.	שׁוּב	*Shoov,* (Hiph.) to bring back.
42.	עָבַר	*Ovar,* (Hiph.) to pass away.
43.	עָדָה	*Odoh* (Syriac), (Hiph.) to put aside, abolish entirely.
44.	עָלָה	*Oloh,* (Hiph.) to cause to ascend.
45.	סִית	*Seeth,* to entice, excite.
46.	שָׂעַר	*Soar,* to storm, rage.
47.	שָׁבָה	*Shovoh,* to take captive.

48.	עָשָׂה	*Osoh,* to do, make, exercise.
49.	שָׁרַשׁ	*Shorash,* (Hiph.) to take root.
50.	יָרַד	*Yorad,* (Hiph.) to bring down.
51.	יָצָא	*Yotsō,* (Hiph.) to bring out, forth.
52.	אַל תִּתֵּן לֵב	*Al titain laiv,* give not the heart.
53.	הַסְכֵּת	*Haskaith,* to keep silence.
54.	רָאָה	*Roōh,* to see, behold.
55.	שָׁמַר	*Shomar,* to watch, observe.
56.	זָהַר	*Zohar* (Chaldee), to be watchful.
57.	חָזַק	*Khozak,* (Hiph.) to lay hold, exercise strength.
58.	תָּמַךְ	*Tomakh,* to trust to, support.
59.	דָּבַק	*Dovak,* to cleave to, join.
60.	נָפַק	*Nophak* (Chaldee), (Hiph.) to put forth.
61.	נוּד	*Nood,* to wander, lament.
62.	שָׁכַב	*Shokhav,* to lay down.
63.	נָקַם	*Nokam,* to avenge.
64.	עוּד	*Ood,* (Hiph.) to cause to testify, bring witness.
65.	חָשַׂף	*Khosaph,* to draw out, lay bare.
66.	יָרַשׁ	*Yorash,* to succeed, inherit.
67.	עִשֵּׂר	*Issair,* to give the tenth.
68.	דָּאַג	*Doag,* to be anxious.
69.	נָסַק	*Nosak* (Chaldee), (Hiph.) to raise, lift up.
70.	פוּר	*Poor,* (Hiph.) to annul, make void.
71.	נָכַר	*Nokar,* (Hiph.) to recognise.
72.	רָצָה	*Rotsoh,* to be willing, accept.
73.	גָּרַע	*Gorā,* to diminish.
74.	יָשַׁב	*Yoshav,* (Hiph.) to cause to dwell.
75.	רָדָה	*Rodoh,* to subjugate, domineer.
76.	יָאַל	*Yoal,* (Hiph.) to cause to begin.
77.	חָמַס	*Khomas,* to take by force, violence.
78.	צָעַן	*Tsoan,* to take down, remove.
79.	מָצָא	*Motsō,* to find.
80.	קָפַץ	*Kophats,* (Niph.) to be moved quickly.

81.	חָמֵשׁ	*Khimmaish*, to take a fifth part.
82.	נָתַן	*Nothan*, to give, set, appoint.
83.	יָקֻם	*Yukkom*, to be avenged.
84.	עָמֵל	*Omal*, to labour.
85.	לוּן	*Loon*, to lodge all night.
86.	יָדַע	*Yodā*, (Niph.) to be known, recognised.
87.	יָדַע	*Yodā*, to know.
88.	חָתַף	*Khotaph*, to tear away.
89.	נָשַׁל	*Noshal*, to slip, move quickly.
90.	לִי	*Lee*, for me.
91.	רָצָה	*Rotsoh*, to be willing, please.
92.	קָבַץ	*Kovats*, to gather.
93.	נָטַל	*Notal*, to lay, cast upon.
94.	זָהַר	*Zohar*, (Niph.) to be warned.
95.	גּוּחַ	*Gooakh*, to draw out, extend.
96.	מָתַק	*Mothak*, (Hiph.) to sweeten.
97.	גָּזַז	*Gozaz*, to shear, cut off.
98.	מוּשׁ	*Moosh*, (Hiph.) to remove.
99.	שָׁבַת	*Shovath*, (Hiph.) to cause to cease.
100.	עָקַב	*Okav*, to detain, restrain.
101.	עִם שְׁבִי	*Im shĕvee*, with the captivity of.

All passages not inserted are N°. 1.

59.	Gen. xix. 19.
9.	—— xxvii. 3.
32.	————— 3.
27.	—— xxxi. 31.
16.	—— xxxiii. 12.
2.	Exod. iv. 4.
9.	—— xx. 7.
20.	—— xxii. 26.
29.	—— xxviii. 1.
12.	—— xxxiv. 9.
39.	Lev. ii. 2.
40.	———— 9.
39.	—— v. 12.
40.	—— vi. 15.
12.	—— xxv. 46.
9.	Numb. i. 2, 49.
9.	——— iii. 40.
9.	—— iv. 2, 22.
39.	—— v. 26.
16.	—— x. 6.
15.	—— xi. 17.
9.	—— xxvi. 2.
9.	—— xxxi. 26.
16.	Deut. i. 7.
8.	—— 13.
16.	—— 40.
16.	— ii. 24.
9.	— v. 11.
9.	—— xii. 26.
4.	—— xx. 14.
30.	————— 19.
20.	—— xxiv. 6, 17.
9.	Josh. iv. 3.

11.	Josh. vii. 14.
4.	—— viii. 2.
50.	————— 29.
11.	—— x. 42.
11.	—— xi. 12.
17.	—— xx. 4.
2.	—— xxii. 19.
11.	Judg. vii. 24.
66.	—— xiv. 15.
6.	—— xix. 30.
71.	Ruth ii. 10.
67.	1 Sam. viii. 15, 17.
68.	——— ix. 5.
31.	——— xvii. 46.
30.	——— xxiii. 26.
11.	2 Sam. xii. 28.
37.	——— xiii. 33.
41.	——— xv. 20.
31.	——— xvi. 9.
37.	——— xix. 19.
30.	1 Kings xviii. 40.
30.	——— xx. 18.
66.	——— xxi. 15, 16.
9.	2 Kings ix. 26.
30.	——— x. 14.
10.	——— xix. 30.
9.	1 Chron. xxi. 24.
11.	2 Chron. xxxii. 18.
60.	Ezra v. 14, 15.
9.	—— ix. 12.
67.	Neh. x. 38.
41.	Job ix. 18.
62.	— xi. 18.

9.	Job xiii. 14.
2.	— xviii. 9.
9.	— xxi. 12.
35.	— xxiii. 10.
20.	— xxiv. 3, 9.
62.	— xxx. 17.
9.	— xxxi. 36.
28.	Psalm ii. 2.
13.	—— vii. 5.
9.	—— L. 16.
61.	—— lxix. 20.
30.	—— lxxi. 11.
49.	—— lxxx. 9.
9.	—— lxxxi. 2.
66.	—— lxxxiii. 12.
70.	—— lxxxvi. 33.
9.	—— cxvi. 13.
7.	—— cxix. 43.
9.	—— cxxxix. 9, 20.
11.	Prov. v. 22.
5.	—— vi. 27.
38.	—— vii. 18.
20.	—— xx. 16.
20.	—— xxvii. 13.
30.	—— xxx. 9.
9.	Eccles. v. 15, 19.
2.	Cant. ii. 15.
34.	Isa. x. 6.
4.	——— 6.
1.	— xiv. 2.
47.	——— 2.
49.	—— xxvii. 6.
5.	—— xxx. 14.
65.	———— 14.
4.	—— xxxiii. 23.
9.	—— xxxviii. 21.
49.	— xl. 24.
	— lviii. 2, not in original.

33.	Jer. ii. 22.
2.	— xiii. 21.
51.	— xv. 19.
11.	— xviii. 22.
14.	— xxv. 10.
11.	— xxxii. 3, 24.
64.	———— 25.
11.	———— 28.
11.	— xxxiv. 22.
11.	— xxxvii. 8.
11.	— xxxviii. 3.
63.	— L. 15.
63.	— li. 36.
64.	Lam. ii. 13.
31.	Ezek. xi. 19.
30.	—— xiv. 5.
40.	—— xxi. 26.
12.	—— xxii. 16.
63.	—— xxiv. 8.
9.	—— xxix. 19.
34.	———— 19.
4.	———— 19.
34.	—— xxxviii. 12.
4.	———— 12.
34.	———— 13.
4.	———— 13.
9.	—— xxxix. 10.
18.	Dan. vii. 18.
11.	— xi. 15, 18.
40.	Hos. xi. 4.
27.	Mic. ii. 2.
19.	———— 6.
63.	Nah. i. 2.
4.	— ii. 9.
11.	Hab. i. 10.
72.	Hag. i. 8.

TAKE away.

All passages not inserted are N°. 1.

23.	Exod. ii. 9.
31.	—— viii. 8.
31.	—— x. 17.
31.	—— xxiii. 25.
31.	—— xxxiii. 23.
31.	Lev. iii. 4, 9, 10, 15.
31.	—— iv. 9, 31, 35.
31.	—— vii. 4.
26.	—— xiv. 40.
25.	Numb. iv. 13.
24.	——— xvii. 10.
31.	——— xxi. 7.
31.	Josh. vii. 13.
22.	2 Sam. iv. 11.
31.	——— v. 6.
42.	——— xxiv. 10.
31.	1 Kings ii. 31.
22.	——— xiv. 10.
22.	——— xvi. 3.
31.	——— xx. 24.
22.	——— xxi. 21.
31.	2 Kings vi. 32.
31.	1 Chron. xvii. 13.
4.	2 Chron. xx. 25.
31.	Esth. iv. 4.
42.	Job vii. 21.
31.	— ix. 34.

35.	Job xxiii. 10.
27.	— xxiv. 2.
9.	———— 10.
9.	— xxxii. 22.
45.	— xxxvi. 18.
5.	Psalm lii. 5.
46.	——— lviii. 9.
44.	——— cii. 24.
21.	Prov. xxv. 4, 5.
31.	Isa. i. 25.
31.	— iii. 1, 18.
17.	— iv. 1.
31.	— v. 5, 23.
27.	— x. 2.
34.	—— 6.
4.	—— 6.
3.	— xvi. 3.
31.	— xviii. 5.
31.	— xxv. 8.
31.	— xxvii. 9.
9.	— xl. 24.
21.	— lviii. 9.
31.	Jer. iv. 4.
31.	— v. 10.
9.	— xlix. 29.
31.	Ezek. xi. 18.
31.	——— xxiii. 25.

9. Ezek. xxix. 19.
34. ———— 19.
4. ———— 19.
31. —— xxxvi. 26.
34. —— xxxviii. 12.
4. ———— 12.
34. ———— 13.
4. ———— 13.
1. ———— 13.
34. ———— 13.
40. —— xlv. 9.
43. Dan. vii. 26.
31. —— xi. 31.

9. Hos. i. 6.
31. —— ii. 17.
9. —— v. 14.
9. —— xiv. 2.
9. Amos iv. 2.
101. —— 10.
31. —— v. 23.
9. Mic. ii. 2.
31. Zeph. iii. 11.
31. Zech. iii. 4.
31. —— ix. 7.
9. Mal. ii. 3,

TAKE counsel.

6. Neh. vi. 7.
28. Psalm ii. 2.
36. —— xiii. 2.
6. —— lxxi. 10.

6. Isa. viii. 10.
3. — xvi. 3.
48. — xxx. 1.
6. — xlv. 21.

TAKE heed.
55. In all passages, except:

53. Deut. xxvii. 9.
54. 1 Chron. xxviii. 10.
54. 2 Chron. xix. 6.

56. Ezra iv. 22.
52. Eccles. vii. 21.

TAKE hold.

2. Exod. xv. 14, 15.
18. —— xxvi. 5.
2. Deut. xxxii. 41.
13. Job xxxvi. 20.
58. — xxxvi. 17.
2. — xxxviii. 13.
57. Psalm xxxv. 2.
13. —— lxix. 24.
13. Prov. ii. 19.
57. —— iv. 13.
58. —— v. 5.

2. Eccles. vii. 18.
2. Cant. vii. 8.
30. Isa. iii. 6.
57. — iv. 1.
2. — xiii. 8.
57. — xxvii. 5.
57. — lvi. 4.
57. — lxiv. 7.
19. Mic. vi. 14.
13. Zech. i. 6.
57. —— viii. 23.

TAKE up.

81. Gen. xli. 34.
40. Lev. vi. 10.
40. Numb. xvi. 37.
9. Josh. iii. 6.
40. —— iv. 5.
9. —— vi. 6.
44. 2 Kings ii. 1.
9. —— iv. 36.
40. —— vi. 7.
9. —— ix. 25.
1. Neh. v. 2.
9. Psalm lxxi. 4.
17. —— xxvii. 10.
9. Isa. xiv. 4.
40. — lvii. 14.
9. Jer. vii. 29.

9. Jer. ix. 10, 18.
44. — xxxviii. 10.
9. Ezek. xix. 1.
9. —— xxvi. 17.
9. —— xxvii. 2, 32.
9. —— xxviii. 12.
9. —— xxxii. 2.
69. Dan. vi. 23.
44. Amos iii. 5.
9. —— v. 1.
9. —— vi. 10.
9. Jonah i. 12.
9. Mic. ii. 4.
44. Hab. i. 15.
9. —— ii. 6.

TAKEN.
All passages not inserted are Nº. 1.

83. Gen. iv. 15.
47. —— xiv. 14.
76. —— xviii. 27, 31.
32. —— xxvii. 33.
7. —— xxxi. 16.
31. Exod. xxv. 15.
40. Lev. iv. 10.

30. Numb. v. 13.
50. —— x. 17.
9. —— xvi. 15.
47. —— xxxi. 26.
9. ———— 49.
73. —— xxxvi. 3.
47. Deut. xxi. 10.

11. Josh. vii. 15, 16, 17.
30. —— viii. 8.
11. ———— 21.
11. Judg. i. 8.
48. —— xi. 36.
75. —— xiv. 9.
11. 1 Sam. x. 20, 21.
11. —— xiv. 41, 42.
31. —— xxi. 6.
47. —— xxx. 2, 3, 5.
11. 2 Sam. xii. 27.
11. 1 Kings ix. 16.
11. —— xvi. 18.
66. —— xxi. 19.
9. 2 Kings iv. 20.
47. —— vi. 22.
11. —— viii. 10.
2. 1 Chron. xxiv. 6, bis.
47. 2 Chron. xxviii. 11.
11. ———— 18.
6. ———— xxx. 2.
9. Ezra ix. 2.
74. —— x. 2, 10, 14, 17, 18.
9. ———— 44.
42. Esth. viii. 2.
2. Job xvi. 12.
31. — xix. 9.
20. — xxii. 6.
80. — xxiv. 24.
11. Psalm ix. 15.
30. —— x. 2.
11. —— lix. 12.
6. —— lxxxiii. 3.
12. —— cxix. 111.
79. ———— 143.
11. Prov. iii. 26.
11. —— vi. 2.
11. —— xi. 6.

84. Eccles. ii. 18.
73. ——— iii. 14.
11. ——— vii. 26.
2. ——— ix. 12.
6. Isa. vii. 5.
11. — viii. 15.
6. — xxiii. 8.
11. — xxiv. 18.
11. — xxviii. 13.
78. — xxxiii. 20.
57. — xli. 9.
11. Jer. vi. 11.
11. — viii. 9.
49. — xii. 2.
30. — xxxiv. 3.
30. — xxxviii. 23.
11. ———— 28.
30. — xl. 10.
11. — xlviii. 1, 7.
17. ———— 33.
11. ———— 41, 44.
6. — xlix. 20.
2. ———— 24.
6. ———— 30.
11. — L. 2, 9, 24.
11. — li. 31, 41, 56.
11. Lam. iv. 20.
30. Ezek. xii. 13.
3. ——— xvii. 13.
30. ———— 20.
41. — xviii. 17.
30. — xix. 4, 8.
30. — xxi. 23, 24.
63. — xxv. 15.
60. Dan. v. 2, 3.
11. Amos iii. 4.
7. ———— 12.
57. Mic. iv. 9.
11. Zech. xiv. 2.

TAKEN away.
All passages not inserted are Nº. 1.

27. Gen. xxi. 25.
17. —— xxx. 23.
7. —— xxxi. 9.
31. Lev. iv. 31, 35.
27. —— vi. 2.
26. —— xiv. 43.
22. Deut. xxvi. 14.
27. —— xxviii. 31.
31. 1 Kings xxii. 43.
31. 2 Kings xii. 3.
31. —— xiv. 4.
31. —— xviii. 22.
31. 2 Chron. xv. 17.
22. —— xix. 3.
31. —— xx. 33.
31. —— xxxii. 12.
27. Job xx. 19.
31. — xxvii. 2.
31. — xxxiv. 5, 20.

17. Psalm lxxxv. 3.
27. Prov. iv. 16.
31. Isa. vi. 7.
9. — viii. 4.
31. — x. 27.
17. — xvi. 10.
31. — xvii. 1.
31. — xxxvi. 7.
17. — lvii. 1.
9. — lxiv. 6.
17. Jer. xvi. 5.
77. Lam. ii. 6.
43. Dan. vii. 12.
40. ——— viii. 11.
9. —— xi. 12.
31. —— xii. 11.
17. Hos. iv. 3.
47. Amos iv. 10.
31. Zech. iii. 15.

TAKEN hold.

57. 1 Kings ix. 9.
2. Job xxx. 16.
13. Psalm xl. 12.
2. —— cxix. 53.

79. Psalm cxix. 143.
2. Isa. xxi. 3.
57. Jer. vi. 24.
57. — viii. 21.

TAKEN up.

44. Exod. xl. 36, 37.	85. Isa. x. 29.
44. Numb. ix. 17, 21, 22.	1. Jer. xxix. 22.
44. —— x. 11.	44. Ezek. xxxvi. 3.
82. 2 Sam. xviii. 9.	69. Dan. vi. 23.
9. 2 Kings ii. 16.	

TAKEST.

1. Exod. iv. 9.	86. Psalm cxliv. 3.
9. —— xxx. 12.	84. Eccles. ix. 9.
23. Judg. iv. 9.	86. Isa. lviii. 3.
17. Psalm civ. 29.	

TAKEST heed.

55. 1 Chron. xxii. 13.

TAKETH.

9. Exod. xx. 7.	1. Psalm xv. 5.
9. Deut. v. 11.	90. —— cxviii. 7.
1. —— x. 17.	2. —— cxxxvii. 9.
20. —— xxiv. 6.	91. —— cxlvii. 10, 11.
57. —— xxv. 11.	91. —— cxlix. 4.
1. —— xxvii. 25.	1. Prov. i. 19.
1. —— xxxii. 11.	11. —— xvi. 32.
11. Josh. vii. 14.	1. —— xvii. 23.
11. —— xv. 16.	43. —— xxv. 20.
11. Judg. i. 12.	57. —— xxvi. 17.
31. 1 Sam. xvii. 26.	84. Eccles. i. 3.
22. 1 Kings xiv. 10.	62. —— ii. 23.
1. Job v. 5.	92. Isa. xiii. 14.
11. —— 13.	93. —— xl. 15.
88. —— ix. 12.	1. — xliv. 14.
1. — xii. 20.	57. — li. 18.
31. —— 24.	1. Ezek. xvi. 32.
89. — xxvii. 8.	94. —— xxxiii. 4.
1. — xl. 24.	7. Amos iii. 12.
9. Psalm xv. 3.	

TAKETH hold.

2. Job xxi. 6.	57. Isa. lvi. 6.
30. Prov. xxx. 28.	

TAKING.

1. 2 Chron. xix. 7.	30. Jer. L. 46.
49. Job v. 3.	63. Ezek. xxv. 12.
55. Psalm cxix. 9.	1. Hos. xi. 3.

TOOK.

All passages not inserted are Nº. 1.

82. Gen. xlii. 30.	11. 2 Chron. xxxiii. 11.
15. Numb. xi. 25.	60. Ezra v. 14.
47. —— xxi. 1.	60. —— vi. 5.
4. Deut. ii. 35.	18. Esth. ix. 27.
75. Judg. xiv. 9.	95. Psalm xxii. 9.
2. —— xvi. 21.	2. —— xlviii. 6.
17. —— xix. 15.	96. —— lv. 14.
57. —— 25.	97. —— lxxi. 6.
2. —— xx. 6.	64. Isa. viii. 2.
11. 1 Sam. xiv. 47.	6. — xl. 14.
2. 2 Sam. vi. 6.	57. Jer. xxxi. 32.
31. —— vii. 15.	9. Ezek. x. 7.
55. 2 Kings x. 31.	94. —— xxxiii. 5.
11. 1 Chron. xi. 5.	

TOOK away.

All passages not inserted are Nº. 1.

9. Exod. x. 19.	31. 2 Chron. xvii. 6.
98. —— xiii. 22.	31. —— xxx. 14.
27. Lev. vi. 4.	31. —— xxxiii. 15.
42. 1 Kings xv. 12.	27. Psalm lxix. 4.
9. —— 22.	9. Cant. v. 7.
99. 2 Kings xxiii. 11.	31. Ezek. xvi. 50.
31. 2 Chron. xiv. 3, 5.	

TOOK, he.

51. Exod. iv. 6.	57. 2 Sam. xiii. 11.
31. —— xxxiv. 34.	32. Prov. xii. 27.
17. 1 Sam. xiv. 52.	100. Hos. xii. 3.
30. —— xv. 8.	

TOOK, they.

All passages not inserted are Nº. 1.

11. Josh. vi. 20.	9. Lam. v. 13.
30. —— viii. 23.	43. Dan. v. 20.
30. 2 Kings x. 14.	

TOOK up.

9. Numb. xxiii. 7, 18.	40. 2 Kings ii. 13.
9. —— xxiv. 3, 15, 20,	9. —— iv. 37.
21, 23.	44. —— x. 15.
9. Josh. iii. 6.	9. Neh. ii. 1.
9. —— vi. 12.	44. Jer. xxxviii. 13.
1. Judg. xix. 28.	9. Ezek. iii. 12.
40. 1 Sam. ix. 24.	9. —— xi. 24.
9. 2 Sam. ii. 32.	9. —— xliii. 5.
9. —— iv. 4.	69. Dan. iii. 22.
9. 1 Kings viii. 3.	9. Jonah i. 15.
9. —— xiii. 29.	

TOOKEST.

63. Psalm xcix. 8.	1. Ezek. xvi. 18.

TALE.

הֶגֶה   *Hegeh,* a meditation.

Psalm xc. 9.

TALES.

רָכִיל   *Rokheel,* a slanderer.

Ezek. xxii. 9.

TALEBEARER.

1.	רָכִיל	*Rokheel,* a slanderer.
2.	נִרְגָּן	*Nirgon,* a talebearer.

1. Lev. xix. 16.	1. Prov. xx. 19.
1. Prov. xi. 13.	2. —— xxvi. 20, 22.
2. —— xviii. 8.	

TALE.

1. מַתְכֹּנֶת *Mathkouneth*, a fixed quantity.
2. מִסְפָּר *Mispor*, a number.

   1. Exod. v. 8, 18.
     1 Sam. xviii. 27, not in original.
   2. 1 Chron. ix. 28.

TALENT.

כִּכָּר *Kikkor*, a talent (weight), in all passages.

TALENTS.

כִּכָּרִים *Kikkoreem*, talents, in all passages.

TALK.

1. שְׂפָתַיִם *Sephothayim*, lips.
2. מִלִּים *Milleem*, words.
3. פֶּה *Peh*, a mouth.

1. Job xi. 2.	1. Prov. xiv. 23.
2. — xv. 3.	3. Eccles. x. 13.

TALKING.

מִלִּים *Milleem*, words.
     Job xxix. 9.

TALKERS.

לָשׁוּן *Loshoun*, a tongue.
     Ezek. xxxvi. 3.

TALK -ED -EST -ETH -ING.

דָּבַּר *Dibbair*, to speak, in all passages.

TALL.

1. רָם *Rom*, high, lofty.
2. קוֹמָה *Koumoh*, height.

1. Deut. ii. 10, 21.	2. 2 Kings xix. 23.
1. — ix. 2.	2. Isa. xxxvii. 24.

TALLER.

רָם *Rom*, high.
     Deut. i. 28.
    (See note under SOFTER, page 429.)

TAPESTRY.

See Coverings.

TARE.

See Tear.

TARGET.

1. כִּידוֹן *Keedoun*, a gorget.
2. צִנָּה *Tsinnoh*, a weapon similar to a hook.

1. 1 Sam. xvii. 6.	2. 2 Chron. ix. 15.
2. 1 Kings x. 16.	

TARGETS.

2. 1 Kings x. 16.	2. 2 Chron. xiv. 8.

TARRY.

1. לוּן *Loon*, to stay all night.
2. יָשַׁב *Yoshav*, to sit, abide, dwell, inhabit.
3. עָמַד *Omad*, to stand, stay.
4. מָהָה *Mohoh*, to linger.
5. אָחַר *Okhar*, to stay behind, delay.
6. שִׂבֵּר *Sibbair*, to rest in hope.
7. יָחַל *Yokhal*, to wait impatiently.
8. דום *Doom*, to be silent.
9. חִכָּה *Khikkoh*, to tarry in hope.
10. כּוּן *Koon*, to erect, stand firm.
11. אָרַךְ *Orakh*, to lengthen, prolong.
12. אָחַר *Ikhar*, to tarry, delay.
13. נָוָה *Novoh*, to dwell quietly.
14. קִוָּה *Kivvoh*, to hope for.

1. Gen. xix. 2.	2. 2 Sam. x. 5.
2. —— xxvii. 44.	2. —— xi. 12.
3. —— xlv. 9.	2. —— xv. 28.
4. Exod. xii. 39.	7. —— xviii. 14.
2. —— xxiv. 14.	1. —— xix. 7.
2. Lev. xiv. 8.	2. 2 Kings ii. 2, 4, 6.
2. Numb. xxii. 19.	9. —— vii. 9.
5. Judg. v. 28.	9. —— ix. 3.
2. —— vi. 18.	2. —— xiv. 10.
1. —— xix. 6, 9, 10.	2. 1 Chron. xix. 5.
6. Ruth i. 13.	10. Psalm ci. 7.
1. —— iii. 13.	5. Prov. xxiii. 30.
2. 1 Sam. i. 23.	5. Isa. xlvi. 13.
7. —— x. 8.	1. Jer. xiv. 8.
8. —— xiv. 9.	4. Hab. ii. 3.

TARRIED.

1. Gen. xxiv. 54.	7. 1 Sam. xiii. 8.
1. —— xxviii. 11.	2. 2 Sam. xi. 1.
1. —— xxxi. 54.	3. —— xv. 17.
11. Numb. ix. 19, 22.	2. —— 29.
7. Judg. iii. 25.	12. —— xx. 5.
4. —— 26.	2. 2 Kings ii. 18.
4. —— xix. 8.	13. Psalm lxviii. 12.
2. Ruth ii. 7.	

TARRIETH.

2. 1 Sam. xxx. 24.	14. Mic. v. 7.

TARRYING.

5. Psalm xl. 17.	5. Psalm lxx. 5.

TASK.

דָּבָר Dovor, a matter.

Exod. v. 19.

TASKS.

דְּבָרִים Devoreem, matters.

Exod. v. 13, 14.

TASK-MASTERS.

1. שָׂרֵי מִסִּים Sorai misseem, masters of tribute.

2. נֹגְשִׂים Nougseem, oppressors, urgers.

1. Exod. i. 11.	2. Exod. v. 6, 10, 13, 14.
2. —— iii. 7.	

TASTE, Subst.

1. טַעַם Tāam, the taste.

2. חֵךְ Khaikh, the palate.

1. Exod. xvi. 31.	2. Psalm cxix. 103.
1. Numb. xi. 8.	2. Prov. xxiv. 13.
1. Job vi. 6.	2. Cant. ii. 3.
2. —— 30.	1. Jer. xlviii. 1.

TASTE -ED -ETH.

טָעַם Toam, to taste, in all passages.

TAUGHT.

See Teach.

TAUNT.

1. שְׁנִינָה Sheneenoh, sharp saying, taunting.

2. גְּדוּפָה Gedoophoh, reviling.

3. חִדוֹת Khidouth, sharp sayings, riddles.

1. Jer. xxiv. 9. | 2. Ezek. v. 15.

TAUNTING.

3. Hab. ii. 6.

TAXATION.

עֵרֶךְ Erekh, an estimate.

2 Kings xxiii. 35.

TAXED.

עָרַךְ Orakh, to estimate.

2 Kings xxiii. 35.

TAXES.

נוֹגֵשׂ Nougais, an oppressor.

Dan. xi. 20.

TEACH.

1. לָמַד Lomad, (Piel) to teach.

2. יָדַע Yodā, (Hiph.) to cause to know.

3. יָרָה Yoroh, (Hiph.) to instruct, inform.

4. אָלַף Olaph, to lead.

5. זָהַר Zohar, to warn.

6. שָׁנַן Shonan, (Piel) to sharpen, so as to penetrate; met., to impress upon the mind.

7. חָכַם Khokham, (Piel) to make wise.

8. שָׂכַל Sokhal, (Hiph.) to act prudently, skilfully.

9. קָנָה Konoh, (Hiph.) to possess, purchase.

10. רָגַל Rogal, to make to walk.

11. יָסַר Yosar, to correct.

12. בִּין Been, to make to understand.

13. דִּבֵּר Dibbair, to speak.

All passages not inserted are N°. 1.

3. Exod. iv. 12, 15.	2. Job xxxii. 7.
5. —— xviii. 20.	4. — xxxiii. 33.
3. —— xxiv. 12.	3. — xxxiv. 32.
3. —— xxxv. 34.	2. — xxxvii. 19.
3. Lev. x. 11.	3. Psalm xxv. 8, 12.
3. —— xiv. 57.	3. —— xxvii. 11.
2. Deut. iv. 9.	3. —— xxxii. 8.
6. —— vi. 7.	3. —— xlv. 4.
3. —— xvii. 11.	3. —— lxxxvi. 11.
3. —— xxiv. 8.	2. —— xc. 12.
3. —— xxxiii. 10.	7. —— cv. 22.
3. Judg. xiii. 8.	3. —— cxix. 33.
3. 1 Sam. xii. 23.	2. Prov. ix. 9.
3. 1 Kings viii. 36.	3. Isa. ii. 3.
3. 2 Kings xvii. 27.	3. — xxviii. 9, 26.
2. Ezra vii. 25.	3. Ezek. xliv. 23.
3. Job vi. 24.	3. Mic. iii. 11.
3. — viii. 10.	3. —— iv. 2.
3. — xii. 7, 8.	3. Hab. ii. 19.
3. — xxvii. 11.	

TEACHEST.

1. Psalm xciv. 12.

TEACHETH.

1. 2 Sam. xxii. 35.	1. Psalm cxliv. 1.
4. Job xxxv. 11.	3. Prov. vi. 13.
7. ———— 11.	8. —— xvi. 23.
3. — xxxvi. 22.	3. Isa. ix. 15.
1. Psalm xciv. 10.	1. — xlviii. 17.

TEACHING.

3. 2 Chron. xv. 3. | 1. Jer. xxxii. 33.

TAUGHT.

All passages not inserted are N°. 1.

2. Judg. viii. 16.	3. Prov. iv. 4, 11.
3. 2 Kings xvii. 28.	11. —— xxxi. 1.
3. 2 Chron. vi. 27.	2. Isa. xl. 13, 14.
2. —— xxiii. 13.	13. Jer. xxviii. 16.
8. —— xxx. 22.	11. Ezek. xxiii. 48.
12. —— xxxv. 3.	10. Hos. xi. 3.
12. Neh. viii. 9.	9. Zech. xiii. 5.
3. Psalm cxix. 102.	

TEACHER.

1. מוֹרֶה　*Moureh,* an instructor.
2. מֵבִין　*Maiveen,* a man of understanding.

2. 1 Chron. xxv. 8. | 1. Hab. ii. 18.

TEACHERS.

1. מוֹרִים　*Moureem,* instructors.
2. מְלַמְּדִים　*Mĕlamdeem,* teachers.
3. מְלִיצִים　*Mĕleetseem,* interpreters.

2. Psalm cxix. 99.	1. Isa. xxx. 20.
1. Prov. v. 13.	3. — xliii. 27.

TEAR.

1. טָרַף　*Toraph,* to tear.
2. דּוּשׁ　*Doosh,* to thresh.
3. קָרַע　*Kora,* to rend.
4. סָחַב　*Sokhav,* to drag away.
5. פָּרַס　*Poras,* to divide.
6. פָּרַק　*Porak,* to pluck up, out.
7. בָּקַע　*Boka,* to cleave asunder.

2. Judg. viii. 7.	3. Ezek. xiii. 20, 21.
1. Psalm vii. 2.	1. Hos. v. 14.
3. —— xxxv. 15.	3. —— xiii. 8.
1. —— L. 22.	1. Amos i. 11.
4. Jer. xv. 3.	1. Nah. ii. 12.
5. — xvi. 7.	6. Zech. xi. 16.

TEARETH.

1. Deut. xxxiii. 20.	1. Job xviii. 4.
1. Job xvi. 9.	1. Mic. v. 8.

TARE.

3. 2 Sam. xiii. 31. | 7. 2 Kings ii. 24.

TORN.

1. In all passages.

TEARS.

דְּמָעוֹת　*Demoouth,* tears, in all passages.

TEATS.

1. שָׁדַיִם　*Shodayim,* breasts of women.
2. דַּדִּים　*Daddeem,* nipples, teats.

1. Isa. xxxii. 12.	2. Ezek. xxiii. 3, 21.
1. Ezek. xxiii. 3.	

TEETH.
See Tooth.

TEIL -tree.

אֵלָה　*Ailoh,* a pine, turpentine-tree.

Isa. vi. 13.

TELL.

1. נָגַד　*Nogad,* (Hiph.) to declare.
2. אָמַר　*Omar,* to say, tell.
3. סָפַר　*Sophar,* to relate.
4. דִּבֶּר　*Dibbair,* to speak.
5. יָדַע　*Yodā,* (Hiph.) to cause to know.
6. שָׁמַע　*Shomā,* (Hiph.) to proclaim, publish.
7. מָנָה　*Monoh,* to count, number.
8. מְתֻכָּן　*Methukon,* being prepared.
9. גָּלִיתָ אֹזֶן　*Goleetho ouzen,* thou didst reveal to the ear.
10. וָאָשִׂימָה בְּפִיהֶם דְּבָרִים　*Vōoseemoh bepheehem devoreem,* and I did put in their mouth words.
11. יָדַע　*Yodā,* to know.

All passages not inserted are N°. 1.

3. Gen. xv. 5.	2. 1 Kings xiv. 7.
2. —— xxii. 2.	2. —— xviii. 8, 11, 14.
2. —— xxvi. 2.	
3. —— xl. 8.	2. —— xx. 9.
11. —— xliii. 22.	4. ———— 11.
4. Exod. ix. 1.	4. —— xxii. 16.
3. — x. 2.	2. ———— 18.
4. —— xiv. 12.	3. 2 Kings viii. 4.
2. Numb. xiv. 14.	2. —— xx. 5.
2. Deut. xvii. 11.	2. —— xxii. 15.
2. —— xxxii. 7.	2. 1 Chron. xvii. 4.
4. Judg. xx. 3.	4. —— xxi. 10.
5. 1 Sam. vi. 2.	2. 2 Chron. xviii. 17.
5. —— xvii. 55.	2. —— xxxiv. 23.
4. —— xix. 3.	2. Job xxxiv. 34.
2. 2 Sam. vii. 5.	3. Psalm xxii. 17.
2. —— xii. 18.	3. —— xxvi. 7.
5. ———— 22.	3. —— xlviii. 12, 13.

2. Psalm L. 12.
5. Prov. xxx. 4.
5. Eccles. x. 14.
2. Isa. vi. 9.
6. — xlviii. 20.
2. Jer. xv. 2.
4. — xix. 2.
3. — xxiii. 27, 28, 32.
2. — xxviii. 13.

2. Jer. xxxiv. 2.
2. — xxxv. 13.
6. — xlviii. 20.
2. Ezek. iii. 11.
2. —— xii. 23.
2. —— xvii. 12.
2. Dan. ii. 4, 7, 9, 36.
3. Joel i. 3.
5. Jonah iii. 9.

TELL you.

1. Gen. xlix. 1.
5. Isa. v. 5.

6. Isa. xlii. 9.

TELLEST.

3. Psalm lvi. 8.

TELLETH.

1. 2 Sam. vii. 11.
1. 2 Kings vi. 12.
4. Psalm xli. 6.

4. Psalm ci. 7.
7. —— cxlvii. 4.
7. Jer. xxxiii. 13.

TELLING.

3. Judg. vii. 15.
3. 2 Sam. xi. 19.

3. 2 Kings viii. 5.

TOLD.

All passages not inserted are N°. 1.

4. Gen. xx. 8.
2. —— xxii. 3.
4. —— xxiv. 33.
3. ———— 66.
3. —— xxix. 13.
3. —— xxxvii. 9, 10.
3. —— xl. 9.
3. —— xli. 8, 12.
2. ———— 24.
4. —— xlv. 27.
2. —— xlviii. 1.
2. Exod. v. 1.
3. —— xviii. 8.
4. Lev. xxi. 24.
4. Numb. xi. 24.
3. —— xiii. 27.
4. —— xiv. 39.
2. Josh. ii. 2.
3. ———— 23.
3. Judg. vi. 13.
3. —— vii. 13.
2. —— xiii. 6.
3. ———— 23.
4. —— xvi. 10, 13.
2. 1 Sam. viii. 10.
9. ———— ix. 15.

4. 1 Sam. x. 25.
3. —— xi. 5.
4. ———— 14.
3. 1 Kings viii. 5.
3. —— xiii. 11.
4. ———— 25.
4. —— xiv. 2.
4. 2 Kings i. 7.
2. —— viii. 14.
8. —— xii. 11.
2. —— xxiii. 17.
9. 1 Chron. xvii. 25.
3. 2 Chron. ii. 2.
3. —— v. 6.
10. Ezra viii. 17.
3. Esth. v. 11.
3. —— vi. 13.
3. Job xxxvii. 20.
3. Psalm xliv. 1.
3. —— lxxviii. 3.
3. Isa. xliv. 8.
3. — xlv. 21.
3. — lii. 15.
2. Dan. vii. 1.
2. —— viii. 26.
3. Hab. i. 5.

TEMPER.

1. רָסַס   Rosas, to sprinkle.
2. בָּלַל   Bolal, to mix, incorporate.
3. מָלַח   Molakh, to salt.

     1. Ezek. xlvi. 14.

TEMPERED.

2. Exod. xxix. 2.
3. Exod. xxx. 35.

TEMPEST.

1.   סַעַר   Sāar, a tempest.
2.   סוּפָה   Soophoh, a whirlwind.
3.   שָׂעַר   Soar, a storm.
4.   רוּחַ   Rooakh, the wind.
5.   זֶרֶם   Zorem, a heavy shower, violent
         rain or hail.

3. Job ix. 17.
2. — xxvii. 20.
4. Psalm xi. 6.
1. —— lv. 8.
1. —— lxxxiii. 15.
5. Isa. xxviii. 2.

1. Isa. xxix. 6.
5. — xxx. 30.
5. — xxxii. 2.
1. — liv. 11.
1. Amos i. 14.
1. Jonah i. 4, 12.

TEMPESTUOUS.

3. Psalm L. 3.
1. Jonah i. 11, 13.

TEMPLE.

1.   הֵיכָל   Haikhol, a temple.
2.   בַּיִת   Bayith, a house.

     1. In all passages, except:

2. 2 Kings xi. 10, 11, 13.
2. 1 Chron. vi. 10.
2. —— x. 10.

2. 2 Chron. xxiii. 10,
         twice.

TEMPLES.

הֵיכָלוֹת   Haikhoulouth, temples.

Hos. viii. 14.   Joel iii. 5.

TEMPLES.

רַקָּה   Rakkoh, the temples of the
         head.

Judg. iv. 21, 22.
—— v. 26.

Cant. iv. 3.

TEMPT -ED.

1.   נָסָה   Nissoh, to try.
2.   בָּחַן   Bokhan, to prove, try.

     1. In all passages, except:

         2. Mal. iii. 15.

TEMPTATION.

מַסָּה   Massoh, a trial, temptation.

     Psalm xcv. 8.

TEMPTATIONS.

מַסּוֹת   Massouth, trials, temptations.

Deut. iv. 34.
—— vii. 19.

Deut. xxix. 3.

TEN.

עֶשֶׂר *Eser*,   } ten, in all
עֲשָׂרָה *Asoroh* (fem.),   } passages.

TENS.

עֲשָׂרוֹת *Asorouth*, tens.

Exod. xviii. 21, 25. | Deut. i. 15.

TENTH day, month, &c.

עָשׂוֹר *Osour*,   } the tenth, in all
עֲשִׂירִי *Asseeree*,   } passages.

TENTH.

מַעֲשֵׂר *Maasair*, the tenth part, in all passages.

TEND -ETH.
Not used in the original.

TENDER.

1.   רַךְ *Rakh*, tender, soft.
2.   יוֹנֵק *Younaik*, a sucker.
3.   סְמָדָר *Semodor*, a vine blossom.
4.   רַחֲמִים *Rakhameem*,   compassions, mercies.

1. Gen. xviii. 7.	1. Prov. iv. 3.
1. —— xxxiii. 13.	—— xxvii. 25, not
1. Deut. xxviii. 54, 56.	in original.
—— xxxii. 2, not in	3. Cant. ii. 13, 15.
original.	3. —— vii. 12.
2 Sam. xxiii. 4, not in	1. Isa. xlvii. 1.
original.	2. — liii. 2.
1. 2 Kings xxii. 19.	1. Ezek. xvii. 22.
1. 1 Chron. xxii. 5.	4. Dan. i. 9.
1. —— xxix. 1.	—— iv. 15, 23, not
1. 2 Chron. xxxiv. 27.	in original.
2. Job xiv. 7.	
— xxxviii. 27, not	
in original.	

TENDER -hearted.

רַךְ לֵבָב *Rakh levav*, tender-hearted.

2 Chron. xiii. 7.

TENDER -mercies.

1.   חֲסָדִים *Khasodeem*, loving-kindness.
2.   רַחֲמִים *Rakhameem*, tender mercies.

1. Psalm xxv. 6.	2. Psalm ciii. 4.
1. —— xl. 11.	2. —— cxix. 77, 156.
1. —— li. 1.	2. —— cxlv. 9.
1. —— lxxvii. 9.	2. Prov. xii. 10.
2. —— lxxix. 8.	

TENDERNESS.

רַכָּה *Rakkoh*, softness, tenderness.

Deut. xxviii. 56.

TENONS.

יָדוֹת *Yodouth*, hands; met., tenons.

Exod. xxvi. 17, 19. | Exod. xxxvi. 22, 24.

TENOR.

פֶּה *Peh*, mouth.

Gen. xliii. 7. | Exod. xxxiv. 27.

TENT.·

אֹהֶל *Ouhel*, a tent; in all passages, except:
קֻבָּה *Kubboh*, a chamber.

Numb. xxv. 8.

TENTS.

1. אֹהָלִים *Ouholeem*, tents.
2. מִשְׁכְּנוֹת *Mishkenouth*, tabernacles.
3. מַחֲנֶה *Makhanai*, the camp.
4. חָנָה *Khonoh*, to encamp.
5. סֻכּוֹת *Sukkouth*, booths, pavilions.

1. In all passages, except:

4. Numb. ix. 17, 18, 20,	3. 2 Kings vii. 16.
22, 23.	3. 2 Chron. xxxi. 2.
4. —— xiii. 19.	4. Ezra viii. 15.
4. Deut. i. 33.	2. Cant. i. 8.
3. 1 Sam. xvii. 53.	3. Zech. xiv. 15.
5. 2 Sam. xi. 11.	

TERMED.

יֵאָמֵר *Yaiomair*, shall be said.

Isa. lxii. 4.

TERRIBLE.

1.   נוֹרָא *Nourō*, terrible.
2.   אָיֹם *Oyoum*, fearful.
3.   אֵימָה *Aimoh*, terror, fear, fright.
4.   זַלְעָפָה *Zalophoh*, perturbation.
5.   עָרִיץ *Oreets*, dreadful.
6.   דָּחַל *Dokhal* (Chaldee), fearful.
7.   אֶמְתָּנִי *Emthonee* (Syriac), firm, powerful.

All passages not inserted are N°. 1.

3. Job xxxix. 20.	4. Lam. v. 10.
3. — xli. 14.	5. Ezek. xxviii. 7.
3. Cant. vi. 4, 10.	5. —— xxx. 11.
5. Isa. xiii. 11.	5. —— xxxi. 12.
5. — xxv. 3, 4, 5.	5. —— xxxii. 12.
5. — xxix. 5, 20.	6. Dan. ii. 31.
5. — xlix. 25.	7. —— vii. 7.
5. Jer. xv. 21.	2. Hab. i. 7.
5. Jer. xx. 11.	

TERRIBLENESS.

1.   מוֹרָא   *Mouro,* fear, timidity.
2.   נוֹרָאוֹת   *Nouroouth,* fearfulness.
3.   תִּפְלָצָה   *Tiphlotsoh,* trembling, terror.

1. Deut. xxvi. 8.	3. Jer. xlix. 16.
2. 1 Chron. xvii. 21.	

TERRIBLY.

1.   עָרַץ   *Orats,* to affright, terrify.
2.   רָעַל   *Roal,* (Hiph.) to shake terribly.

1. Isa. ii. 19, 21.	2. Nah. ii. 3.

TERRIFY.

1.   עָרַץ   *Orats,* to shake terribly.
2.   בָּעַת   *Biaith,* to affright, terrify.
3.   חָתַת   *Khotath,* to make anxious.

2. Job iii. 5.	3. Job xxxi. 34.
2. — ix. 34.	

TERRIFIED.

1. Deut. xx. 3.

TERRIFIEST.

2. Job vii. 14.

TERRACES.

מְסִלּוֹת   *Mesillouth,* high paths.

2 Chron. ix. 11.

TERROR.

1.   אֵימָה   *Aimoh,* great fear.
2.   בֶּהָלָה   *Beholoh,* terror.
3.   בַּלָּהוֹת   *Balohouth,* consternations.
4.   מָגוֹר   *Mogour,* timidity.
5.   חָנָא   *Khogō,* a refuge.
6. { מְחִתָּה   *Mekhittoh,* } anxiety.
     { חִתִּית   *Khitteeth,* }
7.   מוֹרָא   *Mourō,* fear.
8.   מַעֲרָצָה   *Maarotsoh,* a terrible instrument.
9.   פַּחַד   *Pakhad,* an object of fear.
10.   בִּעָתוֹת   *Beothouth,* horrors, terrors.

6. Gen. xxxv. 5.	9. Psalm xci. 5.
2. Lev. xxvi. 16.	8. Isa. x. 33.
1. Deut. xxxii. 25.	5. — xix. 17.
7. —— xxxiv. 12.	1. — xxxiii. 18.
1. Josh. ii. 9.	6. — liv. 14.
9. Job xxxi. 23.	6. Jer. xvii. 17.
1. — xxxiii. 7.	4. — xx. 4.

7. Jer. xxxii. 21.	3. Ezek. xxviii. 19.
6. Ezek. xxvi. 17.	6. —— xxxii. 23, 24, 25,
3. ——————— 21.	26, 27, 30, 32.
3. —— xxvii. 36.	

TERRORS.

7. Deut. iv. 34.	1. Psalm lv. 4.
10. Job vi. 4.	3. —— lxxiii. 19.
3. — xviii. 11, 14.	1. —— lxxxviii. 15.
1. — xx. 25.	10. ——————— 16.
3. — xxiv. 17.	2. Jer. xv. 8.
3. — xxvii. 20.	4. Lam. ii. 22.
3. — xxx. 15.	4. Ezek. xxi. 12.

TESTIFY.

1.   יָעַד   *Yoad,* to testify.
2.   עָנָה   *Onoh,* to answer, respond.

2. Numb. xxxv. 30.	1. Psalm L. 7.
1. Deut. viii. 19.	1. —— lxxxi. 8.
2. —— xix. 16.	2. Isa. lix. 12.
2. —— xxxi. 21.	2. Jer. xiv. 7.
1. —— xxxii. 46.	2. Hos. v. 5.
1. Neh. ix. 34.	1. Amos iii. 13.
2. Job xv. 6.	2. Mic. vi. 3.

TESTIFIED.

1. Exod. xxi. 29.	1. 2 Kings xvii. 13, 15.
2. Deut. xix. 18.	1. 2 Chron. xxiv. 19.
2. Ruth i. 21.	1. Neh. ix. 26.
2. 2 Sam. i. 16.	1. —— xiii. 15, 21.

TESTIFIEDST.

1. Neh. ix. 29, 30.

TESTIFIETH.

2. Hos. vii. 10.

TESTIMONY -IES.

עֵדוּת   *Aidooth,* testimony, witness, in all passages.

THAN.

1. This word is designated by the letter מ (m), prefixed to the word following the adjective, except:

2.   וְאַל   *Veal,* but not.
3.   עַל   *Al,* above.

     1. In all passages, except:

3. Job xxiii. 2.	3. Eccles. i. 16.
2. Prov. xvii. 12.	3. —— v. 8.

THANK.

הוֹדָה *Houdoh,* to acknowledge, give thanks, confess.

1 Chron. xvi. 4, 7.	1 Chron. xxix. 13.
—— xxiii. 30.	Dan. ii. 23.

THANKED.

בָּרַךְ *Borakh,* blessed.

2 Sam. xiv. 22.

THANKING.

הוֹדוֹת *Houdouth,* thanksgivings.

2 Chron. v. 13.

THANKFUL.

הוֹדוּ *Houdoo,* give ye thanks.

Psalm c. 4.

THANKS.

1. תּוֹדוֹת *Toudouth,* thankofferings, thanksgivings.

2. מוֹדָא *Moudo* (Chaldee), thankofferings.

1. Neh. xii. 31, 40.	2. Dan. vi. 10.

THANKS -giving -s offering -s.

תּוֹדָה *Toudoh,* thanksoffering.

תּוֹדֹת *Toudouth,* thankofferings.

In all passages.

THAT.

1. This article, or the adverb, is designated by a prefixed Hebrew letter, as a particle or preposition:

אֵת *Aith,* that, the.

אֲשֶׁר *Asher,* that which.

זֶה *Zeh,* this.

Except:

2. בַּעֲבוּר *Baavoor,* on account of, for which.

3. עַד *Ad,* until, at.

4. מִי יִתֵּן *Mee yittain,* who will give ; met., would to God.

5. אַנְשֵׁי *Anshai,* the men of.

6. לְמַעַן *Lemaan,* on that account.

7. יַעַן אֲשֶׁר *Yaan asher,* because of that.

8. אִם *Im,* if, when, whether.

9. כֵּן *Kain,* so, perfectly, truly.

10. לֵאמֹר *Laimour,* saying.

All passages not inserted are Nº. 1.

1. Gen. xxvii. 4.	4. Job xi. 5.
2. —— 4.	4. — xiii. 5.
6. —— 25.	4. — xiv. 13.
8. —— xxxi. 52.	4. — xix. 23.
6. Exod. iv. 5.	4. — xxiii. 3.
2. —— ix. 14.	4. — xxxi. 31, 35.
6. —— xi. 9.	4. Psalm xiv. 7.
6. —— 16.	6. —— xxx. 12.
2. —— xx. 20.	6. —— li. 4.
3. —— xxii. 26.	4. —— liii. 6.
6. Deut. iv. 1, 40.	4. —— lv. 6.
6. — v. 16.	2. —— cv. 45.
4. —— 29.	5. Isa. xli. 11, 12.
1. —— 29.	6. —— 20.
6. —— 29.	6. — lxvi. 11.
6. —— viii. 16.	4. Jer. ix. 1.
6. —— ix. 5.	6. — xxvii. 15.
6. —— xi. 9.	6. — xliv. 8.
9. 1 Sam. xxiii. 17.	7. Ezek. xii. 12.
10. 2 Sam. iii. 13.	6. —— 16.
6. Neh. vi. 13.	6. Hos. viii. 4.

THEE.

The letter ךָ affixed to the word makes the pronoun personal.

THEFT.

גְּנֵבָה *Genaivoh,* a theft.

Exod. xxii. 3, 4.

THEIRS, THEM -SELVES.

לָהֶם *Lohem,* to them, or the letter ם affixed to the word ; or,

אֹתָם *Outhom,* them.

THEN.

1. אָז *Oz,* then, at that time.

2. הַיּוֹם *Hayoum,* to-day, this day.

3. אֱדַיִן *Edayin* (Chaldee), that time, from thence.

1. In all passages, except:

2. 1 Sam. xxii. 15.

3. In all passages in Ezra and Dan.

THENCE.

1. שָׁם *Shom,* there, thence.

2. מֵהֵנָּה *Mehainoh,* from them.

3. תַּמָּה *Tamoh,* there.

1. In all passages, except:

3. Ezra vi. 6.	2. Jer. v. 6.

THENCEFORTH.

1. נֶהְלְאָה *Voholoh*, and by, on.
2. מֵאַחֲרֵי־כֵּן *Maiakharai-kain,* from, after, so.

1. Lev. xxii. 27. | 2. 2 Chron. xxxii. 23.

THERE.

1. {
שָׁם *Shom,*   } there,
תַּמָּה *Tammoh* (Chaldee),   } thence.

In all passages in Ezra and Dan.

2. הֲאֶפֶס *Haēphes,* is there left?
3. עֹד־הַאִשׁ *Oud haish,* are there yet?
4. הֲכִי יֶשׁ־עוֹד *Hakhee yesh-oud,* truly is there yet?

1. In all passages, except:

4. 2 Sam. ix. 1. | 3. Mic. vi. 10.
2. ———— 3. |

THEREAT.

מִמֶּנּוּ *Mimmenoo,* of it, therefrom.

Exod. xxx. 19. | Exod. xl. 31.

THEREBY.

1. וּבָהּ *Oovoh,* and by her.
2. בָּהֶם *Bohem,* by them.
3. בּוֹ *Bou,* therein.
4. יַעֲבְרֶנּוּ *Yāavrenoo,* shall pass over, by, through it.
5. עָלֶיהָ *Olehoh,* upon it.

1. Gen. xxiv. 14. | 5. Jer. xix. 8.
2. Lev. xi. 43. | 2. — li. 43.
2. Job xxii. 21. | 3. Ezek. xii. 5, 12.
3. Prov. xx. 1. | 1. —— xxxiii. 12.
2. Eccles. x. 9. | 2. ———— 18.
4. Isa. xxxiii. 21. | 5. ———— 19.
5. Jer. xviii. 16. | 1. Zech. ix. 2.

THEREFORE.

1. עַל־כֵּן *Al-kain,* upon, so, therefore.
2. The letter ו prefixed to the relative word, and, but, then, therefore.
3. גַּם *Gam,* also.
4. וּבְזֹאת *Oovozouth,* and by this.
5. כִּי *Kee,* for, yea, verily.

6. לְמַעַן *Lemaan,* on that account.
7. עַל דְּנָה *Al denoh* (Chaldee), upon this.

All passages not inserted are Nº. 1.

2. Gen. iii. 23. | 6. Neh. vi. 13.
2. Deut. xxviii. 48. | 2. Job v. 17.
3. 1 Sam. xii. 16. | 3. — vii. 11.
4. 2 Chron. xix. 2. | 5. Psalm cxvi. 10.
7. Ezra iv. 14. | 2. Jer. xiv. 22.

THEREFROM.

מִמֶּנּוּ *Mimmenoo,* of it, therefrom.

Josh. xxiii. 6. | 2 Kings xiii. 2.
2 Kings iii. 3. |

THEREIN.

1. {
בּוֹ *Bou* (masc.), } in it, therein.
בָּהּ *Boh* (fem.),   }
2. שָׁם *Shom,* there, thence.
3. בְּתוֹכָהּ *Bethoukhoh,* in the midst thereof.
4. בְּגַוַּהּ *Begavah* (Chaldee), within.
5. בָּהֵן *Bohain,* in them.
6. וּמְלֹאָהּ *Oomelouoh,* and the fulness thereof.
7. בְּקֶרֶב *Bekerev,* therein, in the midst.
8. עַל *Al* (with an affixed pronoun), over, upon it.

All passages not inserted are Nº. 1.

7. Gen. xviii. 24. | 5. Psalm cxi. 2.
2. Exod. xvi. 33. | 2. Prov. xxii. 14.
2. —— xxx. 18. | 3. Isa. vii. 6.
2. —— xl. 3. | 6. — xxxiv. 1.
5. Lev. vi. 3. | 5. Jer. iv. 29.
5. —— x. 1. | 5. — v. 17.
5. —— xviii. 4. | 6. — viii. 16.
7. —— xxv. 19. | 6. — xlvii. 2.
5. Numb. xvi. 7. | 5. — xlviii. 9.
8. ———— 46. | 5. — li. 48.
2. 1 Kings viii. 16. | 6. Ezek. xii. 19.
2. 2 Kings ii. 20. | 3. —— xxiv. 5.
4. Ezra vi. 2. | 6. —— xxx. 12.
3. Neh. vii. 4. | 6. Amos vi. 8.
8. —— ix. 6. | 6. Mic. i. 2.
5. ———— 6. | 3. Zech. ii. 4.

THEREOF.

מִמֶּנּוּ *Mimmenoo,* of it, thereof; in all passages, except:

וּמִשָּׁם *Oomishom,* and from thence.

2 Kings vii. 2.

THEREON.

עָלָיו *Olov,*
עֲלֹוהִי *Alouhee* (Chaldee), } upon it.

In all passages.

THEREOUT.

1. מִשָּׁם *Mishom,* from thence.
2. מִמֶּנּוּ *Mimmenoo,* out of, from it.

1. Lev. ii. 2. | 2. Judg. xv. 19.

THERETO.

1. בָּהּ *Boh,* on, at.
2. עַל *Al* (with the pronoun affixed), upon, over.
3. לָמֹו *Lomou,* to them.

1. Exod. xxx. 38. | 2. Numb. xix. 17.
2. Lev. v. 16. | 2. Deut. xii. 32.
2. —— vi. 5. | 2. 1 Chron. xxii. 14.
2. —— xviii. 23. | 2. 2 Chron. x. 14.
2. —— xxvii. 13, 31. | 3. Isa. xliv. 15.

THEREUNTO.

1. לֹו *Lou,* to it.
2. שְׁכֵנָיו *Shekhainov,* his, its neighbours.

1. Exod. xxxii. 8. | 2. Deut. i. 7.

THEREUPON.

עֲלֵיהֶם *Alaihem,* unto, over, with them.

Ezek. xvi. 16. | Zeph. ii. 7.

THEREWITH.

1. בֹּו *Bou,* with it, therewith.
2. עֲלֵיהֶם *Alaihem,* unto, over, with them.
3. אֹתֹו *Outhou,* therewith.

1. In all passages, except:

2. Ezek. iv. 15. | 3. Joel ii. 19.

THESE.

1. אֵלֶּה *Aileh,* these, or the pronoun
הֵם *Haim,* they, Hebrew idiom for *these.*
2. זֶה *Zeh,* this.

1. In all passages, except:
2. Zech. vii. 3.

THEY.

הֵם *Haim,* they, in all passages.

THICK, and THICK cloud.

1. עַב *Av,* thick.
2. כָּבֵד *Kovaid,* heavy.
3. עָתָר *Athar,* abundance.
4. { שֹׁובֶךְ *Souvokh,* } a thicket.
   { סְבָךְ *Sevokh,* }
5. מַכְבֵּר *Makhbair,* thick cloth.

All passages not inserted are N°. 1.

2. Exod. xix. 16. | 4. Psalm lxxiv. 5.
4. 2 Sam. xviii. 9. | 3. Ezek. viii. 11.
5. 2 Kings viii. 15. |

THICK darkness.

עֲרָפֶל *Arophel,* thick darkness.

Exod. xx. 21. | Job xxxviii. 9.
Deut. iv. 11. | Joel ii. 2.
—— v. 22. | Zeph. i. 15.

THICKER.

עָבָה *Ovoh,* thicker.

1 Kings xii. 10. | 2 Chron. x. 10.

THICKET.

סֹבֶךְ *Souvekh,* a thicket.

Gen. xxii. 13. | Jer. iv. 7.

THICKETS.

1. סְבָכִים *Sevokheem,* thickets.
2. חֲוָחִים *Khavokheem,* thick bushes.
3. עָבִים *Oveem,* thick clouds.

2. 1 Sam. xiii. 6. | 1. Isa. x. 34.
1. Isa. ix. 18. | 3. Jer. iv. 29.

THICKNESS.

1. עֳבִי *Avee,* thickness.
2. רֹחַב *Roukhav,* breadth.

1. 2 Chron. iv. 5. | 2. Ezek. xli. 9.
1. Jer. lii. 21. | 2. —— xlii. 10.

THIEF.

גַּנָּב *Ganov,* a thief, in all passages.

THIEVES.

גַּנָּבִים *Ganoveem,* thieves, in all passages.

THIGH.

יָרֵךְ *Yerekh,* a thigh, in all passages.

THIGHS.

יְרֵכַיִם Yeraikhayim, thighs, in all passages.

THIN.

1. דַּק Dak, thin.
2. רַקָּה Rakkoh, empty.
3. מוֹרָד Mourod, sloping, a declivity.
4. דָּלַל Dolal, to be exhausted.

1. Gen. xli. 6, 7, 23, 24.	1. Lev. xiii. 30.
2. ——— 27.	3. 1 Kings vii. 29.
Exod. xxxix. 3, not in original.	4. Isa. xvii. 4.

THINE.

לְךָ Lekhō, or the letter ךָ affixed to the relative word; in all passages, except:

וּמִיָּדְךָ Oomiyodkhō, and from thine hand.

1 Chron. xxix. 14.

THING.

1. דָּבָר Dovor, a thing, subject, object, matter, word.
2. אֹמֶר Oumer, a speech, saying.
3. בְּרִיאָה Bereeoh, a new creation.
4. כְּלִי Kĕlee, a vessel.
5. עֹשֶׁק Oushek, the extortion.
6. מִלְתָא Milthō (Syriac), a word, matter.
7. אַחַת Akhath, one.
8. אֵין Ain, nothing.
9. מְלָאכָה Melokhoh, work, business.
10. מַשַּׁאת מְאוּמָה Mashath mĕoomoh, the least loan.
11. נֶפֶשׁ Nephesh, a creature.
12. פְּדַק Kadak, like small dust.
13. תּוּשִׁיָּה Thooshiyoh, sound wisdom.
14. מַה Mah, what, that, which.
15. אֱלִיל Eleel, an idol.
16. אֶפֶס Ephes, void.
17. וְכֵן Vekhain, and so, thus.
18. מְאוּמָה Meoomoh, any thing.
19. נוֹרָא Nourō, a fearful thing.
20. בְּכָל־לֹדֶשׁ Bekhol-koudesh, any hallowed thing.

21. תִּקְוָתִי Tikvothee, my expectation, hope.
22. רִיק Reek, vanity, emptiness.
23. שֶׁקֶר Sheker, false.
24. טוֹב Touv, good.
25. מְעַט Mĕāt, a trifling.
26. גַּלְגַּל Galgal, a wheel; met., chaff.
27. בּוֹשֶׁת Bousheth, shame.
28. { כָּל Kol, / פֹּל Koul, } any, or every thing.

Note.—There are some passages where the word *thing* is not mentioned but understood, as, חֲדָשָׁה Khadoshoh, a new thing; Hebrew, a new one (Isa. xliii. 19).

All passages not inserted are Nº. 1.

17. Gen. xxxiv. 7.	23. Psalm xxxiii. 17.
Exod. x. 15, not in original.	——— lxxxix. 34, not in original.
28. ——— xx. 17.	Prov. iv. 7, not in original.
28. ——— xxii. 9.	
19. ——— xxxiv. 10.	——— xxii. 18, not in original.
Lev. ii. 3, not in original.	14. Eccles. i. 9.
——— vi. 2, not in original.	24. ——— viii. 15.
5. ——— 4.	25. Isa. vii. 13.
20. ——— xii. 4.	— xv. 6, not in original.
——— xx. 17, not in original.	26. — xvii. 13.
3. Numb. xvi. 30.	— xxix. 16, not in original.
Deut. xxxii. 47, not in original.	12. — xl. 15.
Josh. vi. 18, not in original.	16. — xli. 12.
Judg. viii. 27, not in original.	— lxvi. 8, not in original.
1 Sam. iv. 7, not in original.	Jer. ii. 10, not in original.
2 Kings ii. 10, not in original.	27. — xi. 13.
Job iii. 25, not in original.	15. — xiv. 14.
21. — vi. 8.	Lam. ii. 13, not in original.
2. — xxii. 28.	6. Dan. ii. 5, 11, 15, 17.
13. — xxvi. 3.	6. ——— iv. 33.
22. Psalm ii. 1.	6. ——— v. 15, 26.
	6. ——— vi. 12.
	Hos. viii. 12, not in original.

THING, any, every.

All passages not inserted are Nº. 1, or Nº. 28.

18. Gen. xxii. 12.	18. Numb. xxii. 38.
18. ——— xxxix. 9, 23.	10. Deut. xxiv. 10.
7. Lev. vi. 1.	9. 1 Sam. xv. 9.
9. ——— xiii. 48.	18. ——— xx. 39.
4. ——— 49, 52, 53, 57, 58, 59.	8. Eccles. iii. 14.
4. ——— xv. 4, 6.	11. Ezek. xlvii. 9.

THING, creeping, evil, good, great, holy, light, living, one, small, this, unclean, &c.

In connexion with the above words, the word *Thing* is not in original, but is understood. (See note under Thing.)

THINGS.

1. דְּבָרִים *Devoreem*, things, matters, subjects, words.
2. מִטּוּב *Mitoov*, from the best.
3. עֲתִדֹת *Athidouth*, matters to take place.
4. מֶגֶד *Meged*, choice, precious.
5. מִלְּיָא *Millayō* (Syriac), words, matters.
6. קַדְמֹנִיּוֹת *Kadmouniyouth*, ancient.
7. אֵלֶּה *Aileh*, these, such things, matters.
8. מָנוֹת *Monouth*, gifts, presents.
9. חֲדָשׁוֹת *Khadoshouth*, novelties, newly-made things.
10. כְּלִי *Kelee*, vessel, vessels.

All passages not inserted are Nº. 1, or not in the original.

2. Gen. xlv. 23.	6. Isa. xliii. 18.
10. Numb. xxxi. 20.	9. — xlviii. 6.
3. Deut. xxxii. 35.	— lxvi. 8, not in
4. —— xxxiii. 15.	original.
Isa. xxix. 16, not in	5. Dan. vii. 16.
original.	Hos. viii. 12, not in
9. — xlii. 9.	original.

THINGS, such.

7. In all passages, except :
8. Esther ii. 9.

THINGS, what.

אֵת אֲשֶׁר *Aith asher*, that which.
Exod. x. 2.

THINK.

1. זָכַר *Zokhar*, to remember.
2. שׂוּם־לֵב *Soom-laiv*, to set the heart.
3. אָמַר *Omar*, to say.
4. חָשַׁב *Khoshav*, to think, count, reckon.
5. דָּמָה *Dimmoh*, to imagine.
6. בּוּן *Boon*, to understand.
7. סְבַר *Sovar* (Chaldee), to think.
8. עֲשֵׁת *Oshath*, to consider, remember.
9. טוֹב־עַיִן *Touv-ayin*, good in the eye; met., to please.

10. רָאָה *Rooh*, to see.
11. שָׁעַר *Shoar*, to estimate, calculate.
12. לֵאמֹר *Laimour*, saying.
13. וְהוּא הָיָה כְמְבַשֵּׂר בְּעֵינָיו *Vehoo hoyoh kimvassair beainov*, and he was as a good reporter in his own eyes.
14. פָּלַל *Polal*, (Piel) to expect.
15. דִּבֵּר *Dibbair*, to speak.
16. זָמַם *Zomam*, to intend, determine.
17. וַיִּבֶז בְּעֵינָיו *Vayivez beainov*, and it was despicable in his own eyes.
18. בְּעֵינֶיךָ *Bĕainekhō*, in thine eyes.

1. Gen. xl. 14.	4. Job xli. 32.
9. Numb. xxxvi. 6.	3. Eccles. viii. 17.
2. 2 Sam. xiii. 33.	4. Isa. x. 7.
3. 2 Chron. xiii. 8.	4. Jer. xxiii. 27.
1. Neh. v. 19.	4. — xxix. 11.
4. —— vi. 6.	4. Ezek. xxxviii. 10.
1. —— 14.	7. Dan. vii. 25.
5. Esth. iv. 13.	8. Jonah i. 6.
6. Job xxxi. 1.	9. Zech. xi. 12.

THINKEST.

18. 2 Sam. x. 3.	4. Job xxxv. 2.
9. 1 Chron. xix. 3.	

THINKETH.

10. 2 Sam. xviii. 27.	11. Prov. xxiii. 7.
4. Psalm xl. 17.	

THINKING.

13. 2 Sam. iv. 10.	12. 2 Sam. v. 6.

THOUGHT.

3. Gen. xx. 11.	3. 2 Kings v. 11.
4. —— xxxviii. 15.	3. 2 Chron. xxxii. 1.
14. —— xlviii. 11.	4. Neh. vi. 2.
4. —— l. 20.	17. Esth. iii. 6.
15. Exod. xxxii. 14.	4. —— vi. 6.
3. Numb. xxiv. 11.	5. Psalm xlviii. 9.
5. —— xxxiii. 56.	4. —— lxxiii. 16.
16. Deut. xix. 19.	4. —— cxix. 59.
3. Judg. xv. 2.	16. Prov. xxx. 32.
5. —— xx. 5.	5. Isa. xiv. 24.
4. 1 Sam. i. 13.	4. Jer. xviii. 8.
4. —— xviii. 25.	16. Zech. i. 6.
2 Sam. xiii. 2, not in	16. —— viii. 14, 15.
original.	4. Mal. iii. 16.
3. —— xxi. 16.	

THOUGHTEST.

5. Psalm l. 21.

THIRD.

שְׁלִישִׁי *Shĕlishee*, third, in all passages.

THIRST, Subst.

צָמָא   *Tsomo,* thirst, in all passages.

THIRST -ED -ETH.

צָמָא   *Tsomo,* to thirst, in all passages.

THIRSTY.

צָמֵא   *Tsomai,* thirsty ; in all passages, except :

עָיֵף   *Oyaiph,* weary.

Psalm lxiii. 1.	Prov. xxv. 25.
—— cxliii. 6.	

THIRTEEN.

שְׁלֹשׁ־עֶשְׂרֵי   *Shĕloush-esrai,* thirteen, in all passages.

THIRTEENTH.

שְׁלָשׁ־עֶשְׂרֵי   *Shelosh-esrai,* thirteenth, in all passages.

THIRTIETH.

שְׁלֹשִׁים   *Shĕlousheem,* thirtieth ; in all passages, except :

תְּלָת   *Telath* (Chaldee), thirty.
In Ezra and Dan.

THIRTY.

שְׁלֹשִׁים   *Shĕlousheem,* thirty, in all passages.

THIS.

1. { זֶה   *Zeh* (masc.),   } this.
     זֹאת   *Zouth* (fem.), }

The letter ה prefixed to the relative word denotes the definite article.

     דָא   *Dō* (Syriac),   } this.
     דֵּךְ   *Daikh* (Chaldee), }

2.   דְּנָה   *Denoh* (Chaldee), the same.
3.   דִּכֵּן   *Dikkain* (Syriac), the same.
4.   הוּא   *Hoo,* he.*
5.   הִיא   *Hee,* she.*
6.   הַלָּז   *Haloz,* the very same.
7.   גֵּה   *Gaih,* that is.

* Here the Hebrew has the *personal* pronoun, and not the *relative.*

All passages not inserted are N°. 1. In Ezra and Dan., the Chaldee and Syriac words are used.

4. Lev. x. 3.	5. Jer. L. 25.
5. Josh. x. 13.	5. — li. 6.
6. Judg. vi. 20.	5. Ezek. iv. 3.
6. 1 Sam. xvii. 26.	5. —— x. 15, 20.
2. Ezra iv. 11.	5. —— xi. 3, 11, 15.
2. —— v. 3, 4, 9, 12, 13.	5. —— xxxii. 16.
2. —— vi. 11, 15, 16, 17.	7. —— xlvii. 13.
2. —— vii. 17, 24.	2. Dan. ii. 18, 30, 36, 47.
5. Job ix. 22.	3. —— 31.
5. Psalm lxxvii. 10.	2. —— iv. 18.
5. Eccles. iv. 4.	2. —— v. 7, 15, 22, 24,
5. Jer. vi. 6.	26.
5. — xxii. 16.	2. —— vi. 3, 5, 28.
5. — xxix. 28.	5. Amos vii. 6.
5. — xxx. 17.	5. Mic. ii. 3.
5. — xlv. 4.	6. Zech. ii. 4.

THISTLE.

1.   דַּרְדַּר   *Dardar,* a thistle.
2.   חוֹחַ   *Khouakh,* a bramble, thorn-bush.

2. 2 Kings xiv. 9.	1. Hos. x. 8.
2. 2 Chron. xxv. 18.	

THISTLES.

1. Gen. iii. 18.	2. Job xxxi. 40.

THITHER.

1.   שָׁמָּה   *Shomoh,* there, thence.
2.   עַד   *Ad,* until, unto.
3.   עָדֶיהָ   *Odehoh,* so far.
4.   הֲלֹם   *Haloum,* hither.

1. In all passages, except :

2. 1 Sam. iv. 6.	3. Job vi. 20.
4. —— x. 22.	

THITHERWARD.

שָׁמָּה   *Shomoh,* there, thence.

Judg. xviii. 15.
Jer. L. 5, not in original.

THORN.

1.   קוֹץ   *Kouts,* a thorn.
2.   חוֹחַ   *Khouakh,* a thorn-bush, bramble.
3.   נַעֲצוּץ   *Naatsoots,* a species of thorn.

2. Job xli. 2.	1. Ezek. xxviii. 24.
2. Prov. xxvi. 9.	1. Hos. x. 8.
3. Isa. lv. 13.	

THORN -hedge.

מְסוּכָה   *Mesookhoh,* a covering ; met., a thorn-hedge.

Mic. vii. 4.

THORNS.

1. קוֹצִים   *Koutseem*, thorns.
2. אָטָד   *Otod*, a black-thorn.
3. חוֹחִים   *Khoukheem*, brambles.
4. חֶדֶק   *Khedek*, a brier.
5. סִירִים   *Seereem*, crooked thorns.
6. סַלּוֹנִים   *Salouneem*, thorns.
7. צְנִינִים   *Tsenneeneem*, prickly shrubs.
8. קִמְשׂוֹנִים   *Kimshouneem*, nettles.
9. שָׁיִת   *Shayith*, weeds.
10. נַעֲצוּצִים   *Naatsootseem*, thorns.

1. Gen. iii. 18.	9. Isa. v. 6.
1. Exod. xxii. 6.	10. — vii. 19.
7. Numb. xxxiii. 55.	9. ——— 23, 24, 25.
7. Josh. xxiii. 13.	9. — ix. 18.
1. Judg. viii. 7, 16.	9. — x. 17.
1. 2 Sam. xxiii. 6.	9. — xxvii. 4.
3. 2 Chron. xxxiii. 11.	1. — xxxii. 13.
7. Job v. 5.	1. — xxxiii. 12.
2. Psalm lviii. 9.	5. — xxxiv. 13.
1. —— cxviii. 12.	1. Jer. iv. 3.
4. Prov. xv. 19.	1. — xii. 13.
7. —— xxii. 5.	6. Ezek. ii. 6.
8. —— xxiv. 31.	5. Hos. ii. 6.
5. Eccles. vii. 6.	3. —— ix. 6.
3. Cant. ii. 2.	5. Nah. i. 10.

THOSE.

1. אֵלֶּה   *Aileh*, these, those.
2. הָהֵם   *Hohaim*, the same.
3. הֵנָּה   *Hainoh*, they.
4. מֵהָאֲנָשִׁים   *Maihoanosheem*, of the men.

All passages not inserted are Nº. 1.

2. Gen. vi. 4.	3. Jer. xxxviii. 22.
4. 1 Sam. xxx. 22.	

THOU.

אַתָּה   *Attoh*, thou, in all passages.

THOUGH.

1. אִלּוּ   *Iloo*, peradventure.
2. כַּאֲשֶׁר   *Käasher*, so as.
3. ב   Prefixed to the relative word, in, whilst, when.
4. גַּם   *Gam*, also, yea.
5. הֵן   *Hain*, behold.
6. וְלֹא   *Velu*, peradventure, perhaps.
7. כִּי   *Kee*, for, yea.
8. אִם   *Im*, if, when.
9. כִּי־אִם   *Kee-im*, except.

The word *Though* is not used in the original except in the following passages :

7. Deut. xxix. 19.	8. Psalm lxviii. 13.
7. Josh. xvii. 18.	7. —— cxxxviii. 6.
8. Judg. xiii. 16.	7. Prov. xxix. 19.
8. —— xv. 7.	1. Eccles. vi. 6.
9. 1 Sam. xiv. 39.	2. —— viii. 12.
6. 2 Sam. xviii. 12.	8. Isa. i. 18.
8. Neh. i. 9.	8. Jer. xv. 1.
4. —— vi. 1.	8. Lam. iii. 32.
2. Job x. 19.	7. Hos. viii. 10.
5. — xiii. 15.	7. —— ix. 16.
8. — xx. 12.	8. Amos v. 22.
7. — xxvii. 8.	8. Nah. i. 12.
8. ——— 16.	7. Hab. i. 5.
7. Psalm xxiii. 4.	8. —— ii. 3.
7. —— xxxvii. 24.	2. Zech. x. 6.
3. —— xlvi. 2.	

THOUGHT.
See Think.

THOUGHT, Subst.

1. עַשְׁתֻּת   *Ashtooth*, designs.
2. דָּבָר   *Dovor*, a word, matter.
3. דְּאָגָה   *Dĕogoh*, anxiety, anxious thought.
4. מְזִמָּה   *Mezimmoh*, deep thought, meditation.
5. רְעִי   *Rĕee*, will, purpose, desire.
6. מַדָּע   *Maddo*, knowledge, experience.
7. מַחֲשָׁבָה   *Makhashovoh*, thought.
8. שִׂיחַ   *Seeakh*, utterance, speech, purpose.
9. זִמָּה   *Zimmoh*, intention, device.

2. Deut. xv. 9.	5. Psalm cxxxix. 2.
3. 1 Sam. ix. 5.	9. Prov. xxiv. 9.
1. Job xii. 5.	6. Eccles. x. 20.
4. — xlii. 2.	7. Ezek. xxxviii. 10.
Psalm xlix. 11, not in original.	8. Amos iv. 13.

THOUGHTS.

1. מַחֲשָׁבוֹת   *Makhashovouth*, thoughts.
2. חֲקָקִים   *Khikekeem*, impressions.
3. שְׂעִפִּים   *Seaipheem*, visions.
4. זִמּוֹת   *Zimmouth*, devices, intentions.
5. מְזִמּוֹת   *Mezimmouth*, deep thoughts.
6. שַׂרְעַפִּים   *Sarapeem*, extensive thoughts.
7. רֵעִים   *Raieem*, friends, neighbours.
8. עֶשְׁתֹּנוֹת   *Eshtounouth*, purposes, resolutions.
9. רַעְיוֹנוֹת   *Raăyounouth*, desires, pursuits, purposes.
10. הִרְהֻרִין   *Hirhureen* (Chaldee), thoughts.

1. Gen. vi. 5.	8. Psalm cxlvi. 4.
2. Judg. v. 15.	1. Prov. xii. 5.
1. 1 Chron. xxviii. 9.	1. —— xv. 26.
1. —— xxix. 18.	1. —— xvi. 3.
3. Job iv. 13.	1. —— xxi. 5.
4. — xvii. 11.	1. Isa. lv. 7, 8, 9.
3. — xx. 2.	1. — lix. 7.
1. — xxi. 27.	1. — lxv. 2.
5. Psalm x. 4.	1. — lxvi. 18.
1. —— xxxiii. 11.	1. Jer. iv. 14.
1. —— xl. 5.	1. — vi. 19.
1. —— lvi. 5.	5. — xxiii. 20.
1. —— xcii. 5.	1. — xxix. 11.
1. —— xciv. 11.	9. Dan. ii. 30.
6. —— 19.	10. —— iv. 5.
3. —— cxix. 113.	9. —— 19.
7. —— cxxxix. 17.	9. —— v. 6, 10.
6. —— 23.	1. Mic. iv. 12.

THOUSAND.

אֶלֶף *Eleph*, a thousand, in all passages.

THOUSANDS.

אֲלָפִים *Alopheem*, thousands, in all passages.

THOUSAND, ten.

רְבָבוֹת *Revovouth*, ten thousand, in all passages.

THREAD.

1. חוּט *Khoot*, thread.
2. פְּתִיל *Petheel*, lace, an ornamental twisted string.
3. שָׁנִי *Shonee*, scarlet.

1. Gen. xiv. 23.	2. Judg. xvi. 9.
3. —— xxxviii. 28, 30.	1. —————— 12.
1. Josh. ii. 18.	1. Cant. iv. 3.

THREE.

שְׁלֹשָׁה *Sheloushoh*, ⎱ three, in all
תְּלָת *Telath* (Chaldee), ⎰ passages.

THREEFOLD.

מְשֻׁלָּשׁ *Meshulosh*, threefold.
Eccles. iv. 12.

THREESCORE.

שִׁשִּׁים *Shisheem*, sixty, in all passages.

THRESH.

1. דּוּשׁ *Doosh*, to thresh.

---

2. דָּרַךְ *Dorakh*, to tread out, down.
3. חָבַט *Khovat*, to beat out.

1. Isa. xli. 15.	1. Mic. iv. 13.
2. Jer. li. 33.	1. Hab. iii. 12.

THRESHED.

3. Judg. vi. 11.	1. Amos i. 3.
1. Isa. xxviii. 27.	

THRESHING.

1. Lev. xxvi. 5.	1. Isa. xxi. 10.
1. 2 Kings xiii. 7.	1. — xxviii. 28.
1. 1 Chron. xxi. 20.	4. — xli. 15.

THRESHING -floor.

גֹּרֶן *Gouren*, a threshing-floor, barn, in all passages.

THRESHING -floors.

1. גְּרָנוֹת *Geronouth*, ⎱ threshing-
2. אִדְרִים *Idreem* (Syriac), ⎰ floors, barns.

1. 1 Sam. xxiii. 1.	2. Dan. ii. 35.

THRESHING instrument -s.

1. חָרוּץ *Khoroots*, a pointed instrument of iron.
2. מוֹרַג *Mourog*, a threshing instrument.

2. 2 Sam. xxiv. 22.	2. Isa. xli. 15.
2. 1 Chron. xxi. 23.	1. Amos i. 3.
1. Isa. xxviii. 27.	

THRESHOLD.

1. מִפְתָּן *Miphton*, a threshold.
2. סַף *Saph*, a step before a door.

2. Judg. xix. 27.	2. Ezek. xliii. 8.
1. 1 Sam. v. 4, 5.	1. —— xlvi. 2.
2. 1 Kings xiv. 7.	1. —— xlvii. 1.
1. Ezek. ix. 3.	1. Zeph. i. 9.
1. —— x. 4, 18.	

THRESHOLDS.

1. אֲסֻפִּים *Asoopheem*, thresholds.
2. סִפִּים *Sipheem*, steps before doors.

Neh. xii. 25.	Zeph. ii. 14.
Ezek. xliii. 8.	

THREW.

See Throw.

THRICE.

שָׁלֹשׁ פְּעָמִים *Sholoush peomeem*, three times, thrice.

Exod. xxxiv. 23, 24. | 2 Kings xiii. 18, 19.

THROAT.

1.   גָּרוֹן *Goroun*, the throat.
2.   לֹעַ *Louā*, the gullet, throat.

1. Psalm v. 9.	2. Prc , xxiii. 2.
1. —— lxix. 3.	1. Jer. ii. 25.
1. —— cxv. 7.	

THRONE.

1.   כִּסֵּא *Kissai*,
2.   כָּרְסָא *Khorsai* (Syriac), } a throne.

1. In all passages, except :

2. Dan. v. 20. | 2. Dan. vii. 9.

THRONES.

1.   כִּסְאוֹת *Kissouth*,
2.   כָּרְסָוָן *Khorsevon* (Syriac), } thrones.

1. Psalm cxxii. 5.	1. Ezek. xxvi. 16.
1. Isa. xiv. 9.	2. Dan. vii. 9.

THROUGH.

1.   אֶל *El*, to, into, unto.
2.   בְּעַד *Bĕād*, through, after.
3.   מִן or מ prefixed, from, out of.
4.   ב prefixed, in, into.

1. Numb. xxv. 8.	4. Isa. xxvii. 4.
2. 2 Kings i. 2.	4. — xliii. 2.
3. Job xiv. 9.	4. — lxii. 10.
4. Psalm lxxiii. 9.	4. Ezek. xlvi. 19.
4. Eccles. x. 18.	4. —— xlvii. 4.
3. Cant. ii. 9.	4. Zech. xiii. 9.

THROUGHLY.

This word is expressed by the repetition of the relative verb.

THROUGHOUT.

בַּכֹּל *Bakkoul*, in all, throughout, in all passages.

THROW.

1.   נָתַץ *Notats*, to break in pieces, overthrow.
2.   הָרַס *Horas*, to throw down.

3.   שָׁמַט *Shomat*, to set free, throw off.
4.   סָקַל *Sokal*, to stone.
5.   שָׁלַךְ *Sholakh*, to cast away.
6.   בְּאֶבֶן־יָד *Bĕeven-yod*, by a stone of the hand.
7.   רָמָה *Romoh*, to throw.

1. Judg. ii. 2.	2. Jer. xxxi. 28.
2. —— vi. 25.	2. Ezek. xvi. 39.
3. 2 Kings ix. 33.	2. Mic. v. 11.
2. Jer. i. 10.	2. Mal. i. 4.

THROWN.

7. Exod. xv. 1, 21.	2. Jer. L. 15.
1. Judg. vi. 32.	2. Lam. ii. 2, 17.
5. 2 Sam. xx. 21.	2. Ezek. xxxviii. 20.
2. 1 Kings xix. 10, 14.	1. Nah. i. 6.
2. Jer. xxxi. 40.	

THREW.

4. 2 Sam. xvi. 13.	1. 2 Chron. xxxi. 1.
3. 2 Kings ix. 33.	

THREWEST.

5. Neh. ix. 11.

THROWING.

6. Numb. xxxv. 17.

THRUST.

1.   דָּקַר *Dokar*, to thrust, stab.
2.   לָחַץ *Lokhats*, to oppress.
3.   גָּרַשׁ *Gorash*, to drive out, away.
4.   נָדַף *Nodaph*, to be driven as by the wind, violently.
5.   נָדַח *Nodakh*, to expel.
6.   נָתַן *Nothan*, to give, set, place.
7.   תָּקַע *Toka*, to drive in.
8.   זוּר *Zoor*, to squeeze.
9.   נָקַר *Nokar*, to bore, dig out.
10.   נָדַד *Nodad*, to flee away.
11.   מְטֻעֲנֵי *Metouanai*, heaped together, piled up.
12.   בָּתַק *Botak*, to cut in pieces.
13.   יָנָה *Yonoh*, to deprive, lessen, constrain.
14.   בָּהַל *Bohal*, to terrify, frighten.
15.   דָּחָה *Dokhoh*, to thrust out.
16.   דָּחַק *Dokhak*, to press, urge.

3. Exod. xi. 1.	7. 2 Sam. xviii. 14.
3. —— xii. 39.	10. —— xxiii. 6.
2. Numb. xxii. 25.	3. 1 Kings ii. 27.
1. —— xxv. 8.	4. 2 Kings iv. 27.
4. —— xxxv. 20, 22.	1. 1 Chron. x. 4.
5. Deut. xiii. 5, 10.	14. 2 Chron. xxvi. 20.
6. —— xv. 17.	15. Psalm cxviii. 13.
3. —— xxxiii. 27.	1. Isa. xiii. 15.
7. Judg. iii. 21.	11. — xiv. 19.
8. —— vi. 38.	1. Jer. li. 4.
3. —— ix. 41.	12. Ezek. xvi. 40.
1. —— 54.	4. —— xxxiv. 21.
3. —— xi. 2.	13. —— xlvi. 18.
9. 1 Sam. xi. 2.	16. Joel ii. 8.
1. —— xxxi. 4.	1. Zech. xiii. 3.

THRUSTETH.
4. Job xxxii. 13.

THUMB.
בֹּהֶן *Bouhen*, a thumb.

Note.—When followed by רֶגֶל a foot, it signifies the great toe.

Exod. xxix. 20.	Lev. xiv. 14, 17.
Lev. viii. 23, 24.	—— 25, 28.

THUMBS.
בְּהֹנוֹת *Behounouth*, thumbs.

Judg. i. 6, 7.

THUMMIM.
תֻּמִּים *Tummeem*, perfect.

Exod. xxviii. 30.	Ezra ii. 63.
Lev. viii. 8.	Neh. vii. 65.
Deut. xxxiii. 8.	

THUNDER, Subst.
1.   קוֹלוֹת *Koulouth*, a voice, noise, strong sound ; met., thunder.

2.   רַעַם *Raam*, a commotion, thunder.

1. Exod. ix. 23, 29, 33.	2. Job xxxix. 19, 25.
1. 1 Sam. vii. 10.	2. Psalm lxxvii. 18.
1. —— xii. 17, 18.	2. —— lxxxi. 7.
2. Job xxvi. 14.	2. —— civ. 7.
1. — xxviii. 26.	2. Isa. xxix. 6.
1. — xxxviii. 25.	

THUNDERS.
1. Exod. ix. 33, 34.	1. Exod. xix. 16.

THUNDERINGS.
1. Exod. ix. 28, 34.	1. Exod. xx. 18.

THUNDER, Verb.
רָעַם *Roam*, to thunder.

1 Sam. ii. 10.	Job xl. 9.

THUNDERED.
1 Sam. vii. 10.	Psalm xviii. 13.
2 Sam. xxii. 14.	

THUNDERETH.
Job xxxvii. 4, 5.	Psalm xxix. 3.

THUNDERBOLTS.
רְשָׁפִים *Reshopheem*, thunderbolts.

Psalm lxxviii. 48.

THUS.

1. The letter כ prefixed to the relative word.

    כָּכָה *Kokhoh,* ⎫
    כֵּן *Kain,* ⎬ thus, so.

2.   בָּזֶה *Bozeh*, by this.

3.   כָּזֶה *Kozeh,* ⎫
    כָּזֹאת *Kozouth,* ⎬ like this.

4.   כִּדְנָה *Kidnoh* (Chaldee), according to this.

5.   כְּנֵמָא *Kenaimoh* (Chaldee), after this manner.

All passages not inserted are N°. 1.

4. Ezra v. 7.	2. Esther ii. 13.
5. —— 11.	4. Jer. x. 11.

THUS and thus.

3. Josh. vii. 20.	3. 1 Kings xiv. 5.
3. Judg. xviii. 4.	3. 2 Kings v. 4.
3. 2 Sam. xvii. 15.	3. —— ix. 12.

THYSELF.
This word is designated by the affixed pronoun ךָ , except :

בְּנַפְשֶׁךָ *Benaphshaikh*, in thy person.

Esth. iv. 13.

TIDINGS.

1.   בִּשֵּׂר *Bissair*, to bring a good report.

2.   שְׁמוּעָה *Shemooōh*, a hearing, report.

3.   דָּבָר *Dovor*, a word, matter, subject.

4.   דְּבָרִים *Devoreem*, words, matters, subjects.

5.   אִישׁ בְּשׂוֹרָה *Eesh besouroh*, a man that brings good tidings.

All passages not inserted are N°. 1.

2. Gen. xxix. 13.	2. 1 Kings ii. 28.
3. Exod. xxxiii. 4.	2. Psalm cxii. 7.
2. 1 Sam. iv. 19.	2. Jer. xxxvii. 5.
4. —— xi. 4, 6.	2. — xlix. 23.
2. 2 Sam. iv. 4.	2. Ezek. xxi. 7.
2. —— xiii. 30.	2. Dan. xi. 44.
5. —— xviii. 20.	

TIDINGS, good.
See Good tidings.

TIE.

1.   אָסַר   *Osar*, to bind.
2.   קָשַׁר   *Koshar*, to tie.
3.   נָתַן   *Nothan*, to give, place, set.

1. 1 Sam. vi. 7.	2. Prov. vi. 21.

TIED.

3. Exod. xxxix. 31.	1. 2 Kings vii. 10.

TILE.

לְבֵנָה   *Levainoh*, a brick, tile.

Ezek. iv. 1.

TILL, Adverb.

1.   עַד   *Ad*, till, until.
2.   לִפְנֵי   *Liphnai*, before.
3. לְשָׂבְעָה   *Lesovoh*, to the full, satiety.

1. In all passages, except:

2. 2 Sam. iii. 35.	3. Ezek. xxxix. 19.

TILL, Verb.

עָבַד   *Ovad*, to serve, labour.

Gen. ii. 5.	2 Sam. ix. 10.
—— iii. 23.	Jer. xxvii. 11.

TILLED.
Ezek. xxxvi. 9, 34.

TILLEST.
Gen. iv. 12.

TILLETH.

Prov. xii. 11.	Prov. xxviii. 19.

TILLAGE.

1.   עֲבוֹדָה   *Avoudoh*, service, labour.
2.   נִיר   *Neer*, an acre.

1. 1 Chron. xxvii. 26.	2. Prov. xiii. 23.
1. Neh. x. 37.	

TILLER.

עֹבֵד   *Ouvaid*, a tiller, labourer.

Gen. iv. 2.

TIMBER.

1.   עֵץ   *Aits*, wood, a tree, timber.
2.   אָע   *Oe* (Chaldee), wood, timber.

1. In all passages, except:

2. Ezra v. 8.	2. Ezra vi. 4, 11.

TIMBREL.

תֹּף   *Touph*, a timbrel.

Exod. xv. 20.	Psalm cxlix. 3.
Job xxi. 12.	—— cl. 4.
Psalm lxxxi. 2.	

TIMBRELS.

תֻּפִּים   *Tuppeem*, timbrels.

Exod. xv. 20.	1 Chron. xiii. 8.
Judg. xi. 34.	Psalm lxviii. 25.
2 Sam. vi. 5.	

TIME.

1.   עֵת   *Aith*, time.
2.   זְמַן   *Zeman* (Syriac), time.
3.   יָמִים   *Yomeem*, days.
4.   עִדָּן   *Iddon* (Chaldee), time.
5.   מוֹעֵד   *Mouaid*, a season.
6. מִסְפַּר־הַיָּמִים   *Mispor-hayomeem*, number of days.
7.   צָבָא   *Tsovo*, order, regularity.
8.   עוֹלָם   *Oulom*, everlasting.
9. תְּמוֹל גַּם־שִׁלְשׁוֹם   *Temoul gam-shilshoum*, yesterday and also the day before.
10.   אֶמֶשׁ   *Omesh*, yesterday evening.
11.   לְפָנִים   *Lephoneem*, before.
12.   אָז   *Oz*, then.
13.   יָשַׁב   *Yoshav*, to sit, dwell, abide, part., abiding.
14. מֶה־חָלֶד   *Meh-kholed*, what (is) the world?
15.   שָׁנָה   *Shinnoh*, to change, repeat.
16.   לְאָחוֹר   *Lĕokhour*, the time past.
17. בְּיוֹם מָחָר   *Beyoum mokhor*, on the day to-morrow.
18.   מָחָר   *Mokhor*, to-morrow.

19. לִתְקוּפַת הַיָּמִים *Lithkoouphath hayomeem*, in the revolution of days.

20. לְיוֹם אַחֲרוֹן *Leyoum akharoun*, on the latter, last day.

21. עֵת הִגִּיעַ *Aith higgeea*, time to reach.

22. יוֹמָם *Youmom*, daily, day by day.

23. וְהִרְבָּה *Vehirboh*, and multiplieth.

24. רַבָּה *Rabboh*, greatly, much.

25. רִאשֹׁנִים *Rishouneem*, the former ones.

26. בָּרִאשֹׁנָה *Borishounoh*, at the first.

All passages not inserted are Nº. 1.

3. Gen. iv. 3.		3. Neh. v. 14.	
5. —— xvii. 21.		2. Esth. ix. 27.	
5. —— xviii. 14.		7. Job vii. 1.	
5. —— xxi. 2.		5. — ix. 19.	
1. —— xxx. 33.		7. — xiv. 14.	
13. Exod. xxi. 19.		3. — xv. 32.	
5. —— xxiii. 15.		10. — xxx. 3.	
5. —— xxxiv. 18.		3. Psalm xxvii. 5.	
8. Lev. xxv. 32.		3. —— xli. 1.	
3. Numb. xx. 15.		14. —— lxxxix. 47.	
5. Josh. viii. 14.		3. Prov. xxv. 13, 19.	
3. —— xxiii. 1.		16. Isa. xlii. 23.	
3. Judg. xi. 4.		12. — xlv. 21.	
3. —— xiv. 8.		12. — xlviii. 8.	
3. —— xv. 1.		5. Jer. xlix. 19.	
5. 1 Sam. ix. 24.		5. — L. 44.	
5. —— xiii. 8.		3. Lam. v. 20.	
9. —— xiv. 21.		4. Dan. ii. 8, 9.	
5. —— xx. 35.		2. —— 16.	
15. —— xxvi. 8.		4. —— iii. 5, 15.	
6. —— xxvii. 7.		2. —— 7, 8.	
6. 2 Sam. ii. 11.		2. —— iv. 36.	
3. —— xxiii. 20.		4. —— vii. 12, 25.	
5. 2 Kings iv. 16, 17.		2. —— 22.	
11. 1 Chron. ix. 20.		5. —— viii. 19.	
9. —— xi. 2.		5. —— xi. 27, 29, 35.	
3. —— xvii. 10.		5. —— xii. 7.	
3. 2 Chron. xxi. 19.		5. Hab. ii. 3.	
3. Ezra iv. 15, 19.		Mal. iii. 11, not in	
2. — v. 3.		original.	
2. Neh. ii. 6.			

(See APPOINTED and BEFORE time.)

TIME joined with come.

17. Gen. xxx. 33.	21. Cant. ii. 12.
18. Exod. xiii. 14.	1. Isa. xiii. 22.
18. Deut. vi. 20.	20. — xxx. 8.
18. Josh. iv. 6, 21.	16. — xlii. 23.
18. —— xxii. 24, 28.	1. Ezek. vii. 7.
19. 1 Sam. i. 20.	1. Hag. i. 2.
20. Prov. xxxi. 25.	

TIME joined with day.

22. In all passages.

TIME, due.

1. Deut. xxxii. 35.

TIME, long.

See Long-time.

TIME, many.

23. Psalm lxxviii. 38.	24. Psalm cxxix. 1.

TIME, old.

11. Deut. ii. 20.	8. Eccles. i. 10.
25. —— xix. 14.	8. Jer. ii. 20.
8. Josh. xxiv. 2.	8. Ezek. xxvi. 20.
26. 2 Sam. xx. 18.	3. —— xxxviii. 17.
3. Ezra iv. 15.	

TIME, past.

9. Exod. xxi. 29.	9. 2 Sam. v. 2.
9. 2 Sam. iii. 17.	11. 1 Chron. ix. 20.

TIME, process.

3. Gen. iv. 3.	3. Exod. ii. 23.
3. —— xxxviii. 12.	

(See SECOND and THIRD time and SET time.)

TIMES.

1. פְּעָמִים *Peomeem*, times ; met., regular footsteps.

2. רְגָלִים *Regoleem*, regular, regularity.

3. זִמְנִין *Zimneen* (Syriac), times.

4. זְמַנִים *Zemaneem*, times, periods.

5. עִדָּנִין *Idoneen* (Chaldee), times.

6. עוֹלָמִים *Oulomeem*, everlasting.

7. יָדוֹת *Yodouth*, hands.

8. לְפָנִים *Lephoneem*, before.

9. תְּמוֹל שִׁלְשֹׁם *Temoul shilshoum*, yesterday and a day before.

10. עֹנֵן *Oon*, (Piel) to augur from the clouds.

11. עִתִּים *Itteem*, times, periods.

All passages not inserted are Nº. 1.

7. Gen. xliii. 34.	4. Esth. ix. 31.
2. Exod. xxiii. 14.	6. Psalm lxxvii. 5.
10. Lev. xix. 26.	6. Eccles. i. 10.
2. Numb. xxii. 28, 32, 33.	7. Dan. i. 20.
	5. —— ii. 21.
9. 1 Sam. xix. 7.	5. —— iv. 16, 23, 32.
9. 2 Sam. iii. 17.	3. —— vi. 10.
8. 1 Chron. ix. 20.	11. Dan. xi. 14.

TIMES, appointed.

See Appointed time and times.

TIMES, many.

1. 1 Kings xxii. 16.	11. Neh. ix. 28.

TIMES, past.

8. Deut. ii. 10.	9. 1 Sam. xix. 7.
9. —— iv. 42.	

TIN.

בְּדִיל *Bedeel*, mixed metal.

Numb. xxxi. 22. | Ezek. xxii. 18, 20.
Isa. i. 25. | —— xxvii. 12.

TINGLE.

צָלַל *Tsolal*, to tingle, ring.

1 Sam. iii. 11. | Jer. xix. 3.
2 Kings xxi. 12. |

TINKLING.

עֶכֶס *Okhas*, an ornament for the feet which makes a tinkling sound.
Isa. iii. 16, 18.

TIP.

תְּנוּךְ *Tenookh*, the flap of the ear.

Exod. xxix. 20. | Lev. xiv. 14, 17, 25, 28.
Lev. viii. 23, 24. |

TIRE.

פְּאֵר *Peair*, an ornamental head dress.
Ezek. xxiv. 17.

TIRED.

יָטַב *Yotav*, to beautify.
2 Kings ix. 30.

TIRES.

1. פְּאֵרִים *Peaireem*, ornamental head dresses.

2. שַׂהֲרֹנִים *Saharouneem*, ornaments for the head, in the form of a half moon.

2. Isa. iii. 18. | 1. Ezek. xxiv. 23.

TITHE.

מַעֲשֵׂר *Maasair*, the tenth.

Lev. xxvii. 30, 32. | 2 Chron. xxxi. 5, 6, 12.
Numb. xviii. 26. | Neh. x. 38.
Deut. xii. 17. | —— xiii. 12.
—— xiv. 23, 28. |

TITHES.

מַעֲשְׂרוֹת *Maasrouth*, tenths, in all passages.

TITHE, Verb.

עָשַׂר *Asair*, to give the tenth part of any produce.
Deut. xiv. 22.

TITHING.

עָשַׂר *Asair*, to give the tenth part of any produce.
Deut. xxvi. 12.

TITLE.

צִיּוּן *Tsiyoon*, a sign, signification.
2 Kings xxiii. 17.

TITLES.

כִּנָּה *Kinnoh*, to surname, give a title.
Job xxxii. 21, 22.

TO and fro.

1. הָלוֹךְ וָשׁוֹב *Holoukh voshouv*, going and returning, hither and thither

2. שׁוּט *Shoot*, to go to and fro, walk up and down.

3. נָדַד *Nodad*, to wander about.

4. נִדַּף *Niddoph*, to be driven as by the wind, scattered.

5. חָגַג *Khogag*, to move in a circle.

6. נוּעַ *Nooā*, to move about.

7. שָׁקַק *Shokak*, to run to and fro.

8. סוּרָה *Sooroh*, to be turned aside, removed.

9. מְאֻזָּל *Měoozol*, woven silk.

10. הִתְהַלֵּךְ *Hithhalaikh*, to walk to and fro

1. Gen. viii. 7. | 7. Isa. xxxiii. 4.
1. 2 Kings iv. 35. | 8. —— xlix. 21.
2. 2 Chron. xvi. 9. | 2. Jer. v. 1.
2. Job i. 7. | 2. —— xlix. 3.
2. —— ii. 2. | 9. Ezek. xxvii. 19.
3. —— vii. 4. | 2. Dan. xii. 4.
4. —— xiii. 25. | 2. Amos viii. 12.
5. Psalm cvii. 27. | 10. Zech. i. 10, 11.
4. Prov. xxi. 6. | 2. —— iv. 10.
6. Isa. xxiv. 20. | 10. —— vi. 7.

TOE.

בֹּהֶן *Bouhen*, the great toe.

Note.—When followed by יָד *Yod*, hand it signifies the thumb.

Exod. xxix. 20. | Lev. xiv. 14, 17, 2
Lev. viii. 23, 24. | 28.

TOES.

פְּהֹנוֹת Behounouth, toes. (See Note under Toe.)

Judg. i. 6, 7. | Dan. ii. 41, 42.
1 Chron. xx. 6, 24. |

TOGETHER.

1. יַחַד Yakhad, together.
2. וְאֵת Vĕaith, and the.
3. יָעַד Yoad, (Niph.) to assemble.
4. כְּאֶחָד Kĕekhod, as one, alike.
5. קָרַב Korav, to approach, come near.
6. חָבַר Khovar, to join.
7. אֲסֵפָה Asaiphoh, collected.
8. זָעַק Zoak, to call out.
9. יָעַץ Yoats, to counsel.
10. כַּף אֶל כַּף Kaph el koph, hand to hand.
11. עָנָה Onoh, to answer, respond.
12. צְמָדִים Tsemodeem, joined together.
13. צָעַק Tsoak, to call out.
14. כַּחֲדָא Kakhadō (Syriac), at once.

All passages not inserted are N°. 1.

6. Exod. xxvi. 3, 6.   Prov. xxii. 2, not in
8. Josh. viii. 16.   original.
8. Judg. iv. 13.   —— xxix. 13, not in
3. —— vii. 23.   original.
3. —— x. 17.   Eccles. iv. 11, not in
3. —— xii. 1.   original.
8. —— xviii. 22.   9. Isa. viii. 10.
3. 1 Sam. x. 17.   7. — xxiv. 22.
3. —— xiii. 4.   4. — lxv. 25.
2. 1 Kings xi. 1.   10. Ezek. xxi. 14.
2. 2 Kings ix. 25.   5. —— xxxvii. 7.
1. Ezra iii. 11.   14. Dan. ii. 35.
3. Neh. vi. 10.

TOIL.

1. עִצָּבוֹן Itsovoun, sorrow, heavy labour.
2. עָמָל Omol, trouble, labour, fatigue.

1. Gen. v. 29. | 2. Gen. xli. 51.

TOKEN.

אוֹת Outh, a sign, type, token.

Gen. ix. 12, 13, 17.   Exod. xiii. 16.
—— xvii. 11.   Numb. xvii. 10.
Exod. iii. 12.   Josh. ii. 12.
—— xii. 13.   Psalm lxxxvi. 17.

TOKENS.

אֹתוֹת Outhouth, signs, tokens.

Job xxi. 29.   Psalm cxxxv. 9.
Psalm lxv. 8.   Isa. xliv. 25.

TOLD.

See Tell.

TOLL.

מִנְדָּה Mindoh (Chaldee), tribute.

Ezra iv. 13, 20. | Ezra vii. 24.

TOMB.

גָּדִישׁ Godeesh, a heap, stack of corn.

Job xxi. 32.

TONGS.

1. מַלְקֹחַ Malkouakh, a pair of snuffers.
2. מַעֲצָד Māatsod, a carving tool, an axe.

1. Exod. xxv. 38.   1. 2 Chron. iv. 21.
1. Numb. iv. 9.   1. Isa. vi. 6.
1. 1 Kings vii. 49.   2. — xliv. 12.

TONGUE.

1. לָשׁוֹן Loshoun, a tongue.
2. חָרַשׁ Khorash, (Hiph.) to keep silence.
3. הַס Hass, to hold one's tongue.

1. In all passages, except:

2. Esth. vii. 4.   3. Amos vi. 10.
2. Job vi. 24.   2. Hab. i. 13.
2. — xiii. 19.

TONGUES.

לְשֹׁנוֹת Leshounouth, tongues, in all passages.

TOOK.

See Take.

TOOL.

1. חֶרֶט Kheret, an engraving tool.
2. חֶרֶב Kherev, a weapon.
3. כְּלִי Kelee, an instrument, vessel.

2. Exod. xx. 25.   3. 1 Kings vi. 7.
1. —— xxxii. 4.

TOOTH.

שֵׁן Shain, a tooth.

Exod. xxi. 24, 27.   Deut. xix. 21.
Lev. xxiv. 20.   Prov. xxv. 19.

TEETH.

1. שִׁנַּיִם   *Shinnayim*, teeth.
2. פִּיפִיוֹת   *Peeppiyouth*, edges; lit., mouths.

     1. In all passages, except:

        2. Isa. xli. 15.

TEETH, great.

מַלְתְּעוֹת   *Maltĕouth*, tusks.

     Psalm lviii. 6.

TOP.

1. רֹאשׁ   *Roush*, a top, head.
2. גַג   *Gag*, a roof.
3. גֶּרֶם   *Gerem*, strength; met., a gallery, lobby.*
4. סָעִיף   *Sĕeeph*, a cleft of a rock.
5. צָחִיחַ   *Tsekheeakh*, dry, bare, exposed to the sun.
6. צַמֶּרֶת   *Tsammereth*, foliage.
7. קָדְקֹד   *Kodkoud*, the crown of the head.

     All passages not inserted are Nº. 1.

2. Exod. xxx. 3.	2. 2 Sam. xvi. 22.
2. —— xxxvii. 26.	3. 2 Kings ix. 13.
7. Deut. xxviii. 35.	2. —— xxiii. 12.
7. —— xxxiii. 16.	5. Ezek. xxiv. 7, 8.
2. Judg. ix. 51.	5. —— xxvi. 4, 14.
4. —— xv. 8, 11.	6. —— xxxi. 3, 10, 14.
2. 1 Sam. ix. 25.	

     * Solomon Yarchi and Abarbenel give this metaphorical meaning to the word, and say it was a gallery made of ivory or strong wood.

TOPS.

1. רָאשִׁים   *Rosheem*, tops, heads.
2. גַּגּוֹת   *Gaggouth*, roofs.
3. סְעִיפִים   *Sĕeepheem*, clefts, divisions.

1. Gen. viii. 5.	2. Isa. xv. 3.
1. 2 Sam. v. 24.	2. — xxii. 1.
2. 2 Kings xix. 26.	2. — xxxvii. 27.
1. 1 Chron. xiv. 15.	2. Jer. xlviii. 38.
1. Job xxiv. 24.	1. Ezek. vi. 13.
1. Psalm cxxix. 6.	1. Hos. iv. 13.
3. Isa. ii. 21.	2. Zeph. i. 5.

TOPAZ.

פִּטְדָה   *Pittdoh*, a topaz.

Exod. xxviii. 17.	Job xxviii. 19.
—— xxxix. 10.	Ezek. xxviii. 13.

TOPHET.

תֹּפֶת   *Toupheth*, a place in the valley of Hinnom; lit., detestable.

2 Kings xxiii. 10.	Jer. xix. 6, 11, 12, 13,
Isa. xxx. 33.	14.
Jer. vii. 31, 32.	

TORCH.

לַפִּיד   *Lappeed*, flame of fire, torch.

     Zech. xii. 6.

TORCHES.

1. פְּלָדוֹת   *Pelodouth*, sparks.
2. לַפִּידִים   *Lappeedeem*, flames, torches.

1. Nah. ii. 3.	2. Nah. ii. 4.

TORN.

     See Tear.

TORTOISE.

צָב   *Tsov*, a lizard.

     Lev. xi. 29.

TOSS.

1. צָנַף   *Tsonaph*, to wrap up, roll round, wind up.
2. גָעַשׁ   *Goash*, to move violently.
3. נָעַר   *Noar*, to shake off.
4. נִדָּף   *Niddoph*, to be driven as by the wind, scattered.
5. סָעַר   *Sŏar*, to rage, storm.

1. Isa. xxii. 18.	2. Jer. v. 22.

TOSSED.

3. Psalm cix. 23.	5. Isa. liv. 11.
4. Prov. xxi. 6.	

TOSSINGS.

נְדֻדִים   *Nedudeem*, wanderings.

     Job vii. 4.

TOTTERING.

דְּחוּיָה   *Dekhooyoh*, thrown down.

     Psalm lxii. 3.

TOUCH.

נָגַע   *Nogā*, to touch, in all passages.

TOUCHED.

1. נָגַע *Nogā*, to touch.
2. מַשִׁיקוֹת *Masheekouth*, joining; lit., kissing.
3. בַּהֲרִיחוֹ *Bahareekhou*, in smelling.

    1. In all passages, except:
          2. Ezek. iii. 13.

TOUCHETH.

    1. In all passages, except:
          3. Judg. xvi. 9.

TOUCHING.

Not used in the original, except:

1. עַל *Al*, upon.
2. אֶל *El*, unto.
3. ל (*l*) prefixed to the relative word, to, for.

1. Lev. v. 13.	3. Jer. xxi. 11.
3. Psalm xlv. 1.	2. — xxii. 11.
3. Isa. v. 1.	2. Ezek. vii. 13.
1. Jer. i. 16.	

TOW.

1. נְעֹרֶת *Něoureth*, tow.
2. פִּשְׁתָּה *Pishtoh*, flax.

1. Judg. xvi. 9.	2. Isa. xliii. 17.
1. Isa. i. 31.	

TOWARD -S.

1. אֶל *El*, to, towards.
2. עַל־פְּנֵי *Al-penai*, facing, upon the face.
3. עִמִּי *Immee*, with me.
4. נֶגֶד *Neged*, toward, opposite.
5. מֵאֵצֶל *Maiaitsel*, from, close by; met., toward.
6. אֶל־מוּל *El-mool*, towards, opposite.

All passages not inserted are Nᵒ. 1.

2. Gen. xviii. 16.	Isa. lxvi. 14, not in
2. — xix. 28.	original.
2. Numb. xxi. 20.	3. Dan. iv. 2.
2. —— xxiii. 28.	4. —— vi. 10.
6. 1 Sam. xvii. 30.	Hos. iii. 1, not in
5. —— xx. 41.	original.
2. 2 Sam. xv. 23.	

TOWER.

1. מִגְדָּל *Migdol*, a tower.
2. בָּחוֹן *Bokhoun*, a watch-tower.

3. עֹפֶל *Ouphel*, a stronghold.*
4. מָצוֹר *Motsour*, a fortress.
5. מִשְׂגָּב *Misgov*, a high tower.
6. פִּנּוֹת *Pinnouth*, battlements, corners.

    * The name of an eminence on the eastern part of Mount Zion, which was surrounded and fortified with a wall.

All passages not inserted are Nᵒ. 1.

5. 2 Sam. xxii. 3.	2. Jer. vi. 27.
3. 2 Kings v. 24.	4. Hab ii. 1.
5. Psalm xviii. 2.	

TOWERS.

All passages not inserted are Nᵒ. 1.

2. Isa. xxiii. 13.	6. Zeph. i. 16.
2. — xxxii. 14.	6. —— iii. 6.

TO wit.

לָדַעַת *Lodāath*, to know.

Gen. xxiv. 21.	Exod. ii. 4.

TOWN.

1. עִיר *Eer*, a city.
2. קִיר *Keer*, a walled city.

2. Josh. ii. 15.	1. 1 Sam. xxvii. 5.
1. 1 Sam. xvi. 4.	1. Hab. ii. 12.
1. —— xxiii. 7.	

TOWNS.

1. עָרִים *Oreem*, cities.
2. חַוֹּת *Khavvouth*, villages.
3. בָּנוֹת *Bonouth*, daughters, buildings; met., small towns.
4. פְּרָזוֹת *Perozouth*, open towns.

2. Numb. xxxii. 41.	3. 1 Chron. vii. 28, 29.
2. Josh. xiii. 30.	3. —— viii. 12.
3. — xv. 45, 47.	3. —— xviii. 1.
3. — xvii. 11, 16.	2 Chron. xiii. 19.
3. Judg. i. 27.	1. Esth. ix. 19.
2. 1 Kings iv. 13.	1. Jer. xix. 15.
2. 1 Chron. ii. 23.	4. Zech. ii. 4.
3. —— 23.	

TRADE, Subst.

אַנְשֵׁי מִקְנֶה *Anshai mikneh*, men of cattle.

    Gen. xlvi. 32, 34.

TRADE, Verb.

1. סָחַר   *Sokhar,* to traffic, trade.
2. נָתַן   *Nothan,* to give, place, appoint.
     1. Gen. xxxiv. 10, 21.

TRADED.

     2. Ezek. xxvii. 12, 13, 14, 17.

TRAFFIC, Verb.

סָחַר   *Sokhar,* to traffic.
     Gen. xlii. 34.

TRAFFIC, Subst.

1. מִסְחָר   *Miskhar,* commerce.
2. כְּנַעַן   *Kenaan,* Canaan ; met., traffic.
3. רְכֻלָּה   *Roukhloh,* merchandise.

1. 1 Kings x. 15. | 3. Ezek. xxviii. 5, 18.
2. Ezek. xvii. 4.

TRAFFICKERS.

כְּנַעֲנִים   *Kenăaneem,* Canaanites ; met., traffickers.
     Isa. xxiii. 8.

TRAIN.

1. חַיִל   *Khayil,* an army, force.
2. שׁוּלַיִם   *Shoolayim,* the skirts of a garment, a train.

1. 1 Kings x. 2. | 2. Isa. vi. 1.

TRAIN.

חָנַךְ   *Khonakh,* to dedicate, consecrate.
     Prov. xxii. 6.

TRAINED.

     Gen. xiv. 14.

TRAMPLE.

1. דָּרַךְ   *Dorakh,* to tread down.
2. רָמַס   *Romas,* to trample upon.

1. Psalm xci. 13. | 2. Isa. lxiii. 3.

TRANQUILLITY.

שַׁלְוָה   *Shalvoh,* peace, quietness.
     Dan. iv. 27.

TRANSGRESS.

1. עָבַר   *Ovar,* (Hiph.) to transgress ; lit., to pass over.
2. מָעַל   *Moal,* to act wickedly.
3. בָּגַד   *Bogad,* to deal treacherously.
4. פָּשַׁע   *Posha,* to transgress.
5. לֹא אֶעֱבוֹד   *Lou eĕvoud,* I will not serve, obey.

1. Numb. xiv. 41.	3. Psalm xxv. 3.
1. 1 Sam. ii. 24.	4. Prov. xxviii. 21.
1. 2 Chron. xxiv. 20.	5. Jer. ii. 20.
2. Neh. i. 8.	4. Ezek. xx. 38.
2. —— xiii. 27.	4. Amos iv. 4.
1. Psalm xvii. 3.	

TRANSGRESSED.

1. Deut. xxvi. 13.	1. Isa. xxiv. 5.
1. Josh. vii. 11, 15.	4. — xliii. 27.
1. —— xxiii. 16.	4. — lxvi. 24.
1. Judg. ii. 20.	4. Jer. ii. 8, 29.
3. 1 Sam. xv. 33.	4. — iii. 13.
1. —— xv. 24.	4. — xxxiii. 8.
4. 1 Kings viii. 50.	1. — xxxiv. 18.
1. 2 Kings xviii. 12.	4. Lam. iii. 42.
2. 1 Chron. ii. 7.	4. Ezek. ii. 3.
2. —— v. 25.	4. —— xviii. 31.
2. 2 Chron. xii. 2.	1. Dan. ix. 11.
2. —— xxvi. 16.	1. Hos. vi. 7.
2. —— xxviii. 19.	4. —— vii. 13.
2. —— xxxvi. 14.	1. —— viii. 1.
2. Ezra x. 10.	4. Zeph. iii. 11.
4. —— 13.	

TRANSGRESSEST.

     1. Esth. iii. 3.

TRANSGRESSETH.

2. Prov. xvi. 10. | 3. Hab. ii. 5.

TRANSGRESSING.

1. Deut. xvii. 2. | 4. Isa. lix. 13.

TRANSGRESSION.

1. פֶּשַׁע   *Peshā,* transgression.
2. מַעַל   *Māal,* a wicked act.

1. In all passages, except :

2. Josh. xxii. 22.	2. 2 Chron. xxix. 19.
2. 1 Chron. ix. 1.	2. —— xxxvi. 14.
2. —— x. 13.	2. Ezra ix. 4.
2. —— xxviii. 19.	2. — x. 6.

TRANSGRESSIONS.

פְּשָׁעִים   *Peshoeem,* transgressions, in all passages.

TRANSGRESSOR.

1.   פּוֹשֵׁעַ   *Poushaia*, a transgressor.
2.   בּוֹגֵד   *Bougaid*, a treacherous person.
3.   עוֹבֵר   *Ouvair*, a trespasser, one who passes by sin.

2. Prov. xxi. 18. | 1. Isa. xlviii. 8.
2. ——— xxii. 12. |

TRANSGRESSORS.

1. Psalm xxxvii. 38.	3. Prov. xxvi. 10.	
1. ——— li. 13.	1. Isa. i. 28.	
2. ——— lix. 5.	1. — xlvi. 8.	
2. Prov. ii. 22.	1. — liii. 12.	
2. ——— xi. 3, 6.	1. Dan. viii. 23.	
2. ——— xiii. 2, 15.	1. Hos. xiv. 9.	
2. ——— xxiii. 28.		

TRANSLATE.

עָבַר   *Ovar*, (Hiph.) to transfer.

2 Sam. iii. 10.

TRAP.

1.   פַּח   *Pokh*, a snare.
2.   מַלְכֻּד   *Malkud*, a gin.
3. מַשְׁחִית   *Mashkheeth*, a destroyer, spoiler.

2. Job xviii. 10. | 3. Jer. v. 26.
1. Psalm lxix. 22. |

TRAPS.

1. Josh. xxiii. 13.

TRAVAIL, TRAVEL, Subst.

1.   תְּלָאָה   *Telooh*, weariness.
2.   עִנְיָן   *Inyon*, subject, object.
3.   עָמָל   *Omol*, trouble.

1. Exod. xviii. 8.	3. Eccles. iv. 4, 6.
1. Numb. xx. 14.	2. ——— 8.
2. Eccles. i. 13.	2. ——— v. 14.
2. ——— ii. 23, 26.	1. Lam. iii. 5.
2. ——— iii. 10.	

TRAVAIL.

1.   לֵדֶת   *Ledeth*, travail.
2.   יוֹלֵדָה   *Youlaidoh*, a woman in travail.
3.   חוּל   *Khool*, to be ill.
4.   יָלַד   *Yolad*, to beget, bear a child.
5.   חָבַל   *Khoval*, (Piel) to twist, spin.
6.   עָמָל   *Omol*, trouble.

1. Gen. xxxviii. 27.	1. Jer. xiii. 21.
2. Psalm xlviii. 6.	2. — xxii. 23.
3. Isa. xxiii. 4.	4. — xxx. 6.
6. — liii. 11.	2. ——— 6.
3. — liv. 1.	2. — xlix. 24.
3. Jer. iv. 31.	2. — L. 43.
2. — vi. 24.	2. Mic. iv. 9, 10.

TRAVAILED.

4. Gen. xxxv. 16. | 3. Isa. lxvi. 7, 8.
4. 1 Sam. iv. 19. |

TRAVAILETH.

3. Job xv. 20.	2. Isa. xxi. 3.
5. Psalm vii. 14.	2. Jer. xxxi. 8
2. Isa. xiii. 8.	2. Mic. v. 3.

TRAVAILING.

2. Isa. xlii. 14. | 2. Hos. xiii. 13.

TRAVELLER.

1.   הֹלֵךְ   *Hailekh*, a walker, traveller.
2.   אֹרַח   *Ourakh*, a way, path.

1. 2 Sam. xii. 4. | 2. Job xxxi. 32.

TRAVELLERS.

הֹלְכֵי־נְתִיבוֹת   *Houlkhai-netheevouth*, walkers, travellers on the highway.

Judg. v. 6.

TRAVELLETH.

מִתְהַלֵּךְ   *Mithalaikh*, walking to and fro.

Prov. vi. 11. | Prov. xxiv. 34.

TRAVELLING.

1.   אֹרְחוֹת   *Ourkhouth*, companies.
2.   צֹעֶה   *Tsoueh*, destroying.

1. Isa. xxi. 13. | 2. Isa. lxiii. 1.

TRAVERSING.

שֹׂרֶךְ   *Sorakh*, to interweave, traverse.

Jer. ii. 23.

TREACHEROUS -LY.

בּוֹגֵד   *Bougaid*, a treacherous dealer, in all passages.

TREACHERY.
מִרְמָה *Mirmoh*, deceit.

2 Kings ix. 23.

TREAD.
1. דָּרַךְ *Dorakh*, to tread on, upon.
2. הָדַךְ *Hodakh*, to overthrow.
3. רָמַס *Romas*, to trample under foot, tread down.
4. בּוּס *Boos*, to tread down.
5. מִרְמָס *Mirmos*, a trampling under foot.
6. דּוּשׁ *Doosh*, to thresh.
7. עָסַס *Osas*, to tread down, press together.
8. מְבוּסָה *Mevoosoh*, trodden down.
9. בּוּשֵׁת *Boushaith*, trampling.
10. סָלָה *Soloh*, (Piel) to press down, tread under.

1. Deut. xi. 24, 25.	1. Isa. lxiii. 3.
1. —— xxxiii. 29.	3. —— 6.
1. 1 Sam. v. 5.	1. Jer. xxv. 30.
2. — xl. 12.	1. — xlviii. 33.
3. Psalm vii. 5.	3. Ezek. xxvi. 11.
4. —— xliv. 5.	3. —— xxxiv. 18.
4. —— lx. 12.	6. Dan. vii. 23.
1. —— xci. 13.	6. Hos. x. 11.
4. —— cviii. 13.	1. Mic. i. 3.
3. Isa. i. 12.	1. —— v. 5.
5. — x. 6.	1. —— vi. 15.
3. — xiv. 25.	3. Nah. iii. 14.
1. — xvi. 10.	4. Zech. x. 5.
3. — xxvi. 6.	7. Mal. iv. 3.

TREADETH.

6. Deut. xxv. 4.	1. Amos iv. 13.
1. Job ix. 8.	1. Mic. v. 6.
3. Isa. xli. 25.	3. —— 8.
1. — lxiii. 2.	

TREADING.

1. Neh. xiii. 15.	8. Isa. xxii. 5.
5. Isa. vii. 25.	9. Amos v. 11.

TRODE.

1. Judg. ix. 27.	3. 2 Kings ix. 33.
1. —— xx. 43.	3. —— xiv. 9.
3. 2 Kings vii. 17, 20.	3. 2 Chron. xxv. 18.

TRODDEN.

1. Deut. i. 36.	3. Isa. xxviii. 3.
1. Josh. xiv. 9.	5. —— 18.
1. Judg. v. 21.	1. — lxiii. 3.
1. Job xxii. 15.	4. —— 18.
1. — xxviii. 8.	4. Jer. xii. 10.
10. Psalm cxix. 118.	10. Lam. i. 15.
5. Isa. v. 5.	1. —— 15.
4. — xiv. 19.	5. Ezek. xxxiv. 19.
8. — xviii. 2, 7.	5. Dan. viii. 13.
6. — xxv. 10.	5. Mic. vii. 10.

TREADER.
דּוֹרֵךְ *Douraikh*, a treader (of grapes).

Amos ix. 13.

TREADERS.
Isa. xvi. 10.

TREASON.
קֶשֶׁר *Kesher*, a conspiracy, treason.

1 Kings xvi. 20.	2 Chron. xxiii. 13.
2 Kings xi. 14.	

TREASURE.
1. מַטְמוֹן *Matmoun*, concealed treasure.
2. סְגֻלָּה *Seguloh*, peculiar treasure.
3. אוֹצָר *Outsair*, a treasure, storehouse.
4. חֹסֶן *Khousen*, strength, treasure, property.

1. Gen. xliii. 23.	4. Prov. xv. 6.
2. Exod. xix. 5.	3. —— 16.
3. Deut. xxviii. 12.	3. —— xxi. 20.
3. 2 Kings xxiv. 13.	2. Eccles. ii. 8.
3. 1 Chron. xxix. 8.	3. Isa. xxxiii. 6.
3. Ezra ii. 69.	4. Ezek. xxii. 25.
3. Neh. vii. 70, 71.	3. Hos. xiii. 15.
2. Psalm cxxxv. 4.	

TREASURE cities.
מִסְכְּנוֹת *Miskenouth*, provisions.

Exod. i. 11.

TREASURE house.
1. אוֹצָר *Outsair*, a treasure, storehouse.
2. גִּנְזַיָּא *Ginzayo* (Chaldee), a treasure house.

2. Ezra v. 17.	1. Neh. x. 38.
2. —— vii. 20.	1. Dan. i. 2.

TREASURES.
1. אוֹצָרוֹת *Outsrouth*, treasures, storehouses.
2. גִּנְזַיָּא *Ginzayō* (Chaldee), treasurehouses.
3. עֲתִידוֹת *Atheedouth*, future prospects.
4. מַכְמוֹנִים *Makhmouneem*, treasures, stores.
5. מַטְמוֹנִים *Matmouneem*, concealed treasures.

All passages not inserted are N°. 1.

2. Ezra vi. 1.	3. Isa. x. 13.
5. Job iii. 21.	5. Jer. xli. 8.
5. Prov. ii. 4.	4. Dan. xi. 43.

TREASURED.

אָצַר *Otsar,* (Hiph.) to be treasured up, laid up.

Isa. xxiii. 18.

TREASURER.

1. נְדְבַּר *Gadbair* (Syriac), a treasurer.
2. סֹכֵן *Soukhain,* a confidential person.
3. אֹוצָר *Outsor,* a treasurer.
4. גִּזְבָּר *Gizbor* (Chaldee), a treasurer.

1. Ezra i. 8. | 2. Isa. xxii. 15.

TREASURERS.

1. Ezra vii. 21. | 4. Dan. iii. 2.
3. Neh. xiii. 13. |

TREASURY.

1. אֹוצָר *Outsor,* a treasury.
2. גְּנָזִים *Ganzakeem,* chambers in the temple for keeping treasure.
3. גְּנָזִים *Genozeem,* chests for treasure.

1. Josh. vi. 19. | 2. Jer. xxxviii. 11.

TREASURIES.

1. 1 Chron. ix. 26. | 1. Neh. xiii. 12, 13.
2. ———— xxviii. 11. | 3. Esth. iii. 9.
1. ———————— 12. | 3. —— iv. 7.
1. 2 Chron. xxxii. 27. | 1. Psalm cxxxv. 7.

TREE.

1. עֵץ *Aits,* a tree.
2. אֵשֶׁל *Aishel,* a grove.
3. אִילָן *Eelon* (Chaldee), a tree.

1. In all passages, except :

2. 1 Sam. xxii. 6. | 3. Dan. xiv. 11, 20, 24.
3. Dan. iv. 10. |

TREE, green.
See Green tree.

TREE, palm.
See Palm tree.

TREES.

1. עֵצִים *Aitseem,* trees.
2. אֲהָלִים *Oholeem,* aloe trees.
3. אֵילִים *Aileem,* lime trees.
4. צֶאֱלִים *Tseeleem,* shady trees.

1. In all passages, except :

2. Numb. xxiv. 6. | 3. Isa. lxi. 3.
4. Job xl. 21, 22. | 3. Ezek. xxxi. 14.

TREMBLE.

1. רָגַז *Rogaz,* to tremble.
2. חָפַז *Khophaz,* to hasten.
3. חָרַד *Khorad,* to be afraid.
4. רָפַף *Rophaph,* to give way, slacken.
5. רָעַשׁ *Roash,* to quake, totter.
6. חוּל *Khool,* to sicken, be ill.
7. זוּעַ *Zooā,* to quit a station, be out of position.
8. רָעַד *Road,* to tremble with fear.
9. סָמַר *Somar,* to shrink up.
10. פַּלָּצוּת *Palotsooth,* shivering.
11. רַעַל *Raal,* poison.
12. רְתֵת *Rethaith,* trembling.

1. Deut. ii. 25. | 3. Isa. lxvi. 5.
2. —— xx. 3. | 6. Jer. v. 22.
3. Ezra x. 3. | 5. — x. 10.
1. Job ix. 6. | 1. — xxxiii. 9.
4. — xxvi. 11. | 6. — li. 29.
5. Psalm lx. 2. | 3. Ezek. xxvi. 16, 18.
1. —— xcix. 1. | 3. —— xxxii. 10.
6. —— cxiv. 7. | 7. Dan. vi. 26.
7. Eccles. xii. 3. | 3. Hos. xi. 10, 11.
1. Isa. v. 25. | 1. Joel ii. 1.
1. — xiv. 16. | 5. —— 10.
1. — xxxii. 11. | 1. Amos viii. 8.
1. — lxiv. 2. | 1. Hab. iii. 7.

TREMBLED.

3. Gen. xxvii. 33. | 5. Psalm xviii. 7.
3. Exod. xix. 16. | 1. —— lxxvii. 18.
5. Judg. v. 4. | 6. —— xcvii. 4.
3. 1 Sam. iv. 13. | 5. Jer. iv. 24.
3. —— xiv. 15. | 5. —— viii. 16.
3. —— xvi. 4. | 7. Dan. v. 19.
3. —— xxviii. 5. | 6. Hab. iii. 10.
5. 2 Sam. xxii. 8. | 1. —— 16.
3. Ezra ix. 4. |

TREMBLETH.

3. Job xxxvii. 1. | 9. Psalm cxix. 120.
8. Psalm civ. 32. | 3. Isa. lxvi. 2.

TREMBLING.

1. Exod. xv. 15. | 8. Psalm lv. 5.
1. Deut. xxviii. 65. | 11. Isa. li. 17, 22.
3. 1 Sam. xiii. 7. | 3. Jer. xxx. 5.
3. —— xiv. 15. | 1. Ezek. xii. 18.
8. Ezra x. 9. | 3. —— xxvi. 16.
8. Job iv. 14. | 8. Dan. x. 11.
10. — xxi. 6. | 12. Hos. xiii. 1.
8. Psalm ii. 11. | 11. Zech. xii. 2.

TRENCH.

1. מַעְגָּלָה *Măăgoloh,* a carriage-way, high road.

2. תְּעָלָה *Teoloh,* a conduit, trench.

1. 1 Sam. xvii. 20. | 2. 1 Kings xviii. 32, 35,
1. —— xxvi. 5, 7. | 38.

TRESPASS.

1. אָשָׁם   Oshom, an offence, trespass.
2. פֶּשַׁע   Peshā, a transgression.
3. מַעַל   Māal, an evil action, provocation, wicked act.

All passages not inserted are N°. 1.

2. Gen. xxxi. 36.	2. 1 Sam. xxv. 28.
2. —— L. 17.	3. 2 Chron. xxxiii. 19.
2. Exod. xxii. 9.	3. Ezra ix. 2.
3. Lev. v. 15.	3. Ezek. xv. 8.
3. —— vi. 2.	3. —— xvii. 20.
3. —— xxvi. 40.	3. —— xviii. 24.
3. Numb. v. 6, 12, 27.	3. Dan. ix. 7.
3. Josh. xxii. 16, 20, 31.	

TRESPASS offering.

אָשָׁם   Oshom, an offence, trespass, in all passages.

TRESPASS money.

כֶּסֶף אָשָׁם   Keseph oshom, silver for trespass.

2 Kings xii. 16.

TRESPASSES.

1. Ezra ix. 15.	3. Ezek. xxxix. 26.
1. Psalm lxviii. 21.	

TRESPASS, Verb.

1. אָשַׁם   Osham, to offend, trespass.
2. חָטָא   Khotō, to sin.
3. מָעַל   Moal, to act wickedly, provoke.
4. פָּשַׁע   Poshā, to transgress.

2. 1 Kings viii. 31.	3. 2 Chron. xxviii. 22.
1. 2 Chron. xix. 10.	

TRESPASSED.

1. Lev. v. 19.	3. 2 Chron. xxxiii. 23.
3. —— xxvi. 40.	3. Ezra x. 2.
1. Numb. v. 7.	3. Ezek. xvii. 20.
3. Deut. xxxii. 51.	3. —— xviii. 24.
3. 2 Chron. xxvi. 18.	3. —— xxxix. 23, 26.
3. —— xxix. 6.	3. Dan. ix. 7.
3. —— xxx. 7.	4. Hos. viii. 1.

TRESPASSING.

1. Lev. vi. 7.	3. Ezek. xiv. 13.

TRIAL.

1. מַסָּה   Massoh, a trial, temptation.
2. בֹּחַן   Boukhain, a proof, trial.

1. Job ix. 23.	2. Ezek. xxi. 13.

TRIBE.

1. שֵׁבֶט   Shaivet, a rod, sceptre; met., a tribe.
2. מַטֶּה   Mattaih, a staff, branch; met., a tribe.

2. Exod. xxxi. 2, 6.	2. Josh. xii. 31.
2. —— xxxv. 30, 34.	1. —— xiii. 7, 14.
2. —— xxxviii. 22, 23.	2. —— 15, 24.
2. Lev. xxiv. 11.	1. —— 29.
2. Numb. i. 4, 21, 23, 25,	2. —— 29.
27, 29, 31, 33,	1. —— 33.
35, 37, 39, 41,	2. —— xiv. 2, 3.
43, 47, 49.	2. —— xv. 1, 20, 21.
2. —— ii. 5, 7, 12, 14,	2. —— xvi. 8.
20, 22, 27, 29.	2. —— xvii. 1.
2. —— iii. 6.	1. —— xviii. 4. 7.
1. —— iv. 18.	2. —— 11, 21.
2. —— vii. 12.	2. —— xix. 1, 8, 23, 24,
2. —— x. 15, 16, 19,	31, 39, 40, 48.
20, 23, 24, 26,	2. —— xx. 8.
27.	2. —— xxi. 4, 5, 6, 7, 9,
2. —— xiii. 2, 4, 5, 6,	17, 20, 23, 25,
7, 8, 9, 10, 11,	27, 28, 30, 32,
12, 13, 14, 15.	34, 36, 38.
2. —— xviii. 2.	1. —— xxii. 7, 9, 10,
1. —— 2.	11, 13, 15, 21.
2. —— xxxi. 4, 5, 6.	1. Judg. xviii. 1, 19, 30.
1. —— xxxii. 33.	1. —— xx. 12 (plural).
2. —— xxxiv. 18, 19,	1. —— xxi. 3, 6, 17, 24.
20, 21, 22, 23,	1. 1 Sam. ix. 21 (plural).
24, 25, 26, 27,	1. —— x. 20, 21.
28.	2. 1 Kings vii. 14.
2. —— xxxvi. 3, 4, 5,	1. —— xi. 13, 32, 36.
6, 7, 8, 9, 12.	1. —— xii. 20, 21.
1. Deut. i. 23.	1. 2 Kings xvii. 18.
1. —— iii. 13.	1. 1 Chron. v. 18, 23, 26.
1. —— x. 8.	2. —— vi. in all pas-
1. —— xxix. 8, 18.	sages.
1. Josh. i. 12.	1. —— xii. 37.
1. —— iii. 12.	1. —— xxiii. 14.
1. —— iv. 2, 4, 12.	1. —— xxvi. 32.
1. —— vii. 14, 16.	1. —— xxvii. 20.
2. —— 18.	1. Psalm lxxviii. 67, 68.
1. —— xii. 6.	1. Ezek. xlvii. 23.

TRIBES.

1. שְׁבָטִים   Shevoteem, rods, sceptres; met., tribes.
2. מַטּוֹת   Mattouth, staves, branches; met., tribes.

1. Gen. xlix. 16, 28.	1. Numb. xxxvi. 3.
1. Exod. xxiv. 4.	2. —— 9.
1. —— xxviii. 21.	1. Deut. i. 13, 15.
1. —— xxxix. 14.	1. —— v. 23.
2. Numb. i. 16.	1. —— xii. 5, 14.
2. —— vii. 2.	1. —— xvi. 18.
1. —— xxiv. 2.	1. —— xviii. 5.
2. —— xxvi. 55.	1. —— xxviii. 1, 5.
2. —— xxx. 1.	1. —— xxix. 10, 21.
2. —— xxxi. 4.	1. —— xxxi. 28.
2. —— xxxii. 28.	1. —— xxxiii. 5.
2. —— xxxiii. 54.	1. Josh. iii. 12.
2. —— xxxiv. 15.	1. —— iv. 5, 8.

1. Josh. vii. 14, 16.
1. —— xi. 23.
1. —— xii. 7.
1. —— xiii. 7.
2. —— xiv. 1, 2, 3, 4.
1. —— xviii. 2.
2. —— xix. 51.
2. —— xxi. 1.
1. ———— 16.
2. —— xxii. 14.
1. —— xxiii. 4.
1. —— xxiv. 1.
1. Judg. xviii. 1.
1. —— xx. 2, 10, 12.
1. —— xxi. 8, 15.
1. 1 Sam. ii. 28.
1. —— ix. 21.
1. —— x. 19, 20.
1. —— xv. 17.
1. 2 Sam. v. 1.
1. —— vii. 7.
1. —— xv. 2, 10.
1. —— xix. 9.
1. —— xx. 14..
1. —— xxiv. 2.
2. 1 Kings viii. 1.
1. ———— 16.

1. 1 Kings xi. 35.
1. —— xiv. 21.
1. —— xviii. 31.
1. 2 Kings xxi. 7.
1. 1 Chron. xxvii. 16, 22.
1. —— xxviii. 1.
1. —— xxix. 6.
2. 2 Chron. v. 2.
1. —— vi. 5.
1. —— xi. 16.
1. —— xii. 13.
1. —— xxxiii. 7.
1. Psalm lxxviii. 55.
1. — cv. 37.
1. — cxxii. 4.
1. Isa. xix. 13.
1. — xlix. 6.
1. — lxiii. 17.
1. Ezek. xxxvii. 19.
1. —— xlv. 8.
1. —— xlvii. 13, 21, 22.
1. —— xlviii. 1, 19, 23,
             29.
1. Hos. v. 9.
2. Hab. iii. 9
1. Zech. ix. 1.

TRIBULATION.

צָרָה   *Tsoroh,* tribulation, oppression, distress.

Deut. iv. 30.   1 Sam. xxvi. 24.
Judg. x. 14.

TRIBULATIONS.

צָרוֹת   *Tsorouth,* tribulations, oppressions.

1 Sam. x. 19.

TRIBUTARY.

לָמַס   *Lomas,* under tribute.

Lam. i. 1.

TRIBUTARIES.

Deut. xx. 11, sing. | Judg. i. 30, 33, 35, sing.

TRIBUTE.

1.   מַס   *Mas,* a tribute.
2.   מֶכֶס   *Mekhes,* a toll, tax.
3.   מִדָּה   *Middoh,* a treasure.
4.   עֹנֶשׁ   *Ounesh,* a fine, punishment.
5.   מַשָּׂא   *Massō,* a burden, heavy load.
6.   בְּלוֹ   *Velou* (Chaldee), a tax.

All passages not inserted are Nᵒ. 1.

2. Numb. xxxi. 28, 37, | 6. Ezra iv. 13, 20.
     38, 39, 40, 41.   3. —— vi. 8.
4. 2 Kings xxiii. 33.   6. —— vii. 24.
5. 2 Chron. xvii. 11.   3. Neh. v. 4.

TRICKLETH.

נָגַר   *Nogar,* to overflow, trickle down.

Lam. iii. 49.

TRIMMED.

עָשָׂה   *Osoh,* to make, do, set, act.

2 Sam. xix. 24.

TRIMMEST.

יָטַב   *Yotav,* (Hiph.) to improve, approve.

Jer. ii. 33.

TRIUMPH.

1. { עָלַז   *Olaz,* } to triumph, rejoice.
     { עָלַץ   *Olats,* }
2.   רוּעַ   *Rooa,* (Hiph.) to shout for joy, triumph.
3.   רָנַן   *Ronan,* to sing aloud.
4.   שָׁבַח   *Shovakh,* to commend, applaud.
5.   גָּאָה   *Gōōh,* to triumph gloriously.

1. 2 Sam. i. 20.   3. Psalm xcii. 4.
1. Psalm xxv. 2.   1. —— xciv. 3.
2. — xli. 11.   4. —— cvi. 47.
1. — lx. 8.   2. —— cviii. 9.

TRIUMPHED.

5. Exod. xv. 1, 21, verb repeated.

TRIUMPHING.

3. Job xx. 5.

TRIUMPH, Subst.

רִנָּה   *Rinnoh,* singing aloud.

Psalm xlvii. 1.

TROOP.

1.   גְּדוּד   *Gedood,* a troop.
2.   אֲגֻדָּה   *Agoodoh,* a bundle, bunch.
3.   חַיָה   *Khayoh,* living; met., a company.
4.   גַּד   *Gad,* the name of an idol.
5.   אֹרְחוֹת   *Orkhouth,* travellers.
6.   גָּדַד   *Godad,* (Hith.) to gather into a troop.
7.   גָּד   *God,* abundance (name of the ninth son of Jacob).

7. Gen. xxx. 11.
1. —— xlix. 19.
1. 1 Sam. xxx. 8.
2. 2 Sam. ii. 25.
1. —— iii. 22.
1. —— xxii. 30.

3. 2 Sam. xxiii. 11, 13.
1. Psalm xviii. 29.
4. Isa. lxv. 11.
1. Jer. xviii. 22.
1. Hos. vii. 1.
2. Amos ix. 6.

TROUBLE, day of.

1. In all passages, except :

11. Isa. xxii. 5.
8. Jer. li. 2.

11. Ezek. vii. 7.

TROOPS.

5. Job vi. 19.
1. — xix. 12.
6. Jer. v. 7.

1. Hos. vi. 9.
6. Mic. v. 1.
6. Hab. iii. 16.

TROUBLES.

1. Deut. xxxi. 17, 21.
1. Job v. 19.
1. Psalm xxv. 17, 22.
1. —— xxxiv. 6, 17.

1. Psalm lxxi. 20.
8. —— lxxxviii. 3.
1. Prov. xxi. 23.
1. Isa. lxv. 16.

TROUBLE, Subst.

1. { צַר *Tsor,* צָרָה *Tsoroh,* } distress, oppression.
2. עֳנִי *Onee,* affliction, misery.
3. תְּלָאָה *Telooh,* weariness.
4. שֹׂבַע רֹגֶז *Sĕvā rougez,* enough of vexation.
5. עָמָל *Omol,* labour, trouble.
6. קְשִׁי־יוֹם *Keshai-youm,* a hard day.
7. רָשַׁע *Roshā,* (Hiph.) to act wickedly.
8. רָעָה *Rooh,* evil.
9. בְּהָלָה *Beholoh,* terror.
10. בַּלָּהָה *Balohoh,* consternation.
11. מְהוּמָה *Mehoomoh,* tumult, confusion.
12. טֹרַח *Tourakh,* trouble.
13. בְּעָתָה *Beothoh,* fright, terror.
14. נֶעְכֶּרֶת *Nĕĕkhoreth,* tribulation.

TROUBLE.

1. עָכַר *Okhar,* to trouble, cause sorrow.
2. דָּלַח *Dolakh,* to disturb.
3. בָּעַת *Boath,* to frighten.
4. בָּהַל *Bohal,* to terrify.
5. אָנַס *Onais,* to force, persecute.
6. רְגַז *Rogaz,* to tremble.
7. קָצַר *Kotsar,* to shorten, cut short.
8. רָעַם *Roam,* to rage, agitate, thunder.
9. נִרְפָּשׁ *Nirpos,* turbid, muddy.
10. עָוָה *Ovoh,* (Niph.) to be bent down, perverse.
11. סָעַר *Soar,* (Niph.) to be tempestuous.
12. עָנָה *Onoh,* (Piel) to be afflicted.
13. פָּעַם *Poam,* to strike, excite.
14. בָּהַל *Bohal,* (Niph.) to be terrified.
15. גָּרַשׁ *Gorash,* to drive out.
16. הָמַם *Homam,* to confuse, be tumultuous.
17. הָמָה *Homoh,* to make a violent noise.
18. נָעַשׁ *Goash,* to shake violently.
19. חָמַר *Khomar,* to ferment.
20. צָרַי *Tsorae,* my oppressors.
21. רֹגֶז *Rougez,* passion.

2. 1 Chron. xxii. 14.
1. 2 Chron. xv. 4.
1. Neh. ix. 27.
3. —— 32.
4. Job iii. 26.
5. — v. 6, 7.
4. — xiv. 1.
1. — xv. 24.
1. — xxvii. 9.
6. — xxx. 25.
7. — xxxiv. 29.
1. — xxxviii. 23.
1. Psalm ix. 9.
2. —— 13.
1. —— x. 1.
1. —— xxii. 11.
8. —— xxvii. 5.
1. —— xxxi. 7, 9.
1. —— xxxii. 7.
1. —— xxxvii. 39.
8. —— xli. 1.
1. —— xlvi. 1.
1. —— liv. 7.
1. —— lx. 11.
1. —— lxvi. 14.
1. —— lxix. 17.
5. —— lxxiii. 5.
9. —— lxxviii. 33.
1. —————— 49.
1. —— lxxxi. 7.
1. —— xci. 15.

1. Psalm cii. 2.
1. —— cvii. 6.
1. —————— 13, 19.
8. —————— 26.
1. —————— 28.
1. —— cxvi. 3.
1. —— cxix. 143.
1. —— cxxxviii. 7.
1. —— cxlii. 2.
1. —— cxliii. 11.
1. Prov. xi. 8.
1. —— xii. 13.
14. —— xv. 6.
11. —— xv. 16.
1. —— xxv. 19.
12. Isa. i. 14.
1. — viii. 22.
10. — xvii. 14.
1. — xxvi. 16.
1. — xxx. 6.
1. — xxxiii. 2.
1. — xlvi. 7.
9. — lxv. 23.
8. Jer. ii. 27, 28.
13. — viii. 15.
8. — xi. 12, 14.
1. — xiv. 8.
13. —————— 19.
1. — xxx. 7.
8. Lam. i. 21.
1. Dan. xii. 1.

1. Josh. vi. 18.
1. —— vii. 25.
1. Judg. xi. 35.
4. 2 Chron. xxxii. 18.
20. Psalm iii. 1.

20. Psalm xiii. 4.
2. Ezek. xxxii. 13.
4. Dan. iv. 19.
4. —— v. 10.
4. —— xi. 44.

TROUBLED.

1. Gen. xxxiv. 30.
13. —— xli. 8.
14. —— xlv. 3.
16. Exod. xiv. 24.
1. Josh. vii. 25.
1. 1 Sam. xiv. 29.

3. 1 Sam. xvi. 14.
14. —————— xxviii. 21.
14. 2 Sam. iv. 1.
1. 1 Kings xviii. 18.
11. 2 Kings vi. 11.
14. Ezra iv. 4.

14. Job iv. 5.	9. Prov. xxv. 26.
7. — xxi. 4.	6. Isa. xxxii. 10, 11.
14. — xxiii. 15.	15. — lvii. 20.
18. — xxxiv. 20.	17. Jer. xxxi. 20.
14. Psalm xxx. 7.	19. Lam. i. 20.
10. —— xxxviii. 6.	19. —— ii. 11.
19. —— xlvi. 3.	14. Ezek. vii. 27.
14. —— xlviii. 5.	14. —— xxvi. 18.
17. —— lxxvii. 3.	8. —— xxvii. 35.
13. ———— 4.	13. Dan. ii. 1, 3.
6. ———— 16.	4. —— iv. 5, 19.
14. —— lxxxiii. 17.	4. —— v. 6, 9.
14. —— xc. 7.	4. —— vii. 15, 28.
14. —— civ. 29.	12. Zech. x. 2.

TROUBLEDST.

2. Ezek. xxxii. 2.

TROUBLETH.

3. 1 Sam. xvi. 15.	1. Prov. xi. 17, 29.
1. 1 Kings xviii. 17.	1. —— xv. 27.
4. Job xxii. 10.	5. Dan. iv. 9.
4. — xxiii. 16.	

TROUBLING.

21. Job iii. 17.

TROUBLER.

עוֹכֵר   *Oukhair*, a troubler.

1 Chron. ii. 7.

TROUBLOUS.

וּבְצוֹק   *Oovetsouk*, and in oppression.

Dan. ix. 25.

TROUGH.

שֹׁקֶת   *Shouketh*, a trough for cattle.

Gen. xxiv. 20. | Gen. xxx. 38.

TROUGHS.

1. רְהָטִים   *Rehoteem*, channels.
2. מִשְׁאֲרוֹת   *Misharouth*, kneading troughs.

1. Exod. ii. 16.	2. Exod. xii. 34.
2. —— viii. 3.	

TRUE.

1. אֱמֶת   *Emeth*, true, truth.
2. כֵּנִים   *Kaineem*, just, innocent, upright.
3. כִּי־אָמְנָם   *Kee-omnom*, though truly.
4. הַצְדָא   *Hatsdō* (Syriac), in truth, indeed !
5. יַצִּיבָא   *Yatseevō* (Syriac), an established truth.

2. Gen. xlii. 11, 19, 31, 33, 34.	1. Psalm xix. 9.
	1. —— cxix. 160.
1. Deut. xvii. 4.	1. Prov. xiv. 25.
1. —— xxii. 20.	1. Jer. xlii. 5.
1. Josh. ii. 12.	1. Ezek. xviii. 8.
3. Ruth iii. 12.	4. Dan. iii. 14.
1. 2 Sam. vii. 28.	5. —— 24.
1. 1 Kings x. 6.	5. —— vi. 12.
1. —— xxii. 16.	1. —— viii. 26.
1. 2 Chron. ix. 5.	1. —— x. 1.
1. Neh. ix. 13.	1. Zech. vii. 9.

TRUE God.

1. 2 Chron. xv. 3. | 1. Jer. x. 10.

TRULY.

1. אָמְנָם   *Omnom*, truly, verily.
2. אֱמוּנָה   *Emoonoh*, faithfully.
3. אֱמֶת   *Emeth*, true, truth.
4. וֶאֱמֶת   *Voĕmeth*, and truth.
5. בֶּאֱמֶת   *Bĕĕmeth*, in truth.
6. אַךְ   *Akh*, but, only.
7. אָכֵן   *Okhain*, surely.
8. אוּלָם   *Oolom*, indeed, truly.
9. כִּי   *Kee*, for, yea.
10. עַשֵּׂר תְּעַשֵּׂר   *Assair teassair*, tithing thou shalt tithe.
11. ו   (*v*) prefixed to the relative word, verily, truly.

3. Gen. xxiv. 49.	6. Psalm lxii. 1.
3. —— xlvii. 29.	6. —— lxxiii. 1.
8. —— xlviii. 19.	9. —— cxvi. 16.
8. Numb. xiv. 21.	2. Prov. xii. 22.
10. Deut. xiv. 22.	11. Eccles. xi. 7.
4. Josh. ii. 14.	7. Jer. iii. 23.
9. —— 24.	6. — x. 19.
5. Judg. ix. 16, 19.	5. — xxviii. 9.
8. 1 Sam. xx. 3.	3. Ezek. xviii. 9.
1. Job xxxvi. 4.	8. Mic. iii. 8.

TRUMPET -S.

Singular not used.

חֲצוֹצְרוֹת   *Khatsoutsrouth*, trumpets, in all passages.

TRUST, Subst.

1. מִבְטָה   *Mivtokh*, a place or person trusted in.
2. חָסָה   *Khosoh*, to confide, seek shelter.
3. בָּטַח   *Botakh*, to rely, trust.
4. אָמַן   *Oman*, (Hiph.) to cause to believe, put faith in.
5. חָסוּת   *Khosooth*, confidence.

4. Job iv. 18.
1. — viii. 14.
4. — xv. 15.
1. Psalm xl. 4.
1. —— lxxi. 5.
2. —— cxli. 8.

1. Prov. xxii. 19.
3. —— xxviii. 25.
3. —— xxix. 25.
5. Isa. xxx. 3.
2. — lvii. 13.

(See PUT trust.)

TRUST, Verb.

1. בָּטַח *Botakh*, to rely, trust.
2. חָסָה *Khosoh*, to confide, seek shelter.
3. אָמֵן *Oman*, (Hiph.) to cause to believe, put faith in.
4. חִגֵּל *Khool*, (Piel) to expect anxiously.
5. יָחַל *Yokhal*, (Piel) to wait in hope.
6. גָּלַל *Golal*, to roll.
7. רְחַץ *Rokhats* (Syriac), (Hith.) to put confidence.

All passages not inserted are N°. 1.

2. Ruth ii. 12.
2. 2 Sam. xxii. 3, 31.
5. Job xiii. 15.
3. — xv. 31.
4. — xxxv. 14.
2. Psalm xviii. 2, 30.
2. —— xxxi. 19.
2. —— xxxiv. 22.
2. —— xxxvii. 40.

2. Psalm lxi. 4.
2. —— xci. 4.
2. —— cxviii. 8, 9.
2. —— cxliv. 2.
5. Isa. xiv. 32.
2. — xxx. 2.
3. Mic. vii. 5.
2. Nah. i. 7.
2. Zeph. iii. 12.

TRUSTED.
All passages not inserted are N°. 1.

2. Deut. xxxii. 37.
3. Judg. xi. 20.

6. Psalm xxii. 8.
7. Dan. iii. 28.

TRUSTEDST.

1. Deut. xxviii. 52.
1. Jer. v. 17.

1. Jer. xii. 5.

TRUSTEST.

1. 2 Kings xviii. 19, 21.
1. —— xix. 10.

1. Isa. xxxvi. 4, 6.
1. — xxxvii. 10.

TRUSTETH.
1. In all passages, except :

2. Psalm xxxiv. 8.
2. Psalm lvii. 1.

TRUSTING.
2. Psalm cxii. 7.

TRUSTY.
נֶאֱמָנִים *Neemoneem*, faithful, trusty.
Job xii. 20.

TRUTH.

1. אֱמֶת *Emeth*, truth.
2. { קֹשְׁט *Koushet*, קָשׁוֹט *Keshout*, } a truth.
3. כִּי אִם־ *Kee im*, verily, because.
4. יַצִּיב *Yatseev* (Syriac), a fact.

All passages not inserted are N°. 1.

3. 1 Sam. xxi. 5.
2. Psalm lx. 4.
2. Prov. xxii. 21.

2. Dan. ii. 47.
2. —— iv. 37.
4. —— vii. 16, 19.

TRY.

1. נִסָּה *Nissoh*, to try.
2. צָרַף *Tsoraph*, to refine.
3. בָּחַן *Bokhan*, to prove.
4. חָקַר *Khokar*, to search.

2. Judg. vii. 4.
1. 2 Chron. xxxii. 31.
3. Job vii. 18.
3. — xii. 11.
3. Psalm xi. 4.
1. —— xxvi. 2.
4. —— cxxxix. 23.

3. Jer. vi. 27.
3. — ix. 7.
3. — xvii. 10.
4. Lam. iii. 40.
2. Dan. xi. 35.
3. Zech. xiii. 9.

TRIED.

2. 2 Sam. xxii. 31.
3. Job xxiii. 10.
3. — xxxiv. 36.
2. Psalm xii. 6.
2. —— xvii. 3.
2. —— xviii. 30.

2. Psalm lxvi. 10.
2. —— cv. 19.
3. Isa. xxviii. 16.
3. Jer. xii. 3.
2. Dan. xii. 10.
2. Zech. xiii. 9.

TRIEST.

3. 1 Chron. xxix. 17.
3. Jer. xi. 20.

3. Jer. xx. 12.

TRIETH.

3. Job xxxiv. 3.
3. Psalm vii. 9.

3. Psalm xi. 5.
3. Prov. xvii. 3.

TUMBLED.
הָפַךְ *Hophakh*, (Hith.) to roll itself over.
Judg. vii. 13.

TUMULT.
הָמוֹן *Homoun*, a crowd, tumult, in all passages.

TUMULTS.
מְהוּמוֹת *Mehoomouth*, tumults.
Amos iii. 9.

TUMULTUOUS.

1.   שָׁאוֹן   *Sheoun*, a noise, tumult.
2.   הָמוֹן   *Homoun*, a crowd, tumult.

1. Isa. xiii. 4.	1. Jer. xlviii. 45.
2. — xxii. 2.	

TURN, Subst.

תּוֹר   *Tour*, a row, order, turn.

Esth. ii. 12, 15.

TURN.

1.   שׁוּב   *Shoov*, to turn, return.
2.   הָפַךְ   *Hophakh*, to turn round, over.
3.   נָטָה   *Notoh*, to stretch, extend, incline.
4.   סָבַב   *Sovav*, to turn round, encompass.
5.   סוּר   *Soor*, to depart, turn aside.
6.   סָכַל   *Sakel*, to pervert.
7.   פָּנָה   *Ponoh*, to turn to, face.
8.   שָׂטָה   *Sotoh*, to go astray, avoid.
9.   שָׂעָה מֵעָלָיו   *Sheaih maiolov*, turn from him.
10.   שׂוּם   *Soom*, to set, place.
11.   זָנַח   *Zonakh*, to remove.
12.   מַצְדִּיקִים   *Matsdeekeem*, causing righteousness.
13.   נָתַן   *Nothan*, to give, grant, set.
14.   עָבַר   *Ovar*, (Hiph.) to pass by, over.
15.   צָנַף   *Tsonaph*, to wrap round, bind up.
16.   אָמַן   *Oman*, (Hiph.) to cause to believe, put faith in.
17.   שָׂמַל   *Somal*, (Hiph.) to turn to the left.
18.   לָפַת   *Lophath*, (Niph.) to shrink, contract.
19.   סוּג   *Soog*, to slide back.
20.   דּוּץ   *Doots*, to rejoice.
21.   סָרַר   *Sorar*, to be stubborn, perverse.
22.   יָרַט   *Yorat*, to hinder, keep back.
23.   עָוָה   *Ivvoh*, to pervert.
24.   עָטָה   *Otoh*, to cover over, veil.
25.   מִקְצוֹעַ   *Miktsouā*, a corner, angle.

26.   שׁוֹבֵב   *Shouvaiv*, a destroyer.
27.   סָרָה   *Soroh*, to be rebellious.

All passages not inserted are N°. 1.

7. Gen. xxiv. 49.	4. 2 Chron. xxxv. 22.
Exod. xxiii. 27, not in original.	7. Job v. 1.
7. Lev. xix. 4.	9. — xiv. 6.
7. Numb. xiv. 25.	3. — xxiv. 4.
3. ——— xx. 17.	7. Psalm xxv. 16.
3. ——— xxi. 22.	7. ——— lxix. 16.
3. ——— xxii. 23, 26.	7. ——— lxxxvi. 16.
4. ——— xxxiv. 4.	7. ——— cxix. 132.
7. Deut. i. 7, 40.	8. Prov. iv. 15.
7. — ii. 3.	3. ——————— 27.
5. ——— 27.	4. Cant. ii. 17.
13. — xiv. 25.	7. Isa. xiii. 14.
7. — xvi. 7.	11. — xix. 6.
7. — xxi. 20.	15. — xxii. 18.
5. Josh. i. 7.	16. — xxx. 21.
5. Judg. xx. 8.	17. ——————— 21.
3. 1 Sam. xiv. 7.	10. Jer. xiii. 16.
4. ——— xxii. 17, 18.	2. — xxxi. 13.
2 Sam. xiv. 19, not in original.	7. — L. 16.
	2. Ezek. iv. 8.
4. ——————— 24.	4. ——— vii. 22.
6. ——— xv. 31.	7. ——— xxxvi. 9.
7. 1 Kings xvii. 3.	10. Dan. xi. 18.
2. ——— xxii. 34.	12. — xii. 3.
4. 2 Kings ix. 18, 19.	2. Amos v. 7.
4. 1 Chron. xii. 23.	2. — viii. 10.
2. 2 Chron. xviii. 33.	2. Zeph. iii. 9.

TURN again.

1. In all passages.

TURN aside.

5. Exod. iii. 3.	4. 2 Sam. xviii. 30.
5. Deut. v. 32.	8. Psalm xl. 4.
5. — xi. 16, 28.	8. — ci. 3.
5. — xvii. 20.	3. — cxxv. 5.
5. — xxxi. 29.	3. Isa. x. 2.
5. Josh. xxiii. 6.	3. — xxix. 21.
5. Judg. xix. 12.	3. — xxx. 11.
5. Ruth iv. 1.	3. Lam. iii. 35.
5. 1 Sam. xii. 20, 21.	3. Amos ii. 7.
3. 2 Sam. ii. 21.	3. — v. 12.
5. ——————— 23.	3. Mal. iii. 5.

TURN away.

All passages not inserted are N°. 1.

5. Deut. vii. 4.	4. 1 Chron. xiv. 14.
27. ——- xiii. 5.	5. 2 Chron. xxv. 27.
5. — xvii. 17.	14. Psalm cxix. 37, 39.
7. — xxx. 17.	4. Cant. vi. 5.
3. 1 Kings xi. 2.	

TURN back.

1. In all passages, except:

4. Jer. xxi. 4.	7. Jer. xlix. 8.

TURN in.

5. Gen. xix. 2.	5. 2 Kings iv. 10.
5. Judg. iv. 18.	5. Prov. ix. 4, 16.
5. —— xix. 11.	

TURN to the Lord.

1. In all passages.

TURNED.

All passages not inserted are N°. 1.

2. Gen. iii. 24.	13. 2 Chron. xxix. 6.
7. —— xviii. 22.	4. —— xxxvi. 4.
4. —— xlii. 24.	4. Ezra vi. 22.
2. Exod. vii. 15, 17, 20.	2. Neh. xiii. 2.
7. —— 23.	2. Esth. ix. 1, 22.
7. —— x. 6.	22. Job xvi. 11.
2. —— 19.	2. — xix. 19.
2. —— xiv. 5.	2. — xx. 14.
7. —— xxxii. 15.	2. — xxviii. 5.
2. Lev. xiii. 3, 4, 10, 13,	2. — xxx. 15.
17, 20, 25.	3. — xxxi. 7.
7. Numb. xxi. 33.	2. — xxxvii. 12.
3. —— xxii. 33.	2. — xxxviii. 14.
7. Deut. i. 24.	20. — xli. 22.
7. —— ix. 15.	2. —— 28.
7. —— x. 5.	2. Psalm xxx. 11.
2. —— xxiii. 5.	2. —— xxxii. 4.
7. —— xxxi. 18.	2. —— lxvi. 6.
7. Josh. vii. 12.	2. —— lxxviii. 44.
5. Judg. ii. 17.	2. —— cv. 25.
7. —— xv. 4.	2. —— cxiv. 8.
7. —— xviii. 21, 26.	7. Eccles. ii. 12.
4. —————— 23.	10. Isa. xxi. 4.
7. —— xx. 42, 45, 47.	4. — xxviii. 27.
18. Ruth iii. 8.	2. — xxxiv. 9.
2. 1 Sam. x. 6.	4. — xxxviii. 2.
7. —————— 9.	7. — liii. 6.
7. —— xiii. 17, 18.	2. — lxiii. 10.
7. —— xiv. 47.	2. Jer. ii. 21.
4. —— xv. 27.	7. —— 27.
4. —— xvii. 30.	4. — vi. 12.
4. —— xxii. 18.	2. — xxx. 6.
2. —— xxv. 12.	7. — xxxii. 33.
3. 2 Sam. ii. 19.	7. — xlviii. 39.
4. 1 Kings ii. 15.	2. Lam. i. 20.
3. —————— 28.	2. —— v. 2, 15.
3. —— viii. 14.	4. Ezek. i. 9, 12.
7. —— x. 13.	4. —— x. 11, 16.
3. —— xi. 9.	7. —— xvii. 6.
7. 2 Kings v. 12.	4. —— xxvi. 2.
2. —— ix. 23.	4. —— xlii. 19.
4. —— xvi. 18.	2. Dan. x. 8. 16.
4. —— xx. 2.	2. Hos. vii. 8.
7. —— xxiii. 16.	2. —— xi. 8.
4. —————— 34.	2. Joel ii. 31.
4. 1 Chron. x. 14.	2. Amos vi. 12.
4. 2 Chron. vi. 3.	4. Hab. ii. 16.
2. —— ix. 12.	4. Zech. xiv. 10.
5. —— xx. 10.	

TURNED again.

1. In all passages, except:

2. Judg. xx. 41.	2. 1 Kings v. 26.

TURNED aside.

5. Exod. iii. 4.	5. 1 Kings xv. 5.
5. —— xxxii. 8.	5. —— xx. 39.
3. Numb. xxii. 23.	5. —— xxii. 43.
5. Deut. ix. 12, 16.	5. 2 Kings xxii. 2.
5. Judg. xiv. 8.	18. Job vi. 18.
5. —— xix. 15.	2. Psalm lxxviii. 57.
5. Ruth iv. 1.	7. Cant. vi. 1.
5. 1 Sam. vi. 12.	3. Isa. xliv. 20.
3. —— viii. 3.	21. Lam. iii. 11.
4. 2 Sam. xviii. 30.	

TURNED away.

All passages not inserted are N°. 1.

3. Numb. xx. 21.	19. Isa. L. 5.
3. 1 Kings xi. 3, 4.	19. — lix. 14.
4. —— xxi. 4.	3. Jer. v. 25.
4. 2 Chron. xxix. 6.	19. — xxxviii. 22.
5. Psalm lxvi. 20.	19. — xlvi. 5.

TURNED back.

All passages not inserted are N°. 1.

2. Josh. viii. 20.	19. Psalm lxx. 2.
19. 2 Sam. i. 22.	2. —— lxxviii. 9.
4. 1 Kings xviii. 37.	19. —————— 57.
7. 2 Kings ii. 24.	19. —— cxix. 5.
5. Job xxxiv. 27.	19. Isa. xlii. 17.
19. Psalm xxxv. 4.	7. Jer. xlvi. 21.
19. —— xliv. 18.	19. Zeph. i. 6.

TURNED in, unto.

5. Gen. xix. 3.	5. Judg. xviii. 3, 15.
3. —— xxxviii. 1, 16.	5. 2 Kings iv. 8, 11.
5. Judg. iv. 18.	

TURNEST.

7. 1 Kings ii. 3.	1. Psalm xc. 3.
1. Job xv. 13.	

TURNETH.

All passages not inserted are N°. 1.

7. Lev. xx. 6.	5. Prov. xxviii. 9.
7. Deut. xxix. 18.	4. Eccles. i. 6.
2. Josh. vii. 8.	24. Cant. i. 7.
10. Psalm cvii. 33, 35.	23. Isa. xxiv. 1.
23. —— cxlvi. 9.	3. Jer. xiv. 8.
7. Prov. viii. 8.	7. — xlix. 24.
3. —— xxi. 1.	2. Lam. iii. 3.
4. —— xxvi. 14.	2. Amos v. 8.

TURNING.

2. 2 Kings xxi. 13.	1. Prov. i. 32.
25. 2 Chron. xxvi. 9.	2. Isa. xxix. 16.
1. —— xxxvi. 13.	4. Ezek. xli. 24.
25. Neh. iii. 19, 20, 24,	26. Mic. ii. 4.
25.	

TURTLE -dove.

תּוֹר *Tour*, a turtle dove.

Gen. xv. 9.	Cant. ii. 12.
Lev. xii. 6.	Jer. viii. 7.
Psalm lxxiv. 19.	

TURTLE doves and TURTLES.

תּוֹרִים *Toureem*, turtle doves.

Lev. i. 14.	Lev. xiv. 22, 30.
—— v. 7, 11.	—— xv. 14, 29.
—— xii. 8.	Numb. vi. 10.

TWAIN.

שְׁנַיִם *Shenayim* (masc.), } two.
שְׁתַּיִם *Shetayim* (fem.),

1 Sam. xviii. 21.	Jer. xxxiv. 18.
2 Kings iv. 33.	Ezek. xxi. 19.
Isa. vi. 2.	

TWELFTH, TWELVE.

שְׁנֵים־עָשָׂר *Shenaim-osor*, twelve, twelfth, in all passages.

TWENTY.

עֶשְׂרִים *Esreem*, twenty, in all passages.

TWICE.

פַּעֲמַיִם *Paamayim*, twice, in all passages.

TWIGS.

יְנִקוֹת *Yenikouth*, suckers.

Ezek. xvii. 4, 22.

TWILIGHT.

1. נֶשֶׁף *Nesheph*, twilight.
2. עֲלָטָה *Alotoh*, thick darkness.

1. 1 Sam. xxx. 17.	1. Job xxiv. 15.
1. 2 Kings vii. 5, 7.	1. Prov. vii. 9.
1. Job iii. 9.	2. Ezek. xii. 6, 7, 12.

TWINED.

מָשְׁזָר *Moshzor*, twined, twisted, in all passages.

TWINS.

תְּאוֹמִים *Teoumeem*, twins.

Gen. xxv. 24.	Cant. vi. 6.
—— xxxviii. 27.	—— vii. 3.
Cant. iv. 2, 5.	

TWO.

שְׁנַיִם *Shĕnayim* (masc.), } two, in all
שְׁתַּיִם *Shĕtayim* (fem.), } passages.

U

UNACCUSTOMED.

לֹא־לֻמָּד *Lou-lumod*, untaught.

Jer. xxxi. 18.

UNADVISEDLY.

בָּטָא *Bitto*, to speak unadvisedly.

Psalm cvi. 33.

UNAWARES.

1. לֵב *Laiv*, the heart.
2. שְׁגָגָה *Shegogoh*, inadvertently, unawares.
3. בְּלִי־דַעַת *Belee-daath*, without knowledge, intention.
4. לֹא־יֵדַע *Lou-yaida*, not knowing, he knoweth not of.

1. Gen. xxxi. 20, 26.	2. Josh. xx. 3, 9.
2. Numb. xxxv. 11, 15.	4. Psalm xxxv. 8.
3. Deut. iv. 42.	

UNCIRCUMCISED.

1. עָרֵל *Orail*, objectionable.
2. עָרְלָה *Orloh*, an objection, impediment, incumbrance.
3. וַעֲרַלְתֶּם עָרְלָתוֹ אֶת־פִּרְיוֹ *Vaaraltem orlothou eth-piryou*, and ye shall pluck off as an objection his (its) fruit.

1. Gen. xvii. 14.	1. 2 Sam. i. 20.
2. —— xxxiv. 14.	1. 1 Chron. x. 4.
1. Exod. vi. 12, 30.	1. Isa. lii. 1.
1. Exod. xii. 48.	1. Jer. vi. 10.
3. Lev. xix. 23.	2. — ix. 25.
1. —— 23.	1. —— 26.
1. Lev. xxvi. 41.	1. Ezek. xxviii. 10.
1. Josh. v. 7.	1. —— xxxi. 18.
1. Judg. xiv. 3.	1. —— xxxii. 19, 21,
1. —— xv. 18.	24, 25, 26, 27,
1. 1 Sam. xiv. 6.	28, 29, 30, 32.
1. —— xvii. 26, 36.	1. —— xliv. 7, 9.
1. —— xxxi. 4.	

UNCLE.

דּוֹד *Doud*, an uncle, in all passages.

UNCLEAN.

טָמֵא   *Tomai*, unclean, in all passages.

UNCLEANNESS.

טוּמְאָה   *Toomoh*, uncleanness, in all passages.

UNCLEANNESSES.

טֻמְאוֹת   *Tumouth*, uncleannesses.
Ezek. xxxvi. 29.

UNCOVER.

1.   גָּלָה   *Goloh*, to reveal.
2.   פָּרַע   *Pora*, to disorder, disarrange.
3.   חָשׂף   *Khosaph*, to strip.
4.   עָרָה   *Oroh*, to make bare, uncover.

1. In all passages in Lev., except :—	2. Numb. v. 18.
2. —— x. 6.	1. Ruth iii. 4.
2. —— xxi. 10.	3. Isa. xlvii. 2.

UNCOVERED.

1. In all passages, except:

3. Isa. xx. 4.	Hab. ii. 16, not in
4. — xxii. 6.	original.
3. Ezek. iv. 7.	

UNCOVERETH.

4. Lev. xx. 19.	1. 2 Sam. vi. 20.
1. Deut. xxvii. 20.	

UNDEFILED.

תָּמִים   *Tomeem*, perfect.

Psalm cxix. 1.	Cant. vi. 9.
Cant. v. 2.	

UNDER.

1.   תַּחַת   *Tokhath*, under.
2.   בְּיַד   *Bĕyad*, by the hand.
3.   עַל־יְדֵי   *Al-yedai*, by, through the hands.
4.   לְמַטָּה   *Lemattoh*, and below.
5.   בְּ   (*b*) prefixed to the relative word, by, with, on, at, &c.

1. In all passages, except:

5. 2 Sam. xii. 31.	3. 1 Chron. xxv. 3, 6.
2. 1 Chron. xxiv. 19.	4. —— xxvii. 23.

UNDERNEATH.

1. מִלְמַטָּה   *Milmattoh*, from below, underneath.

---

2. וּמִתַּחַת *Oomittakhath*, and from beneath.	
1. Exod. xxviii. 27.	2. Deut. xxxiii. 27.
1. —— xxxix. 20.	

UNDERSETTERS.

כְּתֵפוֹת   *Kethaiphouth*, shoulders.
1 Kings vii. 30, 34.

UNDERSTAND.

1.   בִּין   *Been*, to understand.
2.   שָׁמַע   *Shomā*, to hear, perceive.
3.   יָדַע   *Yodā*, to know, discern.
4.   שָׂכַל   *Sokhal*, to act wisely.
5.   יָרָה   *Yoroh*, (Hiph.) to instruct, show.
6.   מֵבִין   *Maiveen*, understanding.
7.   שׁוֹמֵעַ   *Shoumaiā*, hearing, perceiving.

All passages not inserted are Nº. 1.

2. Gen. ii. 7.	4. Psalm xiv. 2.
2. —— xli. 15.	4. —— liii. 2.
3. Numb. xvi. 30.	2. Isa. xxxvi. 11.
2. Deut. xxviii. 49.	4. — xli. 20.
2. 2 Kings xviii. 26.	4. — xliv. 18.
4. 1 Chron. xxviii. 19 (Hiph.).	2. Ezek. iii. 6.
4. Neh. viii. 13.	4. Dan. ix. 13.
5. Job vi. 24.	4. —— 25.

UNDERSTANDEST.

1. Job xv. 9.	2. Jer. v. 15.
1. Psalm cxxxix. 2.	

UNDERSTANDETH.

1. 1 Chron. xxviii. 9.	1. Prov. viii. 9.
1. Job xxviii. 23.	1. —— xiv. 6.
1. Psalm xlix. 20.	4. Jer. ix. 24.

UNDERSTANDING.

6. Dan. viii. 23.

UNDERSTOOD.

7. Gen. xlii. 23.	1. Psalm lxxiii. 17.
1. Deut. xxxii. 29.	3. —— lxxxi. 5.
3. 1 Sam. iv. 6.	4. —— cvi. 7.
3. —— xxvi. 4.	1. Isa. xl. 21.
3. 2 Sam. iii. 37.	1. — xliv. 18.
1. Neh. viii. 12.	6. Dan. viii. 27.
1. —— xiii. 7.	1. —— ix. 2.
1. Job xiii. 1.	1. —— xii. 8.
1. — xlii. 3.	

UNDERSTANDING, Subst. and Adj.

1. { תְּבוּנָה Tĕvoonoh, / בִּינָה Beenoh, } understanding.

2.   טַעַם Tăum, reason.

3.   הָבִין Hoveen, to cause to understand.

4.   מֵבִין Maiveen, understanding.

5.   חֲסַר־לֵב Khasar-laiv, destitute of heart.

6.   שֵׂכֶל Saikhel, skill, intellect.

7.   מַשְׂכִּיל Maskeel, skilful, intelligent.

8.   נָבוֹן Novoun, full of understanding.

9.   הָרִיחַ Horeeakh, to inspire.

10.   מַנְדַע Mandō (Syriac), knowledge.

11.   שׁוֹמֵעַ Shoumaiă, hearing, perceiving.

12. קוֹנֶה לֵב Kouneh laiv, possessing a heart.

13.   הַשְׂכֵּל Haskail, prudence.

14.   הִשְׂכִּיל Hiskeel, to act wisely, to be prudent.

15.   בִּין Been, to understand.

16.   לֵב Laiv, a heart.

All passages not inserted are N°. 1.

3. 1 Kings iii. 11.	5. Prov. ix. 4, 16.
3. —— iv. 29.	8. —— x. 13.
3. —— vii. 14.	8. —— xiv. 33.
4. 2 Chron. xxvi. 5.	8. —— xv. 14.
4. Ezra viii. 16.	12. —— 32.
4. Neh. viii. 2.	6. —— xvi. 22.
4. —— x. 28.	4. —— xvii. 24.
16. Job xii. 3.	8. —— xix. 25.
2. —— 20.	13. —— xxi. 16.
6. — xvii. 4.	4. —— xxviii. 11.
15. — xxxii. 8.	8. Eccles. ix. 11.
16. — xxxiv. 10, 34.	9. Isa. xi. 3.
3. Psalm xxxii. 9.	3. —— xxix. 16.
7. —— xlvii. 7.	13. Jer. iii. 15.
3. —— cxix. 34, 73.	8. — iv. 22.
14. —— 99.	16. — v. 21.
15. —— 104.	3. Dan. i. 17.
3. —— 125, 144, 169.	10. —— iv. 34.
	6. —— v. 11, 12, 14.
4. —— 130.	7. —— xi. 35.
5. Prov. vi. 32.	

UNDERSTANDING, good.

6. 1 Sam. xxv. 3.	6. Prov. iii. 4.
6. Psalm cxi. 10.	6. —— xiii. 5.

UNDERSTANDING, man of.

6. Ezra viii. 18.	1. Prov. xvii. 27.
8. Prov. i. 5.	8. —— 28.
1. —— x. 23.	1. —— xx. 5.
1. —— xi. 12.	4. —— xxviii. 2.
1. —— xv. 21.	

UNDERSTANDING, void of.

5. Prov. vii. 7.	5. Prov. xvii. 18.
5. —— x. 13.	5. —— xxiv. 30.
5. —— xii. 11.	

UNDERSTANDING, Adj.

8. Deut. i. 13.	1. 1 Kings iii. 12.
1. —— iv. 6.	3. Prov. viii. 5.
11. 1 Kings iii. 9.	4. Dan. i. 4.

UNDERTAKE.

1.   עָרַב Orav, to be responsible.

2.   קִבֵּל Kibbail, to receive, confirm, follow.

     1. Isa. xxxviii. 14.

UNDERTOOK.

     2. Esth. ix. 23.

UNDO, UNDONE.

1.   פָּתַח Pothakh, to open, loose, unbind.

2.   עָשָׂה Osoh, to do, perform, exercise.

3.   אָבַד Ovad, to be lost, destroyed.

4. לֹא הֵסִיר דָּבָר Lou haiseer dovor, he did not put aside a word.

5.   דָּמָה Domoh, (Hiph.) to be made silent, cut off.

1. Isa. lviii. 6.	2. Zeph. iii. 19.

UNDONE.

3. Numb. xxi. 29.	5. Isa. vi. 5.
4. Josh. xi. 15.	

UNDRESSED vine.

נָזִיר Nozeer, separated, set apart, consecrated.

     Lev. xxv. 5, 11.

UNEQUAL.

לֹא יִתָּכֵן Lou yitokhain, not set in order.

     Ezek. xviii. 25, 29.

UNFAITHFUL.

בּוֹגֵד Bougaid, treacherous.

     Prov. xxv. 19.

UNFAITHFULLY.

בָּגְדוּ Bogdoo, dealt treacherously.

     Psalm lxxviii. 57.

UNGIRDED.

פָּתַח *Pothakh*, to open, loose, unbind.

Gen. xxiv. 32.

UNGODLY.

1. בְּלִי־יַעַל *Belee-yaăl*, worthless.
2.   רָשָׁע *Rosho*, a wicked man.
3. לֹא־חָסִיד *Lou-khoseed*, impious, unkind.

1. 2 Sam. xxii. 5.	1. Psalm xviii. 4.
2. 2 Chron. xix. 2.	3. —— xliii. 1.
2. Job xvi. 11.	2. —— lxxii. 12.
2. — xxxiv. 18.	1. Prov. xvi. 27.
2. Psalm i. 1, 4, 6.	1. —— xix. 28.
2. —— iii. 7.	

UNHOLY.

חוֹל *Khoul*, common, profane.

Lev. x. 10.

UNICORN.

רְאֵם *Reaim,*
רֵים *Raim,* } a unicorn.

Numb. xxiii. 22.	Psalm xxix. 6.
—— xxiv. 8.	—— xcii. 10.
Job xxxix. 9, 10.	

UNICORNS.

רְאֵמִים *Reaimeem*, unicorns.

Deut. xxxiii. 17.	Isa. xxxiv. 7.
Psalm xxii. 21.	

UNITE.

יָחַד *Yokhad*, to unite.

Psalm lxxxvi. 11.

UNITED.

Gen. xlix. 6.

UNITY.

גַּם־יָחַד *Gam-yokhad*, even together.

Psalm cxxxiii. 1.

UNJUST.

1. { עַוְלָה *Avloh,*
    עָוֶל *Ovel,* } unjust.
2. אוֹנִים *Ouneem*, mourners.
3. תַּרְבִּית *Tarbeeth*, unjust gain, great increase.

1. Psalm xliii. 1.	1. Prov. xxix. 27.
2. Prov. xi. 7.	1. Zeph. iii. 5.
3. —— xxviii. 8.	

UNJUSTLY.

1. Psalm lxxxii. 2.	1. Isa. xxvi. 10.

UNLEAVENED.

מַצָּה *Matsoh*, unleavened, in all passages.

UNLESS.

1.   כִּי־אִם *Kee-im*, except.
2.   אוּלַי *Oolae*, peradventure, perhaps.
3. לוּלֵא *Loolai*, were it not.
4. אִם־לֹא *Im-lou*, if not.

1. Lev. xxii. 6.	3. Psalm xciv. 17.
2. Numb. xxii. 33.	3. —— cxix. 92.
3. 2 Sam. ii. 27.	4. Prov. iv. 16.
3. Psalm xxvii. 13.	

UNMINDFUL.

תֶּשִׁי *Teshee*, unmindful.

Deut. xxxii. 18.

UNOCCUPIED.

חָדְלוּ *Khodloo*, ceased.

Judg. v. 6.

UNPERFECT.

גֹּלֶם *Goulem*, a substance without animation.

Psalm cxxxix. 16.

UNPROFITABLE.

לֹא יִסְכּוֹן *Lou yiskoun*, not useful, useless.

Job xv. 3.

UNPUNISHED.

נָקִי *Nokee*, clean, free, in all passages.

UNRIGHTEOUS.

1.   חָמָס *Khomos*, violence.
2.   עַוָּל *Avol*, an unjust person.
3.   אָוֶן *Oven*, iniquity.
4.   עָוֶל *Ovel*, injustice, evil.
5. בְּלֹא־צֶדֶק *Belou-tsedek*, without righteousness.

1. Exod. xxiii. 1.
2. Job xxvii. 7.
2. Psalm lxxi. 4.

3. Isa. x. 1.
3. — lv. 7.

UNRIGHTEOUSLY.

4. Deut. xxv. 16.

UNRIGHTEOUSNESS.

4. Lev. xix. 15, 35.
4. Psalm xcii. 15.

5. Jer. xxii. 13.

UNRIPE.

בֹּסֶר *Bousair,* unripe.

Job xv. 33.

UNSATIABLE.

בְּלֹא־שָׂבְעָה *Belou-sovoh,* without satisfaction.

Ezek. xvi. 28.

UNSAVOURY.

תָּפֵל *Tophail,* common, insignificant.

Job vi. 6.

UNSEARCHABLE.

אֵין־חֵקֶר *Ain-khaiker,* unsearchable.

Job v. 9.
Psalm cxlv. 3.

Prov. xxv. 3.

UNSHOD.

יָחֵף *Yokhaiph,* bare, barefooted.

Jer. ii. 25.

UNSTABLE.

פַּחַז *Pakhaz,* unstable.

Gen. xlix. 4.

UNSTOPPED.

פָּתַח *Pothakh,* (Niph.) to be opened.

Isa. xxxv. 5.

UNTEMPERED.

תָּפֵל *Tophail,* common, insignificant.

Ezek. xiii. 10, 11, 14, 15.

Ezek. xxii. 28.

UNTIL.

1. עַד *Ad,* until.
2. כִּי־אִם *Kee-im,* except, unless.
3. בְּנֶשֶׁף *Benesheph,* in the twilight.
4. עַד־מָה *Ad-moh,* how long?
5. לְ (*l*) prefixed to the relative word, signifies, for.

1. In all passages, except :

4. Numb. xxiv. 22.
5. Deut. xvi. 4.

2. Ruth iii. 18.
3. Isa. v. 11.

UNTIMELY birth.

נֶפֶל *Nephel,* an untimely birth.

Job iii. 16.
Psalm lviii. 8.

Eccles. vi. 3.

UNWALLED.

פְּרָזִי *Perozee,* open, unfortified.

Deut. iii. 5.
Esth. ix. 19.

Ezek. xxxviii. 11.

UNWISE.

לֹא־חָכָם *Lou-khokhom,* not wise.

Deut. xxxii. 6.

Hos. xiii. 13.

UNWITTINGLY.

1. שְׁגָגָה *Shegogoh,* inadvertently, unawares.
2. בְּלִי־דַעַת *Belee-daath,* without knowledge, intention.

1. Lev. xxii. 14.
1. Josh. xx. 3.

2. Josh. xx. 5.

UP, Verb and Adverb.

1. קוּם *Koom,* to rise.
2. שָׁכַם *Shokham,* to rise early.
3. זָרַח *Zorakh,* to shine, rise as the sun.
4. נוּעַ *Nooā,* to move about.
5. נָעַר *Noar,* to spring up.

All passages not inserted are Nº. 1.

2. Gen. xix. 2.
Deut. i. 28, not in original.

3. Judg. ix. 33.
4. 2 Sam. xv. 20.
5. Psalm cix. 23.

(See GO, GOING up, WENT up, down, &c.)

UPBRAID.

חָרַף *Khoraph*, to upbraid, reproach.

Judg. viii. 15.

UPHOLD.

1. סָמַךְ *Somakh*, to sustain, support.
2. סָעַד *Soad*, to uphold.
3. קוּם *Koom*, to rise, arise.

1. Psalm li. 12.	1. Isa. xli. 10.
1. —— liv. 4.	1. — xlii. 1.
1. —— cxix. 116.	1. — lxiii. 5.
1. Prov. xxix. 23.	1. Ezek. xxx. 6.

UPHOLDEN.

3. Job iv. 4.	2. Prov. xx. 28.

UPHOLDEST.

1. Psalm xli. 12.

UPHOLDETH.

1. Psalm xxxvii. 17, 24.	1. Psalm cxlv. 14.
1. —— lxiii. 8.	

UPHELD.

1. Isa. lxiii. 5.

UPPER.

Not in the original, except:

עָלִיָה *Aliyoh*, the top, upper part.

Josh. xv. 19.

UPPERMOST.

עֶלְיוֹן *Elyoun*, the highest, uppermost.

Gen. xl. 17.
Isa. xvii. 6, 9, not in original.

UPRIGHT.

1. יָשָׁר *Yoshor*, straight, upright, just.
2. גֶּבֶר תָּמִים *Gever tomeem*, a man of great integrity.
3. יָשַׁר *Yoshar*, to act justly.
4. נִצָּב *Nitsov*, standing firm, fixed.
5. { עוּד *Ood*, (Hith.) } { to be succoured, preserved, provided.
    עָדַד *Odad*, }
6. עָמַד *Omad*, to stand.
7. קוֹמְמִיּוּת *Koummiyooth*, conspicuously.
8. מִקְשָׁה *Mikshoh*, hardened.

---

9. תָּמִים *Tomeem*, perfect, complete.
10. תָּמַם *Tomam*, (Piel) to make perfect.
11. תֹּם *Toum*, fulness, completeness.

All passages not inserted are N°. 1.

4. Gen. xxxvii. 7.	5. Psalm xx. 8.
4. Exod. xv. 8.	9. —— xxxvii. 18.
7. Lev. xxvi. 13.	9. Prov. x. 29.
9. 2 Sam. xxii. 24.	9. —— xi. 20.
2. —————— 26.	9. —— xiii. 6.
10. —————— 26.	9. —— xxviii. 10.
9. Job xii. 4.	9. —— xxix. 10.
9. Psalm xviii. 23.	8. Jer. x. 5.
2. —————— 25.	6. Dan. viii. 18.
10. —————— 25.	6. —— x. 11.
10. —— xix. 13.	3. Hab. ii. 4.

UPRIGHT heart.

1. In all passages.

(See STAND and STOOD upright.)

UPRIGHTLY.

1. יָשָׁר *Yoshor*, straight, upright, just.
2. יָשַׁר *Yoshar*, (Piel) to find correct.
3. תֹּם *Toum*, fulness, completeness.
4. תָּמִים *Tomeem*, perfect, complete.
5. מֵישָׁרִים *Maishoreem*, straightness, equity.

4. Psalm xv. 2.	2. Prov. xv. 21.
5. —— lviii. 1.	4. —— xxviii. 18.
5. —— lxxv. 2.	5. Isa. xxxiii. 15.
4. —— lxxxiv. 11.	4. Amos v. 10.
3. Prov. ii. 7.	1. Mic. ii. 7.
3. —— x. 9.	

UPRIGHTNESS.

1. יֹשֶׁר *Yousher*, upright.
2. מִישׁוֹר *Mishour*, straight.
3. מֵישָׁרִים *Maishoreem*, straightness, equity.
4. נְכֹחָה *Nekhoukhoh*, straightforward-ness.
5. תֹּם *Toum*, fulness, completeness.

1. Deut. ix. 5.	1. Psalm cxix. 7.
1. 1 Kings iii. 6.	2. —— cxliii. 10.
1. —— ix. 4.	1. Prov. ii. 13.
1. 1 Chron. xxix. 17.	1. —— xiv. 2.
5. Job iv. 6.	5. —— xxviii. 6.
1. — xxxiii. 3, 23.	3. Isa. xxvi. 7.
3. Psalm ix. 8.	4. —————— 10.
1. —— xxv. 21.	4. — lvii. 2.
1. —— cxi. 8.	

UPRISING.

קוּמִי *Koomee*, my rising up.

Psalm cxxxix. 2.

UPROAR.

הוֹמֶה *Houmoh*, tumultuous.

1 Kings i. 47.

UPSIDE.

1. הָפַּךְ־פָּנִים *Hophakh-poneem*, to turn the face.
2. עִוָּה *Ivvoh*, to pervert, invert.
3. עִוָּה־פָּנִים *Ivvoh-poneem*, to turn away the face.

1. 2 Kings xxi. 13.	Isa. xxix. 16, not in
2. Psalm cxlvi. 9.	original.
3. Isa. xxiv. 1.	

UPWARD.

1. לְמַעֲלָה *Lemāaloh*, upward, above.
2. יַגְבִּיהוּ עוּף *Yagbeehoo ooph*, will fly very high.
3. לְמָרוֹם *Lemmoroum*, on high.

1. In all passages, except:

2. Job v. 7.	3. Isa. xxxviii. 14.

URGED.

1. פָּצַר *Potsar*, to urge.
2. אָלַץ *Olats*, (Piel) to force, compel.

1. Gen. xxxiii. 11.	1. 2 Kings ii. 17.
2. Judg. xvi. 16.	1. —— v. 16.
1. —— xix. 7.	

URGENT.

1. חָזַק *Khozok*, strong.
2. מֶחְצִפָא *Makhtsepho* (Syriac), imperative, absolute.

1. Exod. xii. 33.	2. Dan. iii. 22.

URIM.

אוּרִים *Ooreem*, lights.

Exod. xxviii. 30.	1 Sam. xxviii. 6.
Lev. viii. 8.	Ezra ii. 63.
Numb. xxvii. 21.	Neh. vii. 65.
Deut. xxxiii. 8.	

US.

אֹתָנוּ *Outhonoo*, us.

נוּ *Noo*, affixed to the relative word, signifies, us.

USE, Subst.

1. מְלָאכָה *Melokhoh*, work, use.
2. עֲבוֹדָה *Avoudoh*, service, labour.

1. Lev. vii. 24.	2. 1 Chron. xxviii. 15.

USE.

1. אָמַר *Omar*, to say.
2. לָקַח *Lokakh*, to take.
3. מָשַׁל *Moshal*, to represent by a parable.
4. קָסַם *Kosam*, to divine.
5. רָבָה *Rovoh*, (Hiph.) to increase, multiply.
6. דָּמָה *Domoh*, to represent.
7. שׁוֹר נַגָּח *Shour nagokh*, a butting ox.
8. עָשָׂה *Osoh*, (Niph.) to be used.
9. עָשַׁק *Oshak*, to oppress.
10. רֵעָה *Raioh*, to befriend.
11. לִמֵּד *Limmud*, (Pual) taught.
12. כְּמִשְׁפָּט *Kemishpot*, according to justice, custom.
13. דִּבֵּר *Dibbair*, to speak.
14. עָבַד *Ovad*, (Hiph.) to cause to labour.
15. יָטַב *Yotav*, (Hiph.) to improve.
16. נָחַשׁ *Nokhash*, (Piel) to enchant.
17. כָּשַׁף *Koshaph*, (Piel) to bewitch.
18. וְהָיוּ לָךְ *Vehoyoo lekhō*, and they shall be unto thee.

16. Lev. xix. 26.	1. Jer. xxxi. 23.
18. Numb. x. 2.	5. — xlvi. 11.
—— xv. 39, not in	3. Ezek. xii. 23.
original.	3. —— xvi. 44.
1 Chron. xii. 2, not in	3. —— xviii. 2, 3.
original.	4. —— xxi. 21.
2. Jer. xxiii. 31.	

USED.

7. Exod. xxi. 36.	16. 2 Chron. xxxiii. 6.
8. Lev. vii. 24.	17. ———————— 6.
8. Judg. xiv. 10.	11. Jer. ii. 24.
10. —— 20.	9. Ezek. xxii. 29.
4. 2 Kings xvii. 17.	8. —— xxxv. 11.
16. —— xxi. 6.	6. Hos. xii. 10.

USEST.

12. Psalm cxix. 132.

USETH.

4. Deut. xviii. 10.	14. Jer. xxii. 13.
15. Prov. xv. 2.	3. Ezek. xvi. 44.
13. —— xviii. 23.	

USURY.

1. נֶשֶׁךְ *Neshekh*, biting; met., usury.
2. נָשַׁךְ *Noshakh*, (Hiph.) to bite; met., to practise usury.

UTT

3. מַשָּׁא *Mashō*, imposition.
4. נֹשֶׁה *Nousheh*, a usurer, oppressor.
5. נֹשֵׁא *Noushé*, the giver of usury.
6. נָשָׁה *Noshoh*, to defraud.

1. Exod. xxii. 25.	3. Neh. v. 7, 10.
1. Lev. xxv. 36, 37.	1. Psalm xv. 5.
2. Deut. xxiii. 19.	1. Prov. xxviii. 8.
1. —— 19.	4. Isa. xxiv. 2.
1. —— 19.	5. —— 2.
1. —— 19.	6. Jer. xv. 10.
2. —— 19.	1. Ezek. xviii. 8, 13, 17.
2. —— 20.	

USURER.

נֹשֶׁה *Nousheh*, a usurer, oppressor.

Exod. xxii. 25.

UTMOST.

1. תַּאֲוַת *Taavath*, the desire.
2. קָצֶה *Kotseh*, the end.
3. אַחֲרוֹן *Akharoun*, hindmost, last.

1. Gen. xlix. 26.	2. Jer. ix. 26.
2. Numb. xxii. 41.	2. — xxv. 23.
2. —— xxiii. 13.	2. — xlix. 32.
2. Deut. xxx. 4.	3. Joel ii. 20.
3. —— xxxiv. 2.	

UTTER.

1. נָגַד *Nogad*, (Hiph.) to declare.
2. דִּבֵּר *Dibbair*, to speak.
3. יָצָא *Yotso*, (Hiph.) to bring out, forth.
4. עָנָה *Onoh*, to express, answer.
5. הָגָה *Hogoh*, to meditate.
6. מִלֵּל *Millail*, to utter, pronounce.
7. נָבַע *Nova*, (Hiph.) to cause to flow, gush out.
8. פּוּחַ *Pooakh*, to breathe.
9. מָשַׁל *Moshal*, to represent by a parable.
10. נָתַן *Nothan*, to give, set, place.
11. בָּטָה *Bittoh*, to speak unadvisedly.
12. אָלַף *Olaph*, (Piel) to teach, render familiar.
13. אָמַר *Omar*, to say, tell.

1. Lev. v. 1.	3. Job viii. 10.
1. Josh. ii. 14, 20.	4. — xv. 2.
2. Judg. v. 12.	5. — xxvii. 4.

UTT

6. — xxxiii. 3.	3. —— v. 2.
7. Psalm lxxviii. 2.	2. Isa. xxxii. 6.
7. —— xciv. 4.	3. — xlviii. 20.
6. —— cvi. 2.	2. Jer. i. 16.
7. —— cxix. 171.	10. — xxv. 30.
7. —— cxlv. 7.	9. Ezek. xxiv. 3.
8. Prov. xiv. 5.	10. Joel ii. 11.
2. —— xxiii. 33.	10. —— iii. 16.
2. Eccles. i. 8.	10. Amos i. 2.

UTTERED.

11. Numb. xxx. 6, 8.	1. Job xlii. 3.
2. Judg. xi. 11.	10. Psalm xlvi. 6.
10. 2 Sam. xxii. 14.	2. —— lxvi. 14.
1. Job xxvi. 4.	10. Hab. iii. 10.

UTTERETH.

12. Job xv. 5.	3. Prov. xxix. 11.
7. Psalm xix. 2.	10. Jer. x. 13.
10. Prov. i. 20.	10. — li. 16.
13. —— 21.	2. Mic. vii. 3.
3. —— x. 18.	

UTTERING.

5. Isa. lix. 13.

UTTER, Adj.

1. אִישׁ־חֶרְמִי *Eesh-khermee*, the man I had devoted.
2. כָּלָה *Koloh*, a finish, end.
3. חֵרֶם *Kherem*, excommunication, expulsion.

1. 1 Kings xx. 42.	3. Zech. xiv. 11.
2. Nah. i. 8.	

UTTER, OUTER.

חִיצוֹן *Kheetsoun*, the outer part.

Ezek. x. 5.	Ezek. xlii. 1.

UTTERLY.

1. 　　 All passages not inserted are designated by the repetition of the relative verb.
2. אָסַף *Osaph*, to gather, bring in.
3. בָּאַשׁ *Boash*, (Hiph.) to cause to corrupt.
4. חָרַם *Khoram*, to excommunicate, expel.
5. נָטַל *Notal*, (Hoph.) to be cast away.

6.   כָּלִיל *Koleel*, wholly, entirely.

7.   כָּלָה *Koloh*, to make an end, finish.

8.   עַד־מְאֹד *Ad-meoud*, exceedingly.

9.   לְמַשְׁחִית *Lemashkheeth*, by the destroyer.

10. לֹא עֲשִׂיתָם כָּלָה *Lou aseethom koloh*, thou didst not make an end of them.

11. סָפוּ תַמּוּ *Sophoo tammoo*, they are utterly made an end of.

12.   פּוּר *Poor*, (Hiph.) to annul, make void.

13. שָׁאָה שְׁמָמָה *Shoŏh shemomoh*, desolated by desolation.

14.   כֻּלֹּה *Kullouh*, the whole of him.

All passages not inserted are N°. 1.

7. Lev. xxvi. 44.	11. Psalm lxxiii. 19.
4. Numb. xxi. 2.	12. —— lxxxix. 33.
4. Deut. iii. 6.	8. —— cxix. 8, 43.
4. —— vii. 2.	6. Isa. ii. 18.
4. —— xiii. 15.	13. — vi. 11.
4. Josh. xi. 20.	4. — xi. 15.
4. Judg. xxi. 11.	4. — xxxvii. 11.
3. —— xxvii. 12.	4. Jer. xxv. 9.
4. 1 Kings ix. 21.	4. — L. 21, 26.
4. 2 Kings xix. 11.	4. — li. 3.
4. 2 Chron. xx. 23.	9. Ezek. ix. 6.
10. Neh. ix. 31.	4. Dan. xi. 44.
5. Psalm xxxvii. 24.	14. Nah. i. 15.
	2. Zeph. i. 2.

UTTERLY destroy.
See Destroyed utterly.

UTTERMOST.

1.   אַחֲרוֹן *Akharoun*, hindmost, last.

2.   אַפְסֵי *Aphsai*, uttermost.

3.   כָּנָף *Konoph*, a wing.

4.   קָצֶה *Kotseh*, an end, corner.

5.   קִיצוֹנָה *Keetsounoh*, the last end, corner.

6.   אַחֲרִית *Akhareeth*, the latter end.

5. Exod. xxvi. 4.	4. 2 Kings vii. 5, 8.
5. —— xxxvi. 11, 17.	4. Neh. i. 9.
4. Numb. xi. 1.	2. Psalm ii. 8.
1. Deut. xi. 24.	4. —— lxv. 8.
4. Josh. xv. 1, 5, 21.	6. —— cxxxix. 9.
4. 1 Sam. xiv. 2.	4. Isa. vii. 18.
4. 1 Kings vi. 24.	3. — xxiv. 16.

V

VAGABOND.

נָד *Nod*, a wanderer.

Gen. iv. 12, 14.

VAGABONDS.

נוּעַ *Nooa* (repeated), moving they shall move.

Psalm cix. 10.

VAIL, VEIL.

1.   צָעִיף *Tsoeeph*, a cloak with a hood (for a female).

2.   פָּרֹכֶת *Poroukheth*, curtains that covered the mercy-seat.

3.   מַסְוֶה *Masveh*, the vail of Moses.

4.   מִטְפַּחַת *Mitpakhath*, a loose garment (for a female).

5.   רְדִיד *Redeed*, a robe.

6.   מַסֵּכָה *Massaikhoh*, a molten image.

1. Gen. xxiv. 65.	2. Lev. xxi. 23.
1. —— xxxviii. 14.	2. —— xxiv. 3.
2. Exod. xxvi. 31.	4. Ruth iii. 15.
3. —— xxxiv. 33, 35.	2. 2 Chron. iii. 14.
2. —— xxxvi. 35.	5. Cant. v. 7.
2. —— xl. 3.	6. Isa. xxv. 7.
2. Lev. xvi. 2, 15.	

VAILS.

רְדִידִים *Redeedeem*, robes.

Isa. iii. 23.

VAIN.

1.   שֶׁקֶר *Sheker*, a lie, falsehood.

2.   רֵק *Raik*, empty.

3.   תֹּהוּ *Touhoo*, void.

4.   הָבַל *Hoval*, (Hiph.) to become vain.

5.   דְּבַר־שְׂפָתַיִם *Devar-sephothoyim*, a word of the lips (vain words).

6.   שָׁוְא *Shove*, false.

7.   נָבוּב *Novoov*, hollow, empty.

8.   דַּעַת־רוּחַ *Dăath-rooakh*, knowledge of wind.

9.   הֶבֶל הֲבָלוֹ *Hevel havoloo*, to be vain after vanity.

10.   צֶלֶם *Tselem*, an image, shadow.

11.   סְעִפִּים *Sĕaipheem*, dissensions, deviations.

12.   דִּבְרֵי־רוּחַ *Divrai-rooakh*, words of wind.

13.   הֶבֶל *Hevel*, vanity.

14.   אָוֶן   *Oun*, iniquity.

15.   נִכְזָבָה   *Nikhzovoh*, failed, denied.

16.   חִנָּם   *Khinnom*, for nought, no purpose.

1. Exod. v. 9.	4. Psalm lxii. 10.
2. Deut. xxxii. 47.	6. —— cviii. 12.
2. Judg. ix. 4.	11. —— cxix. 113.
2. — xi. 3.	6. —— cxxvii. 2.
3. 1 Sam. xii. 21.	2. Prov. xii. 11.
2. 2 Sam. vi. 20.	2. —— xxviii. 19.
4. 2 Kings xvii. 15.	13. —— xxxi. 30.
5. —— xviii. 20.	13. Eccles. vi. 12.
2. 2 Chron. xiii. 7.	6. Isa. i. 13.
6. Job xi. 11.	5. — xxxvi. 5.
7. —— 12.	4. Jer. ii. 5.
8. — xv. 2.	14. — iv. 14.
12. — xvi. 3.	13. — x. 3.
9. — xxvii. 12.	4. — xxiii. 16.
2. Psalm ii. 1.	6. Lam. ii. 14.
6. —— xxvi. 4.	13. —— iv. 17.
1. —— xxxiii. 17.	6. Ezek. xii. 24.
10. —— xxxix. 6.	6. —— xiii. 7.
6. —— lx. 11.	6. Mal. iii. 14.

VAIN, in.

6. Exod. xx. 7.	13. Isa. xxx. 7.
2. Lev. xxvi. 16, 20.	3. — xlv. 18, 19.
6. Deut. v. 11.	2. — xlix. 4.
1. 1 Sam. xxv. 21.	13. —— 4.
13. Job ix. 29.	2. — lxv. 23.
13. — xxi. 34.	6. Jer. ii. 30.
13. — xxxv. 16.	1. — iii. 23.
2. — xxxix. 16.	6. — iv. 30.
15. — xli. 9.	6. — vi. 29.
13. Psalm xxxix. 6.	1. — viii. 8.
2. —— lxxiii. 13.	6. — xlvi. 11.
6. —— lxxxix. 47.	2. — l. 9.
6. —— cxxvii. 1, 2.	2. — li. 58.
6. —— cxxxix. 20.	16. Ezek. vi. 10.
16. Prov. i. 17.	13. Zech. x. 2.

VALE.

1.   עֵמֶק   *Aimek*, a deep valley, low ground.

2.   שְׁפֵלָה   *Shephailoh*, a low country, a plain.

1. Gen. xiv. 3, 8, 10.	2. 1 Kings x. 27.
1. —— xxxvii. 14.	2. 2 Chron. i. 15.
2. Deut. i. 7.	2. Jer. xxxiii. 13.
2. Josh. x. 40.	

VALIANT.

1.   חַיִל   *Khoyil*, valiant.

2.   גִּבּוֹר   *Gibbour*, mighty.

3.   בֶּן־חַיִל   *Ben-khayil*, a son of valour.

4.   גָּבַר   *Govar*, to overpower, conquer.

5.   גִּבּוֹר חַיִל   *Gibbour khayil*, mighty in valour.

6.   אַבִּיר   *Abbeer*, strong, firm.

7.   אֲרִיאֵל   *Ariail*, the lion of God, the name of the altar.*

* This word, lit., "the lion of God," is translated in Ezek. xliii. 16, "altar." According to the Book of Mishneh, Treatise of Middouth (i.e., measures), it is stated, it alludes to the golden altar before the mercy seat, Exod. xxx. 6; xl. 26.

All passages not inserted are N°. 1.

3. 1 Sam. xiv. 52.	3. 2 Chron. xxvi. 17.
3. —— xvi. 18.	2. Cant. iii. 7.
3. —— xviii. 17.	6. Isa. x. 13.
3. 2 Sam. ii. 7.	7. — xxxiii. 7.
5. 1 Chron. vii. 2.	4. Jer. ix. 3.
5. —— xi. 26.	7. — xlvi. 15.
5. —— xxviii. 1.	

VALIANTEST.

3. Judg. xxi. 10.

VALIANTLY.

1.   חַיִל   *Khoyil*, valiant.

2.   חָזַק   *Khozak*, (Hiph.) to show strength.

1. Numb. xxiv. 18.	1. Psalm cviii. 13.
2. 1 Chron. xix. 13.	1. —— cxviii. 15.
1. Psalm lx. 12.	

VALLEY.

1.   עֵמֶק   *Aimek*, a deep valley, low ground.

2.   בִּקְעָה   *Bikoh*, a small valley between mountains.

3.   גַּיְא   *Gai*, a dark valley.

4.   נַחַל   *Nokhal*, a valley with brooks.

5.   שְׁפֵלָה   *Shephailoh*, a low country, a plain.

6.   גֵּיאוֹת   *Gaioouth*, dark valleys.

All passages not inserted are N°. 1.

4. Gen. xxvi. 17, 19.	3. —— xviii. 16.
4. Numb. xxi. 12.	3. —— xix. 14, 27.
3. —————— 20.	4. Judg. xvi. 4.
4. —————— xxii. 9.	3. 1 Sam. xiii. 18.
4. Deut. i. 24.	4. —— xv. 5.
4. —— iii. 16.	3. —— xvii. 3, 52.
3. —————— 29.	3. 2 Sam. viii. 13.
3. —— iv. 26.	6. 2 Kings ii. 16.
4. Deut. xxi. 4, 6.	4. —— iii. 16, 17.
2. —— xxxiv. 3.	3. —— xiv. 7.
3. —————— 6.	3. —— xxiii. 10.
3. Josh. viii. 11.	3. 1 Chron. iv. 14, 39.
2. —— xi. 8, 17.	3. —— xviii. 12.
2. —— xii. 7.	3. 2 Chron. xiv. 10.
3. —— xv. 8.	3. —— xxv. 11.

3. —— xxvi. 9.	3. — xl. 4.
3. —— xxviii. 3.	2. — xli. 18.
3. —— xxxiii. 6.	2. — lxiii. 14.
4. 2 Chron. xxxiii. 14.	3. Jer. ii. 23.
2. —— xxxv. 22.	3. — vii. 31, 32.
3. Neh. ii. 13, 15.	3. — xix. 2, 6.
3. —— iii. 13.	3. — xxxii. 35.
3. —— xi. 30, 35.	2. Ezek. xxxvii. 1, 2.
4. Job xxi. 33.	3. —— xxxix. 11, 15.
3. Psalm xxiii. 4.	4. Joel iii. 18.
4. Prov. xxx. 17.	3. Mic. i. 6.
4. Cant. vi. 11.	2. Zech. xii. 11.
3. Isa. xxii. 1, 5.	3. —— xiv. 4, 5.
3. — xxviii. 4.	

VALLEYS.

4. Numb. xxiv. 6.	3. Isa. xxviii. 1.
2. Deut. viii. 7.	2. — xli. 18.
2. —— xi. 11.	4. — lvii. 5.
1. 1 Kings xx. 28.	1. Jer. xlix. 4.
4. Job xxx. 6.	6. Ezek. vi. 3.
1. — xxxix. 10.	6. —— vii. 16.
1. Psalm lxv. 13.	6. —— xxxi. 12.
2. —— civ. 8.	6. —— xxxii. 5.
4. —————— 10.	6. —— xxxv. 8.
1. Cant. ii. 1.	6. —— xxxvi. 4, 6.
1. Isa. xxii. 7.	

VALOUR.

חַיִל   *Khoyil,* valour, valiant, in all passages.

VALUE, no.

אֱלִיל   *Elil,* nought.

Job xiii. 4.

VALUE.

1. עָרַךְ   *Orakh,* to set in order, estimate, value.
2. סָלָה   *Soloh,* (Pual) to elevate, exalt.

1. Lev. xxvii. 8, 12.

VALUED.

1. Lev. xxvii. 16. | 2. Job xxviii. 16, 19.

VALUEST.

1. Lev. xxvii. 12.

VANISH.

1. דָּעַךְ   *Doakh,* to quench, extinguish.
2. מָלַח   *Molakh,* to melt away.
3. יָלַךְ   *Yolakh,* to go away, pass off.
4. סָרַח   *Sorakh,* to let loose.

1. Job vi. 17. | 2. Isa. li. 6.

VANISHED.

4. Jer. xlix. 7.

VANISHETH.

3. Job vii. 9.

VANITY.

1. הֶבֶל   *Hovel,* vanity.
2. אָוֶן   *Oven,* iniquity.
3. שָׁוְא   *Shove,* false.
4. תֹּהוּ   *Touhoo,* void.
5. בְּדֵי־רִיק   *Bedai-reek,* in much emptiness, in vain.
6. רִיק   *Reek,* empty.
7. שֶׁקֶר   *Sheker,* a lie, falsehood.

All passages not inserted are Nº. 1.

3. Job vii. 3.	3. Isa. xxx. 28.
3. — xv. 31, twice.	4. — xl. 17, 23.
2. —————— 35.	2. — xli. 29.
3. — xxxi. 5.	4. — xliv. 9.
3. — xxxv. 13.	2. — lviii. 9.
6. Psalm iv. 2.	4. — lix. 4.
2. —— x. 7.	7. Jer. xvi. 19.
3. —— xii. 2.	3. — xviii. 15.
3. —— xxiv. 4.	3. Ezek. xiii. 6, 8, 9, 23.
3. —— xli. 6.	3. —— xxi. 29.
3. —— cxix. 37.	3. —— xxii. 28.
3. —— cxliv. 8, 11.	3. Hos. xii. 11.
2. Prov. xxii. 8.	5. Hab. ii. 13.
3. —— xxx. 8.	2. Zech. x. 2.
3. Isa. v. 18.	

VANITIES.

הֲבָלִים   *Havoleem,* vanities, in all passages.

VAPOUR.

1. אֵד   *Aid,* a mist, steam.
2. קִיטֹר   *Keettour,* a vapour.
3. עוֹלֶה   *Ouleh,* ascending.

1. Job xxxvi. 27. | 2. Psalm cxlviii. 8.
3. —————— 33. |

VAPOURS.

נְשִׂאִים   *Nesieem,* a lifting up; met., clouds.

Psalm cxxxv. 7. | Jer. li. 16.
Jer. x. 13. |

VAUNT.

פָּאַר *Poar*, (Hith.) to boast, glorify himself.

Judg. vii. 2.

VEHEMENT.

1. יָה *Yoh*, Jah, a name of Jehovah.
2. חֲרִישִׁית *Khareesheeth*, sultry, dry, scorching.

1. Cant. viii. 6. | 2. Jonah iv. 8.

VEIN.

מוֹצָא *Moutso*, a flowing out, going out, running over.

Job xxviii. 1.

VENGEANCE.

נָקָם *Nokom*, vengeance, in all passages.

VENISON.

צַיִד *Tsoyid*, venison, game.

Gen. xxv. 28.
—— xxvii. 3, 7, 19, 25, 31, 33.

VENOM.

ראֹשׁ *Roush*, bitter, wormwood.

Deut. xxxii. 33.

VENT.

פֶּתַח *Pethakh*, an opening.

Jŏb xxxii. 19.

VENTURE.

לְתֻמּוֹ *Letummou*, according to his simplicity.

1 Kings xxii. 34. | 2 Chron. xviii. 33.

VERIFIED.

אָמַן *Oman*, to act faithfully, be firm.

Gen. xlii. 20. | 2 Chron. vi. 17.
1 Kings viii. 26. |

VERILY.

1. אֲבָל *Avol*, indeed, truly, verily.
2. אַךְ *Akh*, but, surely, only.
3. אָמַר־אָמַר *Omar-omar*, to say, to say.
4. קָנֹה־קָנָה *Konoh-konoh*, to possess.
5. אֱמוּנָה *Emoonoh*, faithful, firm.
6. אָכֵן *Okhain*, thus, certainly.
7. אִם־לֹא *Im-lou*, if not, yea.

1. Gen. xlii. 21.	5. Psalm xxxvii. 3.
2. Exod. xxxi. 13.	2. —— xxxix. 5.
3. Judg. xv. 2.	2. —— lviii. 11.
1. 1 Kings i. 43.	6. —— lxvi. 19.
1. 2 Kings iv. 14.	2. —— lxxiii. 13.
4. 1 Chron. xxi. 24.	6. Isa. xlv. 15.
2. Job xix. 13.	7. Jer. xv. 11.

VERITY.

אֱמֶת *Emeth*, true, truth.

Psalm cxi. 7.

VERMILION.

שָׁשַׁר *Shoshar*, vermilion.

Jer. xxii. 14. | Ezek. xxiii. 14.

VERY.

1. זֶה *Zeh*, this, thus.
2. אוּלָם *Oulom*, truly.
3. מְאֹד *Meoud*, very, exceedingly.
4. וַיֵּדַע אֶל־נָכוֹן *Vayaida el-nokhoun*, and he knew perfectly.
5. רָשַׁע *Rosha*, (Hiph.) to cause wickedness.
6. חָבַל־חָבַל *Khoval-khoval*, to twist, destroy.
7. עַד *Ad*, until, unto.
8. ‡ An expressive accent over "heavens."
9. הוּא *Hoo*, the same.
10. בְּדֵי־אֵשׁ *Bedai-aish*, in much fire.
11. בְּדֵי־רִיק *Bedai-reek*, in much emptiness, in vain.

1. Gen. xxvii. 21.	5. 2 Chron. xx. 35.
2. Exod. ix. 16.	6. Neh. i. 7.
3. Numb. xii. 3.	Psalm v. 9, not in
3. Deut. xxx. 14.	original.
2. 1 Sam. xxv. 34.	—— xxxv. 8, not in
4. —— xxvi. 4.	original.
3. 2 Sam. xxiv. 10.	7. —— lxxi. 19.

VEX (continued)

8. —— lxxxix. 2.
3. —— xcii. 5.
3. —— xciii. 5.
3. —— cxix. 138, 140.
9. —— cxlvi. 4.
7. Psalm cxlvii. 15.
Isa. x. 25, not in original.
— xxix. 17, not in original.
— xxxiii. 17, not in original.

— xl. 15, not in original.
3. Jer. ii. 12.
— iv. 19, not in original.
Ezek. ii. 3, not in original.
—— xvi. 47, not in original.
10. Hab. ii. 13.
11. —— 13.

VERY great, much.

מְאֹד **Meoud**, exceedingly, in all passages.

VESSEL.

כְּלִי **Kailee**, a vessel, in all passages.

VESSELS.

כֵּלִים **Kaileem**, vessels, in all passages.

VESTMENTS.

לְבוּשׁ **Levoosh**, garments, clothing, apparel.

2 Kings x. 22.

VESTRY.

מֶלְתָּחָה **Meltokhoh**, the wardrobe.

2 Kings x. 22.

VESTURE -S.

1. בְּגָדִים **Begodeem**, garments.
2. כְּסוּת **Kesooth**, a vesture.
3. לְבוּשׁ **Levoosh**, garments, clothing, apparel.

1. Gen. xli. 42.
2. Deut. xxii. 12.
3. Psalm xxii. 18.
3. —— cii. 26.

VEX.

1. יָנָה **Yonoh**, to depress.
2. צָרַר **Tsorar**, to oppress.
3. עָשָׂה־רָעָה **Osoh-rooh**, to do evil.
4. הָמַם **Homam**, to confuse.
5. יָגָה **Yogoh**, to afflict.
6. בָּהַל **Bohal**, to terrify.
7. קוּץ **Koots**, to vex.
8. כָּעַס **Koas**, to provoke to anger.
9. רוּעַ **Rooa**, to do evil.
10. דָּחַק **Dokhak**, to push, thrust.

---

11. רָעַע **Roats**, to provoke.
12. קָצַר **Kotsar**, to shorten.
13. רָשַׁע **Rosha**, (Hiph.) to cause wickedness.
14. מָרַר **Morar**, to embitter.
15. עָצַב **Otsav**, (Piel) to grieve.

1. Exod. xxii. 21.
2. Lev. xviii. 18.
1. —— xix. 33.
2. Numb. xxv. 17, 18.
2. —— xxxiii. 55.
3. 2 Sam. xii. 18.
4. 2 Chron. xv. 6.
5. Job xix. 2.
6. Psalm ii. 5.
7. Isa. vii. 6.
2. — xi. 13.
8. Ezek. xxxii. 9.
7. Hab. ii. 7.

VEXED.

9. Numb. xx. 15.
10. Judg. ii. 18.
11. —— x. 8.
12. —— xvi. 16.
13. 1 Sam. xiv. 47.
2. 2 Sam. xiii. 2.
14. 2 Kings iv. 27.
2. Neh. ix. 27.
14. Job xxvii. 2.
6. Psalm vi. 2, 3, 10.
15. Isa. lxiii. 10.
4. Ezek. xxii. 5.
1. —— 7, 29.

VEXATION.

1. מְהוּמָה **Mehoomoh**, confusion.
2. רַעְיוֹן **Raayoun**, / the wish, desire,
רְעוּת **Reooth**, \ purpose.
3. מוּצָק **Mootsok**, distress.
4. זְוָעָה **Zevooh**, agitation, commotion.
5. שֶׁבֶר **Shever**, a shivering, breaking.

1. Deut. xxviii. 20.
2. Eccles. i. 14, 17.
2. —— ii. 11, 17, 22, 26.
2. —— iv. 4, 6, 16.
2. Eccles. vi. 9.
3. Isa. ix. 1.
4. — xxviii. 19.
5. — lxv. 14.

VEXATIONS.

1. 2 Chron. xv. 5.

VIAL.

פַּךְ **Pakh**, a flask.

1 Sam. x. 1.

VICTORY.

1. תְּשׁוּעָה **Teshoooh**, salvation, help, safety.
2. נֵצַח **Netsakh**, perpetuity, eternity.
3. יֵשַׁע **Yesha**, (Hiph.) safety, help.

1. 2 Sam. xix. 2.
1. —— xxiii. 10, 12.
2. 1 Chron. xxix. 11.
3. Psalm xcviii. 1.
2. Isa. xxv. 8.

VICTUALS.

1. אֹכֶל **Oukhel**, food, victuals.

2.   צֵדָה   *Tsaidoh,* provision.

3.   מִחְיָה   *Mikhyoh,* nourishment.

4.   כַּלְכֵּל   *Kalkail,* sustenance.

5.   לֶחֶם   *Lekhem,* bread.

6.   שֶׁבֶר   *Shever,* a breaking ; met., grain, corn.

7.   אֲרוּחָה   *Arookhoh,* an accustomed portion.

1. Gen. xiv. 11.	2. 1 Sam. xxii. 10.
2. Exod. xii. 39.	4. 1 Kings iv. 7, 27.
1. Lev. xxv. 37.	5. —— xi. 18.
1. Deut. xxiii. 19.	6. Neh. x. 31.
2. Josh. i. 11.	2. —— xiii. 15.
2. —— ix. 11, 14.	7. Jer. xl. 5.
3. Judg. xvii. 10.	5. — xliv. 17.

VIEW.

1.   רָגַל   *Rogal,* to walk about, view.

2.   נֶגֶד   *Neged,* opposite.

3.   שׁוֹבֵר   *Shouvair,* breaking through.

4.   בִּין   *Been,* to understand.

1. Josh. ii. 1.	2. 2 Kings ii. 7, 15.
1. —— vii. 2.	

VIEWED.

1. Josh. vii. 2.	3. Neh. ii. 13, 15.
4. Ezra viii. 15.	

VILE.

1.   קָלַל   *Kolal,* to be light, worthless.

2. דְּבַר הַנְּבָלָה   *Devar hanevoloh,* so villainous a thing.

3.   מִבְזֶה   *Mivzoh,* despicable.

4.   טָמַן   *Toman,* to be hidden, put out of sight.

5.   זוֹלֵל   *Zoulail,* a glutton.

6.   שׁוֹעֵר   *Shouair,* detestable.

1. Deut. xxv. 3.	2. Isa. xxxii. 5, 6.
2. Judg. xix. 24.	5. Jer. xv. 19.
1. 1 Sam. iii. 13.	6. — xxix. 17.
3. —— xv. 9.	5. Lam. i. 11.
1. 2 Sam. vi. 22.	3. Dan. xi. 21.
4. Job xviii. 3.	1. Nah. i. 14.
1. — xl. 4.	1. —— iii. 6.
3. Psalm xv. 4.	

VILELY.

נָעַל   *Goal,* vilely.

2 Sam. i. 21.

VILER.

נִכָּאוּ   *Nikkoo,* they were smitten.

Job xxx. 8.

VILEST.

זָלּוּת   *Zullooth,* luxuriousness, voluptuousness.

Psalm xii. 8.

VILLAGES.

1.   חֲצֵרִים   *Khatsaireem,* courts, courtyards.

2.   פְּרָזוֹת   *Pĕrozouth,* open places, towns.

3.   כֹּפֶר   *Koupher,* a village.

4.   כְּפָרִים   *Kephoreem,* villages.

1. Exod. viii. 13.	4. Neh. vi. 2.
1. Lev. xxv. 31.	2. Esth. ix. 19.
2. Judg. v. 7.	4. Cant. vii. 11.
3. 1 Sam. vi. 18.	2. Ezek. xxxviii. 11.
4. 1 Chron. xxvii. 25.	2. Hab. iii. 14.

VILLANY.

נְבָלָה   *Nevoloh,* villany.

Isa. xxxii. 6.	Jer. xxix. 23.

VINE.

1.   גֶּפֶן   *Gephen,* a vine.

2.   זְמוֹרָה   *Zemouroh,* a vine branch.

3.   שׂוֹרֵק   *Souraik,* a choice vine.

1. Gen. xlix. 11.	3. Jer. ii. 21.
3. —— 11.	1. —— 21.
3. Isa. v. 2.	2. Nah. ii. 2.

VINES.

1.   גֶּפֶן   *Gephen,* a vine.

2.   כְּרָמִים   *Keromeem,* vineyards.

3.   גְּפָנִים   *Gephoneem,* vines.

1. In all passages, except:

3. Cant. ii. 13.	2. Jer. xxxi. 5.
2. —— 15.	3. Hab. iii. 17.

VINE -dressers.

כֹּרְמִים   *Kourmeem,* vine-dressers.

2 Kings xxx. 12.	Jer. lii. 16.
2 Chron. xxvi. 10.	Joel i. 11.
Isa. lxi. 5.	

VINE -tree.

מִגֶּפֶן הַיַּיִן   *Migephen hayayin,* from the vine of the wine.

Numb. vi. 4.	Judg. xiii. 14.

VINE, undressed.

נָזִיר Nozeer, set apart, consecrated.

Lev. xxv. 5, 11.

VINEGAR.

חֹמֶץ Khoumets, vinegar.

Numb. vi. 3.	Prov. x. 26.
Ruth ii. 14.	—— xxv. 20.
Psalm lxix. 21.	

VINEYARD.

1. כֶּרֶם Kerem, a vineyard.
2. כַּנָּה Kannoh, a foundation, root.

1. In all passages, except:
2. Psalm lxxx. 15.

VINEYARDS.

כְּרָמִים Keromeem, vineyards, in all passages.

VINTAGE.

1. בָּצִיר Botseer, a vintage.
2. כֶּרֶם Kerem, a vineyard.

1. In all passages, except:
2. Job xxiv. 6.

VIOL.

נֶבֶל Nevel, a viol.

Isa. v. 12.	Amos vi. 5.

VIOLS.

נְבָלִים Nevoleem, viols.

Isa. xiv. 11.	Amos v. 23.

VIOLATED.

חָמְסוּ Khomsoo, they did violate.

Ezek. xxii. 26.

VIOLENCE.

1. חָמָס Khomos, violence.
2. גָּזַל Gozal, to rob.
3. יָנָה Yonoh, to defraud.
4. עָשׁוּק Oshook, to oppress.
5. מְרוּצָה Merootsoh, an incursion.
6. בִּגְזֹל Begozail, by robbing.
7. גְּזֵלָה Gezailoh, a robbery.
8. גְּזֵלוֹת Gezailouth, robberies.

1. In all passages, except:

6. Lev. vi. 2.	7. Ezek. xviii. 7.
4. Prov. xxviii. 17.	8. —— 12.
3. Jer. xxii. 3.	7. —— 16, 18.
5. —— 17.	2. Mic. ii. 2.

VIOLENT.

1. חָמָס Khomos, violence.
2. גְּזֵלָה Gezailoh, a robbery.
3. עָרִיצִים Oreetseem, the terrible.
4. חֲמָסִים Khamoseem, violences.

4. 2 Sam. xxii. 49.	4. Psalm cxl. 1, 4.
1. Psalm vii. 16.	1. —— 11.
1. —— xviii. 48.	1. Prov. xvi. 29.
3. —— lxxxvi. 14.	2. Eccles. v. 8.

VIOLENTLY.

1. גָּזַל Gozal, to rob.
2. חָמַס Khomas, to act violently.
3. צָנַף Tsonaph (repeated), to turn about.

1. Gen. xxi. 25.	1. Job xxiv. 2.
1. Lev. vi. 4.	3. Isa. xxii. 18.
1. Deut. xxviii. 31.	2. Lam. ii. 6.
1. Job xx. 19.	

VIPER.

אֶפְעֶה Epheh, a whisperer; met., a viper.

Job xx. 16.	Isa. lix. 5.
Isa. xxx. 6.	

VIRGIN.

1. בְּתוּלָה Bethooloh, a virgin.
2. עַלְמָה Almoh, a damsel, virgin.

1. In all passages, except:

2. Gen. xxiv. 43.	2. Isa. vii. 14.

VIRGINS.

1. In all passages, except:

2. Cant. i. 3.	2. Cant. vi. 8.

VIRGINITY.

בְּתוּלִים Bethooleem, virginity.

Lev. xxi. 13.	Judg. xi. 37, 38.
Deut. xxii. 15, 17, 20.	Ezek. xxiii. 3, 8.

VIRTUOUS.

חַיִל Khayil, valiant, virtuous.

Ruth iii. 11.	Prov. xxxi. 10.
Prov. xii. 4.	

VIRTUOUSLY.

חָיִל Khoyil, valiantly, virtuously.

Prov. xxxi. 29.

VISAGE.

1. מַרְאֶה *March,* countenance, appearance.
2. תֹּאַר *Touar,* shape, form, appearance.
3. אַנְפָּה *Anphoh* (Syriac), face.

1. Isa. lii. 14.	3. Dan. iii. 19.
2. Lam. iv. 8.	

VISION.

1. { מַחֲזֶה *Makhzeh,*
חָזוֹן *Khozoun,*
חֶזְוִי *Khezvai* (Chaldee), } a vision.
2. מַרְאֶה *Mareh,* appearance, countenance.
3. בִּרְאֶה *Borouch,* in seeing.

All passages not inserted are N°. 1.

2. Numb. xii. 6.	2. Ezek. xliii. 3.
3. 1 Sam. iii. 15.	2. Dan. viii. 16, 26, 27.
3. Isa. xxviii. 7.	2. —— ix. 23.
2. Ezek. viii. 4.	2. —— x. 1, 7, 8, 16.
2. —— xi. 24.	

VISIONS.

1. חֶזְיוֹנוֹת *Khezyounouth,* visions.
2. מַרְאוֹת *Marouth,* appearances, countenances.
3. בִּרְאוֹת *Birĕouth,* in the seeings.

All passages not inserted are N°. 1.

2. Gen. xlvi. 2.	2. Ezek. viii. 3.
3. 2 Chron. xxvi. 5.	2. —— xl. 2.
2. Ezek. i. 1.	2. —— xliii. 3.

VISIT -ED -EST -ETH -ING.

פָּקַד *Pokad,* to visit, in all passages.

VISITATION.

פְּקוּדָה *Pekoodoh,* visitation, in all passages.

VOICE.

קוֹל *Koul,* a voice; in all passages, except:

רְנָנָה *Renonoh,* a joyful singing.
Job iii. 7.

VOICES.

קוֹלוֹת *Koulouth,* voices, in all passages.

VOID.

1. בֹּהוּ *Bouhoo,* confused.
2. פּוּר *Poor,* to annul.
3. אָבַד *Ovad,* to lose.
4. גֹּרֶן *Gouren,* a barn, threshing-floor.
5. נָאַר *Niair,* to make void.
6. חֲסַר־לֵב *Khasar-laiv,* destitute of heart.
7. רֵיקָם *Raikom,* empty, in vain.
8. בָּקַה *Bokoh,* to empty.

1. Gen. i. 2.	2. Psalm cxix. 126.
2. Numb. xxx. 12, 15.	6. Prov. xi. 12.
3. Deut. xxxii. 28.	7. Isa. lv. 11.
4. 1 Kings xxii. 10.	1. Jer. iv. 23.
4. 2 Chron. xviii. 9.	8. —— xix. 7.
5. Psalm lxxxix. 39.	8. Nah. ii. 10.

VOID of understanding.

See Understanding, void of.

VOLUME.

מְגִלָּה *Megilloh,* a roll.
Psalm xl. 7.

VOLUNTARY.

1. רָצוֹן *Rotsoun,* will.
2. נְדָבָה *Nedovoh,* free-will.

1. Lev. i. 3.	2. Ezek. xlvi. 12.
2. —— vii. 16.	

VOLUNTARILY.

2. Ezek. xlvi. 12.

VOMIT -ED -ETH.

קִיא *Kee,* to vomit, in all passages.

VOMIT, Subst.

קִיא *Kee,* to vomit, in all passages.

VOW -ED -EST -ETH.

נָדַר *Nodar,* to vow, in all passages.

VOW.

נֶדֶר *Neder,* a vow, in all passages.

VOWS.

נְדָרִים *Nĕdoreem,* vows, in all passages.

VULTURE.

1. דָּאָה *Dooh,* }
2. דַּיָּה *Dayoh,* } a vulture.
3. אַיָּה *Ayoh,* a kite.

1. Lev. xi. 14.	3. Job xxviii. 7.
2. Deut. xiv. 13.	2. Isa. xxxiv. 15.

W

WAFER.

רָקִיק *Rokeek,* a wafer.

Exod. xxix. 23.	Numb. vi. 19.
Lev. viii. 26.	

WAFERS.

1. רְקִיקִים *Rekeekeem,* wafers.
2. צַפִּיחִת *Tsappeekhith,* a cake.

2. Exod. xvi. 31.	1. Lev. ii. 4, 7, 12.
1. —— xxix. 2.	1. Numb. vi. 15.

WAG.

נוּד *Nood,* to move to and fro, shake.

Jer. xviii. 16.	Zeph. ii. 15.
Lam. ii. 15.	

WAGES.

1. שָׂכָר *Sokhor,* reward, wages, hire.
2. חִנָּם *Khinom,* for nought, without wages.

1. Gen. xxix. 15.	2. Jer. xxii. 13.
1. —— xxx. 28.	1. Ezek. xxix. 18, 19.
1. —— xxxi. 7, 41.	1. Hag. i. 6.
1. Exod. ii. 9.	1. Mal. iii. 5.
1. Lev. xix. 13.	

WAGGON.

עֲגָלָה *Agoloh,* a waggon.

Numb. vii. 3.

WAGGONS.

1. עֲגָלוֹת *Agolouth,* waggons.
2. רֶכֶב *Rekhev,* a chariot.

1. Gen. xlv. 19, 21, 27.	2. Ezek. xxiii. 24.
1. Numb. vii. 7, 8.	

WAIL.

1. נָהָה *Nohoh,* to lament.
2. סָפַד *Sophad,* to wail, mourn.

1. Ezek. xxxii. 18.	2. Mic. i. 8.

WAILING.

1. מִסְפֵּד *Mispaid,* a mourning, wailing.
2. נְהִי *Nehee,* lamentation.

1. Esth. iv. 3.	1. Ezek. xxvii. 31.
2. Jer. ix. 10, 18, 19, 20.	1. Amos v. 16, 17.
2. Ezek. vii. 11.	1. Mic. i. 8.

WAIT.

1. צְדִיָּה *Tsediyoh,* laying in wait.
2. אֹרֵב *Ouraiv,* an ambush.

1. Numb. xxxv. 20, 22.	2. Jer. ix. 8.

WAIT.

1. קִוָּה *Kivvoh,* to trust, hope.
2. שָׁמַר *Shomar,* to watch, keep, observe.
3. לִצְבֹא צָבָא *Litsvou tsovo,* to gather into a host.
4. יָחַל *Yokhal,* to expect, wait in expectation of.
5. לְיַד *Leyad,* by the hand of.
6. חִגֵּל *Khool,* (Piel) to entreat, supplicate.
7. { דָּמַם *Domam,* } to be silent.
   { דוּם *Doom,* }
8. שִׂבֵּר *Sibbair,* to expect, wait for.
9. חִכָּה *Khikkoh,* to wait.
10. עָמַד *Omad,* to stand, stay.
11. וַתְּהִי לְפָנַי *Vatehee liphnai,* and she was before the face of.
12. צָפוּ *Tsophoo,* he is watched for.

2. Numb. iii. 10.	1 Psalm lvi. 6.
3. —— viii. 24.	2. —— lix. 9.
4. 2 Kings vi. 33.	7. —— lxii. 5.
5. 1 Chron. xxiii. 28.	4. —— lxix. 3.
2. 2 Chron. v. 11.	1. ———— 6.
2. —— xiii. 10.	8. —— civ. 27.
4. Job xiv. 14.	1. —— cxxx. 5.
1. —— xvii. 13.	8. —— cxlv. 15.
1. Psalm xxv. 3, 5, 21.	1. Prov. xx. 22.
1. —— xxvii. 14.	9. Isa. viii. 17.
6. —— xxxvii. 7.	9. — xxx. 18.
1. —————— 9, 34.	4. — xl. 31.
1. —— xxxix. 7.	4. — xlii. 4.
1. —— lii. 9.	1. — xlix. 23.

1. Isa. li. 5.
1. — lix. 9.
1. — lx. 9.
1. Jer. xiv. 22.
1. Lam. iii. 25.
7. ——— 26.

9. Hos. vi. 9.
1. ——— xii. 6.
4. Mic. vii. 7.
9. Hab. ii. 3.
9. Zeph. iii. 8.

(See LAY and LAID wait, LIE and LIERS in wait.)

WAITED.

1. Gen. xlix. 18.
10. 1 Kings xx. 38.
11. 2 Kings v. 2.
10. 1 Chron. vi. 32, 33.
10. 2 Chron. vii. 6.
10. Neh. xii. 44.
1. Job vi. 19.
12. — xv. 22.
4. — xxix. 21, 23.
4. — xxx. 26.

9. Job xxxii. 4.
1. Psalm xl. 1.
9. ——— cvi. 13.
1. ——— cxix. 95.
1. Isa. xxv. 9, twice.
1. — xxvi. 8.
1. — xxxiii. 2.
4. Ezek. xix. 5.
6. Mic. i. 12.
2. Zech. xi. 11.

WAITETH.

2. Job xxiv. 15.
9. Psalm xxxiii. 20.
7. ——— lxii. 1.
7. ——— lxv. 1.

2. Prov. xxvii. 18.
9. Isa. lxiv. 4.
9. Dan. xii. 12.
4. Mic. v. 7.

WAITING.

3. Numb. viii. 25. | 2. Prov. viii. 34.

WAKE.

1. קוּץ *Koots*, to awake out of sleep.
2. עוּר *Oor*, to startle, arouse.
3. שָׁקַד *Shokad*, to hasten.
4. שָׁמַר *Shomar*, to watch.

1. Psalm cxxxix. 18. | 2. Joel iii. 9.
1. Jer. li. 39.

WAKED.

2. Zech. iv. 1.

WAKENED.

2. Joel iii. 12. | 2. Zech. iv. 1.

WAKENETH.

2. Isa. L. 4.

WAKETH.

3. Psalm cxxvii. 1. | 2. Cant. v. 2.

WAKING.

4. Psalm lxxvii. 4.

WALK, Subst.

1. מַהֲלָךְ *Mehalokh*, a journey, walk.
2. בַּהֲלִכוֹתָם *Bahalikhouthom*, in their goings.

1. Ezek. xlii. 4. | 2. Nah. ii. 5.

WALK -ED -ETH -ING.

1. { הָלַךְ *Holakh*, } to walk.
   { יָלַךְ *Yolakh*, }
2. דָּרַךְ *Dorakh*, (Hiph.) to cause to tread, step.
3. סָבַב *Sovav*, to compass about, surround, go round.

1. In all passages, except:

3. Psalm xlviii. 12. | 2. Hab. iii. 15, 19.

WALL.

1. חוֹמָה *Khoumoh*, a circumvallation wall.
2. כֹּתֶל *Kouthel*, a partition wall.
3. קִיר *Keer*, a wall.
4. שׁוֹר *Shour*, an ox.
5. שׁוּר *Shoor*, a lofty, conspicuous wall.
6. גְּדֵר *Godair*, a boundary wall.
7. חֵל *Khail*, a bulwark.
8. אֻשַּׁרְנָא *Usharno* (Chaldee), a lofty wall.
9. חָרוּץ *Khoroots*, sharp points; met., palisade.
10. חַיִץ *Khayits*, a slight wall.

All passages not inserted are Nº. 1.

4. Gen. xlix. 6.
5. ——— 22.
3. Lev. xiv. 37.
6. Numb. xxii. 24.
3. ——— 25.
3. 1 Sam. xviii. 11.
3. ——— xix. 10.
3. ——— xx. 25.
3. ——— xxv. 22, 34.
5. 2 Sam. xxii. 30.
3. 1 Kings iv. 33.
3. ——— xiv. 10.
3. ——— xvi. 11.
3. ——— xx. 30.
3. ——— xxi. 21.
7. ——— 23.
3. 2 Kings iv. 10.
3. ——— ix. 8, 33.
3. ——— xx. 2.
8. Ezra v. 3.
6. ——— ix. 9.

5. Psalm xviii. 29.
3. ——— lxii. 3.
6. Prov. xxiv. 31.
2. Cant. ii. 9.
6. Isa. v. 5.
3. — xxv. 4.
3. — xxxviii. 2.
3. — lix. 10.
3. Ezek. iv. 3.
3. ——— viii. 7, 8, 10.
3. ——— xii. 5.
10. ——— xiii. 10.
3. ——— 12, 15.
3. ——— xli. 5.
3. ——— xliii. 8.
2. Dan. v. 5.
9. ——— ix. 25.
6. Hos. ii. 6.
3. Amos v. 19.
3. Hab. ii. 11.

WALLS.

All passages not inserted are N°. 1.

3. Lev. xiv. 37, 39.	3. Isa. xxii. 5.
3. 1 Kings vi. 15.	5. Jer. v. 10.
5. Ezra iv. 13, 16.	3. Ezek. xxxiii. 30.
2. —— v. 8.	6. Mic. vii. 11.
5. Job xxiv. 11.	Zech. ii. 4, not in
7. Psalm cxxii. 7.	original.

WALLED.

1. חוֹמָה *Khoumoh*, a wall of circumvallation.

2. בְּצֻרוֹת *Betsurouth*, fortified.

1. Lev. xxv. 29, 30.	2. Deut. i. 28.
2. Numb. xiii. 28.	

WALLOW.

1. פָּלַשׁ *Polash*, (Hith.) to roll thyself in dust.

2. סָפַק *Sophak*, to wallow.

3. גָּלַל *Golal*, (Hith.) was rolling himself.

1. Jer. vi. 26.	2. Jer. xlviii. 26.
1. — xxv. 34.	1. Ezek. xxvii. 30.

WALLOWED.

3. 2 Sam. xx. 12.

WANDER.

1. תָּעָה *Tooh*, to go astray, err.
2. רָעָה *Rooh*, to feed.
3. שָׁגָה *Shogoh*, (Hiph.) to mislead.
4. נוּעַ *Nooa*, to move about.
5. הָלַךְ *Holakh*, to walk.
6. נוּד *Nood*, to wander.
7. צָעָה *Tsooh*, to destroy.
8. הִתְעוּ אֹתִי *Hithoo outhee*, they caused me to go astray, wander.

8. Gen. xx. 13.	4. Psalm lix. 15.
2. Numb. xiv. 33.	1. —— cvii. 40.
4. —— xxxii. 13.	3. —— cxix. 10.
3. Deut. xxvii. 18.	1. Isa. xlvii. 15.
1. Job xii. 24.	4. Jer. xiv. 10.
1. — xxxviii. 41.	7. — xlviii. 12.
6. Psalm lv. 7.	4. Amos viii. 12.

WANDERED.

1. Gen. xxi. 14.	4. Lam. iv. 14.
5. Josh. xiv. 10.	3. Ezek. xxxiv. 6.
1. Psalm cvii. 4.	4. Amos iv. 8.
1. Isa. xvi. 8.	

WANDEREST.

7. Jer. ii. 20.

WANDERETH.

6. Job xv. 23.	6. Isa. xvi. 3.
1. Prov. xxi. 16.	6. Jer. xlix. 5.
6. —— xxvii. 8, twice.	

WANDERING.

1. Gen. xxxvii. 15.	5. Eccles. vi. 9.
6. Prov. xxvi. 2.	6. Isa. xvi. 2.

WANDERINGS.

6. Psalm lvi. 8.

WANDERERS.

1. צֹעִים *Tsoueem*, destroyers.
2. נֹדְדִים *Noudedeem*, wanderers.

1. Jer. xlviii. 12.	2. Hos. ix. 17.

WANT.

1. חֹסֶר *Khouser*, want.
2. מִבְּלִי *Mibbĕlee*, want of.
3. בְּלֹא *Belou*, without.
4. אֶפֶס *Ephes*, deficiency.

1. Deut. xxviii. 48, 57.	1. Prov. x. 21.
1. Judg. xviii. 10.	3. —— xiii. 23.
1. —— xix. 19.	4. —— xiv. 28.
2. Job xxiv. 8.	1. —— xxi. 5.
1. — xxx. 3.	1. —— xxii. 16.
2. — xxxi. 19.	1. —— xxiv. 34.
1. Psalm xxxiv. 9.	1. Amos iv. 6.
1. Prov. vi. 11.	

WANTS.

1. Judg. xix. 20.

WANT, Verb.

1. חָסַר *Khosar*, to want, lack.
2. פָּקַד *Pokad*, to visit.
3. כָּרַת *Korath*, (Niph.) to be cut off.
4. חָדַל *Khodal*, to spare, avoid.
5. לֹא *Lou*, not.
6. חֶסְרוֹן *Khesroun*, defective, imperfect.
7. חַסִיר *Khaseer* (Syriac), deficient, wanting.

1. Psalm xxiii. 1.	3. Jer. xxxiii. 17, 18.
1. —— xxxiv. 10.	3. — xxxv. 19.
1. Prov. xiii. 25.	1. Ezek. iv. 17.
2. Isa. xxxiv. 16.	

WANTED.
1. Jer. xliv. 18.

WANTETH.

1. Deut. xv. 8.	1. Prov. xxviii. 16.
1. Prov. ix. 4, 16.	1. Eccles. vi. 2.
4. —— x. 19.	1. Cant. vii. 2.

WANTING.

2. 2 Kings x. 19.	6. Eccles. i. 15.
5. Prov. xix. 7.	7. Dan. v. 27.

WANTON.
מְשַׂקְּרוֹת *Měsakrouth*, winking.

Isa. iii. 16.

WAR -S.
מִלְחָמָה *Milkhomoh*, war, battle, in all
passages.

WAR man.
See Man of War.

WAR, Verb.
1. מִלְחָמָה *Milkhomoh*, to war.
2. לָחַם *Lokham*, to fight.
3. צָבָא *Tsovo*, to assemble in troops for
war.

1. In all passages.

WARRED -ING.
2. In all passages, except :
3. Numb. xxxi. 7.

WARRIOR -S.
1. סֹאֵן *Souain*, a warrior.
2. עֹשֵׂה מִלְחָמָה *Ousaih milkhomoh*, makers
of war.

2. 1 Kings xii. 21.	1. Isa. ix. 5.
2. 2 Chron. xi. 1.	

WARD.
1. מִשְׁמָר *Mishmor*, a prison, watch-house.
2. בֵּית־מִשְׁמֶרֶת *Baith-mishmereth*, a watch-
house, house of safe keep-
ing.

WAR
3. פְּקֻדּוֹת *Pekidooth*, a guard-house, war
4. סוּגַּר *Soogar*, a place to lock
prisoners.

All passages not inserted are N°. 1.

2. 2 Sam. xx. 3.	4. Ezek. xix. 9.
3. Jer. xxxvii. 13.	

WARDS.

1. 1 Chron. ix. 23.	1. Neh. xiii. 30.
1. —— xxvi. 12.	

WARDROBE.
בְּגָדִים *Begodeem*, apparel, garments.

2 Kings xxii. 14. | 2 Chron. xxxiv. 22

WARE.
1. מְקָחוֹת *Makokhouth*, wares for sale.
2. מֶכֶר *Mekher*, merchandise.
3. כְּנָעָה *Kenooh*, goods.
4. מַעֲשִׂים *Māaseem*, works.
5. כֵּלִים *Kaileem*, vessels, utensils.
6. עִזְבֹנִים *Izvouneem*, markets, fairs.

1. Neh. x. 31.	2. Neh. xiii. 16, 20.

WARES.

3. Jer. x. 17.	6. Ezek. xxvii. 33.
4. Ezek. xxvii. 16, 18.	5. Jonah i. 5.

WARFARE.
צָבָא *Tsevō*, a host, warfare.

1 Sam. xxviii. 1. | Isa. xl. 2.

WARM, Adj.
1. חָמַם *Khomam*, to grow warm, hot.
2. זָרַב *Zorav*, to dissolve by heat.
3. חַם *Kham*, hot, warm.

1. 2 Kings iv. 34.	1. Eccles. iv. 11.
2. Job vi. 17.	3. Isa. xliv. 16.
3. — xxxvii. 17.	1. Hag. i. 6.

WARM.
חָמַם *Khomam*, to grow warm, hot.

Isa. xliv. 15. | Isa. xlvii. 14.

WARMED.
Job xxxi. 20.

WARMETH.
Job xxxix. 14. | Isa. xliv. 16.

WARN.

1.   זָהַר   *Zohar*, (Hiph.) to warn.
2.   עוּד   *Ood*, (Hiph.) to testify.

1. 2 Chron. xix. 10. | 1. Ezek. xxxiii. 3, 7,
1. Ezek. iii. 18, 19, 21. | 8, 9.

WARNED.

1. 2 Kings vi. 10. | 1. Ezek. iii. 21.
1. Psalm xix. 11. | 1. —— xxxiii. 6.

WARNING.

2. Jer. vi. 10. | 1. Ezek. xxxiii. 4.
1. Ezek. iii. 17, 18, 20. |

WARP.

שְׁתִי   *Shĕthee*, a warp.

Lev. xiii. 48, 49, 51, 52, 53, 56, 57, 58, 59.

WAS, WAST, WERE, WERT.

1.   הָיָה   *Hoyoh*, to be.
2.   לוּלֵי   *Loolai*, were it not.
3.   וְיֵשׁ   *Veyaish*, and there are existing.

All passages not inserted are N°. 1.

WERE.

2. Deut. xxxii. 27. | 2. Psalm cvi. 23.
3. Neh. v. 2, 3, 4. | 2. —— cxix. 92.
2. Psalm xciv. 17. | 2. —— cxxiv. 1, 2.

WERT.
Cant. viii. 1.

The authorized English version supply "wert" in italics, but do not interpret the Hebrew מִי יִתֶּנְךָ *Me yitenkho*, who will appoint thee? The passage, literally, Who will appoint thee as a brother to me?

WASH.

1.   כָּבַס   *Kovas*, (Piel) to wash thoroughly.
2.   רָחַץ   *Rokhats*, to bathe, cleanse.
3.   שָׁטַף   *Shotaph*, to overflow, rinse.
4.   דּוּחַ   *Dooakh*, (Hiph.) to scour.
5. אִישׁ שִׁלְחוּ הַמַּיִם   *Eesh shilkhou hama-yim*, but each man sent it to the waters.

2. Gen. xviii. 4. | 2. Exod. xxix. 4, 17.
2. —— xix. 2. | 2. —— xxx. 18, 19, 20,
2. —— xxiv. 32. | 21.
2. Exod. ii. 5. | 2. —— xl. 12, 30.
1. —— xix. 10. | 2. Lev. vi. 27.

2. Lev. ix. 14. | 1. Numb. xxxi. 24.
1. —— xi. 25, 28, 40. | 2. Deut. xxi. 6.
1. —— xiii. 6, 34, 54, 58. | 2. —— xxiii. 11.
1. —— xiv. 8. | 2. Ruth iii. 3.
2. ———— 8. | 2. 1 Sam. xxv. 41.
1. ———— 9. | 2. 2 Sam. xi. 8.
2. ———— 9. | 2. 2 Kings v. 10, 12, 13.
1. ———— 47. | 2. 2 Chron. iv. 6.
2. —— xv. 5, 6, 7, 8, 10, | 2. Job ix. 30.
      11, 13, 16, 21, | 2. Psalm xxvi. 6.
      22, 27. | 1. —— li. 2, 7.
2. —— xvi. 4, 24, 26, 28. | 2. —— lviii. 10.
1. —— xvii. 15, 16. | 2. Isa. i. 16.
2. —— xxii. 6. | 1. Jer. ii. 22.
1. Numb. viii. 7. | 1. — iv. 14.
1. ———— xix. 7, 10, 19, | 2. Ezek. xxiii. 40.
      21. |

WASHED.

2. Gen. xliii. 24, 31. | 2. 1 Kings xxii. 38.
1. —— xlix. 11. | 4. 2 Chron. iv. 6.
1. Exod. xix. 14. | 2. Job xxix. 6.
2. —— xl. 31, 32. | 2. Psalm lxxiii. 13.
2. Lev. viii. 6, 21. | 2. Prov. xxx. 12.
1. —— xiii. 55, 58. | 2. Cant. v. 3, 12.
1. Numb. viii. 21. | 2. Isa. iv. 4.
1. —— xv. 17. | 2. Ezek. xvi. 4.
2. Judg. xix. 21. | 2. ———— 9.
2. 2 Sam. xii. 20. | 3. ———— 9.
1. —— xix. 24. | 4. —— xl. 38.
3. 1 Kings xxii. 38. |

WASHEST.

3. Job xiv. 19.

WASHING -S.

1. Lev. xiii. 56. | 5. Neh. iv. 23.
2. 2 Sam. xi. 2. | 2. Cant. iv. 2.

WASH -pot.

סִיר רַחַץ   *Seer rakhats*, a wash-pot.

Psalm lx. 8.

WASTE, Subst.

חֹרֶב   *Khourev*, a ruin, waste.

Jer. xlix. 13.

WASTES.

חָרְבוֹת   *Khorvouth*, ruins, wastes.

Isa. lxi. 4. | Ezek. xxxiii. 24, 27.
Jer. xlix. 13. | —— xxxvi. 4, 10, 33.

WASTE, Adj.

1.   תֹּהוּ   *Touhoo*, void, empty.
2.   מְשׁוֹאָה   *Meshouoh*, confused, confusion.
3.   בָּלַק   *Bolak*, to lay waste.
4.   חָרַב   *Khorav*, to destroy.

5.   שַׁמָּה   *Shammoh*, a desolation, desolate place.

6.   חָרְבָּה   *Khorvoh*, a ruin, waste.

7.   נָצָה   *Notsoh*, to divest, strip.

6. Lev. xxvi. 31, 33.	4. Ezek. vi. 6.
1. Deut. xxxii. 10.	4. —— xix. 7.
2. Job xxx. 3.	6. —— xxix. 9, 10.
2. — xxxviii. 27.	6. —— xxx. 12.
3. Isa. xxiv. 1.	6. —— xxxv. 4.
4. — xlii. 15.	6. —— xxxvi. 35, 38.
4. — xlix. 17.	6. —— xxxviii. 8.
6. — lxi. 4.	5. Amos ix. 14.
5. Jer. ii. 15.	3. Nah. ii. 10.
7. — iv. 7.	4. Zeph. iii. 6.
5. — xlvi. 19.	4. Hag. i. 9.
6. Ezek. v. 14.	

(See LAY waste, LAID waste, PLACES, waste.)

WASTENESS.

שׁוֹאָה   *Shouoh*, a confusion.

Zeph. i. 15.

WASTER.

מַשְׁחִית   *Mashkheeth*, a destroyer.

Prov. xviii. 9. | Isa. liv. 16.

WASTING.

שׁוֹד   *Shoud*, a destruction.

Isa. lix. 7. | Isa. lx. 18.

WASTE, Verb.

1.   חָרַב   *Khorav*, to destroy, lay waste.
2.   כָּלָה   *Koloh*, to consume, finish.
3.   בָּלָה   *Boloh*, to wear out, abolish.
4.   כָּרַס   *Koras*, to devour.
5.   רָעָה   *Roōh*, to feed.
6.   תָּמַם   *Tomam*, to complete, make an end.
7.   בָּעַר   *Boar*, to kindle, set on fire.
8.   שָׁחַת   *Shokhath*, to spoil.
9.   תָּלַל   *Tolal*, to lay in a heap, press severely.
10.   שָׁאָה   *Shoōh*, to confuse.
11.   שָׁדַד   *Shodad*, to destroy, waste.
12.   חָלַשׁ   *Kholash*, to weaken.

2. 1 Kings xvii. 14.	1. Jer. L. 21.
3. 1 Chron. xvii. 9.	5. Mic. v. 6.
4. Psalm lxxx. 13.	

WASTED.

6. Numb. xiv. 33.	10. Isa. vi. 11.
7. —— xxiv. 22.	1. — xix. 5.
6. Deut. ii. 14.	1. — lx. 12.
2. 1 Kings xvii. 16.	1. Jer. xliv. 6.
8. 1 Chron. xx. 1.	11. Joel i. 10.
9. Psalm cxxxvii. 3.	

WASTETH.

12. Job xiv. 10.	11. Prov. xix. 26.
11. Psalm xci. 6.	

WATCH, Subst.

1.   הַצּוֹפֶה   *Hatsoupheh*, the looker out.
2.   הַשֹּׁמְרִים   *Hashoumreem*, the watchers.
3.   שָׁמְרָה   *Shomroh* (fem.), a safeguard.
4.   מִשְׁמָר   *Mishmor*, a ward.
5.   מִשְׁמֶרֶת   *Mishmereth*, a watch-house.
6.   אַשְׁמוּרָה   *Ashmooroh*, a night-watch.

6. Exod. xiv. 24.	4. Neh. iv. 9.
6. Judg. vii. 19.	4. —— vii. 3.
2. —— 19.	4. Job vii. 12.
6. 1 Sam. xi. 11.	6. Psalm xc. 4.
1. 2 Sam. xiii. 34.	3. —— cxli. 3.
5. 2 Kings xi. 5, 6, 7.	4. Jer. li. 12.
5. 2 Chron. xxiii. 6.	5. Hab. ii. 1.

WATCHES.

1.   מִשְׁמָרוֹת   *Mishmerouth*, wards.
2.   אַשְׁמֻרוֹת   *Ashmurouth*, night-watches.

1. Neh. vii. 3.	2. Psalm cxix. 148.
1. —— xii. 9.	2. Lam. ii. 19.
2. Psalm lxiii. 6.	

WATCH, Verb.

1.   צָפָה   *Tsophoh*, to look for, expect.
2.   שָׁמַר   *Shomar*, to keep, watch.
3.   שָׁקַד   *Shokad*, to hasten.
4.   קוּץ   *Koots*, (Hiph.) to awake.

1. Gen. xxxi. 49.	3. Isa. xxix. 20.
2. 1 Sam. xix. 11.	3. Jer. v. 6.
2. Ezra viii. 29.	3. — xxxi. 28.
2. Job xiv. 16.	3. — xliv. 27.
3. Psalm cii. 7.	1. Nah. ii. 1.
2. —— cxxx. 6.	1. Hab. ii. 1.
1. Isa. xxi. 5.	

WATCHED.

2. Jer. xx. 10.	1. Lam. iv. 17.
3. — xxxi. 28.	3. Dan. ix. 14.

WATCHETH.

1. Psalm xxxvii. 32. | 4. Ezek. vii. 6.

WATCHING.

1. 1 Sam. iv. 13. | 1. Lam. iv. 17.
3. Prov. viii. 34. |

WATCHER -S.

1. נוֹצְרִים *Noutsreem*, keepers, watchmen.
2. עִיר *Eer* (Syriac), a watcher.
3. עִירִין *Eereen* (Syriac), watchers.

1. Jer. iv. 16. | 3. Dan. iv. 17.
2. Dan. iv. 13. | 2. ——— 23.

WATCHMAN.

1. צוֹפֶה *Tsoupheh*, a looker out.
2. שׁוֹמֵר *Shoumair*, a keeper, observer, watcher.
3. נוֹצְרִים *Noutsreem*, keepers, watchmen.

1. 2 Sam. xviii. 25, 26. | 2. Isa. xxi. 11.
1. 2 Kings ix. 18, 20. | 1. Ezek. iii. 17.
2. Psalm cxxvii. 1. | 1. ——— xxxiii. 2, 7.
1. Isa. xxi. 6. | 1. Hos. ix. 8.

WATCHMEN.

3. 2 Kings xvii. 9. | 2. Isa. lxii. 6.
3. ——— xviii. 8. | 1. Jer. vi. 17.
2. Cant. iii. 3. | 3. — xxxi. 6.
2. —— v. 7. | 2. — li. 12.
1. Isa. lii. 8. | 1. Mic. vii. 4.
1. — lvi. 10. |

WATCHTOWER.

1. מִצְפֶּה *Mitspeh*, } a watchtower.
2. צָפִית *Tsopheeth*, }

1. 2 Chron. xx. 24. | 1. Isa. xxi. 8.
2. Isa. xxi. 5. |

WATER -S.

מַיִם *Mayim*, waters, in all passages. (No singular.)

WATER, Verb.

1. שָׁקָה *Shokoh*, to water.
2. מָסָה *Mosoh*, to moisten.
3. זַרְזִיף *Zarzeeph*, sprinkling abundantly.

---

4. רָוָה *Rovoh*, to satiate with water.
5. יָרָא *Yoro*, (Hiph.) to saturate.
6. שׁוּק *Shook*, (Piel) to walk through, run to and fro.

1. Gen. ii. 10. | 4. Isa. xvi. 9.
1. ——— xxix. 7, 8. | 1. — xxvii. 3.
2. Psalm vi. 6. | 1. Ezek. xvii. 7.
3. ——— lxxii. 6. | 1. ——— xxxii. 6.
1. Eccles. ii. 6. | 1. Joel iii. 18.

WATERED.

1. Gen. ii. 6. | 5. Prov. xi. 25.
1. ——— xiii. 10. | 4. Isa. lviii. 11.
1. ——— xxix. 2, 3, 10. | 4. Jer. xxxi. 12.
1. Exod. ii. 17. |

WATEREDST.

1. Deut. xi. 10.

WATEREST.

6. Psalm lxv. 9. | 4. Psalm lxv. 10.

WATERETH.

1. Psalm civ. 13. | 4. Isa. lv. 10.
4. Prov. xi. 25. |

WATERING, Subst.

1. שִׁקְתוֹת *Shikthouth*, troughs for cattle.
2. בְּרִי *Běree*, brightness.

1. Gen. xxx. 38. | 2. Job xxxvii. 11.

WATER -brooks.

אֲפִיקִים *Apheekeem*, streams of waters.
Psalm xlii. 1.

WATER -course.

1. מוֹצָא *Moutsō*, a spring.
2. שֶׁטֶף *Sheteph*, an overflowing, inundation.

1. 2 Chron. xxxii. 30. | 2. Job xxxviii. 25.

WATER -courses.

יִבְלֵי מַיִם *Yivlai mayim*, water-courses.
Isa. xliv. 4.

WATER -flood.

שִׁבֹּלֶת מַיִם *Shibbouleth mayim*, waters full of reeds, or rushes.
Psalm lxix. 15.

WATER -spouts.

צִנּוֹרִים   *Tsinnoureem*, water-spouts.

Psalm xlii. 7.

WATER -springs.

מֹצָאֵי מַיִם   *Moutsoai mayim*, water-springs.

Psalm cvii. 33, 35.

WAVE.

נוּף   *Nooph*, to wave, to shake to and fro.

Exod. xxix. 24, 26, 27.	Lev. x. 15.
Lev. vii. 30.	—— xxiii. 11, 20.
—— viii. 27, 29.	Numb. v. 25.
—— ix. 21.	—— vi. 20.

(See OFFERING, wave.)

WAVED.

לִתְנוּפָה   *Litenoophoh*, a waving.

Lev. xiv. 21.

(See OFFERING, waved.)

WAVES.

1.   דָּכְיָם   *Dokhyom*, their surges.
2.   גַלִּים   *Galleem*, wheels; met., waves.
3.   מִשְׁבָּרִים   *Mishboreem*, breakers.

3. Psalm xlii. 7.	2. Isa. li. 15.
2. —— lxv. 7.	2. Jer. v. 22.
3. —— lxxxviii. 7.	2. — xxxi. 35.
2. —— lxxxix. 9.	2. — li. 42, 55.
1. —— xciii. 3.	2. Ezek. xxvi. 3.
3. ———— 4.	2. Jonah ii. 3.
2. —— cvii. 25, 29.	2. Zech. x. 11.
2. Isa. xlviii. 18.	

WAX, Subst.

דּוֹנַג   *Dounag*, wax.

Psalm xxii. 14.	Psalm xcvii. 5.
—— lxviii. 2.	Mic. i. 4.

WAX, Verb.

1.   אָמְלַל   *Umlal*, to be languid.
2.   בָּלָה   *Boloh*, to wear out.
3.   גָּדַל   *Godal*, to magnify, become great.
4.   דָּשֵׁן   *Doshan*, to grow fat.
5.   הָלוֹךְ וְגָדוֹל   *Holoukh vĕgodoul*, increasing in greatness.
6.   זָקֵן   *Zokan*, to grow old.
7.   חוּר   *Khoor*, to turn pale.

8.   חָזַק   *Khozak*, to become strong.
9.   חַם   *Kham*, to be hot.
10.   חָרָה   *Khoroh*, to grieve.
11.   נָשַׂג יָד   *Nosag yod*, to reach with the hand; met., grow rich.
12.   עָתַק   *Othak*, to remove, change quickly.
13.   רָזָה   *Rozoh*, to grow lean.
14.   רָפָה   *Rophoh*, to grow feeble.
15.   זָרַב   *Zorav*, to be straitened.
16.   מוּךְ   *Mookh*, to be reduced in circumstances, become poor.

10. Exod. xxii. 24.	6. Job xiv. 8.
10. —— xxxii. 10, 11, 22.	2. Psalm cii. 26.
11. Lev. xxv. 47.	13. Isa. xvii. 4.
16. ——— 47.	7. —— xxix. 22.
1 Sam. iii. 2, not in original.	2. — L. 9.
15. Job vi. 17.	2. — li. 6.
	14. Jer. vi. 24.

WAXED.

5. Gen. xxvi. 13.	5. 2 Sam. iii. 1, twice.
8. —— xli. 56.	—— xxi. 15, not in original.
Exod. i. 7, 20, not in original.	9. 2 Kings iv. 34.
9. —— xvi. 21.	5. 1 Chron. xi. 9.
8. —— xix. 19.	8. 2 Chron. xiii. 21.
10. —— xxxii. 19.	5. —— xvii. 12.
Numb. xi. 23, not in original.	6. —— xxiv. 15.
2. Deut. viii. 4.	2. Neh. ix. 21.
2. —— xxix. 5.	5. Esth. ix. 4.
—— xxxii. 15, not in original.	2. Psalm xxxii. 3.
6. Josh. xxiii. 1.	14. Jer. xlix. 24.
1. 1 Sam. ii. 5.	14. — L. 43.
	3. Dan. viii. 8, 9, 10.

WAXEN.

2. Gen. xviii. 12.	8. Josh. xvii. 13.
3. —— xix. 13.	Jer. v. 27, 28, not in original.
16. Lev. xxv. 25, 35, 39.	
4. Deut. xxxi. 20.	3. Ezek. xvi. 7.

WAXETH.

12. Psalm vi. 7.

WAY.

1.   דֶּרֶךְ   *Derekh*, a way.
2.   אֹרַח   *Ourakh*, a road.
3.   נְתִיב   *Netheev*, a path, highway.
4.   הַרְחֵק   *Harkhaik*, a distance.
5.   כִּבְרַת־אֶרֶץ   *Kivrath-erets*, a little way lit., an acre of land.
6.   מִבּוֹא   *Mibbou*, from the coming (way).

WAY

7. לִקְרָאתָם Likrothom, against them.
8. נָסַע Nosā, journeyed, travelled.
9. תָּעָה Toōh, to go astray.
10. הֵנָה וָהֵנָה Hainoh vohainoh, hither and thither.
11. פֹּה וָכֹה Kouh vokhouh, thus and thus, here and there.
12. צִיֻּנִים Tsiyuneem, way marks.
13. לְיַד מַעְגַּל Leyad māagol, on the path-road.
14. עֹבֵר אֹרַח Ouvair ourakh, a wayfaring man.
15. בָּעֵינַיִם עַל־הַדָּרֶךְ Boainayim al-ha-dorekh, lit., in the eyes of the way.
16. יַד דֶּרֶךְ Yad derekh, on the way side.
17. אֹרֵחַ Ouraiakh, a traveller.
18. הֹלֵךְ דֶּרֶךְ Houlaikh derekh, a passenger; lit., a walker on the way.

All passages not inserted are N°. 1.

4. Gen. xxi. 16.	2. Psalm xliv. 18.
—— xxiv. 61, not in original.	3. —— lxxviii. 50.
6. —— 62.	2. —— cxix. 9, 101, 104, 128.
5. —— xxxv. 16.	2. —— cxli. 3.
5. —— xlviii. 7.	2. Prov. iv. 14.
11. Exod. ii. 12.	2. —— viii. 26.
7. —— v. 20.	2. —— x. 17.
10. Josh. viii. 20.	2. —— xii. 28.
4. Judg. xviii. 22.	2. —— xv. 10, 13, 24.
5. 2 Kings v. 19.	2. Isa. xxvi. 7, 8.
2. Job xvi. 22.	9. — xxviii. 7.
3. — xviii. 10.	2. — xli. 3.
2. — xix. 8.	8. Jer. iv. 7.

WAYFARING.

17. Judg. xix. 17.	18. Isa. xxxv. 8.
17. 2 Sam. xii. 4.	17. Jer. ix. 2 (plur.).
14. Isa. xxxiii. 8.	17. — xiv. 8.

(See PATH -way.)

WAYMARKS.

12. Jer. xxxi. 21.

WAY -side.

15. Gen. xxxviii. 21.	13. Psalm cxl. 5.
16. 1 Sam. iv. 13.	

WAYS.

1. דְּרָכִים Derokheem, ways.
2. אֹרָחוֹת Ourkhouth, high roads.

WEA

3. הֲלִיכוֹת Haleekhouth, goings, proceedings.
4. מְסִלּוֹת Mesillouth, high paths.
5. עָלַם Olam, (Hiph. repeated) hiding they will hide.
6. רְחֹבוֹת Rekhouvouth, wide streets.
7. עֲקַלְקְלוֹת Akalkelouth, crooked ways.
8. מַעְגְּלוֹת Māaglouth, paths, roads.
9. חוּצוֹת Khootsouth, open places.
10. אֳרָחוֹת עֲקַלְקְלוֹת Orokhouth akalkelouth, crooked roads (by-ways).

All passages not inserted are N°. 1.

5. Lev. xx. 4.	2. Prov. ix. 15.
2. Judg. v. 6.	2. —— xvii. 23.
10. —— 6.	2. —— xxii. 25.
2. Job xxx. 10.	3. —— xxxi. 27.
2. — xxxiv. 11.	6. Cant. iii. 2.
4. Psalm lxxxiv. 5.	4. Isa. xxxiii. 8.
2. —— cxix. 15.	2. Dan. iv. 37.
7. —— cxxv. 5.	2. — v. 23.
2. Prov. i. 19.	9. Amos v. 16.
2. —— ii. 15.	3. Hab. iii. 6.
8. —— v. 6.	

WE.

אֲנַחְנוּ Anakhnoo,
אָנוּ Onoo,
} we.

נוּ Noo, affixed to the relative word, in all passages.

WEAK, Adj.

1. חַלָּשׁ Khalosh, weak.
2. אֻמְלָה Amuloh, languid.
3. אֻמְלַל Umlal, to be languid.
4. חָלָה Kholoh, to be sick, ill.
5. תֵּלַכְנָה מַיִם Tailakhnoh mayim, shall go in to the water.
6. כָּשַׁל Koshal, to stumble.
7. רַךְ Rakh, tender, soft.
8. רָפָה Rophoh, to be feeble.

8. Numb. xiii. 18.	4. Isa. xiv. 10.
4. Judg. xvi. 7, 11, 17.	8. — xxxv. 3.
7. 2 Sam. iii. 39.	5. Ezek. vii. 17.
8. 2 Chron. xv. 7.	2. —— xvi. 30.
8. Job iv. 3.	5. —— xxi. 17.
8. Psalm vi. 2.	1. Joel iii. 10.
6. —— cxix. 24.	

WEAK -handed.

רְפֵה יָדַיִם Rephai yodayim, feeble of hands.

2 Sam. xvii. 2.

WEAKEN.

חוֹלֵשׁ *Khoulaish,* weakening.

Isa. xiv. 12.

WEAKENED.

1.   רָפָה *Rophoh,* to weaken, slacken.
2.   עָנָה *Innoh,* to afflict.

1. Ezra iv. 4. | 2. Psalm cii. 23.
1. Neh. vi. 9. |

WEAKENETH.

1. Job xii. 21. | 1. Jer. xxxviii. 4.

WEAKER and WEAKER.

הוֹלְכִים וְדַלִּים *Houlkheem vedalleem,* going on exhausting (weaker and weaker).

2 Sam. iii. 1.

WEALTH.

1.   חַיִל *Khail,* power, wealth, an army.
2.   נְכָסִים *Nekhoseem,* income, revenue.
3.   טוֹב *Touv,* good.
4.   הוֹן *Houn,* wealth.
5.   כֹּחַ *Kouakh,* strength, power.

1. Gen. xxxiv. 29.	4. Psalm cxii. 3.
1. Deut. viii. 17.	5. Prov. v. 10.
1. ——— 18.	4. — x. 15.
1. Ruth ii. 1.	4. — xiii. 11.
1. 2 Kings xv. 20.	1. ——— 22.
2. 2 Chron. i. 11, 12.	4. — xviii. 19.
3. Ezra ix. 12.	4. — xix. 4.
3. Esth. x. 3.	2. Eccles. v. 19.
3. Job xxi. 13.	2. ——— vi. 2.
1. — xxxi. 25.	1. Isa. lx. 11.
1. Psalm xlix. 6, 10.	1. Zech. xiv. 14.

WEALTHY.

1.   רְוָיָה *Revoyoh,* abundance, ground saturated with moisture ; met., a blessing.
2.   שָׁלֵיו *Sholaiv,* peace, ease.

1. Psalm lxvi. 12. | 2. Jer. xlix. 31.

WEANED.

גָּמוּל *Gomool,* weaned.

Gen. xxi. 8.	Isa. xi. 8.
1 Sam. i. 22.	— xxviii. 9.
1 Kings xi. 20.	Hos. i. 8.
Psalm cxxxi. 2.	

WEAPON.

1.   אָזֵן *Ozain,* an instrument of agriculture, weapon of war.
2.   שֶׁלַח *Shelakh,* a dart, long pointed weapon.
3.   נֶשֶׁק *Neshek,* armour.
4.   כְּלִי *Kelee,* an instrument, vessel.

1. Deut. xxiii. 13.	3. Job xx. 24.
2. 2 Chron. xxiii. 10.	4. Isa. liv. 17.
2. Neh. iv. 17.	4. Ezek. ix. 1, 2.

WEAPONS.

N.B. The Nos. 4 are plural in the original.

4. Gen. xxvii. 3.	4. Isa. xiii. 5.
4. 1 Sam. xxi. 8.	4. Jer. xxii. 7.
4. 2 Kings xi. 8, 11.	4. — L. 25.
4. 2 Chron. xxiii. 7.	3. Ezek. xxxix. 9, 10.

WEAPONS of war.

See War.

WEAR.

1.   נָבֵל *Noval,* to wear out, away.
2. לֹא יִהְיֶה *Lou yiheyeh,* it shall not be.
3.   לָבַשׁ *Lovash,* to clothe, put on.
4.   נָשָׂא *Nosō,* to bear, carry.
5.   שָׁחַק *Shokhak,* to reduce to small pieces.
6.   בְּלָא *Bolō* (Piel) (Syriac), to destroy, wear out.

1. Exod. xviii. 18.	3. Esth. vi. 8.
2. Deut. xxii. 5.	5. Job xiv. 19.
3. ——— 11.	3. Isa. liv. 1.
4. 1 Sam. ii. 28.	6. Dan. vii. 25.
4. ——— xxii. 18.	3. Zech. xiii. 4.

WEARING.

4. 1 Sam. xiv. 3.

WEARY.

1.   עָיֵף *Oyaiph,* weary.
2.   קוּץ *Koots,* disgusted, loathed.
3.   שָׂבֵעַ *Sovaia,* satiated.
4.   קוּט *Koot,* (Niph.) to loathe.
5.   יָעֵף *Yoaiph,* faint, fatigue, weariness.
6.   יָגֵעַ *Yogaiā,* fatigued.
7.   לָאָה *Loōh,* (Niph.) to be exhausted.

8.   לָאָה   *Loōh*, (Hiph.) to cause to exhaust.

9.   טָרַח   *Torakh*, (Hiph.) to influence, agitate.

2. Gen. xxvii. 46.	1. Isa. v. 27.
6. Deut. xxv. 18.	8. — vii. 13.
1. Judg. iv. 21.	7. — xvi. 12.
5. —— viii. 15.	1. — xxviii. 12.
1. 2 Sam. xvi. 14.	1. — xxxii. 2.
6. —— xvii. 2.	6. — xl. 28, 30, 31.
6. —— xxiii. 10.	6. — xliii. 22.
6. Job iii. 17.	1. — xlvi. 1.
4. — x. 1.	5. — L. 4.
6. — xvi. 7.	5. Jer. ii. 24.
1. — xxii. 7.	7. — vi. 11.
6. Psalm vi. 6.	7. — ix. 5.
7. —— lxviii. 9.	7. — xv. 6.
6. —— lxix. 3.	7. — xx. 9.
2. Prov. iii. 11.	1. — xxxi. 25.
3. —— xxv. 17.	5. — li. 58, 64.
7. Isa. i. 14.	5. Hab. ii. 13.

WEARIED.

7. Gen. xix. 11.	8. Jer. xii. 5.
1. Isa. xliii. 23, 24.	8. Ezek. xxiv. 12.
7. — xlvii. 13.	8. Mic. vi. 3.
1. — lvii. 10.	1. Mal. ii. 17.
1. Jer. iv. 31.	

WEARIETH.

9. Job xxxvii. 11. | 1. Eccles. x. 15.

WEARINESS.

1.   יָגִיעַ   *Yogeeā*, fatigue.

2.   מַתְלָאָה   *Matloōh*, weariness, vexation.

1. Eccles. xii. 12. | 2. Mal. i. 13.

WEARISOME.

עָמָל   *Omol*, trouble.

Job vii. 3.

WEASEL.

חֹלֶד   *Khouled*, a weasel.

Lev. xi. 29.

WEATHER.

1.   זָהָב   *Zohov*, gold.

2.   יוֹם   *Youm*, day.

1. Job xxxvii. 22. | 2. Prov. xxv. 20.

WEAVE.

אָרַג   *Orag*, to weave.

Isa. xix. 9. | Isa. lix. 5.

WEAVEST.

Judg. xvi. 13.

WEAVER.

אֹרֵג   *Ouraig*, a weaver.

Exod. xxxv. 35.	1 Chron. xx. 5.
1 Sam. xvii. 7.	Job vii. 6.
2 Sam. xxi. 19.	Isa. xxxviii. 12.
1 Chron. xi. 23.	

WEB.

1.   מַסֵּכָת   *Masokheth*, cast metal.

2.   בַּיִת   *Bayith*, a house.

3.   קוּר   *Koor*, a beam; met., a spider's web.

1. Judg. xvi. 13, 14.	3. Isa. lix. 5.
2. Job viii. 14.	

WEBS.

קוּרִים   *Kooreem*, beams; met., spiders' webs.

Isa. lix. 6.

WEDGE.

1.   לָשׁוֹן   *Loshoun*, a tongue.

2.   כֶּתֶם   *Kethem*, the finest gold.

1. Josh. vii. 21, 24. | 2. Isa. xiii. 12.

WEDLOCK.

מִשְׁפְּטֵי נֹאֲפוֹת   *Mishpetai nouaphouth*, with the judgment of an adulteress.

Ezek. xvi. 38.

WEEDS.

סוּף   *Sooph*, sea-weed, rush.

Jonah ii. 5.

WEEK.

שָׁבוּעַ   *Shevooa*, a week.

Gen. xxix. 27, 28. | Dan. ix. 27.

WEEKS.

שָׁבֻעוֹת   *Shevuouth*, weeks; in all passages, except:

WEEKS, full, whole.

שָׁבֻעִים יָמִים   *Shovueem yomeem*, weeks of days; met., whole weeks.

Dan. x. 2, 3.

WEEP -EST -ETH, WEPT, WEEPING.

1.   בָּכָה   *Bokhoh,* to weep.
2.   דָּמֹעַ תִּדְמַע   *Domoua tidma,* to weep abundantly.
3.   וַיִּתֵּן אֶת־קֹלוֹ בִּבְכִי   *Vayittain eth-koulou bevekhee,* and he gave out his voice in weeping.
4.   יֹרֵד בַּבֶּכִי   *Youraid babekhee,* coming down weeping.

All passages not inserted are Nº. 1.

WEEP sore.
2. Jer. xiii. 17.

WEPT aloud.
3. Gen. xlv. 2.

WEEPING.
4. Isa. xv. 3.

WEIGH.

1.   שָׁקַל   *Shokal,* to weigh.
2.   מִשְׁקָל   *Mishkol,* a weight.
3.   פָּלַס   *Polas,* to balance.
4.   תָּכַן   *Tokhan,* (Piel) to establish.
5.   תְּקִילְתָּא   *Tekeeltō* (Syriac), was weighed.

2. 1 Chron. xx. 2.	3. Isa. xxvi. 7.
1. Ezra viii. 29.	1. — xlvi. 6.
3. Psalm lviii. 2.	2. Ezek. v. 1.

WEIGHED.

1. Gen. xxiii. 16.	1. Job xxxi. 6.
4. 1 Sam. ii. 3.	1. Isa. xl. 12.
1. 2 Sam. xiv. 26.	1. Jer. xxxii. 9.
1. Ezra viii. 25, 26, 33.	5. Dan. v. 27.
1. Job vi. 2.	1. Zech. xi. 12.
1. — xxviii. 15.	

WEIGHETH.

4. Job xxviii. 25.	4. Prov. xvi. 2.

WEIGHT.

1.   מִשְׁקָל   *Mishkol,* a weight.
2.   אֶבֶן   *Even,* a stone.
3.   פֶּלֶס   *Peles,* scales.

1. In all passages, except:

2. Deut. xxv. 15.	3. Prov. xvi. 11.
2. 2 Sam. xiv. 26.	2. Zech. v. 8.
2. Prov. xi. 1.	

WEIGHTS.

1.   אֲבָנִים   *Avoneem,* stones.
2.   אֶבֶן וָאָבֶן   *Even voōven,* stone and stone.

1. Lev. xix. 36.	2. Prov. xx. 10.
2. Deut. xxv. 13.	1. Mic. vi. 11.
1. Prov. xvi. 11.	

WEIGHTY.

גֵּמֶל   *Naitel,* a load, burden.
Prov. xxvii. 3.

WELFARE.

1.   שָׁלוֹם   *Sholoum,* peace.
2.   טוֹבָה   *Touvoh,* goodness.
3.   יְשׁוּעָה   *Yeshooōh,* salvation.
4.   לִשְׁלֹמִים   *Lishloumeem,* to those at peace.

1. Gen. xliii. 27.	3. Job xxx. 15.
1. Exod. xviii. 7.	4. Psalm lxix. 22.
1. 1 Chron. xviii. 10.	1. Jer. xxxviii. 4.
2. Neh. ii. 10.	

WELL, Subst.

1.   בְּאֵר   *Bĕair,* a well.
2.   עַיִן   *Ain,* a fountain.
3.   בּוֹר   *Bour,* a pit.
4.   מַעֲיָן   *Māăyon,* a spring of water.
5.   מָקוֹר   *Mokour,* origin, root; met., spring.

1. Gen. xxi. 19, 30.	3. 1 Chron. xi. 17, 18.
2. —— xxiv. 13, 43.	4. Psalm lxxxiv. 6.
2. —— xlix. 22.	3. Prov. v. 15.
1. Numb. xxi. 16, 17, 18.	5. —— x. 11.
1. 2 Sam. xvii. 18.	1. Cant. iv. 15.
3. —— xxiii. 15, 16.	

WELLS.

1. Gen. xxvi. 15, 18.	4. 2 Kings iii. 19.
2. Exod. xv. 27.	4. —— 25 (sing.).
1. Numb. xx. 17 (sing.).	3. 2 Chron. xxvi. 10.
3. Deut. vi. 11.	4. Isa. xii. 3.

WELL -spring.

5. Prov. xvi. 22.	5. Prov. xviii. 4.

WELL, Adj.

1.   יָטַב   *Yotav,* (Hiph.) to do good, improve.
2.   פ   *(k)* prefixed to the relative word, so as.
3.   כֵּן   *Kain,* right.

4.   מְתֹם   *Methoum*, completely, entirely.

5.   יָבִין   *Yoveen*, will understand.

6.   טוֹב   *Touv*, good.

7. בְּדֶרֶךְ טוֹבָה   *Bederekh touvoh*, in a good way.

8.   דּוֹד   *Dood*, beloved.

9. יְפַת מַרְאֶה   *Yephath mareh*, of beautiful appearance.

10.   כְּאַיִן   *Keayin*, almost, nigh.

11. רְתָחֶיהָ   *Rethokheho*, her boiling.

12. מֶרְקָחָה   *Merkokhoh*, her compounds.

13.   שָׁלוֹם   *Sholoum*, peace.

14. זָכוֹר תִּזְכֹּר   *Zokhour tizkour*, thou shalt surely remember.

15.   טוֹבָה   *Touvoh*, goodness, a good deed.

16. לְמֵאִישׁ וְעַד אִשָּׁה   *Lĕmaieesh vĕad eeshoh*, from man even unto woman.

17. כֻּלֹּהּ מַשְׁקֶה   *Kullohh mashkeh*, everywhere moist.

18. בָּא בַיָּמִים   *Bo bayomeem*, had come in days; met., stricken in age.

19.   בְּטוּב   *Betoov*, in the prosperity.

20. שִׁית לֵב   *Sheeth laiv*, to set the heart upon.

21.   לְטוֹב   *Letouv*, for good.

22. שִׁית עֵינַיִם   *Sheeth ainayim*, to set the eyes upon.

23. וְאֶת־נוֹעָצִים   *Veeth nouotseem*, and with the advised.

24. יָכוֹל נוּכַל   *Yokhoul nookhal*, we shall surely overcome.

25. יָשָׁר־בְּעֵינָיִם   *Yoshor-bĕainayim*, right in the eyes.

All passages not inserted are Nº. 1.

17. Gen. xiii. 10.	4. Judg. xx. 48.
18. —— xviii. 11.	6. Ruth iii. 13:
13. —— xxix. 6.	6. 1 Sam. ix. 10.
13. —— xxxvii. 14.	6. —— xvi. 16, 23.
13. —— xliii. 27.	6. —— xx. 7.
3. Exod. x. 29.	15. —— xxiv. 18.
6. Numb. xi. 18.	7. —————— 19.
24. —— xiii. 30.	—————— 20, not
3. —— xxxvi. 5.	in original.
3. Deut. iii. 20.	6. 2 Sam. iii. 13.
2. —— v. 14.	16. —— vi. 19.
6. —— 33.	13. —— xviii. 28.
14. —— vii. 18.	6. 1 Kings ii. 18.
6. —— xv. 16.	6. —— xviii. 24.
6. —— xix. 13.	13. 2 Kings iv. 23, 26.
6. Judg. ix. 16.	13. —— v. 21, 22.
25. —— xiv. 3, 7.	3. —— vii. 9.

13. 2 Kings ix. 11.	6. Eccles. viii. 12, 13.
6. 2 Chron. xii. 12.	6. Isa. iii. 10.
6. Psalm cxix. 65.	21. Jer. xv. 11.
6. —— cxxviii. 2.	6. —— xxii. 15.
19. Prov. xi. 10.	22. —— xxxix. 12.
23. —— xiii. 10.	22. —— xl. 4.
5. —— xiv. 15.	6. —— xliv. 17.
20. —— xxiv. 32.	11. Ezek. xxiv. 5.
—— xxxi. 27, not in original.	12. —————— 10.

WELL -beloved.

8. Cant. i. 13.	8. Isa. v. 1.

WELL -favoured.

9. Gen. xxix. 17.	6. Dan. i. 4.
9. —— xxxix. 6.	6. Nah. iii. 4.
9. Gen. xli. 2, 4, 18.	

WELL -nigh.

10. Psalm lxxiii. 2.

WELL -stricken.

18. Gen. xviii. 11.

WEN.

יַבֶּלֶת   *Yabeleth*, a wen, swelling.

Lev. xxii. 22.

WENCH.

שִׁפְחָה   *Shiphkhoh*, a maid-servant.

2 Sam. xvii. 17.

WENT.

1. { הָלַךְ   *Holakh*, } to walk, go, proceed.
     { יָלַךְ   *Yolakh*, }

2.   בּוֹא   *Bou*, to come, enter.

3.   יָרַד   *Yorad*, to descend.

4.   נָסַע   *Nosā*, to travel, go a journey.

5.   עָבַר   *Ovar*, to pass over, by, through.

6.   עָלָה   *Oloh*, (Hiph.) to ascend, go up.

7.   אֲזַל   *Ozal* (Chaldee), to run, go swiftly.

8.   סוּר   *Soor*, to depart, turn aside.

9.   צָעַד   *Tsoad*, to march, step.

10.   דָּדָה   *Dodoh*, (Piel) to lead gently.

11.   קָרַב   *Korav*, to approach, come near.

12.   סָבַב   *Sovav*, to encompass, surround.

13.   שׁוּט   *Shoot*, to go about, to and fro.

14. שׁוּב *Shoov*, to turn, return.

15. שֹׁגֵג *Shougaig*, I was erring.

16. תָּעָה *Toōh*, to wander, go astray.

17. זָנָה *Zonoh*, to cherish, nourish, sustain ; met., to commit spiritual fornication.

18. קַדְמֹנִים *Kadmouneem*, the former ones.

19. בְּרָעָה *Berooh*, on account of evil.

20. יָצָא *Yotsō*, to go forth, out.

21. נָפַק *Nophak* (Syriac), to go forth, out.

22. הִכּוּ בָהּ *Hikkoo boh*, they smote in her.

23. נַדַת *Nadath* (Syriac), fled.

24. וְלֹא מִלֵּא *Velou millai*, and did not fulfil.

25. וַיּוֹסֶף עֲבֹר *Vayouseph avour*, and he again passed on.

26. נָגַשׁ *Nogash*, to go near, approach unto.

27. יָרַע *Yorā*, to cause evil.

28. עַל *Al* (Syriac), ascended, went up.

29. נֵלוּ *Goloo*, were driven.

30. נָשָׂא רַגְלָיו *Nosō raglov*, lifted up his feet.

31. שׁוּר *Shoor*, to attend, respect.

32. צָלַח *Tsolakh*, to prosper, possess.

33. רוּם *Room*, (Niph.) to be lifted up, exalted.

34. כָּבָה *Kovoh*, to extinguish, put out.

35. לְמַעֲלָה *Lemāaloh* (repeated), upwards and upwards.

36. הַבָּאִים *Haboeem*, which came.

37. קָדַם *Kodam*, (Piel) to go before.

38. מֶה־הָיָה *Meh-hoyoh*, what was?

39. הָיָה דְבָרִים טוֹבִים *Hoyoh devoreem touveem*, there were good things.

All passages not inserted are N°. 1.

2.	Gen. vii. 16.	2.	Numb. xxv. 8.
30.	—— xxix. 1.	36.	—— xxxi. 21.
5.	—— xxxii. 21.	4.	—— xxxiii. 23, 29, 33.
5.	Exod. xxxviii. 26.		
4.	—— xl. 36.	2.	Judg. iv. 21.
11.	Lev. ix. 8.	2.	Judg. ix. 5.
11.	—— x. 5.	5.	—— xii. 1.
4.	Numb. x. 14.	3.	—— xv. 11.
2.	—— xiv. 24.	8.	—— xvi. 19.
2.	—— xx. 6.	4.	—— xviii. 11.
25.	—— xxii. 26.	2.	———— 20.

2.	Ruth iii. 7.	39.	2 Chron. xii. 12.
2.	—— xvii. 12.	5.	—— xviii. 23.
2.	—— xxi. 10.	2.	———— 29.
14.	—— xxv. 12.	2.	—— xxiii. 17.
38.	2 Sam. i. 4.	5.	Neh. ii. 14, 16.
2.	—— xviii. 9.	2.	Esth. ii. 14.
5.	—— xix. 40.	10.	Psalm xlii. 4.
5.	—— xx. 13, 14.	27.	—— cvi. 32.
2.	———— 14.	9.	Prov. vii. 8.
6.	1 Kings x. 16, 17.	5.	—— xxiv. 30.
24.	—— xi. 6.	11.	Isa. viii. 3.
26.	—— xxii. 24.	2.	Jer. xl. 6.
5.	———— 24, 36.	2.	Ezek. xxxvi. 20, 21, 22.
22.	2 Kings iii. 24.		
14.	—— iv. 31.	2.	—— xli. 3.
2.	—— vii. 8.	35.	———— 7.
2.	—— x. 23.	7.	Dan. ii. 17, 24.
2.	—— xi. 16.	7.	—— vi. 18, 19.
2.	1 Chron. xxi. 4.	23.	———— 18.
6.	2 Chron. ix. 15, 16.	2.	Hos. ix. 10.

WENT about.

13.	Numb. xi. 8.	12.	2 Chron. xxiii. 2.
12.	Josh. xvi. 6.	12.	Eccles. ii. 20.
12.	2 Kings iii. 25.	12.	Cant. v. 7.
12.	2 Chron. xvii. 9.		

WENT astray.

15.	Psalm cxix. 67.	16.	Ezek. xlviii. 11.
16.	Ezek. xliv. 10, 15.		

WENT away.

4.	Judg. xvi. 3, 14.	1.	2 Kings v. 11.
1.	—— xix. 2.	6.	—— xii. 18.
5.	2 Sam. xviii. 9.	1.	2 Chron. ix. 12.

WENT back.

14.	1 Kings xiii. 19.	14.	2 Kings viii. 29.
14.	2 Kings ii. 13.		

WENT before.

All passages not inserted are N°. 1.

1.	Exod. xiv. 19.	2.	2 Sam. xx. 8.
4.	———— 19.	19.	Job xviii. 20.
4.	Numb. x. 33.	37.	Psalm lxviii. 25.

WENT behind.

1. Exod. xiv. 19.

WENT down.

3. In all passages, except :

2.	Gen. xv. 17.	2.	Judg. xix. 14.
2.	Judg. xiv. 18.		

WENT evil.

19. 1 Chron. vii. 23.

WENT forth.

20. In all passages, except :

21. Dan. ii. 13.

WENT her way.
1. 1 Sam. i. 18.

WENT his way.
1. In all passages, except :
5. Esth. iv. 17.

WENT in, into.
2. In all passages, except :

1. Judg. xvii. 10.	28. Dan. ii. 16.
5. Ezra v. 8.	7. —— 24.
1. Ezek. xxv. 3.	28. —— vi. 10.
29. —— xxxix. 23.	

WENT in, as to a woman.
2. In all passages.

WENT near, nigh.

26. Gen. xxvii. 22.	26. 2 Sam. xi. 21.
26. —— xxix. 10.	

WENT over.
5. In all passages, except :
32. 2 Sam. xix. 17.

WENT out.
20. In all passages, except :

4. Numb. x. 34.	34. 1 Sam. iii. 3.
1. Ruth i. 21.	

WENT their way.
1. In all passages, except :

14. Judg. xviii. 26.	4. Zech. x. 2.

WENT throughout.

5. Gen. xli. 46.	5. Psalm lxvi. 6.
5. Josh. iii. 2.	2. —— 12.
5. 2 Sam. xx. 14.	5. Isa. lx. 15.
5. Neh. ix. 11.	

WENT up.
6. In all passages, except :

7. Ezra iv. 23.	36. Ezek. xli. 7.
33. Ezek. x. 4.	

WENT a whoring.

17. Judg. ii. 17.	17. 1 Chron. v. 25.
17. —— viii. 27.	17. Psalm cvi. 39.

WENTEST.

6. Gen. xlix. 4.	6. Isa. lvii. 7.
20. Judg. v. 4.	31. —— 9.
1. 2 Sam. vii. 9.	1. Jer. ii. 2.
1. —— xvi. 17.	1. — xxxi. 21.
1. —— xix. 25.	20. Hab. iii. 13.
20. Psalm lxviii. 7.	

WEPT.
See Weep.

WERE.
See Was.

WEST.

1. {	יָם	Yom, the sea side.
	יָמָה	Yomoh, towards the sea.
2.	מַעֲרָב	Māarov, the evening side, sunset.
3.	מְבוֹא הַשֶּׁמֶשׁ	Mevou hashemesh, the entering in of the sun, the west.

All passages not inserted are N°. 1.

2. 1 Chron. xii. 15.	2. Isa. xlv. 6.
2. Psalm lxxv. 6.	2. — lix. 19.
2. —— ciii. 12.	2. Dan. viii. 5.
2. —— cvii. 3.	3. Zech. viii. 7.
2. Isa. xliii. 5.	

WEST border.

גְּבוּל יָם Gevool yom, the border of the sea.

Numb. xxxiv. 6.	Ezek. xlv. 7.
Josh. xv. 12.	

WEST quarter.

פְּאַת יָם Peath yom, the corner of the sea.
Josh. xviii. 14.

WEST side.

1.	פְּאַת יָם	Peath yom, the corner of the sea.
2.	יָמָה	Yomoh, towards the sea.
3.	מַעֲרָב	Māarov, the evening side, sunset.

1. Exod. xxvii. 12.	3. 2 Chron. xxxii. 30.
1. —— xxxviii. 12.	3. —— xxxiii. 14.
2. Numb. ii. 18.	1. Ezek. xlviii. 3, 4, 5, 6,
1. —— xxxv. 5.	7, 8, 23, 24.

WEST -ward.

1.	יָמָה	Yomoh, towards the sea.
2.	לְמַעֲרָב	Lemāarov, towards the evening side, sunset.
3.	מְבוֹא הַשֶּׁמֶשׁ	Mevou hashemesh, the entering in of the sun, the west.

1. Gen. xiii. 14.	2. 1 Chron. xxvi. 16, 18,
1. Numb. iii. 23.	30.
1. Deut. iii. 27.	1. Ezek. xlviii. 18.
3. Josh. xxiii. 4.	1. Dan. viii. 4.
2. 1 Chron. vii. 28.	

WEST wind.

רוּחַ יָם　Rooakh yom, the wind from the sea.

Exod. x. 19.

WESTERN.

גְּבוּל יָם　Gevool yom, the border of the sea.

Numb. xxxiv. 6.

WET.

1. רָטַב　Rotav, to moisten.
2. יִצְטַבַּע　Yitstābā (Syriac), shall be made wet.

| 1. Job xxiv. 8. | 2. Dan. v. 21. |
| 2. Dan. iv. 15, 23, 25, 33. | |

WHALE.

תַּנִּין　Tanneen, a sea monster, a large serpent.

| Job vii. 12. | Ezek. xxxii. 2. |

WHALES.

תַּנִּינִם　Tannineem, sea monsters, large serpents.

Gen. i. 21.

WHAT -SOEVER.

1. מַה　Mah, what.
2. אֵי מִזֶּה　Ai mizeh, where is this, whence?
3. אֲשֶׁר　Asher, that, which, who.
4. בַּמֶּה　Bameh, by what.
5. גַם　Gam, also, yea.
6. מִי הָאִישׁ．　Mee hoeesh, and who the man?
7. דִי　Dee (Syriac), that which.
8. אֵיפֹה　Aiphouh, where.
9. וּשְׁאָר חַשְׁחוּת　Ooshĕār khashkhooth (Chaldee), and the other things needful.
10. יוֹם　Youm, the day.
11. מַה־לִּי　Mah-lee, what (is it) to me?
12. אִישׁ אִישׁ　Eesh eesh, man and man, any man.
13. וּדְבַר　Oodevar, and the matter, import.
14. כָּל　Kol, all, every.
15. כָּל דִי　Kol dee (Chaldee), all that.
16. כָּל אִישׁ　Kol eesh, any, every man.
17. כָּל אֲשֶׁר．　Kol asher, all that, which.
18. כָּל הַכְּלִי．　Kol haklee, any vessel.
19. אֵת אֲשֶׁר　Aith asher, that which.
20. מִי　Mee, who, where.

---

21. אֵת כָּל אֲשֶׁר　Aith kol asher, all that which.
22. כְּכָל　Kekhol, according to all.
23. מַה זֶה　Mah zeh, what is this?
24. מִי זֶה　Mee zeh, who is this?
25. אֵי־זֶה　Ai-zeh, where is?

All passages not inserted are Nº. 1.

6. Gen. xxiv. 65.	11. 2 Kings iii. 13.
3. —— xli. 55.	11. 2 Chron. xxxv. 21.
3. Numb. xxiv. 13.	7. Ezra vi. 8.
19. Deut. iv. 3.	23. Neh. ii. 4, 19.
20. ——— 8.	23. —— xiii. 17.
19. —— vii. 18.	23. Esth. iv. 5.
6. —— x. 12.	5. Job ii. 10.
3. —— xi. 6.	24. Psalm xxv. 12.
6. —— xx. 5, 6, 7, 8.	6. —— xxxiv. 12.
8. Judg. viii. 18.	10. —— lvi. 3.
4. —— xvi. 5.	20. —— lxxxix. 48.
20. —— xxi. 8.	19. Prov. xxiii. 1.
19. Ruth iii. 4.	23. Eccles. ii. 2.
19. 1 Sam. x. 8.	11. Isa. lii. 5.
20. 2 Sam. vii. 23.	7. Dan. ii. 23, 28, 29.
2. —— xv. 2.	7. —— iii. 5, 15.
11. —— xvi. 10.	19. —— x. 14.
11. —— xix. 22.	11. Hos. xiv. 8.
25. 1 Kings xiii. 12.	2. Jonah i. 8.
11. —— xvii. 18.	19. Mic. vi. 1.

WHATSOEVER.

All passages not inserted are Nº. 1.

17. Gen. xix. 12.	17. Deut. ii. 37.
17. —— xxxi. 16.	21. —— xii. 32.
14. Exod. xiii. 2.	22. Judg. x. 15.
14. Lev. xiii. 58.	14. 1 Sam. xiv. 36.
18. —— xv. 26.	14. 1 Kings viii. 37, 38.
12. —— xvii. 3, 8, 10, 13.	9. Ezra vii. 20.
17. —— xviii. 29.	15. ——— 21, 23.
12. —— xx. 2.	14. Job xli. 11.
16. —— xxi. 18.	17. Psalm i. 3.
16. —— xxii. 3.	17. —— cxv. 3.
12. ——— 4.	17. —— cxxxv. 6.
17. —— xxvii. 32.	17. Eccles. iii. 14.
17. Numb. xxii. 17.	17. —— viii. 3.
13. —— xxiii. 3.	21. Jer. i. 7.

WHEAT.

1. { חִטִּים　Khitteem,
   { חִטִּין　Khitteen (Chaldee), } wheat.
2. דָּגָן　Dogon, corn.
3. בַּר　Bor, grain.
4. הָרִיפוֹת　Horeephouth, the kernels.

1. In all passages, except:

2. Numb. xviii. 12.	3. Joel ii. 24.
4. Prov. xxvii. 22.	3. Amos v. 11.
3. Jer. xxiii. 28.	3. —— viii. 5, 6.
2. — xxxi. 12.	

WHEATEN.

1. Exod. xxix. 2.

WHEEL.

1.   אוֹפַן   *Ouphan*, the wheel of a chariot.
2.   גַלְגַל   *Gilgol*, the globe, a wheel, any revolving substance.

1. 1 Kings vii. 32, 33.	2. Isa. xxviii. 28.
2. Psalm lxxxiii. 13.	1. Ezek. i. 15, 16.
1. Prov. xx. 26.	1. —— x. 9, 10.
2. Eccles. xii. 6.	2. —— 13.
1. Isa. xxviii. 27.	

WHEELS.

1.   אוֹפַנִים   *Ouphaneem*, the wheels of a chariot.
2.   גַלְגַלִים   *Galgaleem*, globes, wheels, revolving substances.
3.   אָבְנָיִם   *Ovnoyim*, a potter's frame.
4.   פְּעָמִים   *Peomeem*, times ; met., steps.

All passages not inserted are Nº. 1.

4. Judg. v. 28.	2. Ezek. x. 6 (sing.).
2. Isa. v. 28.	1. —— 6 (sing.).
3. Jer. xviii. 3.	2. —— xxiii. 24.
2. — xlvii. 3.	2. —— xxvi. 10.
2. Ezek. x. 2.	2. Dan. vii. 9.

WHELPS.

1.   גּוּרִים   *Gooreem*, whelps.
2.   בָּנִים   *Boneem*, sons, children.

2 Sam. xvii. 8, not in original.	1. Ezek. xix. 2, 3, 5.
2. Job xxviii. 8.	Hos. xiii. 8, not in original.
Prov. xvii. 12, not in original.	1. Nah. ii. 12.

WHEN.

1. {   כִּי   *Kee*,   } when.
    {   מָתַי   *Mothae*, }
2.   אִם   *Im*, if.
3.   ב   (*b*) prefixed to the relative word, in, whilst.
4.   אַחֲרֵי   *Akharai*, after.
5.   אֲשֶׁר   *Asher*, that, which, because, whilst.
6.   מִדֵּי   *Midai*, from the frequency of.
7.   ו   (*v*) prefixed to the relative word, and, yea.
8.   בְּיוֹם   *Beyoum*, in the day.
9.   לְצֵאת   *Letsaith*, to the going out.

10.   מִשּׂוּמוֹ אֵל   *Misumou ail*, unless he is appointed of God.
11.   מֵהָקִיץ   *Maihokeets*, out of waking.
12.   עַד   *Ad*, until.
13.   בְּעֵת   *Beaith*, in the time.
14.   שׁ   (*sh*) prefixed to the relative word, that.
15.   כְּדִי   *Kedee* (Syriac), as that.
16.   וּלְפִי   *Oolephee*, and according to.
17.   אִישׁ   *Eesh*, a man.
18.   אָז   *Oz*, then, at that time.
19.   אַחֲרֵי מָתַי עֹד   *Akharai mothae oud*, after so long a time.
20.   כְּיוֹם   *Keyoum*, as in the day.
21.   הָחֵל   *Hokhail*, to cause to begin.
22.   מִן־דִּי   *Min-dee* (Chaldee), on that occasion.
23.   אַחֲרֵי אֲשֶׁר   *Akharai asher*, after that.

All passages not inserted are Nº. 1.

3. Gen. xix. 29.	3. 1 Kings xiii. 31.
4. —— xxiv. 36.	3. —— xiv. 21.
3. —— xxxiii. 18.	6. 2 Chron. xi. 11.
3. Exod. iii. 12.	5. —— xxxv. 20.
9. —— xix. 1.	22. Ezra iv. 23.
3. Lev. xi. 31.	8. Psalm xx. 9.
8. —— xiii. 14.	8. —— lvi. 9.
8. —— xiv. 57.	11. —— lxxiii. 20.
17. Numb. v. 30.	18. —— lxxvi. 7.
8. —— vi. 13.	14. Eccles. iv. 10.
16. —— ix. 17.	5. —— viii. 7.
7. —— x. 5.	14. —— ix. 12.
10. —— xxiv. 23.	14. —— x. 3.
3. Deut. vi. 7.	2. Isa. iv. 4.
3. —— xi. 19.	3. — xx. 1.
8. —— xxi. 16.	2. — xxiv. 13.
4. Josh. vii. 8.	13. Jer. ii. 17.
7. Judg. ii. 21.	19. — xiii. 27.
7. —— xix. 1.	4. — xxxii. 16.
Ruth ii. 9, not in original.	13. Ezek. xxi. 25, 29
	8. —— xxxviii. 18
7. 1 Sam. i. 4.	15. Dan. iii. 7.
6. —— 7.	15. —— v. 20.
21. —— iii. 12.	7. Amos iii. 4.
8. —— xx. 19.	2. —— vii. 2.
8. 2 Sam. xxi. 12.	12. Jonah iv. 2.
7. 1 Kings viii. 30.	20. Zech. xiv. 3.

WHENCE about.

1.   אֵי־מִזֶּה   *Ai-mizeh*, where, from what place.
2.   מֵאַיִן   *Maiāyin*, where from.
3.   אֲשֶׁר   *Asher*, which.
4.   שַׁחֲרָהּ   *Shakharoh*, its rising.

1. Gen. xvi. 8.	1. 2 Sam. i. 3.
2. —— xlii. 7.	2. 2 Kings v. 25.
3. Deut. xi. 10.	2. —— xx. 14.
2. Josh. ii. 4.	2. Job i. 7.
2. —— ix. 8.	1. — ii. 2.
1. Judg. xiii. 6.	2. Isa. xxxix. 3.
2. —— xvii. 9.	4. — xlvii. 11.
2. —— xix. 17.	2. Jonah i. 8.

WHERE.

1.   אֵי   *Ai*, where.
2.   אֲשֶׁר   *Asher*, that, which, where.
3.   אֵיפֹה   *Aiphouh*, who, here.
4.   אֵיכֹה   *Aikhouh*, how so.
5.   מֵאַיִן   *Maiāyin*, from whence.
6.   בְּאֵין   *Věain*, without.
7.   שָׁמָּה   *Shomoh*, there.
8.   אָנָה   *Onoh*, in what place.
9.   בְּאֶפֶס   *Běephes*, without.
10.   יָד   *Yod*, the hand.
11.   שָׁם   *Shom*, there.
12.   כִּי־אַיִן   *Kee-ayin*, when none.
13.   וְאֵין   *Věain*, and without.
14.   אֵי זֶה   *Ai mizeh*, where this?

All passages not inserted are N°. 1.

3. Gen. xxvii. 33.	13. Psalm lxix. 2.
2. Exod. xx. 24.	—— 2, not in
2. —— xxix. 42.	original.
7. —— xxx. 6, 36.	6. Prov. xi. 14.
7. Numb. xxxiii. 54.	6. —— xiv. 4.
8. Ruth ii. 19.	9. —— xxvi. 20.
14. 1 Sam. ix. 18.	6. —— 20.
12. —— x. 14.	6. —— xxix. 18.
3. 2 Sam. ix. 4.	3. Isa. xlix. 21.
8. 2 Kings vi. 6.	14. — L. 1.
4. —— 13.	10. — lvii. 8.
3. Job ix. 24.	1. Jer. ii. 6.
5. — xxviii. 12.	11. —— 6.
1. —— 12.	2. — xvi. 13.
3. — xxxviii. 4.	3. — xxxvi. 19.
14. —— 19.	2. Hos. i. 10.

WHEREABOUT.

2. 1 Sam. xxi. 2.

WHEREAS and WHEREAS now.

1.   וְעַתָּה   *Věattoh*, and, but now.
2.   אִם־לֹא   *Im-lou*, if not.
3.   כִּי   *Kee*, for.
4.   תַּחַת   *Takhath*, because, instead of.
5.   וְדִי   *Vedee* (Syriac), and that.
6.   ו   (*v*) prefixed to the relative word, and, but, moreover.

All passages not inserted are N°. 1.

3. Gen. xxxi. 37.	2. Job xxii. 20.
4. Deut. xxviii. 62.	3. Eccles. iv. 14.
6. 1 Sam. xxiv. 17.	4. Isa. lx. 15.
3. 2 Sam. vii. 6.	5. Dan. ii. 41, 43.
3. 1 Kings viii. 18.	5. —— iv. 23, 26.

WHEREBY.

1.   בַּמֶּה   *Bameh*, by what.
2.   אֲשֶׁר   *Asher*, that, where.
3.   מִנִּי   *Minnee*, by, through me.

1. Gen. xv. 8.	2. Jer. xxxiii. 8.
1. Judg. vi. 15.	2. Ezek. xviii. 31.
3. Psalm xlv. 8.	2. —— xxxix. 26.

WHEREFORE.

1.   לָמֶּה   *Lommoh*, to what, wherefore, why?
2.   מַדּוּעַ   *Madooā*, for what reason, wherefore?
3.   מַה   *Mah*, what?
4.   לָכֵן   *Lokhain*, therefore, surely.
5.   וְאוּלָם   *Věoolom*, and truly.
6.   ו   (*v*) prefixed to the relative word, and, but, yea.
7.   לָמָּה זֶה   *Lommoh zeh*, to what this?

All passages not inserted are N°. 1.

2. Gen. xxvi. 27.	2. 2 Sam. xvi. 7.
2. —— xl. 7.	2. Job xviii. 3.
3. Exod. xiv. 15.	5. —— xxxiii. 1.
2. Lev. x. 17.	4. Ezek. xvi. 35.
4. Judg. x. 13.	6. —— xviii. 32.
7. 2 Sam. xii. 23.	3. Mal. ii. 15.

WHEREIN.

1.   אֲשֶׁר   *Asher*, that, where, which.
2.   בַּמֶּה   *Bameh*, by what, wherewith.
3.   שֶׁהוּא   *Shehoo*, that he.
4.   אֲשֶׁר בָּהֵנָה   *Asher bohainoh*, because in them.
5.   זוּ   *Zoo*, thus.
6.   עֲלֵימוֹ   *Olaimou*, upon them.
7.   בְּתוֹכָהּ   *Bethoukhoh*, in the midst thereof.
8.   בְּגַוַּהּ   *Begavvaih* (Chaldee), in the midst thereof.

1. Numb. xii. 11.	5. Psalm cxlii. 3.
7. —— xxxv. 34.	3. Eccles. ii. 22.
2. Judg. xvi. 5, 6.	4. Jer. v. 17.
8. Ezra v. 7.	2. Mal. i. 2, 7.
6. Job vi. 16.	

WHEREINTO.

אֲשֶׁר יִפֹּל אֶל־תּוֹכוֹ *Asher yippoul el-toukhou,* that may fall in the midst thereof.

Lev. xi. 33.

WHEREOF.

אֲשֶׁר מִמֶּנּוּ *Asher mimmenoo,* of which.

Jer. xlii. 16.

WHEREON.

עַל־מַה *Al-mah,* upon what?

2 Chron. xxxii. 10.

WHERESOEVER.

1. לְכָל מַרְאֵה עֵינַיִם *Lekhol maraih aina-yim,* to all appearance of the eyes.

2. בַּאֲשֶׁר *Bāasher,* in which.

3. וּבְכָל דִּי *Oovekhol dee* (Syriac), wheresoever.

4. אֶל־כָּל *El-kol,* to all.

1. Lev. xiii. 12. | 4. Jer. xl. 5.
2. 2 Kings viii. 1. | 3. Dan. ii. 38.

WHERETO, UNTO.

אֲשֶׁר *Asher,* which, that.

Isa. lv. 11. | Jer. xxii. 27.

WHEREUPON.

עַל־מַה *Al-mah,* upon what.

Job xxxviii. 6.

WHEREWITH.

בַּמֶּה *Bameh,* by what, wherewith.

Judg. vi. 15. | 2 Chron. xxxv.21,not
—— xvi. 6. | in original.
1 Kings xxii. 22. | Psalm cxix. 42, not
2 Chron. xviii. 20. | in original.

WHET.

1. שָׁנַן *Shonan,* (Piel) to sharpen, whet.

2. לָטַשׁ *Lotash,* to polish.

3. קִלְקַל *Kilkal,* to lighten.

1. Deut. xxxii. 41. | 1. Psalm lxiv. 3.
2. Psalm vii. 12. | 3. Eccles. x. 10.

WHETHER.

אִם *Im,* if.

1 Kings xx. 18. | Ezek. ii. 5, 7.
Ezra ii. 59. | —— iii. 11.
Neh. vii. 61. |

WHICH.

אֲשֶׁר *Asher,* which, that, where, in all passages.

WHILE.

1. בְּעוֹד *Běoud,* as long.

2. בִּהְיוֹת *Bihěyouth,* in being.

3. וְהוּא *Věhoo,* and he.

4. בְּ *(b)* prefixed to the relative word, in, by.

5. וְאֵין מַצִּיל *Veain matseel,* and no deliverer.

1. Deut. xxxi. 27. | 4. Psalm xlix. 18.
1. 1 Sam. xx. 14. | 4. —— lxiii. 4.
2. 2 Sam. xii. 18. | 4. —— civ. 33.
1. ———— 22. | 4. —— cxlvi. 2.
2. 2 Chron. xv. 2. | 4. Isa. lv. 6.
3. ———— xxxiv. 3. | 4. Jer. xv. 9.
4. Job xx. 23. | — xl. 5, not ir
5. Psalm vii. 2. | original.

WHILE, a good.

1. עוֹד *Oud,* yet, again.

2. כַּיּוֹם *Kayoum,* as this day.

3. לְמֵרָחוֹק *Lěmairokhouk,* from far off.

1. Gen. xlvi. 29. | 3. 2 Sam. vii. 19.
2. 1 Sam. ix. 27. |

WHILE, all the.

1. הֱיוֹת *Heyouth,* to be, being.

2. כָּל־הַיָּמִים *Kol-hayomeem,* all the days.

3. כִּי־כָל־עוֹד *Kee-kol-oud,* for as long as.

1. 1 Sam. xxii. 4. | 2. 1 Sam. xxvii. 11.
1. —— xxv. 7, 16. | 3. Job xxvii. 3.

(See LITTLE while.)

WHIP.

שׁוֹט *Shout,* a whip.

Prov. xxvi. 3. | Nah. iii. 2.

WHIPS.

שׁוֹטִים *Shouteem,* whips.

1 Kings xii. 11, 14. | 2 Chron. x. 11, 14.

WHIRLETH.

סוֹבֵב סֹבֵב　*Souvaiv souvaiv,* going round and round.

Eccles. i. 6.

WHIRLWIND.

1. סוּפָה　*Soophoh,* a whirlwind.
2. סְעָרָה　*Sāaroh,* a hurricane, tempest.
3. חָרוֹן　*Khoroun,* with wrath.
4. סָעַר　*Soar,* to rage, come with violence.

2. 2 Kings ii. 1, 11.	1. Jer. iv. 13.
1. Job xxxvii. 9.	2. — xxiii. 19.
2. — xxxviii. 1.	2. — xxv. 32.
2. — xl. 6.	2. — xxx. 23.
3. Psalm lviii. 9.	2. Ezek. i. 4.
1. Prov. i. 27.	4. Dan. xi. 40.
1. — x. 25.	1. Hos. viii. 7.
1. Isa. v. 28.	4. — xiii. 3.
1. — xvii. 13.	1. Amos i. 14.
2. — xl. 24.	1. Nah. i. 3.
2. — xli. 16.	4. Hab. iii. 14.
1. — lxvi. 15.	4. Zech. vii. 14.

WHIRLWINDS.

1. סוּפוֹת　*Soophouth,* whirlwinds.
2. סְעָרוֹת　*Sāarouth,* tempests.

1. Isa. xxi. 1.	2. Zech. ix. 14.

WHISPER.

1. לָחַשׁ　*Lokhash,* to speak softly.
2. צָפַף　*Tsophaph,* to whisper.

1. Psalm xli. 7.	2. Isa. xxix. 4.

WHISPERED.

1. 2 Sam. xii. 19.

WHISPERER.

נִרְגָּן　*Nirgon,* a slanderer.

Prov. xvi. 28.

WHIT.

1. כָּלִיל　*Koleel,* entirely, every whit.
2. כָּל־הַדְּבָרִים　*Kol hadvoreem,* all the words, subjects.

1. Deut. xiii. 16.	2. 1 Sam. iii. 18.

WHITE.

1. לָבָן　*Lovon,* white.
2. בּוּץ　*Boots,* the finest white linen of Egypt.
3. חִגֵּר　*Khoor,* pale.
4. חִגֵּר　*Khivvor* (Syriac), pale.
5. צַח　*Tsakh,* clear.
6. צָחַר　*Tsokhar,* spotted.
7. רִיר　*Reer,* juice, fluid.
8. חֹרִי　*Khouree,* full of holes.

All passages not inserted are N°. 1.

8. Gen. xl. 16.	7. Job vi. 6.
6. Judg. v. 10.	5. Cant. v. 10.
2. 2 Chron. v. 12.	6. Ezek. xxvii. 18.
3. Esth. i. 6.	4. Dan. vii. 9.
3. —— viii. 15.	

(See LINEN, white.)

WHITER.

1. אַלְבִּין　*Albeen,* to be whiter.
2. צָחוּ　*Tsokhoo,* they were brighter, purer.

1. Psalm li. 7.	2. Lam. iv. 7.

WHITHER -SOEVER.

1. { אָנָה　*Onoh,* } whereto, whither.
   { אָן　*On,* }
2. אֶל־אֲשֶׁר　*El-asher,* unto which.
3. בְּכֹל אֲשֶׁר　*Bekhoul asher,* in all which.
4. עַל־אֲשֶׁר　*Al-asher,* upon which, what.
5. לְנַפְשָׁהּ　*Lenaphshoh,* according to her desire.
6. שָׁם　*Shom,* there, thither.
7. בַּדֶּרֶךְ אֲשֶׁר　*Baderekh asher,* in the way which.
8. עַל־כָּל־אֲשֶׁר　*Al-kol-asher,* upon, unto, all which.
9. מְקוֹם אֲשֶׁר　*Mekoum asher,* the place which.
10. אַל־פְּשַׁטְתֶּם　*Al-peshattem,* have ye not stript, plundered ?
11. אֲשֶׁר　*Asher,* which.
12. בַּאֲשֶׁר　*Bāasher,* in which.
13. אֶל　*El,* unto, wherever.

All passages not inserted are N°. 1.

11. Numb. xiii. 27.	6. 2 Sam. xvii. 18.
11. Deut. xxx. 18.	3. 1 Kings xviii. 12.
3. 2 Sam. xv. 20.	13. Jer. xl. 4.

WHITHER go.

All passages not inserted are N°. 1.

11. Deut. iv. 5.	10. 1 Sam. xxvii. 10.
11. —— xi. 8, 11.	6. Psalm cxxii. 4.
5. —— xxi. 14.	2. Ezek. i. 12.
11. —— xxx. 18.	4. —— 20.
11. —— xxxi. 16.	

WHITHER goest.

8. Gen. xxviii. 15.	8. Josh. i. 9.
1. —— xxxii. 17.	1. Judg. xix. 17.
3. Exod. xxxiv. 12.	2. Ruth i. 16.
11. Deut. vii. 1.	11. Eccles. ix. 10.
11. —— xi. 10, 29.	6. Jer. xlv. 5.
11. —— xxiii. 20.	1. Zech. ii. 2.
11. —— xxviii. 21, 63.	

WHITHER -soever.

8. Josh. i. 9, 16.	8. 1 Chron. xviii. 6, 13.
12. 1 Sam. xxiii. 13.	9. Esth. iv. 3.
8. 2 Sam. viii. 6, 14.	8. Prov. xvii. 8.
7. 1 Kings viii. 44.	8. —— xxi. 1.
8. 2 Kings xviii. 7.	

WHO.

1.	מִי	*Mee*, who.
2.	וַאֲנִי	*Vāanee*, and I.
3.	וְהֵמָּה	*Vehaimoh*, and they.
4.	אֲשֶׁר	*Asher*, which, what, that.
5.	מַן	*Mān* (Chaldee), what, who.
6.	דִּי	*Dee* (Syriac), who.

All passages not inserted are N°. 1.

2. Exod. vi. 12.	5. Ezra v. 3.
3. Numb. xxv. 6.	6. Dan. ii. 23.
4. 2 Sam. iv. 10.	

WHOLE, Adj.

1.	חָיָה	*Khoyoh*, alive, revived.
2.	רָפָא	*Rophō*, to heal.

1. Josh. v. 8.	2. Jer. xix. 11.
2. Job v. 18.	

WHOLE, Subst.

1.	כָּל	*Kol*, all, whole.
2.	יְמֵי שְׁנֵי חַיָּיו	*Yĕmai shennai khayov*, the days of the years of his life.

3.	כָּלִיל	*Koleel*, entirely.
4.	יָמִים	*Yomeem*, days.
5.	תָּמִים	*Tomeem*, perfect, complete.
6.	תֹּם	*Toum*, fully ended.
7.	שְׁלֵמָה	*Shelaimoh*, entire, complete.

All passages not inserted are N°. 1.

2. Gen. xlvii. 28.	4. Judg. xix. 2.
5. Lev. iii. 9.	3. Psalm li. 19.
6. —— xxv. 29.	5. Prov. i. 12.
4. Numb. xi. 20, 21.	5. Ezek. xv. 5.
7. Deut. xxvii. 6.	4. Dan. x. 3.
7. Josh. viii. 31.	7. Amos i. 6, 9.
5. —— x. 13.	

WHOLLY.

1.	כָּל	*Kol*, all, the whole.
2.	כָּלִיל	*Koleel*, entirely.
3.	לֹא תְכַלֶּה לִקְצֹר	*Lou thekhaleh liktsour*, thou shalt not finish reaping.
4.	נְתוּנִים	*Nethooneem* (repeated), entirely given, delivered over.
5.	מִלֵּא אַחַר	*Millai akhar*, to fulfil after.
6.	קָדַשׁ	*Kodash*, (Hiph.) (repeated) entirely sanctify.
7.	לְכָל	*Lekhol*, according to all.
8.	שְׁלֵמִים	*Sheloumeem*, completely.
9.	שׂוֹם	*Soom* (repeated), thou shalt surely set.
10.	נִקָּה	*Nikkoh* (repeated), entirely free.

All passages not inserted are N°. 1.

2. Lev. vi. 22, 23.	5. Josh. xiv. 8, 9, 14.
3. —— xix. 9.	6. Judg. xvii. 3.
4. Numb. iii. 9.	2. 1 Sam. vii. 9.
2. —— iv. 6.	7. 1 Chron. xxviii. 21.
4. —— viii. 16.	8. Jer. xiii. 19.
5. —— xxxii. 11.	9. — xlii. 15.
5. Deut. i. 36.	10. — xlvi. 28.

WHOLESOME.

מַרְפֵּא	*Marpai*, a healing.

Prov. xv. 4.

WHOM -soever.

1.	מִי	*Mee*, who, whom, whose.
2.	אֲשֶׁר	*Asher*, that, which, what.
3.	אִתּוֹ	*Ittou*, with, by him.

4. $\begin{cases} \text{אֲשֶׁר בָּהֵמָּה } \textit{Asher bohaimoh,} \\ \text{בָּהֶן } \textit{Bohain,} \end{cases}$ in, for whom.

5.   כִּי *Kee,* for, yea.

6.   בַּעֲדוֹ *Bāadou,* on his account.

7.   שׁ (*sh*) prefixed to the relative word, that, who.

8.   מַן־דִּי *Man-dee* (Syriac), whomsoever.

9.   יַתְהוֹן *Yathhoun* (Syriac), them.

10.   מִפְּנֵיהֶם *Mipnaihem,* before them, whom.

11.   בְּיָדוֹ *Beyodou,* in whose hand.

All passages not inserted are N°. 1.

5. Gen. iv. 25.	6. Job iii. 23.
4. —— xxx. 26.	7. Cant. i. 7.
3. —— xliv. 9, 10.	10. Jer. xxxix. 17.
11. —— 16.	9. Dan. iii. 12.
4. Exod. xxxvi. 1.	8. —— iv. 17, 25.
2. Numb. xxii. 6.	8. —— v. 21.
10. Deut. vii. 19.	

WHORE -S.

1.   זוֹנָה *Zounoh,* a supplier, supporter, hostess; met., a harlot.

2.   קְדֵשָׁה *Kedaishoh,* unholy, a harlot.

3.   אִשָּׁה זוֹנָה *Isshoh zounoh,* a hostess, supporter, supplier; met., an adulteress.

1. In all passages, except:

2. Deut. xxiii. 17. | 3. Jer. iii. 3.

WHOREDOM -S.

זָנָה *Zonoh,* to indulge, nourish, supply; met., to commit spiritual fornication (idolatry).

WHORING.

זָנָה *Zonoh,* to indulge, nourish, support; met., to commit spiritual fornication (idolatry).

WHORISH.

1. אִשָּׁה זוֹנָה *Isshoh zounoh,* a woman supplier, supporter, hostess; met., an adulteress.

2.   זוֹנָה *Zounoh,* a supplier, supporter, hostess; met., harlot.

1. Prov. vi. 26.	1. Ezek. xvi. 30.
2. Ezek. vi. 9.	

WHOSE.

1.   אֲשֶׁר *Asher,* that, whose.

2.   מִי *Mee,* who, whose, whom.

3.   שְׁמוֹ *Shemou,* his name.

4.   עִם־לְבָבָם *Im-levovom,* with their heart.

5.   בְּלִבָּם *Belibbom,* in their heart.

6.   בִּידֵהּ *Bedaihh* (Syriac), in his hand.

7.   לֵהּ *Laihh* (Syriac), to him.

8.   וְאֶל־לֵב *Vēel-laiv,* and unto the heart.

All passages not inserted are N°. 1.

2. Gen. xxxii. 17.	2. Jer. xliv. 28.
2. 1 Sam. xii. 3.	3. — xlviii. 15.
2. 2 Sam. iii. 12.	3. — li. 57.
4. 2 Chron. xvi. 9.	8. Ezek. xi. 21.
5. Psalm lxxxiv. 5.	6. Dan. v. 23.
5. Isa. li. 7.	7. —— 23.
Jer. xvii. 5, not in original.	3. Amos v. 27.

WHOSOEVER.

הֶחָפֵץ *Hekhophaits,* whosoever he pleased.

1 Kings xiii. 33.

WHY.

1.   לָמָּה *Lommoh,* why, to what?

2.   מַדּוּעַ *Madooā,* wherefore, for what reason?

3.   עַל־מַה־זֶּה *Al-mah-zeh,* for what this?

4.   עַל־מָה *Al-moh,* for what?

5.   יַעַן מֶה *Yaan meh,* because of what?

All passages not inserted are N°. 1.

2. Exod. iii. 3.	2. 1 Kings i. 6.
2. Josh. xvii. 14.	3. Esth. iv. 5.
2. Judg. xi. 7.	4. Jer. viii. 14.
2. 1 Sam. xx. 2.	2. —— 19.
2. —— xxi. 1.	2. Ezek. xviii. 19.
2. 2 Sam. xviii. 11.	5. Hag. i. 9.
2. —— xix. 41, 43.	

WICKED.

1.   רָשָׁע *Roshō,* a wicked man.

2.   בְּלִיַּעַל *Beliyaal,* (Belial,) a useless person; lit., without help, worthless.

3.   זְמָמוֹ *Zemomou,* his device, purpose.

4.   ***חֶסֶד**   *Khesed*, kindness.

5.   **עַוָּל**   *Avvol*, unjust, iniquitous.

6. **בְּנֵי עַוְלָה**   *Benai avloh*, children of injustice, iniquity.

7.   **עָמָל**   *Omail*, trouble, troublesome.

8.   **עֹצֶב**   *Outsev*, sorrow, grief.

9.   **רַע**   *Rā*, bad, evil, wicked.

10.   **אָנוּשׁ**   *Onoosh*, miserable, helpless, incurable.

11.   **אָוֶן**   *Oven*, iniquity.

12.   **מְרֵעִים**   *Meraieem*, evil doers.

13.   **זִמָּה**   *Zimmoh*, a wicked device.

14.   **מְזִמּוֹת**   *Mezimmouth*, devices, intentions.

* *Khesed* has no other signification than *kindness*. Some lexicographers interpret it in this passage (ironically) *impiety*, as the word *kindness* is not suitable to the context according to the authorized version. The literal translation is given, — " A kindness it, when they shall be cut off."

All passages not inserted are N°. 1.

9.	Gen. xiii. 13.	9.	Psalm ci. 4.
9.	—— xxxviii. 7.	11.	—— 8.
*4.	Lev. xx. 17.	8.	—— cxxxix. 24.
2.	Deut. xv. 9.	3.	—— cxl. 8.
9.	—— xvii. 5.	11.	Prov. vi. 12, 18.
9.	—— xxiii. 9.	9.	—— xi. 21.
9.	1 Sam. xxx. 22.	14.	—— xii. 2.
6.	2 Sam. iii. 34.	9.	—— 13.
9.	2 Kings xvii. 11.	14.	—— xiv. 17.
9.	2 Chron. vii. 14.	9.	—— xvii. 4.
9.	Neh. ix. 35.	1.	—— xxi. 27.
9.	Esth. vii. 6.	13.	—— 27.
9.	Job xxi. 30.	9.	—— xxvi. 23.
11.	— xxii. 15.	11.	Isa. lv. 7.
5.	— xxxi. 3.	9.	Jer. ii. 33.
2.	— xxxiv. 18.	9.	— vi. 29.
11.	—— 36.	10.	— xvii. 9.
12.	Psalm xxvii. 2.	9.	Ezek. viii. 9.
14.	—— xxxvii. 7.	9.	—— xi. 2.
11.	—— lix. 5.	9.	—— xx. 44.
2.	—— ci. 3.	2.	Nah. i. 11, 15.

WICKED, of the.

All passages not inserted are N°. 1.

5.	Job xviii. 21.	9.	Prov. xv. 26.
7.	— xx. 22.	9.	Jer. v. 28.
12.	Psalm xxii. 16.	9.	— xv. 21.
12.	—— lxiv. 2.	9.	Ezek. xiii. 22.
12.	—— xcii. 11.	9.	—— xxx. 12.
9.	Prov. ii. 14.		

WICKED man, men.

See Man and Men, wicked.

WICKEDLY.

1.   **רָשַׁע**   *Roshā*, (Hiph.) to act wickedly.

2.   **רוּעַ**   *Rooā*, (Hiph.) to do evil.

3.   **עָוָה**   *Ivvoh*, (Hiph.) to deal perversely.

4.   **עַוְלָה**   *Avloh*, injustice.

5.   **בְּרָע**   *Verō*, in, with evil.

6.   **לִמְזִמָּה**   *Limĕzimmoh*, for a wicked purpose.

7.   **רִשְׁעָה**   *Rishoh*, wickedness.

2.	Gen. xix. 7.	4.	Job xiii. 7.
2.	Deut. ix. 18.	1.	— xxxiv. 12.
2.	Judg. xix. 23.	1.	Psalm xviii. 21.
2.	1 Sam. xii. 25.	5.	—— lxxiii. 8.
1.	2 Sam. xxii. 22.	1.	—— lxxiv. 3.
3.	—— xxiv. 17.	1.	—— cvi. 6.
2.	2 Kings xxi. 11.	6.	—— cxxxix. 20.
1.	2 Chron. vi. 37.	1.	Dan. ix. 5, 15.
1.	—— xx. 35.	1.	— xi. 32.
1.	—— xxii. 3.	1.	— xii. 10.
1.	Neh. ix. 33.	7.	Mal. iv. 1.

WICKEDNESS.

1.   **רֶשַׁע**   *Reshā*, wickedness.

2.   **רָשַׁע**   *Roshā*, to act wickedly.

3.   **אָוֶן**   *Oven*, iniquity, vanity.

4. **כְּדָבָר הָרָע**   *Kadovor horō*, according to that evil matter.

5.   **הַוּוֹת**   *Havouth*, disasters.

6.   **זִמָּה**   *Zimmoh*, a wicked device.

7.   **עַוְלָה**   *Avloh*, injustice, wrong.

8.   **עַוְלוֹת**   *Avlouth*, wrongs.

9.   **עָמָל**   *Omol*, mischief, trouble.

10.   **רַע**   *Rā*, evil, badness.

All passages not inserted are N°. 1.

10.	Gen. vi. 5.	9.	Job iv. 8.
10.	—— xxxix. 9.	3.	— xi. 11.
6.	Lev. xviii. 17.	7.	—— 14.
6.	—— xix. 29.	10.	— xx. 12.
6.	—— xx. 14.	10.	— xxii. 5.
4.	Deut. xiii. 11.	7.	— xxiv. 20.
10.	—— xvii. 2.	7.	— xxvii. 4.
10.	—— xxviii. 20.	5.	Psalm v. 9.
10.	Judg. ix. 56.	10.	— vii. 9.
10.	—— xx. 3, 12.	10.	— xxviii. 4.
10.	1 Sam. xii. 17, 20.	5.	— lii. 7.
10.	—— xxv. 39.	5.	— lv. 11.
10.	2 Sam. iii. 39.	10.	—— 15.
7.	—— vii. 10.	8.	—— lviii. 2.
10.	1 Kings i. 52.	7.	—— lxxxix. 22.
10.	—— ii. 44.	10.	—— xciv. 23.
2.	—— viii. 47.	10.	—— cvii. 34.
10.	—— xxi. 25.	10.	Prov. xiv. 32.
10.	2 Kings xxi. 6.	10.	— xxi. 12.
7.	1 Chron. xvii. 9.	10.	— xxvi. 26.

3. Prov. xxx. 20.
10. Eccles. vii. 15.
10. Isa. xlvii. 10.
10. Jer. i. 16.
10. — ii. 19.
10. — iii. 2.
10. — iv. 14, 18.
10. — vi. 7.
10. — vii. 12.
10. — viii. 6.
10. — xii. 4.
10. — xiv. 16.

10. Jer. xxii. 22.
10. — xxiii. 11, 14.
10. — xxxiii. 5.
10. — xliv. 3, 5, 9.
10. Lam. i. 22.
10. Ezek. xvi. 23, 57.
10. Hos. vii. 1, 2, 3.
10. —— ix. 15.
10. —— x. 15.
10. Joel iii. 13.
10. Jonah i. 2.
10. Nah. iii. 19.

WIDE.

1. פָּתֹחַ תִּפְתַּח Pothouakh tiphtakh, thou shalt surely open.

2. רַחֲבַת יָדַיִם Rakhavath yodayim, wide on both hands, extensive.

3. פָּעַר Poar, to yawn, open the mouth wide.

4. רֹחַב Roukhav, breadth, width.

5. רָחַב Rokhav, (Hiph.) to enlarge.

6. פָּשַׁק Poshak, to extend.

7. בֵּית חָבֵר Baith khover, a house of company.

8. בֵּית מִדּוֹת Baith middouth, a house of great extent.

9. רָחָב Rokhov, broad, large, extensive.

1. Deut. xv. 8, 11.	6. Prov. xiii. 3.
2. 1 Chron. iv. 40.	7. —— xxi. 9.
3. Job xxix. 23.	7. —— xxv. 24.
9. — xxx. 14.	5. Isa. lvii. 4.
5. Psalm xxxv. 21.	8. Jer. xxii. 14.
5. —— lxxxi. 10.	1. Nah. iii. 13.
2. —— civ. 25.	

WIDENESS.
4. Ezek. xli. 10.

WIDOW.
אַלְמָנָה Almonoh, a widow, in all passages.

WIDOWS.
אַלְמָנוֹת Almonouth, widows, in all passages.

WIDOWHOOD.
1. אַלְמְנוּת Almenooth, } widowhood.
2. אַלְמֹן Almoun, }

1. Gen. xxxviii. 19.	2. Isa. xlvii. 9.
1. 2 Sam. xx. 3.	1. — liv. 4.

WIFE.
1. אִשָּׁה Isshoh, a woman, wife.
2. בְּעֻלַת בַּעַל Běulath bāal, married to a husband.

    1. In all passages, except:
        2. Gen. xx. 3.

WIVES.
1. נָשִׁים Nosheem, women, wives.
2. שֶׁגְלֹתֵהּ Shaiglothai (Syriac), wives.
3. אַל תִּגְּשׁוּ אֶל־אִשָּׁה Al tigshooh el-ishoh, ye shall not come near unto a woman.

    1. In all passages, except:
3. Exod. xix. 15. | 2. Dan. v. 2, 3, 23.
    (See STRANGE wives.)

WILD man.
פֶּרֶא אָדָם Perē odom, a wild man.
    Gen. xvi. 12.

WILD ass.
1. פֶּרֶא Perē, a wild ass.
2. עָרוֹד Oroud, a wild ass of the desert.

1. Job vi. 5.	1. Jer. ii. 24.
1. — xxxix. 5.	1. Hos. viii. 9.
2. —————— 5.	

WILD asses.
1. פְּרָאִים Perōcem, wild asses.
    עֲרָדַיָּא Arodayō (Syriac), wild asses.

1. Job xxiv. 5.	1. Jer. xiv. 6.
1. Psalm civ. 11.	2. Dan. v. 21.
1. Isa. xxxii. 14.	

WILD beast -s.
1. חַיַּת הַשָּׂדֶה Khayath hasodeh, beasts of the field.
2. זִיז הַשָּׂדֶה Zeez hasodeh, the wild beasts.
3. אִיִּים Iyeem, wild beasts of the islands.

1. 2 Kings xiv. 9.	2. Psalm lxxx. 13.
1. 2 Chron. xxv. 18.	3. Isa. xiii. 22.
1. Job xxxix. 15.	1. Hos. xiii. 8.

WILDERNESS.
1. מִדְבָּר Midbor, a wilderness.
2. יְשִׁימוֹן Yesheemoun, a waste.
3. עֲרָבָה Arovoh, a mixture, desert.

4.   צִיָּה   *Tsiyoh,* a thirsty, arid place.

5.   תֹּהוּ   *Touhoo,* void, confused.

All passages not inserted are N°. 1.

2. Deut. xxxii. 10.	4. Psalm lxxiv. 14.
5. Job xii. 24.	4. —— lxxviii. 17.
3. — xxiv. 5.	5. —— cvii. 40.
4. — xxx. 3.	4. Isa. xxiii. 13.
3. — xxxix. 6.	3. — xxxiii. 13.
2. Psalm lxviii. 7.	3. Jer. li. 43.
4. —— lxxii. 9.	

WILES.

נִכְלֵיהֶם   *Nikhlaihem,* their artfulness.

Numb. xxv. 18.

WILILY.

בְּעָרְמָה   *Beormoh,* with cunningness.

Josh. ix. 4.

WILL, Subst.

1.   רָצוֹן   *Rotsoun,* will, acceptance.

2.   רְעוּת   *Rĕooth* (Chaldee), pleasure.

3.   נֶפֶשׁ   *Nephesh,* inclination.

4.   מַצְבָּא   *Matsbai* (Syriac), choice.

1. Lev. i. 3.	3. Psalm xli. 2.
1. —— xix. 5.	1. —— cxliii. 10.
1. —— xxii. 19, 29.	3. Ezek. xvi. 27.
1. Deut. xxxiii. 16.	4. Dan. iv. 35.
3. Psalm xxvii. 12.	1. —— viii. 4.
1. —— xl. 8.	1. —— xi. 3, 16, 36.

WILL of God.

2. Ezra vii. 18.

(See SELF -will.)

WILL.

1.   All passages not inserted are designated by a prefixed letter, denoting the verb future.

2. לֹא־אָבָה   *Lou-ovoh,* to be unwilling.

3.   חָפֵץ   *Khophaits,* to please.

4.   צְבָא   *Tsovō* (Syriac), to desire earnestly.

5. לְנַפְשָׁהּ   *Lenaphshoh,* according to her inclination.

6. מַה לָּךְ   *Mah lokh,* what vexes (troubles) thee?

7. אִם יֶשְׁךָ   *Im yeshkhō,* if it exist with thee.

8. הוֹאִיל   *Houeel,* continued.

9. כִּרְצוֹנָם   *Kiretsounom,* according to their will.

10. נַפְשֵׁנוּ   *Naphshainoo,* our inclination.

11. אַחֲלַי   *Akhalai,* how I wish.

12.   לוּ   *Loo,* oh that.

13. מִי יִתֵּן   *Mee yittain,* who will give.

14. הֲיֵשׁ לְדַבֶּר־לָךְ   *Hayaish ledaber-lokh,* is there to speak for thee?

15. מֵאֵן   *Meain,* to refuse.

16. אִם בָּרֵךְ תְּבָרְכֵנִי   *Im boraikh tevorkhainee,* if thou wilt surely bless me.

17. וְעָשִׂיתָ מֵרָעָה   *Vĕoseethoh mairoōh,* and thou wilt preserve from evil.

All passages not inserted are N°. 1.

2. Lev. xxvi. 21.	3. Job ix. 3.
1. —— 21.	1. Prov. vi. 35.
5. Deut. xxi. 14.	2. —— 35.
2. —— xxv. 7.	3. —— xxi. 1.
2. —— xxix. 20.	2. Isa. xxx. 9.
1. Ruth iii. 13.	2. Ezek. iii. 7.
3. —— 13.	4. Dan. iv. 17, 25, 32.

WILT.

1. In all passages, except:

7. Gen. xliii. 4.	7. Judg. vi. 36.
15. Exod. x. 3.	

WOULD.

All passages not inserted are N°. 1.

12. Gen. xxx. 34.	2. 2 Sam. xii. 17.
2. Exod. x. 27.	2. —— xiii. 14, 16, 25.
13. —— xvi. 3.	2. —— xiv. 29.
13. Numb. xi. 29.	12. —— xviii. 33.
12 —— xiv. 2.	2. —— xxiii. 16, 17.
2. Deut. i. 26.	3. 1 Kings xiii. 33.
2. —— ii. 30.	2. —— xxii. 49.
2. —— x. 10.	11. 2 Kings v. 3.
2. —— xxiii. 5.	2. —— viii. 19.
13. —— xxviii. 67.	2. —— xiii. 23.
12. Josh. vii. 7.	2. —— xxiv. 4.
8. —— xvii. 12.	2. 1 Chron. x. 4.
2. —— xxiv. 10.	2. —— xi. 19.
8. Judg. i. 27, 35.	2. —— xix. 19.
13. —— ix. 29.	2. 2 Chron. xxi. 7.
2. —— xi. 17.	2. Neh. ix. 34.
2. —— xix. 10, 25.	9. Esth. ix. 5.
2. —— xx. 13.	10. Psalm xxxv. 25.
3. 1 Sam. ii. 25.	2. —— lxxxi. 11.
2. —— xv. 9.	2. Prov. i. 25, 30.
2. —— xxii. 17.	2. Isa. xxviii. 12.
2. —— xxvi. 23.	2. — xxx. 15.
2. —— xxxi. 4.	2. — xlii. 24.
2. 2 Sam. ii. 21.	2. Ezek. xx. 8.
2. —— vi. 10.	

WOULDEST.

1. In all passages, except :

6. Josh. xv. 18.	16. 1 Chron. iv. 10.
14. 2 Kings iv. 13.	17. ——— 10.

WILLING.

1.   נָדַב   *Nodav,* to be willing, liberal.
2.   חֲפֵצָה   *Khaphaitsoh,* desirable, delightful.
3.   לֹא־אָבָה   *Lou-ovoh,* to be unwilling.
4.   בְּחֵפֶץ   *Bekhaiphets,* with desire.
5.   יָאַל   *Yoal,* (Hiph.) to continue.
6.   מִלִּבּוֹ   *Milibbou,* from his heart.

All passages not inserted are N°. 1.

3. Gen. xxiv. 5, 8.	3. Job xxxix. 9.
2. 1 Chron. xxviii. 9.	3. Isa. i. 19.

WILLINGLY.

1. In all passages, except :

4. Prov. xxxi. 13.	5. Hos. v. 11.
6. Lam. iii. 33.	

WILLOWS.

עֲרָבִים   *Aroveem,* willows.

Lev. xxiii. 40.	Isa. xv. 7.
Job xl. 22.	— xliv. 4.
Psalm cxxxvii. 2.	

WILLOW -tree.

צַפְצָפָה שָׂמוֹ   *Tsaphtsophoh somou,* set a watch over it.

Ezek. xvii. 5.

WIMPLES.

מִטְפָּחוֹת   *Mitpokhouth,* vails, aprons.

Isa. iii. 22.

WIN.

בָּקַע   *Bokā,* (Piel) to cleave asunder, break through.

2 Chron. xxxii. 1.

WINNETH.

לוֹקֵחַ   *Loukaiakh,* taketh, receiveth.

Prov. xi. 30.

WIND.

רוּחַ   *Rooakh,*
רוּחָא   *Rookhō* (Syriac),   } wind, spirit.

In all passages.

WINDS.

רוּחֹת   *Rookhouth,*
רוּחֵי   *Rookhai* (Syriac),   } winds.

In all passages.

WINDY.

מֵרוּחַ סֹעָה   *Mairooakh souoh,* from the stormy wind.

Psalm lv. 8.

WINDOW.

1.   חַלּוֹן   *Khaloun,* a window.
2.   צֹהַר   *Tsouhar,* an aperture for light.
3.   אֶשְׁנָב   *Eshnov,* a lattice. a breathing place.

1. In all passages, except :

2. Gen. vi. 16.	3. Judg. v. 28.

WINDOWS.

1.   חַלּוֹנוֹת   *Khalounouth,* windows.
2.   אֲרֻבּוֹת   *Arubbouth,* square apertures, openings.
3.   שִׁמְשֹׁתָיִךְ   *Shimshouthayikh,* thy apertures for the light of the sun.
4.   שְׁקֻפִים   *Shekupheem,* narrow openings for light.
5.   שֶׁקֶף   *Shokeph,* a narrow opening for light.
6.   כַּוִּין   *Khavveen* (Syriac), a window.

2. Gen. vii. 11.	3. Isa. liv. 12.
2. —— viii. 2.	2. — lx. 8.
4. 1 Kings vii. 4.	1. Jer. ix. 21.
5. —— 5.	1. — xxii. 1.
2. 2 Kings vii. 2, 19.	6. Dan. vi. 10.
2. Eccles. xii. 3.	1. Joel ii. 9.
1. Cant. ii. 9.	1. Zeph. ii. 14.
2. Isa. xxiv. 18.	2. Mal. iii. 10.

WINE.

1.   יַיִן   *Yayin,* wine.
2.   שֵׁכָר   *Shaikhor,* strong liquor.
3.   יֶקֶב   *Yokev,* a wine vault.
4.   תִּירוֹשׁ   *Theeroush,* new wine.

5.   סָבְאֵךְ   *Sovaikh*, thy luxurious drink.

6. { חֶמֶר   *Khemer*,   } old wine.
     { חֲמַר   *Khamar* (Syriac), }

7.   מִמְסָךְ   *Mimsokh*, a mixture.

8.   עָסִיס   *Osees*, new, sweet wine.

9.   עֲנָבִים   *Anoveem*, grapes.

10.   גַּת   *Gath*, a wine vat.

11.   פּוּרָה   *Pooroh*, a wine press.

12.   מִיְקְבֶךָ   *Miyikvekhō*, out of thy wine vault.

All passages not inserted are N°. 1.

4. Gen. xxvii. 28, 37.	6. Ezra vi. 9.
4. Numb. xviii. 12.	6. —— vii. 22.
2. —— xxviii. 7.	4. Neh. v. 11.
4. Deut. vii. 13.	4. —— x. 37.
4. —— xi. 14.	4. Psalm iv. 7.
4. —— xii. 17.	7. Prov. xxiii. 30.
4. —— xiv. 23.	5. Isa. i. 22.
12. —— xvi. 13.	6. — xxvii. 2.
4. —— xviii. 4.	4. — xxxvi. 17.
4. —— xxviii. 51.	4. — lxii. 8.
4. —— xxxiii. 28.	4. Jer. xxxi. 12.
4. Judg. ix. 13.	9. Hos. iii. 1.
4. 2 Kings xviii. 32.	4. —— vii. 14.
4. 2 Chron. xxxi. 5.	4. Joel ii. 19, 24.
4. —— xxxii. 28.	3. Hab. ii. 5.

WINE bibbers.

סוֹבְאִים   *Souveem*, luxurious drinkers.

Prov. xxiii. 20.

WINE -cellars.

אֹצְרוֹת הַיַּיִן   *Autsrouth hayayin*, storehouses for wine.

1 Chron. xxvii. 27.

WINE fat.

10. Isa. lxiii. 2.

WINE, new.

4. Neh. x. 39.	4. Hos. ix. 2.
4. —— xiii. 5, 12.	8. Joel i. 5.
4. Prov. iii. 10.	8. —— iii. 18.
4. Isa. xxiv. 7.	8. Hag. i. 11.
4. — lxv. 8.	4. Zech. ix. 17.
4. Hos. iv. 11.	

WINE -press.

3. Numb. xviii. 27, 30.	3. Isa. v. 2.
3. Deut. xv. 14.	11. — lxiii. 3.
10. Judg. vi. 11.	10. Lam. i. 15.
3. —— vii. 25.	3. Hos. ix. 2.
3. 2 Kings vi. 27.	

WINE -presses.

10. Neh. xiii. 15.	3. Jer. xlviii. 33.
3. Job xxiv. 11.	3. Zech. xiv. 10.

WINE, sweet.

8. Isa. xlix. 26.	4. Mic. vi. 15.
8. Amos ix. 13.	

WINES on the lees.

שְׁמָרִים   *Shemoreem*, wines on the lees.

Isa. xxv. 6.

WING.

כָּנָף   *Konoph*, a wing.

1 Kings vi. 24, 27.	Isa. x. 14.
2 Chron. iii. 11, 12.	Ezek. xvii. 23.

WINGS.

1.   כְּנָפַיִם   *Kenophayim*, wings.

2.   אֵבֶר   *Aiver*, a limb; met., a wing.

3.   צִיץ   *Tseets*, a flower, shining plate of metal.

4.   גַּפִּין   *Gappeen* (Syriac), wings.

1. In all passages, except:

2. Deut. xxxii. 11.	2. Isa. xl. 31.
2. Job xxxix. 13.	3. Jer. xlviii. 9.
2. Psalm lv. 6.	4. Dan. vii. 4, 6.

WINGED.

1.   כָּנָף   *Konoph*, wing.

2.   אֵבֶר   *Aiver*, a limb; met., wing.

1. Gen. i. 21.	2. Ezek. xvii. 3.
1. Deut. iv. 17.	

WINK.

1.   קָרַץ   *Korats*, to wink.

2.   רָזַם   *Rozam*, to give a sign.

2. Job xv. 12.	1. Psalm xxxv. 19.

WINKETH.

1. Prov. vi. 13.	1. Prov. x. 10.

WINNOWED -ETH.

זָרָה   *Zoureh*, to scatter, winnow.

Isa. xxx. 24.

WINNOWETH.

Ruth iii. 2.

WINTER.

1.   חֹרֶף   *Khoureph*, winter.

2.   סְתָו   *Stov*, the early spring.

1. Gen. viii. 22.	2. Cant. ii. 11.
1. Psalm lxxiv. 17.	1. Zech. xiv. 8.

WINTER house.

בֵּית הַחֹרֶף *Baith hakhoureph*, a winter house.

Jer. xxxvi. 22. | Amos iii. 15.

WINTER, Verb.

חָרַף *Khoraph*, to winter.

Isa. xviii. 6.

WIPE.

מָחָה *Mokhoh*, to wipe out, blot out.

2 Kings xxi. 13. | Isa. xxv. 8.
Neh. xiii. 14.

WIPED.

Prov. vi. 33.

WIPETH.

2 Kings xxi. 13. | Prov. xxx. 20.

WIPING.

2 Kings xxi. 13.

WIRES.

פְּתִילִם *Petheelim*, threads.

Exod. xxxix. 3.

WISDOM.

1. חָכְמָה *Khokhmoh*, wisdom.
2. תּוּשִׁיָּה *Tooshiyoh*, completeness, sound wisdom.
3. לֵב *Laiv*, a heart.
4. עָרְמָה *Ormoh*, acuteness, craftiness.
5. הַשְׂכֵּל *Haskail*, skilful, intelligent.
6. שֵׂכֶל *Saikhel*, skill, intelligence.
7. טְעַם *Tĕaim* (Syriac), reason.
8. { בִּינָה *Beenoh*, } understanding.
   { תְּבוּנָה *Tevoonoh*, }

All passages not inserted are N°. 1.

6. 1 Chron. xxii. 12.	3. Prov. x. 21.
2. Job vi. 13.	3. —— xi. 12.
2. — xii. 16.	6. —— xii. 8.
5. — xxxiv. 35.	3. —— xv. 21.
3. — xxxvi. 5.	2. —— xviii. 1.
3. — xxxix. 26.	3. —— xix. 8.
8. Psalm cxxxvi. 5.	8. —— xxiii. 4.
2. Prov. ii. 7.	6. ——————— 9.
2. —— iii. 21.	3. Eccles. x. 3.
4. —— viii. 5, 12.	7. Dan. ii. 14.
2. ——————— 14.	2. Mic. vi. 9.

WISE, Adj.

1. חָכָם *Khokhom*, wise.
2. מֵבִין *Maiveen*, a man of understanding.
3. תַּחְבֻּלוֹת *Takhbulouth*, deep thoughts.
4. מַשְׂכִּיל *Maskeel*, an intelligent man.
5. לְהַשְׂכִּיל *Lehaskeel*, to cause information.
6. יְלֻבַּב *Yilovaiv*, shall be revived, encouraged.
7. פִּקְחִים *Pikkheem*, the seeing, i. e., those that see.
8. שָׂכַל *Sokhal*, (Hiph.) to become prudent.
9. בְּשֶׂכֶל *Besekhel*, with prudence.

All passages not inserted are N°. 1

5. Gen. iii. 6.	1. Prov. i. 5.
7. Exod. xxiii. 8.	3. —— 5.
9. 1 Chron. xxvi. 14.	4. —— x. 5, 19.
2. —— xxvii. 32.	4. —— xiv. 35.
6. Job xi. 12.	4. —— xv. 24.
4. — xxii. 2.	4. —— xvii. 2.
5. Psalm ii. 10.	2. ———— 10.
5. —— xxxvi. 3.	3. —— xxiv. 6.
8. —— xciv. 8.	4. Dan. xii. 3, 10.

WISE -hearted.

1. In all passages.

WISE men.

חֲכָמִים *Khakhomeem*, wise men.

Gen. xli. 8. | Exod. vii. 11.
(See MAN and MEN wise.)

WISE woman.

1. חֲכָמָה *Khakhomoh*, a wise woman.
2. חָכְמַת *Khokhmath*, the wisdom of.

1. 2 Sam. xiv. 2. | 2. Prov. xiv. 1.
1. ———— xx. 16. |

WISE, any.

1. רַק *Rak*, only, but.
2. שַׁלֵּחַ *Sholakh* (repeated), sending thou shalt send me.
3. שׂוֹם *Soom* (repeated), setting thou shalt set.
4. אַל הָמֵית *Al homaith* (repeated), surely thou shalt not slay it.
5. שׁוּב *Shoov* (repeated), turning thou shalt turn.

6.   כֹּה   *Kouh,* thus.

7.   עָנֹה   *Onoh,* (Piel) (repeated), afflicting thou wilt afflict.

8.   יָכֹחַ   *Yokhakh* (repeated), reproving thou shalt reprove.

9.   גָּאֹל   *Goal* (repeated), redeeming he will redeem.

10.   קָבֹר   *Kovar* (repeated), burying thou shalt bury.

11.   אַךְ   *Akh,* but, only.

12.   לֹא אָכַל   *Lou okhal* (repeated), ye shall in no wise eat.

7. Exod. xxii. 23.	1. Josh. vi. 18.
8. Lev. xix. 17.	5. —— xxiii. 12.
9. —— xxvii. 19.	5. 1 Sam. vi. 3.
3. Deut. xvii. 15.	2. 1 Kings xi. 22.
10. —— xxi. 23.	11. Psalm xxxvii. 8.
2. —— xxii. 7.	

WISE, in no.

12. Lev. vii. 24.	4. 1 Kings iii. 26, 27.

WISE, on this.

6. Numb. vi. 23.

WISELY.

1.   נֵתְחַכְּמָה לוֹ   *Nithkhakmoh lou,* we will be wiser than he.

2.   יַשְׂכִּיל   *Yaskeel,* to act prudently.

3.   מַשְׂכִּיל   *Maskeel,* prudent, skilful.

4.   שָׂכַל   *Sokhal,* to act skilfully.

5.   בִּין   *Been,* (Hiph.) to understand.

6.   מְחֻכָּם   *Mekhukkom,* dexterously.

7.   בְּחָכְמָה   *Bekhokhmoh,* with, by wisdom.

8.   מֵחָכְמָה   *Maikhokhmoh,* because of wisdom.

1. Exod. i. 10.	2. Psalm lxiv. 9.
2. 1 Sam. xviii. 5.	2. —— ci. 2.
3. ———— 14, 15.	3. Prov. xvi. 20.
4. ———— 30.	3. —— xxi. 12.
5. 2 Chron. xi. 23.	7. —— xxviii. 26.
6. Psalm lviii. 5.	8. Eccles. vii. 10.

WISER.

1.   יֶחְכַּם   *Yekhĕkam,* became wiser.

2.   חָכָם   *Khokhom* (followed by the comparative מ), wiser than.

1. 1 Kings iv. 31.	1. Prov. ix. 9.
1. Job xxxv. 11.	2. —— xxvi. 16.
1. Psalm cxix. 98.	2. Ezek. xxviii. 3.

WISH, Subst.

כְּפִיךָ   *Kepheekhō,* according to thy mouth.

Job xxxiii. 6.

WISH, Verb.

1.   חָפֵץ   *Khophaits,* to desire.

2.   שָׁאַל   *Shoal,* to ask, require.

3.   עָבְרוּ מַשְׂכִּיּוֹת לֵבָב   *Ovroo maskiyouth levav,* they passed through the imagination of the heart.

1. Psalm xl. 14.	3. Psalm lxxiii. 7.

WISHED.

2. Jonah iv. 8.

WISHING.

2. Job xxxi. 30.

WIST.

יָדַע   *Yodā,* to know.

Exod. xvi. 15.	Josh. ii. 4.
—— xxxiv. 29.	—— viii. 4.
Lev. v. 17, 18.	Judg. xvi. 20.

WIT.

לָדַעַת   *Lodāath,* in order to know.

Gen. xxiv. 21.	Exod. ii. 4.

WITCH.

1.   מְכַשֵּׁף   *Mekhashaiph,* a necromancer, sorcerer.

2.   מְכַשֵּׁפָה   *Mekhashaiphoh,* a witch.

2. Exod. xxii. 18.	1. Deut. xviii. 10.

WITCHCRAFT.

1.   כֶּשֶׁף   *Kishaiph,* to use witchcraft.

2.   קֶסֶם   *Kesem,* divination.

2. 1 Sam. xv. 23.	1. 2 Chron. xxxiii. 6.

WITCHCRAFTS.

כְּשָׁפִים   *Keshopheem,* witchcrafts.

2 Kings ix. 22.	Nah. iii. 4.
Mic. v. 12.	

WITH.

1.   This word is designated by a prefixed preposition letter.

2.   אֵצֶל *Aitsel,* close by.

3.   ו (*v*) prefixed to the relative word, and.

4.   מ (*m*) prefixed to the relative word, from, of, on account of.

5.   אֶל *El,* against.

All passages not inserted are N°. 1.

2. Gen. xxxix. 15, 18.	4. Isa. lvii. 8.
3. Deut. xxv. 11.	3. Jer. xxii. 7.
4. —— xxxiii. 2.	5. — xxv. 26.
3. 1 Sam. xiv. 18.	4. — xxxviii. 27.
3. 2 Kings xi. 8.	— li. 59, not in
4. Job xv. 11.	original.
4. Prov. v. 18.	2. Dan. x. 13.

WITHAL.

1. וְאֶת־כָּל אֲשֶׁר *Vĕaith-kol asher,* and of all that.

2.   עַד *Ad,* until.

1. 1 Kings xix. 1.	2. Psalm cxli. 10.

WITHDRAW.

1.   אָסַף *Osaph,* to bring home, collect.

2.   שׁוּב *Shoov,* (Hiph.) to return, bring back.

3.   רָחַק *Rokhak,* (Hiph.) to keep away, stand aloof.

4.   סוּר *Soor,* (Hiph.) to cause to depart, put aside.

5.   יָקַר *Yokar,* (Hiph.) to make scarce.

6.   נוּחַ *Nooakh,* (Hiph.) to let rest.

7.   נָדַח *Nodakh,* (Hiph.) to thrust out.

8.   חָמַק *Khomak,* to linger.

9.   חָלַץ *Kholats,* to withdraw, draw out.

10.   גָּרַע *Gora,* to diminish, lessen.

11. וַיִּתְּנוּ כָּתֵף סֹרָרֶת *Vayitnoo kothaiph souroreth,* and they gave a stubborn shoulder.

1. 1 Sam. xiv. 19.	5. Prov. xxv. 17.
2. Job ix. 13.	6. Eccles. vii. 18.
3. — xiii. 21.	1. Isa. lx. 20.
4. — xxxiii. 17.	1. Joel ii. 10.

WITHDRAWEST.

2. Psalm lxxiv. 11.

WITHDRAWETH.

10. Job xxxvi. 7.

WITHDRAWN.

7. Deut. xiii. 13.	2. Ezek. xviii. 8.
8. Cant. v. 6.	9. Hos. v. 6.
2. Lam. ii. 8.	

WITHDREW.

11. Neh. ix. 29.	2. Ezek. xx. 22.

WITHER.

1.   נָבֵל *Noval,* to wither.

2.   קָמֵל *Komal,* to languish.

3.   צָנַם *Tsonam,* to contract, shrink up.

4.   יָבֵשׁ *Yovash,* to dry up.

1. Psalm i. 3.	4. Isa. xl. 24.
1. —— xxxvii. 2.	4. Jer. xii. 4.
2. Isa. xix. 6.	4. Ezek. xvii. 9, 10.
4. —— 7.	4. Amos i. 12.

WITHERED.

3. Gen. xli. 23.	4. Ezek. xix. 12.
4. Psalm cii. 4, 11.	4. Joel i. 12, 17.
4. Isa. xv. 6.	4. Amos iv. 7.
4. — xxvii. 11.	4. Jonah iv. 7.
4. Lam. iv. 8.	

WITHERETH.

4. Job viii. 12.	4. Psalm cxxix. 6.
4. Psalm xc. 6.	4. Isa. xl. 7.

WITHHOLD.

1.   מָנַע *Monā,* to withhold.

2.   כָּלָא *Kolō,* to shut up, confine.

3.   עָצַר *Otsar,* to restrain, refrain.

4.   נוּחַ *Nooakh,* (Hiph.) to let rest.

5.   חָשַׂךְ *Khosakh,* to spare.

6.   בָּצַר *Botsar,* (Niph.) to be cut off, withholden.

7.   חָבַל *Khoval,* to pledge.

2. Gen. xxiii. 6.	1. Prov. iii. 27.
1. 2 Sam. xiii. 13.	1. —— xxiii. 13.
3. Job iv. 2.	4. Eccles. xi. 6.
2. Psalm xl. 11.	1. Jer. ii. 25.
1. — lxxxiv. 11.	

WITHHELD.

5. Gen. xx. 6.	1. Job xxxi. 16.
5. —— xxii. 12.	1. Eccles. ii. 10.
1. —— xxx. 2.	

WITHHELDEST.

1. Neh. ix. 20.

WITHHOLDETH.

3. Job xii. 15.   1. Prov. xi. 26.
5. Prov. xi. 24.

WITHHOLDEN.

1. 1 Sam. xxv. 26.	1. Jer. iii. 3.
1. Job xxii. 7.	1. — v. 25.
1. — xxxviii. 15.	7. Ezek. xviii. 16.
6. — xlii. 2.	1. Joel i. 13.
1. Psalm xxi. 2.	1. Amos iv. 7.

WITHIN.

1.   The letter בּ (*b*) prefixed to the relative word, בְּקֶרֶב *Bekerev*, within.
2. אֶל־מִבַּית *El-mibaith*, unto the inside.
3. בִּטְנִי *Bitnee*, of my belly.
4. בֵּין *Bain*, between.
5. בַּבַּיִת *Babayith*, in the house, inside.
6. מִבֵּית *Mibaith*, off, inside.
7. וּמֵחֲדָרִים *Oomaikhadoreem*, and in the chambers.
8. בְּחֵיקִי *Bekhaikee*, in my bosom.
9. עַד *Ad*, until.
10. בְּעוֹד *Bĕoud*, when yet, whilst.
11. עָלָי *Olae*, upon me.
12. פְּנִימָה *Peneemoh*, within, inside.
13. פָּנִים *Poneem*, face.
14. בְּקָרַחְתּוֹ *Bekorakhtou*, in the baldness thereof.
15. בְּגַוָּהּ *Begavoh* (Chaldee), in the body.
16. עִמָּדִי *Immodee*, with me.
17. קְרָבַי *Kerovae*, my inward parts.
18. מִבַּעַד *Mibaad*, round about.
19. תּוֹךְ *Toukh*, in the midst.
20. בֵּית־לָהּ *Baith-loh*, the house of her.*

All passages not inserted are N°. 1.

6. Gen. vi. 14.	5. Gen. xxxix. 11.
19. — ix. 21.	10. — xl. 13.
19. — xviii. 24, 26.	6. Exod. xxv. 11.

* Ezek. i. 4, authorized translation, "Out of the midst of the fire." Verse 27, "As the appearance of fire round about within it." As the idioms of the languages differ considerably, it has been considered right to offer the literal translation of the first part of the 27th verse.—וָאֵרֶא כְּעֵין חַשְׁמַל כְּמַרְאֵה־אֵשׁ בֵּית־לָהּ סָבִיב And I saw like an eye of a brilliant stone, *the house of her* (the eye) round about as the appearance of fire.

6. Exod. xxvi. 33.	19. Job xx. 13.
6. —— xxxvii. 2.	4. — xxiv. 11.
12. Lev. x. 18.	3. — xxxii. 18.
14. —— xiii. 55.	19. Psalm xl. 8, 10.
6. —— xiv. 41.	11. —— xlii. 6, 11.
6. —— xvi. 2, 12.	11. —— xliii. 5.
2. ———— 15.	12. —— xlv. 13.
9. —— xxv. 29, 30.	17. —— ciii. 1.
6. Numb. xviii. 7.	11. —— cxlii. 3.
19. Deut. xxiii. 10.	11. —— cxliii. 4.
7. —— xxxii. 25.	19. ———— 4.
10. Josh. i. 11.	3. Prov. xxii. 18.
19. —— xix. 1, 9.	18. Cant. iv. 1, 3.
19. —— xxi. 41.	10. Isa. vii. 8.
19. Judg. vii. 16.	10. Jer. xxviii. 3.
19. —— ix. 51.	20. Ezek. i. 27.*
19. 2 Sam. vii. 2.	13. —— ii. 10.
6. 1 Kings vi. 15, 16.	19. —— iii. 24.
12. ———— 18, 19, 21.	6. —— vii. 15.
19. ———— 27.	19. —— xii. 24.
12. ———— 29, 30.	6. —— xl. 7, 8.
6. —— vii. 8, 9, 31.	12. ———— 16.
6. 2 Kings vi. 30.	5. —— xli. 9.
12. —— vii. 11.	12. ———— 17.
12. 2 Chron. iii. 4.	5. —— xliv. 17.
15. Ezra iv. 15.	9. Dan. vi. 12.
19. Neh. iv. 22.	11. Hos. xi. 8.
16. Job vi. 4.	11. Jonah ii. 7.
8. — xix. 27.	19. Mic. iii. 3.

WITHOUT.

1. { בְּלִי *Bĕlee*, / בְּלֹא *Belou*, } without.
2. מִחוּץ *Mikhoots*, from outside, without.
3. בִּלְתִּי *Biltee*, without, except.
4. בְּאֶפֶס *Bĕĕphes*, without cause.
5. יָצֹא־יֵצֵא *Yotsou-yotsō*, shall surely go beyond.
6. אֶל־מִבֵּית *El-mibaith*, from the house of.
7. בַּלְעֲדֵי *Baladai*, without, except, besides.
8. לֹא *Lou*, not.
9. מ (*m*) prefixed to the relative word, from, out of.
10. וְסָרַת *Vesorath*, averse from.
11. עַד *Ad*, to, until, unto.
12. אָחוֹר *Okhour*, the hinder (back) part.
13. יָרֵשׁ *Yorash*, (Hiph.) repeated, surely drive out.
14. לָא בִּידַיִן *Lo beedayin* (Syriac), not with the hands.
15. מֵאֵין *Mĕain*, for want of.
16. אֶל הַחוּץ *El hakhoots*, upon the street.
17. חוּץ *Khoots*, outside, without.
18. בַּחוּץ *Bakhoots*, in the street.
19. חִיצוֹן *Kheetsoun*, outwards.

20. מֵעֵינָי *Mĕainai*, out of the eyes.

21. בְּנַבַּחְתּוֹ *Begabakhtou*, in the forehead.

22. { אֵין *Ain*, } none, not.
     { אָיִן *Oyin*, }

23. תְּמִימָה *Temeemoh*, sound, complete.

24. עַד־אֵין *Ad-ain*, until not.

25. וְלֹא *Vĕlou*, and not.

26. לְלֹא *Lĕlou*, not with, regardless of.

All passages not inserted are N°. 1.

2. Gen. vi. 14.	10. Prov. xi. 22.
18. —— ix. 22.	22. —— xv. 22.
18. —— xxiv. 31.	18. —— xxii. 13.
7. —— xli. 44.	18. —— xxiv. 27.
22. —————— 49.	22. —— xxv. 14, 28.
22. Exod. xxi. 11.	22. —— xxix. 1.
2. —— xxv. 11.	22. Cant. vi. 8.
21. Lev. xiii. 55.	18. —— viii. 1.
20. Numb. xv. 24.	15. Isa. v. 9.
23. —— xix. 2.	15. — vi. 11.
22. —— xx. 19.	3. — x. 4.
5. ——— xxxv. 26.	17. — xxxiii. 7.
16. Deut. xxv. 5.	7. — xxxvi. 10.
22. —— xxxii. 4.	25. — lii. 3.
13. Josh. iii. 10.	4. —— 4.
22. Judg. vi. 5.	15. Jer. iv. 7.
22. —— vii. 12.	2. — ix. 21.
8. 2 Sam. xxiii. 4.	15. — xxvi. 9.
19. 1 Kings vi. 29, 30.	15. — xxxii. 43.
18. ——— viii. 8.	15. — xxxiii. 10, 12.
22. —— xxii. 1.	11. ————— 12.
18. 2 Kings x. 24.	15. — xxxiv. 22.
6. —— xi. 15.	7. — xliv. 19.
19. ——— xvi. 18.	15. ———— 22.
7. —— xviii. 25.	15. — xlvi. 19.
8. 1 Chron. ii. 30.	15. — xlviii. 9.
22. —— xxii. 14.	15. — li. 29, 37.
16. 2 Chron. v. 9.	15. Lam. iii. 49.
26. —— xv. 3.	12. Ezek. ii. 10.
16. ——— xxxii. 5.	18. —— vii. 15.
19. ——— xxxiii. 14.	22. —— xxxviii. 11.
18. Ezra x. 13.	17. —— xl. 40, 44.
24. Job v. 9.	16. —— xli. 9, 17.
4. — vii. 6.	19. ——— 17.
24. — ix. 10.	2. ———— 25.
9. — xi. 15.	16. —— xlii. 7.
8. — xxxiv. 20, 24.	17. —— xlvii. 2.
18. Psalm xxxi. 11.	14. Dan. ii. 34, 45.
18. Prov. i. 20.	4. —— viii. 25.
22. —— v. 23.	3. —— xi. 18.
22. —— vi. 15.	18. Hos. vii. 1.
18. —— vii. 12.	

WITHS.

יְתָרִים *Yethoreem*, withs, strong bandages.

Judg. xvi. 7, 8, 9.

WITHSTAND.

1. לְשָׂטָן *Lesoton*, for an adversary.

---

2. וְלֹא הִתְחַזֵּק לִפְנֵיהֶם *Velou hithkhazaik liphnaihem*, and could not strengthen himself (against) before them.

3. לְהִתְחַזֵּק לִפְנֵי *Lehithkhazaik liphnai*, to strengthen himself (against) before the face of.

4. עִמְּךָ לְהִתְיַצֵּב *Imkhō lehithyatsaiv*, to stand firm with thee.

5. לֹא־עָמַד בִּפְנֵיהֶם *Lou-omad biphnaihem*, could not stand before them.

6. יַעַמְדוּ נֶגְדּוֹ *Yāamdoo negdou*, will stand against him.

7. עָמַד *Omad*, to stand.

8. עָמְדוּ עַל *Omdoo al*, stood against.

1. Numb. xxii. 32.	5. Esth. ix. 2.
2. 2 Chron. xiii. 7.	6. Eccles. iv. 12.
3. ————— 8.	7. Dan. xi. 15.
4. ——— xx. 6.	

WITHSTOOD.

8. 2 Chron. xxvi. 18.	6. Dan. x. 13.

WITNESS, Subst.

1. עֵד *Aid*, a witness.

2. שׁוֹמֵעַ *Shoumaia*, the hearer.

    1. In all passages, except:

        2. Judg. xi. 10.

WITNESSES.

עֵדִים *Aideem*, witnesses, in all passages.

WITNESS -ED.

1. עוּד *Ood*, (Hiph.) to bear witness.

2. עָנָה *Onoh*, to answer, respond, express.

    1. In all passages, except:

2. 1 Sam. xii. 3.	2. Isa. iii. 9.
2. Job xvi. 8.	

WITS.

וְכָל חָכְמָתָם יִתְבַּלָּע *Vekhol khokhmothon yithballō*, and all their wisdom is swallowed up, lost.

Psalm cvii. 27.

WITTY.

מְזִמּוֹת Mezimmouth, devices, inventions.
Prov. viii. 12.

WITTINGLY.

שִׂכֵּל Sikkail, acted skilfully with.
Gen. xlviii. 14.

WIZARD.

יִדְּעֹנִי Yidounee, a prognosticator.

Lev. xx. 27. | Deut. xviii. 11.

WIZARDS.

יִדְּעֹנִים Yidouneem, prognosticators, in all passages.

WOE.

1. הוֹי Houe, ho.
2. אַלְלַי Alĕlae, woe unto me.
3. הִי Hee, woe.
4. הָהּ Hoh, alas.
5. אִי Ee, mourning.

1. In all passages, except:

2. Job x. 15. | 4. Ezek. xxx. 2.
5. Eccles. iv. 10. | 2. Mic. vii. 1.
3. Ezek. ii. 10. |

WOEFUL.

אָנוּשׁ Onoosh, feeble, miserable.
Jer. xvii. 16.

WOLF.

זְאֵב Zĕaiv, a wolf.

Gen. xlix. 27. | Isa. lxv. 25.
Isa. xi. 6. | Jer. v. 6.

WOLVES.

זְאֵבִים Zĕaiveem, wolves.

Ezek. xxii. 27. | Zeph. iii. 3.
Hab. i. 8. |

WOMAN.

1. אִשָּׁה Ishoh, a woman, wife.
2. הָרָה Horoh, a pregnant woman.

3. זָרָה Zoroh, a stranger (fem.).
4. חוֹלָה Khouloh, a sick, travailing woman.
5. נְקֵבָה Nekaivoh, a female.
6. עֲנֻגָּה Anoogoh, a delicate woman.
7. נָכְרִיָּה Nokhriyoh, a foreigner (fem.).
8. חָכְמוֹת נָשִׁים Khokhmouth nosheem, the wisdom of women.

All passages not inserted are N°. 1.

5. Lev. xv. 33.	7. Prov. xxiii. 27.
6. Deut. xxviii. 56.	7. —— xxvii. 13.
3. Prov. v. 3, 20.	2. Isa. xxvi. 17.
1. —— vi. 24.	4. Jer. iv. 31.
7. —— 24.	2. — xxxi. 8.
8. —— xiv. 1.	5. —— 22.
7. —— xx. 16.	

WOMANKIND.

מִשְׁכְּבֵי אִשָּׁה Mishkevai ishoh, as laying with a woman.
Lev. xviii. 22.

WOMAN, young.

נַעֲרָה Nāaroh, a young woman, damsel.
Ruth iv. 12.

WOMEN.

1. נָשִׁים Nosheem, women.
2. וְכָל אִשָּׁה Vekhol ishoh, and every woman.
3. זָרוֹת Zorouth, strangers (fem.).
4. מְקוֹנְנוֹת Mekounenouth, the lamenting (woman).
5. יְקָרוֹת Yekorouth, worthy, honourable women.
6. כָּל־נְקֵבָה Kol-nekaivoh, every female.
7. זְקֵנוֹת Zekainouth, old women.
8. שִׁפְחָה Shiphkhoh, a bondmaid.
9. שִׁפָחוֹת Shiphkhouth, bondmaids.
10. נֹאֲפוֹת Nouaphouth, adulteresses.
11. הָרִיּוֹת Horiyouth, pregnant women.
12. אִשָּׁה Ishoh, a woman.
13. הַשֹּׁאֲבוֹת Hashouavouth, the drawers of water.
14. הָרוֹת Horouth, mountains.

All passages not inserted are Nº. 1.

13. Gen. xxiv. 11.	11. 2 Kings xv. 16.
2. Exod. xxxv. 25.	12. Nch. viii. 2.
6. Numb. xxxi. 15.	5. Psalm xlv. 9.
12. Judg. ix. 49.	3. Prov. xxii. 14.
12. —— xvi. 27.	3. —— xxiii. 33.
12. —— xxi. 16.	4. Jer. ix. 17.
12. 1 Sam. xxi. 4, 5.	10. Ezek. xvi. 38.
12. —— xxii. 19.	11. Hos. xiii. 16.
12. 2 Sam. vi. 19.	14. Amos i. 13.
11. 2 Kings viii. 12.	7. Zech. viii. 4.

WOMEN -servants.

9. Gen. xx. 14.	9. Gen. xxxii. 22.
8. —— xxxii. 5.	

WOMB.

1. רֶחֶם *Rekhem*, a womb.
2. בְּמֵעַי *Bemaiae*, in my bowels.
3. בֶּטֶן *Beten*, the belly.

1. In all passages, except :

2. Ruth i. 11.	3. Isa. xiii. 18.

WOMBS.

כָּל רֶחֶם *Kol rekhem*, every womb.
Gen. xx. 18.

WON.

1 Chron. xxvi. 27, not in original.

WONDER.

1. מוֹפֵת *Mouphaith*, a sign, miracle.
2. פֶּלֶא *Phelē*, wonderful.

1. In all passages, except :
2. Isa. xxix. 14.

WONDERS.

1. מוֹפְתִים *Mouphtheem*, signs, miracles.
2. תִּמְהִין *Timheen* (Syriac), astonishments, wonders.
3. נִפְלָאוֹת *Niphloouth*, wonderful things.

1. In all passages, except :

3. Psalm cvii. 24.	2. Dan. vi. 27.
2. Dan. iv. 2, 3.	

WONDER, Verb.

1. מָהַה *Mohoh*, to astonish.
2. שָׁמַם *Shomam*, to surprise.

3. מוֹפֵת *Mouphaith*, a sign, miracle.
4. מִשְׁתָּאֶה *Mishtoaih*, gazing with astonishment.

1. Isa. xxix. 9.	1. Hab. i. 5.
1. Jer. iv. 9.	

WONDERED.

2. Isa. lix. 16.	3. Zech. iii. 8.
2. — lxiii. 5.	

WONDERING.

4. Gen. xxiv. 21.

WONDERFUL.

1. פָּלָא *Polō*, (Hiph.) to be wondered at.
2. פָּלָא *Polō*, (Niph.) to be wondered at.
3. נִפְלָאוֹת *Niphloouth*, wonderful things.
4. פְּלָאוֹת *Pelŏouth*, wonders.
5. פְּלִיאָה *Peleeoh*, a wonder.
6. פֶּלֶא *Pelē*, wonderful.
7. שַׁמָּה *Shammoh*, an astonishment.
8. נִפְלֵאתָה *Niphleāthoh*, a great wonder.

1. Deut. xxviii. 59.	4. Psalm cxix. 129.
8. 2 Sam. i. 26.	5. —— cxxxix. 6.
1. 2 Chron. ii. 9.	2. Prov. xxx. 18.
3. Job xlii. 3.	6. Isa. ix. 6.
3. Psalm xl. 5.	6. — xxv. 1.
3. —— lxxviii. 4.	1. — xxviii. 29.
3. —— cvii. 8, 15.	7. Jer. v. 30.
3. —— cxi. 4.	

WONDERFULLY.

1. נִפְלֵיתִי *Niphlaithee*, I was made wonderfully.
2. פְּלָאִים *Peloeem*, wonders.
3. נִפְלָאוֹת *Niphlŏouth*, wonderful things.

1 Sam. vi. 6, not in original.	2. Lam. i. 9.
	3. Dan. viii. 24.
1. Psalm cxxxix. 14.	

WONDROUS.

נִפְלָאוֹת *Niphlŏouth*, wonderful things, in all passages.

WONDROUSLY.

1. וּמַפְלִא לַעֲשׂוֹת *Oomaphlee laasouth*, and by so doing caused a wonder.

2. לְהַפְלִיא **Lehaphlee**, so as to cause wonder.

1. Judg. xiii. 19. | 2. Joel ii. 26.

WONT.

1. נָגֹחַ הוּא **Nagokh hoo**, is in the practice of pushing.
2. סָכַן **Sokhan**, (Hiph. repeated,) to cause to wont.
3. הִתְהַלֵּךְ **Hithhalaikh**, walked to and fro.
4. דִּבֵּר **Dibbair** (repeated), frequently speaking.
5. עַל דִּי חֲזָה **Al dee khazaih** (Syriac), than ever was seen.

1. Exod. xxi. 29.	4. 2 Sam. xx. 18.
2. Numb. xxii. 30.	5. Dan. iii. 19.
3. 1 Sam. xxx. 31.	

WOOD.

1. עֵץ **Aits**, wood, a tree.
2. יַעַר **Yoar**, a forest.
3. אָעָא **Ōō** (Syriac), timber.
4. חֲרִישָׁה **Khourshoh**, a ploughed field.

All passages not inserted are Nº. 1.

2. Deut. xix. 5.	2. Psalm lxxxiii. 14.
2. Josh. xvii. 15, 18.	2. —— xcvi. 12.
2. 1 Sam. xiv. 25, 26.	2. —— cxxxii. 6.
4. —— xxiii. 15, 16, 18, 19.	2. Eccles. ii. 6.
	2. Cant. ii. 3.
2. 2 Sam. xviii. 6, 8, 17.	2. Isa. vii. 2.
2. 2 Kings ii. 24.	3. Dan. v. 4, 23.
2. Psalm lxxx. 13.	2. Mic. vii. 14.

WOODS.

יְעָרִים **Yeōreem**, forests.

Ezek. xxxiv. 25.

WOOF.

עֵרֶב **Airev**, a mixture, woof.

Lev. xiii. 48, 49, 51, 52, 53, 56, 57, 58, 59.

WOOL.

1. צֶמֶר **Tsemer**, wool.
2. עֲמַר **Amar** (Syriac), wool.

1. In all passages, except :

2. Dan. vii. 9.

WOOLLEN.

1. צֶמֶר **Tsemer**, wool.
2. שַׁעַטְנֵז **Shaãtnaiz**, wool mixed with flax.

1. Lev. xiii. 47, 48, 52, 59.	2. Lev. xix. 19.
	2. Deut. xxii. 11.

WORD.

1. דָּבָר **Dovor**, a word, matter, subject.
2. מִלָּה **Milloh**, an utterance.
3. עַל־פִּי **Al-pee**, by the mouth.
4. כְּפִי **Kephee**, according to the mouth.
5. מֵאמַר **Maimar** (Chaldee), the word, speech.
6. מִלְתָא **Miltho** (Syriac), a word.
7. פִּתְגָּמָא **Pithgomo**, (Chaldee) an order, matter, edict.
8. אֹמֶר **Oumer**, a saying, speech.
9. מַחֲרִשִׁים **Makharisheem**, silent.
10. פִּי **Pee**, mouth.

All passages not inserted are Nº. 1.

10. Gen. xli. 40.	10. 1 Kings xiii. 26.
3. Numb. iii. 16, 51.	4. 1 Chron. xii. 23.
3. —— iv. 45.	7. Ezra vi. 11.
10. —— xx. 24.	8. Psalm xviii. 30.
10. —— xxii. 18.	8. —— cxix. 123.
3. —— xxxvi. 5.	2. —— cxxxix. 4.
10. Deut. xxi. 5.	8. Prov. xxx. 5.
3. —— xxxiv. 5.	8. Isa. v. 24.
3. Josh. xix. 50.	6. Dan. iii. 28.
3. —— xxii. 9.	5. —— iv. 17.
9. 2 Sam. xix. 10.	6. —— 31.
8. —— xxii. 31.	8. Hab. iii. 9.
2. —— xxiii. 2.	

WORD, his.

1. In all passages, except :

2. 2 Sam. xxiii. 2.	8. Lam. ii. 17.
8. Psalm cv. 19.	

WORD, thy.

1. In all passages, except :

8. Psalm cxix. 38, 50, 67, 82, 133, 140, 148, 158, 162, 172.	8. Psalm cxxxviii. 2.

WORDS.

1. דְּבָרִים **Devoreem**, matters, words, subjects.
2. מִלִּים **Milleem**, utterances.
3. אֲמָרִים **Amoreem**, sayings, speeches.

4. דְּבַר־שְׂפָתַיִם *Devar-sephothayim*, the word of the lips.

5. { מִלָּה *Milloh* }(Syriac), an utterance,
{ מִלְּתָא *Miltho* } word.

6. { מִלַּיָּא *Millayo* }(Syriac), words, ut-
{ מִלִּין *Milleen* } terances.

All passages not inserted are N°. 1.

3. Gen. xlix. 21.	3. Psalm xix. 14.
3. Numb. xxiv. 4, 16.	3. —— liv. 2.
3. Deut. xxxii. 1.	3. —— lxxviii. 1.
3. Josh. xxiv. 27.	3. —— cvii. 11.
4. 2 Kings xviii. 20.	3. —— cxix. 103.
2. Job iv. 4.	3. —— cxxxviii. 4.
3. — vi. 10, 25.	3. —— cxli. 6.
2. ———— 26.	3. Prov. i. 2, 21.
3. — viii. 2.	3. —— ii. 1, 16.
2. ———— 10.	3. —— iv. 5.
2. — xii. 11.	3. —— v. 7.
2. — xv. 13.	3. —— vi. 2.
2. — xvi. 4.	3. —— vii. 1, 5, 24.
2. — xviii. 2.	3. —— viii. 8.
2. — xix. 2, 23.	3. —— xv. 26.
3. — xxii. 22.	3. —— xvi. 24.
2. — xxiii. 5.	3. —— xvii. 27.
3. ———— 12.	3. —— xix. 7.
3. — xxxii. 12.	3. —— xxii. 21.
2. ———— 14.	3. —— xxiii. 12.
3. — xxxiii. 3.	3. Isa. xxxii. 7.
2. ———— 8.	4. — xxxvi. 5.
2. — xxxiv. 2, 3, 16.	3. — xli. 26.
3. ———— 37.	5. Dan. ii. 9.
2. — xxxv. 16.	6. —— v. 10.
2. — xxxvi. 4.	5. —— vi. 14.
2. — xxxviii. 2.	6. —— vii. 11, 25.
3. Psalm v. 1.	3. Hos. vi. 5.
3. —— xii. 6.	

WORK.

1. { מַעֲשֶׂה *Māaseh*, }
{ מְלָאכָה *Melokhoh*, } work.
{ פְּעוּלָה *Peooloh*, }

2. עֲלִילֵיָּה *Aleeleeyoh*, an act, action.

3. מִקְשָׁה *Mikshoh*, beaten work.

4. יְגִיעַ *Yegeea*, fatigue, labour.

5. יֵצֶר *Yaitser*, form, imagination.

6. מַחֲשָׁבוֹת *Makhashovouth*, inventions, thoughts.

7. לְדְבַר־יוֹם בְּיוֹמוֹ *Lidvar-youm beyoumou*, for the matter day by day.

8. וַתַּעַל אֲרוּכָה לִמְלָאכָה בְּיָדָם *Vataal arookhoh limlokhoh beyodom*, and the preparation for the work went on by their hands.

9. הַמְחֻקֶּה *Hamĕkhukkeh*, the engraving.

---

10. הַיָּד *Hayod*, the hand.

11. רִקְמָה *Rikmoh*, embroidery.

12. מַעֲשֵׂה־רֹקֵם *Maasai-roukaim*, the work of an embroiderer.

All passages not inserted are N°. 1.

10. Exod. xiv. 31.	9. 1 Kings vi. 35.
3. —— xxv. 18, 31, 36.	7. 1 Chron. xvi. 37.
1. —— xxxv. 35.	8. —— xxiv. 13.
1. ———— 35.	4. Job x. 3.
6. ———— 35.	2. Jer. xxxii. 19.
6. —— xxxvii. 17, 22.	5. Hab. ii. 18.
10. Deut. xxxiv. 12.	

WORK, broidered.

11. Ezek. xvi. 10, 13.	11. Ezek. xxvii. 7, 16, 24.

WORK, needle.

12. Exod. xxvi. 36.	12. Exod. xxxviii. 18.
12. —— xxvii. 16.	12. —— xxxix. 29.
12. —— xxviii. 39.	11. Judg. v. 30.
12. —— xxxvi. 37.	11. Psalm xlv. 14.

WORKS.

1. { מַעֲשִׂים *Maaseem*, }
{ מְלָאכוֹת *Mĕlokhouth*, } works.
{ פְּעֻלּוֹת *Pĕulouth*, }
{ עֲבוֹרוֹת *Avoudouth*, }

2. דְּבָרִים *Devoreem*, words, matters, subjects.

3. עֲלִילְיָה *Aleeliyoh*, an act, action.

4. עֲלִילוֹת *Aleelouth*, actions.

5. מַעֲבְּדוֹהִי *Maăbodouhee* (Syriac), labours, works.

6. מַחֲשָׁבוֹת *Makhashovouth*, inventions, thoughts.

All passages not inserted are N°. 1.

6. Exod. xxxi. 4.	4. Psalm lxxviii. 7, 11.
6. —— xxxv. 32.	4. —— cxli. 4.
4. Neh. ix. 35.	2. —— cxlv. 5.
3. Psalm xiv. 1.	5. Dan. iv. 37.
4. —— lxxvii. 11.	

WORKING, Subst.

תּוּשִׁיָּה *Tooshiyoh*, sound wisdom, perfection.

Isa. xxviii. 29.

WORK, Verb.

1. פָּעַל *Poal*, to work, perform.

2.   עָבַד   *Ovad*, to labour, serve.

3.   עָשָׂה   *Osoh*, to do, make, exercise.

4.   מַעֲשֶׂה   *Maasaih*, of work.

2. Exod. v. 18.	3. Prov. xi. 18.
3. —— xxxv. 35.	2. Isa. xix. 9.
3. Josh. ix. 4.	1. — xliii. 13.
3. 1 Sam. xiv. 6.	3. Ezek. xxxiii. 26.
3. 1 Kings xxi. 20, 25.	3. Dan. xi. 23.
3. Neh. iv. 6.	1. Mic. ii. 1.
3. Job xxiii. 9.	1. Hab. i. 5.
1. Psalm lviii. 2.	3. Hag. ii. 4.
3. —— cxix. 126.	3. Mal. iii. 15.

WORKETH.

1. Job xxxiii. 29.	3. Prov. xxxi. 13.
1. Psalm xv. 2.	3. Eccles. iii. 9.
3. —— ci. 7.	1. Isa. xliv. 12.
3. Prov. xi. 18.	3. — lxiv. 5.
3. —— xxvi. 28.	2. Dan. vi. 27.

WORKING, Part.

3. Psalm lii. 2.	4. Ezek. xlvi. 1.
1. —— lxxiv. 12.	

WORKER.

חוֹרֵשׁ   *Khouraish*, an artificer.

1 Kings vii. 14.

WORKERS of iniquity.

פֹּעֲלִים   *Poualeem*, workers; in all passages, except :

מַעֲשִׂים   *Maaseem*, works.

Psalm xxxvii. 1.

WORKMAN.

1.   חוֹשֵׁב   *Khoushaiv*, an inventor.

2.   אָמָן   *Omon*, a mechanic.

3.   חָרָשׁ   *Khorosh*, artificer.

4.   עֹשֵׂי הַמְּלָאכָה   *Ousai hamlokhoh*, to the doers of the work.

5.   אַנְשֵׁי הַמְּלָאכָה   *Anshai hamlokhoh*, workmen.

6.   חָרָשִׁים   *Khorosheem*, artificers.

7.   עֲמֵלִים   *Amaileem*, labourers.

1. Exod. xxxv. 35.	3. Isa. xl. 19, 20.
1. —— xxxviii. 23.	3. Jer. x. 3.
2. Cant. vii. 1.	3. Hos. viii. 6.

WORKMEN.

7. Judg. v. 26.	4. 2 Chron. xxiv. 13.
4. 2 Kings xii. 14, 15.	4. —— xxxiv. 10, 17.
4. 1 Chron. xxii. 15.	4. Ezra iii. 9.
5. —— xxv. 1.	6. Isa. xliv. 11.

WORKMANSHIP.

מְלָאכָה   *Melokhoh*, ⎱ work.
מַעֲשֶׂה   *Maaseh*, ⎰

Exod. xxxi. 3, 5.	2 Kings xvi. 10.
—— xxxv. 31.	Ezek. xxviii. 13.

WORLD.

1.   תֵּבֵל   *Taivail*, confusion; met., the world.

2.   אֶרֶץ   *Erets*, the earth.

3.   חָדֵל   *Khodel*, rejection, forbearance.

4.   חֶלֶד   *Kheled*, duration, strength.

5.   עוֹלָם   *Oulom*, perpetuity, perpetually.

6.   עַד־עֹלְמֵי עַד   *Ad-oulmai ad*, unto everlasting.

All passages not inserted are N°. 1.

4. Psalm xvii. 14.	3. Isa. xxxviii. 11.
4. —— xlix. 1.	6. — xlv. 17.
5. —— lxxiii. 12.	2. — lxii. 11.
5. Eccles. iii. 11.	5. — lxiv. 4.

WORM.

1.   תּוֹלָעָה   *Toulaioh*, a red worm, cochineal.

2.   רִמָּה   *Rimmoh*, a worm.

3.   סָס   *Sos*, a maggot.

4.   זֹחֲלִים   *Zoukhaleem*, creepers, crawlers.

2. Exod. xvi. 24.	2. Isa. xiv. 11.
2. Job xvii. 14.	1. — xli. 14.
2. — xxiv. 20.	3. — li. 8.
2. — xxv. 6.	1. — lxvi. 24.
1. —— 6.	1. Jonah iv. 7.
1. Psalm xxii. 6.	

WORMS.

1. Exod. xvi. 20.	2. Job xxi. 26.
1. Deut. xxviii. 29.	1. Isa. xiv. 11.
2. Job vii. 5.	4. Mic. vii. 17.

WORMWOOD.

לַעֲנָה   *Laanoh*, wormwood.

Deut. xxix. 18.	Jer. xxiii. 15.
Prov. v. 4.	Lam. iii. 15, 19.
Jer. ix. 15.	Amos v. 7.

WORSE.

1.   רוּעַ   *Rooa*, to do evil, which is followed by מִן *Min*, more than.

2.   וַיִּנָּגַף‎ *Vayinogaph*, (Niph.) and he was injured.

3. זֹעֲפִים מִן‎ *Zouapheem min*, more discontented.

1. Gen. xix. 9.	2. 2 Chron. xxv. 22.
1. 2 Sam. xix. 7.	1. —— xxxiii. 9.
1. 1 Kings xvi. 25.	1. Jer. vii. 26.
2. 2 Kings xiv. 12.	1. — xvi. 12.
2. 1 Chron. xix. 16, 19.	3. Dan. i. 10.
2. 2 Chron. vi. 24.	

WORSHIP -ED -ETH -ING.

1. שָׁחָה‎ *Shokhoh*, (Hith.) to bow himself down.

2. סְגַד‎ *Sogad* (Syriac), to bow down.

3. לְהַעֲצִיבָה‎ *Lehaatsivoh*, to make her (the idol) sorrowful.

   1. In all passages, except :

3. Jer. xliv. 19.	2. Dan. iii. 5, 6, 7, 10,
2. Dan. ii. 46.	11, 15, 18, 28.

WORSHIPPERS.

עֹבְדִים‎ *Ouvdeem*, servers, worshippers.

2 Kings x. 19, 21, 23.

WORST.

רָעָה‎ *Rooh*, the evil.

Ezek. vii. 24.

WORTH.

1. בְּכֶסֶף מָלֵא‎ *Bekeseph molai*, full money.
2. מִכְסַת‎ *Mikhsath*, the covering of.
3. כָּמֹנוּ‎ *Komounoo*, like us.
4. מְחִיר‎ *Mekheer*, the price.
5. לְאַל‎ *Lĕāl*, for nought, in vain.
6. כִּמְעַט‎ *Kimot*, very little.

1. Gen. xxiii. 9.	4. 1 Kings xxi. 2.
2. Lev. xxvii. 23.	5. Job xxiv. 25.
Deut. xv. 18, not in	6. Prov. x. 20.
original.	Ezek. xxx. 2, not in
3. 2 Sam. xviii. 3.	original.

WORTHY.

1. קָטֹנְתִּי‎ *Kotountee*, I am too little.
2. וְהָיָה אִם־בִּן הַכּוֹת הָרָשָׁע‎ *Vehoyoh imbin hakkouth horosho*, and if it be understood that the wicked man should be beaten.

---

3. אַחַת אַפַּיִם‎ *Akhath appoyim*, twice.
4. בְּנֵי מָוֶת‎ *Benai moveth*, sons of death.
5. מְהֻלָּל‎ *Mehullol*, praised.
6. בֶּן־חַיִל‎ *Ben-khayil*, a valiant son.
7. מִשְׁפַּט־מָוֶת‎ *Mishpat-moveth*, judgment of death.
8. אֵין מִשְׁפַּט־מָוֶת‎ *Ain mishpat-moveth*, no judgment of death.
9. אִישׁ מָוֶת‎ *Eesh moveth*, a man of death.

1. Gen. xxxii. 10.	4. 1 Sam. xxvi. 16.
Deut. xvii. 6, not in	5. 2 Sam. xxii. 4.
original.	6. 1 Kings i. 52.
8. —— xix. 6.	9. —— ii. 26.
7. —— xxi. 22.	5. Psalm xviii. 3.
2. —— xxv. 2,	7. Jer. xxvi. 11.
3. 1 Sam. i. 5.	

WORTHIES.

אַדִּירִים‎ *Adeereem*, mighty.

Nah. ii. 5.

WORTHILY.

חַיִל‎ *Khayil*, valiantly.

Ruth iv. 11.

WOT -ETH.

יָדַע‎ *Yoda*, to know.

Gen. xxi. 26.	Exod. xxxii. 1, 23.
—— xxxix. 8.	Numb. xxii. 6.
—— xliv. 15.	Josh. ii. 5.

WOVE.

אֹרְגוֹת‎ *Ourgouth*, weaving.

2 Kings xxiii. 7.

WOVEN.

אֹרֵג‎ *Ouraig*, woven.

Exod. xxviii. 32.	Exod. xxxix. 22, 27.

WOULD.

See Will.

WOUND, Subst.

1.	פֶּצַע‎	*Petsā*, a wound, cut.
2.	מַכָּה‎	*Makkoh*, a stroke, blow.
3.	חֵץ‎	*Khaits*, an arrow.
4.	נֶגַע‎	*Negā*, a plague.
5.	מָזוֹר‎	*Mozour*, a sore.

6. חַבּוּרָה *Khavooroh*, a bruise.
7. עַצְּבוֹת *Atsvouth*, pains, griefs.
8. כְּמִתְלַחֲמִים *Kěmithlahameem*, like dainty meats.

1. Exod. xxi. 25.	2. Jer. xv. 18.
2. 1 Kings xxii. 35.	2. — xxx. 12, 14.
3. Job xxxiv. 6.	5. Hos. v. 13.
4. Prov. vi. 33.	5. Obad. 7.
1. — xx. 30.	2. Mic. i. 9.
2. Isa. xxx. 26.	2. Nah. iii. 19.
2. Jer. x. 19.	

WOUNDS.

2. 2 Kings viii. 29.	1. Prov. xxiii. 29.
2. — ix. 15.	8. — xxvi. 22.
2. 2 Chron. xxii. 6.	1. — xxvii. 6.
1. Job ix. 17.	1. Isa. i. 6.
6. Psalm xxxviii. 5.	2. Jer. vi. 7.
7. — cxlvii. 3.	2. — xxx. 17.
8. Prov. xviii. 8.	2. Zech. xiii. 6.

WOUND.

1. פָּצַע *Potsa*, to wound.
2. מָחַץ *Mokhats*, to divide, split.
3. דָּקַר *Dokar*, to penetrate, thrust through.
4. { חָלָה *Khool*, (Hiph.) } to become sick, חָלָה *Kholoh*, } ill.
5. חָלַל *Kholal*, to pierce through.
6. נִכְאָה *Nekhaioh*, painful.
7. הִכָּה *Hikkoh*, to smite, strike.
8. בָּצַע *Botsa*, to break off.
9. הָיוּ מַכּוֹתָם *Hoyoo makkouthom*, were their blows.
10. פֶּצַע *Petsa*, a wound, cut.

2. Deut. xxxii. 39.	2. Psalm cx. 6.
2. Psalm lxviii. 21.	

WOUNDED.

1. Deut. xxiii. 1.	5. Psalm cix. 22.
5. Judg. ix. 40.	5. Prov. vii. 26.
5. 1 Sam. xvii. 52.	6. — xviii. 14.
4. — xxxi. 3.	1. Cant. v. 7.
2. 2 Sam. xxii. 39.	5. Isa. li. 9.
1. 1 Kings xx. 37.	5. — liii. 5.
4. — xxii. 34.	7. Jer. xxx. 14.
7. 2 Kings viii. 28.	3. — xxxvii. 10.
4. 1 Chron. x. 3.	5. — li. 52.
4. 2 Chron. xviii. 33.	5. Lam. ii. 12.
4. — xxxv. 23.	5. Ezek. xxvi. 15.
5. Job xxiv. 12.	5. — xxviii. 23.
2. Psalm xviii. 38.	5. — xxx. 24.
9. — lxiv. 7.	8. Joel ii. 8.
6. — lxix. 26.	7. Zech. xiii. 6.

WOUNDEST.

2. Hab. iii. 13.

WOUNDETH.

2. Job v. 18.

WOUNDING.

10. Gen. iv. 23.

WRAP.

1. כְּהִתְכַּנֵּס *Kehithkanais*, as to gather himself in, under.
2. עָבַת *Ovath*, to perplex, pervert.
3. עָלַף *Olaph*, (Hith.) to veil herself about.
4. לוּט *Loot*, (Hiph.) to wrap up.
5. סָבַךְ *Sovakh*, (Pual) are entangled.
6. גָּלַם *Golam*, to fold up.
7. שָׂרַג *Sorag*, twisted, interwoven.
8. מְעָטֶה *Měutoh*, concealed.
9. . חָבוּשׁ *Khovoosh*, entwined.

1. Isa. xxviii. 20.	2. Mic. vii. 3.

WRAPPED.

3. Gen. xxxviii. 14.	5. Job viii. 17.
4. 1 Kings xix. 13.	

WRAPT.

4. 1 Sam. xxi. 9.	8. Ezek. xxi. 15.
6. 2 Kings ii. 8.	9. Jonah ii. 5.
7. Job xl. 17.	

WRATH.

1. עֶבְרָה *Evroh*, wrath.
2. רֹגֶז *Rougez*, great wrath.
3. קָצַף *Kotsaph*, (Hiph.) to cause displeasure, vexation.
4. אַף *Aph*, anger.
5. זַעַף *Zaaph*, indignation, annoyance.
6. חֵמָה *Khaimoh*, fury.
7. חָרוֹן *Khoroun*, grievous anger.
8. כַּעַס *Kaas*, rage.
9. קֶצֶף *Ketseph*, vexation.
10. אֶרֶךְ אַפַּיִם *Erekh appayim*, restraining the breath, long-suffering.

11.   רְגַז   *Rogaz*, (Hiph.) (Chaldee) to provoke to wrath.

12.   כָּעַס   *Koas*, (Hiph.) to excite to anger.

All passages not inserted are N°. 1.

3. Lev. x. 6.	6. Job xxi. 20.
9. Numb. i. 53.	4. — xxxii. 2, 3.
4. —— xi. 33.	4. — xxxvi. 13.
9. —— xvi. 46.	6. —— 18.
9. —— xvi. 5.	6. Psalm xxxvii. 8.
3. Deut. ix. 7, 8, 22.	4. —— lv. 3.
4. —— xi. 17.	6. —— lix. 13.
6. —— xxix. 28.	6. —— lxxvi. 10.
8. —— xxxii. 27.	4. —— cvi. 40.
9. Josh. ix. 20.	4. —— cxxiv. 3.
9. — xxii. 20.	4. —— cxxxviii. 7.
6. 2 Sam. xi. 20.	8. Prov. xii. 16.
6. 2 Kings xxii. 13.	10. —— xiv. 29.
9. 1 Chron. xxvii. 24.	6. —— xv. 1.
4. 2 Chron. xii. 12.	6. —— xvi. 14.
9. —— xix. 2, 10.	5. —— xix. 12.
9. —— xxiv. 18.	6. —— 19.
4. —— xxviii.11,13.	6. —— xxi. 14.
9. —— xxix. 8.	8. —— xxvii. 3.
4. —— 10.	6. —— 4.
9. —— xxxii. 25, 26.	4. —— xxix. 8.
6. —— xxxiv. 21.	10. —— xxx. 33.
6. —— xxxvi. 16.	9. Eccles. v. 17.
11. Ezra v. 12.	9. Isa. liv. 8.
9. — vii. 23.	9. Jer. xxi. 5.
7. Neh. xiii. 18.	9. — xxxii. 37.
9. Esth. i. 18.	12. — xliv. 8.
6. — ii. 1.	9. — L. 13.
6. — iii. 5.	7. Ezek. vii. 12.
6. — vii. 10.	2. Hab. iii. 2.
8. Job v. 2.	9. Zech. vii. 12.
6. — xix. 29.	3. —— viii. 14.

WRATH, day of.

4. Job xx. 28.	1. Prov. xi. 4.
1. — xxi. 30.	1. Zeph. i. 15.
4. Psalm cx. 5.	

WRATH of God.

4. 2 Chron. xxviii. 11.	4. Psalm lxxviii. 31.
4. Ezra x. 4.	

WRATH, his.

All passages not inserted are N°. 1.

4. Gen. xxxix. 19.	4. Job xx. 23, 28.
6. Deut. xxix. 23, 28.	4. Psalm ii. 5, 12.
4. 1 Sam. xxviii. 18.	4. —— xxi. 9.
4. 2 Kings xxiii. 26.	7. —— lviii. 9.
4. 2 Chron. xxix. 10.	6. —— lxxviii. 38.
4. —— xxx. 8.	6. —— cvi. 23.
4. Ezra viii. 22.	4. —— cx. 5.
6. Esth. vii. 7.	4. Prov. xxiv. 18.
4. Job xvi. 9.	9. Jer. x. 10.
4. — xix. 11.	

WRATH kindled.

4. In all passages, except:

6. 2 Kings xxii. 17.

WRATH, my.

All passages not inserted are N°. 1.

4. Exod. xxii. 24.	4. Job xlii. 7.
4. —— xxxii. 10.	4. Psalm xcv. 11.
6. Numb. xxv. 11.	9. Isa. lx. 10.
6. 2 Kings xxii. 17.	7. Ezek. vii. 14.
6. 2 Chron. xii. 7.	6. —— xiii. 15.
6. —— xxxiv. 25.	

WRATH, thy.

7. Exod. xv. 17.	7. Psalm lxxxviii. 16.
4. —— xxxii. 11, 12.	6. —— lxxxix. 46.
4. Job xiv. 13.	6. —— xc. 7.
4. — xl. 11.	1. —— 9.
9. Psalm xxxviii. 1.	4. —— 11.
6. —— lxxix. 6.	9. —— cii. 10.
1. —— lxxxv. 3.	6. Jer. xviii. 20.
6. —— lxxxviii. 7.	1. Hab. iii. 8.

WRATHFUL.

7. Psalm lxix. 24.	6. Prov. xv. 18.

WREATH.

שְׂבָכָה   *Sĕvokhoh*, network, latticework.

2 Chron. iv. 13.

WREATHS.

1.   שְׂבָכוֹת   *Sĕvokhouth*, networks, lattice-works.

2.   גְּדִלִים   *Gĕdileem*, twisted threads.

2. 1 Kings vii. 17.	1. 2 Chron. iv. 12, 13.

WREATHED.

שָׂרַג   *Sorag*, (Hith.) to interweave.

Lam. i. 14.

WREATHEN.

1.   עֲבוֹת   *Avouth*, wreathen, platted.

2.   שְׂבָכָה   *Sevokhoh*, network, latticework.

1. Exod. xxviii. 14, 22, 24, 25.	1. Exod. xxxix. 15,17,18.
	2. 2 Kings xxv. 17.

WREST -ED.

1.   נָטָה   *Notoh*, (Hiph.) to be stretched out, inclined.

2.   עָצַב   *Otsav*, (Piel) to give pain.

1. Exod. xxiii. 2, 6.	2. Psalm lvi. 5.
1. Deut. xvi. 19.	

WRESTLED.

1. נִפְתַּלְתִּי *Niphtaltee*, I did struggle, twist about.
2. אָבַק *Ovak*, (Niph.) to raise a dust, wrestle.

1. Gen. xxx. 8. | 2. Gen. xxxii. 24, 25.

WRESTLINGS.

נַפְתּוּלֵי אֱלֹהִים *Naphtoolai Elouheem*, the struggles of God.

Gen. xxx. 8.

WRETCHEDNESS.

בְּרָעָתִי *Berŏŏthee*, when I am in my evil state.

Numb. xi. 15.

WRING.

1. מָלַק *Molak*, to pinch, wring.
2. { מָצָה *Motsoh*, } to squeeze out.
    { מָצַץ *Motsats*, }

1. Lev. i. 15. | 2. Psalm lxxv. 8.
1. —— v. 8.

WRINGED.

2. Judg. vi. 38.

WRINGING.

2. Prov. xxx. 33.

WRUNG.

2. Lev. i. 15. | 2. Psalm lxxiii. 10.
2. —— v. 9. | 2. Isa. li. 17.

WRINKLES.

וַתִּקְמְטֵנִי *Vatikmetainee*, and thou hast shrunk me up.

Job xvi. 8.

WRITE -EST -ETH, WROTE.

כָּתַב *Kothav*, to write, in all passages.

WRITING, Subst.

} מִכְתָּב *Mikhtov*, a writing.
} כְּתָב *Kethov* (Syriac and Chaldee), a writing, in all passages.

WRITTEN.

1. כָּתוּב *Kothoov*, written.
2. רְשִׁים *Resheem* (Syriac), signed.

1. In all passages, except:
2. Dan. v. 24, 25.

WRITER.

סוֹפֵר *Souphair*, a writer, scribe.

Judg. v. 14. | Ezek. ix. 2.
Psalm xlv. 1.

WRONG.

1. חָמָס *Khomos*, violence.
2. לְרָשָׁע *Leroshō*, to the wicked man, aggressor.
3. סָרָה *Soroh*, being stubborn.
4. רָעָה *Rŏŏh*, evil, wrong.
5. לְעָשְׁקָם *Lĕoshkom*, to oppress them.
6. עָוָה *Ovoh*, to be perverse.
7. אַל־תּוֹנוּ *Al-tounoo*, ye shall not defraud.
8. בְּלֹא מִשְׁפָּט *Belou mishpot*, without justice.
9. מְעֻקָּל *Mĕukkol*, crooked.

1. Gen. xvi. 5.	1. Job xix. 7.
2. Exod. ii. 13.	5. Psalm cv. 14.
3. Deut. xix. 16.	7. Jer. xxii. 3.
4. Judg. xi. 27.	8. —— 13.
1. 1 Chron. xii. 17.	6. Lam. iii. 59.
5. —— xvi. 21.	9. Hab. i. 5.
6. Esth. i. 16.	

WRONGFULLY.

1. תַּחְמֹסוּ *Takhamousoo*, will ye use violently?
2. שֶׁקֶר *Sheker*, a falsehood, lie.
3. בְּלֹא מִשְׁפָּט *Belou mishpot*, without justice.

1. Job xxi. 27.	2. Psalm lxix. 4.
2. Psalm xxxv. 19.	2. —— cxix. 86.
2. —— xxxviii. 19.	3. Ezek. xxii. 29.

WRONGETH.

חוֹמֵס *Khoumais*, violateth.

Prov. viii. 36.

WROTE.

See Write.

WROTH.

1.   קָצַף   *Kotsaph,* (Hiph.) to cause displeasure, vexation.

2.   חָרָה   *Khoroh,* to grieve.

3.   עָבַר   *Ovar,* (Hith.) to overflow (with anger).

4.   חֵמָה   *Khaimoh,* fury.

5.   כַּעַס   *Koas,* anger, rage.

6.   רָגַז   *Rogaz,* to be very angry.

All passages not inserted are Nº. 1.

2. Gen. xl. 2.	2. Esth. i. 12.
2. —— xli. 10.	2. —— ii. 21.
2. Exod. xvi. 20.	3. Psalm lxxviii. 21, 59,
2. Numb. xvi. 22.	62.
2. —— xxxi. 14.	3. —— lxxxix. 38.
2. Deut. i. 34.	6. Isa. xxviii. 21.
3. —— iii. 26.	2. — xlvii. 6.
2. —— ix. 19.	2. — liv. 9.
2. 1 Sam. xxix. 4.	2. — lvii. 16, 17.
4. 2 Kings v. 11.	2. — lxiv. 5, 9.
2. —— xiii. 19.	2. Jer. xxxvii. 15.
5. 2 Chron. xvi. 10.	2. Lam. v. 22.
4. —— xxviii. 9.	

WROUGHT, Active and Passive.

1.   עָשָׂה   *Osoh,* to do, make, perform, exercise.

2.   הֹלֵךְ   *Houlaikh,* going, proceeding.

3.   עָלַל   *Olal,* (Hith.) to perform a mighty deed.

4.   { עָבַד   *Ovad,* (Pual) } laboured,
    { עֲבַד   *Avad* (Syriac), } worked.

5.   פָּעַל   *Poal,* to work.

6. אַבְנֵי גָזִית   *Avnai gozeez,* stones for cutting.

7.   עָלָה   *Oloh,* (Hiph.) caused to ascend, brought up.

8. רֻקַּמְתִּי   *Rukkamtee,* I was embroidered, woven.

9.   שׂוּם   *Soom,* to set, place, make.

10.   קָשַׁר   *Koshar,* to bind together ; met., conspire.

11.   הִרְבָּה   *Hirboh,* multiplied.

12. מִשְׁבְּצוֹת   *Mishbetsouth,* embroidery.

13. לְחָרָשִׁים   *Lekhorosheem,* to the artificers.

All passages not inserted are Nº. 1.

3. Exod. x. 2.	11. 2 Kings xxi. 6.
5. Numb. xxiii. 23.	7. 2 Chron. iii. 14.
3. 1 Sam. vi. 6.	13. —— xxiv. 12.
10. 1 Kings xvi. 20.	11. —— xxxiii. 6.

5. Job xxxvi. 23.	5. Isa. xxvi. 12.
5. Psalm xxxi. 19.	5. — xli. 4.
5. —— lxviii. 28.	4. Dan. iv. 2.
9. —— lxxviii. 43.	2. Jonah i. 11, 13.

WROUGHT, Passively.

1. In all passages, except :

4. Deut. xxi. 3.	12. Psalm xlv. 13.
6. 1 Chron. xxii. 2.	8. —— cxxxix. 15.

WROUGHTEST.

1. Ruth ii. 19.

Y

YARN.

מִקְוֵה   *Mikvaih,* a collection (of curiosities).

1 Kings x. 28.	2 Chron. i. 16.

YE.

אַתֶּם   *Attem,* } ye, in all passages.
אַנְתּוּן   *Antoon,* }

YEA.

1.   אַף   *Aph,* also, only, yea.

2.   גַּם   *Gam,* also.

3.   כִּי   *Kee,* for.

4.   אֲשֶׁר   *Asher,* because.

5.   וְאִלּוּ   *Vĕiloo,* peradventure.

6.   ו   (*v*) prefixed to the relative word, and.

1. Gen. iii. 1.	2. Psalm lxxxiv. 2, 3.
2. —— xxvii. 33.	5. Eccles. vi. 6.
4. 1 Sam. xv. 20.	2. Isa. i. 15.
2. —— xxiv. 11.	3. — v. 10.
2. Job xxx. 8.	2. — xlix. 15.
6. Psalm xix. 10.	2. Mal. iii. 15.

YEAR.

1.   שָׁנָה   *Shonoh,* a year.

2.   יָמִים   *Yomeem,* days. (See *Note,* p. 567.)

3. בַּת־שְׁנָתָהּ *Bath-shěnothoh*, a daughter of her year; i.e., a year old.

4. מִיָּמִים יָמִימָה *Miyomeem yomeemoh*, from days to days.

5. יָמִים לַיָּמִים *Yomeem layomeem*, days after days.

1. In all passages, except:

3. Lev. xiv. 10.	3. Numb. xv. 27.
1. —— xxv. 29.	2. Judg. xvii. 10.
2. —————— 29.	2. 1 Sam. xxvii. 7.
2. Numb. ix. 22.	5. 2 Sam. xiv. 26.

YEARS.

1. { שָׁנִים *Shoneem*,   שְׁנִין *Shěneen* (Syriac), } years.

2. שְׁלִשִׁיָה *Shělishiyoh*, in her third year.

3. וּלְקֵץ הָעִתִּים שָׁנִים *Oulekaits hoitteem shoneem*, and at the end of the times of years.

4. יָמִים *Yomeem*, days.*

1. In all passages, except:

4. Gen. xli. 1.	2. Isa. xv. 5.
4. Josh. xiii. 1.	4. Jer. xxviii. 3, 11.
4. 2 Sam. xiii. 23.	2. — xlviii. 34.
4. —— xiv. 28.	3. Dan. xi. 13.
4. 1 Kings i. 1.	4. Amos iv. 4.
4. 2 Chron. xxi. 19.	

YEAR to YEAR.

1. In all passages, except:

4. Exod. xiii. 10.	4. 1 Sam. ii. 19.

YEARLY.

1. מִיָּמִים יָמִימָה *Miyomeem yomeemoh*, from days to days.

2. בְּכָל שָׁנָה וְשָׁנָה *Bekhol shonoh veshonoh*, in every year and year, i.e., yearly.

3. הַיָּמִים *Hayomeem*, of the days.

2. Lev. xxv. 53.	3. 1 Sam. i. 21.
1. Judg. xi. 40.	3. —— ii. 19.
1. — xxi. 19.	3. —— xx. 6.
1. 1 Sam. i. 3.	2. Esth. ix. 21.

* *Note.*—The Hebrew word for year is שָׁנָה *Shonoh*, which, as well as the plural, is generally used to express an incomplete year (1 Kings vi. 37, 38), "In the fourth year was the foundation of the house of the Lord laid, in the month Zif" (Zif is the second month, vi. 1) : "And in the eleventh year, in the month Bul,

which is the eighth month, was the house finished." . . "So was he seven years in building it ;" i.e., seven years not completed. Whenever יָמִים *Yomeem*, is used for year or years, it expresses a full year or years, as Gen. xli. 1 ; 1 Sam. xxvii. 7.

YEARN -ED.

נִכְמְרוּ *Nikhmeroo*, were moved with affection.

Gen. xliii. 30.	1 Kings iii. 26.

YELL.

1.   נָעַר *Noar*, to shake.

2. נָתְנוּ קוֹלָם *Nothnoo koulom*, gave out their voice.

1. Jer. li. 38.

YELLED.

2. Jer. ii. 15.

YELLOW.

1.   צָהֹב *Tsohouv*, yellow.

2.   יְרַקְרַק *Yěrakrak*, greenish.

1. Lev. xiii. 30, 32, 36.	2. Psalm lxviii. 13.

YESTERDAY.

תְּמוֹל *Temoul*, yesterday, in all passages.

YESTERNIGHT.

אֶמֶשׁ *Omesh*, the preceding night.

Gen. xix. 34.	Gen. xxxi. 29, 42.

YET.

1.   עוֹד *Oud*, yet.

2.   אָז *Oz*, then, at that time.

3.   אַךְ *Akh*, but, only, surely.

4.   אִם *Im*, if.

5. הֶאָמֹר תֹּאמַר *Heomour toumar,* wilt thou surely say ?

6.   גַּם *Gam*, also.

7.   ו (*v*) prefixed to the relative word, and.

8.   טֶרֶם *Terem*, before, prior, ere.

9. עַד־הֵנָּה *Ad-hainoh*, until now.

10.　עֲדֶן　*Aden* (Syriac), now.

11.　עַד־כֵּן　*Ad-kain*, just now.

12.　עַתָּה　*Attoh*, now, at this time, yet.

13.　וְעִם־זֶה　*Vĕim-zeh*, and with this.

14.　כִּי　*Kee*, yea, truly, surely.

15.　וְעַד　*Vead*, whereas.

All passages not inserted are Nº. 1.

9. Gen. xv. 16.	14. Ezra ix. 15.
3. —— xxvii. 30.	11. Neh. ii. 16.
8. Exod. ix. 30.	13. —— v. 18.
8. —— x. 7.	2. Job ix. 31.
3. Lev. xi. 21.	7. — xxiv. 12.
3. Numb. xxii. 20.	6. Psalm cxxix. 2.
12. Deut. xii. 9.	10. Eccles. iv. 2, 3.
3. Josh. iii. 4.	5. Ezek. xxviii. 9.
4. Judg. xv. 7.	3. Hos. iv. 4.
8. 1 Sam. iii. 7.	7. Hag. ii. 17.
14. 2 Sam. xxiii. 5.	1. —— 19.
12. 2 Kings xiii. 23.	15. —— 19.
Ezra iii. 6, not in original.	

YIELD.

1.　עָשָׂה　*Osoh*, to do, make, perform, yield.

2.　הוֹסִיף　*Houseeph*, to cause to add, increase.

3.　נָטָה　*Notoh*, (Hiph.) to cause to be inclined.

4.　נָתַן　*Nothan*, to give.

5.　גָּוַע　*Govā*, to waste away, dissolve.

6.　גָּמַל　*Gomal*, to recompense, reward, prepare.

7.　יָהַב　*Yohav* (Syriac), to give, prepare.

8.　וּתְבוּאָתָהּ מַרְבֶּה　*Oothvooōthoh marbeh*, and her produce is multiplying, increasing.

9.　נָשָׂא　*Nosō*, to bear.

10.　מַזְרִיעַ　*Mazreea*, seeding.

11.　מַרְפֵּא　*Marpai*, slackening, abating.

4. Gen. iv. 12.	1. Psalm cvii. 37.
4. —— xlix. 20.	3. Prov. vii. 21.
2. Lev. xix. 25.	1. Isa. v. 10.
4. —— xxv. 19.	4. Ezek. xxxiv. 27.
4. —— xxvi. 4, 20.	9. —— xxxvi. 8.
4. Deut. xi. 17.	1. Hos. viii. 7.
4. 2 Chron. xxx. 8.	4. Joel ii. 22.
4. Psalm lxvii. 6.	1. Hab. iii. 17.
4. —— lxxxv. 12.	

YIELDED.

5. Gen. xlix. 33.	7. Dan. iii. 28.
6. Numb. xvii. 8.	

YIELDETH.

8. Neh. ix. 37.	4. Prov. xii. 12.

YIELDING.

10. Gen. i. 11, 29.	1. Jer. xvii. 8.
11. Eccles. x. 4.	

YOKE.

1.　עֹל　*Oul*, a burden.

2.　מוֹטָה　*Moutoh*, a yoke.

3.　צֶמֶד　*Tsemed*, a yoke of oxen.

1. In all passages, except :

3. 1 Sam. xi. 7.	2. Isa. lviii. 6, 9.
3. —— xiv. 14.	2. Jer. xxviii. 10, 12.
3. 1 Kings xix. 19, 21.	3. — li. 23.
3. Job i. 3.	2. Nah. i. 13.
3. — xlii. 12.	

YOKES.

2. Jer. xxvii. 2.	2. Ezek. xxx. 18.
2. — xxviii. 13.	

YONDER.

1.　עַד־כֹּה　*Ad-kouh*, to that place, yonder.

2.　הָלְאָה　*Holoh*, beyond.

3.　כֹּה　*Kouh*, thus, here.

4.　מֵעֵבֶר　*Maiaiver*, on the other side.

1. Gen. xxii. 5.	3. Numb. xxiii. 15.
2. Numb. xvi. 37.	4. —— xxxii. 19.

YOU.

This pronoun is designated by an affixed servile letter, which signifies you; and the affixed כֶם *Khem*, for your and yours.

YOURSELVES.

נַפְשֹׁתֵיכֶם　*Naphshouthaikhem*, your persons, lives.

Lev. xi. 43, 44.	Jer. xvii. 21.
Deut. iv. 15.	— xxxvii. 9.
Josh. xxiii. 11.	

YOUNG.

1. {
בֵּן　*Ben*, a son.

בֶּן־בָּקָר　*Ben-bokor*, a son of a bullock, i. e., a young bullock.

בְּנֵי יוֹנָה　*Benai younoh*, sons of a dove, i. e., young doves.
}

2.   גּוֹזָל   *Gouzel*, a young bird.

3.   יוֹנְקֹת   *Younkouth*, sucklings, suckers.

4.   אֶפְרֹחִים   *Ephroukheem*, young broods.

5.   צָעִיר לְיָמִים   *Tsöeer leyomeem*, young of days.

6.   קָטֹן   *Koton*, little, small.

7.   שָׁכֵּל   *Shikkail*, to be deprived of (children).

8.   עוֹלָלִים   *Ouloleem*, offspring.

9.   עֲיָרִים   *Ayoreem*, asses' colts.

10.   עֹפֶר   *Oupher*, a young stag.

11.   עֳפָרִים   *Ophoreem*, young stags.

12.   יָלְדוּ   *Yoldoo*, they brought forth, begot.

13.   נַעֲרָה   *Nāaroh*, a damsel.

14.   נְעָרוֹת   *Nāarouth*, damsels.

15.   יְלָדִים   *Yelodeem*, children.

16.   עֶגְלַת בָּקָר   *Eglath bokor*, a young calf.

17.   עֹלוֹת   *Olouth*, lit., bringers up ; met., mothers.

18.   נַעַר   *Nāar*, a lad, youth, young man.

19.   שִׁלְיָתָהּ   *Shilyothoh*, her afterbirth.

20.   גּוּרִים   *Gooreem*, whelps.

All passages not inserted are Nº. 1.

7. Gen. xxxi. 38.	18. 2 Chron. xxxiv. 3.
17. —— xxxiii. 13.	5. Job xxxii. 6.
7. Exod. xxiii. 26.	17. Psalm lxxviii. 71.
4. Deut. xxii. 6.	4. —— lxxxiv. 3.
18. —— xxviii. 50.	17. Isa. xl. 11.
2. —— xxxii. 11.	8. Lam. iv. 4.
6. 2 Sam. ix. 12.	3. Ezek. xvii. 4.
18. 1 Chron. xxii. 5.	12. —— xxxi. 6.
18. 2 Chron. xiii. 7.	8. Nah. iii. 10.

YOUNG asses.

9. Isa. xxx. 6, 24.

YOUNG cow.

16. Isa. vii. 21.

YOUNG hart.

10. Cant. ii. 9, 17. | 10. Cant. viii. 14.

(See LION -S young, MAN, MEN young.)

YOUNG one.

19. Deut. xxviii. 57. | 18. Zech. xi. 16.

YOUNG ones.

4. Deut. xxii. 6.	4. Job xxxix. 30.
15. Job xxxviii. 41.	15. Isa. xi. 7.
15. — xxxix. 3.	20. Lam. iv. 3.

YOUNG pigeon.

2. Gen. xv. 9.

YOUNG roes.

11. Cant. iv. 5. | 11. Cant. vii. 3.

YOUNG virgin.

13. 1 Kings i. 2.

YOUNG virgins.

13. Judg. xxi. 12. | 13. Esth. ii. 3.
14. Esth. ii. 2.

YOUNG unicorn.

1. Psalm xxix. 6.

YOUNG woman.

13. Ruth iv. 12.

YOUNGER.

1. { צָעִיר   *Tsoeer*,
 צְעִירָה   *Tsĕeeroh* (fem.), } young.

2.   קָטֹן   *Koton*, little, small.

3.   צָעִיר לְיָמִים   *Tsoeer leyomeem*, younger of days.

2. Gen. ix. 24.	2. Judg. i. 13.
1. —— xix. 31, 34, 38.	2. —— iii. 9.
1. —— xxv. 23.	2. —— xv. 2.
2. —— xxvii. 15, 42.	2. 1 Sam. xiv. 49.
2. —— xxix. 16, 18.	2. 1 Chron. xxiv. 31.
1. —— —— 26.	3. Job xxx. 1.
2. —— xliii. 29.	3. — xxxii. 6.
1. —— xlviii. 14.	2. Ezek. xvi. 46, 61.
2. —— —— 19.	

YOUNGEST.

2. Gen. xlii. 13, 15, 20,	2. Judg. ix. 5.
32, 34.	2. 1 Sam. xvi. 11.
1. —— xliii. 33.	2. —— xvii. 14.
2. —— xliv. 2, 12, 23,	1. 1 Kings xvi. 34.
26.	2. 2 Chron. xxi. 17.
1. Josh. vi. 26.	2. —— xxii. 1.

YOUTH.

1. { נַעַר   *Nāar*,
 נָעוּר   *Nōoor*, } a lad, young man, youth.

2.   בְּחוּרוֹת   *Bekhoorouth*, chosen period.

3.   חָרְפִּי   *Khorphee*, my reproach.

4.   יַלְדוּת   *Yaldooth*, childhood.

5.   פִּרְחָה   *Pirkhoh*, a blossom, flower.

6.   צָעִיר   *Tsoeer*, young.

7. שַׁחֲרוּת *Shakharooth,* early, the dawn of
    morning.

8. בַּבָּנִים *Vaboneem,* among sons.

9. עֲלוּמוֹת *Aloomouth,* youth.

All passages not inserted are Nᵒ. 1.

6. Gen. xliii. 33.	4. Psalm cx. 3.
9. Job xx. 11.	4. Eccles. xi. 9.
3. — xxix. 4.	7. ———— 10.
5. — xxx. 12.	2. ———— xii. 1.
9. — xxxiii. 25.	9. Isa. liv. 4.
9. Psalm lxxxix. 45.	

YOUTHS.

8. Prov. vii. 7.	1. Isa. xl. 30.

Z

ZEAL.

קִנְאָה *Kinoh,* zeal, zealously.

2 Sam. xxii. 2.	Isa. ix. 7.
2 Kings x. 16.	— xxxvii. 32.
——— xix. 31.	— lix. 17.
Psalm lxix. 9.	— lxiii. 15.
——— cxix. 139.	Ezek. v. 13.

ZEALOUS.

1. בְּקַנְאוֹ אֶת־קִנְאָתִי *Běkanou eth-kinothee,*
    when he was jealous for my
    zeal.

2.   קִנֵּא *Kinnai,* he was zealous.

1. Numb. xxv. 11.	2. Numb. xxv. 13.

LIST OF PROPER NAMES

Aaron, אַהֲרֹן *Ahăroun*, a shining light.

Abana, אֲבָנָה *Avonoh*, stony, rocky.

Abarim, עֲבָרִים *Avoreem*, passages, passings over.

Abdon, עַבְדּוֹן *Avdoun*, a faithful servant.

Abed-nego, עֲבֵד־נְגוֹ *Avad - negou*, the servant of Jupiter.

Abel, הֶבֶל *Hevel*, (son of Adam,) withering, fading away.

Abel, אָבֵל *Ovail*, (the name of a place,) mourning.

Abel-beth-maacha, אָבֵל בֵּית מַעֲכָה *Ovail baith măăkhoh*, mourning for the house of oppression.

Abel-maim, אָבֵל מַיִם *Ovail mayim*, mourning of the waters.

Abel-meholah, אָבֵל מְחוֹלָה *Ovail mekhouloh*, mourning for sickness.

Abel-mizraim, אָבֵל מִצְרַיִם *Ovail mitsrayim*, mourning of Egypt.

Abiah, אֲבִיָה *Aviyoh*, God my father.

Abidan, אֲבִידָן *Aveedon*, my father judge.

Abiezer, אֲבִיעֶזֶר *Aveeēzer*, my father will help.

Abiel, אֲבִיאֵל *Aveeail*, God my father.

Abigail, אֲבִינַיִל *Aveegayil*, the joy of my father.

Abihu, אֲבִיהוּ *Aveehoo*, he is my father.

Abimelech, אֲבִימֶלֶךְ *Aveemelekh*, the father the king.

Abinadab, אֲבִינָדָב *Aveenodov*, the father liberal.

Abinoam, אֲבִינֹעַם *Aveenouam*, the father pleasant.

Abiram, אֲבִירָם *Aveerom*, the renowned father.

Abishag, אֲבִישַׁג *Aveeshag*, the father of error.

Abishalom, אֲבִישָׁלוֹם *Aveesholoum*, the father of peace.

Abner, אַבְנֵר *Avnair*, the father of light.

Abram, אַבְרָם *Avrom*, the exalted father.

Abraham, אַבְרָהָם *Avrohom*, the father of a great multitude.

Absalom, אַבְשָׁלוֹם *Avsholoum*, the father of peace.

Achan, עָכָן *Okhon*, vexation.

Achar, עָכָר *Okhor*, tribulation.

Achish, אָכִישׁ *Okheesh*, a hard place.

Achor, עָכוֹר *Okhour*, tribulation.

Achsah, עַכְסָה *Akhsoh*, an ornament for the feet.

Achzib, אַכְזִיב *Akhzeev*, a deceiver.

Adah, עָדָה *Odoh*, to adorn.

Adam, אָדָם *Odom*, earthy, name of the first man.

Adamah, אֲדָמָה *Adomoh*, red earth, name of a place.

Adar, אֲדָר *Ador*, adorned (twelfth month).

Admah, אַדְמָה *Admoh*, earthy, red earth, name of a place.

Adoni-bezek, אֲדֹנִי בֶזֶק *Adounee vezek*, lord of lightning.

Adonijah, אֲדֹנִיָה *Adouniyoh*, my Lord God.

Adonikam, אֲדֹנִיקָם *Adouneekom*, my Lord risen.

Adoniram, אֲדֹנִירָם *Adouneerom*, my Lord exalted.

Adoni-zedek, אֲדֹנִי צֶדֶק *Adounee tsedek*, my Lord righteous.

Adoram, אֲדֹרָם Adourom, adorned.

Adrammelech, אַדְרַמֶּלֶךְ Adrammelekh, the adorned King.

Adullam, עֲדֻלָּם Adulom, their testimony.

Agag, אֲגַג Aggog, lofty.

Agur, אָגוּר Ogoor, the gatherer, collector. (Prov. xxx. 1.)

Ahab, אַחְאָב Akhov, the father's brother.

Ahasuerus, אֲחַשְׁוֵרוֹשׁ Akhashvairoush (Chaldee), Prince of the people.

Ahavah, אַהֲוָה Akhavoh, brotherhood.

Ahaz, אָחָז Okhoz, a possessor.

Ahaziah, אֲחַזְיָהוּ Akhazyohoo, taken by God.

Ahiah, אֲחִיָּה Akhiyoh, the pasture of God.

Ahiezer, אֲחִיעֶזֶר Akheeezer, the brother of help.

Ahikam, אֲחִיקָם Akheekom, my brother risen.

Ahilud, אֲחִילוּד Akheelood, my brother born.

Ahimaaz, אֲחִימַעַץ Akheemoats, my brother of council.

Ahiman, אֲחִימָן Akheemon, my brother gifted.

Ahimelech, אֲחִימֶלֶךְ Akheemelekh, the brother of a king.

Ahinoam, אֲחִינֹעַם Akheenouam, the brother pleasant.

Ahio, אַחְיוֹ Akhyou, his brother.

Ahisamach, אֲחִיסָמָךְ Akheesomokh, the brother of support.

Ahishar, אֲחִישָׁר Akheeshor, the brother of song. (1 Kings iv. 6.)

Ahitophel, אֲחִיתֹפֶל Akheetouphel, brother of supplication.

Ahitub, אֲחִיטוּב Akheetoov, the best brother.

Ahalob, אַחְלָב Akhlov, the brother of the heart. (Judg. i. 31.)

Aholah, אָהֳלָה Oholoh, a tent (Samaria). (Ezek. xxiii. 4, 36.)

Aholiab, אָהֳלִיאָב Oholeeov, the tent of my father.

Ahalibah, אָהֳלִיבָה Oholeevoh, my tent within (Jerusalem). (Ezek. xxiii. 4, 36.)

Ahalibamah, אָהֳלִיבָמָה Oholeevomoh, my tent on high.

Ai, עַי Aee, a valley.

Aiath, עַיָּת Ayoth, a steep place, valley. (Isa. x. 28.)

Ajalon, אַיָּלוֹן Ayoloun, a swift hind.

Alleluia, הַלְלוּיָה Haleloo-yoh, praise ye the Lord.

Allon, אַלּוֹן Aloun, an oak tree. (1 Chron. iv. 37.)

Allon-bachuth, אַלּוֹן בָּכוּת Aloun bokhooth, the weeping oak.

Amalek, עֲמָלֵק Ammolaik, a strangler of the people.

Amana, אֲמָנָה Amonoh, truth, integrity. (Cant. iv. 8.)

Amariah, אֲמַרְיָה Amaryoh, the speech of the Lord. (Zeph. i. 1.)

Amasa, עֲמָשָׂא Amoso, an exalter of the people.

Amaziah, אֲמַצְיָה Amatsyoh, the strength of God.

Ammah, אַמָּה Ammoh, a cubit measure. (2 Sam. ii. 24.)

Ammi, עַמִּי Ammee, my people.

Amminadab, עַמִּינָדָב Ammeenodov, my liberal people.

Ammi-nadib, עַמִּי נָדִיב Ammee nodeev, liberal to my people.

Ammihud, עַמִּיהוּד Ammeehood, my people of praise.

Ammishaddai, עַמִּישַׁדָּי Ammeeshaddoe, my people sufficient.

Ammon, עַמּוֹן Ammoun, people of strength.

Amnon, אַמְנוֹן Amnoun, a faithful son.

Amon, אָמוֹן Omoun, faithful.

Amorite, אֱמֹרִי Emouree, a talker, prater. (Amorite.)

Amos, עָמוֹס Omoos, burdened, heavy laden.

Amoz, אָמוֹץ Omouts, strength.

Amram,	עַמְרָם	*Amrom*, a people exalted.
Amraphel,	אַמְרָפֶל	*Amrophel*, an obscure speech.
Anah,	עֲנָה	*Anoh*, to answer, respond.
Anak,	עֲנָק	*Anok*, a neck-chain.
Anammelech,	עֲנַמֶּלֶךְ	*Anammelekh*, the king's answer.
Anathoh,	עֲנָתוֹת	*Anothouth*, afflictions.
Aner,	עָנֵר	*Onair* (Chaldee), a lamp, light.
Ar,	עָר	*Or*, a promoter, watcher.
Arabia,	עֲרָב	*Arov*, a mixture (Arabia).
Arabian,	עַרְבִי	*Arvee*, being mixed, an Arabian.
Aram,	אֲרָם	*Arom* (Syriac), lifted up, exalted (Aram).
Ararat,	אֲרָרָט	*Arorot* (Chaldee), the trembling light, mount.
Araunah,	אֲרַוְנָה	*Aravnoh*, an ark, chest.
Arba,	אַרְבַּע	*Arba*, four.
Arcturus,	עָשׁ	*Osh*, a moth. (Job ix. 9.)
Arcturus,	עַיִשׁ	*Ayish*, a moth. (Job xxxviii. 32.)
Argob,	אַרְגֹּב	*Argouv*, a lion's den.
Ariel,	אֲרִיאֵל	*Areeail*, the lion of God.
Arioch,	אַרְיוֹךְ	*Aryoukh*, the form of a lion.
Armenia,	אֲרָרָט	*Arorot* (Chaldee), the trembling light, mount (Armenia).
Arnon,	אַרְנוֹן	*Arnoun*, a strong chest.
Aroer,	עֲרוֹעֵר	*Arouair*, childless, empty, naked (name of a place).
Arpad,	אַרְפָּד	*Arphod* (Arabic), rest, support, strength.
Arphaxad,	אַרְפַּכְשַׁד	*Arpakhshad*, a jar pouring forth.
Artaxerxes,	אַרְתַּחְשַׁשְׁתָּא	*Artakhshashto* (Persian), a quiet light.
Asa,	אָסָא	*Oso*, a dry measure.
Asahel,	עֲשָׂהאֵל	*Asohail*, the work of God.
Asaph,	אָסָף	*Osoph*, a collector, gatherer.
Asenath,	אָסְנַת	*Ossenath* (Egyptian), mischief.

Ashdod,	אַשְׁדּוֹד	*Ashdoud*, a friend to fire.
Asher,	אָשֵׁר	*Oshair*, happy.
Ashima,	אֲשִׁימָא	*Asheemo*, a fault, offence.
Ashkenaz,	אַשְׁכְּנַז	*Ashkenaz*, a collector of fire.
Ashtaroth,	עַשְׁתָּרוֹת	*Ashterouth*, rich pastures (son of Gomer), an idol.
Ashur,	אַשּׁוּר	*Ashoor*, a watcher (the Assyrian).
Askelon,	אַשְׁקְלוֹן	*Ashkeloun*, the fire of shame, contempt.
Asnappar,	אָסְנַפַּר	*Asnappar*, a dangerous bull. (Ezra iv. 10.)
Assyria,	אֲרָם	*Arom* (Syriac), lifted up, exalted (Aram).
Atad,	אָטָד	*Otod*, a thorn, thistle.
Athaliah,	עֲתַלְיָה	*Athalyoh*, time for the Lord.
Aven,	אָוֶן	*Ovven*, iniquity.
Azariah,	עֲזַרְיָה	*Azaryoh*, help of God.
Azekah,	עֲזֵקָה	*Azzaikoh*, a strong spark (Josh. x. 11; Jer. xxxiv. 7).
Azur,	עַזּוּר	*Azoor*, a helper (name of a prophet).

B

Baal,	בַּעַל	*Baal*, a master.
Baalah,	בַּעֲלִי	*Bäälee*, my master.
Baalberith,	בַּעַל בְּרִית	*Baal bereeth*, master of a covenant.
Baal-gad,	בַּעַל גַּד	*Baal god*, master of a troop.
Baal-hamon,	בַּעַל הָמוֹן	*Baal homoun*, master of a multitude. (Cant. viii. 11.)
Baal-hermon,	בַּעַל חֶרְמוֹן	*Baal khermoun*, a devoted master.
Baali,	בַּעֲלִי	*Bäälee*, my master.
Baalim,	בַּעֲלִים	*Bääleem*, masters.
Baalis,	בַּעֲלִים	*Bäälees*, in rejoicing. (Jer. xl. 14.)
Baal-meon,	בַּעַל מְעוֹן	*Baal meoun*, the master of a dwelling.

Baal-peor, בַּעַל פְּעוֹר *Baal peour,* a master of open space (an idol).

Baal-perazim, בַּעַל פְּרָצִים *Baal perotseem,* a master of breaches.

Baal-shalisha, בַּעַל שָׁלִשָׁה *Baal sholishoh,* the third in rank.

Baal-tamar, בַּעַל תָּמָר *Baal tomor,* the master of a palm-tree.

Baal-zebub, בַּעַל זְבוּב *Baal zevoov,* the master of a fly (an idol).

Baal-zephon, בַּעַל צְפוֹן *Baal tsephoun,* the master of the north, name of a place.

Baasha, בַּעֲשָׁא *Baasho,* to compress

Babel, בָּבֶל *Bovel,* confusion (Babel).

Babylon, בָּבֶל *Bovel,* confusion (Babylon).

Babylonish, שִׁנְעָר *Shinor,* a shaken tooth, name of a country. (Josh. vii. 21.)

Baca, בָּכָא *Bokho,* weeping, name of a place. (Psalm lxxxiv. 6.)

Bahurim, בַּחֻרִים *Bakhureem,* chosen ones.

Bajith, הַבַּיִת *Habayith,* the house. (Isa. xv. 2.)

Balaam, בִּלְעָם *Bilom,* the disturber of the people.

Baleek, בָּלָק *Bolok,* a destroyer.

Bamah, בָּמָה *Bomoh,* a high place.

Barachel, בַּרַכְאֵל *Barakhail,* blessed of God. (Job xxxii. 2.)

Barak, בָּרָק *Borok,* lightning.

Baruch, בָּרוּךְ *Borookh,* blessed.

Barzillai, בַּרְזִלַּי *Barzilae,* made of iron.

Bashan, בָּשָׁן *Boshon,* fertile, name of a place.

Bath-sheba, בַּת־שֶׁבַע *Bath-sheva,* daughter of an oath, or seven.

Bedan, בְּדָן *Bedon,* in judgment.

Beer-sheba, בְּאֵר שֶׁבַע *Beair shova,* the valley of an oath, or seven.

Bekah, בֶּקַע *Beka,* a cleft, division.

Bel, בֵּל *Bail,* confused, confounded (an idol).

Belial, בְּלִיַּעַל *Beliyaal,* worthless, without help.

Belshazzar (Syriac), בֵּלְשַׁאצַּר *Bailshatsar,* master of treasure.

Beltshazzar, בֵּלְטְשַׁאצַּר *Bailtshatsar,* master of treasure.

Benaiah, בְּנָיָהוּ *Benoyohoo,* the Lord's building.

Ben-ammi, בֶּן־עַמִּי *Ben-ammee,* son of my people.

Ben-hadad, בֶּן־הֲדַד *Ben-haddad,* the beloved son.

Benjamin, בִּנְיָמִין *Binyomeen,* son of the right hand.

Benoni, בֶּן־אֹנִי *Ben-ounee,* son of my strength.

Beor, בְּעוֹר *Beour,* a burning.

Berachah, בְּרָכָה *Berokhoh,* a blessing.

Berith, בְּרִית *Bereeth,* a covenant. (Judg. ix. 46.)

Besor, הַבְּשׂוֹר *Habesour,* the bringer of good tidings. (1 Sam. xxx. 9.)

Beth-aven, בֵּית אָוֶן *Baith oven,* the house of iniquity.

Beth car, בֵּית כֹּר *Baith kour,* house of measure. (1 Sam. vii. 11.)

Beth dagon, בֵּית דָּגוֹן *Baith dogoun,* house of a fish (an idol). (Josh. xix. 27.)

Beth-diblathaim, בֵּית דִּבְלָתַיִם *Baith divlothoyim,* the house of dried figs. (Jer. xlviii. 22.)

Beth-el, בֵּית אֵל *Baith ail,* house of God.

Bether, בָּתֶר *Bother,* a piece cut off.

Beth-ezel, בֵּית־אָצֶל *Baith aitsel,* the house close by.

Beth-gamul, בֵּית גָּמוּל *Baith gomool,* house of recompense. (Jer. xlviii. 23.)

Beth-haccerem, בֵּית הַכֶּרֶם *Baith hakerem,* house of the vineyard. (Jer. vi. 1.)

Beth-horon, בֵּית חוֹרֹן *Baith khouroun*, the house of wrath.

Beth-lehem, בֵּית לָחֶם *Baith lokhem*, the house of bread.

Beth-peor, בֵּית פְּעוֹר *Baith peour*, a house wide open, a place for idol worship.

Beth-shan, בֵּית שָׁן *Baith shon*, a house of ivory, name of a place.

Beth-shemesh, בֵּית שֶׁמֶשׁ *Baith shemesh*, the house of the light of the sun.

Bethuel, בְּתוּאֵל *Bethooail* (Chaldee), a relation to God.

Beulah, בְּעוּלָה *Beoloh*, a married woman.

Bezaleel, בְּצַלְאֵל *Betsalail*, in the shadow of God.

Bezek, בֶּזֶק *Bezek*, a spark.

Bichri, בִּכְרִי *Bikhree*, my first born.

Bidkar, בִּדְקַר *Bidkar*, a piercer.

Bigthan, בִּגְתָן *Bigthon* (Chaldee), a giver of pastry.

Bildad, בִּלְדָּד *Bildod*, with love.

Bilhah, בִּלְהָה *Bilhoh*, in weakness.

Birsha, בִּרְשַׁע *Birsha*, in wickedness.

Boaz, בֹּעַז *Bouaz*, come in strength.

Bochim, בֹּכִים *Boukheem*, weeping.

Bozez, בּוֹצֵץ *Boutsaits*, blooming.

Bozrah, בָּצְרָה *Botsroh*, besieged (the capital of Edomia).

Bul, בּוּל *Bool*, withering (the eighth month in the year).

Buz, בּוּז *Booz*, to despise.

Buzi, בּוּזִי *Boozee*, despised.

C

Cabul, כָּבוּל *Kovool*, bound, fettered (name of a place).

Cain, קַיִן *Kayin*, a purchase.

Cainan, קֵינָן *Kainon*, being purchased.

Calah, כָּלַח *Kolakh*, seasonable, a city. (Gen. x. 12.)

Caleb, כָּלֵב *Kolaiv*, hearty.

Calneh, כַּלְנֶה *Kalnaih* (Chaldee), } its end.

Calno, כַּלְנוֹ *Kalnou*, } Isa. x. 9.

Camon, קָמוֹן *Komoun*, a raiser up.

Canaan, כְּנַעַן *Kenaan*, a merchant, Palestine.

Canaanite, כְּנַעֲנִי *Kenăănee*, a Canaanite.

Caphtor, כַּפְתּוֹר *Kaphtour*, a button.

Carehemish, כַּרְכְּמִישׁ *Karkemeesh*, a fed lamb, cut off.

Carmel, כַּרְמֶל *Karmel*, fruitful, fertile.

Carmi, כַּרְמִי *Karmee*, my vineyard.

Casiphia, כָּסְפִיָא *Kosiphyo* (Chaldee), desirable. (Ezra viii. 17.)

Chalcol, כַּלְכֹּל *Khalkoul*, maintaining, supplying.

Chaldea, כַּשְׂדִּים *Khasdeem* (Chaldee), wanderers, Chaldea.

Chaldean-s, כַּשְׂדִּים *Kasdeem*, wanderers.

Chaldeans, כַּסְדָּיָא *Kasdoyoh* (Chaldee and Syriac), wanderers.

Chebar, כְּבָר *Kevor*, abundance, a river. (Ezek. i. 1.)

Chedorlaomer, כְּדָרְלָעֹמֶר *Kedorleoumer*, he that dwelleth as in a sheaf.

Chemarims, כְּמָרִים *Kemoreem*, to be warm, affectionate. (Zeph. i. 4.)

Chemosh, כְּמוֹשׁ *Kemoush*, cut off (an idol).

Chenaniah, כְּנַנְיָהוּ *Khenanyohoo*, established of God.

Cherethims, כְּרֵתִים *Keraitheem*, those cut off. (Ezek. xxv. 16.)

Cherethites, כְּרֵתִי *Keraithee*, he that is cut off.

Cherith, כְּרִית *Kereeth*, cut off. (1 Kings xvii. 3.)

Chileab, כִלְאָב *Khilov*, like to a father. (2 Sam. iii. 3.)

Chilion, כִּלְיוֹן *Kileyoun*, consumption.

Chilmad, כִּלְמַד *Kilmad*, as learned. (Ezek. xxvii. 23.)

Chimham, כִּמְהָם *Kimhom*, as confusion. (2 Sam. xix. 37.)

Chisleu, כִסְלָיו *Khislov*, like a quail.

Chittim,   כִּתִּים   *Kitteem*, smiters, bruisers (a city).

Chiun,   כִּיּוּן   *Kiyoon*, established (an idol).

Chushan-rishathaim,   כּוּשַׁן רִשְׁעָתַיִם   *Kooshan rishothoyim*, the wickedness of Ethiopia.

Conia,   כָּנְיָהוּ   *Konyohoo*, established of God.

Cozbi,   כָּזְבִּי   *Kozbee*, a liar, deceiver, a Midianitish woman.

Cush,   כּוּשׁ   *Koosh*, Ethiopia.

Cushan,   כּוּשָׁן   *Khooshon*, a man of Ethiopia.

Cushi,   כּוּשִׁי   *Khooshee*, a man of Ethiopia.

Cyrus,   כּוֹרֶשׁ   *Kouresh*, a succeeder, inheritor.

D

Dabbasheth,   דַּבָּשֶׁת   *Dabbosheth*, flowing with honey (a city). (Josh. xix. 11.)

Daberath,   דָּבְרַת   *Dovrath*, a subject.

Dagon,   דָּגוֹן   *Dogoun*, fishy (an idol).

Damascus,   דַּמֶּשֶׂק   *Damesek*, moist with blood.

Dan,   דָּן   *Don*, a judge (a city).

Daniel,   דָּנִיֵּאל   *Doneeail*, God is my judge.

Darius,   דָּרְיָוֶשׁ   *Doryovesh* (Chaldee), a possessor by succession.

Dathan,   דָּתָן   *Dothon*, judgment, law.

David,   דָּוִד   *Dovvid*, beloved.

Deborah,   דְּבוֹרָה   *Devouroh*, a bee, an orator (fem.).

Dedan,   דְּדָן   *Dedon*, in judgment.

Delilah,   דְּלִילָה   *Deleeloh*, a drawer of water.

Dibon,   דִּיבוֹן   *Deevoun*, full of understanding.

Dibon-gad,   דִּיבוֹן גָּד   *Deevoun god*, a troop full of understanding.

Dimon,   דִּימוֹן   *Deemoun*, abundance of blood (a city).

Dinah,   דִּינָה   *Deenok*, she that is judged.

Dinhabah,   דִּנְהָבָה   *Dinhovoh*, giving judgment.

Doeg,   דּוֹאֵג   *Douaig*, sorrowful.

Dor,   דּוֹר   *Dour*, a generation (a province).

Dothan,   דֹּתָן   *Douthon*, judgment, law.

Dura,   דּוּרָא   *Dooro* (Syriac), a habitation, name of a place. (Dan. iii. 1.)

E

Ebal,   עֵיבָל   *Aivol*, a heap of ruins (a mount).

Ebed,   עֶבֶד   *Eved*, a servant.

Ebed-melech,   עֶבֶד־מֶלֶךְ   *Eved-melekh*, a servant of a king.

Eben-ezer,   אֶבֶן עֵזֶר   *Even aizer*, the stone of help.

Eber,   עֵבֶר   *Aiver*, a passer over.

Ebiasaph,   אֲבִיאָסָף   *Aveeosoph*, the father that gathereth together.

Ed,   עֵד   *Aid*, a witness. (Josh. xxii. 34.)

Eden,   עֵדֶן   *Aiden*, pleasure, delight.

Edom,   אֱדוֹם   *Edoum*, red.

Edrei,   אֶדְרֶעִי   *Edrēee*, a valley for a flock.

Eglah,   עֶגְלָה   *Egloh*, a heifer.

Eglaim,   אֶגְלַיִם   *Eglayim*, drops of dew.

Eglon,   עֶגְלוֹן   *Egloun*, a strong heifer.

Egypt,   מִצְרַיִם   *Mitsrayim*, oppressors (Egypt).

Egyptian,   מִצְרִי   *Mitsree*, an oppressor, an Egyptian.

Ehud,   אֵהוּד   *Aihood*, he that praises.

Ekron,   עֶקְרוֹן   *Ekroun*, a rooter out.

Elah,   אֵלָה   *Ailoh*, an oak tree, the denunciation of a curse.

Elom,   עֵילָם   *Ailom*, a lad.

Elath,   אֵילַת   *Ailath*, an oak tree, an imprecation.

El-bethel,   אֵל בֵּית־אֵל   *Ail baith-ail*, the God of the house of God.

Eldad,   אֶלְדָּד   *Eldod*, the love of God.

Elealeh, אֶלְעָלֵא *Elolai*, the ascension of God.

Eleazar, אֶלְעָזָר *Elozor*, the help of God.

El-elohe, אֵל אֱלֹהֵי *Ail Elouhai*, God of Gods.

Elhanan, אֶלְחָנָן *Elkhonon*, God was gracious.

Eli, עֵלִי *Ailee*, my ascension.

Eliab, אֱלִיאָב *Eleeov*, God my father.

Eliada, אֶלְיָדָע *Elyodo*, God knows.

Eliakim, אֶלְיָקִים *Elyokeem*, God will raise up.

Eliam, אֱלִיעָם *Eleeom*, the people of my God.

Eliashib, אֶלְיָשִׁיב *Elyosheev*, God will restore.

Eliezer, אֱלִיעֶזֶר *Eleeēzer*, God of my help.

Elihoreph, אֱלִיחֹרֶף *Eleekhoureph*, the God of winter.

Elihu, אֱלִיהוּ *Eleehoo*, he is my God.

Elijah, אֵלִיָּהוּ *Ailiyohoo*, the Lord God.

Elim, אֵילִם *Ailim*, the strong.

Elimelech, אֱלִימֶלֶךְ *Eleemelekh*, my God the King.

Eliphalet, אֱלִיפָלֶט *Eleepholet*, the God of deliverance. (2 Sam. v. 16.)

Eliphaz, אֱלִיפַז *Eleephoz*, my precious God.

Elisha, אֱלִישָׁע *Eleesho*, God of salvation.

Elishah, אֱלִישָׁה *Eleeshoh*, neglected of God. (Ezek. xxvii. 7.)

Elishama, אֱלִישָׁמָע *Eleeshomo*, my God will hear.

Elisheba, אֱלִישֶׁבַע *Eleesheva*, my God has sworn.

Elishua, אֱלִישׁוּעַ *Eleeshooa*, the God of affluence.

Elizur, אֱלִיצוּר *Eleetsoor*, God is my rock.

Elkanah, אֶלְקָנָה *Elkonoh*, God has purchased.

Elnathan, אֶלְנָתָן *Elnothon*, God has given.

Elon, אֵילוֹן *Ailoun*, an oak tree.

Elul, אֱלוּל *Elool*, a vain thing, the sixth month in the year.

Emims, אֵימִים *Aimeem*, the fearful.

En-dor, עֵין־דּוֹר *Ain-dour*, the eye of a generation.

En-eglaim, עֵין עֶגְלַיִם *Ain eglayim*, the eye of a heifer (an idol).

En-gedi, עֵין־גְּדִי *Ain-gedee*, the eye of a kid (an idol).

En-mishpat, עֵין מִשְׁפָּט *Ain mishpot*, the eye of judgment.

Enoch, חֲנוֹךְ *Khanoukh*, consecrated.

Enos, אֱנוֹשׁ *Enoush*, feeble, mortal.

En-rogel, עֵין־רֹגֵל *Ain-rougail*, the eye of slander. (2 Sam. xvii. 17; 1 Kings i. 9.)

Ephah, אֵיפָה *Aiphoh*, a measure.

Ephes-dammim, אֶפֶס־דַּמִּים *Ephes-dammeem*, nothing but blood.

Ephraim, אֶפְרַיִם *Ephrayim*, ashes.

Ephratah, אֶפְרָתָה *Ephrothoh*, } fruitful.
Ephrath, אֶפְרָת *Ephroth*, }

Ephron, עֶפְרוֹן *Ephroun*, full of dust.

Esar-haddon, אֵסַר־חַדֹּן *Aisar-khaddoun* (Chaldee), a restrainer of joy.

Esau, עֵשָׂו *Aisov*, an active person.

Esek, עֵשֶׁק *Aishek*, oppression.

Eshcol, אֶשְׁכּוֹל *Eshkoul*, a cluster of grapes.

Esther, אֶסְתֵּר *Estair*, she that is hidden.

Etam, עֵיטָם *Aitom*, }
Etham, אֵתָם *Aithom*, } strength.
Ethan, אֵיתָן *Aithon*, }

Ethiopia, כּוּשׁ *Koosh*, blackness.

Eve, חַוָּה *Khavvoh*, living.

Evil-merodach, אֱוִיל מְרֹדַךְ *Eveel meroudakh* (Chaldee), a rebellious fool.

Euphrates, פְּרָת *Pheroth*, fruitful.

Ezekiel, יְחֶזְקֵאל *Yekhezkail*, God will strengthen.

Ezel, אָזֶל *Ozel*, running. (1 Sam. xx. 19.)

Ezion-geber, עֶצְיוֹן גֶּבֶר *Etsyoun gever*, strong wood for the use of men.

Ezra, עֶזְרָא *Ezro* (Chaldee), help, assistance.

G

Gaal,	בַּעַל	Gaal, an abhorrence. (Judg. ix. 41.)
Gabriel,	גַבְרִיאֵל	Garreeail, God my strength.
Gad,	גָד	God, a troop.
Galbaneem,	חֶלְבְּנָה	Khelbenoh, a strong perfume.
Galeed,	גַלְעֵד	Galaid, a heap of testimony, witness.
Galilee,	גָלִילָה	Goleeloh, a revolution.
Gallim,	גַלִים	Galleem, heaps.
Gath,	גַת	Gath, a wine-press.
Gaza,	עַזָּה	Azzoh, strong.
Geba,	גֶבַע	Geva, a drinking cup.
Gebal,	גְבָל	Gevol, a border.
Gebim,	גֵבִים	Gaiveem, grasshoppers.
Gedaliah,	גְדַלְיָה	Gedalyoh, brought up by God.
Gehazi,	גֵחֲזִי	Gaikhazee, the valley of sight.
Gemariah,	גְמַרְיָה	Gemaryoh, God has finished.
Gera,	גֵרָא	Gairo, excitement.
Gerah,	גֵרָה	Gairoh, the twentieth part of a shekel, a piece, bit.
Gerar,	גְרָר	Geror, an annoyance.
Gerizim,	גְרִזִים	Gerizzeem, divisions.
Gershom,	גֵרְשֹׁם	Gairshoum, a sojourner there.
Gershon,	גֵרְשׁוֹן	Gairshoun, driven out.
Geshur,	גְשׁוּר	Geshoor, a bridge.
Giah,	גִיחַ	Geeakh, to draw out, extend. (2 Sam. ii. 24.)
Gibeah,	גִבְעָה	Givoh, a hill.
Gibeon,	גִבְעוֹן	Givoun, a dweller on a hill.
Gideon,	גִדְעוֹן	Gidoun, a hewer down.
Gihon,	גִיחֹן	Geekhoun, extension (a river).
Gilboa,	גִלְבֹּעַ	Gilboua, a flow of joy.
Gilead,	גִלְעָד	Gilod, a heap of testimony, a witness.
Gilgal,	גִלְגָל	Gilgol, a wheel.

Giloh,	גִּלֹה	Gilouh, his joy. (2 Sam. xv. 12.)
Girgashite,	גִּרְגָּשִׁי	Girgoshee, driven out.
Gittite,	גִּתִּי	Gittee, a wine-presser, a Gittite.
Gob,	גֹב	Gouv, the back. (2 Sam. xxi. 18.)
Gog,	גּוֹג	Goug, a roof.
Goliath,	גָלְיַת	Golyath, taken captive.
Gomer,	גֹּמֶר	Goumer, conclusion.
Gomorrah,	עֲמֹרָה	Ammouroh, a rebellious people.
Goshen,	גֹּשֶׁן	Goushen, approaching.
Gozan,	גּוֹזָן	Gouzon, a fleece.
Grecia, Greece,	יָוָן	Yovon, a defrauder, Greece.
Grecians,	יְוָנִים	Yevoneem, defrauders, Grecians.
Gur,	גּוּר	Goor, to sojourn. (2 Kings ix. 27.)

H

Habakkuk,	חֲבַקּוּק	Khavakkook, an embracer.
Hachilah,	חֲכִילָה	Khakheeloh, wait for her.
Hadad,	הֲדַד	Hadad, a shout for joy.
Hadadezer,	הֲדַדְעֶזֶר	Hadadezer, a shout for help.
Hadadrimon,	הֲדַדְרִמּוֹן	Hadadrimoun, great shouting. (Zech. xii. 11.)
Hadassah,	הֲדַסָּה	Hadassoh, a myrtle.
Hadoram,	הֲדוֹרָם	Hadourom, their glory.
Hadrach,	הֲדְרָךְ	Hadrokh (Chaldee), a gentle voice (a province).
Hagar,	הָגָר	Hogor, the sojourner.
Hagarenes,	הַגְרִים	Hagreem, sojourners.
Hagarites,	הַגְרִאִים	Hagrieem, sojourners.
Haggai,	חַגַּי	Khaggae, my solemn feast.
Haggith,	חַגִּית	Khaggeeth, a solemnity.
Halleluiah,	הַלְלוּיָה	Haleloo-yoh, praise ye the Lord.
Ham,	חָם	Khom, hot.
Haman,	הָמָן	Homon, a rioter.
Hamath,	חֲמָת	Khamoth, furious.
Hammedatha,	הַמְּדָרָא	Hammedotho (Chaldee), the opposer of justice, law.

Hamon-gog, הֲמוֹן־גּוֹג *Hammoun-goug*, a crowd upon the roof.

Hamor, חֲמוֹר *Khamour*, an ass.

Hanameel, חֲנַמְאֵל *Khanamail*, the grace of God.

Hananeel, חֲנַנְאֵל *Khananail*, God was gracious.

Hanani, חֲנָנִי *Khanonee*, gracious to me.

Hananiah, חֲנַנְיָה *Khananeyoh*, the grace of God.

Hannah, חַנָּה *Khannoh* (fem.), bestowed.

Hanock, חֲנוֹךְ *Khanoukh*, consecrated.

Hanum, חָנוּן *Khonoon*(masc.),bestowed.

Haran (a man), הָרָן *Horon*, mountainous.

Haran (a place), חָרָן *Khoron*, grievous.

Harbonah, חַרְבוֹנָא *Kharvouno* (Chaldee), a destroyer.

Harod, חֲרֹד *Kharoud*, trembling. (Judg. vii. 1.)

Harosheth, חֲרֹשֶׁת *Kharousheth*, a ploughed field. (Judg.iv.2,13,16.)

Havilah, חֲוִילָה *Khaveeloh*,to declare to her.

Hazael, חֲזָאֵל *Khazoail*, God seeth.

Hazor, חָצוֹר *Khotsour*, a court.

Heber, חֶבֶר *Khever*, a companion.

Hebrew, עִבְרִי *Ivree* (masc.), from the other side, passer over.

Hebrewess, עִבְרִיָה *Ivriyoh* (fem.), from the other side, passer over.

Hebrews, עִבְרִים *Ivreem*, from the other side, passers over.

Hebron, חֶבְרוֹן *Khevroun*, associating, joining together.

Hegai, הֵגַי *Haigae*, a speaker.

Helam, חֵילָם *Khailom*, their strength. (2 Sam. x. 16.)

Heldai, חֶלְדָּי *Kheldee*, my endurance.

Helkath-hazzurim, חֶלְקַת הַצֻּרִים *Khelkath hatsureem*, the portion of the rocks. (2 Sam. ii. 16.)

Heman, הֵימָן *Haimon*, the south.

Hen, חֵן *Khain*, grace. (Zech. vi. 14.)

Hephzi-bah, חֶפְצִי־בָהּ *Khephtsee-boh*, my delight in her.

Hermon, חֶרְמוֹן *Khermoun*, devoted.

Heshbon, חֶשְׁבּוֹן *Kheshboun*, an account.

Heth, חֵת *Khaith*, an annoyance.

Hezekiah, חִזְקִיָהוּ *Khezkiyohoo*, the Lord my strength.

Hezron, חֶצְרוֹן *Khetsroun*, a courtier.

Heddekel, חִדֶּקֶל *Khiddekel*, a sharp voice.

Hiel, חִיאֵל *Kheeail*, God liveth.

Higgaion, הִגָּיוֹן *Higgoyoun*, meditation.

Hilkiah, חִלְקִיָהוּ *Khilkiyohoo*, the Lord my portion.

Hinnom, הִנֹּם *Hinnoum*, behold them (a valley).

Hiram, חִירָם *Kheerom*, exalted in life.

Hittite, חִתִּי *Khittee*, an annoyer, a Hittite.

Hivite, חִוִּי *Khivvee*, a declarer, pronouncer.

Hobab, חוֹבֵב *Khouvaiv*, beloved.

Hophni, חָפְנִי *Khophnee*, a handful.

Hor, חֹר *Khoor* (Chaldee), white, (a mount).

Horeb, חוֹרֵב *Khouraiv*, desolation.

Hormah, חָרְמָה *Khormoh*, excommunication.

Horonaim, חֹרֹנַיִם *Khournayim*, grievous, vexatious.

Hosea, הוֹשֵׁעַ *Houshaia*, causing to save.

Huldah, חֻלְדָּה *Khooldoh*, endurance.

Hur, חוּר *Khoor* (Chaldee), white (man's name).

Hushai, חוּשַׁי *Khooshae*, hasty.

J, I

Jabal, יָבָל *Yovol*, to produce.

Jabbok, יַבֹּק *Yabbouk*, emptying, running out (a river).

Jabesh, יָבֵישׁ *Yovaish*, dry.

Jabez, יַעְבֵּץ *Yaabaits*, sorrow, trouble.

Jabin, יָבִין *Yoveen*, he that understands.

Jachin, יָכִין *Yokheen*, preparea.

Jacob, יַעֲקֹב *Yaakouv*, a detainer.

Jael, יָעֵל *Yoail*, to help, benefit.

Jah,	יָהּ *Yohh*, the name of the Lord, everlasting.	
Jair,	יָאִיר *Yoeer*, shining.	
Jakeh,	יָקֶה *Yokeh*, obedience. (Prov. xxx. 1.)	
Japheth,	יֶפֶת *Yepheth*, beautiful.	
Jareb,	יָרֵב *Yoraiv*, a wrangler.	
Jared,	יֶרֶד *Yored*, descending.	
Jasher,	יָשָׁר *Yoshor*, upright.	
Javan,	יָוָן *Yovvon*, a defrauder.	
Ibhar,	יִבְחָר *Yivkhor*, chosen. (2 Sam. v. 15.)	
Ichabod,	אִי כָבוֹד *Ee khovoud*, where is honour.	
Iddo,	עִדּא *Iddou*, an ornament.	
Idumea,	אֱדוֹם *Edoum*, red.	
Jebus,	יְבוּס *Yevoos*, treading down.	
Jeconiah,	יְכָנְיָה *Yekhonyoh*, established by God.	
Jedidiah,	יְדִידְיָה *Yedeedyoh*, the beloved of God.	
Jeduthun,	יְדוּתוּן *Yedoothoon*, full of love.	
Jegar-sahadutha,	יְגַר שָׂהֲדוּתָא *Yegar sohadootho* (Chaldee), the field of terror.	
Jehoahaz,	יְהוֹאָחָז *Yehouokhoz*, the Lord laid hold of.	
Jehoash,	יְהוֹאָשׁ *Yehouosh*, the substance of the Lord.	
Jehoiada,	יְהוֹיָדָע *Yehouyodo*, he that knows the Lord.	
Jehoiachin,	יְהוֹיָכִין *Yehouyokheen*, the Lord will establish.	
Jehoiakim,	יְהוֹיָקִים *Yehouyokeem*, the Lord will raise up.	
Jehonadab,	יְהוֹנָדָב *Yehounodov*, the Lord willing.	
Jehoram,	יְהוֹרָם *Yehourom*, the Lord celebrated.	
Jehoshaphat,	יְהוֹשָׁפָט *Yehoushophot*, the Lord judge.	
Jehoshua,	יְהוֹשֻׁעַ *Yehoushua*, the Lord saveth.	
Jehovah,	יְהוָֹה *Yehouvoh*, was, is, will be, the Lord God.	

Jehovah-jirah,	יְהוָֹה יִרְאָה *Yehouvoh yireh*, the Lord will see.	
Jehu,	יֵהוּא *Yaihou*, he is.	
Jehudijah,	יְהוּדִיָה *Yehoodiyoh*, praised of the Lord.	
Jemima,	יְמִימָה *Yemeemoh*, daily.	
Jephthah,	יִפְתָּח *Yiphtokh*, he opens.	
Jephunneh,	יְפֻנֶּה *Yephunneh*, regarding.	
Jerahmeel,	יְרַחְמְאֵל *Yerakhmĕail*, God have mercy.	
Jeremiah,	יִרְמְיָהוּ *Yirmiyohoo*, exalted of God.	
Jericho,	יְרִחוֹ *Yeraikhou*, sent (a city).	
Jeroboam,	יָרָבְעָם *Yorovom*, a wrangler among the people.	
Jerubbaal,	יְרֻבַּעַל *Yerubbaal*, a teacher of Baal.	
Jerusalem,	יְרוּשָׁלַם *Yeroosholom*, teaching peace (Jerusalem).	
Jeshimon,	יְשִׁימוֹן *Yesheemoun*, a desolate place.	
Jeshua,	יֵשׁוּעַ *Yaishooa*, being saved. (Ezra ii. 2.)	
Jeshurun,	יְשֻׁרוּן *Yeshuroon*, very upright.	
Jesse,	יִשַׁי *Yishoe*, my existence.	
Jethro,	יִתְרוֹ *Yithrou*, superabundant.	
Jew,	יְהוּדִי *Yehoodee*, my praised.	
Jewry,	יְהוּד *Yehood* (Syriac), praise.	
Jezebel,	אִיזֶבֶל *Eezevel*, where dung.	
Jezreel,	יִזְרְעָאל *Yizrĕél*, the Lord soweth.	
Immanuel,	עִמָּנוּ־אֵל *Immonoo-ail*, God with us.	
India,	הֹדוּ *Houdoo*, praise ye.	
Joab,	יוֹאָב *Youov*, God the father.	
Joah,	יוֹאָח *Youokh*, God a friend.	
Joash,	יוֹאָשׁ *Youosh*, God's existence.	
Job,	אִיּוֹב *Eeyouv*, hated, envied.	
Jochebed,	יוֹכֶבֶד *Youkheved*, honoured of God.	
Joel,	יוֹאֵל *Youail*, a beginner.	
Johanan,	יוֹחָנָן *Youkhonon*, bestowed by the Lord.	
Joktan,	יָקְטָן *Yokton* (Chaldee), insignificant.	
Jonadab,	יוֹנָדָב *Younodov*, the Lord willing.	

Jonah, יוֹנָה *Younoh*, a dove.

Jonathan, יְהוֹנָתָן *Yehounothon*, the Lord giveth.

Joppa, יָפוֹ *Yophou*, beauty.

Joram, יוֹרָם *Yourom*, the Lord exalted.

Jordan, יַרְדֵּן *Yardain*, descending rapidly.

Josedech, יְהוֹצָדָק *Yehoutsodok*, the Lord justifies. (Hag. i. 1.)

Joseph, יוֹסֵף *Yousaiph*, increasing.

Joshua, יְהוֹשֻׁעַ *Yehoushua*, the Lord saveth.

Josiah, יֹאשִׁיָּהוּ *Youshiyohoo*, the spared of God.

Jotham, יוֹתָם *Youthom*, the integrity of God.

Ira, עִירָא *Eero*, a city. (2 Sam. xx. 26.)

Irad, עִירָד *Eerod*, a descent to a valley.

Irijah, יִרְאִיָּה *Yiriyoh*, my fear of the Lord. (Jer. xxxvii. 13.)

Isaac, יִצְחָק *Yitskhok*, he laughs.

Isaiah, יְשַׁעְיָהוּ *Yeshayohoo*, the salvation of the Lord.

Iscah, יִסְכָּה *Yiskoh*, sheltered, protected. (Gen. xi. 29.)

Ishbak, יִשְׁבָּק *Yishbok* (Chaldee), forsaken. (Gen. xxv. 2.)

Ishbi-benob, יִשְׁבִּי בְנֹב *Yishbee venouv*, a dweller in Nob. (2 Sam. xxi. 16.)

Ish-bosheth, אִישׁ־בֹּשֶׁת *Eesh-bousheth*, a man of shame.

Ishmael, יִשְׁמָעֵאל *Yishmoail*, the Lord heareth.

Israel, יִשְׂרָאֵל *Yisroail*, God will rule.

Issachar, יִשָּׂשכָר *Yisoskhor*, rewarded, hired.

Ithamar, אִיתָמָר *Eethomor*, where a palm-tree.

Ithiel, אִיתִיאֵל *Eetheeail*, the Lord cometh. (Prov. xxx. 1.)

Ivah, עִוָּה *Ivvoh*, perversion. (2 Kings xviii. 34; xix. 13.)

Jubal, יוּבָל *Yoovol*, produced.

Jubilee, יוֹבֵל *Youvail*, productive.

Judah, יְהוּדָה *Yehoodoh*, the Lord be praised.

Judea, יְהוּד *Yehood* (Syriac), praise.

K

Kadesh, קָדֵשׁ *Kodaish*, sanctified.

Kadesh-barnea, קָדֵשׁ בַּרְנֵעַ *Kodaish barnaia*, a moving sanctuary.

Kedar, קֵדָר *Kaidor*, obscurity.

Kemuel, קְמוּאֵל *Kemooail*, risen of God.

Kenaz, קְנַז *Kenaz*, this nest.

Kenites, קֵינִי *Kainee*, my purchase.

Keren-happuch, קֶרֶן הַפּוּךְ *Keren hophookh*, a horn reversed.

Kerioth, קְרִיּוֹת *Keriyouth*, readings.

Keturah, קְטוּרָה *Ketooroh*, the smoke of incense.

Kezia, קְצִיעָה *Ketseeoh*, detached.

Kidron, קִדְרוֹן *Kidroun*, great obscurity.

Kir, קִיר *Keer*, a wall.

Kir-haraseth, בַּקִּיר חֲרָשֶׂת *Bakkeer kharoseth*, the potsherd in the wall. (2 Kings iii. 25.)

Kirjath, קִרְיַת *Kiryath*, a walled city.

Kirjath-arba, קִרְיַת אַרְבַּע *Kiryath arba*, city of four.

Kirjath-jearim, קִרְיַת יְעָרִים *Kiryath yeoreem*, the city of forests.

Kiriathaim, קִרְיָתַיִם *Kiryothoyim*, walled cities.

Kish, קִישׁ *Keesh*, straw, forage.

Kittim, כִּתִּים *Kitteem*, bruisers.

Kohath, קְהָת *Kehoth*, obedient.

Korah, קֹרַח *Kourakh*, bold.

L

Laban, לָבָן *Lovon*, white.

Lachish, לָכִישׁ *Lokheesh*, swiftness (a city).

Laish, לַיִשׁ *Layish*, an old lion.

Lamech, לֶמֶךְ *Lemekh*, reduced.

Lapidoth, לַפִּדוֹת *Lappidouth*, torches, flames.

Leah, לֵאָה *Laioh*, weary, tired.

Lebanon, לְבָנוֹן *Levonoun*, a strong perfume.

Lehi, לְחִי *Lekhee*, a check.

Lemuel, לְמוּאֵל *Lemooail*, with whom God.

Levi, לֵוִי *Laivee*, a companion.

Libnah, לִבְנָה *Livnoh*, a white poplar.

Libya, } פּוּט *Poot*, grazing. (Ezek.
Libyans, }   xxx. 5.)

Lo-ammi, לֹא־עַמִּי *Lou-ammee*, not my people.

Lo-ruhamah, לֹא רֻחָמָה *Lou rukhommoh*, not pitied.

Lot, לוֹט *Lout*, covered.

Lucifer, הֵילֵל *Hailail*, shining. (Isa. xiv. 12.)

Luz, לוּז *Looz*, a filbert.

Lydia, לוּד *Lood*, brought forth. (Ezek. xxx. 5.)

M

Maachah, מַעֲכָה *Maakhoh*, squeezed.

Maaseiah, מַעֲשֵׂיָה *Maasaiyoh*, the work of God.

Machir, מָכִיר *Mokheer*, a seller.

Machpelah, מַכְפֵּלָה *Makhpailoh*, one above another.

Magog, מָגוֹג *Mogoug*, from the top.

Mahalaleel, מַהֲלַלְאֵל *Mahalalail*, the praiser of God.

Mahanaim, מַחֲנַיִם *Makhanoyim*, camps.

Mahar-shalal-hashbaz, לְמַהֵר שָׁלָל חָשׁ בַּז *Lemahair sholol khosh baz*, to hasten the booty and hurry the spoil.

Mahlah, מַחְלָה *Makhaloh*, sick, ill, in pain.

Mahlon, מַחְלוֹן *Makhloun*, painful.

Makkedah, מַקֵּדָה *Makaidoh*, a staff.

Malcham, בְּמַלְכָּם *Bemalkom*, by their king. (Zeph. i. 5.)

Mamre, מַמְרֵא *Mamrai* (Chaldee), dignified.

Manasseh, מְנַשֶּׁה *Menassheh*, forgetful.

Maneh, מָנֶה *Moneh*, a coin, present.

Manoah, מָנוֹחַ *Monouakh*, rest.

Mara, מָרָה *Moroh*, bitter. (Ruth i. 20.)

Marah, מָרָה *Moroh*, bitter.

Massah, מַסָּה *Massoh*, temptation.

Mattan, מַתָּן *Matton*, a gift.

Mazzorath, מַזָּרוֹת *Mazorouth*, scattered, dispersed. (Job xxxviii. 32.)

Medad, מֵידָד *Maiddod*, a measurer.

Medan, מְדָן *Medon*, a striver.

Mede -s, מָדַי *Modae*, } my measure.
Media, מָדַי *Modae*, }

Megiddo, מְגִדּוֹ *Megiddou*, his precious.

Megiddon, מְגִדּוֹן *Megiddoun*, his precious.

Mehujael, מְחוּיָאֵל *Mekhooyoail*, blotted out by God.

Melchizedek, מַלְכִּי צֶדֶק *Malkee tsedek*, my king of righteousness (a city).

Memphis, מֹף *Mouph*, waving to and fro.

Menahem, מְנַחֵם *Menakhaim*, a comforter.

Mene, מְנֵא *Menai* } (Syriac), count.
Mene, מְנֵא *Menai* } count. (Dan. v. 25.)

Mephibosheth, מְפִיבֹשֶׁת *Mippeevousheth*, from my mouth shame.

Merab, מֵרַב *Mairav*, a disputer.

Merari, מְרָרִי *Meroree*, bitterness.

Meribah, מְרִיבָה *Mereevoh*, contention.

Merodach, מְרֹדַךְ *Meroudakh* (Persian), pounded myrrh.

Merom, מֵרוֹם *Mairoum*, exalted.

Meroz, מֵרוֹז *Mairouz*, of leanness.

Meshech, מֶשֶׁךְ *Meshekh* (Chaldee), durability.

Mesopotamia, אֲרַם נַהֲרַיִם *Aram naharayim*, Aram of the rivers.

Messiah, מָשִׁיחַ *Mosheeakh*, the Anointed

Metheg-ammah, מֶתֶג אַמָּה *Metheg ammoh*, a bridle a cubit length.

Methusael, מְתוּשָׁאֵל *Methooshoail*, asking for death.

Methuselah, מְתוּשֶׁלַח *Methooshelakh*, messenger of death.

Micah, מִיכָה *Meekhoh*, who is thus?

Micaiah, מִיכָיְהוּ *Meekhiyohoo*, who is as the Lord?

Michael, מִיכָאֵל *Meekhoail*, who is like God?

Michal, מִיכַל *Meekhal*, who is all?

Michmash, מִכְמָשׁ *Mikhmosh*, he that is removed. (1 Sam. xiii. 2.)

Midian, מִדְיָן *Midyon*, a contender.

Migron, מִגְרוֹן *Migroun*, a threshing-floor.

Milcah, מִלְכָּה *Milkoh*, a queen.

Milcom, מִלְכֹּם *Milkoum*, their king.

Millo, מִלּוֹא *Millou*, filled.

Minni, מִנִּי *Minnee*, from me.

Minnith, מִנִּית *Minneeth*, from her.

Miriam, מִרְיָם *Miryom*, celebrated.

Mishael, מִישָׁאֵל *Meeshoail*, who asks.

Mithrephoth-maim, מִשְׂרְפוֹת מַיִם *Misrephouth mayim*, the burning upon the waters.

Mizar, מִצְעָר *Mitsor*, small, diminutive, young.

Mizpeh, מִצְפֶּה *Mitspoh*, a watch tower.

Mizraim, מִצְרַיִם *Mitsrayim*, oppressors.

Moab, מוֹאָב *Mouov*, of the Father.

Molech, מֹלֶךְ *Moulekh*, governing (an idol).

Mordecai, מָרְדְּכַי *Mordekhae*, bitterly reduced.

Moriah, מוֹרִיָה *Mouriyoh*, instruction of God.

Moses, מֹשֶׁה *Mousheh*, drawn out.

N

Naaman, נַעֲמָן *Naamon*, pleasant.

Naashon, נַחְשׁוֹן *Nakhashoun*, an enchanter.

Nabal, נָבָל *Novol*, a fool.

Naboth, נָבוֹת *Novouth*, productive.

Nadab, נָדָב *Nodov*, liberal.

Nahash, נָחָשׁ *Nokhosh*, a serpent.

Nahor, נָחוֹר *Nokhour*, inflamed, heated.

Nahum, נַחוּם *Nokhoom*, comforted.

Naioth, נְוָיֹת *Nevoyouth*, dwellings.

Naomi, נָעֳמִי *Noomee*, pleasant.

Naphtali, נַפְתָּלִי *Naphtolee*, a struggler.

Nathan, נָתָן *Nothon*, given.

Nathan-melech, נְתַן־מֶלֶךְ *Nethan-melekh*, the gift of a king. (2 Kings xxiii. 11.)

Nebaioth, נְבָיוֹת *Nevoyouth*, productive.

Nebat, נְבָט *Nevot*, an investigator.

Nebo, נְבוֹ *Nevou*, fertile.

Nebuchadnezzar, נְבוּכַדְנֶאצַּר *Nevookhadnetsar* (Chaldee), an entangled adversary.

Nebuchadrezzar, נְבוּכַדְרֶאצַּר *Nevookhadretsar* (Chaldee), an entangled adversary.

Nebuzar-adan, נְבוּזַרְאֲדָן *Nevoozaradon* (Chaldee), winnowing over the threshhold.

Necho, נְכוֹ *Nekhou*, beaten.

Nehemiah, נְחֶמְיָה *Nekhemyoh*, the comfort of God.

Nehushtan, נְחֻשְׁתָּן *Nekhushton*, enchanted.

Ner, נֵר *Nair*, a light.

Nergal, נֵרְגַּל *Nairgol*, a slanderer.

Nethaneel, נְתַנְאֵל *Nethanail*, God gave.

Nethaniah, נְתַנְיָה *Nethanyoh*, the gift of God.

Nethenims, נְתִינִים *Netheeneem*, appointed.

Nimrod, נִמְרוֹד *Nimroud*, a rebel.

Nimshi, נִמְשִׁי *Nimshee*, woven.

Ninevah, נִינְוֵה *Neenvaih*, a place of habitation.

Nisan, נִיסָן *Neeson*, the first month (an idol).

Nisroch, נִסְרֹךְ *Nisroukh*, a superintendent. (2 Kings xix. 37; Isa. xxxvii. 38.)

No, נֹא *Nou*, handsome.

Noah, נֹחַ *Nouakh*, a comforter.

Nob, נוֹב *Nouv*, fertile.

Nod, נוֹד *Noud*, wandering.

Noph, נֹף *Nouph*, to wave.

Nun, נוּן *Noon*, a fish.

O

Obadiah, עוֹבַדְיָה *Ouvadyoh*, a servant of God.

Obed, עוֹבֵד *Ouvaid*, serving.

Obed-edom, עֹבֵד־אֱדוֹם *Ouvaid edoum*, serving Edom.

Oded,	עוֹדֵד	*Oudaid*, a sustainer.
Og,	עוֹג	*Oug*, a cake.
Omri,	עָמְרִי	*Omree*, a sheaf.
On,	אוֹן	*Oun*, strength.
Ophel,	עֹפֶל	*Ouphel*, impregnable.
Ophir,	אוֹפִיר	*Oupheer*, precious.
Oreb,	עוֹרֵב	*Ouraiv*, a raven.
Orion,	כְּסִיל	*Kheseel*, a fool.
Ornan,	אָרְנָן	*Ornon*, an ark.
Orpah,	עָרְפָּה	*Orpoh*, hardened.
Othniel,	עָתְנִיאֵל	*Othneeail*, my season of God.

P

Padan-aram,	פַּדַּן אֲרָם	*Padan arom* (Chaldee), the ransom of Syria.
Pagiel,	פַּגְעִיאֵל	*Pageeail*, praying to God.
Palestina,	פְּלֶשֶׁת	*Pelosheth*, rolled in dust, Philistia. (Exod. xv. 14.)
Paran,	פָּארָן	*Poron*, fruitful.
Parbar,	פַּרְבָּר	*Parbar*, fertile in corn. (1 Chron. xxvi. 18.)
Pashur,	פַּשְׁחוּר	*Pashkhoor*, spreading over a hole.
Pathros,	פַּתְרוֹס	*Pathrous*, a sprinkled, variegated piece.
Pekah,	פֶּקַח	*Pekakh*, a keen observer.
Pelatiah,	פְּלַטְיָה	*Pelatyoh*, God my deliverer.
Peleg,	פֶּלֶג	*Peleg*, division.
Peniel,	פְּנִיאֵל	*Peneeail*, my turning to God.
Peor,	פְּעוֹר	*Peour*, a gaper.
Perizzite,	פְּרִזִּי	*Perizzee*, open, unwalled.
Persia,	פָּרַס	*Poras*, divided.
Pethuel,	פְּתוּאֵל	*Pethooail*, persuaded by God.
Pharaoh,	פַּרְעֹה	*Parouh*, a curtailer.
Pharez,	פֶּרֶץ	*Peretz*, a breach.
Phicol,	פִּיכֹל	*Pheekhoul*, the mouth of all.
Philistia,	פְּלֶשֶׁת	*Phelesheth*, rolled in dust.
Philistim,	פְּלִשְׁתִּים	*Pelishteem*, Philistines, rolled in dust. (Gen. x. 14.)

Philistine,	פְּלִשְׁתִּי	*Pelishtee*, a Philistine.
Phineas,	פִּנְחָס	*Pinkhos*, a face of trust.
Phurah,	פֻּרָה	*Phuroh*, a wine-press.
Pi-hahiroth,	פִּי הַחִירוֹת	*Pee hakheerouth*, the passage through the mountains. (Exod. xiv. 2.)
Pisgah,	פִּסְגָּה	*Pisgoh*, conspicuous.
Pison,	פִּישׁוֹן	*Peeshoun*, spread abroad.
Potiphar,	פּוֹטִיפַר	*Pouteephar*, a fat bull.
Poti-pherah,	פּוֹטִי־פֶרַע	*Poutee-phera*, shortening the fat.
Pul,	פּוּל	*Pool*, a bean.
Pur,	פּוּר	*Poor* (Chaldee), a lot.
Purim,	פּוּרִים	*Pooreem* (Chaldee), lots.

R

Raamah,	רַעֲמָה	*Raamoh*, thundering.
Rabbah,	רַבָּה	*Rabboh*, great.
Rabsaris,	רַב סָרִיס	*Rav sorees*, the head chamberlain.
Rab-shakeh,	רַבְשָׁקֵה	*Rav-shokaih*, the head butler.
Rachel,	רָחֵל	*Rokhail*, a sheep.
Raguel,	רְעוּאֵל	*Reoooail*, a friend of God.
Rahab,	רָחָב	*Rokhov*, a wide place.
Ram,	רָם	*Rom*, high, exalted.
Ramah,	רָמָה	*Romoh*, cast down.
Rameses,	רַעֲמְסֵס	*Raamsais*, dissolving evil.
Ramoth,	רָאמֹת	*Romouth*, height.
Rebekah,	רִבְקָה	*Rivkoh*, fattened.
Rechab,	רֵכָב	*Raikhov*, a rider.
Rehob,	רְחוֹב	*Rekhouv*, a wide street.
Rehoboam,	רְחַבְעָם	*Rekhovom*, spread among the people.
Rehoboth,	רְחֹבֹת	*Rekhouvouth*, wide streets. (Gen. x. 11.)
Rehum,	רְחוּם	*Rekhoom*, pitied. (Ezra ii. 2.)
Remaliah,	רְמַלְיָהוּ	*Remalyohoo*, exalting himself above God.
Rephaim,	רְפָאִים	*Rephoeem*, healing.
Rephidim,	רְפִידִים	*Repheedeem*, joiners, solderers.
Reu,	רְעוּ	*Reoo*, a friend.
Reuben,	רְאוּבֵן	*Reoovain*, behold a son.

Reumah,	רְאוּמָה	*Reoomoh,* behold, what.
Rezin,	רְצִין	*Retseen,* a fugitive.
Rimmon,	רִמּוֹן	*Rimmoun,* a pomegranate.
Riphath,	רִיפַת	*Reephath,* a stable.
Rizpah,	רִצְפָּה	*Ritspoh,* pavement.
Rosh,	רֹאשׁ	*Roush,* the head.
Ruhamah,	רֻחָמָה	*Rukhomoh,* having obtained mercy.
Ruth,	רוּת	*Rooth,* trembling.

S

Sabeans,	שְׁבָא	*Shevo,* captive. (Job i. 15.)
Sabeans,	סְבָאִים	*Sevoeem,* drunkards.
Salathiel,	שְׁאַלְתִּיאֵל	*Shealteeail,* I have asked God.
Salem,	שָׁלֵם	*Sholaim,* peace.
Salmon,	שַׂלְמֹה	*Sheloumouh,* his peace.
Samaria,	שֹׁמְרוֹן	*Shoumroun,* a place of watching.
Samson,	שִׁמְשׁוֹן	*Shimshoun,* a perfect servant.
Samuel,	שְׁמוּאֵל	*Shemooail,* his name by God.
Sanballat,	סַנְבַלַּט	*Sanvelat* (Chaldee), a hidden branch.
Saphir,	שָׁפִיר	*Shopheer,* beautiful. (Mic. i. 11.)
Sarah,	שָׂרָה	*Soroh,* a ruler.
Sarai,	שָׂרַי	*Sorae,* my ruler. שָׂרַךְ ?
Satan,	שָׂטָן	*Soton,* an adversary. 7
Saul,	שָׁאוּל	*Shōool,* required.
Seba,	סְבָא	*Sevo,* a drunkard.
Seir,	שֵׂעִיר	*Saieer,* rough, hairy.
Sennacherib,	סַנְחֵרִב	*Sankherev* (Chaldee), a destructive branch.
Sepharvaim,	סְפַרְוַיִם	*Sepharvayim,* Scribes.
Seraiah,	שְׂרָיָה	*Seroyoh,* ruling with God.
Serug,	שְׂרוּג	*Seroog,* interwoven.
Seth,	שֵׁת	*Shaith,* to replace.
Shadrach,	שַׁדְרַךְ	*Shadrakh,* a tender breast.
Shalim,	שַׁעֲלִים	*Shaaleem,* foxes.
Shalisha,	שָׁלִשָׁה	*Sholishoh,* treble. (1 Sam. ix. 4.)

Shallum,	שַׁלֻּם	*Shallum,* rewarded.
Shalman,	שַׁלְמַן	*Shalman,* a rewarder.
Shalmanezer,	שַׁלְמַנְאֶסַר	*Shalmanessar,* a withholder of rewards.
Shamgar,	שַׁמְגַר	*Shamgar,* here a stranger. (Judg. v. 6.)
Shaphan,	שָׁפָן	*Shophon,* a coney.
Sharezer,	שַׂרְאֶצֶר	*Sharetser,* ruler of the treasury.
Sharon,	שָׁרוֹן	*Shoroun,* a place for singing.
Shealtiel,	שְׁאַלְתִּיאֵל	*Shealteeail,* I have asked God.
Shear-jashub,	שְׁאָר יָשׁוּב	*Shĕar yoshoov,* the remnant shall return.
Sheba,	שְׁבָא	*Shevo,* captive.
Shebna,	שֶׁבְנָא	*Shevno,* dwell here.
Shechem,	שְׁכֶם	*Shekhem,* a shoulder.
Shelah,	שֵׁלָה	*Shailoh,* a descendant.
Shelumiel,	שְׁלֻמִיאֵל	*Sheloomeeail,* God my reward.
Shem,	שֵׁם	*Shaim,* a name.
Sheminith,	שְׁמִינִית	*Shemeeneeth,* a musical instrument with eight strings.
Shenir,	שְׂנִיר	*Sheneer,* the fallow ground.
Sheshach,	שֵׁשַׁךְ	*Shaishakh,* a stopper of the way.
Sheshbazzar,	שֵׁשְׁבַּצַּר	*Shaishbatsar,* rejoicing in distress.
Shibboleth,	שִׁבֹּלֶת	*Shibbouleth,* reedy, rushy.
Shiggaion,	שִׁגָּיוֹן	*Shiggoyoun,* inadvertency.
Shiloh,	שִׁילֹה	*Sheelouh,* his descendant.
Shiloah,	שִׁלֹחַ	*Shilouakh,* sending forth.
Shimei,	שִׁמְעִי	*Shimee,* my listener.
Shinar,	שִׁנְעָר	*Shinor,* a shaken tooth.
Shishak,	שִׁישַׁק	*Sheeshak,* a waterer.
Shittim,	שִׁטִּים	*Shitteem,* promoters of error.
Shuah,	שׁוּעַ	*Shooa,* affluence.
Shual,	שׁוּעָל	*Shoool,* a fox.
Shulamite,	שׁוּלַמִּית	*Shoolammeeth,* the rewarded.
Shunem,	שׁוּנֵם	*Shoonaim,* their sleep.
Shur,	שׁוּר	*Shoor,* a watcher.

Shushan, שׁוּשַׁן *Shooshan*, a rose.

Sidon, צִידוֹן *Tseedoun*, a place for hunting.

Sigionoth, שִׁגְּיֹנוֹת *Shiggeyounouth*, inadvertencies.

Sihon, סִיחוֹן *Seekhoun*, self-possession.

Sihor, שִׁיחוֹר *Sheekhour*, dark.

Siloam, שֶׁלַח *Shelakh*, a dart.

Simeon, שִׁמְעוֹן *Shimoun*, an obeyer.

Sin, סִין *Seen*, a bush.

Sinai, סִינַי *Seenae*, my bushes.

Sion, שִׂיאָן *Seeoun*, tumult, noise.

Sirion, שִׂרְיֹן *Shiryoun*, a helmet.

Sisera, סִיסְרָא *Seesro*, fond of a horse.

Sivan, סִיוָן *Seevon*, the third month.

So, סוֹא *Sou*, a dry measure.

Sodom, סְדוֹם *Sedoum*, their secret.

Solomon, שְׁלֹמֹה *Sheloumouh*, his peace.

Sorek, שׂוֹרֵק *Shouraik*, hissing.

Succoth, סֻכּוֹת *Sukkouth*, booths, tabernacles.

Succoth-benoth, סֻכּוֹת בְּנוֹת *Sukkouth benouth*, the tabernacles built.

Syria, אֲרָם *Arom*, Syria.

Syriac, אֲרַמִּית *Arammeeth*, Syriac.

T

Tabeal, טָבְאַל *Tavail*, the goodness of God. (Isa. vii. 6.)

Taberah, הַבְעֵרָה *Tavairoh*, a burning.

Tabor, תָּבוֹר *Tovour*, purity.

Tadmor, תַּדְמֹר *Tadmour*, a bitter substance.

Talmai, תַּלְמַי *Talmae*, furrows, ridges.

Tamar, תָּמָר *Tomor*, a palm-tree.

Tammuz, תַּמּוּז *Tammooz*, the fourth month.

Tarshish, תַּרְשִׁישׁ *Tarsheesh*, a beryl, topaz.

Tekel, תְּקֵל *Tekail* (Chaldee), weigh. (Dan. v. 25.)

Tekoa, תְּקוֹעַ *Tekoua*, blowing a trumpet.

Teman, תֵּימָן *Taimon*, the south.

Terah, תֶּרַח *Terakh* (Chaldee), to scent.

Teraphim, תְּרָפִים *Teropheem*, images, avoidances.

Thebez, תֵּבֵץ *Taivaits*, mire, clay.

Tibni, תִבְנִי *Thivnee*, my straw. (1 Kings xvi. 21.)

Tidal, תִּדְעָל *Taidol*, easing the yoke.

Tiglath-pileser, תִּגְלַת פְּלָאֶסֶר *Tiglath pileser*, the captivity of, a wrangler.

Timnath, תִּמְנָת *Timnoth*, a portion, gift.

Tirshatha, תִּרְשָׁתָא *Tirshotho* (Chaldee), a driver out.

Tirzah, תִּרְצָה *Tirtsoh*, she is willing, liberal.

Tishbite, תִּשְׁבִּי *Tishbee*, a captive, abiding.

Tob, טוֹב *Touv*, good.

Tobiah, טוֹבִיָה *Touviyoh*, God is good.

Togarmah, תּוֹגַרְמָה *Tougarmoh*, a stronghold.

Toi, תֹּעִי *Touee*, erring, straying.

Tophet, תֹּפֶת *Touphet*, detestable.

Tubal, תּוּבָל *Toovol*, brought.

Tubal-cain, תּוּבָל קַיִן *Toovol kayin*, Cain brought.

Tyre, צֹר *Tsour* (Tyre), a bundle tied fast together, a flint.

U

Ucal, אֻכָּל *Ucol*, consumed, overcame (Prov. xxx. 1.)

Ulai, אוּלַי *Ooloe*, peradventure.

Upharsin, וּפַרְסִין *Oopharseen* (Syriac), and divided. (Dan. v. 25.)

Uphaz, אוּפָז *Oophoz*, glittering gold.

Ur, אוּר *Oor*, a light, furnace.

Uri, אוּרִי *Ooree*, my furnace.

Uriah, אוּרִיָה *Ooriyoh*, the Lord my light.

Uriel, אוּרִיאַל *Ooreeail*, God my light.

Urim and Thummim, אוּרִים וְתֻמִּים *Oorec vetummeem*, the perfect light.

Uz, עוּץ *Oots*, counsel.

Uzzah, עֻזָּא *Uzzo*, strength.

Uzziah, עֻזִּיָה *Ooziyoh*, the Lord my strength.

Uzziel, עֻזִּיאֵל *Oozeeail*, God my strength.

Vashni, וַשְׁנִי *Vashnee*, changeable.

Vashti, וַשְׁתִּי *Vashtee*, whilst drinking.

Z

Zabdi, זַבְדִּי *Zabdee*, my endowed.

Zachariah, זְכַרְיָה *Zekharyoh*, remember God.

Zadok, צָדוֹק *Tsodouk*, righteous.

Zair, צָעִיר *Tsoeer*, young, small.

Zalmunna, צַלְמֻנָּע *Tsalmunno*, a moving shadow.

Zamzummims, זַמְזֻמִּים *Zamzummeem*, devisers.

Zaphnath-paaneah, צָפְנַת פַּעְנֵחַ *Tsophnath panaiakh*, the concealed treasure.

Zarephath, צָרְפַת *Tsorphath*, refined.

Zebah, זֶבַח *Zevakh*, a sacrifice.

Zeboim, צְבוֹאִים *Tsevoueem*, dyers.

Zebul, זְבֻל *Zevool*, a habitation.

Zebulun, זְבוּלוּן *Zevooloon*, an inhabitant.

Zedekiah, צִדְקִיָהוּ *Tsidkiyohoo*, my righteous God.

Zeeb, זְאֵב *Zeaiv*, a wolf.

Zelophehad, צְלָפְחָד *Tselophkhod*, anxious for shade.

Zelzah, אֶלְצַח *Tseltsakh*, a distinct shadow. (1 Sam. x. 2.)

Zephaniah, צְפַנְיָה *Tsephanyoh*, concealed of God.

Zephath, צְפַת *Tsephath*, a watchtower.

Zepho, צְפוֹ *Tsephou*, a watcher.

Zerah, זֶרַח *Zerakh*, shining.

Zeresh, זֶרֶשׁ *Zeresh*, thus poor.

Zerubbabel, זְרוּבָּבֶל *Zeroobovel*, the dispersed in Babylon.

Zeruiah, צְרוּיָה *Tserooyoh*, troubled by God.

Ziba, צִיבָא *Tseevo*, a colour.

Zibeon, צִבְעוֹן *Tsivoun*, a dyer.

Zidon, צִידוֹן *Tseedoun*, a place for hunting.

Zif, זִו *Ziv*, the eighth month. (1 Kings vi. 1.)

Ziklag, צִקְלַג *Tsiklag*, a measure of oppression.

Zillah, צִלָּה *Tsilloh*, a shadow.

Zilpah, זִלְפָּה *Zilpoh*, this for the mouth.

Zimran, זִמְרָן *Zimron*, a chanter.

Zimri, זִמְרִי *Zimree*, a chanter.

Zin, צִין *Tseen*, coldness.

Zion, צִיּוֹן *Tsiyoun*, a waymark.

Zippor, צִפּוֹר *Tsippour*, a sparrow, bird.

Zipporah, צִפֹּרָה *Tsippouroh*, a bird.

Zoan, צוֹעַן *Tsouan*, a traveller.

Zoar, צוֹעַר *Tsouar*, the younger.

Zobah, צוֹבָה *Tsouvoh*, a host.

Zophar, צוֹפַר *Tsouphar*, morning (early).

Zur, צוּר *Tsoor*, a rock.

Zuzims, זוּזִים *Zoozzeem*, the posts of a door.

APPENDIX

These Words Were Omitted

Page 16, omitted, Appearance מַרְאֶה *Mareh*, sight, countenance.

Page 24, BACKSLIDING, omitted, שׁוֹבֵבָה *Shouvaivoh*, a captive. (Jer. xlix. 4.)

Page 34, BETTER, read by מ *Mem*, prefixed to the following Subst.

END	ESC

DERISION (Page 108).

1. הֶלֶס *Keles*, derision.
2. לָעֵג *Loag*, to deride.
3. לוּץ *Loots*, (Hiph.) to scorn.
4. לַעַג *Laag*, derision.
5. שָׂחַק *Sokhak*, to laugh.
6. שְׂחוֹק *Sekhouk*, laughter.

5. Job xxx. 1.	6. Jer. xx. 7.
2. Psalm ii. 4.	6. — xlviii. 26, 27, 39.
1. —— xliv. 13.	6. Lam. iii. 14.
2. —— lix. 8.	4. Ezek. xxiii. 32.
4. —— lxxix. 4.	4. —— xxxvi. 4.
3. —— cxix. 51.	4. Hos. vii. 16.

END, Subst. (Page 132.)

1. { קֵצֶה *Kotseh*, קֵץ *Kaits*, סוֹף *Souph*, } an, the end.
2. עַד־נֶצַח *Ad-netsakh*, unto perpetuity?
3. תַּמּוּ חָרָבוֹת לָנֶצַח *Tammoo khorovouth lonetsakh*, have the desolations ended for ever?
4. עֵקֶב *Aikev*, because of that.
5. אַחֲרִית וְתִקְוָה *Akhareeth vetikvoh*, a latter end and expectation.
6. תֹּם *Toum*, the fulness, completion.
7. תָּמַם *Tomam*, to complete, make an end, finish.
8. יָצָא *Yotso*, to go out, forth.
9. מְלֹאת *Melouth*, the full, end.
10. תְּקוּפָה *Tekoophoh*, the revolution of a year.
11. פֵּאָה *Paioh*, a corner, border.

---

12. גָּמַר *Gomar*, to conclude, finish.
13. פֶּה לָפֶּה *Peh lopeh*, mouth to mouth.
14. כָּלָה *Noloh*, to complete.
15. חֲנוֹת הַיּוֹם *Khanouth hayoum*, the close of the day.
16. לְמַעַן *Lemaan*, on account, for the sake.
17. עַד־עוֹלְמֵי עַד *Ad-oulmai ad*, unto everlasting.
18. וְכָל־חָכְמָתָם תִּתְבַּלָּע *Vekhol-khokhmothom tithbalo*, and all their wisdom is swallowed up.
19. אָפֵס *Ophais*, ceased, failed.

All passages not inserted are N°. 1.

8. Exod. xxiii. 16.	3. Psalm ix. 6.
10. —— xxxiv. 22.	7. — cii. 27.
9. Lev. viii. 33,	18. —— cvii. 27.
16. —— xvii. 5.	4. —— cxix. 33, 112.
15. Judg. xix. 9.	19. Isa. xvi. 4.
13. 2 Kings x. 21.	14. — xxxiii. 1.
13. —— xxi. 16.	17. — xlv. 17.
8. 2 Chron. xxi. 19.	6. Jer. i. 3.
10. —— xxiv. 23.	5. — xxix. 11.
13. Ezra ix. 11.	16. Ezek. xxxi. 14.
2. Job xxxiv. 36.	11. —— xli. 12.
12. Psalm vii. 9.	7. Dan. ix. 24.

ESCAPE (Page 135).

1. { מָלַט *Molat*, פָּלַט *Polat*, } to escape from danger
2. וְהִצִּיל עֵינֵנוּ *Vehitseel ainainoo*, and deliver himself from before our eyes.
3. אָבַד מָנוֹס מִנְהֶם *Ovad monous minhom* flight is lost to them

4. עַד אֶעֱבֹור *Ad-ĕĕvour*, whilst I pass over.

5. יָצָא *Yotso*, to go forth.

6. נָצַל *Notsal*, (Niph.) to be delivered.

All passages not inserted are Nº. 1.

2. 2 Sam. xx. 6.	4. Psalm cxli. 10.
3. Job xi. 20.	5. Jer. xi. 11.

ESCAPED.

1. In all passages, except :

6. Deut. xxiii. 15.	5. 1 Sam. xiv. 41.

ESCAPETH -ING.
1. In all passages.

FEMALE.

1. נְקֵבָה *Nekaivoh*, a female.

2. אִשָּׁה *Ishoh*, a woman.

3. עֲקָרָה *Akoroh*, a barren woman.

1. In all passages, except :

2. Gen. vii. 2.	3. Deut. vii. 14.

NOUGHT (Page 284.)

1. לְלֹא *Lelou*, for nought.

2. אָפֵס *Ophais*, ceased, failed.

3. אֵינֶנּוּ *Ainenoo*, not.

4. לְאָוֶן *Lĕōven*, for iniquity.

5. יִבֹּל *Yibboul*, shall wither, fade.

6. בְּלֹא הֹון *Bĕlou houn*, without wealth.

7. חִנָּם *Khinnom*, without cause.

8. תֹהוּ *Touhoo*, void, emptiness.

9. מֵאֶפַע *Maiōpha*, of no value.

10. אֱלִיל *Eleel*, worthless.

11. פּוּר *Poor*, (Hiph.) to make void, annul.

12. פּוּר *Poor*, (Hoph.) to be made void, annulled.

7. Gen. xxix. 15.	8. Isa. xxix. 21.
7. Job i. 9.	2. — xli. 12.
3. — viii. 22.	9. —— 24.
5. — xiv. 18.	8. — xlix. 4.
7. — xxii. 6.	7. — lii. 3, 5.
11. Neh. iv. 15.	10. Jer. xiv. 14.
11. Psalm xxxiii. 10.	4. Amos v. 5.
6. —— xliv. 12.	1. —— vi. 13.
12. Isa. viii. 10.	7. Mal. i. 10.
2. — xxix. 20.